UNE VIE

ELIA KAZAN

UNE VIE

Traduit de l'américain
par

JÉRÔME JACOBS

BERNARD GRASSET
PARIS

L'édition originale de cet ouvrage a été réalisée en 1988
par Alfred A. Knopf, New York, sous le titre :

A L I F E

A Eileen Shanahan.

« POURQUOI es-tu en colère ? »

Ma femme me pose cette question tous les matins, me semble-t-il. D'habitude, c'est au petit déjeuner et mon visage est encore tout fripé.

« Je ne suis pas en colère. J'ai toujours cette tête-là quand je me réveille. »

Je le lui ai répété dix fois. C'est ma troisième femme et je suis heureux avec elle, mais elle n'a toujours pas compris que je n'aime pas parler le matin. C'est dur pour elle, c'est une personne agréable dont la conversation brille de mille feux.

Lorsque je suis assis devant ma machine à écrire, un petit miroir rond me fait face ; il est fixé à un support de fabrication mexicaine, joli mais bancal. Mon visage s'y inscrit parfaitement et parfois, lorsque je travaille, j'étudie mon image. J'ai l'air d'être en colère.

Le fait est que je suis en colère, presque chaque matin. Je me réveille en colère. Mais ce n'est pas une raison.

« Tu ne t'aperçois donc pas que tout le monde a peur de toi ? continue ma femme, d'un ton doux et compatissant. Tu intimides.

— Tu te fous de moi ?

— Demande à tes enfants. Ou aux miens. (Elle m'a apporté deux beaux-enfants blonds, de bons gamins.) Eux aussi te craignent. »

Je ne me débrouille pas mal pour cacher ma colère. Il fallait bien dans mon ancien métier. Mais, depuis peu, le masque commence à craquer. Ces temps-ci, ce qui me met en colère, c'est mon statut de mortel. J'ai soixante-dix-huit ans passés mais je viens de découvrir comment apprécier la vie. D'abord, j'ai cessé de m'inquiéter de ce que les gens pensent de moi – ou du moins j'aime à le croire. Autrefois, je passais le plus clair de mon temps à être un type sympathique pour que les gens m'aiment. Maintenant que je ne suis plus dans le spectacle, ma vraie personnalité a pris le dessus : j'ai un sale caractère.

Je ne le cache plus ; j'arbore en permanence mon air renfrogné. Voilà pourquoi mon sourire, les rares fois où il se manifeste, est si éblouissant. C'est une telle surprise !

... J'essaie d'être drôle.

Parfois, l'image que je vois dans le petit miroir rond me choque. C'est celle de mon père. Je commence à ressembler à l'homme dont j'ai eu peur presque toute ma vie, surtout pendant mon enfance. Je détourne les yeux. Puis je regarde à nouveau. Il est toujours là, et son visage me met encore mal à l'aise.

Mon plus jeune fils, qui n'a eu que vingt-cinq ans pour s'habituer à ma gueule, est plus direct. « Tu en fais une tête ! Tu as un problème ? » m'a-t-il demandé une fois. Quel culot ! Où est le respect pour les parents de nos jours ? J'ai réclamé une explication : « Eh bien, quoi ? Qu'est-ce qu'elle a ma tête ?

— On dirait qu'elle va exploser, que tu t'apprêtes à commettre un crime. »

C'est exactement ce que je pensais de mon vieux.

En fait, ce qui m'inquiète, ce n'est pas de trahir ma fureur intérieure. C'était utile quand j'étais acteur au Group Theatre et que nous montions ces pièces quelque peu révolutionnaires. Ou quand j'interprétais les gangsters. La même expression servait dans les deux cas. Non, c'est un autre regard, qui ne me vient que rarement. Mais quand je l'aperçois, il me déplaît. J'y retrouve l'air sournois de mon père. J'appelle ça le « sourire anatolien », le sourire qui dissimule la rancœur. Et la peur. Je vois de la ruse dans ce sourire. Mon père ne l'utilisait jamais à la maison : là, il était bien lui-même. Non, il le gardait pour les clients. Je le remarquais lorsque je travaillais l'été pour George Kazan et Cie, Tapis et Couvertures d'Orient.

Je ne sais pas d'où vient ce masque – sur moi, j'entends – qui permet de dissimuler tout ce que l'on ressent vraiment. Mais quelle qu'en soit l'origine, je n'en suis pas fier. Je recule et repousse le miroir.

Ce qui me gêne le plus sur mon visage, c'est ce réseau inextricable de rides qui barrent mon front dans tous les sens. Je sais comment elles sont arrivées là. Après ma séparation d'avec ma première femme, Molly, j'étais très malheureux et j'avais pris l'habitude de dormir le visage crispé, ramassé sur lui-même comme un poing. De plus, je grinçais des dents. Mon ami George Sferra, le dentiste, m'en indiqua les risques, aussi fis-je un effort pour maîtriser mes mâchoires et j'y parvins. Mais personne ne m'avait dit que les plis de mon front ne s'en iraient jamais.

Je passe beaucoup de temps à la campagne et j'en suis venu à faire la connaissance du serpent noir. C'est une créature courageuse qui ne demande aucune pitié et ne connaît pas la peur. Face à un adversaire plus gros que lui – moi, en l'occurrence –, il s'écarte, mais juste ce qu'il faut. C'est sa campagne à lui aussi, et s'il se tient enroulé sur lui-même au bord du chemin forestier, c'est qu'il a une bonne raison. J'y détecte une sorte de fierté. J'exagère peut-être notre connivence, mais je la ressens profondément.

Le serpent noir évite l'homme. Nous qui admirons l'aigle charognard, nous méprisons le serpent. S'il ondule sur la route par un après-midi d'automne et s'attarde pour profiter de la chaleur de la mi-journée conservée par le bitume, la voiture suivante, soyez-en sûr, fera un écart rien que pour lui passer dessus. La première leçon qu'un serpent doit garder en mémoire, c'est que l'homme est son ennemi.

Chaque printemps, je découvre une peau abandonnée par un serpent noir, ainsi que l'exige son programme de croissance. Aussi délicate qu'une aile de papillon. Je la prends entre mes doigts, l'élève vers le soleil, admire sa couleur et sa texture. Je m'interroge sur la vie que contenait cette peau. Une telle créature connaît-elle le regret ? L'inquiétude ? La culpabilité ?

Plus tard, quand j'aperçois le serpent habillé de sa nouvelle peau toute luisante, il est – apparemment – plus gros et plus assuré, mais il n'est plus amical. Dans la nature, il reste l'étranger par excellence. Je sais pourtant combien il est vulnérable, je sais qu'en dépit de ses sifflements, de ses contorsions et de sa queue qui fouette l'air, un simple coup de binette sur le dos suffit à l'achever. Je l'ai vu faire et j'ai vu des faucons piquer pour venir s'emparer de jeunes serpents et emporter ces créatures sans défense. Leur aspect menaçant ne les protège pas.

Bon, voilà pour mon air furieux.

J'ai mué plusieurs fois au cours de mon existence ; j'ai vécu plusieurs vies et connu des changements violents et cruels. En général, je ne comprenais qu'après coup ce qui m'était arrivé. Les événements n'avaient de sens pour moi qu'à rebours de leur chronologie.

J'ai connu le regret. Et la culpabilité. La fierté aussi. Ah, ces jours mémorables !

L'écrivain, peut-être davantage que le cinéaste ou le metteur en scène de théâtre, vit sur les impressions et les expériences qu'il a emmagasinées. Ce que nous devons tous apprendre, c'est à ne pas refouler nos sentiments violents mais au contraire à les respecter. Ils constituent notre matériau de base et notre lien avec le reste de l'humanité. Les gens essaient généralement d'oublier la douleur passée, de s'élever au-dessus d'elle. Ils se protègent contre leurs blessures les plus profondes. Les artistes savent qu'ils doivent vivre différemment de leurs voisins et que la douleur fait partie de la règle du jeu. Ce sont nos faiblesses, nos défauts et nos péchés qui nous aident à comprendre les autres êtres vivants. Nous, nous ne détournons pas les yeux quand nous regardons en arrière.

L'ironie, c'est que mon visage a pris son « air » à l'époque où j'avais le plus de succès. A partir du milieu des années 40, tout au long des années 50 et jusqu'au début des années 60 (les deux premières), je fus de tous les metteurs en scène en activité aux États-Unis celui qui avait le plus de succès, mais j'étais en proie à la révolte, contre moi-même. Je n'aimais pas ma personne publique. Je n'étais pas l'homme que je voulais être. Je méprisais mon surnom : « Gadget » ! Je n'étais qu'un petit béni-oui-oui, toujours accommodant, un « bon bougre » qui travaillait dur et suivait toujours les instructions. Cela ne collait pas à ma personnalité, pas du tout.

La publicité autour de moi, constante durant ces années, m'empoisonnait. J'en avais marre de voir mon nom ou ma photo imprimés. Je n'avais que faire des louanges imméritées comme du respect excessif dont on me gratifiait. C'était suffocant. Et cela ne correspondait en rien à ce que je souhaitais. Je dis un jour à mon ami John Steinbeck que je serais ravi de ne plus jamais voir mon nom dans les journaux. Il me répondit de ne pas m'inquiéter ; ça viendrait. C'était l'époque où John était constamment éreinté par la critique. Il me promit que mon tour viendrait. Il vint.

Le 2 janvier 1962, je m'envolai pour Stockholm avec ma femme Molly pour assurer la promotion d'un film que je venais de terminer, *la Fièvre dans le sang*. A cette époque, les grands studios avaient encore du style et dans l'hôtel où nous séjournâmes, la classe des serveurs me donna l'impression que c'était moi qui aurais dû les servir.

Le lendemain de notre arrivée, je reçus un câble de New York m'informant, grâce à un code mis au point à l'avance, que j'avais un nouveau fils d'une femme qui n'était pas la mienne. Je ne me souviens pas d'en avoir été troublé. Je me rendis à une conférence de presse et fis de mon mieux pour promouvoir mon film.

Molly apprécia l'hôtel, la nourriture excellente, le service, le fait que nous soyons seuls ensemble. Elle passait ses après-midi à jouer au solitaire et à donner des instructions pour le nouvel appartement que nous venions d'acheter et que l'on préparait en notre absence. Lorsque tous nos enfants, à l'exception du plus jeune, étaient partis de leur côté, Molly pensait que cet appartement serait notre dernière demeure et le lieu de notre retraite.

Molly, bien sûr, ignorait tout de l'événement survenu récemment dans la ville où l'on mettait les dernières touches à notre appartement, et de ce qui l'avait provoqué. Passé maître dans l'art de la dissimulation, grâce à l'expérience d'une vie entière, j'avais recouvert mes traces à la perfection. Si j'avais si bien réussi dans mon entreprise, c'est parce que je me fichais désormais d'être pris. Ce qui rendait la situation singulière, c'est que je la trouvais tout à fait normale. Je m'étais si bien habitué à mener une double vie que rien ne pouvait ébranler mon indifférence à l'égard du danger qui menaçait et du bouleversement qui risquait de se produire. Je m'étais anesthésié.

J'avais d'autres problèmes, aussi pesants. Quelques mois auparavant, en effet, j'avais accepté d'assurer avec Bob Whitehead les fonctions de metteur en scène et de coproducteur du Théâtre de Répertoire que les gens du Lincoln Center espéraient mettre sur pied : il ferait partie de leur espace culturel sur l'Upper West Side. Presque aussitôt après avoir accepté ce poste, je voulus en être déchargé. Je n'ai jamais eu la bosse de l'administration. Je ne me sens pas plus puissant, plus sage, plus heureux ou plus rassuré assis derrière un bureau. Et je ne voulais pas jouer les substituts paternels auprès d'un troupeau d'acteurs intimidés – même si je les aimais tous individuellement. Pendant quelques semaines, d'accord. A vie ? Non, merci. Et puis il y a très peu de pièces que j'aime et les

« grands classiques » ou les reprises d'anciens succès ne figurent pas sur la liste. J'étais conscient de tout cela mais je combattais mes impressions négatives ; je me disais qu'elles s'apparentaient aux doutes qui assaillent tous les metteurs en scène lorsqu'ils se réveillent, le lendemain du jour où ils ont signé pour une nouvelle pièce, même si elle est bonne.

En vérité, mon instinct se rebellait et je le faisais taire. Je pensais qu'une telle incertitude n'était pas de mise chez un homme entré dans la cinquantaine. Je dis à Molly (elle m'avait poussé car à ses yeux ce poste allait représenter le sommet de ma carrière) qu'elle avait raison. Après tout, ma longue pratique du théâtre me désignait tout à fait pour être le guide d'une troupe d'acteurs professionnels. Ainsi donc, ma raison l'emporta sur mon cœur ; je goûtai la publicité, le pouvoir, j'étais très demandé. J'interprétai à la perfection le rôle de grand seigneur de la vie théâtrale.

Mon travail rencontra une adhésion quasi générale – dans un premier temps. Mais je ne devais pas tarder à m'apercevoir que ceux qui avaient critiqué ma nomination avaient raison. Je n'avais aucune expérience de la mise en scène de pièces classiques, ni aucun goût pour ce genre de théâtre. Confronté à une page de Shakespeare, j'en ressentais la charge émotionnelle, mon sens visuel pouvait faire l'affaire, mais j'avais très peu d'oreille et mon intelligence montrait ses limites. Je n'avais de talent que pour mettre en scène des pièces contemporaines abordant des thèmes contemporains auxquels je pouvais adhérer, avec des ingrédients (le langage) que je connaissais bien. C'était ma principale faiblesse pour le poste du Lincoln Center.

Quand je sentais ces doutes me tirailler, je dissimulais. Quand Bob Whitehead lira ceci, même après toutes ces années, peut-être s'écriera-t-il : « Je n'en avais aucune idée ! »

Mais ma détresse, pendant ces années-là, était plus profonde encore. J'étais en révolte contre mon style de vie, contre ma respectabilité et celle de l'épouse que je chérissais. Contre notre vie convenable et bien rangée. J'avais envie de chaos, oui c'est ça, de chaos. Je ne pouvais m'empêcher de penser que je n'étais pas à ma place, que ni mes activités ni mon entourage ne me satisfaisaient. Je devais prendre sur moi pour rester calme en présence des amis que Molly invitait à dîner, et je m'irritais des discours sur la culture, la politique et l'art qui suivaient le repas. Quand arrivait la fin de la soirée, mon sourire s'était figé. Je pensais que toute cette conversation ressemblait aux précédentes, que tous nos amis s'accordaient immanquablement sur quelque sujet que ce fût. Je pouvais prévoir ce qu'ils allaient dire, ils se prenaient pour des petits saints et se forgeaient une opinion une fois pour toutes. Aucun doute ne les habitait.

A l'inverse, je tentais le diable.

Je buvais trop et me languissais de l'odeur des rues, des caniveaux, des hôtels borgnes, de celle des villes où l'on ne me connaissait pas. Oh, repartir de zéro et vivre une vie complètement différente ! Certaines nuits, je me faufilais hors de chez nous : à la recherche de quoi ? Je n'en savais rien. Ni où je pourrais le trouver. Le plus souvent, je terminais ma virée par une visite à ma « petite amie » (elle deviendrait plus tard ma seconde femme), que j'exhortais à sortir de chez elle. Nous marchions dans les rues, nous chantions et dansions sur les trottoirs, et nous finissions par baiser dans une ruelle, au fond d'un cinéma ou sur un banc public ; en été, nous montions sur le toit de ma maison, en hiver, nous nous serrions contre le radiateur à l'entrée de l'immeuble où elle habitait.

Avais-je l'espoir d'être pris ? Je m'en moquais. Il fallait que quelque chose se produisît, quelque chose de radical. Et vite ! J'étais pris au piège de mon « succès ». Je haïssais le son des voix cultivées, elles venaient se heurter aux cris d'angoisse qui montaient en moi.

Je savais que j'avais besoin d'aide. J'avais reçu les soins d'un psychanalyste quelques années auparavant, mais j'étais allé le voir uniquement parce que Molly avait menacé de me quitter si je ne le faisais pas. Il était cultivé et tout à fait charmant, sa femme buvait trop. Un jour, nous dûmes aider celle-ci à monter les escaliers et à gagner son lit en plein milieu d'un dîner organisé dans leur appartement. Cet épisode m'amena à me demander comment un homme qui n'avait pas été capable d'aider sa femme pourrait m'aider moi. Je laissai tomber.

Mais maintenant je savais que j'avais besoin d'aide ; j'avais gâché ma vie. Mon second analyste était grand, grave, austère et, pour autant que je sache, il n'y avait pas de femme dans sa vie. Selon mon souhait, il fut impitoyable avec moi – c'est-à-dire honnête. Ses commentaires allaient parfois jusqu'au mépris. Mais je ravalais mon ressentiment : je l'avais voulu. « Comment diable ai-je pu me fourrer dans ce pétrin ? demandai-je avec insistance. Et comment se fait-il que je n'aime pas ce que je suis devenu ? Dites-le-moi ! » Il le fit. Il mit à nu mes dissimulations, les petites comme les grandes, arracha les masques que je portais et rangea au magasin des accessoires les airs que je me donnais. Il me dit que je me mentais, constamment, même quand je disais la vérité aux autres. Il me dit que je trahissais en permanence mes véritables sentiments pour plaire aux autres, que la plupart du temps je ne disais pas ce que je pensais, mais seulement ce qu'il était utile de dire en la circonstance.

Mais il ne me condamna pas. Ce n'était pas sa technique. Il fit seulement, avec une efficacité totale, ce que je l'avais supplié de faire. Il me dit la vérité, comme il la voyait, et je l'acceptai.

Un beau jour, à ma grande surprise, il me déclara que mon désir de semer la confusion dans ma vie constituait mon meilleur atout. Selon lui, j'avais passé mes années de maturité (j'avais cinquante ans à l'époque) à plaire aux autres, à m'en faire apprécier, à les convaincre, à les apaiser, à leur faire accepter mes idées, à faire ce qu'on me demandait et ce qu'on attendait de moi, mais jamais – pas une seule fois – je n'avais fait ce que je voulais moi. Toujours les autres ! Pas étonnant que je fusse en colère.

Il n'était pas impressionné par ma réussite professionnelle (mon premier analyste m'avait dit, en fait : « Pourquoi vous faites-vous tant de souci ? Après tout, votre succès est complet, vous menez une carrière magnifique, vous avez une bonne épouse, une gentille famille, et – ceci, il ne l'avait pas dit – assez d'argent pour me payer chaque semaine »). Je ne défendis pas mon travail. Au contraire, je lui confiai que le plus pénible dans ma situation, c'était que je n'aimais plus mon travail, que je n'appréciais plus de le faire, et que depuis des années j'étais incapable de faire naître en moi le moindre enthousiasme pour les pièces que je montais. J'étais devenu un technicien. Je travaillais avec talent mais machinalement. Molly se plaisait à dire que j'aurais pu monter un spectacle à partir de l'annuaire du téléphone. Je dis à cet homme combien j'avais peu réfléchi au *J.B.* de MacLeish, lauréat du prix Pulitzer, que j'avais mis en scène. « Alors pourquoi l'avez-vous fait ? demanda-t-il.

— Parce que Molly aimait cette pièce », répondis-je.

Après quelques mois, il m'assura que malgré le succès remporté auprès d'un large public par les pièces et les films que j'avais dirigés, mon matériau le meilleur et le plus véridique restait ma propre vie : mes parents, mon enfance, mes rêves, ma vie intime, le désespoir et la panique que je ressentais. « Et votre passé, dit-il. Vous n'êtes pas tout à fait un Américain, n'est-ce pas ? Vous ne m'avez jamais vraiment parlé de vous, de ce que vous êtes au fond. Pourquoi n'y réfléchissez-vous pas ? Ça ne vous intéresse donc pas ? »

Je ne savais que répondre. Pourquoi n'en avais-je jamais parlé, pourquoi ne tenais-je pas compte de ces sources d'inspiration dans mes films, mes pièces et mes livres ? Mes expériences personnelles étaient celles que je connaissais le mieux, celles que j'avais ressenties le plus profondément. Pourquoi m'étais-je consacré aux centres d'intérêt, aux problèmes et à la vie des autres ? Il était impossible qu'ils fussent identiques aux miens, alors comment pouvais-je ressentir quoi que ce soit à leur sujet ? Il était d'accord ; je m'étais contenté de vivre machinalement, par procuration. J'étais coupable de la pire des trahisons : la trahison envers soi-même.

Il me laissa en plan comme un puzzle éparpillé sur une table. Serais-je capable d'en rassembler les morceaux ?

Je n'en savais rien. Souvent, je me sentais terriblement découragé. Mais, au fil des semaines, il me poussa à découvrir en moi des raisons de me respecter. Un jour, voyant que j'étais au plus bas, il me fit un compliment. « Sous les cendres, dit-il, il brûle encore des braises. » Il changea son approche, posa de nouvelles questions, commença à m'interroger sur mes parents, me demandant à quoi ils ressemblaient et comment je me comportais avec eux. « Que s'est-il passé entre vous ? Vous n'en parlez jamais. Ce n'est pas normal. »

Je lui répondis que j'étais très proche de ma mère et que je ne serais parvenu à rien sans elle, mais que jamais de ma vie je n'avais eu de conversation franche avec mon père. Mon analyste voulut savoir comment une telle chose était possible. Je n'en savais rien, sinon que j'avais peur de lui.

« Vous avez eu peur de lui toute votre vie ? voulut-il savoir.

— Et même encore maintenant. Au moment où je vous parle. Et quand on a peur de quelqu'un, on lui en veut.

— Mais vous lui devez beaucoup, n'est-ce pas ? reprit-il.

— Quoi ? Mon caractère de cochon ?

— Ce que je voulais dire, c'est qu'il vous a amené dans ce pays, n'est-ce pas ? Où seriez-vous maintenant s'il ne l'avait pas fait ? »

Je ne répondis rien.

Il regarda la montre posée sur son bureau. Il avait un truc pour amener la conversation à un point d'orgue lorsque nous approchions de la fin de l'heure – qui durait cinquante minutes. Il soupirait, se levait, lentement, lourdement, de sa chaise ; c'était un homme grand, grisonnant, ni aimable ni désagréable, ni amical ni hostile.

Je me levai à mon tour. « Je serais probablement dans quelque échoppe poussiéreuse du bazar d'Istanbul, en train d'attendre le client. » Je me mis à rire. C'était ridicule d'imaginer cela maintenant.

A seize ans, j'avais acheté une vieille voiture pour vingt-cinq dollars – qui se souvient encore des Maxwell ? Je savais que mon père l'interdirait, aussi je la cachais dans un petit bois au bout de notre rue. Cette Maxwell était capricieuse. Quand je coupais le contact, le moteur continuait à hoqueter et le piston à monter et descendre pour faire exploser les boyaux de l'engin, puis tout s'arrêtait net, et ça repartait de nouveau. J'adoptais la même attitude vis-à-vis de cet analyste après avoir quitté son bureau ; je continuais à lui parler. « Je sais quelque chose que vous ignorez, lui dis-je cette fois-là. La seule bonne base pour un film ou une pièce, c'est un personnage central en proie à un dilemme. Ce dilemme naît d'un double conflit : entre ce personnage et lui-même, et entre l'auteur et son personnage. Le mot clé, c'est "ambivalence". J'ai encore peur de mon père et on ne peut pas avoir peur de quelqu'un et éprouver de la compassion pour lui. Je n'éprouve qu'un sentiment lorsque je pense à lui, et ce n'est pas de l'amour. »

Puis je pris la place de mon analyste, qui n'était pas présent. « Vous devriez écrire des livres et faire des films à propos de ces choses dont vous n'osez pas parler. — Allez vous faire foutre ! » répondis-je. Mais il ne se démonta pas : « Vous savez toujours quand vous tenez un bon sujet, car vous êtes troublé à l'idée d'en parler. Comme disent les juifs, "tout ce qui est bon fait mal". — Je ne veux pas écrire à propos de ma famille, dis-je. Ce serait du théâtre de patronage. *Souvenirs de mon père*. C'est dérisoire ! » Imperturbable, il poursuivit. « Les choses les plus personnelles, dit-il, sont les plus universelles. » Il a dû me répéter cette phrase vingt fois, et pourtant je n'étais pas sûr d'en comprendre la signification.

A cette époque, mon père vivait sa dernière année. Il avait contracté la maladie de Parkinson et sa main ne cessait de trembler. Il n'allait plus jamais à Manhattan, et comme il avait abandonné son bureau bien des années auparavant, il avait perdu le contact avec ses collègues marchands de tapis. A New Rochelle, un ami avec lequel il jouait au bridge exhortait régulièrement ma mère à ne plus laisser son mari jouer aux cartes parce qu'il n'avait plus toute sa tête et que certains des hommes autour de la table en profitaient. Ses vieux partenaires de bridge en avaient discuté, disait l'homme, et avaient décidé de trouver des excuses pour ne plus l'inviter à jouer. Mon père ignorait leur raison, et comme on ne pouvait la lui révéler, ses soupçons et son hostilité redoublèrent. Du jour au lendemain, des amis de trente ans devinrent « ces sales juifs ».

Il découvrit que sa femme demandait à ses fils de lui donner de l'argent pour les dépenses du foyer et le prit comme une insulte. Au comble de l'émotion, il me regarda en hurlant : « Je ne veux pas de ton argent, je n'ai pas besoin de ton argent, j'ai assez d'argent ! » Son visage avait beau être livide et crispé, j'avais beau savoir que ses forces l'abandonnaient, je me rappelle avoir tout de même ressenti ce frisson de crainte qui me parcourait si souvent lorsque j'étais enfant.

Agé d'une dizaine d'années, je m'en souviens encore aujourd'hui, j'attendais dans ma chambre tout en haut de la maison, le nez collé à la fenêtre, que le taxi avec lequel lui et ses copains du voisinage se rendaient à la gare tous les matins arrive et l'emmène pour la journée. Alors, une fois la maison libérée de la chape de terreur qui pesait sur elle, je descendais les escaliers quatre à quatre, engloutissais mon petit déjeuner à toute allure, car il était tard, et courais jusqu'à l'école, distante de plus de deux kilomètres. Quand je revenais à trois heures et demie, la maison était calme et je lisais, mais à mesure que l'après-midi s'écoulait et que l'heure de son retour du travail (ou du champ de courses) approchait, la tension s'installait de nouveau. Maman restait dans la cuisine à lui préparer son dîner, puis elle allait à la cave ; je l'entendais remuer les cendres dans notre chaudière et rajouter quelques pelletées de charbon, pendant que mon frère et moi, nous attendions l'inéluctable : le retour de papa à sept heures. Si la journée avait été fructueuse, avec les acheteurs venus des banlieues avoisinantes (ou sur le champ de courses), il rapportait un melon ou du raisin blanc sans pépins, embrassait sa « douce Abie », me pinçait la joue entre les articulations de son index et de son majeur, puis se laissait tomber sur la chaise située au bout de la table, devant la bouteille d'ouzo que l'on débouchait pour lui. La boisson le soulageait et le remontait, mais le fait qu'il en bût montrait combien il était fatigué. Il dévorait son dîner, tandis que maman restait debout à côté de lui. Mes frères et moi mangions sans mot dire ; il ne fallait pas ouvrir la bouche à table, pas nous en tout cas. « Quelles nouvelles ? » demandait-il à maman. Elle répondait : « Toujours la même chose, George ; rien, George. » Au petit déjeuner, il posait son autre question : *« Tii-ee-neh-to, programma-sou ? »* Bien sûr, il se moquait encore. Il savait très bien qu'elle n'avait pas de « programme », sinon celui d'effectuer les mêmes tâches que la veille. C'était là toute l'étendue de la conversation. Après son dîner et son café, il s'enfonçait dans le sofa du petit salon et dormait. Un quart d'heure. Puis, dans sa quête désespérée de détente et de plaisir, il s'en allait – si c'était notre jour de chance – jouer aux cartes chez quelqu'un d'autre. Notre maison retrouvait sa quiétude. Nous nous asseyions alors côte à côte, maman et moi, et lisions un moment avant de nous endormir.

Je n'ai commencé à le comprendre que vers la fin. C'est seulement à ce moment-là que je me suis enfin demandé comment un homme souffrant en permanence d'une telle fatigue aurait pu trouver la force de s'asseoir pour prendre un livre, ou de parler à sa femme et à ses enfants. Et d'abord de quoi aurait-il bien pu lui parler à elle ? De sa lutte quotidienne pour empocher quelques dollars ? Qu'est-ce que maman connaissait de cette vie-là ? Et moi, gamin incapable d'imaginer ce qu'était la vie d'un marchand, que diable attendais-je de lui ? De quoi aurait-il pu me parler – de ma Maxwell ?

Il possédait de petites économies, mais elles avaient été absorbées par l'assurance-vie, souscrite au nom de maman que ses fils protégeaient en prévision du jour fatidique qui ne serait plus long à venir, ils le savaient. Mon père avait aussi un coffre dans le sous-sol de l'Empire State Building, dont il nous rebattait les oreilles. Après sa mort, nous l'avons ouvert ; il ne contenait rien que des polices d'assurance périmées, des titres sans valeur, des bijoux de pacotille et un médaillon qui avait appartenu à sa grand-mère et n'avait de valeur que sentimentale.

Sa sortie contre notre argent fut sa dernière grande explosion. Il baissa les bras ; il avait dû se rendre compte qu'elle n'avait produit aucun effet. On ne pouvait pas dire ce qu'il ressentait à ce sujet car il n'en avait plus jamais reparlé. Mais je compris qu'il avait renoncé à sa fierté. De ce jour-là, il se ratatina. Affaissé sur sa chaise, on aurait dit qu'il attendait la fin.

Quand mon père était arrivé en Amérique, il avait dû sentir aussi que l'environnement lui était hostile et le menaçait – après tout, il ne parlait pas la langue – et il continua donc à se comporter à New York comme il le faisait avec les Turcs, s'efforçant de rester prudent, de ne jamais prêter le flanc à la critique dans les rues ou au marché, d'avoir un sourire d'acquiescement toujours prêt. Il avait appris à se débrouiller en usant de son ingéniosité et en ne disant rien qui pût être mal interprété. Il apprit à survivre par la ruse, l'astuce et la maîtrise de ses réactions profondes. Il ne pouvait pas se permettre d'agir avec franchise dans les rues ou dans sa boutique. Il devait plaire à ses clients et les flatter. Avant de vendre ses marchandises, le marchand doit savoir se vendre lui-même. Il préserva sa vie en feignant de respecter ce qu'il craignait, voire méprisait. En Turquie, il avait appris la leçon des Grecs d'Anatolie : pour survivre, il faut savoir rester à sa place.

Moi-même j'avais appris à m'en sortir en suivant l'exemple de mon père. En dépit de tout, il avait été mon modèle. Je m'étais également inspiré des rares conseils qu'il m'avait donnés : « Occupe-toi de tes affaires », « Ne cherche pas la discussion » et « Tiens-toi à l'écart des bagarres ». A l'extérieur, mon père ne pouvait s'offrir le luxe de se mettre en colère. Si quelqu'un essayait de l'impliquer dans une controverse, il s'en tirait en disant : « Je ne sais rien ».

Bien sûr, toute cette colère endiguée devait trouver un exutoire. C'était chose faite à la maison, sur femme et rejetons, en particulier celui d'entre eux qui l'avait déçu en refusant d'observer la tradition selon laquelle le fils aîné doit seconder son père à la tête de l'entreprise familiale. Au lieu de cela, ce petit crétin avait choisi une autre voie qui, à l'époque, semblait pure folie. Le jour où je lui révélai que j'allais entrer à l'École d'art dramatique de Yale, où je suivais des cours d'interprétation, il me répondit : « Tu ne t'es jamais regardé dans une glace ? » Je lui en ai voulu pendant des années, tout comme il m'en a voulu de l'avoir laissé tomber quand il avait besoin de moi à la boutique. Plus tard, quand il se promenait avec dans sa poche des coupures de presse sur mes spectacles et prenait le train de banlieue pour New York dans le seul but de les montrer à ses vieux amis, j'éprouvais de la pitié pour lui, mais toujours pas d'amour. Il me faudrait des années pour y parvenir ; et encore cela ne se produisit-il qu'après un séjour effectué à l'endroit où il était né et avait été élevé, séjour durant lequel je fus à même de partager un peu de ce qu'il avait vécu. Mais il était déjà tard, presque trop tard, et je vis aujourd'hui avec le regret persistant de n'avoir jamais connu mon père.

J'ÉTUDIE des photos ; pendant des années, ce fut ma profession. L'une d'elles (photo 1) est la première d'une série où figure Athena Shishmanoglou, ma mère. Elle, c'est ce nourrisson au regard déterminé posé sur les genoux de sa mère. Remarquez la bouche. Y détectez-vous un signe d'obstination ? Elle en aurait bien besoin par la suite.

Voici la famille Shishmanoglou une génération après son arrivée à Constantinople en provenance de Kayseri, une ville à l'intérieur des terres. Étudiez cette photo avec moi. N'y a-t-il pas quelque chose d'« occidental » dans cette famille ? Qu'est-ce que c'est ? Les vêtements qu'ils portent ? La qualité de l'arrière-plan et des meubles ? Ou bien l'attitude détendue de leur corps ? Ce qui m'a le plus frappé, c'est qu'ils se touchent tous et surtout que le bras et la main du fils aîné soient posés sur l'épaule de son père. On perçoit clairement l'amour et la confiance qui l'habitent. On voit bien que les membres de cette famille étaient dévoués les uns aux autres, qu'ils étaient à l'aise ensemble. Aux États-Unis, de nos jours, les membres d'une famille se séparent aussitôt qu'ils peuvent réunir la somme nécessaire pour le billet d'avion.

Le chef de la famille Shishmanoglou et son fils aîné portent le fez, le couvre-chef des oppresseurs musulmans. Ils le portent à l'intérieur de la maison : c'est la tradition mahométane. J'en ai essayé un. Le fez tient chaud. Il ne protège pas la nuque du soleil et n'abrite pas les yeux de son éclat. Mais tous les hommes grecs, à cette époque et à cet endroit, le portaient. Pourquoi ? Ce peuple en captivité depuis la chute de Constantinople en 1453 avait adopté une tactique pour être en sécurité : se mêler à la population turque. J'ai découvert des traces d'une adaptation encore plus profonde à la culture des conquérants. Le grand-père de ma mère se prénommait Murda. La grand-mère de ma mère portait un « nom de baptême » turc haut en couleur : Sultana. Les bibles familiales — j'en possède une — étaient rédigées en turc. A Kayseri, les femmes restaient à la maison la plupart du temps, mais quand elles sortaient, elles se couvraient le visage à la manière des femmes turques, et elles restaient dans les limites du quartier chrétien.

Les hommes, à l'inverse, se promenaient partout dans les rues, cou-

doyaient le Turc, commerçaient avec lui au bazar, lui faisaient concurrence et, généralement, l'emportaient sur lui. Mais dès qu'ils sortaient de
leur maison, ils disaient bonjour et au revoir en turc. Dans les rues, ils
revêtaient le masque de la déférence. Ils survivaient en ne « faisant que
passer ». La tactique resta la même lorsque certains d'entre eux vinrent en
Amérique. A New York, beaucoup de marchands de tapis portaient un
nom d'origine turque mais dissimulaient leurs prénoms chrétiens, même
dans notre cité polyglotte. Ils les réduisaient à des initiales. Le frère de
mon père, l'homme qui nous avait amenés en Amérique, n'était pas connu
à New York sous le nom d'Avraam Elia Kazanjioglou mais sous celui de
A.E. Kazan. On lui avait donné le surnom de Joe. Quoi de plus américain ?

Vous qui vivez en sécurité, vous appellerez peut-être cela de la trahison
envers soi-même. Ne prenez pas cet air supérieur. J'ai remarqué, en effet,
que bien des gens qui appartenaient à d'autres races et à d'autres peuples
s'étaient comportés ici de la même manière : changer de nom pour s'« intégrer ». J'en suis venu à douter des noms de famille. Bien des gens, dans
notre société démocratique, portent encore le fez.

La photo des Shishmanoglou fut prise en 1889. La famille était venue
d'Anatolie (vous appelez cette région l'Asie Mineure) quelques années
auparavant, je ne sais pas au juste combien. *Anatolia* est le mot grec pour
l'« est », et bien avant l'époque d'Homère, les gens trouvaient déjà mystérieuses et menaçantes ces régions où le soleil se couchait plus tôt que chez
eux. A l'ouest, les rayons dorés continuent longtemps de briller. O Apol-
lon, le dieu solaire ! O Civilisation !

Arrivés à Constantinople, les hommes de la famille prospérèrent. Le
quartier général de l'Église orthodoxe grecque de la région se trouvait
dans cette ville, et la culture hellène, centrée sur le travail, le commerce,
et ouverte sur l'étranger, dominait les autres. La majorité de la population
urbaine était composée de Grecs dont la ruse devint vite légendaire. Les
marchands grecs qui ont réussi ces dernières années (Onassis, par
exemple) sont venus d'Anatolie ou des îles proches des côtes turques,
mais rarement de Grèce même. Leurs victoires sur le marché international
ont provoqué du ressentiment tout en suscitant l'admiration ; autre incita-
tion pour eux à minimiser leurs différences et à déguiser leur identité.

Le père d'Athena est assis à sa place : sur la chaise du père. Son nom,
Isaak Shishmanoglou, se compose d'un prénom d'origine chrétienne et
d'un patronyme turc à la signification imagée. *Shish-man-oglou* est l'association de trois mots turcs. L'ensemble veut dire « fils de l'homme gros ».
Isaak, bien sûr, est cité dans l'Ancien Testament. La mère d'Athena se
nommait Anna Karajosifoglou, ce qui signifie, si vous le décomposez,
« noir » *(kara)*, « Joseph » *(Josif)*, « fils » *(oglou)*. Anna la fille du fils de
Joseph le Noir. A l'âge de quatre ans, j'eus quelques semaines pour faire
la connaissance de mon grand-père maternel et je me souviens de lui
comme d'un homme très doux. Je n'ai pas connu ma grand-mère maternelle, qui est morte tôt, mais à en juger par cette photo, elle avait l'air
plutôt sévère. Est-ce que vous les distinguez, cette douceur et cette austérité mêlées ?

Le fils aîné, Odysseus, debout derrière son père, la main sur l'épaule de celui-ci, ne prolongea pas sa scolarité mais entra dans l'entreprise paternelle. C'était la tradition et il s'y soumit. Le deuxième et le troisième fils furent envoyés dans des universités allemandes — à cette époque, l'éducation allemande représentait le summum. Une fois diplômés, ils rejoignirent l'entreprise familiale. Importateurs de cotonnades en provenance de Manchester ou des Midlands, ils trouvèrent des débouchés dans toute l'Anatolie et ne tardèrent pas à devenir riches et respectés.

Athena était née à Makrikeu, une banlieue de Constantinople peuplée en majorité de Grecs. *Makri* est le mot grec pour « lointain ». *Keu* est le mot turc pour « village ». Encore un nom où les cultures s'interpénètrent. Village lointain? Lointain pour l'époque, mais quand j'y effectuai une visite en 1960, le taxi mit vingt minutes depuis le centre de Constantinople. Cette bourgade, avec ses rangées bien ordonnées de maisonnettes, est située sur le littoral de la mer de Marmara, à l'extrême ouest de la Turquie.

On envoya Athena chez les sœurs, de jeunes femmes françaises et italiennes qui portaient des robes soyeuses de couleur grise. Dès qu'elle eut appris à lire, elle en fit une habitude — dans les dernières années de sa vie, elle avait toujours un livre à la main. Petite fille, elle avait lu des livres sur l'Amérique et en avait conçu le désir d'y aller. Mais quelque chose d'autre aussi l'y avait poussée, quelque chose de mystérieux, un esprit d'indépendance inattendu.

Une lueur de hardiesse se lisait dans ses yeux. Les bâtiments de son école étaient juste au bord de l'eau. A l'extrémité d'une courte jetée, on avait aménagé des cabines de bain. L'ensemble formait une petite enceinte carrée, juste au-dessus de l'eau. A cet endroit, on avait encore pied. Durant les mois d'été, les jeunes religieuses se baignaient: elles se changeaient dans les petites cabines sans fenêtres puis descendaient une échelle intérieure, abritées des regards par un grillage, et faisaient trempette sans quitter l'enclos. Mais Athena, accompagnée d'une autre élève, passait à travers un trou du grillage et nageait vers des eaux plus profondes. Dans ce contexte culturel, c'était une véritable bravade.

Après la naissance d'Athena, Anna Karajosifoglou avait fait une autre grossesse, la septième. Elle donna le jour à un fils et mourut en couches. Je ne sais plus pour quelle raison. On mourait plus facilement à cette époque.

Après la mort de sa femme, Isaak-pappou prit sa retraite. Ayant perdu le goût des affaires, il s'en déchargea sur ses fils afin de pouvoir passer ses dernières années à jouir de biens matériels durement gagnés en compagnie de sa favorite, Athena.

Il attendait la sortie de l'école pour l'emmener faire les courses avec lui. Il leur fallait plus de temps, il y avait aussi moins de choix à cette heure de la journée, mais ils y trouvaient bien plus de plaisir. Souvent, ils y consacraient presque tout l'après-midi, mais le père et la fille n'étaient jamais pressés en compagnie l'un de l'autre. Ils allaient d'étalage en étalage, en quête de poisson pêché du matin, aux ouïes encore bien rouges, de poulpes encore frémissants et de calmars bien luisants. Ils étudiaient l'agneau avec soin ; il fallait qu'il eût été fraîchement abattu. Isaak avait appris à Athena comment le vérifier. La tige des légumes et la queue des fruits devaient être vertes, et surtout ne pas avoir viré au brun. Après quoi Isaak emmenait sa fille au *zacharoplastion*, la confiserie, et lui laissait choisir ce qu'elle voulait. Athena devait garder longtemps le souvenir des *lokums* aux couleurs pastel et des pistaches incrustées dans la gelée transparente.

La nuit, à l'intérieur de la maison, on écoutait de la musique. La Voix de son Maître sur le phonographe. Une fois de temps en temps, on passait la soirée au théâtre. A cette époque-là, les troupes d'opérette françaises effectuaient des tournées dans les provinces, après s'être produites dans la capitale culturelle de l'Empire ottoman, Gevur Izmir — « Smyrne l'Infidèle », selon les Turcs puritains aux yeux desquels la majorité de la population grecque de cette ville n'y vivait que pour jouir de plaisirs défendus. « Ah, ces cafés remplis de femmes de mauvaise vie, et ces thés dansants[1] ! » Même l'intérieur de la cathédrale, Hagia Fotini, exhibait sans vergogne la splendeur de métaux rares et de pierres précieuses.

Mais pour les Shishmanoglou, les plaisirs de la vie de famille passaient avant tous les autres. Avant l'apparition de la radio et de la télé, les gens se divertissaient par eux-mêmes. Chaque repas était une fête qui se prolongeait, on le dégustait avec lenteur pour faire durer la soirée. Elle s'écoulait au rythme des discussions, des contes, des dernières blagues, d'antiques paraboles et de fables racontées aux enfants pour les faire rire avant l'heure du coucher. Vous trouvez peut-être des points communs entre cette société et le vieux Sud des États-Unis. Nous aussi, nous avions des serviteurs pour les corvées ménagères ; seulement au lieu d'être noirs, ils étaient turcs, c'est tout. Mais les classes moyennes grecques aimaient leurs serviteurs qui le leur rendaient bien. Ma mère avait vu le jour au cœur d'un paradis domestique. Bien sûr, cela ne pouvait pas durer.

Athena aimait son père d'un amour simple et naturel ; elle savait combien il se sentait seul désormais et se dévouait pour lui sans compter, avec cette fraîcheur et cette pointe de malice dans le regard qui caractérisent les jeunes filles. Elle faisait son apprentissage de l'amour. Malheureusement, dans les années qui suivirent, elle ne retrouva pas cette chaleur et en souffrit comme d'une injustice.

Isaak n'éprouva jamais le besoin de se remarier. Maintenant, par contraste, regardez la photo 2 où figure la famille de mon autre grand-père. Elle a été prise à Kayseri, ville où la poussière le dispute à la mesquinerie. Après la mort de sa première femme, mon grand-père Elia, qui ne pouvait pas se passer d'une épouse, trouva rapidement une jeune fille de seize ans qu'il « acheta » à ses parents. Il l'accepta sans dot. Au moment où le cliché a été pris, cette femme avait déjà mis au monde six enfants. Vous pouvez juger du résultat. Evanthia faisait plus vieille que son âge.

J'ai étudié avec soin le visage de mes deux grands-pères. Sur celui d'Elia-pappou, je lis la détermination, l'astuce, l'obstination, la ruse, la

---

1. En français dans le texte. *(N.d.T.)*

fermeté dans les désirs, la ténacité. Toute sa vie, il avait eu le dos au mur et cela transparaît. Il n'avait pas de temps à perdre avec les mondanités. La culture n'avait pas sa place à Kayseri, on s'y préoccupait d'abord de survivre. Elia-pappou transmit son caractère à ses fils aînés ; je ne me souviens pas d'avoir jamais vu mon père un livre entre les mains.

Mais je suis également le petit-fils d'Isaak-pappou. Lui comblait d'amour ses enfants et sut, le moment venu, passer la main afin de pouvoir profiter de la qualité de la vie et des rapports humains. Cet homme pour qui la famille venait en premier savait aussi apprécier la bonne compagnie.

Ma personnalité est double : j'ai hérité et d'Elia-pappou et d'Isaak-pappou. Inutile de le préciser, ils n'ont pas toujours fait bon ménage en moi.

Le moment était venu pour Athena de se marier. A dix-huit ans, ce n'était plus une enfant. Son père et son frère se mirent en quête d'un mari pour elle. Selon la tradition, ce devoir leur incombait.

Son destin fut donc scellé.

Tolstoï emploie cette phrase à propos de son héroïne, Natacha, dans *Guerre et Paix*. Je l'avais trouvée excessive. Son destin ? Par la suite, je me suis rendu compte que pour cette société, à cette époque-là, ce mot avait un sens très précis : de la simple décision prise ce jour-là par son père et ses frères dépendrait la vie entière d'Athena. Et on ne lui avait guère demandé son avis — enfin, je vous laisse juge.

Quant à mon père, il décida à l'âge de trente-deux ans qu'il était temps pour lui de se marier et de fonder une famille. Il retourna donc dans son pays natal pour acheter des matériaux et, il ferait ainsi d'une pierre deux coups, se chercher une femme. Les Grecs procédaient de la sorte : ils retournaient « au pays » pour trouver leur femme. Bel homme, dans la force de l'âge, sous-directeur dans l'entreprise de son frère, les Tapis Kazan et Cie, George sentait qu'il avait désormais les moyens de franchir ce pas décisif.

Regardez la photo 3, celle de leurs fiançailles. Athena a dix-neuf ans. Vous discernez sans peine son esprit d'indépendance et sa robustesse. Mon père avait de la chance. Il avait trouvé une bonne épouse.

Leur mariage fut arrangé de la façon suivante : ils me l'ont raconté eux-mêmes, devant un micro, quelques années avant la mort de mon père ; ma mère jouissait toujours d'une santé excellente et mon père arrivait encore à se remémorer des bribes de souvenirs. J'ai enregistré cette conversation dans ma maison de campagne par un chaud après-midi d'été. Une brise légère entrait par les fenêtres ouvertes. Ma mère affichait ce jour-là une gaieté inhabituelle ; mon père était d'humeur maussade. Il n'aimait pas parler du passé.

J'ai demandé à ma mère comment elle avait rencontré mon père.

« Comment s'est passée notre première rencontre, George ? (Mon père restant muet, elle répond à sa place.) Ma sœur possédait une résidence d'été sur l'île de Prinkipo. (C'était l'époque où Léon Trotski y habitait.) A ce moment-là, il se trouvait que George cherchait une femme. J'imagine qu'il avait dû entendre parler de moi ; c'est pourquoi il nous a rendu visite avec sa mère. Sans la présence de sa mère, ça n'aurait pas été convenable.

— Ce n'était pas ma mère, dit George, en tout cas pas ma vraie mère. »

A ce moment-là, on entend ma voix sur la bande.

« Qu'est-ce que tu as pensé de lui, maman ?

— J'ai pensé qu'il n'était pas mal. »

Elle se met à rire, on l'entend sur la bande : c'est le rire joyeux d'une personne sûre d'elle-même. Mais mon père, assis à côté d'elle, près du micro, émet un grognement.

Ma mère continue : « Puis il est allé voir mon père, je crois, pour lui demander ma main. »

Mon père prend la parole : sa voix tremble. Il avait déjà la maladie de Parkinson et ses forces diminuaient.

« Selon certaines dames — sa voix chevrote —, j'aurais dû me raser la moustache. Et elle a dit, ta mère : "Ça ne fait rien, elle vous va bien, gardez-la !"

— Est-ce que ça t'a fait plaisir, papa ?

— Je n'avais rien contre. C'est mon premier souvenir d'elle. »

Ma mère poursuit :

« Donc, comme je disais, à la fin de l'été, je suis allée chez ma sœur avec mon père. Elle habitait Kadiköy, de l'autre côté de la baie par rapport à Constantinople. Et George lui a également rendu visite, toujours accompagné de sa mère. Il venait de rentrer d'Amérique et tout le monde lui demandait de raconter ce qu'il avait vu. Ce que George parlait bien ! Je me rappelle avec quelle attention nous l'écoutions. Puis nous sommes allés faire une promenade ; pour la première fois, nous étions seuls, lui et moi. Nous sommes allés jusqu'à l'embarcadère voir le bateau de Constantinople arriver. Nous y avons trouvé son cousin, qui attendait le bateau.

— Ce n'était pas mon cousin, interrompt mon père, qui s'impatiente. C'était mon frère Seraphim.

— George leur a fait signe de la main, c'étaient bien son cousin et ses amis. Mais ils ne se sont pas approchés de nous. Plus tard, George m'a dit qu'il avait interrogé son cousin : "Qu'est-ce que tu penses d'elle ?" Et son cousin avait répondu : "Elle n'est pas mal — vue de derrière." »

Elle rit si fort qu'elle doit s'arrêter de parler. Elle riait beaucoup à cette époque de sa vie, alors qu'avant la maladie de mon père, je ne l'avais pas souvent entendue rire. Mais avec le temps, il avait perdu de son mordant.

« Plus tard, ton père m'a répété ça : "vue de derrière". Ah, non ! ce n'était pas son cousin, je me rappelle maintenant, George a raison. C'était son frère Seraphim.

— C'est ce que je t'ai dit, espèce d'idiote, s'écrie mon père en se tournant vers moi. Elle veut toujours avoir raison.

— Puis nous nous sommes fiancés, continue-t-elle.

— Comment est-ce que tu t'y es pris pour faire ta demande, papa ?

— Il a demandé à mon père, répond maman.

— Je ne lui ai rien demandé à lui. Ma parole, elle a tout oublié. Son père était trop vieux. J'ai demandé à son frère Odysseus ; il avait pris la relève en tant que chef de famille.

— Alors, qu'est-ce qu'il a dit ?

— Il a dit qu'ils étudieraient la question.

— Et alors ?

— Ils ont cherché à obtenir certains renseignements. »

Ma mère pouffe comme une petite fille.

« Pourquoi tu ris tout le temps ? entend-on mon père s'exclamer sur la bande. Je ne le raconte pas bien ou quoi ? Tu n'as qu'à dire toi-même comment ça s'est passé.

— Tu le racontes très bien, George.

— Quelles sortes de renseignements, papa ?

— Je ne sais pas de quoi sa famille a parlé. De toute façon, je me demande bien ce qu'il y avait à dire. »

Ma mère reprend.

« Je me rappelle qu'ils tenaient des conseils de famille. On ne m'y invitait pas, alors je ne sais pas exactement ce qui s'y disait. »

Avant leurs fiançailles, leur intimité n'allait guère plus loin.

« Qu'est-ce que ça change ? soupire mon père. Tout ça est bien loin maintenant.

— Et ta famille, papa ? Elle a tenu des conseils aussi ?

— Non, pas du tout. Nous ne les avions pas encore fait venir de Kayseri. Ma mère était morte depuis longtemps déjà. Et mon père s'était remarié tout de suite, à une gamine de seize ans, espèce de vieux fou. Ils avaient déjà six enfants, et il attend — je veux dire, à l'époque, il attendait — que nous lui envoyions de l'argent, mon frère et moi.

— Vous aidiez votre père financièrement ?

— Un homme remarquable. Mais pour ce qui était des affaires, *kaput* ! Rien ! Il vendait du charbon de bois. Et puis un tapis par-ci par-là. Mais surtout du charbon de bois. Fabriqué entre autres à partir de noyaux de fruits. Tu imagines ! Et puis il vendait d'autres bricoles, Dieu sait quoi. Pendant ce temps-là, six enfants. Qui sait, peut-être bien qu'il en a sept maintenant, pauvre fou...

— George, c'était il y a longtemps. Il est mort, George.

— Je sais, je sais. »

Cette petite scène vous montre à quel point on était paysan du côté de mon père, comparé à la famille de ma mère. D'une étoffe plus rude. Mais s'ils étaient partis pour l'Amérique, c'est précisément à cause de cet appétit brut qui les caractérisait. Ce n'étaient pas des gens installés. La famille d'Athena, au contraire, goûtait une vie protégée et confortable, entre les quatre murs de sa propriété, et ne cherchait donc pas à quitter Constantinople. Ce sont des gens qui ont survécu aux bourrasques de deux guerres successives en se barricadant chez eux. Leurs descendants y vivent encore.

Mais tous les Kazanjioglou sans exception se sont retrouvés en Amérique. Entre le moment où la photo de famille avait été prise et celui où les deux frères avaient fait venir leur père, sa seconde femme, et leurs six demi-frères et sœurs à Constantinople — cette ville constituait un tremplin vers l'Amérique et la sécurité —, il s'était écoulé à peine deux ou trois ans. Juste avant, George s'était fiancé avec Athena.

Plus loin sur la bande, ma mère confesse :

« Avant George, il y avait un autre homme qui avait demandé ma main. Mais mon frère Odysseus, il connaissait cet homme et il n'en voulait pas. Il a dit : "Je ne donnerai pas ma sœur à un tel homme !" C'était un jeune homme bien de sa personne, mais sans éducation. Il ne savait pas bien lire. Et puis George est venu et ils ont tenu ce conseil de famille. Je n'y étais pas, mais après, Odysseus m'a dit : "Oui, George, c'est un jeune homme bien."

— Et c'est tout ?

— Ça s'est passé comme ça. Tu vois, à cette époque-là, le jeune homme devait plaire à la jeune fille, mais il devait avant tout plaire à la famille. »

Athena adorait sa famille, c'était donc une enfant obéissante.

« Ils ont posé des questions sur mes affaires, reprend mon père d'un ton aigre, en détournant la tête.

— J'imagine que George les a tous invités au restaurant car Odysseus a dit : "Il sait comment gagner l'argent et il sait comment dépenser l'argent." Je me souviens de ça. Tous, ils aimaient sa façon de dépenser son argent.

— Et donc il t'a emmenée en Amérique ?

— Oh, non ! Pas tant que papa était encore vivant. C'étaient les termes de l'accord. Papa s'en était assuré. L'idée, c'était que George resterait à Constantinople et achèterait des tapis pour le magasin de son frère à New York. Si George devait s'y rendre pour affaires, tu comprends, il irait seul. Il n'était pas question à ce moment-là que je parte définitivement pour l'Amérique, oh non ! pas à ce moment-là.

— Est-ce que ta famille aurait accepté ton mariage s'ils avaient su qu'il allait t'emmener en Amérique pour le restant de tes jours ?

— Peut-être pas, répond ma mère. Mon père me voulait auprès de lui. Mais je savais qu'un jour viendrait où il ne serait plus là, et j'avais décidé que, ce jour-là, je partirais. De toute façon, qu'est-ce que je pouvais faire d'autre ? George ? »

Il s'était endormi. C'est la fin de la bande. Après, je fis une partie de tennis.

Quinze jours après leur mariage, George reçut une lettre urgente de son frère à New York, lui ordonnant de revenir immédiatement. « Pour ses affaires », m'avait dit maman.

Ce qu'elle ne m'avait pas dit, car les jeunes filles anatoliennes de bonne famille le gardent pour elles, c'est qu'il était parti pour l'Amérique en la laissant enceinte. C'est moi qu'elle attendait.

Je me suis souvent demandé ce qu'elle avait pensé de ce départ subit. « Pour ses affaires ? » Le seul témoignage que j'aie de ses sentiments intimes à ce moment-là, c'est l'expression de son visage sur une autre photo, prise peu après le départ de son mari. Elle a l'air hébété. Ça n'avait pas traîné ! Voilà ce que sa vie allait être — son « destin » pendant les cinquante-deux années suivantes. C'était déterminé. Sans appel.

Était-il présent quand je suis né ? Rien n'est moins sûr. Pendant ces années-là, les Tapis Kazan et Cie étaient en plein boom.

On me donna, conformément à la tradition, le prénom de mon grand-père paternel.

En 1912, Isaak-pappou mourut et mon père se trouva libre d'emmener sa femme là où bon lui semblait. Mon oncle de New York avait dans l'idée de monter une usine de nettoyage de tapis à Berlin — qui était alors considérée comme un endroit sûr —, aussi y envoya-t-il mon père et ses effets personnels, Athena et son fils Elia, pour mettre l'affaire sur pied. Oncle Avraam possédait déjà une usine semblable à Long Island City, d'un très bon rendement. Non seulement les tapis étaient nettoyés, mais ils ressortaient avec un beau brillant, ce qui ravissait les femmes d'intérieur américaines.

Mon père prit un appartement sur Bambergerstrasse. J'avais une nou-nou allemande. Mon frère Avraam (aujourd'hui psychiatre) y vit le jour. Le premier liquide qu'il avala n'était pas le lait de sa mère mais, selon la coutume, une cuillerée de bonne bière brune. A l'âge de trois ans (photo 4), je parlais allemand.

Là, nous eûmes un coup de chance — bien que nous ne l'ayons pas interprété comme tel à l'époque. Nous nous étions vite rendu compte que le goût des Berlinois différait de celui des Américains: les Allemands aimaient les couleurs primaires et préféraient la texture grossière des tapis tout juste sortis du métier à tisser. L'usine fit faillite et nous l'abandonnâmes. Mon père décida rapidement d'envoyer sa femme et ses deux fils à New York. Les premiers grondements d'une terrible guerre mondiale étaient dans l'air. On nous rapatria précipitamment à Constantinople pendant que mon père allait à New York préparer notre voyage et notre arrivée. Il obtint un appartement sur Riverside Drive, puis dépêcha l'un de ses frères, Seraphim, celui-là même qui avait trouvé ma mère très chouette vue de derrière, pour nous accompagner durant la traversée. Nous quittâmes l'Europe un peu avant « toutes ces salades dans les Balkans ». Notre histoire se résume à une série de déplacements grâce auxquels nous avons toujours échappé de justesse aux catastrophes.

La photo 6 a été prise à bord du *Kaiser Wilhelm*, le fleuron des paquebots allemands, qui nous emportait vers l'Amérique. Une fête avait été organisée pour le départ; c'était la coutume à cette époque-là. Le garçonnet apeuré dans son costume marin blanc est l'auteur de ce récit. Au centre du groupe, vêtue de noir, c'est sa mère. Elle porte encore le deuil de son père, comme toutes les autres femmes de la famille Shishmanoglou, d'ailleurs. A l'extrême gauche de la photo, c'est la sœur aînée d'Athena, Vassiliki (Queenie). Elles ne devaient plus jamais se revoir.

Derrière l'épaule droite d'Athena, tout de blanc vêtue et coiffée d'un chapeau fort peu seyant, on distingue sa meilleure amie, Lucy Palymyra. A ma connaissance, c'est la seule amie que ma mère ait jamais eue — je dis bien de toute sa vie! — et elle venait avec nous.

Ma mémoire a recouvert d'un voile l'histoire de Lucy.

Enfant, dans les faubourgs de Constantinople, Athena passait des journées entières avec les trois petites voisines. Elle s'est souvenue d'elles toute sa vie: Dolly, Nellie et Lucy Palymyra. Dolly et Nellie moururent très jeunes, à seize et quatorze ans. Le docteur arménien qui les suivait donna à leurs parents l'explication suivante : « Il était naturel pour elles de mourir. » La survivante, Lucy, devint l'âme sœur d'Athena. La santé de Lucy laissait elle-même à désirer, son corps frêle en témoignait. Selon Athena, Lucy était sur le point de se marier, vers dix-huit ou dix-neuf ans, comme toutes les autres jeunes filles. Mais elle avait rompu les fiançailles — ou était-ce son mari, je ne sais trop. En conséquence, elle ne se maria jamais et n'eut jamais d'enfants.

Elle reporta son affection sur Athena et les enfants de celle-ci.

Lorsque son mari lui fit part de sa décision de l'emmener en Amérique, Athena se sentait prête pour l'aventure qui allait changer sa vie. Des années plus tard, elle m'a confié combien elle avait souhaité aller aux États-Unis car elle pensait que ses fils y feraient carrière plus facilement.

Elle ne demanda qu'une chose en retour : comme elle allait être séparée de ses frères et sœurs, peut-être pour longtemps (il s'avéra que c'était pour toujours), et qu'elle n'avait pas d'amis dans ce nouveau pays dont elle ne parlait pas la langue (à la différence de son mari), pourrait-elle emmener Lucy avec elle ? Lucy, fit-elle remarquer, l'aiderait à s'occuper des deux garçons.

Mais surtout, et cela elle se garda bien de le suggérer, elle aurait quelqu'un à qui parler. Elle espérait aussi, en secret, que son amie retrouverait la santé grâce au changement de climat et à de meilleurs soins médicaux. De temps en temps, en effet, Lucy était victime d'accès de fièvre qu'aucun docteur de Constantinople n'était capable d'expliquer.

J'ai une tendance condamnable, souvent dénoncée d'ailleurs par l'un de mes frères, à attribuer aux actions de mon père des motivations cachées fort peu flatteuses. Je me suis demandé, par exemple, pourquoi il avait accepté d'emmener Lucy à New York. Dans notre appartement de Riverside Drive, il faudrait loger, nourrir et servir son frère et l'un de ses demi-frères : il avait peut-être calculé qu'il lui reviendrait alors moins cher d'entretenir Lucy que de payer une bonne.

Mais il y a plus, et je vais encore vous paraître injuste, mais je suis convaincu de ce que j'avance : la présence de Lucy lui éviterait peut-être d'avoir à faire la conversation à sa jeune femme. Ils n'avaient pas grand-chose à se dire. Plus tard, l'une des expressions favorites de mon père pour décrire quelqu'un d'autre, d'ordinaire une femme, un Arménien ou un juif, était devenue : « Il parle trop ! » ou « Elle peut pas fermer son clapet plus de cinq minutes ! ». Et de mimer la scène en se tapotant le pouce du bout de l'index. La présence de Lucy, outre qu'elle ferait plaisir à Athena, lui ôterait l'envie de parler hors de son domaine réservé : la cuisine.

Et puis il fallait élever les deux garçons. Sans compter ceux qui ne manqueraient pas de venir ensuite. Et la contraception ? me direz-vous. Dans ces années-là, je crois que le seul moyen, c'était de s'abstenir. Un jour, j'ai bien trouvé des préservatifs dans la commode de mon père, mais c'était beaucoup plus tard. Avant longtemps, Athena attendrait probablement un autre bébé. En effet, cela ne tarda pas.

C'est moi qui donnais le plus de travail à Lucy. Je me la rappelle mieux à partir de ce moment-là : c'était une grande femme aux traits délicats, à l'allure digne et au visage marqué par la souffrance. Elle était née cultivée. J'entends encore sa voix chaude. Son timbre caressant apaisait mes angoisses nocturnes et me berçait.

A peine mon père avait-il donné son aval à sa venue qu'il s'offusqua de sa présence dans l'appartement. Peut-être le méprisait-elle secrètement et, dans ses efforts pour se maîtriser, se montrait-elle d'une politesse excessive à son égard. Ce qu'il interprétait comme une critique voilée de ses manières brusques. Sans doute avait-il surpris un jour le coup d'œil rapide qu'elle lui adressait avant de baisser les yeux, lorsqu'il sommait sa femme de venir le servir. « Aaa-thee-naa ! » hurlait-il, ainsi qu'on lui avait appris à commander les femmes, à Kayseri. Il pensait peut-être que Lucy exerçait une influence néfaste sur sa femme. Leur complicité devait l'indisposer car il les avait accusées de passer leur temps à « chuchoter dans les coins ». (Athena ne l'avait jamais oublié.)

Finalement, il perdit toute retenue — sans doute à la suite d'une mauvaise journée au magasin ou aux courses — et il vida son sac d'un coup, lâchant tout ce qu'il avait sur le cœur.

Lucy s'en alla. J'ai envie de dire « sans plus attendre », mais où diable une femme seule aurait-elle pu aller « sans plus attendre » et sans argent dans une société inconnue dont elle ne maîtrisait qu'imparfaitement la langue ?

Cela, je m'en souviens très bien : du jour au lendemain, Lucy disparut.

Elle mourut vers trente-cinq ans. Elle avait trouvé un emploi de bonne d'enfants dans une famille nombreuse, quelque part à Long Island. Le médecin américain, lui, fut tout à fait en mesure de prononcer un diagnostic : tuberculose. C'est sans doute ce qui avait emporté les sœurs de Lucy. Athena se rendit à Long Island pour emballer les affaires de son amie, puis elle renvoya la malle aux parents de Lucy, à Constantinople. Elle ne nous donna pas beaucoup de détails sur cette journée ; nous sûmes seulement que Lucy avait vécu chez des gens « très gentils » qui l'aimaient beaucoup.

Je ne peux donc qu'imaginer la détresse de ma mère lorsqu'il lui avait fallu emballer les affaires de son amie. Pour elle, cela signifiait se retrouver seule dans ce pays inconnu. Mais de toute sa vie, jamais elle ne s'en est plainte, même si un demi-siècle plus tard, quand elle m'a raconté cet événement, sa voix trahissait encore son amertume.

Elle m'avait dit une fois qu'elles chantaient souvent ensemble, toutes les deux. Moi, je ne me rappelle pas avoir jamais entendu Athena chanter.

Lucy partie, ma mère se tourna vers moi. Il s'instaura entre nous une complicité secrète où mon père ne parvint jamais à s'immiscer. C'est à ce moment-là que l'idée de la conspiration prit corps.

La conspiration ? Un terme qui ressortit au langage criminel. L'emploierais-je au sens propre ? Bien sûr que non. Mais vous-même, quel mot choisiriez-vous ?

Ma mère avait décidé de m'envoyer à l'École Montessori. C'était l'idée de Lucy, en guise de cadeau d'adieu. Je ne sais pas comment ma mère a réussi à justifier la dépense supplémentaire auprès de mon père. Peut-être était-il si occupé et donc si indifférent à ces questions qu'il l'a laissée faire pour avoir la paix. De fait, pendant toute cette période, le milieu des années 20, ses affaires étaient florissantes. A la suite d'une querelle avec son frère aîné, il s'était mis à son compte avec succès. Il jouissait alors de tout son prestige et affichait la sérénité que procurent des rentrées d'argent régulières. Il n'avait qu'une exigence en matière d'éducation et je ne suis pas encore parvenu à me l'expliquer : bien que n'allant jamais à l'église lui-même, il insistait pour que je prenne part à un service catholique tous les dimanches et que je suive le catéchisme à l'école. De temps à autre, je devais avouer mes péchés à un prêtre invisible dissimulé derrière une cloison aveugle. Je n'avais aucun péché sur la conscience, aussi j'en inventai — j'avais volé un sucre d'orge, confessais-je. Je ne pouvais pas rester là sans rien dire, n'est-ce pas ? Et quant à la masturbation, il valait mieux éviter le sujet.

Selon nos traditions, l'éducation des enfants relevait, dans une certaine mesure, de la mère. Cette mesure était atteinte lorsque le fils était en âge d'« apprendre le métier ». A ce propos, voici les premières paroles que m'ait jamais adressées mon père : « Qui s'occuper de moi quand moi vieux, mon garçon ? » J'y répondis : « Moi, papa, sûr, papa, t'inquiète pas, papa. » Je prêtai ce serment sous l'effet de la crainte. Je ne le tins pas et n'en avais d'ailleurs jamais eu l'intention. Ma mère avait d'autres projets. Moi aussi — bien qu'ils ne fussent pas encore très clairs dans mon esprit.

Souvent, le soir, il se tournait vers moi : « Qu'est-ce t'as fait aujourd'hui, mon garçon ? » Il se disait, j'en suis sûr, qu'il s'était tué à la tâche pour gagner notre croûte pendant que nous autres, nous nous tournions les pouces. C'est à ce moment-là qu'il m'avait donné mon surnom : « Bon à rien. » « Hé, Bon à rien, apporte ton vélo, nom d'un chien ! Va au charcutier, achète six tranches de jambon, six tranches de langue, je veux pouvoir donner à manger à ces juifs qui viennent jouer quand j'aurai pris leur argent. »

Je me souviens des joueurs de cartes. Pour le bridge, c'étaient des juifs bien nourris, à la peau tannée ; pour la belote, des Arméniens au teint cireux, les cheveux en broussaille ; pour le poker, des *Black Irish* qui habitaient de l'autre côté de la rue. Une nuit en particulier l'un d'entre eux, un certain Metzger, avait décidé de complimenter mon père sur sa femme. Il avait dû se dire que les convenances l'exigeaient ; pourtant, la plupart des joueurs ne remarquaient guère sa présence dans la maison. Je me rappelle la réponse de mon père : « Elle va bien, elle s'occupe de ses oignons. » La colère était montée en moi, mais comme tous les porteurs de fez, je l'avais réprimée.

Pendant qu'il faisait un somme sur le sofa — « Réveillez-moi, quinze minutes, pas plus » —, maman et moi, nous débarrassions la table, la recouvrions d'une nappe de velours, et disposions un cendrier à la place de chacun des joueurs. Ensuite, pendant qu'ils distribuaient les jetons, les blocs de papier, les crayons et coupaient les jeux neufs, maman et moi, nous faisions la vaisselle ; elle lavait, j'essuyais. Une fois les assiettes rangées dans le placard, nous passions au salon puis, assis tout près l'un de l'autre — mes jeunes frères étaient allés se coucher —, nous lisions. Je vivais les aventures de Tom Swift, puis celles d'O. Henry et ainsi de suite jusqu'à *l'Ile au trésor* et *les Misérables*. Je ne peux pas me souvenir de ce qu'elle lisait, mais elle s'endormait très rapidement. Je m'approchais d'elle et enlevais doucement les lunettes de son nez: sur l'arête subsistait une marque rose. A mesure que j'avançais dans ma lecture, les voix bourrues venant de la pièce voisine se faisaient de plus en plus lointaines, jusqu'à disparaître. Je découvris ainsi que je pourrais toujours trouver le réconfort dans un livre.

Au fil de ces nuits, je devins le protégé de ma mère. A ses yeux, je représentais peut-être ce qu'elle serait devenue si elle n'avait pas été dévorée toute crue par un mariage. Je ne le savais pas encore, mais je sentais confusément que je trouverais un jour ma raison d'être. Nous ne parlions jamais de nos espoirs. Ils nous tenaient trop à cœur.

Nous laissâmes donc passer le temps. A douze ans — nous avions déménagé pour New Rochelle —, j'eus un coup de chance : ma rencontre avec un professeur. Elle s'appelait miss Anna B. Shank, et si jamais quelqu'un a influé sur le cours de ma vie, c'est bien elle. Elle approchait de la cinquantaine, ce qui me paraissait très vieux, et s'était prise de sympathie pour moi. Elle avait remarqué que ce n'était pas le cas des autres gamins. De plus, j'étais si timide que je restais assis tête baissée dans le coin le plus reculé de la classe. Elle décida donc de prendre ma cause en main.

En réalité, si je gardais la tête baissée, c'était pour plusieurs raisons qu'elle n'aurait pu imaginer. La première s'appelait Jacqueline James et je reluquais ses jambes. C'était la reine de mes rêves érotiques cette année-là ; ses genoux m'hypnotisaient lorsque je pouvais les apercevoir entre sa jupe écossaise et le haut de ses chaussettes. Miss James fut la première d'une longue série d'« inaccessibles ». Je ne lui ai jamais parlé.

J'avais un second mobile pour garder la tête basse et la main sur mon visage : la floraison de boutons qui envahissait mon front. Chaque matin, au réveil, je passais plusieurs minutes à les faire « juter ». A chaque interclasse, je me précipitais, anxieux, dans les toilettes des garçons pour passer l'inspection.

Miss Shank me voyait sous un jour plus flatteur. Romantique invétérée, elle fut la première à me dire que j'avais de beaux yeux bruns. Vingt-cinq ans après, ayant lu mon nom dans le journal, elle m'envoya une lettre : « Quand vous n'aviez encore que douze ans, écrivait-elle, un matin que vous étiez debout à côté de mon bureau, un rai de lumière est venu se poser sur votre visage et a illuminé vos traits. A cet instant, j'ai eu la révélation des possibilités immenses qui seraient les vôtres et... » Et ainsi de suite.

Si vous regardez la photo 5, celle qui figure sur l'annuaire du collège, partagez-vous le point de vue de miss Shank ? Moi non plus. Le modèle a la raideur d'une sculpture africaine primitive. C'est un masque, pas une personne.

Miss Shank entreprit avec une ferveur dévote de me détourner de la voie tracée pour les fils aînés par nos ancêtres et donc des ambitions que nourrissait mon père à mon égard. En lieu et place d'études commerciales avec au menu gestion et comptabilité, elle entendait voir figurer ce qu'il est maintenant convenu d'appeler les humanités. C'est elle qui suggéra Williams College. Je n'en avais jamais entendu parler, ma mère non plus et je doute que miss Shank elle-même en ait su beaucoup plus sur cette université. C'était plutôt du registre de l'intuition. Comme Williams était éloigné de notre domicile et donc hors de portée de l'autorité paternelle, et comme par ailleurs la suggestion émanait de ma seule admiratrice, j'écrivis pour demander une brochure.

Miss Shank fit l'effort de rencontrer ma mère. Ce n'était pas une mince affaire car Athena, qui ne connaissait pas encore bien la ville, ne sortait guère que pour faire les courses. Miss Shank convainquit ma mère de mes dons exceptionnels et toutes deux unirent leurs espoirs respectifs. Sur la base de possibilités qu'elles seules discernaient en moi, elles conclurent un pacte. C'est cette alliance que j'ai nommée « la conspiration des beaux yeux bruns ».

Vous comprenez sans peine pourquoi je parle de conspiration. Ma mère le savait aussi bien que moi : si mon père découvrait que nous envisagions un projet aussi contraire à son attente que Williams College, il l'écraserait dans l'œuf. Ce qui s'ensuivit demeura donc secret, nous n'avions pas le choix. Durant mes quatre années de lycée, les heures de cours elles-mêmes m'intéressaient moins que les après-midi passés à écouter miss Shank, bien calé dans le rocking-chair d'osier, sur la véranda de sa maison ; plutôt que d'ingérer un savoir inutile en géométrie et en biologie, je préférais me gaver des espérances et de la confiance dont elle me comblait. Je préférais qu'elle me parle des livres qu'elle me prêtait, de ce qu'ils signifiaient pour elle, et lui faire part en retour de mes impressions personnelles.

La résolution prise par ma mère de me faire bénéficier de cet enseignement différent et plus riche se consolida. Miss Shank me guidait et me prodiguait force encouragements. Peut-être cette fidélité et cette affection sans défaut sont-elles à l'origine de ma vénération pour les femmes. Beaucoup d'autres encore, plus tard, m'ont éveillé aux vérités essentielles de la vie et m'ont laissé le cœur plein d'espoir et d'émotion. Parmi les hommes que j'ai le plus aimés, beaucoup possédaient des traits de caractère « féminins » : il émanait de Tennessee Williams, Clifford Odets, Bill Inge, Robert Anderson, Budd Schulberg, Harold Clurman, Marlon Brando, Jo Mielziner et d'autres ces mêmes qualités de compassion et de don de soi que l'on rencontre chez les femmes. Je n'ai jamais été attiré par ces prétendues vertus masculines dont on nous vante le prestige ; j'ai vécu à l'écart du monde des hommes et de ses préoccupations. J'ai découvert que les hommes, en dépit de leurs fanfaronnades et de leurs bravades, sont beaucoup moins sûrs d'eux que les femmes et ont davantage besoin qu'on les rassure et qu'on les soutienne. La compétition dont ils doivent toujours sortir vainqueurs est plus intense, et même souvent brutale. Écoutez-les, dans les vestiaires, se targuer de leurs talents de négociateurs, de leurs scores, de leurs victoires, de leurs prouesses sexuelles.

Dans ma partie, les actrices avec lesquelles j'ai travaillé sont, à l'exception d'un seul homme, Brando, de meilleures artistes car leurs sentiments sont influencés par leur vie intérieure. Les hommes se sentent constamment obligés de prouver des capacités qui, souvent, n'en valent pas la peine : leur musculature, leur courage, leur richesse, la puissance de leurs érections. Les vêtements masculins trahissent un effort pathétique pour mettre en valeur la force, la virilité ou la crédibilité en affaires. Les vêtements féminins répondent à des objectifs plus simples et plus importants ; on le devine à la rapidité avec laquelle elles les jettent en vrac sur une chaise ou même par terre une fois cet objectif atteint. Ah, cette façon qu'elles ont alors de sauter dans le lit en arrachant leurs derniers effets ! L'homme, de son côté, aura sans doute pris le temps de poser soigneusement son pantalon sur le dossier d'une chaise et de retourner ses chaussettes pour les aérer.

Bien sûr, du jour où la conspiration autour de ma personne se mit en route et tout au long de mes quatre ans de lycée, je me sentis toujours coupable en présence de mon père. Quand il était là, je gardais un profil bas, détournant les yeux quand il me regardait, veillant à demeurer évasif quand il me parlait. Je savais que j'étais complice de la trahison.

J'avais transféré ma chambre au dernier étage de la maison de mes parents — une sorte de mansarde — de façon à déplacer le moins d'air possible. Des souris grignotaient le plancher la nuit. Je ne les voyais pas et j'avais sans doute aussi peur d'elles qu'elles de moi. Je perdais mes cheveux : deux fois par jour, je m'aspergeais le crâne de lotion capillaire, puis j'examinais le peigne en quête de nouveaux symptômes d'une calvitie imminente. Mon problème d'acné semblait ne jamais devoir se résoudre. Existait-il un lien de cause à effet entre mes éruptions cutanées et mes éjaculations nocturnes ? J'essayais de camoufler mes œuvres en sautant du lit aussitôt le méfait commis, pour laver les draps et les étendre sur des chaises que j'installais devant de grandes fenêtres ouvertes. Puis je laissais sécher. Parfois, en hiver, les draps gelaient.

Quels souvenirs me reste-t-il de mes quatre ans au lycée de New Rochelle ? Aucun, si j'excepte les fantasmes, les rêves et les soucis. Pas un seul des professeurs, pas un seul des cours, pas une seule des notes qui se sont succédé pendant ces quatre années ne me sont restés en mémoire. C'est comme si, en 1922, on m'avait assené sur la tête un coup de massue et que je m'étais réveillé en 1926. Ce dont je me souviens bien, c'est ce que je ressentais : inadapté au monde, je m'en isolais ; j'étais rempli de désirs inexprimés, d'inclinations inavouées, de jalousies tout aussi réprimées, de craintes incompréhensibles, d'espoirs inassouvis. Personne ne s'en apercevait, ni ma mère, ni miss Shank, ni les deux seuls amis garçons que j'avais.

L'école finie, j'allais passer le reste de l'après-midi dans les rayonnages de la bibliothèque de New Rochelle, à parcourir des livres qui pourraient apporter des solutions à mes problèmes intimes. Ou bien j'allais au cinéma. Le cinéma devint ma passion. Des rêves semblables aux miens se matérialisaient sur l'écran. Je n'avais pas d'argent, aussi avais-je trouvé un moyen d'entrer au Loew's de New Rochelle : lorsque les portes de sortie s'ouvraient et que la foule se pressait hors du cinéma, je la remontais à contre-courant. J'étais rapide et insaisissable.

Qu'attendais-je de la vie? Rien de noble. Mais je désirais ardemment être un Américain, avoir les mêmes choses que les gamins américains, vivre comme eux jour après jour, être accepté d'eux, goûter les mêmes joies qu'eux — être ensemble, admirer les automobiles, porter des pantalons à pattes d'éléphant, partir en vacances d'été, avoir une pleine poignée d'argent de poche, arborer le nom d'une grande université sur mon sweater, danser avec une fille, mais pas comme un pied, puis la peloter — rien de très noble, vous voyez. Rien que de très ordinaire et de très simple. De très précieux aussi.

J'étais persuadé que mon père s'opposerait à tout ce qui me tenait le plus à cœur. Un après-midi, il avait trouvé la Maxwell garée le long de la maison et m'avait ordonné de m'en débarrasser. J'avais obéi... et m'étais aussitôt racheté une Hupmobile à quarante dollars, que j'étais allé garer dans les sous-bois à quatre cents mètres de la maison. En une nuit, elle fut complètement démantibulée et tout fut emporté. Bien fait pour moi.

Je tirai de ce désastre l'enseignement qu'il se trouvait toujours une autorité (mon père) pour prohiber les biens les plus précieux de l'existence et que je devrais donc me procurer secrètement ce que je désirais le plus. J'appris à garder pour moi mes désirs et entrepris de les exaucer clandestinement. Je chassai mon complexe de culpabilité au sujet de la conspiration des beaux yeux bruns. C'était devenu indispensable. De cette première conception philosophique à la seconde — ce que je voulais, je devrais l'obtenir des autres, sans faire de bruit mais aussi sans traîner — il n'y avait qu'un pas. La logique n'y trouvait peut-être pas son compte, mais je le sautai sans hésiter. J'appris à jeter un voile sur mes envies et sur mes sentiments profonds ; je m'exerçai à vivre dans la pénurie, le silence, sans jamais me plaindre ou rien demander, isolé, sans attendre aucune gentillesse, aucune faveur, ni même aucun coup de pouce du destin. Se débrouiller sans l'aide de la chance! Quel destin en vérité! Ne jamais espérer aucune amélioration de son sort! Se résigner à être rejeté!

Mais j'appris à revenir à la charge, à persévérer. Je m'endurcis.

Et comme ce que je voulais, j'étais à des lieues de l'obtenir, je me fabriquai une vie d'artiste : en symbiose avec le monde, j'observais, j'imaginais, je rêvais. Masqué.

Dans l'annuaire du lycée, sur la page où je suis mentionné, on trouve à côté de chaque autre nom une liste d'activités et de réalisations. A côté du mien, rien. Un blanc. J'étais célèbre pour être un inconnu. Je ne révélais rien. On ne me connaissait aucune activité.

Et puis quoi? Je m'en fichais. La conspiration était à l'œuvre. J'économisais pour le premier versement à Williams College. Je cirais des parquets pour quarante *cents* de l'heure. Je travaillais dans un jardin maraîcher de l'autre côté de la rue pour cinquante *cents* de l'heure. Chaque fois que c'était possible, j'allais l'après-midi au club de golf de Wykagyl et servais de caddie à des femmes approchant de la quarantaine vêtues de longues jupes de laine — un dollar le parcours. Je n'utilisais pas les tramways ; je marchais. Partout. C'est de cette époque que je tiens mes jambes solides et musclées.

Miss Shank, ma mère et moi, toujours à couvert, posâmes notre candidature à l'admission et discutâmes du contenu de la brochure. Williams
ferait de moi un homme libre ; je serais enfin sur la bonne voie.

Mon père avait dû se douter que quelque chose clochait, car il insistait
de plus en plus pour que j'aille au magasin pendant les vacances d'été afin
d'y apprendre les ficelles du métier. Il me payait douze dollars par semaine, dont j'économisais la plus grande partie. A cette époque-là, on
pouvait s'acheter un sandwich à midi pour cinq *cents*. Je me procurai l'un
des costumes d'été qu'il avait mis au rebut et l'ajustai à mes mesures :
après avoir arraché la couture de derrière, j'entrepris moi-même — j'avais
appris à utiliser le fil et l'aiguille aussi bien que n'importe quel marin — de
réduire l'ampleur de la veste, adaptée à l'embonpoint de mon père. A
l'arrivée, les poches de devant se retrouvèrent derrière. Quant au pantalon, je repliais tout simplement le tissu en trop à hauteur de la taille et je
serrais bien la ceinture. Je portais également le canotier de mon père,
celui de l'année précédente dont il voulait se débarrasser. Je devais ressembler à un épouvantail ambulant. J'ai encore dans les narines l'odeur de
mon père, qui imprégnait le costume.

Tout le monde au magasin devait se douter qu'un fils aîné tel que moi
n'honorerait pas la tradition ancestrale. Je m'asseyais au fond du magasin
avec le plus grand livre de comptes ouvert devant moi. Je l'inclinais
légèrement et posais dessus *Ainsi va toute chair*, de Samuel Butler, ou
Servitude humaine, de Somerset Maugham. On me surprenait en train de
lire et on m'envoyait au rez-de-chaussée où je me voyais remettre un
balai. « Au travail ! » Quand j'aidais à dérouler les tapis pour les montrer
aux clients, j'avais l'air de planer. Souvent, on me parlait et je ne répondais pas. Comme je sentais la colère monter en mon père, je faisais de
mon mieux pour feindre de m'intéresser aux tapis. Mais ça ne marchait
pas. Mon père parlait de moi comme d'un « cas di-sis-pi-ré » ! Je ne disais
mot. J'apprenais à subir le châtiment sans me défendre ni me rebeller. Je
le fais encore aujourd'hui.

Mon père cessa de me présenter aux clients. Il ne disait plus : « Charlie
— ou monsieur Untel —, voici mon fils Elia. » Je ne lui en voulais pas. Je
savais que je l'embarrassais.

Un de mes cousins qui travaillait là, Evangelos, le neveu de ma mère,
me méprisait tout particulièrement. Il n'en faisait pas mystère et mon père
semblait le tolérer. Evangelos occupait une place de choix dans la hiérarchie interne grâce à son pénis. Je n'ai jamais eu l'occasion d'admirer cet
appendice en sautoir, mais je me suis laissé dire qu'il atteignait une
longueur phénoménale. Sa réputation sur le marché alla très vite grandis-
sant ; Evangelos faisait beaucoup d'envieux. Il ne rechignait pas, si on le
lui demandait, à exhiber le glorieux instrument devant les meilleurs clients
de mon père. Celui-ci réservait ce divertissement à des habitués triés sur le
volet. Ils suivaient Evangelos dans les toilettes des hommes et ressortaient
quelques minutes plus tard, émerveillés. Evangelos me regardait alors
avec un sourire en coin et je sentais mon propre membre rétrécir. On
complimentait souvent mon père sur son neveu, jamais sur son fils.

Mais je m'en fichais. La conspiration était à l'œuvre. J'avais envoyé le
montant des frais d'admission.

Après le travail, afin de ne pas croiser le regard de mon père, j'allais souvent passer la nuit chez ma grand-mère anatolienne. Evanthia était une vieille femme qui attribuait sa longévité aux trois gousses d'ail crues qu'elle s'enfilait chaque jour comme des pilules de L.S.D. Je la poussais à me raconter des histoires du pays. Tour à tour, j'étais fasciné et je riais aux éclats. Comme j'étais détendu avec elle! Je me suis toujours senti à l'aise avec les femmes âgées, j'éprouve un bonheur particulier en leur compagnie. Mais au milieu de filles de mon âge, je ne pouvais pas articuler un mot. Je restais assis là, planté comme la sculpture africaine que j'ai décrite plus haut, l'air menaçant, le cœur serré, suppliant en silence.

Puis vint la bonne nouvelle: j'avais été accepté à Williams, promotion 1930.

Alors il nous fallut le lui dire.

Elle se dévoua. Maman. J'étais incapable d'ouvrir la bouche.

Il la gifla en pleine figure, la projetant au sol.

Je ne sais pas, pour être honnête, si elle s'était retrouvée par terre à cause de la gifle ou parce qu'elle avait choisi de se laisser tomber là, certainement l'endroit le plus sûr.

C'était un matin. Nous avions décidé de le lui dire à ce moment-là, après le petit déjeuner, quand il attendait le taxi qui le conduirait au train de New York. Ainsi nous échapperions à une scène terrible et interminable. Et il aurait toute la journée pour digérer le coup.

Le taxi arriva. Klaxonna une première fois.

Puis une seconde fois. Enfin, mon père quitta la maison.

Maman se releva. Elle n'était pas blessée. Elle arborait un air triomphal. Si quelqu'un vous frappe de cette façon-là, en effet, c'est un soulagement extraordinaire. Vous découvrez que ça ne fait pas aussi mal que vous le craigniez.

Et cette personne ne vous fera plus jamais peur de la même manière par la suite.

Six mois plus tard, je quittai Williamstown pour aller passer Noël à la maison — j'avais sauté *Thanksgiving* et mon frère George fut la première personne que je rencontrai: « Qu'est-ce qui s'est passé ici? me demanda-t-il. — Quoi? m'étonnai-je. — Ils font chambre à part maintenant. » Je répondis que j'ignorais ce qui s'était passé. « Je pense, dit-il, que tu y es pour quelque chose. »

QUAND JE DONNAI À LIRE à Barbara Loden, alors ma femme, le manuscrit de mon roman *l'Arrangement*, elle eut une réaction inattendue. Actrice chevronnée, elle ne reculait pas elle-même devant des mises à nu qui en auraient embarrassé de moins talentueuses. Et pourtant, à la fin de sa lecture, elle me demanda : « Pourquoi faut-il que tu donnes tant de détails sur ta vie privée ? »

Pour celui qui rédige son autobiographie, c'est la question essentielle : doit-il divulguer des faits ou des épisodes qui le gênent ou contrarient des tiers ; doit-il révéler tous les noms ? A ce stade de mon texte, j'ai été confronté à ce choix.

A quatorze ans, j'ai vécu une aventure dont je n'ai pas encore parlé ; en fait, je voulais la passer sous silence. Mais elle a affecté ma vie entière et je vois mal comment j'aurais pu alors prétendre raconter mon histoire.

Tout a commencé par un ganglion dans mon cou. Ganglion qui s'est ensuite déplacé vers le bas. Un de mes testicules, devenu plus sensible, s'est mis à enfler. Effrayé, j'ai repoussé le moment d'en parler à ma mère. On ne discutait pas de ces questions. Je ne pouvais consulter ni me tourner vers personne. Mon père ? Cette évolution l'en aurait conforté d'autant dans son impression que j'étais déficient dans bien des domaines, voire totalement inapte. J'ai donc tardé à demander de l'aide. J'attendais et j'espérais une guérison spontanée.

Quand la grosseur s'est accrue, j'ai « culpabilisé ». J'avais sans doute fait quelque chose de mal. Quoi, je l'ignorais. Dans ma recherche désespérée d'une explication au phénomène, je me suis traîné jusqu'à la bibliothèque de New Rochelle, distante de cinq kilomètres, et j'ai fouiné dans tous les rayonnages. Je n'ai rien trouvé — c'était en 1924 — qui m'aidât à comprendre la gravité de cette maladie contagieuse appelée oreillons.

Bientôt, le gonflement de mon scrotum est parvenu au point limite. Je me demandais ce qui arriverait quand il ne pourrait plus enfler davantage. Je n'en avais toujours soufflé mot à personne, mais quand il a atteint la taille d'un pamplemousse, en désespoir de cause, je suis allé voir ma mère. « Regarde ! » Et je lui ai montré.

Dans ma famille, la pudeur héritée de l'Ancien Monde prenait des proportions pathologiques, elle aussi. (Je n'avais pas de sœur ; je n'avais jamais vu de corps féminin déshabillé, même pas celui d'un bébé ; ma mère se présentait toujours à nous vêtue de pied en cap ; je l'ai vue dévêtue pour la première fois à l'hôpital quelques semaines avant sa mort ; jamais auparavant.) Mon problème dépassait son expérience et ses connaissances. Elle a appelé le docteur — à l'époque, les docteurs se déplaçaient à domicile — puis m'a transféré à l'étage au-dessous dans une chambre où elle pourrait venir plus facilement m'apporter à manger de la cuisine et s'occuper de moi la nuit.

Le docteur a exigé que je garde le lit et que la chambre reste dans la pénombre. J'ai trouvé ces instructions de mauvais augure : apparemment, la gravité de mon problème était à la hauteur de mes craintes. Ce qui inquiétait le docteur, bien sûr, c'était la propagation possible de l'infection à l'autre testicule. « Reste allongé tranquille ! » Je me souviens combien il avait insisté sur chacun de ces mots. A ma mère, il a dit : « Ne le laissez pas se lever, ne le laissez pas aller aux toilettes. Achetez un bassin. » Il a terminé en demandant qu'on tienne mes frères éloignés de moi. C'était aussi valable pour mon père, mais la consigne était moins stricte. Je ne comprenais rien, mais j'avais très peur.

Il a conseillé à ma mère de me trouver quelque chose pour m'aider à supporter le poids, maintenant énorme. Puis il est parti. Ma mère s'est ruée au drugstore et est revenue avec une écharpe. Bien sûr, elle ne m'a pas aidé à la mettre et n'a pas vérifié qu'elle était bien en place.

Je n'avais plus, apparemment, qu'à attendre en priant. Alors j'ai attendu et (en ce temps-là, « j'avais la foi ») j'ai prié. Ma mère m'a servi avec dévotion et aucun de mes frères n'est venu me voir. Mon père non plus. J'étais un paria.

Quand le testicule a fini par désenfler, le docteur a constaté avec soulagement que l'affection ne s'était pas propagée. Mais il y avait une ombre au tableau. Initialement, la roupette endommagée était de la taille d'une noisette. Les oreillons l'avaient réduite à celle d'une cacahuète. De plus, cette cacahuète était sèche. Je devais passer le reste de ma vie muni d'un seul génitoire.

Le docteur ne s'était pas montré rassurant — j'étais convaincu que je n'aurais jamais d'enfants. Mais cela importait beaucoup moins que d'avoir reçu confirmation de mon intime conviction : j'étais indésirable sexuellement et inférieur aux autres garçons de mon âge. Dans le jargon des marchands de tapis, on m'aurait sans doute qualifié de carpette défectueuse. Il me faudrait une longue suite de mésaventures pour me persuader que je ne valais pas moins que les autres.

J'étais un gamin futé, aussi je me réfugiai dans la lecture. Au contact de la vie de quelques grands artistes, je découvris que beaucoup de gens de talent avaient souffert de déficiences physiques : Lord Byron n'était-il pas un pied-bot ? Somerset Maugham bègue ? Homère aveugle ? Et ainsi de suite. Jusqu'au jour, des années plus tard, où j'en vins à me dire : « Arrête ton char, mon vieux, tu vas me faire pleurer ! » Et les remparts de complaisance que j'avais érigés autour de moi s'écroulèrent sous mes rires.

J'avais toujours le béguin pour Jacqueline James (elle était toujours

amoureuse de moi dans mes rêves). Puis j'eus vent de rumeurs — ah,
comme elles m'ont brisé le cœur ! — disant qu'elle « appartenait » à Vin
Draddy, le play-boy de notre équipe de football américain. Malade de
jalousie, je me mis à les suivre dans les couloirs, à étudier les regards qu'ils
échangeaient, à maudire ma « déficience ». J'imaginais ce qu'ils faisaient
ensemble, bien que mon savoir en matière de contact sexuel fût plus que
limité.

Voici quelle en était l'étendue : un beau jour, j'avais trouvé une mince
brochure sur la commode de ma chambre au dernier étage. Le style
dénotait le choix de ma mère — sage, sans rien d'explicite, discret,
dépourvu d'illustrations. Avec la pudeur d'une jeune novice, cette brochure fournissait le minimum d'informations. Rien que même moi je ne
sache déjà.

Puis une autre rumeur se propagea — on s'en gargarisait chez les
« Garçons » : Vin « le faisait » avec une Japonaise de la classe en dessous.
Je guettai la réaction de Jacqueline. « Ah, si je t'avais, lui jurais-je (en
silence), je ne regarderais jamais une autre fille ! » Je ne pouvais concevoir
qu'un héros du football, même s'il pouvait s'offrir toutes les filles qu'il
voulait, puisse en préférer une autre à Jacqueline.

Petit à petit, le sexe se mit à occuper le devant de la scène dans mon
existence. Il excitait sans relâche mon imagination. J'observais chaque
relation garçon-fille à travers la lunette grossissante de mon esprit. Quant
au passage à l'action ? Je m'en étouffais rien qu'à l'idée. J'étais comme au
spectacle et mon angoisse, bonne fille, me tenait compagnie. Et Dieu sait
quel spectateur assidu j'étais !

J'allais au cinéma presque tous les jours après les cours. Je ne manquais
jamais un programme du Loew's de New Rochelle ou du R.K.O. Proctor,
me glissant à l'intérieur à la sortie de la première séance. Je parcourais
toute l'allée centrale en quête d'une rangée où s'étaient entassées les filles
du lycée. Je m'asseyais derrière elles et les regardais faire les folles,
chuchoter et pouffer. Elles se tortillaient dans tous les sens, s'enlaçaient,
croisaient et décroisaient leurs longues jambes, leurs jupes remontées bien
au-dessus du genou. Lorsqu'elles se tournaient les unes vers les autres,
leur profil révélait un air effronté, une expression sarcastique, et j'essayais
de deviner quels secrets délicieux passaient de l'une à l'autre — tout en
faisant semblant de regarder Joan Crawford sur l'écran.

Comme je l'ai déjà dit, ma vie au lycée ne m'a guère laissé de souvenirs,
mais je me rappelle clairement une scène qui avait pris place dans le petit
salon d'un pavillon de banlieue où m'avait amené mon ami Bill Fenton.
J'étais assis à un bout du salon, longue pièce où régnait la pénombre, le
bras autour des épaules — non, plus bas ! — d'une fille qui s'appelait Julie
Webber. Ses cheveux bouclés tenaient en place grâce à un gel très épais et
elle exsudait une odeur de désinfectant. Cette fille bien élevée ne suscitait
en moi aucun désir. A l'autre bout du salon obscur, mon ami Bill était
assis à côté de la jeune sœur de Julie, Marguerite, blonde au regard
insolent et plein de malice qui me rendait fou. Ils se pelotaient. Voilà
pourquoi j'étais venu : pour rester assis, froid comme un glaçon, avec
Julie, à dévorer des yeux sa sœur Marguerite qui était dans les bras de
mon ami Bill.

En classe de première, prêt à tout pour me faire remarquer, j'eus l'idée saugrenue de m'engager dans l'une des équipes de football américain du lycée. C'était à mes yeux le moyen le plus sûr d'accéder à un statut social plus enviable. Cette année-là, je pesais soixante et un kilos : de deux choses l'une, ou bien nos entraîneurs étaient sadiques, ou bien ils manquaient cruellement de combattants pour m'accepter dans leur équipe. On m'assigna la position d'avant-centre remplaçant dans la troisième équipe et on me fournit le matériel nécessaire : un pantalon renforcé qui me tombait juste au-dessus des chevilles et des épaulettes trois fois trop larges. A la fin d'un long après-midi, quand le jour tombait et que la première équipe avait lessivé la seconde et épuisé la résistance que les corps les plus robustes de la troisième équipe pouvaient offrir, on m'envoyait me faire piétiner au centre. Je prenais ma raclée. C'était ma spécialité. Finalement, un responsable de l'équipe fut saisi d'un élan d'humanité et l'on me nomma directeur-assistant : ma tâche consistait à me précipiter sur le terrain avec un seau d'eau et des serviettes dès qu'il y avait un arrêt de jeu. Je m'acquittai de ce privilège avec joie.

En fin de première, je reçus un choc agréable : une certaine Marjorie Valentine me pria d'être son cavalier au bal de fin d'année. Cette invitation me partagea entre délice et supplice. Je n'étais pas sûr d'être à la hauteur. J'avais un peu peur de ce que Marjorie pourrait me demander de faire. Mais miss Anna B. Shank me pressa d'y aller, aussi, j'achetai deux billets, mis mon « costume du dimanche » de serge bleue et allai chercher Marjorie chez elle. Elle était précédée d'une réputation : celle de sortir avec tous les garçons ; et elle s'était tournée vers moi. Vous vous rendez compte ?

Quelques jours après le bal, j'eus le fin mot de l'histoire. Marjorie n'avait pas réussi à séduire le garçon qu'elle convoitait. Elle devait absolument être présente au bal, car il y serait certainement, mais ne voulait pas s'y rendre avec quelqu'un qui le ferait douter de l'inclination qu'elle éprouvait pour lui. Y aller avec moi, compris-je après coup, c'était l'équivalent pour elle d'y aller seule.

Je me rappelle le moment où elle m'avait demandé de rester en haut de l'escalier qui menait au gymnase, où avait lieu le bal, pendant qu'elle descendait jusqu'en bas : arrivée là, elle s'était installée dans le faisceau des projecteurs de la piste de danse, jambes écartées. « Dis-moi si tu peux voir à travers ma robe », m'avait-elle lancé. Le sol ciré réfléchissait l'éclat des spots. Elle était restée là un moment puis s'était tournée vers son eunuque dans l'attente du verdict. J'étais aux anges. Pendant mes trois années de lycée, je n'avais jamais eu de contact aussi intime avec une fille.

Je me ruai au bas de l'escalier pour lui faire part de mon jugement. A mi-voix, je lui confiai : « Oui, tu peux, enfin, je pourrais, je veux dire oui, je peux. » J'étais tout à fait disposé à la reconduire chez elle et à la ramener vêtue d'une robe plus décente. Mais, à ma grande surprise, elle pénétra sur la piste en se rengorgeant et me fit signe de la rejoindre. Elle ne dansa avec moi qu'une seule fois — je fus un piètre partenaire — et je ne la revis plus de la soirée. Le tour de piste unique était sans doute destiné à convaincre le gros poisson qu'elle n'avait « personne » au bout de son hameçon. Je rentrai seul à la maison.

Ma vie sexuelle pendant mon année de première se résuma à cette seule aventure.

En terminale, ce fut la gamelle absolue dans ce domaine. J'avais baissé les bras.

C'est cette année-là, je crois, qu'est né mon problème. Je m'étais mis à faire une fixation sur le genre de filles qu'à l'inverse des autres garçons, je n'avais pas eues au lycée : ces flirts que j'avais désirés sans rien tenter pour les obtenir, par manque de confiance en moi et par crainte de n'être pas assez viril. De toute façon, eussé-je essayé que je n'y serais pas parvenu. Après le lycée, cette inclination perverse ne me lâcha pas. Elle persista à l'université et durant ma carrière théâtrale et cinématographique. Je ne comprends pas comment elle a pu s'enraciner en moi avec autant de force et durer si longtemps que je peux parler d'obsession à son sujet. La seule explication possible, c'est qu'elle m'a affecté pour la première fois à l'âge où j'étais le plus impressionnable.

Même longtemps après — j'obtenais alors facilement les filles que je voulais — un sentiment étrange subsistait en moi. Si j'entamais une liaison avec une jeune femme qui me rappelait ces filles dont les activités sexuelles étaient légendaires dans les couloirs du lycée de New Rochelle, mes vieilles incertitudes reprenaient le dessus. Aux femmes que je désirais le plus ardemment, je donnais le moins de plaisir. Plus elles étaient jolies, ces jeunes garces aux yeux de biche devant lesquelles mon cœur battait la chamade, moins j'étais capable sexuellement.

A l'inverse, si la dame était d'allure plus classique, respectable, intelligente, compréhensive, compatissante, bienveillante, raisonnable, pudique, en résumé « bien sous tous rapports », alors je me sentais à l'aise : quelle raison, en effet, aurais-je pu trouver de m'inquiéter ? Mais si je satisfaisais pleinement ce type de femmes, j'en tirais moi-même moins de plaisir. L'indifférence me rendait en quelque sorte « meilleur » amant. En revanche, que je lise « non merci » dans le regard d'une Lolita des faubourgs, et aussitôt je perdais la tête ; je la poursuivais de mes assiduités, abusais d'elle, la prenais de force ou encore l'achetais, mais au moment crucial l'angoisse montait en moi comme une fièvre et je me trouvais soudain incapable de « tenir mon rôle ». Tout ce qu'une femme de ce genre avait à faire pour susciter mon désir, c'était suggérer que peut-être, si elle couchait avec moi, elle n'aimerait pas ça. J'étais attiré par la promesse d'être rejeté et tout aussi impuissant à y faire face.

Si j'ai pu enfin gagner de l'assurance, c'est grâce à la dévotion de ma première femme, Molly. Elle m'a fait prendre conscience de mes qualités. Plusieurs mois avant notre mariage, elle est tombée enceinte : quel meilleur réconfort ? Bien meilleur que tous les discours d'un docteur. Avec l'appui de Molly, j'ai retrouvé mon amour-propre au moment et dans les domaines où j'en avais le plus besoin. Mais il m'a fallu attendre 1932 ; auparavant, huit années d'une torture indescriptible se sont succédé.

Effectuons un saut dans le temps de vingt-cinq ans : je peux tenir un oscar dans chaque main, j'ai monté plusieurs prix Pulitzer au théâtre. Les rôles sont renversés et mon personnage occupe désormais le devant de la scène.

Un beau soir, chez Chasen, repaire de la colonie hollywoodienne, je tombe sur un scénariste de mes amis, accompagné comme à son habitude d'une fille très attirante. Leurs noms apparaissent côte à côte dans les gazettes. Je trouve que mon ami manifeste une certaine condescendance vis-à-vis de cette jeune femme. Il empeste l'eau de Cologne à bon marché. Elle, c'est une actrice qui en veut. Elle a le regard fuyant. Je signale à mon ami que j'ai une chambre au Beverly Hills Hotel et je lui en donne le numéro. Je n'ai pas regardé la fille. Je sais que le type avec qui elle sort ne pourra pas l'aider dans sa carrière et je sais qu'elle sait que moi je peux, si j'en ai envie. J'éprouve une certaine pitié pour elle ; il me semble que son compagnon l'a avilie.

Une heure plus tard, elle fait ce que j'attendais. « Pourquoi ne venez-vous pas ? » lui dis-je. Et je raccroche. Nous sommes en train de faire l'amour quand je m'arrête soudain pour lui demander de passer un coup de fil. « Peut-être qu'il s'inquiète », dis-je. Elle n'hésite pas. « Dis-lui que tu seras à la maison dans une heure. » Le téléphone se trouve juste à côté du lit. Nous n'avons pas besoin de nous dégager l'un de l'autre. Elle tient à mon ami quelques propos aimables, lui dit qu'elle rentre et qu'elle l'aime. Cette dernière parole me procure un plaisir tout particulier. Elle raccroche et nous reprenons.

Nous tenons notre revanche — tous les deux.

Rappelez-vous que pendant toutes mes années de jeunesse, chaque fois que j'entrais dans un lit où une fille m'attendait, j'avais l'impression de pénétrer dans une salle de tribunal où le verdict m'avait souvent été défavorable. Quel criminel n'a jamais eu envie de renverser les rôles face à son juge, de rabattre son caquet à ce personnage éminent, de le démasquer, de le tuer ? N'était-il pas naturel pour moi, sur qui les femmes avaient exercé tant de pouvoir, de vouloir presser le citron jusqu'à la dernière goutte maintenant que la situation s'était retournée en ma faveur ?

Eh bien, c'est ce que je faisais. Ma spécialité ? Conquérir les femmes des autres, surtout celles de ces apollons qui jouaient les premiers rôles, grands et musclés, sûrs d'eux-mêmes, du moins en apparence : héros sur le champ de bataille, cavaliers émérites, pilotes de voitures de sport, dieux de la publicité. Je voulais prouver que Vin Draddy n'était pas capable de satisfaire une femme et de la retenir quand je la désirais.

Pourtant j'aimais bien Vin Draddy, vraiment.

Quant aux femmes, je voulais prouver que ces traîtresses n'étaient pas dignes de confiance. Je n'avais pas pardonné à Marjorie Valentine ni oublié cette nuit de bal en fin de première. J'épiais chaque représentante du sexe opposé dans l'espoir de voir se confirmer ma théorie : si les circonstances le permettaient, les velléités d'infidélité se concrétiseraient. Je parvins souvent à exaucer mon vœu. La plupart du temps, mon intuition se révélait exacte. Je m'en réjouissais.

J'ai été surpris de constater que les femmes se décident plus vite à « le faire » que les hommes — si la porte est munie d'un verrou. Souvent, quand j'en venais à mieux les connaître, je m'apercevais qu'elles n'attendaient qu'une chose de la vie : une aventure sexuelle de plus. Je n'en revenais pas de ce à quoi elles étaient prêtes, n'importe où, n'importe quand. Je tirais une grande satisfaction de les y inciter.

Vous pensez que j'exagère ?

Que diriez-vous alors de cette intellectuelle bon chic bon genre, enceinte de six mois, en train de faire l'amour avec moi, sur un coup de tête, dans la chambre à coucher de l'appartement qu'elle partageait avec son mari, une photo de lui sur la commode, ses lunettes sur le nez, tout sourire ? Cette femme, connue de tous pour sa loyauté envers son raté sympathique de mari, répétait paraît-il à qui voulait l'entendre qu'« il était impossible de ne pas aimer Charlie ».

Je me rendis vite compte que beaucoup de femmes se défoulaient de la même façon que moi. Elles rendaient la monnaie de leur pièce à une multitude d'hommes et ne reculaient devant aucune extrémité pour étancher leur soif de vengeance. Parfois, me disais-je, elles doivent préférer enfreindre les lois du mariage dans leur propre lit. Mieux encore, il arrivait qu'un bébé, fruit de l'union sacrée, dorme paisiblement dans un berceau aux couleurs chatoyantes à côté du lit, ou même dedans, tout contre nous : j'en tirais un acte d'accusation en béton ; la preuve que je recherchais était administrée doublement.

Ne vous mettez pas en colère contre moi. Je ne suis pas vraiment pire que la plupart d'entre vous. Admettez-le. De plus, aujourd'hui je suis repenti. Et fidèle.

Malheureusement, pendant une longue période de ma vie, j'ai été incapable de jurer fidélité à qui que ce soit, aucune femme, pas même la meilleure que j'ai connue, ma première épouse, Molly. J'avais coutume d'affirmer — sorte d'autojustification — que je lui étais fidèle dans tous les sens du terme sauf sexuel (je l'étais effectivement) et que seuls les autres sens du terme comptaient vraiment. Était-ce mon intime conviction ? Oui.

Mais je sais aujourd'hui pourquoi les choses se sont passées de cette façon-là et quelles vieilles rancunes je remâchais. Je sais maintenant combien d'énergie inutile j'y ai consacrée. Je passais la moitié de mes journées à mettre au point la logistique de mes liaisons. Je me conduisais comme un fou. L'amour n'entrait pas en ligne de compte. Je m'épuisais, je galvaudais la meilleure part de moi-même. Je démolissais mon existence. Avant et entre les répétitions, sur le chemin des studios le matin, en coup de vent dans l'appartement d'une fille, dans la limousine avec une starlette, pendant la pause déjeuner, dans les loges, en coulisses entre deux actes et dans presque chaque hôtel du quartier de Times Square — je n'ai oublié aucun de ces endroits. Sans répit.

Que de temps et d'énergie gaspillés !

Je ne suis pas fier de cette période de ma vie.

Aujourd'hui, enfin, après avoir vécu soixante-dix-huit ans, je suis fidèle à ma troisième femme et je me sens bien avec elle. Chaque jour semble durer deux fois plus longtemps et m'apporter deux fois plus de joie. Je suis arrivé au bout de mes peines.

Je m'en félicite. Sûr ? Oui, sûr. Je suis satisfait. Mais, c'est là tout le charme de la vie si vous avez l'audace de lui laisser la bride sur le cou, ce que l'on bâtit pour durer a tendance à fondre comme sculpture de glace sous le soleil. Le temps ne respecte aucune loi et j'ai appris à me méfier des absolus, à commencer par les miens — je ne peux pas juger des vôtres.

Certains jours, parfois juste quelques instants, je me remémore cette époque où je vivais dans l'arrogance, la misère et l'excès, et je me dis qu'après tout je n'ai pas perdu mon temps. Je me rappelle quel plaisir j'y trouvais et combien j'ai appris pendant ces années.

Mais je ne voudrais pas les revivre.

En juin 1980, invité à prononcer un discours lors de la cinquantième réunion de ma promotion universitaire — choix surprenant au demeurant —, je me rendis en voiture à Williamstown et — j'étais d'humeur affable — voici ce que j'ai demandé à ceux de mes camarades qui avaient survécu : « Est-ce que certains d'entre vous bénéficient d'une mémoire suffisamment alerte pour avoir gardé un souvenir de moi datant de ces années particulièrement sombres, de 1926 à 1930 ? Parce que je passais la plupart de mon temps enfermé dans ma chambre ou à la bibliothèque. Je ne portais pas le sweater de l'université, je n'ai pas joué dans *le Bouffon du roi* et j'ai également refusé d'entrer à Gargouille. A l'évidence, j'étais complètement névrosé, en apparence dépourvu de l'usage de la parole, et j'avais la réputation de pouvoir rester sans mot dire plusieurs jours d'affilée. Naturellement, lors des campagnes de recrutement organisées par les fraternités[1], on ne s'est jamais tourné vers moi ; c'eût été comme demander à un fantôme de venir hanter une maison. Socialement, je faisais bande à part. En quatre ans, je n'ai pas dansé une seule fois, que ce soit pendant les vacances ou au bal. Lors des surprises-parties que vous organisiez, je restais debout derrière une table, vêtu d'un manteau blanc taché de rose foncé, le cœur rongé par la jalousie, à servir des punchs bien serrés à vos petites amies. Ne soyez pas tristes pour moi : je me suis suffisamment apitoyé sur mon compte. »

Il régnait à Williamstown une atmosphère somme toute agréable en cet été 1980, mais à l'automne 1926, quand j'y étais venu pour la première fois, on se serait cru au paradis. Ce jour-là, il soufflait une brise douce et fraîche et le ciel gorgé d'un bleu tirant sur le mauve surplombait un tissu de nuages bas, purs comme des fils de coton, sans cesse en mouvement. Entre les bâtiments — certains de style anglais d'inspiration classique, d'autres sans personnalité, masses informes de pierres grises ou rougeâtres —, on pouvait apercevoir à l'horizon les collines du Berkshire, aux contours délicats comme des festons, qu'on appelait « les montagnes ». Elles enserraient une large vallée, lui offrant toute la protection nécessaire. De larges espaces avaient été ménagés entre les immeubles du campus et l'on y avait semé des pelouses généreuses ; elles avaient retrouvé un vert uniforme après tout un été de repos. Les étudiants de

---

1. Groupements d'étudiants dans les universités américaines. (*N.d.T.*)

troisième et de quatrième année pullulaient, contents de retrouver leurs vieilles connaissances. Minces et en forme, ils semblaient ravis d'être de retour. Beaucoup d'entre eux arboraient des casquettes à visière rigide, comme dans les cercles de buveurs allemands — ces couvre-chefs étaient-ils l'insigne de quelque société secrète ? Je me le demandais. Tous ces jeunes gens portaient des pantalons de flanelle ou de velours côtelé hâtivement repassés et des sweaters en lainage soyeux — les premières gelées sont précoces dans le nord-ouest du Massachusetts. Certains d'entre eux, particulièrement costauds, dotés de larges épaules, portaient des sweaters noirs en tricot épais, la poitrine barrée d'un grand W violet, distinction honorifique pour ces athlètes d'exception. Partout régnait une atmosphère de privilège et de richesse ; dans une baie abritée, à l'écart de l'orage, l'élite se congratulait.

J'arrivai accompagné de mes parents. J'étais vêtu de mon costume du dimanche en serge bleue que ma mère m'avait acheté chez Rogers Peet et qui m'engonçait encore aux épaules. Pour aller avec — je n'ai jamais compris pourquoi —, j'avais choisi un feutre mou couleur cuivre. En conséquence, mon teint déjà cireux se nuançait de jaune pisseux. J'avais de nouvelles chaussures marron, vernies plutôt que cirées. Venues en remplacement de baskets, elles me serraient.

Ma mère détonnait au milieu de ces Yankees de Nouvelle-Angleterre, avec sa modeste robe sombre et son petit chapeau noir traversé d'une épingle. Elle regardait furtivement autour d'elle, à travers ses lunettes, pleine de curiosité. Je ne saisis que maintenant combien ce moment avait dû la combler.

Mon père portait son costume de travail, taillé sur mesure pour accommoder sa bedaine, rehaussé d'un col montant bien amidonné qui serrait un nœud papillon à pois bleus comme dans un étau. C'était la tenue appropriée pour ce petit importateur cosmopolite mal à l'aise en dehors de son environnement habituel.

Après avoir inspecté la chambre qui m'avait été attribuée, sous les combles d'un dortoir de bizuths, il jeta un rapide coup d'œil à travers la seule fenêtre et n'eut de cesse de partir. Quand je lui eus expliqué quels cours j'allais suivre — latin, maths, français, anglais et astronomie —, il me posa cette question : « Pourquoi t'apprends pas quelque chose d'utile ? » Il prononça « i-tile ». Il était déçu que je n'aie pas choisi une école de commerce. Compte tenu de ses réticences, il avait été chic — ce que je n'admis que bien plus tard — de payer une partie des cours — qui coûtaient quatre cents dollars — et de quitter son travail pour venir en train jusqu'à Williamstown.

« Viens, Athena, on y va, décida-t-il soudain. Je trouve un taxi, t'inquiète pas », me dit-il. Mon père ne doutait point que pour disposer d'un train, il lui suffirait de prendre un taxi jusqu'à la gare la plus proche où ce train l'attendrait pour l'emmener immédiatement à l'endroit où il le désirait. Après avoir effleuré ma joue de ses lèvres, il s'en alla. Ma mère suivit. Je ne leur tins pas rigueur de leur départ précipité. J'éprouve quelque embarras à reconnaître que j'avais un peu honte d'eux. Mon seul désir, c'était qu'ils s'en aillent. Je voulais rester seul et me mettre dans l'ambiance anglo[1].

Je dépensai rapidement l'argent que ma mère m'avait laissé pour acheter les livres du programme ; en fait, j'étudiais surtout les comptes rendus des séances d'entraînement dans le journal de l'université et je me mettais au courant des incidents survenus lors des premiers matches de la saison. Je n'eus aucune difficulté à apprendre par cœur le nom de tous les athlètes. L'après-midi, j'allais assister à l'entraînement sur Weston Field, spectateur solitaire perché sur le dernier gradin, et j'observais tout ce qui se passait sur le terrain. J'allais voir de près les vedettes qui menaient le jeu de l'arrière, je les suivais dans Spring Street jusqu'au bar du gymnase, commandais une omelette au jambon pour avoir le privilège de m'asseoir dans un coin et de les regarder, ou bien j'entrais chez Bemis, si je les y apercevais en train d'acheter des livres — après tout, ils suivaient aussi des cours — pour surprendre leur conversation. Sûrs d'eux, fascinants, terrifiants, on aurait dit que leur gloire jamais ne s'éteindrait.

Il me faut maintenant confesser ma grande sottise. Je m'attendais vraiment que l'on m'invite à devenir membre d'une fraternité. Je ne sais pas pourquoi, compte tenu de mon attitude, de ma dégaine et de mon incapacité totale à susciter la moindre sympathie, mais je m'y attendais. J'espérais qu'une fraternité lancerait une campagne de recrutement à mon intention ; avec impatience.

Sur ce, la semaine cruciale arriva, ces jours d'une importance capitale où les bizuths les plus brillants, les « aspirants », sont invités à effectuer un tour d'horizon des quinze fraternités en compétition et à juger laquelle d'entre elles leur correspond le mieux — ils subissent eux-mêmes en retour un examen détaillé. On s'arrache les meilleurs de la promotion — une vedette du football américain, par exemple — qui doivent endurer une pression extraordinaire. Tout autour de moi, j'entends prononcer le nom de ceux qui ont été choisis par les fraternités de première classe, Alpha Delta et Delta Kappa Epsilon. Une fois élu par l'une d'elles, on devient un S.D.C., un Superman du campus ; cela signifie qu'on a déjà réussi, qu'on a franchi le premier pas vers une carrière fertile en succès de tous ordres. Cette semaine-là, l'université est toute bruissante de cris et de chuchotements.

Moi, je ne perçois que le bruit du silence ; c'est bien d'un son qu'il s'agit, ceux d'entre vous qui l'ont déjà entendu le savent. Celui de l'activité qui se déroule ailleurs, au loin, un écho distant, c'est tout, des murmures qui cessent quand vous approchez ou un téléphone qui sonne à l'autre bout du couloir, dans une autre chambre. Vous l'entendez à travers les murs et le sifflement de la vapeur qui s'échappe des radiateurs ne parvient pas à le couvrir tout à fait. Des bruits de pas, qui dépassent votre porte. La grande horloge de la tour du gymnase rythme le passage du temps et la rumeur du vent délimite la zone de vide qui vous entoure. Cet automne-là, je ne reçus aucun message des « frères », sauf celui du silence.

---

1. Terme familier désignant les Américains blancs qui n'appartiennent pas à une minorité culturelle. (*N.d.T.*)

Comme depuis j'ai eu mon content d'échecs, que ce soit au cinéma, au théâtre ou en littérature, j'ai appris que si l'on ne réussit pas, la mauvaise nouvelle ne vous parvient jamais. Personne ne vous donne aucune nouvelle. On passe à côté de vous comme à côté d'un cadavre. La seule chose à faire, c'est d'oublier, et j'y parviens très bien, maintenant. Quand je regarde en arrière, j'éclate de rire et je me dis que j'ai eu bien de la chance de n'être pas « recommandé ». Mais en 1926, ce silence m'avait accablé. Je souffris pendant quatre longues années dépourvues de toute chaleur humaine ; au tréfonds de moi-même, j'en veux encore à ceux qui m'ont rejeté.

Je me demandais ce que j'avais fait au Bon Dieu. Est-ce que ma physionomie ne lui revenait pas ? Ma gueule de métèque ? Ces Anglos qui prenaient les décisions, que s'étaient-ils dit ? Que j'étais juif ? Certes, j'avais la tête de l'emploi. Était-ce cela ? A Williams, en 1926, on n'acceptait ni les Noirs ni les juifs dans les fraternités. Était-ce mon caractère ? Étais-je vraiment un anormal ? Un trait de ma personnalité était-il rédhibitoire à mon insu ? S'étaient-ils rendu compte de ma frousse du sexe ? Ou bien était-ce plus simple : mes jambes arquées, mes boutons, mon gros cul ? Quoi ?

Je ne l'ai jamais su. Mais on m'avait écarté et les rues me semblaient plus sombres la nuit. J'ai dû digérer ce qui m'était arrivé et tenter d'obtenir par moi-même ce que j'enviais chez les autres. Je me mis à rêver de violence. Je dus contrarier mes impulsions négatives, telles qu'enfoncer des portes, grimper à des fenêtres dont j'arrachais les barreaux, voler, m'enfuir, donner des coups de poing, des coups de pied, défoncer des crânes sur le plancher. Surtout, je compris que je devrais continuer à user de ma force intérieure et de ma ruse exceptionnelle. Je découvris, cette semaine-là, qui j'étais vraiment : un outsider. Un Anatolien, pas un Américain.

Pendant l'année qui suivit, chaque fois qu'une personne de ma connaissance s'avançait vers moi sur le trottoir, je traversais la rue avant de la rencontrer : de la sorte, elle ne risquait pas d'ignorer mon salut.

Plus tard, j'améliorai cette technique. Je ne disais plus bonjour à personne, attendant que les autres parlent en premier. Je regardais bien droit devant moi ou par terre. Mon dos se voûta.

J'aurais dû m'inspirer d'une des maximes favorites de mon père : *Guzumuz yok,* qui signifie : « Nous n'avons pas d'yeux. » En d'autres termes : « Nous ne ressentons rien des humiliations, des insultes et des provocations car nous ne les voyons pas. C'est notre façon de survivre et d'aller encore de l'avant dans ce pays. » A Williams, en effet, je dus ma survie à ce précepte.

Durant ma première année, passée en solitaire, sans amis, se dessina tout de même une évolution positive : je décidai de subvenir à mes besoins pour soulager mon père. Le restaurant du foyer n'allait pas tarder à m'envoyer sa note. Vu l'attitude de mon père, je ne voulais pas me reposer sur lui pour assurer ma pitance ; je ne pouvais tout de même pas lui dire : « Aide-moi à faire ce que tu ne veux pas que je fasse. » J'effectuai donc le premier pas vers l'indépendance financière : un job de serveur pour la fraternité Zêta Psi. J'appris comment débarrasser six assiettes d'un coup.

Cette situation présentait un autre avantage : je voyais du monde. A ce moment-là, sans doute que le seul moyen pour moi de me mêler aux autres garçons, c'était de leur servir leur « merde sur un plateau » : des muffins à la Maïzena tartinés de gelée de pomme et accompagnés de grands brocs de lait. Ce fut un succès. Je faisais partie d'un groupe pour la première fois de ma vie ; peu importait que ce fût dans une position subalterne. J'étais toujours seul, certes, mais j'avais trouvé matière à flatter mon orgueil. La fierté du garçon d'étage : c'est ce que disent les Anglais, si je ne me trompe ? Je portais aussi peu de vêtements que possible, jamais de chapeau. Avec mon pardessus léger, sans sweater dessous, fermé jusqu'au dernier bouton, j'affrontais la neige en baskets pour aller servir leur petit déjeuner aux Zêtas. Parfois, la neige fondue me fouettait le visage comme des larmes gelées, mais je magnifiais ma résistance à l'épreuve. Moi, je n'avais pas besoin de la pelisse en peau de raton laveur dont beaucoup ne pouvaient se passer.

Mes vêtements, mes mains et mes cheveux sentaient l'eau de vaisselle et les ordures pourrissantes. Quand j'avais la goutte au nez et que je m'essuyais d'un revers de manche, je pouvais renifler les odeurs de cuisine. Non sans perversité, je m'enorgueillissais de cela aussi.

Ma planche de salut ? Les livres. Vrai rat de bibliothèque, je me réfugiais dans les recoins de ses rayonnages. J'emportais des cartables entiers de livres que je lisais la nuit ou entre les cours. Ils recelaient la solution aux problèmes de mon existence. Je côtoyais les grands auteurs ; à la lumière de leurs récits, je comprenais l'histoire de ma vie.

Pendant toute cette période, une seule amie demeura indéfectible : ma mère. Chaque lundi, je lui envoyais mes sous-vêtements, mes chaussettes et mes chemises sales dans un sac, et elle me les réexpédiait propres et frais. L'arrivée du sac à linge le vendredi constituait l'événement de ma semaine. Au milieu des vêtements se nichaient des échantillons de cuisine maison : baklava, blanc de poulet, riz épicé enveloppé dans des feuilles de vigne, gâteaux au chocolat et aux noix ; il y avait toujours quelque chose à manger. Et un petit mot : inquiétude au sujet de ma santé, fierté de me savoir là où j'étais. Plus un ou deux dollars, en guise d'argent de poche. Elle ne m'a jamais fait faux bond.

Avec un peu d'expérience, je me rendis compte que je n'étais pas le seul « original » à Williamstown. D'autres que moi avaient fait vœu de solitude et de célibat, s'en remettant à leur seul orgueil animal pour se défendre. Nous ne devînmes pas amis du jour au lendemain, ça non ; nous avions trop de méfiance en réserve. Mais il me réchauffait le cœur de savoir qu'ils étaient là eux aussi, dans la clandestinité.

Dans la promotion 1930, on dénombrait trois Noirs. A la remise des diplômes, l'un arriva major, un autre deuxième. Le troisième occupait la quatrième place. Ils devaient manquer d'amis mais semblaient garder leurs distances même entre eux. Je pensais comprendre leur besoin contradictoire d'aller vers les autres et de s'isoler. Des années plus tard, à la publication de mon premier livre, *America America,* il figurait sur la jaquette une citation de Jimmy Baldwin : « Gadg, mon vieux, toi aussi tu es un nègre. » A Williams, ces années-là, « moi aussi j'étais un nègre ».

Au sein de la fraternité Zêta, je retrouvai les filles dont j'avais rêvé au lycée sans jamais les avoir. Devenues plus mûres, elles mélangeaient agressivité et jeu comme peu de femmes plus âgées savent encore le faire. Plus jolies, elles manifestaient aussi plus d'entrain et d'audace. Debout entre les deux grands bols de punch, l'un corsé, l'autre pas, je sélectionnais la fille que je désirais le plus et je la suivais des yeux toute la soirée, repérant le moindre de ses mouvements et tous les garçons qui la faisaient danser, surtout quand elle délaissait son petit ami. En préférait-elle un autre au Superman du campus qui l'avait amenée ? Bien ! « Attends un peu pour voir, mon gars ! J'entre en scène ! »

Le désir se mêlait à la colère. Je faisais des heures supplémentaires. La croûte de neige craquait sous mes pieds quand je revenais à l'aube pour installer le couvert du petit déjeuner à la cantine. J'y trouvais les filles encore en robe du soir éparpillées dans le salon, avachies dans les coins, au bas des escaliers, les garçons vautrés à côté d'elles, dans les relents d'eau-de-vie de pommes. Je cherchais la fille que j'avais observée la nuit précédente et déduisais de sa position et de la compagnie dans laquelle elle se trouvait les différentes étapes de sa nuit. Mon visage, au moment de servir le petit déjeuner, ressemblait au visage de pierre décrit par les Portoricains. Personne n'aurait pu deviner ce que je pensais ou ressentais. Il ne laissait transparaître aucun signe d'amitié. J'avais mis au point sans traîner le masque que je revêtirais toute ma vie.

C'est à partir de ce moment-là, je crois, que s'est développé mon esprit de vengeance. C'est au cours de ces soirées qu'est née mon attirance obsessionnelle pour les femmes des autres et mon besoin — il ne s'agissait que de cela, au fond — de les leur enlever. Avec le recul, je m'aperçois que toutes les filles ou presque avec qui j'ai eu une liaison appartenaient à un autre homme quand je les ai rencontrées. Mais n'est-ce pas le cas de toutes les jolies filles ?

Allongé sur mon lit après ces soirées, mon dos s'arrondissait deux fois plus encore, tenaillé que j'étais par le désir. Comment s'y prend-on pour rencontrer les filles ? me lamentais-je. J'ai envisagé une ou deux fois de me mettre à la recherche d'un bordel, mais j'étais trop « bien élevé » et trop timide pour ça. Que me restait-il alors ? Eh bien, j'allais à North Adams, huit kilomètres en tramway, au cinéma où l'on donnait un spectacle de music-hall chaque vendredi et samedi. Je me sentais bien dans cette ville ouvrière — pas de gosses de riches là, rien que des corniauds comme moi — et, dans la pénombre du théâtre où régnait la même odeur de moisi que dans un lit dont on n'a pas changé les draps depuis trop longtemps, je trouvais la chaleur dont j'avais tant besoin, celle des animaux humains. Le théâtre était bourré de filles et comme je n'en connaissais aucune, je pouvais fantasmer tranquille. Le music-hall et ses interprètes possédaient un charme singulier. Et puis ma voisine laissait peut-être sa cuisse dodue effleurer la mienne intentionnellement, qui sait ? Quelle importance ? Souffrait-elle de solitude elle aussi ? Je restais assis sans bouger et fermais les yeux pour jouir pleinement du spasme d'excitation qui me parcourait.

Parfois, je tremblais. L'atmosphère de ce théâtre m'enchantait. Quand je le quittais, je me retrouvais seul dans la nuit glacée.

En troisième année d'université, mon appétit de vengeance trouva un exutoire inattendu : le football américain. A cause de ma petite taille, je ne pouvais prétendre à devenir membre de l'équipe de l'université, mais je brillais — modestement — dans les matches « amateurs ». J'étais, avec un autre serveur, Jack Bright, la vedette de l'équipe du foyer — il était mon sosie. Personne ne pratiquait le une-deux mieux que nous et, cette année-là, nous gagnâmes le championnat interne. Le fait que tous les bons joueurs se trouvaient à Weston Field occupés à défendre les couleurs de l'université, empilés les uns sur les autres, n'entama point mon euphorie. L'année suivante, je connus un triomphe au basket. Mon faible poids me permettait de courir soixante minutes d'affilée sans m'arrêter. Sur le terrain, on ne prisait pas la grande taille autant qu'aujourd'hui. Dans la partie cruciale du championnat, on m'assigna la tâche de marquer un garçon qui s'appelait Red Putnam. Il aurait joué dans l'équipe de l'université s'il n'avait pas été disqualifié pour cause de mauvaises notes en classe. Je ne lâchai pas ce pauvre type d'une semelle pendant soixante longues minutes, je lui collai au train comme un taureau dans l'arène. Il réussit deux paniers en tout et pour tout, et notre équipe remporta le championnat. Ce résultat me combla bien davantage que mon A en anglais.

Quand mon père vint à Williamstown pour la remise des diplômes — sa seconde visite en quatre ans —, ce n'était plus le même homme. Entre-temps, le Krach était survenu et il « mangeait son capital ». Ma mère me confia qu'il n'allait plus aux courses l'après-midi ; il ne pouvait plus se permettre de perdre. Je lui tendis mon diplôme et il m'embrassa. Je sentis qu'il espérait encore que je le rejoindrais dans sa course au dollar, mais je portais en moi le virus du mécontentement et je nourrissais d'autres ambitions.

Le jour de la cérémonie, je pénétrai dans Chapin Hall avec mes camarades de promotion et nous nous assîmes côte à côte ; j'enviais leur style, leur allure, leurs vêtements, leur automobile, leur argent, leur emploi qui les attendait, les filles aussi... Je voulais tout cela, et vite. De ce moment, chaque fois que j'ai discerné un privilège chez quelqu'un, j'ai voulu le réduire à néant ou m'en emparer. Durant ces sombres années à Williams, les bases émotionnelles de mon engagement politique au Parti communiste avaient été jetées. Mais ce que je voulais, ce n'était pas l'égalité ; en aucune façon. Non, c'étaient les récompenses garanties par le système que j'avais côtoyé pendant quatre ans, récompenses dont j'avais été refait. Je voulais — selon l'expression de mes futurs alliés politiques — prendre la relève. Et des années plus tard, pendant un temps, je crois pouvoir dire que j'ai « pris la relève » — pas avec l'aide de mes « camarades », mais de ma propre initiative.

Il m'a fallu très longtemps pour apaiser cette rage envers mes camarades de promotion et ceux qui leur ressemblaient. Mais je me dis qu'au tréfonds de moi, cette rage bouillonne encore. Je suis affable, « civilisé » et raisonnable, mais chaque fois que je reçois une demande de don émanant de l'Amicale des anciens élèves de Williams, j'ai le réflexe de la jeter dans la corbeille à papier. Souvent, j'obéis à ce réflexe.

Je crois qu'une bonne dose de remède contre cette hostilité m'a été administrée par un ancien camarade de promotion rencontré par hasard il y a quinze ans. Pivot de notre équipe de football américain, il en avait été le capitaine en dernière année. Il appartenait à la meilleure fraternité, Deke, et à la société honoraire des étudiants de dernière année, Gargouille. Si quelqu'un dans la promotion 1930 personnifiait l'archétype de l'étudiant de Williams, c'était bien lui. Quarante ans plus tard, je l'ai rencontré lors d'une réunion d'anciens à laquelle l'université m'avait convié. A l'époque, mal dans ma peau, en pleine psychanalyse, je m'efforçais de démêler l'écheveau de mon existence — j'essaie encore aujourd'hui, à travers ce livre. Curieux de savoir ce qu'étaient devenus les autres, je me suis rendu à cette réception. A la fin de la soirée, je suis tombé sur cet ancien camarade dans le hall. Je l'ai reconnu grâce à ma passion pour le football américain. Il a reconnu mon nom. Je lui ai demandé ce qu'il devenait. Il m'a répondu que sa femme venait de mourir. Il paraissait abandonné, aussi ai-je accepté son invitation à boire un verre chez lui.

Son appartement était sombre et donnait effectivement l'impression qu'une vie venait de s'y éteindre. Il nous a servi une bonne rasade de whisky et je l'ai interrogé sur les « grands » athlètes du temps passé, les hommes que j'avais admirés et à l'intention de qui on avait réservé un emploi à Wall Street. Selon lui, leurs scores « à la ville » ne leur avaient pas permis de gagner la partie. Puis il m'a parlé de lui. Un emploi l'attendait à sa sortie de l'université et, au fil des années, il s'était élevé tout près du sommet, sans jamais l'atteindre : les vice-présidents sont légion dans le monde de la finance. Il paraissait désormais terriblement seul et, au moment de partir, il a voulu que je reste encore un peu. Son destin ne suscitait pas de jalousie et rien ne m'a donné envie de le « réduire à néant ». J'ai éprouvé pour lui de la compassion et une sorte de fraternité.

Après un autre verre, il a mis un disque sur la platine. A l'époque de notre jeunesse, on dansait sur *Sweet Georgia Brown*. A ce stade de la soirée, nous étions tous les deux « bourrés ». Je me suis adossé contre le sofa, j'ai fermé les yeux un instant pour laisser défiler les images de ces soirées où mes camarades dansaient au son de cette mélodie pendant que je servais des punchs serrés. Quand j'ai rouvert les yeux, il se tenait debout au milieu de la pièce, le bras passé autour des hanches d'une fille imaginaire, et il tournait sur place. Sa grande carcasse exprimait une certaine grâce et il inclinait la tête tendrement, comme lorsqu'il dansait joue contre joue.

MAIS SI, BIEN PLUS TARD, je n'éprouvais plus aucune jalousie à l'égard des garçons à qui l'on avait servi leur emploi sur un plateau en même temps que leur diplôme, il me faut souligner qu'en ce jour de juin 1930, où j'étais assis parmi eux pour la dernière fois, aucune des perspectives que je leur contestais ne s'offrait à moi. Mes quatre années d'études ne m'avaient fourni aucun des outils nécessaires à la construction de mon avenir et, si j'avais appris quelque chose, ce n'était pas en cours. Mon développement personnel, le caractère que ma position m'avait amené à me forger ont plus compté que les techniques ou le savoir acquis.

Je me lançai alors dans une remise en cause de ce système éducatif qui cloue un gamin sur une chaise dès l'âge de six ans (maintenant c'est quatre, si je ne m'abuse), exige discipline et obéissance, enseigne la soumission, en fait une habitude, conditionne l'enfant à s'efforcer de satisfaire l'autorité qui le juge — ses maîtres — et à ne jamais douter de l'exactitude des sentences venues de l'instance supérieure. Il se convainc que le progrès consiste à croire ce en quoi les maîtres croient et à le répéter à leur demande. J'ai dû apprendre (pour l'oublier complètement par la suite) un peu de latin, de grec classique, de calcul, de physique, d'économie, quelques notions d'art pictural de la Renaissance, d'histoire américaine, la Constitution des États-Unis, des rudiments d'astronomie, les sources d'inspiration de Coleridge pour *la Complainte du vieux marin* et de T. S. Eliot pour *la Terre désolée* — toutes connaissances sans aucune utilité pour moi. L'université et son programme d'études ne m'ont pas donné ce dont j'avais le plus besoin : la capacité de creuser mon sillon dans ce pays étranger et de l'orienter à ma guise afin d'exercer une indépendance dont j'appréciais désormais toute la valeur. Au bout de quatre ans, les matières enseignées à Williams ne m'intéressaient plus.

Toute mon éducation, en termes de vie pratique, restait à faire. Il me fallait encore apprendre, selon l'expression de mon père, quelque chose d'« i-tile », d'utile pour moi. Parce que sinon, je ne tarderais pas à gaspiller mon temps et mon énergie, quelle que soit l'étendue de mon talent, dans des besognes alimentaires que je mépriserais.

Non, je n'étais pas jaloux de ceux qui avaient trouvé sans peine un emploi dans la banque, le courtage, les multinationales ou l'industrie lourde, ni de ceux qui avaient suivi la filière juridique ou médicale. Mais le jour de la cérémonie, en sortant de la salle où les diplômes avaient été répartis et où nous avions été bénis à deux reprises — une homélie laïque suivie de quelques bondieuseries de service —, je flottais à la dérive. Mais le fait est que j'avais reçu une éducation parallèle, en marge de l'éducation « officielle ». Les quatre ans passés à Williams avaient façonné ma personnalité d'une certaine manière : elles avaient fait de moi non pas un homme agréable mais un homme déterminé, résolu, à la peau dure, ne comptant que sur son mètre soixante-sept. Je trouverais ma voie, quelle qu'elle soit. Je pouvais vivre de trois fois rien ; grâce à mon job de serveur, je n'étais pas obligé de travailler huit heures par jour, cinq jours sur sept (perspective qui tenait pour moi du cauchemar). J'avais obtenu mon diplôme avec les félicitations du jury. Peut-être m'attribuerait-on une bourse : elle me permettrait de gagner du temps en attendant de me fixer et d'opter pour un métier. Je n'avais qu'un but dans la vie : la gagner en faisant quelque chose qui me plairait. Je ne nourrissais pas d'ambition plus noble.

Pendant ma dernière année à Williams, j'avais subi l'influence d'un de mes professeurs. Mr. Dutton enseignait la littérature anglaise et j'avais rédigé pour lui un essai sur *la Terre désolée*. Il ne m'a jamais parlé en dehors des cours et n'a jamais su que je l'admirais. Mr. Dutton avait une patte folle et boitait mais, tenant d'une main ferme le sac de toile verte qui contenait ses livres, il parcourait le campus tel un homme en parfaite condition physique ; il ne cherchait aucune pitié ; il n'en avait pas besoin. Sur ce campus, il passait pour un original, tout comme les quatre seuls amis que j'avais. Mr. Dutton parait d'une dignité particulière l'exception et la marginalité. En classe, il m'impressionnait surtout par la passion qu'il nourrissait pour sa matière. Je ne sais pas bien comment, mais Dutton me fit sentir que, dans l'immense champ de possibilités offert par la vie artistique, je parviendrais peut-être à creuser mon trou si je savais attendre mon heure tranquillement.

Je commençai à me familiariser avec une technique de comportement qui m'aiderait beaucoup dans le futur. Observez un écrivain lors d'une réunion d'intellectuels. Au premier abord, comme tout le monde, vous le trouvez amical et plaisant. Mais lisez son compte rendu de l'événement : vous vous apercevez qu'il a été le seul à remarquer certaines choses et qu'il y a réagi de façon imprévue. Cette technique m'est venue en servant à table : garder l'oreille tendue en toute occasion, l'œil alerte, se forger sa propre opinion — sur le coup souvent hostile et influencée par la jalousie — mais sans se faire remarquer. J'ai appris l'art de l'observateur masqué, déguisé moi-même en uniforme blanc, dans la cantine de la fraternité Zêta.

Pendant ces années, j'ai aussi découvert que ses racines pouvaient faire souffrir un homme. Une fois admise l'évidence que j'étais un outsider et le resterais toujours, je tirais orgueil — « moi aussi, j'étais un nègre » — de n'avoir pas été sollicité par Gargouille ou quelque fraternité, de n'avoir jamais pénétré dans « la salle de la chèvre » éclairée aux bougies ni partagé ses secrets. Je me flattais du blanc laissé en regard de mon nom sur l'annuaire de l'université. Je me glorifiais de mon originalité, de n'avoir besoin de rien ni de personne, d'aucune aide, d'aucune pitié, d'aucun ami excepté ceux de ma race, que les doigts d'une seule main suffisaient à dénombrer. Je me vantais auprès du monde extérieur d'être une rareté et de le savoir, de porter le même pantalon pendant des mois (en me passant de chaussettes) et des vêtements d'été en hiver pour mieux apprécier ma quasi-nudité estivale. Je revendiquais ainsi mon appartenance aux cuirs tannés de l'espèce humaine. Rejeté, je faisais comprendre que je ne recherchais pas l'intégration. J'étais hors jeu et content de l'être.

Mon ami le plus proche, Alan Baxter (photo 9), outsider occasionnel, manifestait un intérêt authentique — pas moi — pour le théâtre et avait été admis à l'École d'art dramatique de Yale. Quand il me suggéra que je pourrais y obtenir un job d'opérateur de lave-vaisselle pour gagner ma croûte, je décidai de suivre le mouvement. Les professeurs de Williams glissèrent un mot favorable sur mon compte et Mr. George Pierce Baker, directeur de l'École, se montra généreux, tant et si bien que j'eus bientôt la responsabilité de l'entrée des artistes, pointant les étudiants sur la feuille d'appel à leur entrée dans le bâtiment, retirant l'épingle quand ils s'en allaient. Cette tâche suffisait à payer mes cours. Il me restait seulement à trouver de l'argent pour une chambre. Pendant l'été, je me rendis donc à nouveau chaque dimanche au Wykagyl Country Club, trimbalant des sacs de golf de trou en trou, dix-huit en tout. Le parcours était passé à deux dollars cinquante plus les pourboires. J'habitais chez mes parents pour économiser la totalité de mes gains.

Quand j'annonçai à mon père que je venais d'entrer à l'École d'art dramatique de Yale, il en fut soufflé. « Quatre ans là-bas dans le Massachusetts, confia-t-il à mon frère, et toujours rien dans le crâne. »

A Yale, ce que j'étudiais ne déclenchait en moi aucun intérêt, aucune ambition véritable, aucun désir, aucun espoir. Prisonnier volontaire, je m'étais préparé pour trois ans de détention provisoire, de liberté conditionnelle — c'était la durée du cursus —, mais je ne savais pas pourquoi je souhaitais cette liberté ni comment j'allais la mettre à profit.

A Williams, j'appartenais à une coterie d'« originaux ». A Yale, c'était le fait de tout un chacun, à commencer par le corps enseignant. Le « patron », George Pierce Baker, avait tout de l'érudit vieux jeu avec son pince-nez suspendu à un ruban noir quand il n'était pas fixé sur son nez camus. Marié à une personne fort respectable, il vouait une passion sans bornes — et platonique, j'en suis sûr — au jeune homme qui le conduisait au travail et le ramenait chez lui, un garçon aux mouvements félins, Eduard Toledano, natif d'Amérique latine. Le patron l'adorait purement et simplement. Cela n'avait échappé à personne ; nous étions tous d'accord là-dessus : son plus grand plaisir consistait à s'asseoir à côté de son chauffeur. Mrs. Baker, quant à elle, semblait sortir tout droit d'une caricature d'Helen Hokinson. Personne parmi nous ne parvenait à imaginer le patron « à l'œuvre » avec bobonne. Il dirigeait l'école avec efficacité, mais je ne me rappelle pas avoir jamais rien appris de lui.

J'appris en revanche énormément du professeur de mise en scène, Alexander Dean. Pour lui, l'art de la mise en scène reposait sur le placement, le tableau et le mouvement, technique très utile pour diriger des pièces à l'université ou dans les maisons de la culture, quand on a affaire à des acteurs amateurs. La place et les mouvements des acteurs sur scène disaient tout de l'histoire et des relations entre les personnages ; de cette manière, le comportement, les sentiments, le conflit à la base de l'action étaient suggérés. La scène se partageait entre zones de tension et d'effacement, entre espaces chauds et froids, les mouvements prenaient davantage d'ampleur quand les acteurs se dirigeaient vers le fond de la scène. Devant ou sur les côtés, ils se faisaient plus discrets. Le travail du metteur en scène consistait à mettre au point une dynamique propre à exprimer les différentes phases de l'action. Elle se substituait à l'acteur en tant que vecteur de cette expression. Les différents tableaux, au fur et à mesure de l'évolution de la pièce, donnaient les informations factuelles. Rythme et allure, temps forts et « sautes de tension » faisaient le reste.

Un jour, j'assistais à une répétition sous la direction de Mr. Dean, appuyé sur la balustrade au fond de la salle, quand il arriva par-derrière et me prit soudain dans ses bras. C'était un homme fort, sujet à la transpiration, et se dégager de son étreinte n'était pas chose facile. Je n'avais guère la patience d'écouter ses états d'âme, mais maintenant j'ai vieilli et je commence à comprendre quel désespoir était le sien. C'était un homme dévoué ; il avait su mettre à nu quelques vérités essentielles et son enseignement fourmillait d'indications qui m'aideraient par la suite. J'appris de lui une chose que les metteurs en scène du Group Theatre n'avaient jamais intégrée : la mise en scène d'une pièce ne repose pas seulement sur la direction d'acteurs. C'est un tout, dont la direction d'acteurs ne représente qu'une partie. Je finis par trouver Dean intéressant et sympathique.

Le costumier, Frank Poole Bevan, homme de qualité, fut aussi un professeur hors pair. J'aimais beaucoup sa femme, Margo. Manifestement, Frank avait des penchants contraires aux bonnes mœurs, mais ils ne déteignaient pas sur son travail. Scolaire, rigoureux, précis, son cours sur la conception et l'histoire des costumes démontrait un grand sens de l'organisation. J'en tirai des leçons inestimables : à ma façon, j'étais aussi un marginal et le travail constituerait également le ciment de mon existence.

Les autres membres de l'équipe technique — Don Oenslager, décorateur de Broadway, et Stanley McCandless, pionnier de l'éclairage — étaient des professionnels accomplis, au même titre que Phil Barber et Ed Cole, responsables du montage des décors et de la régie. Mais ces hommes qui s'occupaient de problèmes annexes et mécaniques paraissaient mener une vie privée plus conventionnelle. Les orages intérieurs n'étaient pas de leur ressort. Le moment venu, ils ont tous écrit à tête reposée des livres très utiles, chacun dans sa spécialité.

Une dame nommée Constance Welch enseignait l'interprétation. Elle vivait avec sa sœur et, pour autant que je sache, n'avait pas de vie sexuelle. Je me rends compte à mesure que j'écris de l'importance que j'attachais à la vie intime de mes professeurs : je ne saurais expliquer pourquoi, mais c'est un fait. Le visage de cette femme magnifique respirait la douceur, son teint délicat évoquait la peau d'une pêche. Mais la non-chalance alanguie de ses mouvements la faisait ressembler à ces plantes d'intérieur luxuriantes et cependant sensibles à la lumière excessive, dont il faut étayer les tiges trop frêles. Peut-être les hommes la délaissaient-ils pour cette raison. Elle axait son enseignement sur l'émotion de surface. L'acteur devait signifier ses tourments intérieurs à l'aide de son « instrument vocal ». C'était le jour et la nuit par rapport à la « Méthode » identifiée plus tard avec l'Actors Studio.

Constance prétendait que la voix et la respiration bien utilisées pouvaient rendre toutes les nuances de l'émotion. Elle faisait pratiquer une série d'exercices à ses élèves : scènes de colère, de jalousie, crises de rire, de larmes, de panique et ainsi de suite, reposant toutes sur la voix et la respiration. Elle croyait que le fait d'imiter les manifestations externes des sentiments suffisait à les faire réellement éprouver aux acteurs et au public. Elle obtenait, me semblait-il, un jeu maniéré, dépourvu de spontanéité et d'élan ; manquait la chaleur de la passion véritable.

Constance enseignait aussi « l'accent standard » et souhaitait vivement me voir abandonner ma façon de parler « si new-yorkaise ». Je pris ce conseil sur le ton de la plaisanterie, tant la perspective de me rendre dans une cafétéria de High Street au petit matin et de demander au serveur grec derrière son comptoir un « peu-tit crêême » était drôle, « complètement kitsch ».

Non, je voulais être moi-même et décidai donc de rejeter en bloc tout l'enseignement de Yale. On m'y offrait comme modèle le type de théâtre que j'aimais le moins quand je le voyais représenté : inspiré du théâtre anglais, stérile à force de classicisme, maniéré et bien élevé, sans débordement. Les acteurs que j'aimais — peu nombreux : Jeanne Eagels, point final — ébranlaient les fondations du théâtre quand ils lâchaient la bride à leurs sentiments. Mais les profondeurs de la psychologie humaine n'intéressaient personne à Yale.

A ce moment-là, en vérité, mes préférences allaient au théâtre de variétés : les Follies, les Scandales de George White, Eddie Cantor, Ed Wynn et Tom Patricola, Marilyn Miller chantant *Who ?*, c'était ma « tasse de thé ». Ces spectacles me touchent encore aujourd'hui au plus profond.

Je ne perdis pas complètement mon temps à Yale : je devins un mordu de la machinerie. J'adorais l'odeur de la sciure et l'appareillage électrique me faisait tourner la tête : ce qui m'intéressait le plus, c'étaient les techniques d'éclairage et la manipulation du tableau de distribution. Nommé chef charpentier, je construisis le décor pivotant du *Conte d'hiver* : une fois, je suis resté trois jours et trois nuits sans dormir. Jamais auparavant je ne m'étais engagé aussi à fond dans quoi que ce fût. D'une certaine manière, cette tâche s'apparentait à mon rôle dans les cuisines de Williams et devant le lave-vaisselle de Yale. Décors, éclairages, costumes, régie, perceuses, scies, pots de peinture à l'odeur piquante, tout me plaisait. Je me mis à envisager sérieusement de gagner ma vie en coulisses, pas comme acteur ou comme metteur en scène, mais dans un boulot « honnête ». Je laisserais le reste aux vicieux et aux dévoyés. Je venais de découvrir un domaine où je pourrais faire mieux que le voisin. J'éprouvais enfin un peu de confiance en moi.

Plus tard, devenu un metteur en scène de théâtre et de cinéma pris d'une frénésie d'activité, ce que j'avais appris en coulisses à Yale me rendit bien des services. Aucun technicien ne pouvait me dire « impossible » : je l'avais sans doute fait moi-même. Le syndicat d'élite des charpentiers et des électriciens de New York ou de Hollywood ne me tenait pas sous sa coupe, à l'inverse de beaucoup d'autres metteurs en scène.

Ma vie sexuelle connut aussi une amélioration soudaine. A ma sortie de Williams, non seulement je n'avais pas de petite amie, mais je n'avais pas non plus de simples camarades du sexe opposé. La femme demeurait pour moi un mystère total. Il y avait même de l'eau dans le gaz entre ma mère et moi, elle mon alliée de toujours. Bizarrement, je lui reprochais sa trop grande sollicitude, comme si sa présence m'empêchait de mener une vie sentimentale digne de ce nom. J'ai retrouvé un vieux journal intime datant de cette époque : « Pourquoi vient-elle si souvent dans ma chambre ? Je me passe du Beethoven et la voilà qui entre, s'assied et fait semblant d'écouter. Elle n'aime pas vraiment la musique. Elle se met à tripoter le tourne-disque, règle le volume trop haut et me demande si ça va. Qu'est-ce que je peux dire ? Et pourquoi me pince-t-elle le bras de cette façon ? Qu'attend-elle de moi ? »

Je me demande maintenant si elle se rendait compte que je la repoussais. Mon impatience était injuste. Maman avait quarante-quatre ans et devenait dure d'oreille. Ce n'était pas une vie pour elle avec mon père. Pleine d'amour, sans personne à qui l'offrir, elle en avait été réduite au statut de maîtresse de maison. Et elle devait avoir une autre raison pour jouer les intruses : elle avait dû sentir que quelque chose n'allait pas, mais, ne sachant pas comment m'aider, elle m'offrait ce soutien maladroit qui ne voulait pas s'avouer.

Une fois à Yale, le soulagement ne se fit pas attendre ; son origine, toutefois, ne laissa pas de me surprendre. Je fus quasiment adopté sur-le-champ par la femme d'un rabbin dont j'avais visité la maison avant de me décider à emménager chez mon ami Alan. Cette dame vint à bout de mes hésitations et de ma timidité ; elle sut éveiller un embryon de passion en moi. Cette relation ne dura pas car un mari plus âgé et très dévoué surveillait constamment ses faits et gestes. Mais cet avant-goût aiguisa mon appétit.

Entre-temps, mon compagnon de chambre, Alan, s'était trouvé une petite amie dans le cours de dramaturgie ; elle s'appelait Molly Thacher. Ils étaient amoureux et adoraient être en compagnie l'un de l'autre. Le bonheur d'Alan me déprimait. Moi, je passais mes week-ends seul. Quand il n'y avait rien à faire en coulisses ou sur scène, il ne me restait plus que la boisson. Mes problèmes personnels gênaient ma concentration quand j'essayais de lire. J'allais voir un film tout seul, puis boire un verre — en solitaire ou dans des soirées où personne ne prêtait attention à moi. Les étudiants manifestaient autant de confusion dans le choix de leur sexualité que les professeurs. Ils se regroupaient en essaim, pas en couples, autour d'une baignoire pleine de tord-boyaux et d'eau-de-vie de genièvre.

Je me souviens de nuits, ce printemps-là, où je m'appuyais sur le rebord de ma fenêtre ouverte, complètement soûl, et hurlais d'une voix rauque comme un poivrot. Je ne savais pas ce qui clochait. En dépit de mon nouvel engouement pour le travail en coulisses, je n'éprouvais aucune satisfaction à vivre et je me laissais aller à de longs silences et à des crises de rage féroces. Je me rendais à des soirées où je gardais un air hautain et je rentrais seul, malheureux comme un chien. Vagabond dans la ville, j'errais la nuit dans les rues, sans but ni direction. Quand je croisais des amoureux, ils me donnaient mal au cœur. Une nuit, j'ai rêvé que je naissais à nouveau. Beau. Mon cuir chevelu me grattait constamment : la calvitie me guettait, j'en étais convaincu. A une soirée, je tombai dans les pommes après m'être cuité au gin et je me réveillai à l'aube dans une décharge publique à huit kilomètres au sud de la ville. J'étais au bout du rouleau ; vous ne m'auriez pas donné une chance. J'en avais besoin, pourtant. Et vite.

Quand l'École ferma ses portes pour l'été, Alan décida d'aller en Europe. Seul. Molly prit sa voiture et se rendit dans la cabane où habitait sa famille sur les rives du lac de la Montagne Bleue dans les Adirondacks. Cette séparation ne me parut en rien alarmante sur le coup, mais seulement quelques mois plus tard, en y repensant. Je ne voulais pas retourner chez mes parents, aussi je pris un emploi au Toy Theatre d'Atlantic City. C'était un endroit minuscule, bâti sur des marécages dans une baie située à l'extrême sud de la ville. Son propriétaire, Mexicain mystérieux, homosexuel de surcroît, s'était assigné la tâche de mettre sur pied une nouvelle présentation d'un ancien spectacle chaque semaine. Un drôle de boulot ; il avait besoin de mon aide.

J'ai gardé une photo de l'époque : j'ai l'air d'un étranger, mais guère « fringant ».

C'était ma première mise en scène en dehors de l'École. J'appris à monter une pièce en six jours. J'y brûlais mes réserves d'énergie et j'avais désormais assez d'assurance pour me dire que si je le choisissais, je pourrais faire tout ce que je voulais dans le théâtre. Je ne devais pas seulement diriger une poignée d'acteurs ramassés dans la rue mais aussi fournir un semblant de décor et d'éclairage. Je me souviens de la première fois où j'ai entendu un public hurler de rire à un truc de pro que je lui avais servi. Je me faisais progressivement à l'idée que j'étais capable d'attirer des gens dans un théâtre.

Naturellement, j'attrapai le béguin pour la jolie blonde qui tenait le premier rôle. Cette liaison continua jusqu'au jour où j'arrivai au théâtre sans prévenir et découvris « ma maîtresse » dans les bras d'une autre jeune femme, toutes deux confortablement installées sur le *roadster* de celle-ci. Cette mésaventure sentimentale ne m'affecta cependant que fort peu. J'avais l'habitude des lesbiennes — l'École de Yale en regorgeait. Je remplaçai rapidement l'actrice par une autre et repris mon travail sans interruption. A la fin de l'été, j'avais acquis la compétence nécessaire pour guider une troupe d'acteurs médiocres dans les méandres d'un spectacle qui l'était tout autant, avec rapidité et efficacité.

Maintenant, je me rends compte que je vivais dans un isolement qu'aucun événement extérieur ne parvenait à briser. La Grande Dépression ne me toucha pas. Pendant ces années de famine, de longues processions de chômeurs affamés s'étiraient dans les grandes métropoles pendant que dans les campagnes les paysans se nourrissaient exclusivement de légumes, et encore, pas mûrs. Les soupes populaires, les crues imprévues, les sécheresses dévastatrices, les ouvriers contraints à émigrer au nord et à l'ouest, les familles sans abri entassées dans des bidonvilles, le désespoir général, rien de tout cela ne m'atteignit. Le névrosé s'enferme tellement dans ses propres problèmes qu'il ne peut regarder au travers des grilles de la cage où il s'est emprisonné.

Je revins à Yale en septembre 1931 parce que je n'avais pas d'autre endroit où aller ni rien de mieux à faire. Le *blues* du porte-monnaie vide m'était tombé dessus. Alan, de retour d'Europe, et Molly, de son lac dans les Adirondacks, ne tardèrent pas à confirmer mes soupçons. Je ne savais pas, et ne sais toujours pas, quelle était la nature de leur problème, et comme ils sont morts tous les deux, je ne peux pas leur poser la question. Je devins leur messager, passant des petits mots de l'un à l'autre, m'efforçant de les rabibocher. Bientôt cette liaison se mit à me toucher personnellement.

Puis, enfin, c'est arrivé : le coup de chance. Je suis devenu ami avec Molly. Elle écrivait une pièce et me réserva un rôle. J'appris à mieux la connaître. Elle plaça une certaine confiance en moi et, de ce fait, réveilla les braises qui s'éteignaient. Nous allâmes passer un week-end à New York pour voir une pièce, *la Maison de Connelly*. Elle nous y conduisit dans son coupé Ford. Au retour, je fus sensible à sa façon de me regarder, avec une intensité inhabituelle. Personne ne m'avait jamais regardé comme ça. Elle était tombée amoureuse. Cela m'encouragea et je ressentis quelque chose moi aussi. Je sortis de ma carapace. Le week-end suivant, après la répétition, sa voiture nous amena, elle et moi, sur la rive du lac en dehors de la ville et en retrait de la route. Nous avions apporté un panier de pique-nique mais il resta plein. Allongés au bord du lac, nous laissâmes la nuit nous envelopper. Même la trajectoire de la lune me parut bouleversée. Nous étions amants.

Je ne pouvais plus rester chez Alan ; je ne voulais plus être ailleurs que dans les bras de Molly.

Elle lui révéla ce qui s'était passé et me rapporta qu'il l'avait bien pris.

J'adoptai vite l'habitude de courir de l'École à son appartement, dans lequel je me hissais par la fenêtre car c'était le chemin le plus court pour regagner les bras de Molly. Je découvris combien l'amour qu'une autre personne vous porte est précieux. Quelle joie de s'enlacer au lit tous les soirs ! La fille qui partageait l'appartement de Molly déménagea — pour célébrer l'événement, pas par rancune. Notre vie à deux commençait.

Un jour, dans l'atelier où j'étais en train de clouer des coins métalliques, je vis entrer Alan, fin soûl. Il tenait une énorme vis et cherchait à s'entailler le dos de la main gauche avec. Il me montra sa patte ensanglantée. Je ne répondis pas à son attente ; je me dis qu'il se comportait en amoureux déçu — mais pas par elle, par moi. L'idée me déplut.

Molly était arrivée comme un miracle. Après la cérémonie de remise des diplômes, il m'avait fallu un certain temps pour comprendre que le but de cette université ne consistait pas à inculquer un savoir mais à créer des

individus d'élite. Grâce à Molly, je fus mieux à même d'apprécier les
qualités de ces puritains : une conscience en éveil, une obstination de tous
les instants, le respect des autres, l'indépendance d'esprit, un intérêt
vivace et constant pour l'avenir de la nation, le respect de la démocratie
comme institution politique, le désir de servir sa cause. De toutes les
personnes que j'avais rencontrées jusque-là, seule Molly se sentait l'obligation morale de défendre des causes qui la dépassaient.

A travers elle, une société étrangère et indifférente à mon égard m'acceptait enfin, admettait ma différence raciale et sociale. Elle me délivra
complètement du complexe qui s'était enraciné en moi au fil des années.
J'avais l'impression d'appartenir à une caste inférieure, on me faisait
comprendre que j'avais de la chance d'être là où j'étais, d'être toléré, moi
l'anormal, le corniaud, dont les vêtements sentaient l'eau de vaisselle.
Avec Molly, je n'étais plus un outsider. Quelques années plus tard, ma
mère, qui la connaissait mieux alors, eut cette phrase à son sujet : « C'est
Molly qui nous a amenés en Amérique. » Ma mère voulait dire toute
notre famille. Voilà ce que Molly avait réussi.

Elle allait devenir plus qu'une épouse pour moi ; pendant de nombreuses années, je l'ai considérée comme un talisman de succès. Notre
union intellectuelle et artistique, profonde et durable, fonctionnait dans
les deux sens : elle me donnait son jugement sur les scripts que je recevais
et compensait mon manque de goût et de jugeote. Je lui offrais en échange
l'énergie et le dynamisme qui lui faisaient défaut. Je me suis dit très
longtemps que je lui devais tout.

Elle m'aimait complètement. Physiquement aussi. Sous ses doigts fins et
longs, tendresse rimait avec délicatesse, mais son corps recelait des trésors
de volupté. La relation qui s'instaura entre nous était fondée sur une
nécessité vitale, pour elle comme pour moi. Le besoin répondait au
besoin. Le doute entretenait le doute. Je ne me savais pas capable d'une
telle intensité de sentiment. Les chansons d'amour les plus ineptes sonnaient à mes oreilles comme des reportages de première main. Son puits
d'amour était sans fond, comme le mien. Elle me rassura tout à fait quant
à ma « déficience ». *Axios ! Axios !* Excellent ! Excellent ! Rien d'autre
n'existait. Et certainement pas les études. Je lévitais en apesanteur.

Mon acné disparut du jour au lendemain. Mes jambes n'étaient pas si
arquées, après tout. En marchant, je levais enfin le nez du sol et ce que je
découvrais me plaisait. Molly m'apporta la guérison.

Elle croyait en mon talent. Je me mis à y croire moi-même et transpor-
tais désormais un petit carnet où noter mes observations et mes pensées,
comme si elles étaient de première importance. J'entamai un journal
intime. Je jurai de ne jamais travailler huit heures par jour. Ce serait vingt
ou rien.

Ayant décidé d'emblée que j'étais doué et tourmenté — bref, son
homme idéal —, elle se mit en devoir de m'encourager, de me protéger,
de m'épauler et — à la fin — de tolérer mes égarements. Sa mission sur
terre. Elle manqua se tuer à la tâche, mais jamais sa détermination ne
faillit, pas une seule fois. Du jour où nous sommes devenus amants jusqu'à
sa mort, en 1963, Molly n'a vécu que pour moi — et nos quatre enfants.

Jamais plus je ne devais connaître un amour aussi inébranlable. Je ne me rendais pas compte de ma chance. La méritais-je ? Je m'abstiendrai de poser cette question.

A Yale, je tournais en rond. Je passais mon temps à répéter pour la centième fois des scènes usées jusqu'à la corde, ou de nouvelles pièces qui plagiaient d'anciens succès, trop rebattues pour seulement divertir. Je voyais bien où mon travail là-bas me conduirait : à enseigner l'interprétation ou la mise en scène dans le département d'art dramatique d'une autre université, ou à accepter un poste de producteur dans un théâtre communautaire. Ce n'était pas ce que je voulais. Molly trouvait aussi que deux ans avec Baker, c'était assez. Plus intelligente et plus expérimentée que moi, elle avait été rédactrice en chef du *Miscellany* de Vassar et, pendant ses deux ans passés comme assistante sociale dans les bas quartiers de New York, elle s'était investie dans des causes « progressistes ». Elle buvait les paroles de Roosevelt comme du petit-lait. On aurait dit qu'il s'adressait à elle seule. Elle n'avait plus qu'une hâte : reprendre le combat et utiliser ses dons d'auteur dramatique pour influencer les gens. Nous avions tous deux besoin d'une passion à nourrir, d'une cause à défendre. Nous décidâmes ensemble de sauter le pas.

AU PRINTEMPS 1932, frais émoulu de l'École d'art dramatique de Yale, je demandai une entrevue aux directeurs du Group Theatre (photo 8). J'eus la chance d'être reçu par Cheryl Crawford. Dans son bureau du Théâtre de la Quarante-Huitième Rue, aujourd'hui démoli, elle m'apparut comme une personne très nature, dépourvue de toute sophistication. Il est probable que sans cette première impression je me serais moins bien sorti de l'entretien qui suivit ce jour-là.

« Asseyez-vous. Les garçons vont vous recevoir. » Les « garçons » répondaient aux noms de Lee Strasberg et Harold Clurman. Ils avaient trente ans, moi vingt-deux.

En pénétrant dans la pièce sombre où ils m'attendaient, j'aperçus Lee occupé à parcourir un journal à la lumière d'une lucarne — il ne lisait pas un éditorial sur les dernières nouvelles de la Grande Dépression, non, il lisait la page des sports. A mon entrée, il baissa son journal à contrecœur. A plusieurs reprises pendant l'entretien, je vis ses yeux se porter dans cette direction. Je l'avais interrompu dans une activité qu'il prisait à l'évidence davantage qu'interroger un gamin de race incertaine et d'aspect taciturne, de surcroît dépourvu de qualités indispensables à un acteur pour réussir, fût-ce dans un théâtre aussi marginal que le Group.

Harold, assis à une table, lui, me regardait. Ou bien était-ce une illusion ? Je n'aurais su le dire. Ses yeux étaient tournés dans ma direction, mais comme ceux d'une chouette en plein midi ; ils restaient fixes, sans battement de paupières, et je n'étais pas sûr qu'ils percevaient quoi que ce soit. Ajoutez à cela le comportement étrange de sa langue : elle allait et venait contre l'intérieur de sa joue. A quel effet ? Aucun. Comme s'il se remémorait une plaisanterie entendue à mon sujet et dont je n'aurais pas été au courant.

Après une de ces pauses que les metteurs en scène apprennent à éviter, Harold dit : « Eh bien, parlez-nous un peu de vous. » Après quoi il replaça sa langue à l'intérieur de sa joue, la fit aller et venir deux ou trois fois et attendit. Lee jeta un coup d'œil avide en direction de la page des sports.

Les « garçons » attendaient que je prenne la parole. Je me demandais si la carrière théâtrale allait me convenir, après tout. Je ne trouvais plus rien à dire sur moi-même. Lee regardait maintenant ostensiblement sa page des sports. Harold caressait une barbe poivre et sel de trois jours. Je l'entendis marmonner : « Oublié de me raser. »

Ce compte rendu paraît-il exagéré, faussé par l'angoisse que je ressentais ce jour-là ? Il l'est. Aucun des deux « garçons » ne l'aurait présenté comme moi. C'est le dernier à s'asseoir devant sa machine qui écrit l'Histoire.

Parfois mon mauvais caractère me sauve. J'ai commencé à m'offusquer de l'attention irrégulière qui m'était accordée. J'ai dû paraître amer dans mon effort pour raconter l'histoire de ma vie aux « garçons ». Je savais que j'étais en train de faire mauvaise impression, mais je ne m'attendais pas à ce que l'homme qui avait mis en scène *la Maison de Connelly*, production que j'admirais, s'intéresse autant aux résultats sportifs.

Puis Lee me surprit encore davantage. Il parla.

« Dites-nous ce que vous voulez. » Il me parut irrité.

« En une ou deux phrases rapides, vous croyez que c'est facile ? » répondis-je. Mais cela, je le gardai pour moi. Ce que je dis à voix haute fut pire encore. « Ce que je veux, c'est votre place », dis-je. Bien fort. Ce qui, pour le moins, manquait de tact. Mais j'avais alors perdu tout espoir. « Je veux dire que je veux être metteur en scène », s'excusa la tortue, rétractant la tête à l'intérieur de sa carapace.

Mon effronterie eut un effet saisissant. Les yeux de Harold changèrent de focale. Sa langue retomba dans le bas de sa bouche. Lee me regarda — d'une expression figée, certes, mais après tout je n'étais pas un tableau de marquage.

Au bout d'un certain temps, on me renvoya dans le bureau de Cheryl ; je m'y sentis comme un bateau qui retrouve le calme du port après avoir essuyé une tempête. « On vous écrira », m'assura-t-elle. C'est alors que l'extraordinaire se produisit. Une semaine plus tard, elle m'écrivit. La lettre m'informait que j'avais été accepté comme apprenti dans le deuxième camp d'été du Group Theatre. Signé Cheryl A. Crawford.

Je me rappelle ma réaction : « Ils doivent être drôlement à court d'apprentis pour me choisir. »

Un des points mentionnés dans sa lettre me posait un problème. J'allais devoir payer vingt dollars par semaine pour la pension et le logement. Aujourd'hui, cette somme paraît dérisoire et même à cette époque-là elle n'était pas énorme ; sauf pour un jeune homme dont les économies se montaient en tout et pour tout à cent douze dollars et qui avait totalement épuisé la patience d'un père déjà frappé brutalement aux pires jours de la Dépression.

Je décidai d'y aller quand même ; j'aurais cinq semaines assurées et je trouverais peut-être un moyen d'improviser pour le reste de l'été.

Le 19 juin 1932, j'emménageai à Sterling Farms, Dover Furnace, New York, en tant qu'apprenti au camp de travail du Group. Alan Baxter était arrivé avec moi. Une force mystérieuse en lui avait préservé notre amitié ; à sa place, je n'aurais pas pu y parvenir. On nous attribua une chambre commune. Nous jetâmes nos affaires sur les étroits lits jumeaux et allâmes reconnaître l'endroit.

Je ne sais pourquoi on l'avait appelé Sterling Farms. Bien qu'il fût verdoyant après la pousse de printemps, rien n'y évoquait le travail à la ferme. Au centre d'un groupe de bâtiments s'élevait une belle construction à deux étages, dont de grands érables tachetaient d'ombre la façade blanche. Elle contenait un petit salon, de taille inhabituelle pour une ferme, mais trop exigu pour servir de lieu de rencontres à une troupe de théâtre. Tout à côté se trouvait une « grange », là encore pas vraiment utilisée en tant que telle, mais qui contenait une grande salle, parfaite pour les répétitions de la compagnie. Il y avait aussi deux petits dortoirs — Alan et moi en partagions un —, une salle à manger avec une cuisine et, sur une colline à l'écart du reste des bâtiments, une maisonnette avec vue. Peut-être le propriétaire de Sterling Farms y avait-il passé une nuit.

Les gens se pressaient, de jeunes actrices et de jeunes acteurs, pleins de la joie d'être en vie et de passer un été à travailler. Ils étaient liés, certains depuis seulement un an et demi, la plupart depuis plus longtemps. A en juger par la façon dont ils rattrapaient le temps perdu et se taquinaient, ils étaient ravis de se retrouver en compagnie les uns des autres — et peut-être soulagés que leur théâtre continue, au lieu de se dissoudre. Rien de la misère engendrée par la Dépression dans tout le pays ne transparaissait. Ces jeunes artistes étaient aussi espiègles que des chiots.

Mais n'allez pas croire ce qui va suivre. N'allez pas croire que ce mois de mai, déjà passé, et qui est mon mois préféré parce qu'il apporte avec lui l'explosion du printemps ainsi que le temps de l'espoir et des promesses, a duré trois mois cet été-là, que ce fut mai tout l'été cet été-là. L'air était vivifiant et pétillant en ce mois de mai, effervescent comme de l'eau gazeuse. Les jeux continuels et la malice de jeunes artistes pleins d'ardeur mettaient le camp en ébullition. N'allez pas croire que chaque son, en ce long, long mois de mai, était chargé de douceur et d'intimité, qu'aucune voix ne s'est haussée par dépit ou par colère, que tout le monde aimait tout le monde, que les metteurs en scène, quand ils se sont exprimés, n'ont jamais aussi bien parlé par la suite, ou que le brouhaha des acteurs à table n'a jamais été aussi chaleureux. N'allez pas croire, si vous tenez au réalisme, qu'une aura flottait au-dessus de leurs têtes à mesure qu'ils arrivaient, une aura qui magnifiait leur talent et me remplissait du désir de m'intégrer à eux. Voilà comment je revois ce premier été avec le Group et pourquoi j'ai rapidement décidé de continuer, sans plaindre ma peine ni mon dévouement, jusqu'à ce que j'aie fait mes preuves et sois devenu l'un des leurs. J'avais enfin une passion.

Avec le recul, je considère les gens qui étaient à Dover Furnace cet été-là comme des acteurs mûrs, expérimentés, et ils l'étaient. Mais la vérité, c'est qu'ils n'étaient pas beaucoup plus vieux que moi. Je me souviens que cette découverte m'avait donné espoir.

Nous n'en connaissions aucun, aussi Alan et moi sommes-nous demeurés à l'extérieur de ces groupes que nous voyions constamment se former puis se précipiter dans les bâtiments qui abritaient leurs logements respectifs. Je remarquai que nombre d'entre eux regardaient particulièrement

Alan, et ce pour une bonne raison: beau et grand jeune homme, *goy* par-dessus le marché, il donnait l'impression d'avoir les qualités d'un chef. Moi, j'avais l'air d'être descendu du train dans la mauvaise gare.

Au fur et à mesure que j'étudiais les nouveaux arrivants, un sentiment étrange se fit jour en moi. Je n'avais aucun espoir d'être pris comme membre (qu'auraient-ils pu penser de moi, en effet, sinon que j'étais venu travailler comme serveur, gardien de parc ou concierge?) et pourtant, pour la première fois de ma vie, je ne me sentais pas *à part*. Bien qu'ils fussent tous issus d'un monde où je n'avais jamais mis les pieds, je sentais qu'ils étaient ma famille, une ligue d'outsiders, de gens qui n'étaient pas assimilés par la société, de rebelles, une équipe qui, sous la surface, possédait ses propres caractéristiques, en marge. Ils n'étaient pas plus « comme les autres » que moi. Peut-être avais-je enfin trouvé ma famille. Si c'était le cas, ma tâche consistait à leur faire sentir que j'étais semblable à eux, avant que je n'épuise mes cent douze dollars.

Quelque chose d'autre m'avait frappé: quand je les dépouillais de l'aura de *glamour* dont je les avais parés à distance, ils redevenaient des gens « ordinaires ». Par exemple, quelqu'un désigna un jour du doigt le garçon — c'est tout ce qu'il était à vingt-neuf ans — qui allait tenir le rôle principal dans *Success Story*, la pièce dont les répétitions devaient commencer et de laquelle l'avenir du Group dépendait. Il avait le regard déterminé et dynamique d'un gamin des rues, quelqu'un que l'on aurait pu rencontrer sur la Deuxième Avenue à hauteur de la 14e Rue, l'endroit précis où vous l'avez peut-être croisé vous-même — en continuant votre route sans le remarquer. Il me fallut quelque temps pour découvrir que c'était le prince du théâtre juif new-yorkais, qu'il avait passé sa vie sur les planches et en coulisses, et qu'il bénéficiait de toute la confiance qu'une telle expérience procure, ainsi que d'une autre qualité essentielle, comme je devais l'apprendre, chez un acteur de premier plan: on se demandait toujours ce qu'il pensait. Mais quand je le vis pour la première fois, je le jugeai plutôt ordinaire.

En reconnaissant le terrain, nous découvrîmes, Alan et moi, une espèce de piscine improvisée au bout d'un chemin. En revenant, nous croisâmes un jeune acteur replet à la peau couleur fauve. Il allait nager, sa serviette sur les épaules, et tenait entre ses mains un livre ouvert qu'il parcourait en marchant. Quand il releva la tête pour nous adresser un petit salut, je pus apercevoir le titre: *la Maladie infantile du communisme* . Le nom de l'auteur ne m'était pas familier. L'acteur continua de marcher tout en lisant.

Une décapotable de couleur vive grimpa en vrombissant la route poussiéreuse qui menait au camp, puis coupa à travers champs jusqu'au dortoir qu'Alan et moi devions occuper. Je reconnus le chauffeur mais son nom m'échappait. Il était beau comme un modèle sur l'affiche pour les cols Arrow, parangon de la beauté masculine de l'époque. Je l'avais vu l'hiver précédent, où il jouait le rôle principal dans *la Maison de Connelly*. A côté de lui se trouvait une jeune femme aux cheveux dorés, d'une beauté qui m'était tout aussi familière. Elle se comportait comme la victime d'un kidnapping et semblait goûter l'aventure. Il avait une expression polissonne quand il l'aida à sortir de l'auto et la fit pénétrer dans leur bâtiment, comme s'il enfreignait un règlement rédigé par ses aînés. Il me rappelait les petits rigolos, dans les fraternités, à qui je servais des punchs corsés pendant les surprises-parties à Williams. Dépouillé de l'envergure que lui conférait l'action de la pièce, il me paraissait familier, une personne « ordinaire » de plus.

Toute cette réévaluation me remplissait d'espoir. En arrivant au camp, ils redescendaient du même coup dans le monde où je vivais. C'était comme si j'assistais à un spectacle de cirque ; ébloui par le talent et les cascades extraordinaires des artistes, je passais ensuite derrière le rideau, pénétrais dans leurs baraquements, et les découvrais sans leur costume dans toute leur humanité. Ils me semblaient ainsi moins différents de moi. Mais ces gens qui ressemblaient de plus en plus aux gens que je connaissais éveillèrent bientôt en moi une nouvelle interrogation : quelle était cette chose mystérieuse appelée talent qu'ils possédaient tous ? La possédais-je, moi ?

Un jour que le crépuscule d'été s'étirait, je trouvai Harold Clurman étendu sur l'herbe aux pieds d'une actrice. Dans cette posture, il semblait lui aussi — le mot ne lui rend pas justice, mais je fus tellement surpris — ordinaire. L'actrice était belle, avec un beau visage dessiné autour d'un nez sémite qu'elle décida, des années après, sous l'effet du désir irréfragable de devenir une star de Hollywood, de faire « écourter », en même temps qu'elle transformait son nom, sous le coup de la même impulsion, d'Adler en Ardler.

Clurman, à l'évidence, en était toqué et se comportait avec elle comme un chien esclave de son maître. Par sa seule volonté, elle devint la reine du camp. Quand elle disait quelque chose qu'il — ou elle — trouvait spirituel, il éclatait de rire, puis regardait autour de lui avec anxiété pour voir si les autres personnes agglutinées autour de son idole l'appréciaient autant qu'elles l'auraient dû.

J'ai passé plus de temps à observer ces deux-là que n'importe qui d'autre. J'avais l'impression que Harold retenait cette actrice un peu contre le gré de celle-ci ; il pensait sans doute qu'il lui fallait la flatter constamment. Mais était-elle aussi insaisissable qu'il semblait le craindre ? La dévotion anxieuse dont il faisait montre à son égard lui donnait des airs de cocu. Les acteurs qui fréquentaient le couple observaient Harold avec amusement ; il ne se situait pas au-dessus d'eux, il pouvait se laisser aller à des excès ridicules comme n'importe qui d'autre dans le camp. A la cour de Stella, Harold jouait le rôle du fou et, pas plus que le fou, ne semblait embarrassé par son comportement. J'en vins à me demander si cet homme était capable de diriger une compagnie théâtrale.

Ma remise en cause des valeurs se heurtait à une exception et, lorsque sonnait la cloche pour le dîner, je le regardais descendre la colline depuis la maisonnette sur la hauteur — la résidence, me disais-je — de l'élite du camp. Tel Zeus descendu de l'Olympe, l'autre homme qui m'avait interviewé au dernier étage du Théâtre de la Quarante-Huitième Rue ne saluait pas ceux qu'il croisait sur son chemin. Le camp ne l'avait pas rendu plus ordinaire mais plus exceptionnel. Il était accompagné de sa maîtresse, prêtresse de son culte. Il ne laissait paraître aucune inquiétude au sujet de celle-ci, marchait à quelques mètres devant elle quand ils se rendaient d'un pas tranquille à la salle à manger, à une allure qu'il déterminait. Apparemment, Lee Strasberg se concentrait encore sur ce qui l'occupait quand la cloche du dîner avait interrompu son travail.

Dans les jours qui suivirent, je devais découvrir que cette inaccessibilité intransigeante constituait l'habitude avec Lee. Il était entouré de l'aura d'un prophète, d'un magicien, d'un sorcier, d'un psychanalyste et d'un père juif redouté des siens. Il était le centre des activités du camp, cet été-là, le noyau du vortex. Tout dans le camp tournait autour de lui. En même temps qu'il préparait la mise en scène de la pièce dont les représentations débuteraient la saison suivante, comme il l'avait fait pour les trois pièces de la saison précédente, il assurait aussi l'enseignement de base de l'interprétation, posant les principes de l'art en fonction desquels le Group travaillait, servant de guide aux acteurs dans leur apprentissage. Il incarnait la force qui unissait les quelque trente membres de la compagnie, les rendait « permanents ». Il y parvenait non seulement grâce à son savoir incomparable, mais aussi en usant de la menace que représentait sa colère.

Au matin du 7 décembre 1941, quand Pearl Harbor fut bombardé sans préavis par les Japonais, les propos de l'amiral Ernest King furent rapportés : « Voilà, ils se sont mis une guerre sur le dos. Maintenant ils ont besoin d'un fils de pute pour la faire. » Il parlait de son gouvernement et s'était désigné lui-même. Parfois, seul un homme intransigeant et dur peut effectuer un boulot pour le bien de tous. L'amiral King était nécessaire après Pearl Harbor, comme Lee Strasberg en cet été 1932. Il goûtait sa supériorité autant que l'amiral. Les acteurs manifestent la même indulgence à l'égard d'eux-mêmes que le reste de l'humanité, et peut-être que la seule façon de maintenir leur esprit de corps afin qu'ils travaillent correctement, c'était de leur faire sentir la menace d'une autorité qu'ils respectaient. Et craignaient.

C'était bien l'avis de Lee. Il possédait un don pour les colères et appréciait le pouvoir qu'elles lui conféraient. Personne ne mettait en question sa domination — quand il ouvrait la bouche, c'était parole d'Évangile —, son rôle de phare, son droit au pouvoir absolu. Gagner son estime était devenu le but de chacun. Ses explosions maintenaient la discipline dans ce camp d'hypertendus. J'en suis venu à penser que sans la peur qu'inspirait cet homme, le Group aurait éclaté, tous ses membres seraient partis dans des directions différentes, au lieu de garder le cap qu'il avait fixé.

Il m'effrayait moi aussi. Même si je l'admirais.

Lee menait une révolution artistique et le savait. Une organisation telle que le Group — alors dans sa deuxième année, autant dire débutante, en formation — n'existe que par la volonté d'un fanatique et par l'énergie qu'il met à propulser sa vision. Il doit être droit, intraitable, refuser toute influence. Lee le savait. Il avait étudié d'autres révolutions, politiques et artistiques. Il savait ce qui était nécessaire et se mobilisait au service de sa mission, conscient de l'importance de celle-ci.

A ma grande surprise, c'est Harold qui prit la parole le premier soir, rugissant son défi à l'adresse du reste du monde théâtral, ranimant la flamme pour les membres : quelle était la signification du Group, à quoi était-il destiné, quelle position devait-il occuper dans la société américaine ? Il les inspirait par la ferveur de sa passion et la justesse de ses propos. Inaccoutumé à de tels débordements d'émotion — le sang affluait au visage de Harold, on aurait dit qu'il était en passe d'exploser —, je me sentis mal à l'aise dans un premier temps. Hystérie ou inspiration ? Harold en rajoutait-il ?

Avec le recul, après avoir écouté Harold parler encore et encore au fil des années, je crois sincèrement qu'il aimait impressionner les gens par la fureur volcanique de ses émotions, mais je ne le dénigre pas car c'était nécessaire. Une compagnie théâtrale, surtout engagée à temps plein, ne reste unie que par la grâce d'un acte de foi inspiré par ses leaders. Cette année-là, l'idéalisme constituait notre réponse à la Grande Dépression. La camaraderie faisait office de tampon entre nous et une société que nous étions nombreux à considérer hostile. Si le Group pouvait exister, c'est parce qu'il était né dans une période difficile et qu'il offrait dignité et espoir à de jeunes acteurs, mais aussi parce qu'il n'y avait aucune alternative — pas de *soap operas*, pas de téléfilms, pas de spots publicitaires à gros budget, pas de fric facilement gagné en doublages.

Mais c'était surtout parce que Harold nous faisait croire que seul un Group Theatre donnerait sens à notre vie. Il démolissait le *star system*, proclamait que le théâtre était un art collectif où tout le monde devait travailler ensemble vers un but commun. Il avait nommé le théâtre qu'il appelait de ses vœux « une collectivité cimentée par l'idéologie ». Il nous enseignait l'éthique d'un homme de théâtre, employait le vocabulaire d'un chef spirituel, se répandait en visions grandioses, appelant à la naissance de ce qui n'existe pas. Je croyais qu'un grand théâtre était né et qu'il ne ressemblerait à aucun de ceux qui existaient dans ce pays. Quand il eut fini son discours d'inauguration, j'étais un homme différent.

On a dit que Harold avait fondé le Group Theatre. Il est plus exact d'affirmer qu'il a donné leur articulation aux idées qui ont présidé à sa formation. D'autres (Lee, Cheryl) ont accompli le travail quotidien ; chacun dans le camp le savait et l'acceptait. Les jours suivants, je devais me rendre compte que les acteurs méprisaient quelque peu Harold, même s'ils l'admiraient. C'était un faiseur de discours, disaient-ils, pas un homme d'action, et il n'aurait jamais de succès en tant que metteur en scène. Les grandes démonstrations de rhétorique passent pour du cabotinage quand elles ne sont pas suivies d'effet. Harold était peut-être un prophète mais il était incapable de réaliser ses visions, pensait-on. Cheryl et Lee partageaient la même opinion que les acteurs. Lee se montrait paternaliste envers Harold, justement parce qu'il le défendait, comme si Harold ne pouvait s'affirmer que grâce à l'appui de Lee.

Le jour suivant, Lee mit les gens du Group au travail : les cours sur l'art de l'interprétation débutèrent. Tout ce qu'il enseignait prenait le contrepied de ce que j'avais entendu à Yale. Deux jeunes actrices, apprenties comme moi, jouèrent une scène. Quand elles eurent terminé, elles se tournèrent vers lui pour écouter son jugement. Il resta muet. Elles attendirent. Il les fixait du regard. Son visage ne laissait rien filtrer de ce qu'il pensait mais il était menaçant. Celui des deux actrices commença à se décomposer. Tout le monde pouvait voir qu'elles étaient au bord des larmes. Le silence est l'arme la plus cruelle lorsqu'il vise quelqu'un qui vous aime et Lee le savait. Finalement, l'une des deux, d'une voix tremblante, demanda : « Lee, qu'en pensez-vous ? » Il détourna la tête et regarda les autres acteurs présents. Personne n'osait émettre de commentaire de peur de dire ce qu'il ne fallait pas et de se mettre Lee à dos. Enfin, s'exprimant avec calme, il demanda à l'actrice accablée : « Te sens-tu nerveuse et mal assurée maintenant ? — Oui, oui, répondit-elle. — Plus que dans la scène que tu viens de jouer ? reprit Lee. — Oui. — Beaucoup plus ? — Oui, beaucoup plus. — Bien que votre scène dépende précisément de cette nervosité et que vous ayez travaillé très dur pour l'imiter ? — Oh, je vois, je vois ! dit l'actrice, comprenant où Lee voulait en venir, à savoir qu'elles ressentaient maintenant une émotion réelle alors que précédemment elles avaient fait semblant. Il voulait l'émotion vraie, insistait sur « l'agitation de l'essence », comme on disait, n'acceptait pas moins.

Pendant ses cours sur la technique de l'interprétation, Lee établissait les règles, supervisait les premiers exercices. Ils étaient destinés en grande partie à réveiller la personnalité profonde de l'acteur. La technique essentielle, d'ailleurs assez simple mais compliquée depuis par des professeurs d'interprétation qui cherchent à rendre la Méthode plus hermétique pour en tirer un avantage commercial, consiste à se remémorer les circonstances physiques et personnelles qui ont entouré une expérience émotionnelle intense vécue par l'artiste dans le passé. Comme lorsque nous écoutons par hasard une mélodie entendue à un moment orageux ou au contraire extatique de notre vie et que nous découvrons, à notre grande surprise, que nous ressentons de nouveau la même émotion, que nous revivons cette extase ou cette rage et ce désir de tuer. L'acteur prend conscience de ses ressources émotionnelles ; il découvre qu'il peut susciter en lui, grâce à cette autostimulation, un grand nombre de sentiments très intenses et que ces émotions constituent les matériaux de son art.

Lee enseigna à ses acteurs comment entamer le travail sur chaque scène en prenant une minute pour se remémorer ces détails attachés à l'expérience émotionnelle de leur vie passée qui correspondrait à l'émotion sollicitée dans la scène à interpréter. « Prenez une minute ! » devint le mot d'ordre de cet été-là, la phrase qui revenait le plus souvent, tout comme ce type particulier de concentration devint le label des mises en scène de Lee. Ses acteurs apparaissaient souvent en état d'autohypnose. Quand il dirigeait une scène d'amour, les « amants » semblaient ne pas savoir exactement en compagnie de qui ils se trouvaient mais, au lieu de cela, se préoccupaient davantage de leur propre état intérieur. Aucun indice n'était fourni sur la manière dont ils pensaient consommer leur amour.

Quand ce fut au tour de Harold, trois ans plus tard, de diriger la compagnie que Lee avait formée, il rencontra quelques difficultés. Un jour, un acteur lui demanda avec insistance quelle était la motivation derrière certaine scène d'amour. Harold, m'a-t-on rapporté, perdit contenance : « Eh bien, tu veux la baiser, c'est ça ta motivation. » Harold était un homme compliqué, mais il ne cherchait pas à rendre les choses plus compliquées qu'elles n'étaient.

Pendant l'été 1932, je souscrivis entièrement à la méthode de Lee. J'avais pris l'habitude de rassembler mes souvenirs utiles dans un calepin et classifiais ces expériences de façon à pouvoir les feuilleter comme un dossier et trouver l'émotion requise par une scène et les moyens de la susciter. J'avais intitulé ce recueil « le Coffret d'or » et j'ai encore le calepin, avec tout mon stock d'émotions.

Après qu'un acteur eut joué une scène, Lee demandait : « Qu'est-ce que tu as essayé de faire ? » Immédiatement, l'acteur se trouvait sur la défensive ; on exigeait de lui une explication. Le juge, durant ces procès, envoyait parfois le coupable à la potence. Le travail de Lee procurait peu de joie — seulement un sentiment de culpabilité chez ceux qui s'étaient écartés du droit chemin et une sorte de restriction psychologique qui rendait impossible toute incursion incontrôlée dans l'expérimentation, l'humour ou le rêve.

Mais au cours de ce premier été personne ne défia Lee ni sa méthode. Quand son jugement était mis en question, ses lèvres se pinçaient et son visage pâlissait. Chacun pouvait voir venir l'explosion. Parfois, elle venait effectivement. Les acteurs succombaient devant ces excès de sensibilité, les admiraient même. Confrontés à son ire, rares étaient ceux qui défendaient ce qu'ils avaient fait. Petit à petit, ils devinrent masochistes ; beaucoup semblaient apprécier tout particulièrement de se faire passer un bon savon par Lee. Lee était Dieu Tout-Puissant, il avait toujours raison, il était seul habilité à décider si un acteur en avait ou pas — s'il avait le théâtre dans la peau. Gagner la faveur de Lee et l'assurance qu'elle procurait devint le but de chacun. Personne n'a douté de Lee pendant ces premiers mois. Et certainement pas moi.

Je travaillais comme un raton laveur ; chaque matin, heureux et plein d'ardeur, j'effectuais mes exercices de « mémoire sensorielle » avec la même ferveur qu'un moine ses prières de l'aube. C'était mes « matines » : je me rasais sans rasoir ni savon, je m'entraînais à avoir froid sous le soleil en plein été, je sentais un citron puis humais l'air à l'endroit où le citron avait été porté à mes narines, m'efforçant de sentir encore le citron... Et ainsi de suite. Je jouais des scènes avec qui voulait bien de moi comme partenaire, demandais à tout le monde de travailler avec moi, sauf aux acteurs qui répétaient *Success Story* avec Lee. Je luttais pour ma vie, aussi essayais-je d'impressionner les gens du Group. Je n'avais jamais essayé d'impressionner personne auparavant.

Après quelques semaines de travail, j'ai commencé à me faire une petite idée de ce que directeurs artistiques, metteurs en scène et acteurs expérimentés pensaient de moi. Le verdict m'était défavorable : « Kazan possède beaucoup d'énergie mais aucune émotion d'acteur. » Pas d'émotion ! Quel jugement étrange à porter sur un jeune homme qui cherchait à dissimuler son hystérie patente. Mais je l'ai entendu confirmer par plusieurs sources. Cela m'a déprimé. Étais-je un handicapé de l'émotion ? Des inhibitions m'empêchaient-elles de révéler l'émotion que j'emmagasinais pourtant en abondance ? Pourquoi ne la voyaient-ils pas ? Qu'est-ce qui n'allait pas chez moi ?

Pendant que je m'en inquiétais, mes cent douze dollars arrivèrent à épuisement.

Je demandai conseil à Molly. Elle passait l'été dans la cabane des Adirondacks, à essayer d'écrire une pièce. Elle me parut inquiète au téléphone, me dit de me dépêcher de venir, que je lui manquais, que je lui manquais terriblement. Je fus tenté, bien sûr. Je sortais d'un célibat de cinq semaines. Je répondis que j'y réfléchirais et prendrais une décision.

J'en pris une. J'annonçai à Harold que je ne quitterais pas le camp. Sa réaction, je devais m'en rendre compte par la suite, fut caractéristique : il n'en montra aucune. Il s'en alla, m'abandonnant aux autres. Il ne fit aucun effort pour m'encourager à rester. Je suppose qu'il avait d'autres problèmes et trouvait difficile de manifester une quelconque fermeté. Cela me donna un peu de temps. J'allai trouver le responsable de la salle à manger et de la cuisine et j'eus de la veine : il avait bien besoin d'un autre serveur. Quand Clurman leva les yeux et me vit arriver en veste blanche avec son hachis de foie à la main, il trouva aussi que cela allait de soi. Peut-être, me suis-je dit, trouve-t-il que ce métier me convient mieux.

Je décidai de contredire son jugement selon lequel je manquais de talent comme acteur. Je multipliai les exercices pour intensifier ma concentration sur scène. J'en fis d'autres pour augmenter mon acuité sensorielle. Je ne laissais pas mon « Coffret d'or » en paix. J'exerçai ma voix afin de me débarrasser de mon accent populaire new-yorkais. Je me mis à pratiquer l'escrime, au cas où l'on me demanderait de jouer Laërte. (Laërte ! Mon Dieu, étais-je tombé sur la tête ?) Je ne manquais jamais une classe d'expression corporelle. Ce cours était assuré par Helen Tamiris. Sa spécialité s'intitulait la poussée pelvienne, exercice qu'elle avait dû découvrir au lit. Dans la phase descendante du mouvement, debout au-dessus de moi, elle posait son pied sur ma colonne vertébrale et appuyait. L'empreinte de ce pied est restée marquée à jamais sur mon dos. Et j'entends encore sa voix hurler : « Le sol est votre ami ! », tandis qu'elle m'écrasait.

J'étais aux pieds de Lee et de Harold, littéralement ; je prenais en note tout ce qu'ils disaient. Harold m'ouvrit les yeux sur l'importance du théâtre dans une société : il avait le devoir, particulièrement à notre époque de crise nationale, d'exprimer les inquiétudes du public dans la salle. Le théâtre, disait-il, ne se limite pas à un passe-temps entre le souper et le coucher. Au XXe siècle, il doit servir un dessein proche de celui qui l'animait dans la civilisation grecque préchrétienne, où il jouait le rôle de religion « pop ». Le fait de voir leurs propres dilemmes représentés sur scène devait éveiller et rassurer les masses.

Lee explorait pour nous une œuvre théâtrale dont j'ignorais tout : le théâtre russe. Dans sa maisonnette sur la colline, il avait une cellule où travaillait un petit homme, une « bonniche » au masculin qui ne parlait à personne d'autre que Lee. Cet homme traduisait une série de livres sur l'œuvre théâtrale de Vakhtangov et de Meyerhold, tous deux organisés en « studios » et rejetons de l'Art théâtral moscovite de Stanislavski. Lee manifestait un enthousiasme sans bornes pour Meyerhold et nous décrivit, scène par scène, les productions par le maître de *la Dame aux camélias* et de *l'Inspecteur général*. Il nous montra des photos et des dessins représentant leurs décors inhabituels. J'étais fasciné. Le théâtre, compris-je, n'avait pas besoin d'être réaliste. Ça, c'était l'affaire du cinéma.

Un jour, il nous décrivit une scène de séduction amoureuse dans laquelle les amoureux se faisaient face, chacun placé à un bout d'une scie en mouvement, et ce fut lumineux. Meyerhold ne dépendait pas des mots. Il s'exprimait à coups d'inventions audacieuses dans la gestuelle, proche de la danse. Lee citait Meyerhold : « Les mots sont des décorations cousues sur l'ourlet de la jupe de l'action. » Ou encore : « L'acteur n'occupe plus la première place sur scène. Le metteur en scène y détermine toute vie. » Je ne devais jamais oublier ces deux phrases. Lee me fit aussi découvrir la notion de « sub-texte », c'est-à-dire ce qui se passe en filigrane et vient parfois contredire le discours. « Le sub-texte, c'est la pièce », disait-il. Je l'ai répété cinquante ans plus tard au groupe d'auteurs-metteurs en scène de l'Actors Studio.

Mais surtout, Lee nous confiait ses espoirs, ce qu'il souhaitait accomplir un jour en tant que metteur en scène avec le Group. C'était une perspective grandiose. Nous créerions ensemble des productions extraordinaires orchestrées autour de visions théâtrales audacieuses qui iraient bien au-delà du réalisme et du naturalisme. Nous aurions peut-être à défricher ce terrain sur la base de pièces souvent médiocres — mais Meyerhold était passé par là aussi. Ce que nos dramaturges contemporains pouvaient offrir de mieux était dépourvu des visions théâtrales de Lee. Mais nous le ferions quand même, nous créerions le théâtre total, combinaison des techniques artistiques de l'interprétation que nous apprenions et des expérimentations du grand théâtre russe, qu'il étudiait et nous livrait.

Je ne compris que plus tard l'ironie contenue dans tout cela. Homme très fermé sur lui-même, Lee s'exprimait physiquement avec mesure, sans flamme ni liberté de mouvement. Ses effets de mise en scène ne manquaient pas d'intensité, mais ils étaient toujours transmis avec rigidité. Cet homme n'avait rien de commun avec le cirque et n'était pas lui-même acteur à l'époque. Il ne se déplaçait pas avec aisance sur une scène. L'homme qu'il idéalisait et dont il s'inspirait, V. E. Meyerhold, était aux antipodes de Lee. Jamais chorégraphe n'a été plus audacieux. Il existe un danger pour l'artiste qui se choisit un but auquel il n'est pas adapté et qui ne convient pas à son tempérament. Mais Lee persistait, jour après jour, à imaginer et à préparer des productions qu'il ne pourrait jamais monter. Jusqu'à ses toutes dernières années, chaque fois que je lui rendais visite dans son appartement de Central Park West, il trouvait le moyen de me prendre à part et de me parler de ses espoirs et de ses rêves, de ces productions poétiques et irréalistes qu'il allait mettre en scène avec une

audace jamais vue à Broadway. Quand il me parlait de ses projets, mon
visage demeurait impassible : pourtant, je ressentais inquiétude et pitié. Je
savais que rien des visions de Lee ne se concrétiserait jamais.

Lee et Harold étaient des hommes d'envergure et je leur dois à tous
deux beaucoup plus que je ne peux le dire. Ils ont imprimé une direction à
ma vie quand j'errais sans but. J'ai appris beaucoup d'eux directement,
mais aussi en les regardant vivre leur vie. J'ai toujours admiré l'un d'entre
eux mais ne me suis jamais désintéressé de l'autre. A un moment crucial
de ma vie, j'ai eu la chance de les avoir pour amis. Je crois qu'ils sont
morts tous les deux avec au fond du cœur une douleur secrète, Harold
parce qu'il n'avait pu créer le théâtre permanent dont il parlait si souvent
avec tant d'éloquence, Lee parce qu'il était devenu célèbre d'une manière
qui ne correspondait pas à ses rêves les plus chers. Peut-être Lee ne
l'avait-il pas compris, mais je crois que si. Il en va ainsi en Amérique : les
grands projets de la jeunesse cèdent la place au réalisme des derniers
instants.

Vous devez vous étonner de la façon étrange dont je raconte mon
histoire, changeant sans arrêt de point de vue, jonglant avec le temps bien
que ma vie se soit déroulée comme la vôtre, en une succession de jours.
En fait, je démêle un sac de nœuds déniché dans un vieux panier au fond
d'un placard obscur. Il contient beaucoup de ficelles emmêlées. Je tire sur
l'une d'elles : elle semble céder puis elle résiste. Je tire plus fort : il en
vient encore un peu, puis elle apporte avec elle une autre ficelle, d'une
taille, d'une couleur et d'une texture différentes. Les fils de ma vie
s'entrelacent, ils ne peuvent être dissociés en une série de « voici ce que
j'ai fait ensuite ». Je ne peux vous offrir que des longueurs variables de
fils, extraites de différentes époques dans l'embrouillamini que constitue
ma vie. Aucun fil n'est vraiment libre, indépendant des autres. Raconter
des événements isolés n'explique rien. Le sens naît de rapprochements —
et d'aboutissements. Ces associations, qui se présentent comme les cartes
cachées au *stud poker,* apportent triomphe, regret et compréhension. Ce
qui compte, c'est la signification d'un événement par rapport aux autres,
pas sa place dans le temps. Pour cette raison, des événements survenus il y
a cinquante ans sont encore bien présents à ma mémoire, alors que je ne
peux pas me souvenir de ce que j'ai fait la semaine dernière. Je n'ai pas
l'espoir de dénouer tout le sac ; il est tout enchevêtré, inextricable, moisi
par le temps. Connaître tout ce qu'il contient... qui y est jamais parvenu ?
Qui le peut ?

J'ai souvent pensé : Oh, si seulement j'avais pu regarder devant moi et
voir les conséquences de ce que j'étais sur le point de faire ! Pourtant, les
indications du prix qu'il me faudrait payer chaque pas dans l'inconnu — ce
que j'y gagnerais peut-être, ou ce que j'y perdrais — étaient bien là, juste
sous la surface. Je ne regardais pas assez longtemps ou pas avec assez
d'attention. Parfois, je n'osais même pas regarder du tout.

Par exemple, comment ai-je fait pour épouser une sainte ?

Quand j'use de ce mot épouvantable de « sainte », je ne veux pas dire sans défauts. Mon Dieu, non! J'entends par là une créature guidée par la foi et fidèle aux absolus. Les saints marchent droit dans le feu. Comme ils refusent les alternatives, traiter avec eux présente des difficultés pour leurs associés et pour eux-mêmes. Surtout pour eux-mêmes, comme vous le verrez.

Au milieu de l'été 1932, cette sainte se retrouva enceinte sans être mariée, une affaire plus grave en 1932 qu'en 1988.

Elle me fit part de son état par téléphone en m'appelant au camp de travail du Group Theatre. Il n'avait pas été facile pour elle de me joindre depuis les Adirondacks, où elle passait ses vacances avec sa mère. Le téléphone du Group était accroché dans le hall juste après la salle à manger où, dans ma veste blanche amidonnée, j'étais en train de servir à dîner à un groupe d'acteurs hargneux. Aussi me fut-il impossible de lui poser des questions. Elle put me communiquer les faits et guère plus. De toute façon, qu'y avait-il de plus à dire?

Quelques jours plus tard, je reçus une lettre. Elle avait commencé à prendre des pilules à l'interruption de ses règles. Quand je l'avais vue peu après, elle me les avait montrées. Si elles avaient bougé, j'aurais été convaincu que c'était de gros scarabées noirs. En vérité, elles s'apparentaient davantage à la magie qu'à la médecine. Molly disait dans sa lettre qu'elle avait cessé de les prendre.

Je savais comment c'était arrivé. Une semaine avant notre départ définitif de Yale et de New Haven, elle m'avait conduit à Poughkeepsie dans son coupé Ford pour me montrer Vassar College. Elle voulait que je connaisse tout de sa vie là-bas. Les routes inter-États n'existaient pas à l'époque et nous effectuâmes le trajet sur un macadam sinueux sans marquage au sol. Heureuse, débordante de joie, elle me parlait de ses camarades d'université quand elle se tourna vers moi pour voir ma réaction, de sorte qu'elle ne put apercevoir le lapin qu'au moment où elle allait l'écraser.

Quand elle s'arrêta et regarda en arrière, l'animal se tortillait dans tous les sens, cloué au sol, comme sous l'emprise d'une force maléfique qu'il ne pouvait voir et dont il essayait de se libérer. Molly ne regarda pas une seconde fois.

Je sortis de la voiture et marchai jusqu'à l'endroit où le lapin gisait sur le bitume. Je vis qu'il était cuit: que faire pour lui sinon mettre un terme à ses souffrances? Une pierre détachée d'un mur s'en chargea. Je glissai mon pied sous le cadavre mou et chaud et le soulevai jusqu'au talus sur le bord de la route.

De retour à la voiture, je trouvai Molly en pleine crise d'hystérie. Elle n'était pas en état de reprendre le volant, aussi la remplaçai-je, mais ses larmes ne s'arrêtèrent pas pour autant. Considérait-elle l'incident comme un mauvais présage pour nous? Elle tremblait de tous ses membres, aussi décidai-je de garer la voiture et l'aidai-je à en sortir. Je l'amenai contre un mur de vieilles pierres grises; je me souviens que nous dûmes nous frayer un chemin à travers un buisson splendide de sumac vénéneux puis à travers une vaste prairie. Deux vaches nous observaient au loin. Le printemps de l'année — mai! — resplendissait dans toute sa gloire, partout ce n'était que champs de fleurs. Un pommier exhibait sa floraison. Nous nous allongeâmes dessous. Au-dessus de nos têtes, les abeilles s'affairaient et, quand Molly se calma enfin, nous pûmes entendre leur bourdonnement.

Ses joues se colorèrent de ce rose vif si particulier. Quand elle ouvrit ses yeux humides, ils brillaient. Elle porta sur moi ce regard qu'ont les femmes quand vous êtes le seul réconfort qu'elles désirent.

J'avais toujours été très prudent, même quand elle voulait que je ne le sois pas. Cette fois-là, sa détresse me poussa à rester dans ses bras. A un moment, elle serra les jambes et les releva. A ce stade, elle ne relâcherait plus son étreinte.

Deux mois plus tard, quand je reçus sa lettre, je me sentis — pour utiliser le même mot que les filles — « pris au piège ». Le fait qu'elle était enceinte menaçait ma liberté. Je lui en voulais à cause de cela. Je ne désirais pas quitter le camp ; j'avais prévu de jouer quelques scènes en cours. Un voyage interromprait mes exercices vocaux et corporels. Je m'efforçai de me montrer indomptable. Le verdict des metteurs en scène du Group n'allait pas tarder à tomber. Je grinçais des dents la nuit.

Une amie avait recommandé un avorteur à Molly et elle alla le voir. « Je n'aime pas ce type, m'écrivit-elle. Il est petit, mesquin et m'a menti. Il veut trois cents dollars pour lui, plus dix si je reste la nuit. Il ne m'y pousse pas, dit que je pourrai partir à quatre ou cinq heures. Mais trois cents dollars ! »

Mécontente de la personnalité de l'avorteur et de ses tarifs, elle retourna voir son amie. « J'ai discuté avec "A", disait-elle, et elle pense qu'elle peut trouver une astuce pour lui faire baisser ses prix. » (Molly n'était pas encore politisée.) « "A" dit que les types qui font ce boulot appartiennent à une race à part, qu'ils vous appellent tous "chère petite madame" et que la plupart ont les ongles sales. Ce docteur, m'a-t-elle assuré, possède une longue expérience et a la réputation d'être très habile. »

L'avortement était illégal dans les années 30 mais toléré en pratique. Molly se méfiait des docteurs joviaux. L'homme en question l'était. Il avait des réflexions un peu cavalières: pour la rassurer, je suppose. Mais il s'était trompé sur le compte de sa cliente. Ses manières produisirent l'effet inverse. Néanmoins, elle décida d'utiliser ses services et se rendit sur West End Avenue pour un examen préliminaire. « Plus je vois ce foutu docteur, m'écrivit-elle, moins il me plaît. Son cabinet est miteux et la table d'opération couverte de poussière. Je ne savais pas où poser ma culotte après l'avoir retirée. J'ai détesté le contact de ses mains sur moi ; il ne portait pas de gants. J'étais nerveuse et folle de rage de me trouver dans cette position. Mais enfin nous avons pris rendez-vous, vendredi, à dix heures trente du matin. »

Je lui répondis en lui demandant si elle souhaitait que je l'accompagne.

« Oui, je veux que tu viennes et que tu restes le lendemain, s'il te plaît. Je dois d'abord aller à la Bowery Savings Bank pour chercher l'argent. C'est celle qui est en face de la Gare Centrale et je t'attendrai à dix heures devant l'entrée sur le côté. Puis nous irons à l'endroit où ça doit être fait, un "sanatorium" — qu'est-ce que c'est que ça ? —, au 10, 123e Rue Ouest.

Est-ce que c'est à Harlem? Je ne peux m'empêcher de penser aux filles qui ont moins d'argent. Comment font-elles? »

Je la rencontrai à l'extérieur de la Bowery Savings Bank et elle me confia les trois cents dollars. Puis nous nous rendîmes dans le haut de la ville, où j'attendis dans l'antichambre. Il faisait très chaud ce jour-là. Ma chemise était trempée. « Pourquoi avez-vous l'air si inquiet? » s'enquit la réceptionniste. Ses jambes étaient épaisses sous ses bas blancs et, lorsqu'elle les croisait, sa jupe remontait, ce qui donnait à l'endroit un air inconvenant. « Ça sera fini en un clin d'œil », me dit-elle.

Ce fut rapide. Molly voulut s'en aller sans attendre et nous partîmes à quatre heures. Nous allâmes à l'appartement de son amie. Molly se mit directement au lit et me demanda de l'y rejoindre. Elle était blême ; je ne savais si c'était à cause de la peur ou de la perte de sang. Cette pâleur et son désarroi m'attirèrent. J'étais prêt à lui faire l'amour. Elle fut rassurée. Bien qu'elle eût très sommeil, elle m'interrogea au sujet du Group. Je lui dis combien j'étais impressionné par Lee Strasberg et Harold Clurman, puis je tentai de lui expliquer les idées qui sous-tendaient cette organisation et combien ses membres étaient loyaux. Je n'avais pas encore appris que toute opinion nette, qu'elle soit positive ou négative, déclenchait une réponse suspicieuse de Molly.

« Qu'est-ce qui les tient ensemble? demanda-t-elle.

— L'idée, répondis-je, et les metteurs en scène.

— Ne reçoivent-ils pas d'offres plus intéressantes? Pour d'autres pièces? Même des films?

— Si, bien sûr. Mais ils ne les acceptent pas.

— Vraiment? Pourquoi pas?

— Parce qu'ils idolâtrent Clurman et Strasberg.

— Ils les idolâtrent!

— Oui. Attends de les entendre parler.

— Toi aussi? »

J'esquivai la question.

« Ne te livre pas à l'idolâtrie », me mit-elle en garde.

Je lui fis part de mon découragement quant à l'opinion que le Group avait formée à mon sujet. « Ils ne vont pas te mettre à la porte! s'exclama-t-elle. Arrête de gémir. Tu es bon. Je le sais. Et ils s'en rendront bientôt compte. » Soulagée d'avoir pu me prodiguer ce réconfort sans réserve, elle s'endormit. Au repos, elle avait l'air d'une sainte. Le lendemain matin, elle me donna de l'argent pour retourner au camp.

Elle m'écrivit immédiatement. « C'est juste pour te rassurer si tu en as besoin. Je me sens en paix avec moi-même et heureuse que nous l'ayons fait. Je suis contente de toi et contente de moi, et notre relation me remplit de bonheur. »

Mais pour ma part je revins au camp avec un sentiment inverse. J'étais roulé en boule sur moi-même comme un porc-épic, protégeant mes flancs vulnérables de mes piquants acérés. J'avais eu chaud. Si j'avais regagné ma liberté, c'était uniquement grâce à sa bonté et à sa générosité. Elle aurait pu m'imposer le mariage et j'aurais cédé. L'avortement m'avait sauvé. Je devrais faire attention désormais. Mon Dieu, je n'avais même pas commencé de vivre! Pourquoi m'engager trop tôt? Je n'avais pas encore vu le monde, ou plutôt le « terrain ».

Je ferais mieux de réfléchir. Je n'avais ni travail, ni perspectives d'avenir. Je ne pouvais pas rester serveur toute ma vie. Je n'avais pas été admis dans le Group et rien ne donnait à penser que je le serais jamais. Je n'avais pas d'argent. Où irais-je à la fin de l'été passé avec le Group? A la maison? Pour rien au monde! Je me souvenais de la visite que mon oncle A. E. (« Joe ») Kazan avait effectuée au magasin de mon père. Après m'avoir regardé dérouler un tapis au lieu de l'enrouler, il avait hurlé: « Eh, George, qu'est-ce que c'est que cette souche que tu as là? » Mon père ne m'avait pas défendu. Même ma mère semblait découragée au sujet de mon avenir. Qu'imaginais-je donc devenir? Un acteur? Avec mon physique? Il me fallait regarder la vérité en face avant qu'il n'arrive encore quelque chose avec Molly. La vérité, c'est que nous étions deux personnes complètement différentes. La vérité, c'est qu'elle avait plus de cervelle que moi, que c'était une intellectuelle. Moi, ma personnalité n'était pas encore formée. Les seuls en qui j'avais jamais eu foi, c'étaient le Group Theatre et ses directeurs. Je lui en voulais de mettre en doute le Group, mais je n'étais pas sûr d'y avoir quelque avenir. Mon expérience dans leur camp avait réveillé en moi un sentiment familier, celui de n'être au fond qu'un « bon à rien ». Il me semblait entendre la voix de mon père et, conséquence inévitable, j'étais parcouru d'un frisson de peur.

Je pris la décision de ne pas courir de nouveaux risques. J'allais rompre. D'accord. Tope là! Mais il y avait un hic: je n'avais au monde qu'une seule amie loyale et compréhensive, Molly, la dernière et la plus perspicace d'une succession de femmes — ma mère, Lucy, ma grand-mère, miss Anna B. Shank et maintenant Molly — qui m'avaient soutenu. Tout seul sur mon lit de camp la nuit, je m'ennuyais d'elle.

S'il y a une chose qu'un outsider ambitieux qui désire voir son talent reconnu dans une société étrangère ne peut tolérer, c'est d'être coincé dans un enclos dont la porte est verrouillée et dont il ne possède pas la clé. Je ne conçois ma vie que dans la liberté de choisir mon prochain mouvement. Tout ce qui menace cette liberté provoque — encore aujourd'hui! — ma fureur. A certaines époques de ma vie, me sentant pris au piège d'une relation affective, d'un contrat ou d'une situation, même si tout paraissait aller bien, je gardais une valise bouclée, toujours prête en cas de départ imprévu. J'avais aussi sous la main — je l'ai encore — une garde-robe complète, costumes, chemises, chapeaux, chaussures, sous-vêtements, au moins dans deux endroits différents, parfois trois. Encore une confession: j'entretiens de petits comptes en banque à Athènes, Paris et Zurich. Au cas où. Où quoi? Je ne sais pas exactement. Au cas où. Il fut un temps où j'en avais d'autres encore à Londres, Istanbul et Los Angeles — ils ne contenaient que de petites sommes, juste de quoi payer le voyage. J'ai vécu toute ma vie obsédé par l'éventualité qu'un départ soudain se révèle nécessaire. Je me sens plus en sécurité quand j'y suis préparé.

Douze ans après cet été à Dover Furnace, j'ai mis en scène à Broadway une pièce de Franz Werfel et S. N. Behrman intitulée *Jacobowsky et le Colonel*. Cette pièce avait pour moi une résonance très personnelle et c'est peut-être la raison pour laquelle je m'en suis apparemment bien tiré. C'était l'histoire d'un petit juif commerçant qui, à mesure que l'armée allemande fonçait sur Paris, essayait désespérément de sauver sa peau en gardant de l'avance sur les troupes nazies. La vie entière de cet homme avait consisté à esquiver le danger.

Cette répétition de la même expérience avait insufflé dans l'âme de Jacobowsky une sorte d'optimisme forcené, exprimé dans un discours que je n'ai jamais oublié :

« Ma pauvre mère, dans sa grande sagesse, disait toujours que, quoi qu'il arrive dans la vie, il y a toujours deux possibilités. Par exemple, nous sommes à présent dans une période sombre et pourtant, même à l'heure actuelle, il existe deux possibilités. Ces Allemands, ou bien ils vont arriver à Paris, ou bien ils vont s'élancer vers l'Angleterre. S'ils ne viennent pas à Paris, c'est bien. Mais s'ils devaient venir à Paris, il existerait encore deux possibilités. Ces Allemands, ils nous mettraient soit dans un bon camp de concentration, soit dans un mauvais camp de concentration. Si c'était dans un bon camp de concentration, ce serait bien, mais s'ils nous mettaient dans un mauvais camp de concentration, il existerait encore deux... » Et ainsi de suite.

Peut-être Sam Behrman vit-il quelque rapport entre moi et son personnage, car il me dédia cette pièce.

Jacobowsky, joué par un génie oublié, Oscar Karlweis, me rappelait mon père : ses pieds plats, le bruit de sa démarche traînante. Mon père s'était sauvé et avait sauvé sa famille de justesse à la suite de toute une série de menaces, de massacres, d'invasions, allant de Kayseri, au milieu de l'Anatolie, à Constantinople, puis de là à Berlin, puis nous ramenant d'Allemagne à Constantinople en 1913, et nous envoyant de là à New York, juste avant un événement — la Première Guerre mondiale — qui l'aurait ruiné lui, mais aussi sa famille.

Quiconque a connu un climat d'oppression doit apprendre à garder un œil sur la porte de service et à s'assurer qu'elle n'est pas verrouillée, à connaître les gens « qu'il faut », à se sortir des embrouilles avant qu'elles ne menacent sa vie, à éviter toute bagarre. Un tel homme s'en remet pour sa vie à son intelligence — qu'il a, parce qu'elle a dû l'être — très aiguisée. En guise de muscles et de gilet pare-balles, il dispose de sa ruse.

Je suis un tel homme. Je me suis toujours senti en danger. Je ne me suis jamais senti complètement en sécurité, même au faîte de mon succès, lorsque chaque auteur voulait que je mette en scène sa nouvelle pièce. J'ai toujours pensé que la richesse était aléatoire et les louanges temporaires. Je garde constamment, obsessivement à l'esprit que l'argent placé à la banque fuit, rétrécit. Je n'ai pas confiance en l'État, quel qu'il soit. Vous si ? Vraiment ? Je crains l'autorité. Je ne crois pas que ceux qui l'exercent vont continuer à être amicaux. Je fais confiance à l'autorité — pour être hostile. Je sens que si l'on m'arrête, ce sera autant pour mes opinions que pour des actions et des omissions passées. Je n'ai rien fait qui justifie qu'on m'arrête, mais apparemment cela ne fait aucune différence.

Même aujourd'hui, bien que je sois à l'aise financièrement et que l'on me considère comme un homme qui a réussi, il m'arrive parfois, au volant de ma voiture, en marchant dans la rue ou au milieu d'un dîner, de me trouver soudain aux prises avec un fantasme dans lequel je me défends — je parle à voix haute, j'essaie de laver les soupçons qui pèsent sur moi —, la police me tient! Je proteste de mon innocence. Je conteste ses accusations. Les acteurs avec qui je travaille mettent en doute mes indications. Je leur rentre dedans, leur jette mes raisons comme un défi. Ma femme, celle avec qui je vis à présent, qui m'aime complètement, ou la précédente, qui m'aimait moins, m'accuse de quelque écart de conduite dans notre mariage. Vrai ou faux? De toute manière, je repousse l'accusation. Il semble que je sois constamment en train de me défendre. Et je l'ai fait toute ma vie.

J'ai envie de présenter mes excuses au monde. L'un de vous, lecteurs, peut-il le comprendre? J'en doute. « Vous croyez, parce que vous êtes resté étendu dans un fossé pendant quinze minutes, dit Jacobowsky, que vous savez ce que c'est qu'être moi. Ce n'est pas si simple. Quand je me relève, le fossé me suit. »

Bien sûr, il en existe d'autres comme moi, beaucoup. Il faut admirer de tels hommes en dépit de certaines qualités déplaisantes qui sont les leurs. Ces qualités que vous n'aimez pas sont précisément celles qui les ont aidés à s'échapper, puis à se réadapter et à survivre dans un nouvel environnement. Je n'aimais pas Kurt Weill en tant qu'homme — opinion formée après avoir fait deux spectacles avec lui, où je me suis rendu compte que ses sympathies allaient toujours à celui qui avait le plus de pouvoir —, mais j'admirais sincèrement sa capacité à réussir dans un nouveau pays, celui-ci, et à s'adapter aux exigences de notre théâtre musical. Si, après avoir quitté l'Allemagne, il avait atterri à Java au lieu des États-Unis, au bout d'un an il se serait mis à écrire de la musique religieuse javanaise et aurait été complimenté par leurs grands prêtres. Si on l'avait largué dans la savane africaine, il n'aurait pas été long à maîtriser le tam-tam!

Sam Spiegel a survécu à de nombreux échecs et a trouvé la force de faire quelques-uns des films les plus aventureux et les plus réussis de l'histoire du cinéma. Il lui est arrivé de tomber mais il s'est toujours relevé. Le principe qui le guidait — l'opportunisme, faire ce qui est nécessaire au bon moment — s'est avéré très utile quand il devait négocier avec ceux qui détenaient les commandes à Hollywood. Il avait appris, par exemple, à mentir sans que ses muscles faciaux ne trahissent la moindre crispation; je l'ai vu faire. Les épreuves affûtaient l'astuce de ces hommes; je n'en ai jamais rencontré de plus sagace que lui.

Durant la production d'un film, Sam ressemblait parfois à ces tyrans sans envergure, prompts à déterminer quel cul il leur convient de lécher pour en tirer bénéfice et quel autre il est avantageux de botter. En d'autres circonstances, Sam apparaissait comme un homme très intelligent et très cultivé, assoupli par la civilisation, policé. Lequel de ces deux hommes était-il en réalité? Les deux. Il avait appris l'art du changement de couleur tel le caméléon. Il avait le choix entre apprendre et ne pas survivre. Je n'ai jamais pu détester Sam, malgré l'insistance de plusieurs personnes de mon entourage ; pour être franc, j'ai toujours apprécié sa compagnie.

Je me considère comme d'une morale rigoureuse, comme assez moral en tout cas pour admettre ceci : il y a une chose au sujet de laquelle j'ai menti avec constance et il s'agit de mes relations extra-conjugales. J'ai menti encore et encore à mes femmes à ce propos. Je ne sais pas comment traiter ce problème autrement, et je ne pense pas que ni vous ni qui que ce soit le sachiez.

Il m'est arrivé de mentir à des auteurs quand ils m'offraient de mettre en scène une pièce que j'aimais bien mais avec des réserves. Je prétendais aimer la pièce plus que ce n'était le cas en réalité. Je ne sais pas non plus comment aborder ce problème autrement. Vous sentez-vous moralement supérieur à moi ? J'ai souvent souri à des acteurs après les répétitions pour qu'ils se sentent en progrès. Si je leur avais montré mon inquiétude, je leur aurais porté un coup très dur. Je sais qu'en période de répétitions, les conditions sont aléatoires. Un metteur en scène ne devrait pas trahir ses doutes, voire son désespoir. Il est censé être une oasis de calme dans un tourbillon d'incertitudes. Alors pourquoi décourager les acteurs ? Le doute leur tiraille déjà assez l'estomac sans qu'un metteur en scène vienne en rajouter.

J'ai rencontré quelques personnes dans le monde du théâtre qui se sont montrées d'une honnêteté parfaite quelles que soient les circonstances. Tout comme j'étais un outsider de naissance et de par l'histoire de ma famille, Molly était dans la place. Elle n'a jamais douté de sa place dans la vie. Pour elle, il n'y avait jamais deux possibilités ; il n'y en avait qu'une. De même que j'étais le fils de Jacobowsky, de même c'était la fille d'un avocat d'entreprise qui se rendait chaque matin par le train de South Orange, New Jersey, à un bureau en chêne massif à Wall Street. L'arrière-grand-père de Molly était président de l'université de Yale. Je contournais les conflits, Molly se dressait bien droite au cœur de l'orage. J'ai appris à faire des compromis quand j'étais jeune et à éviter ainsi la confrontation. Les principes de Molly ne lui permettaient aucune entorse à son engagement envers le bon droit. Elle pensait qu'il lui revenait de révéler au monde tout ce qu'elle ressentait. J'ai su dès ma naissance que jamais rien ne peut être parfait. Mais la perfection constituait l'objectif de la vie de Molly. Elle n'a jamais hésité et n'a jamais changé, elle est même devenue de plus en plus rigide au fil des années.

J'ai fini par nourrir une admiration sans bornes pour son intransigeance yankee — envers elle-même et ses enfants. Mais il m'a fallu du temps.

Durant les années que nous avons passées ensemble, elle a lu les pièces qu'on me proposait de mettre en scène à mesure qu'elles arrivaient et m'a offert son jugement et ses critiques. Elle m'a souvent été d'une grande aide. Je savais qu'elle me donnerait sa vérité, quoi qu'il lui en coûte de la dire. Mais il ne lui suffisait pas de confier son opinion et d'émettre des suggestions très détaillées à l'auteur de la pièce. Il ne lui suffisait pas qu'il l'écoute, hoche la tête et réponde « oui, oui, je ne manquerai pas de réfléchir à tout ça, merci beaucoup », et ainsi de suite. Il fallait que l'auteur *tienne compte* de ses critiques, ou bien elle se rappellerait à son bon souvenir.

Avec le recul, je ne peux m'empêcher de penser qu'une telle exigence obsessive de perfection tient de la névrose et peut se révéler destructrice, spécialement dans notre partie. On doit faire de son mieux et, parvenu à un certain point, déclarer : « J'ai fait tout ce que je pouvais, je ne peux rien améliorer. » J'ai remarqué que les meilleurs textes qu'il m'ait été donné de lire pour le théâtre étaient parfaits dès leur naissance. Ça colle dès le premier jet, ou pas. Aussi bien pour *Un tramway nommé Désir* que pour *Mort d'un commis voyageur*, je n'ai demandé aucune retouche à l'auteur, et aucune ne s'est révélée nécessaire aux répétitions. Ces pièces fonctionnaient dès le départ. Le labeur, la lutte, l'autoflagellation, tout s'était accompli dans la tête de l'auteur avant qu'il ne touche à sa machine à écrire. Normalement, si l'on achoppe sur le manuscrit, c'est qu'il y a quelque chose de mauvais à la base.

Quand je rejoignis le Group à mon retour de New York, je me rendis compte que l'expérience de l'avortement et mon absence de deux jours avaient changé du tout au tout mon approche du camp. Je commençai à douter de ce que, seulement quelques jours auparavant, j'idéalisais. Un gamin va s'asseoir par terre aux pieds du maître et noter tout ce qu'il dit, pas un homme. Je n'ai plus pris aucune note à partir de ce moment-là. J'étais revêtu d'une carapace plutôt que d'une peau, c'était en quelque sorte ma protection contre le jugement négatif qui allait, croyais-je, être porté sur mon apprentissage.

Je percevais également des signes de démoralisation dans le Group. L'éclat de l'idéalisme était en partie remplacé par le sens pratique. Beaucoup de ceux qui ne jouaient pas dans *Success Story* passaient le week-end à New York pour trouver des petits boulots. « Le Group parle déjà, écrivis-je à Molly, du bon vieux temps et de la ferveur quasi religieuse qui les animait l'été dernier. Ici maintenant, certains forment des cliques et les malentendus se multiplient. »

L'attention des metteurs en scène se focalisait sur la préparation de *Success Story* qui allait être présenté à New York. Les cours d'interprétation, de danse, d'élocution et autres semblaient avoir été relégués au second plan ; des gâteries superflues. *Success Story* devait marcher ! L'avenir de l'organisation était en jeu.

Je me mis à regarder les membres d'un œil différent à mon retour. Oui, les propos de Molly avaient eu de l'effet. Je me posai la question qu'elle m'avait posée : pourquoi restaient-ils ensemble ? Ceux qui n'étaient pas impliqués dans la seule production alors répétée avec ardeur étaient agressifs les uns envers les autres. La nuit, j'entendais des cris percer l'obscurité. Ces querelles nocturnes étaient rapportées aux autres le lendemain matin.

A l'insu de tous, une question fondamentale — le problème posé par un théâtre « permanent » dans notre société — était à l'ordre du jour. Je m'interromps ici encore pour dire un mot de Franchot Tone. Son cas constituait à mes yeux l'exemple type de la difficulté qu'on éprouve à entretenir une compagnie théâtrale permanente dans notre société. Voici ce que j'écrivis à Molly :

Tout le monde parle de la disparition de Franchot Tone. Il a quitté
le camp la nuit précédant le jour où je suis allé te rencontrer ; il n'est
toujours pas revenu. Les membres critiquent son manque de loyauté.
Par exemple, l'autre jour il est entré au milieu du cours de danse, a
évalué Tamiris et ce qu'elle était en train de faire et n'est jamais
revenu. Il n'a pas du tout participé au travail expérimental dans le
cours de Harold. Il a passé toutes les répétitions de *Big Night* à lire
des romans policiers et Cheryl Crawford, qui met en scène cette
pièce, ne veut plus de lui dans la distribution. Il a une voiture de sport
rouge et quitte le camp à la moindre occasion. Et il boit. Beaucoup.
En même temps, il est formidable dans *Success Story* — comme tu
t'en rendras compte si tu viens. J'imagine que Lee Strasberg, qui a
demandé à quelqu'un d'autre de lire le rôle de Tone, sera ravi de le
voir revenir.

Où a-t-il pu aller ? Tout ce qu'ils savent, c'est qu'il a demandé à un
« compère » pris de boisson d'appeler Clurman et de lui expliquer
que Franchot était allé voir un docteur au sujet de ses reins. S'attend-
il à ce que nous croyions cela ? Alan, qui est très proche de Tone, m'a
révélé les dessous de l'affaire, à savoir que Tone est à New York pour
discuter avec des gens de Hollywood de rôles au cinéma.

Le jour suivant, je lui écrivis de nouveau :

Strasberg a prononcé un grand discours sur Tone la nuit dernière,
disant qu'il était probablement le meilleur acteur dans le pays mais
que Lee ne voulait pas de lui dans le Group. Son comportement,
selon Strasberg, commence à entamer l'esprit de loyauté et de dévouement nécessaire à la continuation de la compagnie. Strasberg
sautillait d'un pied sur l'autre en parlant à force d'émotion, et quelques-unes des actrices du Group étaient en larmes. Je crois que Tone
prend plaisir à ébranler le calice du grand art en ces lieux.

Mais on ne peut s'empêcher de l'admirer. Il a plus d'éducation,
vole à cent coudées au-dessus de la plupart des autres et possède
davantage de curiosité face à la vie, d'audace dans l'accomplissement
de ses désirs. Je l'aime bien. Certains peut-être parmi les membres les
plus papelards pensent que Tone est un pécheur parce qu'il réveille le
pécheur qui est en eux. J'en suis venu à me demander si, au bout du
compte, ils n'exercent pas tout simplement leur jalousie envers son
talent, son physique, les offres qu'il reçoit de Hollywood et son
argent. Quant à son comportement excentrique, il est peut-être le
résultat de ce que beaucoup ressentent ici, c'est-à-dire une incertitude
quant au futur. Moi aussi, je la ressens. Nous allons plus souvent
boire un verre chez Pawling le soir après les répétitions depuis que
Tone est parti, et les metteurs en scène s'en inquiètent. Clurman a
pris Alan à part et lui a demandé de ne plus jamais aller faire la
bringue avec Franchot. Alan pense que c'était pour Harold une
manière subtile de le menacer.

Deux ou trois jours plus tard, je lui écrivis :

Tôt ce matin, nous avons entendu un coup de fusil tiré de la fenêtre de la chambre voisine. Tone est de retour. Il a l'air bien, pas de gueule de bois. Il a amené avec lui un de ses vieux potes de Cornell et au déjeuner ils se sont bagarrés. Le copain de Tone a jeté de l'eau sur lui et quand Clurman a essayé de les calmer, Tone a fait un esclandre, a grimpé dans sa voiture de sport rouge et a fichu le camp. Il est revenu à la fin de l'après-midi et a demandé un entretien avec les metteurs en scène.

J'ai su ce qui s'était passé par Alan. Certaines choses ont été mises au point. Tone sera remplacé pour le rôle qu'il déteste dans *Big Night* mais il assurera les premières représentations de *Success Story* à New York — s'il y en a, ce que personne ne sait encore —, puis il ira en Californie pour ses films en novembre. Jusque-là, il continuera à être le grain de sable dans la mécanique de leur idéalisme. Il fait ce qu'il veut et ne manifeste aucune docilité. Il croit en l'idée d'un Group mais n'est pas sûr d'y être adapté ; il pose des questions. En dépit de tout, les metteurs en scène l'admirent. Il pourrait mettre l'endroit à feu et à sang qu'il resterait encore ce gamin blanc comme neige. C'est le seul véritable acteur de premier plan ici — à mon avis — et c'est tout le problème. Je veux dire que c'est leur problème, aux metteurs en scène : comment retenir des gens de son talent et de son tempérament tout en se débarrassant de trois ou quatre zéros qu'ils ont ici et qui ont la foi ! Oh, c'est incroyable comme ces médiocrités ambulantes ont la foi ! Comme ils écoutent bien Lee, hochent la tête et sourient à ses railleries. Tout comme moi.

Sept ou huit litres d'eau-de-vie de pommes sont arrivés au camp hier soir avec une fille appelée Betty. Elle est maintenant avec les bouteilles dans la chambre de Tone. Je t'aime.

Comme d'habitude, Molly accompagna sa réponse à ma lettre d'un défi. « Nous vivons dans une civilisation d'agités, m'écrivit-elle. Crois-tu vraiment possible d'entretenir un théâtre du type de celui qu'ils ont en Europe dans un pays tel que celui-ci, où les valeurs montent et descendent si rapidement ? » Elle ne le croyait pas. Moi si. Je n'avais pas le choix. J'étais là. L'inflexible Molly pensait que l'idée d'un Group ne pouvait se matérialiser que dans un État socialiste.

J'avais trouvé l'excuse de Tone — prendre cinq jours pour aller consulter un docteur au sujet de ses reins — maladroite et peu convaincante. Et pourtant c'était la vérité. Il avait un problème de ce côté-là. Et il est vraiment allé à Hollywood après son départ de *Success Story*. Mais là-bas son ego n'a pas été traité avec autant de délicatesse par les directeurs des studios qu'il l'avait été par les metteurs en scène du Group. La boisson devint pour lui une habitude. Il se mit à la colle avec Joan Crawford, mais elle le dévora tout cru. Je me souviens de ce jour, quelques années plus tard, où il l'amena au camp du Group pour rencontrer ses vieux potes. Je la revois assise dans un coin lors d'une soirée, en train de tricoter avec deux longues aiguilles blanches, presque sans jamais lever les yeux. Elle avait quelque chose d'un rapace. Mais Tone disait qu'elle était impressionnée. Par quoi? Je n'en sais rien. Ils retournèrent en Californie. De là-bas, Tone continua à repenser au Group avec nostalgie et à se sentir coupable de l'avoir quitté de cette manière. Quand nous avions besoin d'argent, ce qui se produisit plus tard, Harold jouait sur ce sentiment de culpabilité et Tone envoyait un chèque. Et, sans nul doute, se sentait mieux dans sa peau.

En 1939, Tone, s'efforçant encore de recouvrer ce qu'il avait perdu, accepta un rôle, de même importance que cinq autres, dans une production de *The Gentle People* d'Irwin Shaw. Les critiques furent plutôt désobligeants à son égard; son retour fut loin d'être un triomphe. Lorsque les représentations de la pièce arrivèrent à leur terme, nous perdîmes trace l'un de l'autre. Il continua à boire et, au bout de quelque temps, un chirurgien lui ôta un rein. Il mourut avant son heure, sans tenir ses promesses ni satisfaire ses espoirs.

Une fois je téléphonai à Molly en pleine nuit dans les Adirondacks et lui suggérai de me rendre visite. Molly était devenue une drogue nécessaire à mon réconfort. Je l'appelais à l'aide quand je n'avais pas le moral.

Je nous trouvai une chambre en dehors du « campus ». Les couleurs étaient revenues sur son visage. Elle resplendissait de santé, toute bronzée, d'une minceur élégante, portait des baskets, marchait jambes nues, et nous fîmes l'amour toute la journée. Elle avait apporté un contraceptif — un pessaire, comme on appelait ça à l'époque — et, désormais en sécurité, nous nous donnâmes plus de plaisir que jamais. Si j'ai un souvenir ineffaçable, c'est celui de la noblesse de ses doigts fins et longs quand ils maintenaient la « tulipe ». Dans les moments de repos, je lui dis que je savais ce qu'elle avait enduré pour moi — c'était le mieux que je puisse lui offrir en guise de remerciements. Au matin, elle parla mariage. Je changeai de sujet. Le matin suivant, je pris conscience de mon attachement: la vie sans elle paraissait impossible.

Je l'emmenai au camp et la présentai à certains des acteurs et en particulier à mon meilleur ami et compagnon de marginalité, Clifford Odets. Aucune étincelle ne se produisit. Je la présentai à Lee Strasberg, qui fut sec avec elle, selon son habitude lors d'une première rencontre. J'expliquai en chuchotant la charge que représentait pour Lee le futur de *Success Story*. J'amenai Molly au cours de Harold Clurman. Il était en grande forme. J'espérais qu'elle serait impressionnée par son éloquence, mais elle s'en tira avec un: « Il parle comme un de ces guérisseurs qui vous font du boniment. » Dans le Group, Molly faisait figure d'hérétique. Elle détestait tout particulièrement l'expression de Harold: « collectivité cimentée par l'idéologie ». « Je ne veux être cimentée à personne », disait-elle.

Alan, son ancien amant, était présent. Tous deux trahirent une certaine nervosité lors de leur rencontre, fumant l'un et l'autre cigarette sur cigarette. Tone passa devant nous et Alan expliqua combien le Group désapprouvait Franchot en bloc. Molly voulut savoir si un tel degré de condamnation était juste. Je l'assurai qu'il était nécessaire. Le Group devait rester uni. Alan se montra moins convaincu. Molly se moqua et fit une grimace : de doute.

J'étais furieux contre elle — comme si ma religion avait été attaquée. Mais écouter sans poser de questions tenait de l'impossible pour Molly. Submergée par une force aussi puissante que Harold, elle avait relevé l'échine. Harold était devenu mon héros d'élection à ce moment-là. « Allons dîner », dis-je, coupant court à la conversation.

Ce soir-là, j'emmenai Molly à un meeting du Group, durant lequel Lee annonça que Mr. Lee Shubert, propriétaire (avec son frère, J. J. Shubert) de la plus grande chaîne de théâtres « sérieux » de New York, allait assister à une répétition de *Success Story*, afin de décider s'il nous donnerait un théâtre à New York pour y produire notre travail. Puis Lee raconta une anecdote célèbre à son sujet. La saison précédente, les auteurs de l'une des pièces que le Group répétait s'étaient plaints des méthodes de travail de Lee, tournées vers l'improvisation et plutôt lâches quant au respect du texte. Lee s'était mis en colère contre ces auteurs et leur avait dit, sans fioritures, que les gens du Group s'étaient rassemblés non pour mettre en scène une pièce mais pour créer un théâtre. J'observai le visage de Molly pendant que Lee racontait cette histoire. Écrivain elle-même, elle fut offensée. Plus tard, quand nous fûmes seuls, je lui dis que j'avais lu la pièce et en avais conçu la certitude qu'elle aurait été un échec de toutes les manières.

« Là n'est pas la question », répondit Molly. Elle me demanda si Lee était toujours aussi impérieux — c'est le mot précis qu'elle utilisa. Je répondis que oui ; que c'était nécessaire. En effet, c'était la conviction féroce de Lee qui assurait l'unité du Group. Elle hocha la tête, comme prête à accepter la nécessité de l'arrogance de Lee. Mais elle n'en fit rien, et son attitude m'affecta. En dépit de mon admiration considérable pour Lee, force m'était de reconnaître que je n'avais jamais été à l'aise avec lui. C'était le culte du héros ou rien.

« Tu as l'air inquiet, s'enquit Molly comme nous nous déshabillions pour nous mettre au lit. Qu'est-ce qui ne va pas ?

— Bien sûr que je suis inquiet. Ce sera une tragédie pour moi si je ne deviens pas membre à la fin de l'été. Et j'ai peur qu'ils ne me prennent pas.

— Une tragédie, c'est un bien grand mot, dit Molly.

— Tu veux dire que selon toi ils ne vont pas m'accepter ?

— Ce que je dis, répondit-elle, c'est qu'ils n'ont pas l'air d'avoir de travail pour ceux qui sont déjà membres.

— Ils ont une autre pièce en répétition, avec des rôles pour plein d'autres gens. Qu'est-ce que tu dis de ça, hein ?

— Je ne placerais pas tous mes espoirs dans le Group si j'étais toi, dit-elle. Ils vont sans doute te prendre, mais... il existe d'autres gens, d'autres pièces, d'autres productions dans le monde du théâtre, tu ne crois pas ? »

Je ne répondis pas.

« Dis-moi, reprit-elle, n'est-il pas inévitable que ceux qui ont du talent s'en aillent et que les autres, plus ordinaires, restent ? C'est ce qui semble déjà se produire. Ce dont ils ont le plus besoin ici, c'est de quelqu'un pour remplacer Tone, des acteurs comme lui, quelques visages irlandais, un Écossais... »

Ces propos jetèrent la confusion dans mon esprit sans que je comprenne pourquoi. Elle avait le droit, bien sûr, de me contredire. Pourquoi pas ? Je me suis souvent dit que je respectais sa capacité à exprimer des opinions contraires aux miennes sans détour et avec une absolue conviction. Mais désirais-je que cette attitude devienne une constante dans ma vie, chaque matin au petit déjeuner, chaque soir avant d'aller au lit ? Je ne tenais pas compte, pour expliquer mon agacement, du fait que j'étais un Anatolien et qu'on attend de la femme anatolienne, par tradition et sous peine de se voir infliger une raclée, qu'elle soit d'accord avec son mari en toute circonstance — ou se taise.

« Éteins la lumière, ordonnai-je.

— Les gens dociles sont généralement des médiocres... commença-t-elle.

— D'accord, d'accord, éteins la lumière.

— On ne peut pas ne pas être d'accord ? demanda-t-elle. Même une fois de temps en temps ? » Puis elle m'embrassa et tout redevint harmonieux — du moins pour cette nuit-là.

Mr. Lee Shubert arriva dans une limousine avec chauffeur, et sa venue constitua le sommet professionnel de notre été. Sa visite déterminerait si oui ou non le Group disposerait d'un théâtre à l'automne. Je compris que l'été se soldait par un coup de dés. Maintenant, tout dépendait d'un seul homme. Mr. Lee fut escorté jusqu'à un siège dans la salle de répétition, un grand fauteuil qui, placé au fond de la pièce, ressemblait à un trône. Nous, les sous-fifres, étions éparpillés à même le sol, dans l'attente du jugement qui allait tous nous affecter.

Je fis entrer Molly en douce et nous nous assîmes ensemble dans un coin sur le côté. J'observai davantage Mr. Lee que le spectacle. Il ressemblait à une statue d'Indien en bois, dont le visage serait recouvert d'une telle couche de vernis que, même s'il était vivant, il ne pourrait pas bouger. Il ne le fit d'ailleurs pas une seule fois durant la représentation. Je ne décelai aucune réaction même aux « grands » moments de passion et de *Sturm*. En fait, je crois même qu'à un moment Mr. Lee piqua du nez. Ce genre de choses n'embarrasse pas les puissants. A la fin de la pièce, les trois metteurs en scène se regroupèrent autour du trône pour être instruits du bon plaisir de Mr. Lee. Il y eut une conversation, très brève en regard de l'importance de l'enjeu. Notre Lee fut tout sauf impérieux avec Mr. Shubert ; lui et Harold se comportèrent comme des gamins anxieux. Cheryl garda son calme et sa dignité, et raccompagna Mr. Shubert jusqu'à sa limousine. Puis il s'en alla.

Avant même que sa voiture n'ait disparu à l'horizon, nous étions tous au courant que Mr. Shubert avait promis au Group le Maxine Elliott Theatre, en bordure du marché aux vêtements. Ce théâtre est aujourd'hui démoli et n'était pas très bien situé à l'époque, mais le Group était ravi de l'avoir à sa disposition.

Molly ne manifesta guère d'enthousiasme.

« Je suis bien contente que vous ayez le théâtre, dit-elle. Mais qu'est-ce que vous allez faire avec cette fille ?

— Quelle fille ? » demandai-je, en me dressant sur mes ergots.

Je savais de qui elle parlait.

« Celle qui est censée incarner la gamine si sexy. Elle est nulle.

— Attends que Lee travaille avec elle. Tu verras qu'il existe une technique de l'interprétation, qu'on n'enseigne pas à Yale, alors tu ne peux pas la connaître.

— Je croiserai les doigts, m'accorda-t-elle. Suivi de : Ne nous disputons pas ce soir, poussin. Éteins la lumière. »

Le matin suivant, Molly s'en alla. Je fus soulagé de vivre à nouveau sans contradiction.

Il apparut bientôt, à en juger par le regain d'activité lors des répétitions, que Mr. Shubert avait émis les mêmes réserves que Molly au sujet de la jeune actrice qui interprétait le rôle de la *shiksa*[1] pour qui le héros juif éprouve une ardente passion. L'Indien qui faisait la pluie et le beau temps dans les salles de théâtre new-yorkaises avait trouvé notre jeune fille insuffisamment sexy. Dans un premier temps, tout le monde s'éleva contre cette critique et se rassembla autour de l'actrice pour la protéger. On prit grand soin de ne pas la laisser se démoraliser ; on lui cacha l'étendue de la réserve formulée par Mr. Shubert. Quand elle finit par deviner la raison de ce qui se passait aux répétitions, tout le monde lui dit : « Au fond, il n'y connaît rien. » Cela dura pendant deux ou trois jours. Puis vint la seconde étape : « Bon, eh bien, nous allons nous mettre au travail ! » Nous ne comprîmes que des années plus tard que Molly avait vu juste : elle était nulle. Elle aurait dû être remplacée immédiatement par quelqu'un de l'« extérieur ». Des années plus tard, quand le Group réorganisé monta *l'Enfant chéri* de Cliff Odets et que j'avais désormais mon mot à dire dans les décisions, nous engageâmes Frances Farmer. Mais il avait fallu du temps pour éclairer Cliff à ce sujet. C'était l'enfant chéri de Broadway ces années-là et il ne fallait pas abuser de son bon gré.

Lee se mit au travail. La crise requérait une attention individuelle ; on décréta les répétitions privées. Je ne sais que ce qui m'a été rapporté par des informateurs qui le tenaient de la source du problème elle-même. Tout d'abord, Lee expliqua, avec le vocabulaire de l'intellect, ce qui manquait. Puis il attira l'attention de la jeune fille sur certaines publicités dans les magazines de mode, représentant des modèles qui possédaient — la publicité le garantissait — une allure infinie. Apparemment mécontent des résultats de cette technique, Lee se mit debout et, la force du déses-

1. Jeune fille non juive. *(N.d.T.)*

poir surpassant celle du dogme, fit ce que la Méthode interdit : il joua le rôle de la *shiksa* sexy lui-même, puis demanda à être imité. J'aurais bien aimé voir ça.

Vous supposez peut-être que cette lutte artistique au couteau aurait rendu notre actrice plus consciente de ses carences. Eh bien, pas du tout. Le pouvoir hypnotique de Lee était si grand cet été-là qu'elle sortit de ces répétitions privilégiées irradiant la confiance en soi.

Quand j'assistai de nouveau à une répétition, l'effet produit par les publicités *glamour* sautait aux yeux : il n'était que d'observer les mouvements artificiels et les postures absurdes de notre « fille du monde ». C'est au sortir de cette répétition que je commençai à douter des metteurs en scène du Group et de leur discours contre les stéréotypes. L'apparence ne suffit pas, d'accord ! Mais si l'actrice ne possède pas en elle la qualité que vous lui demandez, vous ne pourrez pas l'obtenir d'elle. Ce n'était pas une leçon facile à apprendre. Il n'est jamais venu à l'idée de Lee, pour autant que je sache, de redistribuer le rôle. Voilà quel esprit animait le Group cet été-là. La Foi part à l'assaut des montagnes !

Mais je dois dire que j'observais tout cela de loin. Je m'impliquais de moins en moins dans les activités du camp, on m'ignorait de plus en plus. A la fin de l'été, je n'étais guère plus qu'un des serveurs de leur salle à manger. En dépit de tout, je persistais à exercer ma voix et à me raser chaque matin sans rasoir. « On dirait que j'ai enfin attiré l'attention du Group, écrivis-je un jour à Molly. Au tennis. Je crois bien que je suis le quatrième meilleur joueur dans la place. » Je subvenais à mes besoins en tapant à la machine. « J'ai passé deux des trois dernières nuits à taper *The Heavenly Express*, une nouvelle pièce d'Albert Bein. Il n'y a pas de rôle pour moi. »

Plus je me sentais isolé, plus Molly me manquait. J'avais soif du réconfort qu'elle seule pouvait m'apporter. Elle s'était mise à m'écrire des lettres d'amour, belles, si belles. Je les ai encore. Je fondais devant ses efforts pour reconnaître les problèmes qu'elle avait soulevés par ses critiques sempiternelles. Je répondais en confessant mes propres faiblesses — mon mauvais caractère, ma propension au soupçon —, prompt à implorer son indulgence. Nos besoins mutuels nous rapprochaient. On aurait dit que nous nous aimions davantage séparés qu'ensemble.

Harold prononça le verdict sur mon compte la veille du jour où le camp arrivait à son terme. Assis à côté de lui, silencieux, Lee ne me regarda qu'une fois. « Peut-être as-tu du talent pour le théâtre, dit Harold — je n'ai jamais oublié ces mots ; je les ai pris en note immédiatement après —, mais ce n'est certainement pas comme acteur. » C'est à ce moment-là que Lee tourna la tête vers moi. Il avait une façon bien à lui de regarder les gens sans rien exprimer. Je ne voyais là aucune sympathie, pas même de la curiosité. Mais que diable attendais-je ? Il avait ses problèmes ; lui aussi avait besoin de son masque.

Plus tard dans la vie, quand j'eus pris confiance en moi, j'admis que son jugement était correct. Je n'ai jamais été un bien bon acteur. A cette ironie près : cinq ans plus tard, je jouais les premiers rôles dans les productions du Group sous la direction de Harold, et bénéficiais d'excellentes critiques. Ce que je pouvais jouer avec succès, c'était l'homme-enfant en colère contre le monde et converti à la violence. J'avais beaucoup de succès en gangster.

Harold eut un bon mouvement. Il m'autorisa à assister aux cours du Group après que *Success Story* aurait commencé sa carrière à New York. Je ne répondis pas à cette offre. En dépit du fait que je m'attendais à cette décision, elle me laissa abattu. J'étais vraiment dans le pétrin. Que me restait-il maintenant ? Comment allais-je gagner ma vie ? Comment pourrais-je éviter de retourner à la maison en rasant les murs et d'affronter le regard de mon père où je lirais : « Je te l'avais bien dit » ? Comment pourrais-je continuer à vivre grâce à sa patience ?

Je ressortis et Alan entra pour écouter le verdict le concernant. Il ne fut pas pris comme membre non plus, mais ils l'encouragèrent. Alan avait déjà attiré l'attention des gens du cinéma — par l'intermédiaire de Franchot, je pense.

Je n'ai pas appelé Molly pour lui dire ce qui s'était passé. Elle l'avait prédit et cela me rendait furieux contre elle. La dernière chose que je désirais, c'était sa pitié. Le fossé de Jacobowsky m'a suivi partout où je suis allé ce jour-là. Puis un miracle s'est produit, un cadeau tendu par Cheryl Crawford, offert de façon si détachée qu'il m'en a paru doublement obligeant et précieux, le réconfort parfait contre la décision sévère de Harold à mon égard. Theresa Helburn, du comité de direction de la Guilde du Théâtre, amie intime de Cheryl, vint au camp rendre visite à son amie. Cheryl me conduisit à l'endroit où Terry se reposait sur un hamac, en train de lire un script, crayon à la main, et nous présenta l'un à l'autre. Quand Cheryl glissa la suggestion que peut-être Terry trouverait quelque chose pour moi, une panne, un petit boulot d'assistant-régisseur sur la pièce qu'elle allait mettre en scène, *The Pure in Heart*, par « ce juif aux jambes arquées et au visage expressif », John Howard Lawson, Terry fit une moue charmante mais adopta vite un air sérieux. J'imagine qu'elle ne savait pas quoi faire de moi. Cheryl a dû plaider ma cause par la suite car peu après mon retour à New York je reçus une lettre du responsable de la distribution des rôles à la Guilde, m'annonçant que j'avais un emploi. Il s'agissait d'une tournée dans deux villes différentes avant la première new-yorkaise, et j'allais recevoir cinquante dollars par semaine.

Je n'avais jamais rien fait de semblable. J'étais très enthousiaste. J'allais évoluer dans un théâtre de premier plan, pas comme le Group. De vrais pros ! Je connaissais trop bien les gens du Group pour les considérer comme « le grand truc ». Maintenant, j'avais enfin matière à rassurer un père toujours incrédule et une mère qui avait fait preuve d'une longue patience. Et aussi Molly.

Elle était à New York, où elle vivait dans l'appartement de sa riche tante, et essayait de « faire le point sur sa vie ». Nous n'étions pas ensemble depuis une heure qu'elle se mit à parler de « quelque chose de durable » entre nous. Je me sentis acculé dans un coin, pris entre deux murs qui se rapprochaient, et je me faufilai hors du piège. Je n'étais pas prêt pour quoi que ce soit de « durable », pour rien au monde. Quand je me trouvais en face de Molly, la personne, pas l'être romantique façonné par l'attente, quand je faisais le bilan de ma vie et de ce que j'avais en poche, quand j'envisageais mon avenir et mon caractère, la notion du mariage me paraissait encore absurde et, de sa part, donquichottesque. « Attendons de voir comment va marcher cette pièce », dis-je pour me libérer. Je dois confesser que l'argument professionnel emporta le morceau. Je crois que je n'étais tout simplement plus assez désespéré à ce moment-là pour avoir besoin de réconfort.

Durant toute notre vie, même après notre mariage, Molly n'a jamais cessé de vouloir nous « stabiliser ». Elle n'a jamais pu admettre que c'était impossible, surtout avec moi. Et de toute façon, les artistes subissent trop de pressions pour mener une vie « stable ». Je n'ai jamais pu m'« installer », sinon provisoirement. J'ai toujours préféré osciller d'un extrême à l'autre, en équilibre entre les contraires : je voulais la sécurité et l'assurance d'un amour de tous les instants et, en même temps, la liberté de faire tout ce que je voulais avec les personnes de mon choix. Cette soumission à ce double credo est devenue ma ligne de conduite. Autant dire que c'était pure folie pour elle que de me suivre. Pour quiconque, d'ailleurs.

On m'a souvent accusé d'être égoïste, voire égocentrique. On a eu tout à fait raison. Je suis pareil en cela à tous les artistes. Ils protègent comme la prunelle de leurs yeux ce qui leur est le plus précieux : le privilège d'exploiter tout l'éventail de leur curiosité. Bien sûr, étant donné l'éducation que j'avais reçue, je désirais aussi un foyer stable et un toit solide sur ma tête. Et j'ai passé ma vie entière à m'accrocher à ces deux styles de vie, bien qu'au fond je les sache incompatibles.

Mais le sont-ils vraiment ? Grâce à mon astuce et à ma personnalité fuyante, j'ai découvert qu'ils ne s'excluaient pas fatalement l'un l'autre. Tout au long de ma vie, j'ai entretenu plusieurs liaisons coupables tout en me dévouant corps et âme à mon foyer petit-bourgeois. Flaubert a bien dit que l'artiste doit être, au fond, un bourgeois. C'est à moitié vrai, mais ce n'est qu'à moitié faux.

D'un côté, je prenais au sérieux la requête de Molly : je ne voulais pas la perdre, en effet. De l'autre, il fallait bien admettre que je n'avais pas encore commencé à vivre. Pourquoi claquer tant de portes, clore tant de fenêtres, m'enfermer pour toujours dans une prison dont je n'avais pas la clé ? C'est un dilemme que je n'ai jamais résolu.

THE PURE IN HEART a été un échec dès la première répétition. Sur le moment, je me suis étonné de la joie mise par la chère Terry à faire montre de son ignorance. J'ai compris seulement plus tard que le succès de la Guilde du Théâtre reposait sur un choix de scripts solides et stimulants, servis par des acteurs expérimentés capables de faire fonctionner la pièce sans beaucoup plus d'indications de mise en scène que celles, rudimentaires, fournies par un agent de la circulation à un carrefour. Cette pièce m'a aussi délivré des illusions que j'entretenais à propos des acteurs professionnels. Rien n'intéressait ces artistes sinon les exigences immédiates de leur carrière — comment seraient-ils dans cette pièce, quelles critiques recevraient-ils? Ils ne discutaient jamais, comme cela se faisait au sein du Group, chaque jour, à chaque repas, du théâtre, de la politique, de la société ou même des défauts éventuels de la production qui les occupait. Le rideau retombé, ils ôtaient leur maquillage et chacun rentrait de son côté. Il existait aussi une distinction de classe entre eux. Les vedettes ne frayaient pas avec les petits rôles; ils fréquentaient des bars différents. C'était pour moi une expérience dépourvue de chaleur humaine, lugubre. Le pauvre John Lawson s'est battu en vain; sa pièce était bien meilleure que la production ne le donnait à penser. A ma grande surprise, je me suis mis à me dire que le Group aurait dû monter cette pièce; nous — vous avez noté le nous? — aurions pu lui donner vie.

Molly m'écrivit — la pièce se donnait alors à Cincinnati — pour me révéler ce que j'aurais été à cent lieues de soupçonner: dans la semaine qui avait suivi l'avortement, elle avait songé à se suicider. Voilà ce qui arrive lorsqu'une sainte retombe sur terre. Je lui répondis sur un ton très sec: « Je suis un compagnon, pas la solution de tous tes maux. J'accepte mal que tu dépendes tellement de moi. Suicide-toi si tu veux, mais ne prends pas ta décision en fonction de moi. C'est pour toi-même que tu restes en vie, pas pour moi. Il faudrait vraiment que tu te donnes du mal pour que je parvienne à te détester. Mais si tu te suicidais, alors là, oui. » Je n'eus pas de réponse.

La tournée prit fin, sans gloire. Les acteurs se dispersèrent comme des oisillons avant la tempête. Je ne voulais pas retourner chez mes parents à New Rochelle : la perspective de devoir m'expliquer devant mon père me glaçait le sang.

La première de *Success Story* avait eu lieu le 26 septembre, suscitant l'admiration des gens du théâtre — Noël Coward l'a vu sept fois ! — et les louanges de la plupart des critiques, mais la pièce n'avait pas attiré le public, aussi les acteurs vivaient-ils sur des salaires réduits. Ceux qui ne jouaient pas dans la pièce étaient payés quand même, ce qui aggravait la situation. Lee Strasberg et sa nouvelle femme, Paula, ainsi que Clifford Odets et quelques autres célibataires, vivaient dans un appartement tout en longueur situé au bord d'une ligne de chemin de fer. Ils avaient baptisé l'endroit « Groupstroï » (nous avions tous été convertis à la russophilie). Dans une chambre partagée par deux autres acteurs, je trouvai un lit inutilisé. Cet appartement représentait une zone neutre pratique car il m'éviterait de devoir affronter la déception de mon père et les questions persistantes de l'anxieuse Molly, auxquelles je n'avais aucune réponse satisfaisante à offrir.

Chacun cuisinait à tour de rôle. Quand c'était mon jour, je préparais ma spécialité, un grand plat de yaourt assaisonné de tomates et d'oignons, avec des morceaux de foie d'agneau, à la façon anatolienne. Lee préférait le poulet à la vapeur ; Paula faisait donc cuire des poulets à la vapeur. Cliff, aussi fauché que nous, écrivait une pièce à l'intérieur d'un grand débarras jouxtant la cuisine. Il l'avait intitulée avec à-propos *J'ai le blues*. Une atmosphère de déception viciait l'appartement. Lorsque quelqu'un y entrait, personne ne lui disait bonjour. Les portes des chambres restaient closes toute la journée, nous isolant les uns des autres. Nous aurions aussi bien pu vivre seuls. Lee restait dans sa chambre à lire. Quand il en sortait, il n'ouvrait pas la bouche, tel un hibou en plein jour. Une fois, je me suis battu avec un autre acteur ; je lui ai cogné la tête par terre jusqu'à ce qu'on nous sépare. Je ne me souviens plus à propos de quoi ; ça n'avait pas d'importance, de toute façon. La saison avait été décevante et aucune pièce n'était en vue pour la suivante.

Molly me voyait, mais moins fréquemment. Elle m'avait fait comprendre qu'elle n'était pas à ma disposition et voulait savoir à quoi s'en tenir. J'avais répondu que je n'avais pas d'argent, pas de travail et qu'elle ferait mieux d'arrêter ses histoires. Elle m'avait dit que l'argent importait peu, qu'elle avait assez d'argent pour nous deux et que ça irait pour le moment. Quelles étaient mes intentions, de toute façon ? voulait-elle savoir. Certains jours, elle me faisait l'effet d'être en colère. A d'autres instants, elle était plus aimante que jamais. Puis elle devenait silencieuse et me regardait bizarrement, ou bien elle restait froide et sans réaction physique. Il m'arrivait de lui rendre visite et de demander à la voir, et elle disait : « J'ai d'autres projets pour ce soir. » Je ne pense pas qu'elle voyait quelqu'un d'autre, mais elle se préparait au cas où il me prendrait soudain envie de lui dire : « Molly, tirons un trait. »

Clifford était mon meilleur ami. Nous vivions la nuit. Parfois en compagnie de Harold, nous allions marcher le long des rues glaciales et désertes, et hurler notre défi à l'adresse du monde. Pour qui ? Personne. N'importe qui. Il n'y avait personne pour nous écouter ; c'était seulement un moyen pour nous d'exprimer notre angoisse et de rendre notre isolement supportable.

J'avais parlé de Molly à mon copain Clifford l'outsider. Je n'aurais pas dû. Je savais qu'il ne l'avait pas appréciée lorsqu'ils s'étaient rencontrés. Peut-être cherchais-je à voir justifiée mon hésitation à m'engager.

Au camp, Clifford, romantique invétéré, logeait tout seul dans une petite chambre de la maisonnette sur la colline. On disait qu'il était en train d'y écrire une pièce, mais personne ne pensait qu'il en sortirait quelque chose. Il descendait le chemin à grandes enjambées pour venir prendre ses repas, lançant le coude en arrière à chaque pas ; cette démarche lui donnait un air important, héroïque, qu'il devait copier sur une vedette d'autrefois. Certains jours, il semblait atteint d'une rage continuelle, jetait des regards menaçants aux gens qu'il croisait. Personne ne trouvait qu'il était un acteur extraordinaire sauf lui-même, qui ne pouvait comprendre pourquoi le premier rôle de *Success Story* avait été confié à Luther Adler et pas à lui. Il pensait également qu'il avait l'étoffe d'un grand compositeur — le buste de son héros, Beethoven, se dressait sur son bureau. Il improvisait avec flamme et interminablement au piano, en général au milieu de la nuit, ce qui rendait tout le monde fou. Ses émotions étaient excessives, parfois incontrôlables. Il lui arrivait de créer le scandale : sentait-il que c'était le devoir d'un grand artiste romantique ? Une nuit, fin soûl, il pénétra dans la grande salle du bâtiment principal, ramassa les boules sur la table de billard et les lança contre la porte d'une actrice qu'il désirait — cette semaine-là. Il ne comprenait pas qu'il pût se trouver une femme au monde pour le repousser. Mais il avait aussi un côté tendre, doux, un côté mère juive. « Prends-en trois ou quatre, me disait-il, en fourrant des barres de chocolat Hershey dans ma poche. Il n'y a rien à manger la nuit dans ce fichu trou. »

Lors de leur unique rencontre, Molly avait heurté de front la masculinité de Clifford. Selon lui, elle avait un esprit de compétition excessif, était agressive, dogmatique, comme ces « intellectuels d'université », mais surtout manquait de féminité. Ainsi, pour sauver son jeune ami naïf et inexpérimenté d'une union désastreuse, il s'était exprimé sans ambages : « Si tu dois te marier, trouve-toi une paysanne. »

J'avais hoché la tête, d'un air pensif. J'avais acquiescé. D'un air pensif.

Clifford était convaincu qu'un artiste ne devrait jamais se marier, mais que s'il le faisait, ce devrait être avec une femme qui entretiendrait la maison pour lui, ferait la cuisine pour lui, porterait ses enfants, puis les soignerait et s'en occuperait constamment, tout en protégeant son génie de toute distraction pendant qu'il travaillerait. En compagnie des pairs de l'artiste, cette épouse-objet parfaite observerait un silence respectueux. Il n'avait pas échappé à Clifford que Molly n'en faisait rien. Se comportant « comme un homme », elle prenait part à la conversation sur un pied d'égalité. « Pour qui se prend-elle ? avait rugi Clifford. Que connaît-elle au théâtre ? » Molly avait pesé le pour et le contre de chaque pierre d'achoppement entre eux. A l'évidence, elle n'était pas impressionnée par le Group ni par sa raison d'être. Ce que Clifford n'avait pas dit, c'est qu'elle ne lui avait pas manifesté le respect qu'elle aurait éprouvé devant Beethoven.

Mais peu à peu, je m'étais placé sur la défensive ; tout ce qu'il avait dit contre elle m'en rapprochait. A l'époque, j'avais la mauvaise habitude d'écouter les gens parler en feignant d'être d'accord avec eux, tout en cachant ce que je pensais vraiment, voire souvent mon ressentiment. Molly ne correspondait pas à l'être qu'il avait décrit. Plus il la critiquait, plus je me répétais combien elle était tendre, généreuse, compréhensive et patiente avec moi, combien elle me soutenait ; je compris qu'elle me manquait terriblement — y compris son esprit querelleur — quand nous étions séparés. Je la trouvais également intelligente, plus que moi. Quant à Clifford, je lui concéderai ceci : c'était un match nul, un combat entre deux adversaires égaux. Elle avait été tout aussi franche au sujet de « cet homme étrange » qu'il l'avait été à propos d'elle, mais aussi plus compréhensive et, curieusement, plus ouverte d'esprit.

De plus, le futur devait prouver que Clifford ne mettrait pas en pratique dans sa propre vie ce qu'il m'avait recommandé avec tant de véhémence : « épouse une paysanne » ; bien au contraire. Les femmes qu'il a aimées, pour autant que je me souvienne, étaient des femmes d'esprit ; il était particulièrement attiré par le talent et même par le défi. Je me rappelle une jeune fille juive très séduisante qui s'intéressait à la science. J'en ai gardé le souvenir à cause de son indépendance et de sa vigueur intellectuelle, pas pour ses talents de ménagère ou de cuisinière. Clifford la pressa maintes fois de l'épouser, en dépit du fait qu'elle se « comportait comme un homme ».

Plus tard, à Hollywood, Clifford tomba amoureux d'une des actrices les mieux en cour dans la colonie cinématographique, détentrice de deux oscars, Luise Rainer. Je rendis visite aux amoureux, qui nageaient dans le bonheur, juste après leur mariage. Ils avaient loué un château à Beverly Hills et c'est là, dans une salle immense, seigneuriale, que Clifford passait ses nuits à écrire une pièce pour le Group Theatre, qui devait s'intituler *le Partenaire silencieux*. C'était une pièce sérieuse et qui, comme le style des pièces sérieuses écrites par des auteurs de gauche l'exigeait à cette époque, traitait de la grève. J'avais le sentiment que Clifford avait enseigné à Luise comment se bien comporter quand son génie de mari était au travail. Je le revois penché sur sa machine à écrire comme un lion sur sa proie, tapant à tour de bras, s'accompagnant de rugissements, de grognements et de fragments de dialogue — il répétait à haute voix chaque rôle à mesure qu'il l'écrivait. De l'autre côté de la pièce, en chemise de nuit sur une chaise longue, se trouvait sa ravissante épouse Luise, pas paysanne pour deux sous, qui l'observait avec autant d'intensité qu'un chien de garde. Elle ne disait rien ; son attitude parlait pour elle : « Quand vas-tu en avoir fini ? Je t'attends. » Je n'arrive pas à comprendre comment on peut écrire sous une telle pression. Et en plus une pièce sur la grève ! Et dans un château ! Avec une compagnie théâtrale qui attend avec impatience! Représentant ces acteurs, je lui en voulais et regrettais qu'il n'ait pas épousé une paysanne. Il finissait par sentir l'impatience de sa femme en proie au désir sexuel comme si elle le lui avait dit — Luise était une très bonne actrice. Clifford remballait alors son ouvrage pour la nuit. *Le Partenaire silencieux* ne fut jamais terminé de manière satisfaisante et ne fut jamais joué par le Group.

Peut-être l'échec de ce mariage renforça-t-il la conviction de Clifford selon laquelle la compagne de ses jours et de ses nuits devait posséder les aptitudes à l'effacement et à la servitude d'une « paysanne ». Des années plus tard, alors qu'il préparait une reprise de sa pièce *l'Enfant chéri* avec John Garfield, une jeune actrice vint le voir à son appartement : il devait l'interviewer pour le rôle que Frances Farmer avait tenu dans la production originale. Elle ne repartit pas, ni ce jour-là ni le lendemain. Clifford avait trouvé sa « paysanne », elle avait trouvé son idéal, un homme célèbre et passionné. Enfin, il avait une *vraie* femme, sans complications. A preuve, elle lui donna deux enfants. Ce que Luise n'avait pas fait.

Maintenant, fondu enchaîné, comme on dit dans les films : une nuit, après un saut dans le temps de quelques années encore. J'avais organisé ma vie personnelle de façon à pouvoir passer une nuit entière avec la fille dont j'étais amoureux à ce moment-là. Nos ébats devaient avoir lieu dans l'appartement de Central Park South d'un jeune avocat en pleine ascension nommé Arthur Krim, spécialisé dans les affaires relatives au cinéma ; il le mettait généreusement à ma disposition. Il s'est trouvé que Julie (John) Garfield m'avait parlé ce jour-là et que j'avais mentionné mon rendez-vous galant. Il en avait un lui aussi et ne savait pas où emmener son amie. Je l'invitai à partager l'hospitalité de Krim et il accepta avec joie. Il y avait deux chambres dans l'appartement. Mon amie et moi étions sur le point d'en choisir une quand Julie arriva. La femme qui l'accompagnait n'était autre que Mrs. Clifford Odets.

Un dernier mot sur cette quête de paysannes. Quand nous avons appris que Clifford se mourait d'un cancer en Californie, Harold Clurman et moi, nous y sommes allés. En approchant de sa chambre, nous avons vu sa main droite qui dépassait au-dessus du rideau de séparation ; ses doigts s'agitaient comme s'il était en train de jouer du piano ou de taper à la machine. Arrivés près de son lit, nous l'avons entendu se dire à lui-même — ou bien s'adressait-il au monde entier ? : « Clifford Odets, tu as encore tant à faire ! » Nous avons passé quelques heures avec lui. Quelque chose essayait de l'emporter, disait-il, mais il se maintenait « dans la course ». Il ne voulait pas mourir. « La mort réveille l'appétit sexuel », disait-il encore.

Je me rappelle l'arrivée de Jean Renoir, encore un homme qui aimait Clifford pour ce qu'il était et pour ce qu'il voulait être, venu présenter un dernier hommage : sa silhouette est la plus impressionnante parmi tous les visiteurs de Clifford ; il est sincèrement et profondément ému. Il se tient au chevet de Clifford, légèrement voûté. C'est un homme corpulent, il ressemble à une grosse miche de pain paysan. Par intermittence, Clifford perd conscience. Renoir ne lui dit pas un mot mais se tient au bout du lit, la tête inclinée pendant plusieurs minutes. Puis il s'avance vers Clifford, lui embrasse le front, et s'en va. Il a rendu hommage à son ami mourant et, comme le fait remarquer Harold, il a aussi rendu hommage à la mort.

Quand nous sommes revenus, Harold et moi, le lendemain, une femme était assise au chevet de Cliff. Il était incliné vers elle, autant qu'il le pouvait, et lui parlait avec conviction, le visage chargé d'énergie et de désir. Pour tout dire, il faisait à cette femme une cour effrénée. Le manège a continué jusqu'à ce qu'il nous voie. Il nous a alors congédiés d'un geste de la main en disant : « Je vous dis au revoir maintenant, mes amis. » Nous avons dit au revoir et nous sommes partis. Son visage était impérieux et n'aurait pas supporté la contradiction. Sa manière courtoise et définitive de nous congédier non plus. La femme que Clifford suppliait était aussi éloignée d'une paysanne que l'imagination permet de l'envisager : c'était sa propre psychanalyste. Deux jours avant sa mort, il lui demandait de l'épouser.

Terry Helburn m'offrit un autre contrat : une panne plus un job d'assistant-régisseur, salaire vingt-cinq dollars, dans une pièce intitulée *Chrysalide*. Elle m'aimait bien, pensait que je méritais bien mon surnom, « Gadget », toujours sous la main, utile et capable de faire face aux petites urgences. Elle devait écrire dans ses Mémoires que j'étais l'une des personnes les plus gentilles qu'il lui ait été donné de rencontrer, et de plus très loyal. Je suppose que je donnais vraiment cette impression, mais comme je l'ai dit plus tôt, chaque artiste est aussi un peu un espion. Terry n'aurait pas trouvé mes véritables pensées loyales. Molly avait lu mon exemplaire de *Chrysalide* et l'avait décrit comme une pièce au sujet d'une jeune fille qui veut quelque chose mais ne sait pas quoi, et l'auteur ne le sait pas non plus. Aucune réécriture efficace ne fut accomplie ; les membres du comité directeur de la Guilde du Théâtre étaient bien là, mais se contentaient de rouspéter et de déplacer de l'air inutilement. En la regardant travailler, je songeais : Ô, mon Dieu, Terry, tu es en train de foutre en l'air celle-là aussi. La pièce fut répétée pendant trois semaines et demie, et s'avéra, une fois terminée, une production épouvantable. La distribution comptait des acteurs de grande réputation, de même que des acteurs moins connus comme Humphrey Bogart, qui jouait un « cheikh de boudoir en souliers vernis », mais ils ne savaient pas ce qu'ils faisaient et Terry ne pouvait pas les aider. Le « grand truc » ne m'impressionnait plus. Le seul vrai professionnel que j'avais rencontré en deux tournées était Osgood Perkins. Les autres n'avaient de professionnel que leur salaire et leur place en tête d'affiche. Du point de vue technique, c'étaient des amateurs, certains doués, mais tout de même des amateurs. Je crois qu'après ce dernier effort, Terry Helburn arrêta d'essayer de mettre en scène et se mit à rédiger l'histoire de sa vie au théâtre.

J'en étais venu à comprendre la nécessité du Group. Lee et Harold auraient pensé la même chose que moi de cette production et de ses acteurs. Mais désormais, après avoir passé l'été à assister aux répétitions de *Success Story*, à rester en coulisses revêtu de mon masque anonyme, après avoir observé « loyalement » Terry Helburn se débattre avec *Chrysalide*, une confiance nouvelle s'était fait jour en moi : je pouvais faire mieux que les metteurs en scène du Group et que ceux dont je parlais avant comme de « vrais pros ». J'avais mis au point mes propres conceptions sur l'art de la mise en scène et de l'interprétation, je savais désormais dans quels domaines j'étais plus capable qu'eux. Sous le masque, j'étais le « jeune étranger » à l'œil critique qui attendait à l'extérieur une chance de se propulser à l'intérieur. Je commençais à croire que cela arriverait.

Sur l'interprétation, je savais ce qu'aucun d'entre eux ne savait. J'étais sûr de pouvoir utiliser l'art dont un Osgood Perkins était l'illustration parfaite — un jeu extérieurement très net, contrôlé à chaque minute et à chaque changement de registre, des gestes peu nombreux mais éloquents — et l'associer au type de jeu pratiqué par le Group : intense, fondé sur l'émotion véritable, enraciné dans l'inconscient, donc souvent surprenant et choquant par ce qu'il révélait. Je pourrais rapprocher ces deux traditions opposées et souvent contradictoires car elles demandaient à l'être. L'interprétation, déclarai-je (à Molly, qui écoutait avec attention), est plus qu'une parade émotionnelle, et plus que des gestes appropriés et une manipulation de la voix. C'est aussi davantage qu'une série de « trucs » de scène adroits et intelligents. C'est — ou ce devrait être — la représentation d'une vie humaine sur scène, c'est-à-dire d'un comportement : total, complexe, fini.

Selon moi, la mise en scène différait également de ce avec quoi les metteurs en scène du Group semblaient l'identifier, c'est-à-dire la direction d'acteurs. Elle consistait en fait à transformer des événements psychologiques en comportements, des manifestations intérieures en attitudes visibles, externes, de vie sur scène. Je pouvais, et le prouverais — jurai-je à Molly —, appliquer ce que j'avais appris sur la mise en scène à Yale avec Alexander Dean — le découpage des scènes et la manipulation de la position et des mouvements des acteurs de sorte que les tableaux scéniques révèlent, à tout instant, ce qui se passe — à la Méthode du Group, qui avait trouvé le moyen de créer des expériences intérieures spontanées, surprenantes et vraies. Moi seul — comme j'étais arrogant ! —, moi seul connaissais les deux faces du problème posé par l'art de la scène, la face externe et la face interne. Un sourd, continuai-je, aurait dû être capable de déduire de ce qu'il voyait sur scène la motivation humaine qui en était la source, dans toute sa complexité et toute sa subtilité. Mon travail consisterait à transformer les mouvements intérieurs du psychisme en une chorégraphie de signes extérieurs.

En plus de tout cela, le metteur en scène devait superviser les décors, les costumes, les éclairages, la musique ; il devait façonner le déroulement d'une scène en tenant compte du rythme, de l'allure, des pauses, et organiser les tableaux scéniques de façon qu'ils soient en toute circonstance esthétiques et agréables à l'œil. C'était un travail complet. Je l'avais compris en rassemblant tout ce que j'avais vu et étudié. Je le savais aussi par intuition.

J'avais fait part de toutes ces pensées à Molly — qui d'autre m'aurait écouté ? — un jour en revenant du travail. Je les lui avais assenées telles quelles, brutes, comme elles s'étaient présentées à ma conscience ce matin-là, avec toute la conviction — et l'impudence — qu'on met à proclamer une révélation. J'avais fait taire le doute, je n'avais pas accepté la contradiction, pas encore. Molly était, en cet instant de découverte et d'accession à une plus grande maturité, ma meilleure et ma seule amie. Je vis qu'elle croyait en moi, croyait que je pourrais vraiment faire ce dont je me targuais d'être capable.

Quel plus bel encouragement que la lumière de la foi dans le regard d'une jeune femme ? Je découvris combien elle était belle.

Une fois lancé *Chrysalide*, je me sentis de taille à me rendre à New Rochelle pour y affronter — avec crainte, toujours avec crainte — mon père. Et y embrasser ma mère, qui m'avait promis, si je venais, mon plat anatolien préféré, l'émincé d'agneau sur lit d'aubergines en purée. J'avais décidé d'emmener Molly avec moi pour qu'ils la rencontrent. Elle n'était pas très chaude pour y aller et j'étais trop bête pour en deviner la raison. Je me fâchai. Elle dut m'expliquer qu'une telle visite avait la même signification dans toutes les cultures. Est-ce que je voulais lui faire passer une audition, ou quoi ? Est-ce que je voulais faire un essai sur route avant de l'acheter ? Finalement, elle changea d'avis. J'allai la chercher chez sa tante, et nous marchâmes jusqu'à la Gare Centrale. C'était une froide journée de fin d'automne, mais elle ouvrit tout grand son manteau et me montra ce qu'elle portait : une tenue de paysanne bavaroise, une *dirndl*[1]. Je lui fis part de l'opinion de Clifford Odets au sujet du mariage des artistes et de son acception du rôle de la femme dans leur vie domestique. Elle se moqua : « Tu as vu mon joli ruban jaune ? poursuivit-elle. Je l'ai emprunté à la petite fille de ma cousine. Tu crois que j'obtiendrai l'aval de Mr. Odets maintenant ? Ai-je l'air suffisamment sage et soumise, ai-je l'air obéissante ? Est-ce que je ressemble enfin à une paysanne ? »

Ce à quoi elle ressemblait était bien joli. Où en trouverais-je une autre comme celle-là ? pensai-je. Je savais que j'étais en train de la perdre petit à petit ; un drôle de regard s'était installé dans ses yeux, et ce devait être ce qu'il signifiait. Mais voulais-je la perdre ?

La maison où j'avais passé mon enfance m'embarrassait ; je venais de voir l'endroit où habitait la riche tante de Molly. Le mobilier de notre petit salon était constitué de brocante bourgeoise, assemblée avec de la colle, sans mortaises. C'était un assortiment, devenu un peu bancal par endroits, que mon père avait obtenu comme dédommagement de la part de magasins de meubles en faillite auxquels il avait livré des tapis sans jamais recevoir de chèques. Molly ne vit que mes parents ; elle leur sourit. Mon père dit : « Très gentille, très gentille », ce qui voulait tout dire et ne disait rien, et il la gratifia de son « regard ». Molly dit : « Qu'est-ce qui sent si bon ? » et ma mère l'emmena dans la cuisine. « Très grande classe, dit mon père, fille du monde. » Puis encore ce regard qui voulait dire : où tu trouves l'argent, une fille comme ça, pauvre crétin ? Je m'étais souvenu que mon père lisait les journaux et devait avoir vu les critiques de *Chrysa-*

---

1. Sorte de jupe large et froncée. *(N.d.T.)*

lide; et il n'y avait guère de chances qu'il ait oublié la mort subite de *The Pure in Heart.*

Pour expliquer ce regard sur le visage de mon père, je dois effectuer un nouveau détour, tirer sur une autre ficelle dans le sac de nœuds et dire quelques mots du triste historique des mariages dans la famille Kazan, puisque c'était véritablement la cause de ce regard.

Commençons par le frère aîné de mon père, A. E., qui avait choisi de ne pas se marier et avait préféré se doter d'une maîtresse, appelée Bertha. Avec le temps, A. E. devint « Joe-la roue à plat », surnom qu'il s'était donné lui-même, et Bertha se glissa dans les draps du jeune homme à qui A. E. avait assigné la tâche de la surveiller pendant qu'il serait en Europe pour affaires. Cet usurpateur, comme par un fait exprès, était le favori d'A. E., son frère Frank. Frank était marié, disait la rumeur, mais personne ne m'a jamais dit à qui, ni quand l'événement avait eu lieu ou ce qui s'était passé. Si cette épouse existait, je ne l'ai jamais vue. Je me rappelle Frank plus âgé, les cheveux grisonnants, mais toujours bel homme, traînant ses guêtres dans le hall du Waldorf-Astoria pour séduire les épouses insatisfaites venues de leur banlieue passer en ville une journée de détente.

Mon oncle Seraphim, homme très doux, est resté marié à une très gentille femme suffisamment longtemps pour qu'ils produisent deux très gentils enfants. Son mariage s'est rompu pour des raisons inconnues et Seraphim est mort tout seul dans les toilettes exiguës d'une arrière-boutique de magasin de tapis. Mon oncle Michaël est resté marié précisément une semaine; sa mère, ma grand-mère Evanthia, avait sévèrement critiqué la cuisine de la mariée et brisé l'union. Michaël est revenu s'asseoir à la table de sa mère. Une préférence pour la cuisine d'Evanthia est la cause la plus fréquemment avancée pour expliquer les ruptures conjugales dans cette famille. « Elle ne comprend rien à la cuisine », disaient les hommes de leur femme.

Mon oncle John s'est marié à l'église en grande pompe avec la fille de l'archevêque grec Kourkoulis, saint homme doté d'une barbe héroïque, accusé plus tard de laisser traîner la main dans le tronc de son église. Cette jeune femme, accoutumée à la grandeur, trouva John décevant. A regarder son visage s'aigrir de jour en jour dans le miroir, elle perdit contenance. Un beau jour, John rentra du travail pour découvrir que sa femme était partie, emmenant avec elle son nourrisson et le chien. Mon père conduisit une délicate et personnelle négociation avec Son Éminence, au cours de laquelle il apparut que l'épouse de John avait déserté son lit parce qu'il avait refusé de payer une note de téléphone s'élevant à dix-sept dollars. Mon père et celui de la dame parvinrent à les réconcilier (mon père avait payé la note) mais pas pour longtemps. John ne tarda pas à trouver excessive une autre note de téléphone de sa femme et refusa de la payer. Cette fois, elle le quitta pour de bon. Elle s'associa avec un membre éloigné de sa famille, un jeune homme, racheta une ferme en faillite et démarra un élevage de chinchillas, ces petits animaux repoussants dont la peau vaut une fortune. Mon père y avait investi une somme modeste. Cette tentative de commerce de luxe croula sous une avalanche de notes impayées couvrant la nourriture des animaux. Authentique.

Je n'ai pas mentionné mon oncle Berry. Il fréquentait les putains, fut le seul du lot à être complètement heureux, et enterra tous les autres.

Voilà l'historique du mariage des hommes dans la famille Kazan. Vous avez noté que c'est toujours mon père qui devait ramasser les morceaux et redorer notre blason. Vous voyez maintenant pourquoi il avait toutes les raisons de montrer quelque réticence à encourager l'addition d'un autre échec à ce tableau pitoyable.

Du côté de Molly, rien de si révoltant. Le mariage, selon les Thacher et — la famille de sa mère — les Erkenbrecher, demeurait un sacrement et devait le rester pour la bonne raison qu'il consistait également en une répartition de biens. J'allais jouer les intrus, appris-je à temps, du côté du Registre de la Société où le nom de Molly, à sa grande confusion, figurait. J'ignorais ce qu'était le Registre de la Société.

Mon père n'avait rien contre le mariage en tant que tel. Depuis trois ans, lui, mes oncles et mes tantes, véritables mines de conseils en matière de sentiment et nullement découragés par leurs propres échecs, faisaient défiler sous mon nez de jeunes femmes grecques, anatoliennes comme nous, nubiles et certifiées « en provenance du pays », en espérant exciter mon intérêt. Je n'étais pas excité. Plus ils faisaient pression sur moi, plus je me cabrais. Les demoiselles (toutes garanties vierges, toutes bien en chair, derrière comme devant) arrivaient chargées de douceurs en provenance de leur cuisine. Même celles-ci n'aiguisaient pas mon appétit. Ces jeunes personnes, qui prenaient vite conscience du regard louche que je portais sur elles, avaient le bon sens de ne pas m'adresser de sourires aguicheurs en retour. Toutes les négociations en vue de mon mariage ont capoté.

Ma confiance d'artiste dans l'avenir a tenu le coup, mais ma stabilité financière a duré peu de temps, pour tout dire jusqu'à la fin des représentations de *Chrysalide*, qui ne s'est pas fait attendre, nous jetant tous à la rue. J'étais de retour au magasin de mon père, le dernier endroit au monde où je souhaitais me retrouver ; j'y ressentais une humiliation constante.

Son affaire avait beaucoup perdu en 1932 — les Américains n'achetaient pas de tapis d'Orient — et il était souvent d'humeur pessimiste et querelleuse. Quant aux acheteurs, ils se comptaient sur les doigts d'une main, aussi se mit-il à aller aux courses l'après-midi, souvent accompagné de son frère A. E. (« Joe »). Une fois la carrière de *Chrysalide* terminée, il m'avait repris, mais à mi-temps et à dix dollars la semaine. C'était peut-être tout ce qu'il pensait être en mesure de m'offrir, mais c'était aussi une façon de me pousser — à vingt-trois ans — à envisager mon avenir avec sérieux.

Pendant mes heures chez George Kazan et Cie, Tapis d'Orient, j'évoluais dans une espèce de brouillard. L'endroit était en général vide de clients. Mon père n'aurait pas pu me le reprocher, mais il lui arrivait parfois de me regarder et de me lancer une vieille expression turque : « Le jour de ma ruine ! » Il avait cessé d'attendre de ma bouche de bonnes nouvelles.

Je la gardais fermée. Je n'éprouvais aucune certitude, sauf celle d'avoir une toute petite chance de réussir dans ma partie si je pouvais seulement tenir, vivre en marge, éviter de me soumettre à l'obligation de « rapporter le bifteck à la maison » chaque semaine (le mariage) et de m'enterrer dans le cimetière des gens créatifs : l'enseignement. Oui, si je pouvais continuer à réduire mes besoins au minimum et à contrôler mon tempérament, à sourire — à la rigueur — puis disparaître, à me contenter d'une visite hebdomadaire chez ma mère (qui se chargeait de nouveau de mon linge), des gentillesses occasionnelles de Molly et des petits jobs au pied levé, si je pouvais m'accrocher solidement, sans engagement ni obligation à tenir, filant et me faufilant, comme dit la chanson que fredonnent les Noirs, si je pouvais esquiver, attendre dans mon coin et en sortir seulement quand j'entendrais retentir « la voie est libre ! », si je pouvais passer le temps en attendant que mon heure arrive, alors nom de Dieu, un jour viendrait où je réussirais ma vie. Pas vrai ?

Tard un après-midi, après une mauvaise journée aux courses, mon père m'alpagua pour me dire ce qu'il avait sur le cœur. Ce fut bref et très clair. « Où est ton argent, gamin ? dit-il. Comment tu vas faire pour te marier ? Dis-moi ça au moins. » Je voulus le rassurer en lui disant que je n'en avais pas l'intention, mais il y alla tout de go, me disant sa vérité, que j'étais un Grec, un Grec anatolien , « pas comme ces gens ici », et que je devrais admettre ma nature. « Hé, t'écoutes, petit crétin ? Tu comprends ce que tu es ?

— Papa, répondis-je, elle ne veut pas m'épouser. Comme tu dis, je n'ai pas d'argent, O.K. ?

— C'est la seule bonne nouvelle que j'entends cette semaine. Qu'est-ce que tu veux avec une femme comme ça ? T'es fou ? Comment tu vas y acheter ses bas, dis-moi ça au moins ? Dix dollars la semaine ! Même des bas ! Regarde ta mère, gamin, tu l'entends se plaindre ? Trouves-en une comme elle. Hé, t'écoutes ?

— Oui, papa, mentis-je.

— On divorce pas, notre peuple. Tu crois que tu peux en faire une femme convenable, une femme comme ça ? Hé, toi ! Une femme comme ça, tu l'amènes à la maison, elle peut te tuer, gamin. Demande à ton oncle John ! Il épouse la fille de l'archevêque, et qu'est-ce qui se passe ? Qu'est-ce que tu as ? Tu sais pas ce que tu es ? »

Je savais de quoi il parlait. Quand les Anatoliens cessent de baiser leur femme régulièrement, elle engraisse et reste à la maison. Elle ne se teint plus les cheveux, elle ne fait plus d'efforts vestimentaires — frénétiques — pour améliorer son allure. Le noir qu'elle porte symbolise le deuil de sa vie sexuelle. Mais elle continue à assurer les tâches ménagères ; c'est ce que nos hommes apprécient. Elle cuisine pour son mari et produit d'autres enfants ; ce n'est pas un acte de passion, elle le fait pour bâtir une famille. L'homme anatolien pense que c'est un comportement naturel pour lui et sa femme. La nature, croit-il, l'a voulu ainsi. « Quand elle n'est plus jeune et belle, comment on peut me demander de la baiser ? D'un autre côté, c'est une bonne épouse, pourquoi m'en séparer ? »

Les Anatoliens respectent le mariage ; ils ne divorcent pas. Ce principe donne aux épouses une sécurité. Elles ne craignent pas ce que tant de femmes américaines craignent : d'être soudain abandonnées. Elles ne consultent pas de psychanalyste pour trouver du réconfort. Certes, il faut leur en prodiguer de temps à autre.

« C'est dans ton sang comme ça », dit mon père. Je le savais.

L'Anatolien vient déjeuner à la maison, fermant boutique, quittant son travail. Sa femme le nourrit, lui donne son repas principal de la journée. En conséquence, il ne tarde pas à somnoler et va au lit. Sa femme l'y rejoint. C'est à ce moment-là que la plupart des enfants anatoliens sont conçus, une obligation familiale en somme. Régénéré physiquement, l'homme retourne à son travail, son assurance virile au beau fixe. Il a une étincelle dans le regard, il marche d'un pas léger. S'il est vendeur, il travaillera particulièrement bien l'après-midi. Le soir, il dîne avec ses amis ; ils résolvent ensemble les problèmes politiques majeurs de la nation. Il arrive que leur maîtresse soit présente, mais jamais leur femme. Les maîtresses ne participent pas à la conversation ; sages comme il convient, elles restent assises tout contre leur seigneur. Mais silencieuses. Les hommes ne se soucient guère de savoir où peut bien être leur femme. Elle est à la maison, surveille les enfants et, à l'heure qu'il est, dort paisiblement. Elle a reçu l'assurance physique que son mari l'aime encore.

Mon père ne m'avait pas dit tout ça. Il avait juste amorcé le thème à mon intention ; je connaissais très bien le reste. J'avais grandi dans cette culture, je l'avais observée toute ma vie, autour de moi — mes oncles, les associés de mon père, beaucoup de ses clients. Je n'avais pas besoin de réviser ma leçon en matière de coutumes conjugales anatoliennes. J'ai remarqué que seuls les Américains éprouvent un sentiment de culpabilité envers le sexe. Tout ce que mon père avait eu besoin de me dire, c'est : « Tu penses que c'est la sorte de femme qui fait une bonne épouse pour toi ? » pour que je comprenne où il voulait en venir. « Est-ce qu'elle va comprendre comme nous vivons, notre peuple ? Est-ce qu'elle va te comprendre ? *Ishkabibble !* Rien à faire ! Garanti. Nous sommes des gens différents ici !

— Je ne veux pas me marier, papa. Ne t'inquiète pas. »

Après avoir enfoncé son clou, il me fit retomber en enfance. « Tu as une mine terrible. Tiens, voilà un dollar. Va faire couper tes cheveux et cirer tes chaussures. »

Son pronostic, en tant que tel, ne manquait pas de clairvoyance. Molly, Yankee de sang aristocratique, resterait toujours d'une fidélité rigide à ses principes, qu'il s'agisse de moralité ou de comportement. Même beaucoup plus tard — elle avait alors cédé aux miens —, même à ce moment-là rien en elle ne pliait. Avec le temps, j'en viendrais à l'admirer pour sa ténacité dans bien des domaines. Mais pour les questions personnelles, sa nature profonde et la mienne entraient en conflit, sans espoir de résolution. Pour elle, il n'y avait jamais deux façons, seulement la bonne façon. J'ai dû admettre que Clifford et mon père avaient raison. « Épouse une paysanne ! » « Trouve une femme comme ta mère, une fille anatolienne ! » Très juste ! J'ai dû l'admettre. Molly n'était pas la femme qu'il me fallait. C'eût été une erreur, un désastre.

Le 5 décembre 1932, j'installai ma grand-mère, vêtue de ses habits noirs les plus foncés, et ma mère, vêtue d'un manteau de toile, dans un taxi, et m'en allai chercher Molly, qui portait une robe à manches bouffantes, chez sa tante. Je me rappelle avoir maugréé intérieurement tout le long du chemin : « Pourquoi diable a-t-elle mis cette robe ? » Elle m'embarrassait. Une fois à l'hôtel de ville, on nous maria, avec pour témoins ces deux femmes anatoliennes qui contrastaient étrangement l'une avec l'autre. Mon père exprima ses regrets, disant que je comprendrais mais qu'il devait rester au magasin. La mère de Molly n'était pas là. Je ne demandai pas pourquoi.

Je ne sais pas ce qui m'avait fait changer d'avis. Peut-être le fait que Molly comprenne mes hésitations. Elle avait dit qu'elle trouverait un emploi, et elle le fit. Elle avait également dit qu'elle fournirait les meubles. Elle le fit. Sa mère nous donna de l'argenterie, des casseroles, des assiettes, des serviettes et de beaux draps pur fil brodés aux initiales de sa propre mère. Mon père nous donna un tapis fabriqué dans la ville de Hamadhān, en Perse, au dessin barbare venu d'un autre monde.

Il est plus probable que mon incertitude avait été apaisée par la douceur et la bonté indéfectibles de Molly. Je savais que j'étais tout pour elle. Voilà sans doute ce qu'on appelle l'amour. Je l'ai aimée moi aussi, toute ma vie. Je l'aime encore.

J'hésite à imaginer ce que je serais devenu sans elle.

Je n'en dis rien aux acteurs du Group, à Odets ou à Clurman (avec qui j'avais commencé à tisser des liens d'amitié). Je les laissai le découvrir par eux-mêmes, et quand ils en parlèrent, j'en minimisai l'importance. J'ai honte d'affirmer qu'il me gênait d'évoquer mon mariage en société. Moins j'en parlais, mieux je me portais.

Sujet de plaisanterie domestique : le nom de Molly avait été immédiatement rayé du Registre de la Société ; l'exclusivité de cette organisation ne devait rien y perdre.

Elle tint bien sa promesse. Seule personne au monde à croire en moi, elle organisa notre vie de façon à me permettre de rester à la maison le matin pour travailler une pièce ou des scènes déjà répétées pour les jouer en classe d'interprétation au Maxine Elliott Theatre (où *Success Story* pataugeait), pendant qu'elle prenait le train pour aller travailler à Newark. Noël approchait, elle vendait des marionnettes pour les enfants. L'après-midi, je me traînais jusqu'au magasin de mon père. Elle rapportait à la maison trente-cinq dollars par semaine, moi dix. Notre appartement était situé au-dessus d'un hangar pour citernes de bière. Loyer : quarante dollars par mois. Elle avait une petite rente que lui avait laissée son père, l'avocat de Wall Street. J'en parlais — mais quel petit morveux ! — comme de notre « capital double menton », mais j'étais foutrement content de l'avoir.

Elle revenait de Jersey à la tombée de la nuit, parfois dans l'obscurité. Je la regardais depuis la fenêtre qui donnait sur Cornelia Street, marchant d'un pas lent, l'air dans les nuages — comme droguée. Plus tard, elle m'inspirerait Stella, dans *Un tramway nommé Désir*. Molly rapportait toujours à la maison une sucrerie pour me faire plaisir ; je me rappelle un

« gâteau d'ombre », tout au chocolat, de chez Schrafft, et des plum-puddings en boîte importés d'Angleterre. Puis elle préparait le dîner. Elle organisait notre vie autour de moi. Sa myopie bornée et sans faille a fait jaillir en moi, pour la première fois de ma vie, un débordement de confiance.

Je n'ai compris que plus tard quel risque elle prenait — elle, pas moi. C'est seulement aujourd'hui que je me demande ce qu'elle pouvait bien penser pendant ces journées et ces nuits. Peut-être qu'elle avait la peur au ventre — elle ne m'avait rien refusé ; tout ce qu'elle avait, elle me le donnait. Et pendant ce temps-là, j'agissais comme si j'avais été pris au piège.

Avec le recul, je considère la décision de Molly — venir avec moi — comme un acte de foi déraisonnable (c'est pourquoi je l'appelle une sainte) et de générosité totale. Quelque chose en elle la guidait. Quand je pense à ma dégaine et à ce que j'étais : un gamin qui prenait le train sans billet, ne disposait d'aucun talent visible, avait été rejeté comme apprenti par le Group Theatre, allait, par son caractère et sa culture, contre tout ce que le monde dans lequel elle évoluait pouvait accepter, ne plaisait pas à sa belle-mère (à l'époque), et était lui-même le produit d'une famille extravagante et sans doute hors des normes — appelez-la louche, si ça vous amuse —, famille où l'on décelait des traces de maladie mentale... Ajoutez à tout cela ma résistance continuelle qu'elle devait supporter, comprendre et surmonter.

Et, mal contenues, ma violence et ma colère.

Mais elle se lia à moi. Elle devint ma partisane. Avant de la rencontrer, je m'étais cru à la merci du monde qui m'entourait. Avec elle, je ne pouvais l'être. C'était un acte d'audace pure, ce dont je ne me rendais pas compte à l'époque, trop préoccupé que j'étais par ma petite personne, mais que je suis aujourd'hui à même d'apprécier à sa juste valeur : il exprimait la volonté d'un cœur suprêmement généreux. C'est elle, pas moi, qui nous a fait nous cramponner l'un à l'autre, dans une relation menacée par les différences les plus profondes — différences dont nous étions convenus, sans oser en discuter, qu'elles pouvaient être ignorées mais, en fin de compte, jamais vraiment surmontées. Nécessité réciproque faisait loi : voilà le tableau cette année-là.

En fin de compte, elle m'a donné ce qui a pour moi la plus grande valeur au monde : nos quatre enfants.

LA VIDA ES UN SUEÑO Y LOS SUEÑOS SUEÑOS SON. Calderón a extrait un titre de pièce de ce vieux proverbe espagnol : *La vie est un songe.* Le reste se traduit par : « Les rêves sont des rêves. »

Le 5 mars 1933, les banques du pays fermèrent leurs portes. Mû davantage par mon goût du drame que par l'inquiétude qui sied à un fils dévoué, je me hâtai vers le centre de la ville pour voir comment le « vieux » encaissait le choc ; il n'entrait pas que de la bienveillance dans ma curiosité.

Son magasin était situé au numéro 295 de la Cinquième Avenue, la Maison du Textile, ruche grouillante d'importateurs, de grossistes comme lui, d'hommes au teint basané, tous des immigrants, la plupart arméniens à l'exception de quelques Grecs anatoliens et d'une poignée de Persans, de Syriens et d'Égyptiens. Ces hommes étaient venus d'Asie par bateau, poussés par un rêve : ici, on ne leur couperait pas la gorge. Travaillant dans la poussière des tapis, vivant seuls dans des chambres donnant sur des cours intérieures sombres, se privant des plaisirs de la vie, ils avaient amassé les dollars, d'année en année, obéissant à la rumeur qui imprégnait l'air en Amérique : accumuler de l'argent, c'était la sécurité, c'était le bonheur. Ils se mariaient tard, prosaïquement, retournant au pays natal, comme mon père, pour trouver une femme convenable, élevée dans leur tradition, de dix, quinze ou vingt ans plus jeune, puis faisaient des enfants le plus vite possible dans des logements achetés à crédit tout en continuant consciencieusement à alimenter leurs comptes dans ces banques dont les portes, ce matin-là, étaient restées closes.

En général, ces hommes n'entraient dans la boutique de mon père que s'ils n'arrivaient pas à satisfaire un client avec leur propre stock. Ils escortaient l'acheteur jusque chez mon père et y prélevaient, au lieu d'un bénéfice, une commission. Ces rencontres étaient rares car elles n'avaient lieu qu'en dernier ressort. Les concurrents de mon père ne pratiquaient pas les visites de courtoisie entre eux. Mais quand je pénétrai dans le magasin ce matin-là, ils étaient là, un peu plus d'une dizaine, assis les jambes croisées sur les piles de « carpettes » d'un mètre sur deux importées de Sarouk ou d'Hamadhān, agglutinés les uns aux autres dans des postures figées, telles des poules sur leur perchoir. Immobiles, inanimés, ils paraissaient attendre — mais quoi ? De temps en temps, l'un d'entre eux marmonnait quelques mots d'un ton lugubre ou bien se lamentait, perplexe. Il n'attendait pas de réponse, il ne lui en était proposé aucune.

Contournant les silhouettes fixes, je me dirigeai vers le petit bureau où j'étais censé tenir le registre des comptes créditeurs. Les affaires avaient été si mauvaises qu'il ne m'avait pas donné beaucoup de travail cet été-là. J'avais juste tapé quelques lettres : « Nous vous serions très reconnaissants de nous faire parvenir votre chèque immédiatement » ou : « Nous sommes au regret de vous informer que nous nous trouvons dans l'obligation de placer votre compte entre les mains de nos avocats ». Mais la plupart du temps, le grand-livre de magasin, incliné devant moi, servait à cacher *les Frères Karamazov*. On s'en était aperçu, bien sûr, ce qui avait renforcé l'opinion générale selon laquelle j'étais un jeune homme sans avenir.

Ce matin-là, j'étais assis sans rien faire, comme les autres ; j'étudiais le groupe de marchands, des hommes dont la peau ressemblait autrefois à celle d'une olive charnue mais que les soucis et la lumière froide renvoyée par les murs de béton avaient fait pâlir. Ils sont comme des marins naufragés, pensai-je, que la mer a rejetés sur une île déserte et qui attendent qu'on vienne les secourir.

En réalité, l'affaire de mon père s'était retrouvée *kaput* — selon son expression — trois ans avant, en 1929, quand le marché s'était effondré. Il avait placé le fruit d'une vie de labeur dans des actions émises par la National City Bank. Achetées à un peu plus de trois cents, elles avaient grimpé, à la grande joie de millions de porteurs, jusqu'à plus de six cents, pour dévaler ensuite avec toutes les autres la montagne de la haute finance, comme des rochers emportés par une avalanche, jusqu'à vingt-trois. A ce moment-là, il s'était accusé d'être en partie responsable de sa ruine ; il avait dû se tromper, commettre une erreur fatale. Quelqu'un avait-il été plus malin que lui ? Avait-il été refait ?

Mais, en 1933, le jour où les banques avaient fermé, entouré par des hommes victimes eux aussi de la catastrophe — aucun n'était plus malin ni plus chanceux, il savait qu'ils étaient tous aussi ordinaires que lui —, mon père avait dû commencer à comprendre que ce qui s'était passé dépassait en gravité une faute qu'il aurait pu commettre. Le sang de chacun des hommes autour de lui s'écoulait par les mêmes blessures invisibles. Dans quelques années, beaucoup d'entre eux n'auraient plus de travail. Ils partageaient tous la même angoisse devant cette menace.

Ce matin-là, je vis en mon père — enfin — non plus un tyran domestique, mais Yiorgos Kazanjioglou, ce jeune homme né dans l'intérieur des terres en Turquie d'Asie, qui était venu en Amérique chercher un endroit où vivre, cet homme qui s'était usé au travail. Où était-il maintenant ? Assis là à contempler les débris de sa vie, désorienté, l'âme fatiguée, vieux de cinquante-six ans, les cheveux gris ; c'est lui qui avait été rudoyé, pas moi, et il ne lui restait nulle part où se reposer que le champ de bataille qui avait été le théâtre de sa défaite.

Vers le milieu de l'après-midi, les marchands de tapis s'en allèrent un à un d'un pas nonchalant, en se disant au revoir du bout des lèvres. Mon père se leva et marcha jusqu'à l'endroit où son personnel, réduit à sa plus simple expression — un réparateur arménien et un porteur grec —, était assis à ne rien faire. Il leur parla en turc, leur langue commune. Il leur dit qu'il ne pourrait pas leur verser de salaire cette semaine-là. Puis il leur demanda — sans le leur ordonner — de déplier un grand sarouk, tout juste revenu de la laverie, et de l'étaler sur le sol.

Quand on lave un tapis d'Orient, sa laine moelleuse devient luisante et l'extrémité des cordes sur lesquelles il a été tissé ressort ; les jours où le commerce ne marchait pas très fort, ou en fin d'après-midi quand il n'y avait rien d'autre à faire, le personnel d'appoint s'asseyait avec une paire de ciseaux pointus et coupait ces « taches blanches », le bout des fils de coton qui dépassaient. Ce jour-là, mon père s'est assis avec les ciseaux et, au bout d'un moment, je me suis assis à côté de lui, penché comme lui, la tête inclinée au-dessus du tapis persan bien luisant.

Nous ne nous sommes pas regardés, nous n'avons pas échangé une parole. On n'entendait que le *clip clip clip* des ciseaux tranchants. Je l'ai entendu soupirer une fois. Les paroles du Président qui avait précédé Roosevelt me sont revenues en mémoire : il avait essayé de rassurer les hommes d'affaires américains en leur demandant de faire confiance à leur pays et à ses dirigeants. Puis il avait baissé les bras, disant qu'il ne pouvait rien faire de plus. Peut-être mon père pensait-il la même chose, qu'il n'y avait plus rien à faire, car il s'est tourné vers moi et m'a adressé un sourire amer, avant de porter une Melachrino à ses lèvres. J'ai détourné les yeux — je lisais une telle douleur sur son visage. Après quelques minutes, il s'est levé. Je me souviens de la manière dont il fumait la cigarette, sans prêter attention à la cendre qui tombait sur le revers de sa veste. « On ferme, a-t-il dit sans enlever la cigarette de sa bouche. Bonjour à ta femme », a-t-il ajouté comme nous sortions de l'ascenseur pour nous diriger vers la rue. Il est parti vers le nord, remontant la Cinquième Avenue en direction de la Gare Centrale. Je suis parti vers le sud. Je me suis arrêté dans la courbe de la 30e Rue et me suis retourné : je l'ai vu au coin de la 31e Rue, attendant là, comme moi, que la circulation s'interrompe un instant. Le moment venu, il a traversé, lentement, en traînant ses pieds plats, tels ces hommes d'affaires qui avaient fait confiance à leur pays et à ses dirigeants, et s'en est allé vers son train de banlieue.

C'était la première fois que je ressentais un pincement au cœur à son égard, et ce picotement familier dans les narines qui prélude aux larmes. Bon, eh bien, au moins, me suis-je dit, il ne va plus me demander de travailler avec lui maintenant.

L'effondrement du système signifiait que je ne pouvais plus compter que sur moi.

Quand les metteurs en scène du Group, qui ne s'y étaient pas retrouvés financièrement à la fin de leur saison, décidèrent d'organiser une autre période de répétitions prévue pour durer tout l'été, ils choisirent Green Mansions, camp pour adultes qui aimaient s'empiffrer de nourriture casher puis partir à la chasse au partenaire d'une nuit. Le Group avait choisi cet endroit car il pouvait y obtenir le vivre et le couvert pour toute la compagnie, à condition de présenter un spectacle, trois fois par semaine, aux invités du camp. Le Group était à sec.

Ce programme impliquerait beaucoup de travail en coulisses et il faudrait donc quelqu'un pour le faire. Devant l'urgence, ils se tournèrent vers leur « Gadget » — mon surnom anonyme — toujours aussi travailleur, et offrirent de m'emmener avec eux si j'acceptais. Je donnais l'impression de posséder une énergie inépuisable, et mon vieux professeur de Yale, Phil Barber, leur avait dit que je pouvais construire, peindre et éclairer les décors, préparer les accessoires et les costumes à la demande, m'occuper de la régie, le tout livré clés en main et au jour dit. Sans ma compétence en matière d'objets inanimés, on ne m'aurait jamais demandé de venir, bien sûr. Les metteurs en scène avaient aussi observé que je pouvais être dévoué comme un chien, ce qui, pensaient-ils, les aiderait à tenir le coup tout au long d'un été qui promettait d'être difficile.

Si l'été s'annonçait difficile, c'est parce que la pièce que les metteurs en scène avaient choisi de répéter et de produire à Broadway, *Des hommes en blanc*, avait soulevé un déchaînement... de soupirs méprisants chez leurs acteurs. Beaucoup d'entre eux, en effet, professaient désormais des opinions plus radicales et déclarèrent que *Des hommes en blanc* « ne voulaient rien dire ». L'action de la pièce, ajoutèrent-ils, était conventionnelle. Ils ne cachèrent pas non plus ce qu'ils pensaient à l'auteur, Sidney Kingsley ; ils le traitèrent avec la même condescendance.

Quand j'appris à Molly que j'allais passer tout l'été à travailler sans salaire et probablement sans remerciements pour une bande d'égocentriques qu'elle tenait pour des maniaques, de surcroît intéressés et ingrats envers le dévouement dont j'avais déjà fait preuve, elle ne se montra guère enthousiaste. Quand je lui fis lire *Des hommes en blanc*, elle décida d'aller passer l'été à Mexico, pour écrire elle-même une pièce. Nous passerions donc l'été séparés. Cela ne me dérangeait pas ; j'entendais ne rien laisser de personnel ou de professionnel interférer avec mon travail. Pas même l'opinion de Molly. « Tout ce qu'ils veulent, c'est un machiniste, me dit-elle.

— O.K., je serai machiniste », répondis-je.

Tout a commencé cet été-là. J'ai retrouvé un calepin qui date de cette époque, et il déborde d'une passion nouvelle. Il contient des notes sur les ouvriers d'une aciérie qui cessent le travail et brandissent leurs outils (j'avais lu quelque chose là-dessus), sur le travail dans une cimenterie en plein hiver et les souffrances qui l'accompagnent (je n'avais jamais subi un tel froid), sur des ouvriers du bâtiment un jour de paie, en train de jouer aux dés dans un immeuble à moitié terminé (cela, je l'avais vu, mais quand j'étais étudiant, et à distance), sur la « jungle des bidonvilles » (je n'en avais jamais vu), ainsi qu'une longue et ardente défense de la Bonus Army : « Ces hommes sont allés à Washington parce qu'ils n'avaient nulle autre part où aller, et que pour eux mourir de faim sur les routes ou dans les rues de ces villes où ils sont chez eux ne faisait pas de différence. » (Je n'avais jamais eu faim.) Puis : « Tu me fends le cœur, mon gars, va-t'en mourir de faim ailleurs ! » — phrase de dialogue à placer dans la bouche d'un méchant du gouvernement Hoover ou d'un membre de l'état-major du général MacArthur.

Le calepin contenait également des notes nombreuses et fournies prises à la suite de visites au site des usines de teinture à Paterson, New Jersey (usines dans lesquelles je n'étais pas entré), rappelant combien l'odeur âcre qui y régnait avait piqué mes narines. Toutes ces excursions et ces comptes rendus imaginaires visaient à décrire les gens « authentiques ». (Mon père et ses amis, bien qu'ils aient été eux aussi écrasés et abandonnés, n'étaient pas « authentiques ».) Non, j'avais découvert le véritable drame de notre époque (ce n'était pas *Des hommes en blanc*). Je brûlais de devenir partie prenante du nouveau monde qui émergeait et s'apprêtait à remplacer celui dont j'avais observé les derniers vestiges dans la Maison du Textile.

Ce calepin me rappelle ce que je lisais à l'époque. « Le Grand Bill » Haywood (mon héros cette année-là) levait sa main puissante et immense au-dessus de la foule et écartait les doigts au maximum. Puis il les saisissait un à un, les tordait dans tous les sens, et disait à son public : « Vous voyez ça ? Vous voyez ça ? Chaque doigt pris séparément n'a pas de force. Maintenant, regardez ! » Et il refermait la main pour former un poing énorme et vigoureux qu'il brandissait au visage de la foule en hurlant : « Vous voyez ça ? C'est le I.W.W.[1] ! »

Dans ce calepin, j'ai trouvé la liste des films que je devais voir, tous russes : *le Cuirassé Potemkine*, d'Eisenstein, *la Fin de Saint-Pétersbourg*, de Poudovkine, et *Aerograd*, de Dovjenko. J'admire ces films aujourd'hui, mais cette année-là, j'avais effectué un grand pas vers la maturité et ils m'avaient inspiré. Je ne savais pas qu'on faisait de tels films, je n'en avais jamais vu de pareils. Leurs thèmes, leurs personnages, leur scénario, leur technique étaient nouveaux pour moi.

Dans la foulée, je décidai ce que je voulais être : tout ! Metteur en scène de cinéma et de théâtre, auteur, acteur et producteur. Les possibilités de l'existence s'offraient à moi dans toute leur variété et elles étaient, croyais-je, à ma portée. Je savais quel genre de films et de pièces je voulais faire : je les avais vus, faits par des Russes, des films sur le seul vrai drame à se perpétuer à notre époque : la lutte des classes, l'ultime conflit. J'avais synthétisé le mépris que m'inspiraient des gens comme mon père en une phrase que je me répétais à l'envi : « Les seules personnes dignes de confiance sont les membres de la classe ouvrière. » Il me faudrait un certain temps pour apprendre que les ouvriers étaient aussi « humains » que les autres.

Mais ce printemps-là, je voyais tout en rose. Quand je suis arrivé à Green Mansions en juin, j'étais mûr pour le Parti communiste.

Le même soulèvement avait eu lieu à Hollywood. Albert Maltz, ami de

1. Industrial Workers of the World : Internationale ouvrière. *(N.d.T.)*

Yale, m'écrivit des studios Paramount, où lui et son collaborateur travaillaient désormais sur une pièce à succès *(le Manège)*. « C'est vraiment dommage, m'écrivit-il. Le média est formidable, nous en sommes tous d'accord. Mais je ne pense pas qu'il sera utilisé convenablement en Amérique tant qu'il ne sera pas devenu propriété de l'État et ne fonctionnera pas sur une base différente de la recherche du profit. Une autre raison d'agiter le drapeau rouge. » Il ajouta : « Ici, nos idées se heurtent continuellement à la censure. Nous n'osons pas laisser traîner le *Worker*[1] dans le bureau. » Peu après, Maltz retourna à New York. « Tu es sûr de ne pas pouvoir trouver de travail dans le Group ? » m'écrivit-il alors. Bien évidemment, je lui avais fait part de mes doutes. « Nous pouvons peut-être t'aider à faire partie du Théâtre communiste qui est en train de démarrer. Ils ont peut-être des jobs pas très bien payés. » Puis il continua : « Quand nous pensons à toi, Gadget, nous ne nous inquiétons pas pour ton avenir parce que tu te le construiras toi-même si les révolutionnaires ne te coupent pas la tête. » Il conclut par : « J'espère vraiment que les metteurs en scène du Group sont comme tu les décris et qu'ils vont bien marcher. Leur cœur est du bon côté, ça ne fait pas de doute, et leurs objectifs sont les nôtres. »

Cette dernière conviction ne devait pas tenir très longtemps.

J'emménageai à Green Mansions avant les acteurs, car je devais préparer la scène pour le premier spectacle qui serait offert aux invités, une soirée consacrée à des pièces en un acte de Sean O'Casey. Je visitai le camp et le logement qui m'était offert, une petite chambre avec deux lits étroits ; l'humidité emmagasinée par les matelas pendant l'hiver glacial suintait encore. Je devais avoir un compagnon de chambre. Comme je n'en voulais pas, je pris la décision d'aller dormir dans la coulisse située sur l'un des côtés de la scène. Là, je serais au calme, sauf pendant les spectacles, et je serais seul avec les ratons laveurs du voisinage le restant de la journée et de la nuit ; je pourrais lire, penser et écrire. Une autre raison avait motivé mon choix : l'idée de l'ouvrier dormant sur son lieu de travail me plaisait. J'avais aussi conçu une sainte horreur du bavardage, des paroles échangées pour passer le temps. Je préférais le silence et c'est toujours le cas aujourd'hui. Être seul, voilà ce que je voulais. Je décidai aussi de manger dans un coin de la cuisine avec les serveurs — encore les ouvriers — et trouvai une table isolée où je pourrais passer l'été à lire tout Lénine pendant mes repas. Je préférais également maintenir une distance entre moi et les acteurs du Group, dont la conversation, qui tournerait autour des répétitions auxquelles je ne serais pas convié, me donnerait le sentiment d'être exclu.

Mon but, cet été-là, était simple : faire sentir aux gens du Group qu'ils ne pouvaient pas se passer de moi. C'est pourquoi, non content de construire, de peindre et d'éclairer tous les décors, je saisissais au vol le moindre rôle, du burlesque vulgaire — ma spécialité — aux rôles à une

---

1. *The Social Worker :* journal du Parti communiste. *(N.d.T.)*

seule réplique, dont personne d'autre ne voulait, dans la pièce de Clifford Odets qui allait devenir *Awake and Sing!* J'écrivais des lettres pleines d'amour à ma femme qui était au Mexique, lui disant qu'elle me manquait mais que j'étais content qu'elle ne soit pas là. Je l'assurais que je passais l'été en célibataire à travailler (c'était vrai), aussi occupé qu'une abeille ouvrière (elles sont stériles), que j'apprenais toutes les ficelles de ma profession sur le tas. Je ne voulais pas être distrait par une jeune fille très intelligente qui trouverait à redire — Molly n'y manquerait pas — à trop de choses.

Je n'ai jamais été sûr d'avoir du talent — même encore aujourd'hui — lorsque je me comparais à ceux dont le mot « doué » définit précisément les capacités. Mais j'ai toujours été capable de travailler plus dur que quiconque, et mon zèle a attiré l'attention des metteurs en scène. Vers la fin de l'été, on m'offrit le poste d'assistant-régisseur sur *Des hommes en blanc*. Je sautai sur l'occasion. Je pouvais désormais assister aux répétitions. Lee et les acteurs faisaient un boulot fabuleux et j'appris énormément sur la technique de l'improvisation, sur la valeur de celle-ci et où l'employer. La production de Lee ressemblait par moments à un ballet moderne : elle reposait non sur les mots mais sur le mouvement, l'activité et le comportement. Dans le théâtre de l'époque, c'était nouveau. J'exprimai mon admiration devant Lee : il hocha la tête, puis me regarda d'une expression neutre. Je le pris comme un avertissement. Je redoublai d'efforts. Mon ami Clifford Odets essaya de me placer auprès de Clurman. Cheryl Crawford avait entendu dire par Theresa Helburn que j'étais efficace en coulisses. Mais surtout, simplement, j'étais là, sur place, derrière chacune des productions, dans chacune des pièces, à un poste ou à un autre, plein d'ardeur et d'énergie, prêt à tout, fonçant tête baissée, pétulant, increvable. Bon Dieu, à la fin de l'été, ils n'avaient plus le choix. Ils me firent membre du Group.

Ainsi donc, ce rêve se réalisait enfin.

Je revins à notre appartement de la 44e Rue Ouest avec un emploi, un but et une confiance nouvelle.

C'est alors que je découvris que mon père avait été malade presque tout l'été. Ma mère n'avait pas voulu m'importuner pendant que j'étais au camp, mais elle s'était décidée à m'écrire : « Il s'inquiète tout le temps. Apparemment, personne ne peut rien faire pour améliorer les affaires. Parfois, il perd patience. Je pense que ça lui fera beaucoup de bien si tu viens. [Je fus surpris.] Maintenant que tu es de retour, prends le temps. Il a besoin d'un peu d'encouragement. Avec ça et du travail, je sais qu'il se remettra d'aplomb. »

J'écrivis dans mon journal : « Je connais la raison de sa maladie. Le système capitaliste. Ce fascisme qui pousse le joueur à miser encore et encore alors même qu'il n'en a plus envie et n'a plus d'argent — ou de sang — à parier. [Voilà certainement une description bien saisissante du commerce modeste de mon père.] La révolution que je veux doit conduire à une société où tout le monde travaille à produire suffisamment pour chacun mais pas pour le profit. » Puis : « Le cou de mon père porte la trace de la morsure des belettes Morgan et Mitchell. [Mitchell était le président de la National City Bank, dont les actions avaient porté mon père vers les sommets, pour plonger ensuite jusqu'au fond de l'abîme.] Il a travaillé toute sa vie pour ces hommes. Maintenant, il panique dans la bourrasque, malade et malheureux, marchant de long en large dans sa boutique, espérant sans y croire qu'on va venir à son secours et le sauver. »

Et encore ceci, qui m'étonne encore : « Dorénavant, je serai gentil avec lui et [j'avais souligné les phrases en italique] *je le vengerai*. L'heure a sonné, et mes forces se rassemblent. *Je vais faire la révolution.* C'est tout ce que je veux. »

Qui diable pensais-je donc être ?

Cet automne-là, après le début des représentations des *Hommes en blanc*, je devins membre du Parti communiste d'Amérique.

Des hommes en blanc fut un triomphe et finit par remporter le prix Pulitzer. La pièce donna au Group son premier grand succès et à ses membres un salaire confortable pendant plusieurs mois. Je profitai de cette soudaine richesse, soixante dollars la semaine, pour investir, non pas en actions ou en obligations, mais en leçons particulières : de diction, pour apprendre à articuler et, du même coup, débarrasser ma voix de ses inflexions new-yorkaises, d'élocution, pour enrichir le timbre de mes résonateurs superficiels, de chant au cas où l'on me demanderait de captiver un public à l'aide d'une chanson (on commençait à entendre parler de Brecht et de Weill), de danse où je devais recourber mes doigts de pied vers le haut et fortifier mes jambes à la barre trois matins par semaine, et même de claquettes. Je devais être prêt pour tout rôle, quel qu'il soit, je croyais pouvoir tout jouer.

Les membres du Group réagirent au succès remporté par la pièce de Kingsley d'une façon caractéristique : ils se mirent à considérer les critiques « bourgeois », qui avaient fait l'éloge de l'œuvre, d'encore plus haut et y trouvèrent matière à alimenter leur mépris envers notre public de « classes moyennes ». Le fait que le théâtre était plein à craquer huit fois par semaine ne les avait pas amenés à réviser leur point de vue sur la pièce et sur son auteur, pourtant couvert de lauriers. Ils croyaient que le style de la production de Lee et l'ensemble de l'interprétation avaient apporté au texte squelettique de Sidney Kingsley ce qu'il ne méritait pas, la richesse pour l'auteur et la première place dans la liste annuelle des dix meilleures pièces établie par Burns Mantle. Sidney eut vent de tout cela et le prit mal.

Certains éléments, dans notre compagnie, offraient d'autres explications à notre succès, qui allaient au-delà de la décadence de Broadway et du génie de Lee. Nous étions, somme toute, des pionniers de la gauche dans notre domaine ; notre heure était venue. Cette pièce, bien sûr, ne représentait qu'un moyen de nous dépanner jusqu'à la saison suivante, où nous commencerions à monter des œuvres qui avaient « quelque chose à dire ». On allait entendre parler du Group et de sa cellule communiste.

Quand notre régisseur, femme d'envergure dépourvue de patience qui s'adressait aux acteurs et aux machinistes comme si elle donnait des instructions à un personnel de maison peu fiable, décida de démissionner de son poste, on me regarda comme l'homme providentiel, qui attendait qu'on lui ouvre la porte. Les coulisses du Broadhurst Theatre, où se jouaient *Des hommes en blanc*, devinrent mon territoire. Quels étaient mes meilleurs amis à ce moment-là ? Le personnel, bien sûr. Moe, l'accessoiriste, vétéran malin trop cynique pour être impressionné par des acteurs, des metteurs en scène ou des auteurs, même au faîte de leur succès, devint mon « professeur » et me donna un cours de fin d'études qui battait Yale à plate couture. Nous trinquions ensemble après chaque matinée, sa panse gonflée comme une outre appuyée contre le zinc d'un bar de la Huitième Avenue. Cette amitié plus le fait d'être entouré, devant le comptoir, de membres blagueurs mais bienveillants de l'Association internationale des employés du théâtre et de la scène me remplissaient davantage de fierté que si je m'étais trouvé à une soirée organisée par des professeurs d'université pour célébrer un diplôme honorifique qu'ils m'auraient décerné.

L'heure était à la célébration, en effet, et des gens sensés l'auraient compris. Nous non. La gauche avait des devoirs. Il s'ensuivit donc un exode d'acteurs du Group vers les nouveaux théâtres « d'ouvriers » du bas de la ville : le Théâtre Collectif, l'Union du Théâtre (dont Albert Maltz faisait partie) et le Théâtre de l'Action. C'étaient véritablement des collectivités cimentées par l'idéologie, modelées sur ce que leurs fondateurs avaient lu au sujet du théâtre russe. Beaucoup d'entre nous, bien que vivant sur des salaires hebdomadaires de Broadway, venaient faire « du vrai travail » au sud de la 14e Rue — ligne de démarcation officielle entre la bourgeoisie et les masses radicalisées.

Le fait de quitter notre ancien territoire constituait une aventure mais aussi, pour certains d'entre nous, une sorte de châtiment destiné à racheter notre passé. Nous étions nombreux à avoir honte de notre famille, de notre éducation, de notre classe, de notre société, de nos traditions et de nos valeurs. Nous nous rebellions surtout contre ce que nous étions, et je suppose que la couleur dont nous étions saturés était celle de la culpabilité.

Molly ne se fit pas prier pour lancer sa pièce à l'Union du Théâtre. Il ne la troublait en rien que cette organisation théâtrale ait pour but de démolir son père et sa classe ; c'était plutôt le contraire. Clifford Odets, fils d'un promoteur en matelas (et plus tard de la carrière de son fils), enseignait l'interprétation au même endroit. Le Théâtre Collectif gagna notre décorateur, le hargneux Mordecaï Gorelik, à sa cause car il trouvait que cette institution poursuivait des objectifs politiques justes alors que le Group « nageait dans la confusion, dirigé par des esthètes, et non par des ouvriers ». Le Group correspondait à l'idée que s'en faisait Harold Clurman, celle d'un « théâtre pour classes moyennes », mais beaucoup de ses membres avaient pris la route du sud pour changer d'identité.

Ce mouvement vers la gauche des classes moyennes dans le monde du spectacle était général. Le comité directeur de Frontier Films, où j'ai travaillé pendant un temps, organisait des réunions dans le bureau d'un riche avocat du Trésor, dont les murs lambrissés s'ornaient de tableaux de grande valeur. Les membres de ce comité étaient tous des hommes cultivés qui avaient reçu l'éducation réservée à l'élite. Dans ce bureau luxueux, dominant de très haut les rues mouvementées de Manhattan, ils préparaient des films sur les problèmes de la masse des nouveaux pauvres. L'un d'entre eux s'intitulait *Pescados*, réalisé par un photographe de qualité, Paul Strand, qui occupait une position éminente dans le monde artistique et dont les épreuves se vendaient pour des sommes énormes de dollars capitalistes. Ce film parlait des pêcheurs mexicains qui tiraient de la mer à peine de quoi mener une vie précaire, et il l'avait tourné dans un style qui rendait hommage à Sergueï Eisenstein. J'ai aidé à la réalisation d'un documentaire, *Gens des Cumberlands*, sur la vie des mineurs à ciel ouvert et de leurs familles. Ce film était mis en scène par un autre photographe de qualité, Ralph Steiner, qui gagnait confortablement sa vie dans la publicité mais faisait preuve d'une admiration fervente pour la classe ouvrière. Quand j'ai revu son film récemment, il m'a rempli de nostalgie pour ces jours pleins de chaleur mais aussi de naïveté.

C'était une époque de doute et de remise en question pour beaucoup d'intellectuels des classes moyennes. Les parents donnaient à leurs fils des prénoms d'ouvriers : Nick, Pete, Steve, Chris, Joe, Ben — des « titres » monosyllabiques, en quelque sorte. On m'appelait Gadg ; on n'essayait jamais de m'appeler Elia, et je n'y incitais personne. Pour que tout le monde sache bien où je me situais, je portais une casquette « d'ouvrier », avec une patte de lapin enfoncée sous la visière. J'avais vu un chauffeur de taxi avec ce porte-bonheur placé au même endroit ; quand il me fallut, un an plus tard, trouver un costume pour *En attendant Lefty*, je n'eus pas besoin de le chercher : je le portais. Lorsque je bondissais sur scène, les gens dans le public croyaient que j'étais vraiment un chauffeur de taxi. Ce que j'étais fier !

Ainsi donc, nous prîmes notre envol, tels les apôtres de Jésus, pour aller enseigner non pas l'amour fraternel ou les Dix Commandements, mais l'art de Stanislavski distillé par Strasberg. Le sud de la 14e Rue devint notre Corinthe, notre Antioche et notre Césarée réunies. Nous estimions qu'il était de notre devoir d'apporter la lumière à ceux qui étaient dans l'obscurité. Après mes propres leçons, le matin et en début d'après-midi, je filais dans le bas de la ville pour donner un cours de mise en scène à la Nouvelle Ligue du Théâtre, organisation qui servait de paravent au Parti communiste, en préparant toujours mes notes durant les vingt minutes de métro. A vingt-cinq ans, je parlais de l'art de la mise en scène sans le moindre doute. Aujourd'hui, j'hésiterais longtemps avant de m'engager à donner de tels cours et je prendrais des mois pour les préparer. Plus on en sait et moins on croit en savoir.

C'est pendant cette période que j'ai commencé à travailler avec le Théâtre de l'Action, groupe de quinze acteurs et actrices de mon âge ou plus jeunes. Les hommes comme les femmes paraissaient être tous de la même taille et de la même constitution — environ un mètre soixante-cinq, minces, nerveux, avec des réflexes éclair —, juifs, ayant appris à se débrouiller dans la rue, la plupart élevés par des parents de gauche. Véritable collectivité, ils vivaient dans un immeuble de cinq étages sans ascenseur du Lower East Side, faisaient la cuisine à tour de rôle et dormaient à trois ou quatre par chambre. Je les admirais car ils allaient jusqu'au bout de leur idéal — vie en commun, règles communes, finances communes. Ils avaient l'âme fière, chacun était dévoué aux autres et Dieu! comme ils travaillaient! De neuf heures du matin à onze heures du soir, se nourrissant de ce qu'ils pouvaient acheter pour pas cher — des pommes, du beurre de cacahuètes, du pain moisi, des choux — ou récolter en guise de rétribution pour leurs spectacles. Quand je suis arrivé pour travailler avec eux, ils préparaient leurs propres scripts et jouaient pour qui voulait bien les regarder, parfois quatre ou cinq personnes seulement. L'idée était de continuer à travailler et à se développer ensemble. Si un syndicat ou un club politique n'alignait pas les dix ou quinze dollars convenus, les acteurs prenaient ce qu'ils trouvaient et faisaient en plus un peu de troc : un jour, ils avaient reçu, de la part d'ouvriers boulangers, vingt-sept tartes au potiron dont ils s'étaient rassasiés. J'étais impressionné. Je voyais le principe de la collectivité théâtrale fonctionner concrètement.

Ils devinrent ma compagnie d'acteurs personnelle et je devins, pour un temps, leur héros. En matière d'improvisation, ils faisaient tout ce que je leur demandais. L'un d'entre eux m'a encore dit récemment que si j'avais demandé à quelqu'un de la troupe de courir d'un bout à l'autre du loft où nous travaillions, puis de passer à travers l'immense fenêtre, de la taille d'un vitrage d'usine, et de continuer vers le bas jusqu'à… eh bien, jusqu'à ce qui se trouvait en bas, l'acteur, ainsi dirigé, aurait obéi à mes instructions sans hésiter. Ils faisaient quelque chose que des acteurs plus « professionnels » auraient refusé : ils allaient jusqu'au bout de leur improvisation. Il fallait interrompre les scènes de colère avant qu'ils n'en viennent aux mains, et couper les scènes d'amour avant que ne soit atteint le dernier degré de l'intimité. Quand le texte avait pour eux des résonances personnelles, leur dialogue sonnait parfaitement vrai ; ils étaient l'incarnation des rues de New York. Et pourtant, ils se déplaçaient comme des danseurs.

J'ai répété une pièce avec eux : *Les jeunes partent les premiers*, protestation contre le Régiment de Défense civile. Le script n'était pas terminé — il n'y avait pas de troisième acte — et j'ai décidé de le créer en improvisant. J'ai placé une sténo au premier rang pour prendre ce que les acteurs diraient au cours des scènes que j'avais structurées. J'ai ensuite organisé tout le matériau qu'elle m'a donné en un dernier acte satisfaisant, et la pièce a été montée. Les acteurs ont été impressionnés et j'ai fait l'objet d'une admiration encore plus grande. Je leur étais reconnaissant de leurs flatteries.

Cette harmonie n'a pas duré. J'ai découvert que je n'étais pas une personne collective ni un bohémien ; j'étais un élitiste. J'ai trouvé leur appartement collectif — une fois passée ma première réaction d'émer-

veillement devant la nouveauté de ce concept — plutôt sordide. Le ménage et le rangement n'y étaient jamais faits. La camaraderie des membres
se teintait souvent de rancœur. J'ai découvert que si j'aimais en théorie la
vie en communauté, ce n'était pas le cas dans la pratique. Plusieurs
expériences survenues plus tard dans ma vie ont confirmé ce trait de mon
caractère : je n'ai pas aimé le kibboutz israélien où j'ai passé une semaine,
je n'ai pas aimé cette compagnie permanente que j'ai aidé à former pour le
Lincoln Center des années plus tard, même si beaucoup de ses membres
étaient de bons amis. Je n'aime pas voir les mêmes gens tous les jours. Je
n'aime pas les collectivités, les communautés, les voisins envahissants, les
visites impromptues, les groupes ni les clubs. Même si j'irais peut-être
jusqu'à dire que partager sa vie avec une compagne représente un idéal, je
n'aurais certes pas aimé dormir à trois dans la même chambre. Où est-ce
qu'ils baisaient ? En plus, on aurait dit qu'il y avait réunion tous les soirs.
Je déteste les réunions — je les détestais à l'époque et je les déteste
toujours.

   Le pire, c'est que ces organisations prenaient les décisions artistiques
collectivement, lors de réunions où tous les membres étaient conviés.
Lorsqu'une pièce était en répétition, on attendait un certain temps puis on
organisait une réunion pour se livrer à une « critique socialiste » de
l'ouvrage : chacun y était jugé, non par le metteur en scène, moi, mais par
tout le monde. J'ai assisté à l'une de ces réunions et j'ai été choqué par la
causticité des commentaires émis. A plusieurs reprises, un acteur ou une
actrice a critiqué la personne avec laquelle il ou elle jouait une scène
importante. Personne ne pouvait avoir de doute sur ce que son partenaire
pensait de son interprétation, surtout si elle était mauvaise. Tout cela ne
m'intéressait pas et il m'est arrivé à plusieurs reprises de ne pas partager
leur jugement. Même s'ils ne se sont pas retournés contre moi, je me suis
réjoui de ne pas avoir ma carte de membre, ce qui m'a permis, quand je
l'ai choisi, de m'éclipser.

   J'ai lentement — si lentement — pris conscience d'une autre pratique
qui me déplaisait. Ils avaient monté une courte pièce réussie et pleine de
vitalité sur La Guardia, le maire libéral de New York, qu'ils soutenaient
avec enthousiasme. Quelque temps après, je vais revoir la pièce et je
m'aperçois qu'ils ont effectué un virage à cent quatre-vingts degrés : maintenant, La Guardia est tourné en ridicule. Voici une ligne de la version
révisée : « Qu'est-ce que la fusion, sinon un piège et une tromperie ? » La
fusion constituait le programme politique de La Guardia, qu'ils avaient
soutenu auparavant. Ce retournement était survenu, pour autant que je
sache, sans remise en cause collective. Toutes les décisions politiques
étaient entre les mains de trois acteurs. Avaient-ils le pouvoir de provoquer cette volte-face idéologique ? J'ai découvert que ce changement était
dans la ligne d'une révision de la position du Parti communiste sur La
Guardia, révision ordonnée par le camarade V. J. Jerome, qui guidait les
activités du Parti dans le domaine des arts depuis son bureau de la
12ᵉ Rue. Le Théâtre de l'Action avait reçu l'ordre de suivre la nouvelle
ligne et y avait immédiatement obéi. Je ne me suis jamais imaginé que
l'intelligence était la qualité première des acteurs membres de cette orga

nisation, mais j'avais cru en leur indépendance d'esprit. Mon enthousiasme a commencé à fraîchir et je n'ai pas été long à reprendre mon
chemin. Vers le centre de la ville.

En dépit de l'énorme succès des *Hommes en blanc* et du fait que tout le
monde dans la compagnie, qu'il travaille ou non, était payé chaque semaine, nous comptions parmi nos membres une mécontente : Stella Adler.
Il n'y avait pas de rôle pour elle dans *Des hommes en blanc* et la tension
engendrée chez cette actrice par l'inactivité devint le problème majeur de
son amant, notre metteur en scène, Harold Clurman. Je ne sais pas
comment Harold a convaincu Jack Lawson d'accepter Stella pour le rôle
principal de *Gentle Woman*, sa pièce sur une veuve W.A.S.P.[1] de la haute
société, Gwen Ballantyne ; c'est le secret de Harold. Homme persuasif, il
avait déployé l'éloquence du désespoir en cette circonstance critique car
Stella l'aiguillonnait sans relâche, convaincue de ne pas être soutenue par
le Group. Mais rien ne marcha, ni la pièce, ni l'actrice dans ce rôle, ni la
mise en scène de Lee Strasberg. La pièce fut représentée douze fois et vite
oubliée.

Je me souviens encore de notre angoisse dans l'attente du verdict de la
presse de gauche. Ils piétinèrent *Gentle Woman* et furent particulièrement
durs envers Lawson. La critique reprochait surtout à Jack de s'être trompé
de héros : il avait choisi un bohémien qui empruntait des chemins de
traverse, pour établir le contraste avec sa maîtresse décadente de la haute.
Il aurait dû lui préférer un héros honnête appartenant à la classe ouvrière,
lui fit-on savoir ; peut-être un fils de mineur. Cela n'avait rien de surprenant cette année-là. Ce qui m'étonna, par contre, c'est la docilité de
Lawson. Il admit le bien-fondé de l'attaque lancée contre la pièce, et
publia sa palinodie dans *le Nouveau Théâtre*, mensuel de gauche dont
Molly était rédactrice en chef adjointe. Lawson s'engagea à être moins
« équivoque » (l'opposé de « correct ») dans le futur. Il entreprit ensuite
de confirmer de la meilleure façon possible que sa position révolutionnaire
avait effectivement été révisée : en se faisant arrêter en Alabama alors
qu'il rassemblait des documents en vue d'un article sur une grève de
mineurs. Sa pièce suivante, *Marching Song*, ne fut pas produite par le
Group.

Nous tirâmes un trait sur cette expérience malheureuse. Mais nous
garderions en mémoire, du moins l'espérions-nous, les leçons que nous
avaient assenées nos camarades « experts » en la matière. Si *Des hommes
en blanc*, pièce de « Broadway » qu'ils avaient traînée plus bas que terre,
avait été montée par le Group, nous le devions au génie de Strasberg et à
notre Méthode. Et quand je parle de génie, je n'exagère pas : la pièce
reçut un succès public fracassant. Il fut alors décidé que chacun irait se
mettre au vert pendant deux semaines, à tour de rôle. Preuve du bien-

---

1. *White Anglo-Saxon Protestant :* Blanc anglo-saxon protestant. *(N.d.T.)*

fondé d'une compagnie permanente, il y aurait toujours quelqu'un pour remplacer les absents.

Lorsque ce fut au tour du camarade Kazan de prendre ses deux semaines, je mis le cap au sud, vers l'Amérique des ouvriers. Première étape : Washington. J'étais accompagné d'un membre du Théâtre de l'Action, Nick Ray (qui deviendrait un cinéaste diversement apprécié à Hollywood mais idolâtré en Europe) : il en connaissait un rayon en matière de traditions et de musiques folkloriques américaines. Nous nous rendîmes chez un dénommé Huddie Ledbetter, mieux connu sous le sobriquet de « Leadbelly[1] », le Noir rebelle qui grattait une guitare à seize cordes, la fameuse « Windjammer » — instrument de son cœur. Quel honneur d'être invité par Leadbelly à partager de la bonne nourriture d'ouvriers, à base de haricots et de riz ! Et de l'écouter ensuite chanter : *Mary, Don't You Weep, Don't You Mourn,* avant d'entonner une ode à l'eau du Tennessee — qui avait un goût de térébenthine — et enfin *Irene,* appelée à devenir un bon gros tube bourgeois. J'étais tombé sous le charme de Leadbelly. On racontait que ce gars-là avait tué un homme au cours d'une rixe, près du fleuve. Vrai ou faux ? Encore une question qu'on ne s'était pas posée. On s'était arrangé pour lui faire porter le chapeau et il avait été expédié *manu militari* vers le camp de prisonniers le plus proche.

Les véritables héros de la classe ouvrière, je ne tarderais pas à l'apprendre, tenaient souvent leur réputation d'une condamnation injuste. Une colère sourde crispait le visage de Leadbelly (il plissait les yeux en chantant), et le son aigre de sa voix de bagnard m'écorchait les oreilles — il aurait fait un flop à Broadway, mais il sonnait tellement « vrai » ! J'étais bien content qu'il soit du même côté que moi.

Le matin suivant, je partis en toute hâte vers le sud-ouest, cap sur Chattanooga. Je m'étais lié d'amitié, à New York, avec le responsable communiste de l'Etat du Tennessee, un petit bonhomme noueux qui répondait au nom de Ted Benson, ou à celui de Sid Wellman, alias Ted Wellman ou encore Sid Benson. A le regarder, on se disait qu'il avait dû être passé à tabac plus d'une fois dans sa vie. Je me le disais moi aussi, ce qui le rendait séduisant à mes yeux. Je le poussai à me raconter cette vie différente, étrange. Pendant qu'il parlait, j'étudiais sa mâchoire tordue. Avait-elle été fracturée lors d'une bagarre et mal remise en place ? Ted-Sid me conduisit au quartier général du P.C. à Chattanooga. J'étais excité par le parfum de danger qui l'accompagnait partout où il allait.

O séduction du péril ! Comment te résister ? J'avais toujours joué la carte de la sécurité. J'étais du genre timide, côté physique, et je ne m'étais impliqué que dans un seul pugilat, depuis l'âge de douze ans. Désormais, je courtisais le Danger avec un grand D. Comme il ne me restait que dix jours, je pris le train vers La Nouvelle-Orléans, autre endroit mythique au-delà des frontières de la petite-bourgeoisie américaine. J'avais dans ma poche une lettre pour un musicien nègre (on les appelait encore ainsi) du nom de Bug-eye Nelson[2] et je rêvais de rencontrer Sidney Bechet, qui

1. Panse de plomb *(N.d.T.).*
2. *Bug eye* : œil à fleur de tête *(N.d.T.).*

jouait si bien le *blues* sur son saxo soprano qu'on aurait dit du Mozart. J'eus la chance de m'asseoir à leurs pieds et de les écouter.

Quelques jours plus tard, je gagnai le Texas en stop (c'est ainsi que voyageaient les ouvriers). Je traversai les forêts de pins de l'est du Texas, courtisant l'« homme de la rue », le routier et la serveuse de bar. Je prenais l'accent du cru, pour faire plus authentique. Ce périple me conduisit jusqu'à la pointe nord du Texas. C'est là que je tombai sur un fermier bien miséreux, qui tentait de creuser un puits dans cette terre aride et avait besoin d'aide. Je proposai mes services, il m'accepta, et pendant trois jours je l'aidai à creuser, à planter le métal dans le sol et à tirer sur la corde, jusqu'à ce que l'eau jaillisse. A un moment, une énorme ferrure montée sur une tige me frôla le crâne : je ressentis une immense fierté à l'idée d'avoir manqué de si peu être écervelé. Je commençais véritablement à vivre. Oui, c'était ça la vraie vie.

Peu après mon retour, les metteurs en scène annoncèrent aux membres que la production suivante du Group serait *Gold Eagle Guy*, pièce d'un auteur de gauche nommé Melvin Levy. Les acteurs n'éprouvaient que mépris pour cette pièce. C'est à la suite d'une répétition d'ensemble tout à fait démoralisante que Luther Adler déclara, solennel : « Les gars, je crois que nous allons à la gamelle », remarque qui ne tomba pas dans l'oreille de sourds. Bien sûr, Luther avait cent fois raison.

Pour lancer cette nouvelle production, les metteurs en scène du Group avaient prévu un triple programme à Boston : *Des hommes en blanc*, *Success Story* et la nouvelle pièce. Leur plan ne fonctionna pas. Le Majestic Theatre, vieux cinéma qui tenait de l'« usine à fauteuils », était bien trop grand et les spectateurs, même ceux qui s'intéressaient à la représentation, ne pouvaient pas apercevoir l'expression des acteurs. *Gold Eagle Guy* fut accueilli fraîchement. Levy, naguère critique dramatique du *Daily Worker*, se fit rendre par la gauche la monnaie de sa pièce.

Le tremblement de terre de San Francisco constituait le point culminant de la pièce. (Avait-il valeur de symbole de l'écroulement tant espéré du Système ?) Les effets spéciaux étaient déclenchés quand j'en donnais le signal : une série de manipulations avec les cordes, des jeux de lumière et l'envoi, depuis le plafond, de « sacs de neige » contenant des « décombres ». C'était une série de signaux assez compliqués à « lancer » pour un régisseur, et ils étaient rendus encore plus complexes par le fait que le metteur en scène, Lee Strasberg, n'avait jamais expliqué clairement dans quel ordre il désirait voir ces effets se produire.

Une nuit où rien n'avait fonctionné et où le public s'était à l'évidence ennuyé, Lee m'engueula devant la troupe. Il n'était pas homme, et ne le deviendrait jamais, à admettre sa part de responsabilité en cas d'échec ; il se soulageait de sa culpabilité en châtiant ceux qui ne pouvaient pas lui rendre ses coups. Ce soir-là, moi.

Mais quand Lee en rejeta la responsabilité sur son régisseur, loin de répondre : « Mais Lee, tu ne m'as pas donné d'instructions précises quant à ce tremblement de terre », je me précipitai au sous-sol, dans la loge de l'habilleuse, et fondis en larmes. Je n'avais pas pleuré depuis mon enfance. Et tout cela à cause de Lee... C'est très étonnant, mais cette humiliation bénigne, insignifiante, m'est restée en mémoire — « comme une lame de couteau », disent les Grecs — alors que j'ai oublié tout ce qui s'était passé d'autre à Boston cet automne-là.

Je suis un homme normal : en conséquence, je n'oublie ni la calomnie ni la blessure. Je ne pardonne pas à ceux qui m'ont offensé. Il m'est arrivé, dans les années qui ont suivi, d'être impressionné par les remarques, que dis-je, les traits de génie de Lee, mais j'ai toujours été sur mes gardes avec lui. Le lendemain matin, sur le chemin du théâtre, je m'efforçai de comprendre son point de vue, de me convaincre qu'il était épuisé et déçu par l'accueil réservé à cette production, que les représentations de Boston avaient constitué une épreuve longue et cruelle, et qu'il en avait ressenti tout le poids. Mais rien à faire, je ne pus me résoudre à lui trouver des excuses. Mon opinion — je n'en ai pas changé depuis —, c'est que pour être apprécié de ce paquet de nerfs, il fallait se soumettre à ses quatre volontés. Certains ont cédé. Moi, jamais.

Plusieurs décennies plus tard, j'ai noté en lui une ambivalence propre à beaucoup de gens du spectacle : quand j'étais seul avec lui, il se montrait affable et ouvert. J'étais sensible à une certaine mélancolie qu'il laissait paraître lorsque nous nous trouvions à l'écart, sans témoins ni problèmes à résoudre. Dans ces moments-là, je finissais par avoir pitié de lui. Mais, comme c'est si souvent le cas, la nécessité d'affirmer son autorité le changeait du tout au tout, et je fuyais l'homme qui se révélait alors.

Pour la première fois, cet automne-là à Boston, j'ai commencé, ainsi que d'autres acteurs, à douter de ses capacités à mettre en scène. J'avais bien vu que son travail sur *Gold Eagle Guy* était lourd, ampoulé, maladroit et manquait de l'étincelle d'imagination nécessaire. Cette production n'apportait aucun élément de surprise ; elle suait l'ennui. Je détestais la pièce et son foutu tremblement de terre, mais au lieu de rejeter sur le script la plus grande part de responsabilité dans ce désastre, comme j'aurais dû le faire, j'en blâmai Lee, ce qui était injuste.

Nombre de membres commencèrent à chercher ailleurs — sur la gauche, bien sûr — une voie artistique indépendante de Lee et des dirigeants du Group. Dans ces circonstances malheureuses, un miracle se produisit.

Des représentants de la Nouvelle Ligue du Théâtre — j'étais membre de son comité directeur — vinrent rendre visite à la cellule communiste du Group en déclarant qu'ils avaient besoin d'une pièce pour leurs Soirées du Nouveau Théâtre, afin de compléter un programme de ballets « révolutionnaires ». En bons camarades, nous acceptâmes immédiatement de leur fournir ce dont ils avaient besoin. Nous disposions d'un collectif d'auteurs au sein du Group ; nous l'appelions S.K.K.O.B. : O pour Odets, l'un des K pour moi. (Il était en vogue, à l'époque, de désigner les gens par leurs initiales, et il était bien vu de tout faire en communauté, y compris la création de scripts.) Trois des cinq S.K.K.O.B. étaient communistes, deux ne l'étaient pas. Nous organisâmes une réunion (se passait-il une soirée sans qu'il se tienne une réunion ces années-là ?) et Cliff proposa une structure globale pour la pièce. Bien sûr, c'était une histoire de grève.

Quand une pièce ou un ballet n'avait pas pour thème les monstres de Hitler (le pyromane Van der Lubbe avait été honoré de la sorte) ou un grand héros russe (un autre camarade et moi-même avions écrit une pièce sur le leader bulgare Dimitroff), ils devaient traiter de la grève. Cliff suggéra que la pièce s'inscrive dans un cadre dramatique global, dont il se chargerait, et s'articule autour de cinq scènes courtes et fortes qui se concluaient chacune par les pétarades d'un feu d'artifice révolutionnaire. Chaque membre du S.K.K.O.B. écrirait l'une de ces scènes.

Nous étions d'accord. Mais, pour une raison ou pour une autre, aucun d'entre nous ne parvint à prendre suffisamment de distance par rapport à ses autres tâches ni à concevoir le mouvement de la scène qui lui avait été attribuée : peut-être étions-nous paresseux et, en dépit de notre diligence à nous porter volontaires, la pièce nous laissait-elle en fait indifférents ? C'est pourquoi, lorsque la N.T.L. (la Nouvelle Ligue du Théâtre) commença à nous presser de terminer, Cliff se terra dans sa chambre pendant trois nuits et écrivit *En attendant Lefty*.

Il nous en donna lecture et la pièce nous plut, mais nous n'avions pas la moindre idée de l'effet qu'elle produirait sur le public. Il l'avait écrite avec, en tête, des membres bien précis de la troupe d'acteurs. Nous avions tous un rôle qui nous satisfaisait. Cliff aimait à dire que je ressemblais à un loup affamé, aussi serais-je parfait dans la peau de l'homme qui dénonce son « propre [rat] dégueulasse de frère ».

Nous répétâmes *Lefty* sans grand patron pour nous superviser ; le jeu des acteurs prévalut sur la mise en scène. Au fil des années, dans nos cours d'interprétation, nous avions tous interprété des dizaines de scènes comme celles que Clifford avait écrites. La production ne s'embarrassait pas du fardeau de l'analyse ; elle était énergique, enjouée, audacieuse et insolente. Et ressentie ! Les émotions étaient celles que nous portions dans notre cœur : la colère vis-à-vis de ce qui existait, l'exigence de changement et la confiance que ce changement — vous savez lequel — viendrait. Les répliques ne sonnaient pas comme un texte appris par cœur, elles jaillissaient directement de notre bouche. Pourtant, il s'en dégageait une impression générale d'aisance et de confiance. Qui correspondait à ce que nous ressentions : les problèmes artistiques pouvaient être affrontés et résolus par une action de groupe, tous ensemble. Nous en tirâmes la conclusion que Lee inhibait les acteurs et que nous devrions désormais nous méfier de son influence. Sans lui, nous savions que nous serions détendus et heureux de travailler.

Une fois la pièce mise en place, nous invitâmes Lee à une dernière répétition. A la fin — Grève ! Grève ! Grève ! —, nous lui demandâmes ce qu'il en pensait. Il haussa les épaules. Je ne me souviens pas d'avoir entendu son avis, ni à ce moment-là ni plus tard. Je me rappelle le haussement d'épaules. Cette attitude m'encouragea à prendre davantage encore mes distances. De même que Clifford. Lee n'avait jamais montré le moindre enthousiasme, en effet, pour *Awake and Sing!*, la pièce à laquelle Clifford travaillait depuis tant d'années.

Lorsque j'ai relu *En attendant Lefty*, récemment, je me suis surpris à éprouver la même ferveur qu'à ma première lecture. J'étais au bord des

larmes. Un demi-siècle après, j'ai beau être devenu violemment anticommuniste, ce besoin de donner un sens à son existence, cette quête de
dignité, de sécurité aussi, m'ont fait vibrer comme au premier jour. Les
communistes ont acquis influence et puissance en se faisant les porte-
parole de ces aspirations universelles. Moi, j'ai l'impression d'être toujours
le même; ce sont eux qui ont changé. Comment avaient-ils canalisé ce
besoin de militer? C'est simple: en militant avant que le reste de la société
ne prenne conscience de cette nécessité. Pour un peu, une pulsion toujours vivace en moi m'aurait poussé à me « rengager ».

Au soir de la première, le public comme les acteurs furent partagés
entre allégresse et épuisement. Le rideau retombé, les spectateurs des
premiers rangs, vite imités par les autres, se levèrent pour nous acclamer
sans relâche, comme s'ils faisaient eux-mêmes partie du syndicat dépeint
dans la pièce. « Grève! Grève! Grève! » scandaient-ils. Je n'ai jamais
reçu accueil plus enthousiaste au théâtre. Le public de *Mort d'un commis
voyageur*, je crois, avait peut-être été touché plus en profondeur. Et *Un
tramway nommé Désir* avait sans doute laissé des traces plus persistantes
dans la mémoire. Mais *Lefty* les avait tous terrassés. Lorsqu'ils retrouvèrent enfin leur calme, personne ne quitta le théâtre pour autant. Encore
sous le choc de ce qu'ils venaient de voir et d'entendre — et qu'ils
considéraient à juste titre comme l'expression d'une force nouvelle dans le
monde du théâtre, au-delà des éloges et du jugement critique —, ils se
rassemblèrent en grappes humaines et se mirent à discuter. Certains
grimpèrent sur scène, le lieu de ce miracle, et se mirent à marcher de long
en large, abasourdis. Ils disaient un mot à un ami, regardaient la salle,
puis en direction des coulisses, dans l'attente de voir les acteurs ressortir.
Vingt minutes plus tard, il en restait encore une bonne centaine. Comme
s'ils craignaient qu'on ne tire un trait sur cette expérience après leur
départ.

Et les acteurs? Eh bien, impossible de dormir cette nuit-là. Nous avions
regagné le nord de la ville par petits groupes, à travers les rues silencieuses
— Harold Clurman se trouvait parmi nous — jusqu'à ce que nous trouvions un Child's[1] ouvert toute la nuit: là, nous avions chipoté devant notre
assiette, dans un silence quasi général, encore sonnés. Personne ne serait
plus jamais le même, et je suppose que nous en avions tous conscience.
Mais nous n'aurions pu imaginer que ce changement irait si loin, si vite.
Cliff allait être sacré dieu de la scène. Quant à moi, je prendrais la mesure
de mon succès dès le lendemain matin. La critique parue dans *New Masses*
me baptisa « le Coup de Tonnerre Prolétarien ». (Personne n'était plus
éloigné que moi de la classe ouvrière, personne mieux intégré à la classe
moyenne, mais je n'avais jamais eu la présence d'esprit de mettre en
doute, en moi-même, l'objectivité de cette description. Elle me remplissait
de fierté.) La compagnie dans son ensemble devint un modèle: voilà ce
qu'un théâtre de gauche devrait, devait être.

Au moment de nous séparer, nous ressentîmes cette mélancolie qui fait
suite aux plus grandes joies. Je m'enfonçai dans la pénombre qui prélude à

---

1. Chaîne de restaurants (N.d.T.)

l'aube, et remontai à pied de la 23ᵉ Rue à la 44ᵉ Rue Ouest. (Molly, épuisée de bonheur, était repartie avant.) Je ressentis une émotion inconnue jusqu'alors, cette sensation décrite par les mystiques comme une dilatation brutale de l'espace autour de soi. C'est cela, un espace et une puissance énormes ; au moins, j'avais fourni la preuve de ma puissance.

Alors que peu de temps auparavant — trois ans exactement — je me tenais encore à l'écart, hostile, replié sur moi-même, pusillanime, gamin en proie à l'incertitude et au doute, sans objectif précis, à la dérive, anxieux quant à son avenir et en marge de la société, je ressentais désormais fierté, assurance et confiance en moi ; je nourrissais des projets et j'étais non seulement *in* mais sur le devant de la scène, convaincu de ma valeur, et il y avait peut-être même en moi de la graine de leader.

Mon hostilité ne constituait plus pour moi une source d'aliénation. Le Parti lui avait donné sa justification, m'avait enseigné qu'elle était correcte, voire raisonnable. Je pouvais en être fier. Des millions d'hommes exprimaient leur colère de par le vaste monde, et j'étais leur camarade. J'avais réagi correctement face à mon éducation, à ma position sociale, à la société qui m'entourait et à la situation mondiale. J'appartenais à l'armée du futur, sûre de la victoire. J'avais des camarades. Mes espoirs allaient se réaliser : je pouvais y croire. J'étais fondé à crier haut et fort mon désaccord, tout comme les personnages de la pièce. Il était justifié et correct, on m'avait encouragé à l'exprimer, n'est-ce pas ? Ce soir-là, des milliers de camarades m'avaient acclamé. La valeur de cette contestation n'avait-elle pas été prouvée lors de la révolution russe ? Dans les grands chefs-d'œuvre du cinéma russe que j'admirais tant ? J'étais sur le bon chemin. Le succès de *Lefty* était là pour en témoigner. Les hurlements d'approbation de ce public me déchiraient encore les tympans.

Quant à mon avenir théâtral, il était assuré. Grâce au Group. J'étais l'une de ses figures de proue, désormais. Je pouvais marcher la tête haute, ma patte de lapin bien dressée — oui, j'étais bien le Coup de Tonnerre Prolétarien ! J'étais l'égal des meilleurs. J'avais percé le secret. Je possédais la bonne technique. J'avais fait la preuve de mon talent — comme acteur et comme homme de théâtre. Je n'étais plus de ceux qu'on engueule publiquement pour avoir merdé un putain de tremblement de terre mal foutu. Regarde-moi bien, Lee ! On m'admire, on me respecte, on m'acclame, on a besoin de moi ! J'éprouvais cette jubilation que ressentent ceux qui ont confiance en eux, et eux seuls. Je m'étais trouvé à l'épicentre d'un événement théâtral glorieux, historique.

Tout cela — qui paraît bien ridicule aujourd'hui — transforma ma personnalité. Je me sentis renaître, ou plutôt naître pour la première fois. L'époque des souffrances était révolue. J'étais le leader respecté de la seule bonne classe sociale, la classe ouvrière, et du seul vrai théâtre, le Group. Et ceux-ci — les ouvriers et le théâtre — étaient unis. Ils partageaient le même point de vue sur les choses. J'avais enfin atteint le sommet, par toutes les faces. Tous mes rêves s'étaient réalisés. Pour la première fois, aussi loin qu'il m'en souvienne, le fait d'être vivant me transportait de joie. J'étais tout ce que je voulais être.

DU JOUR AU LENDEMAIN, *Lefty* se joua dans une demi-douzaine de théâtres à travers le pays. Le texte complet en fut publié, accompagné d'illustrations avantageuses, dans le magazine *New Theatre* ; on s'en arracha les exemplaires. La critique parue dans cette revue comportait ce commentaire : « Le Group émerge d'une période d'introspection et de tâtonnements. Les résultats de quatre ans de travail collectif, fondé sur une méthode théâtrale efficace mise au service de convictions révolutionnaires de plus en plus mûres, apparaissent (enfin). »

Oubliés *Gold Eagle Guy* et sa mise en scène sans relief, oubliée la réaction de Lee vis-à-vis de *Lefty* (un haussement d'épaules dédaigneux). Cette pièce avait pris d'assaut la ville entière et subjugué les critiques. Le message était clair — sauf pour nos directeurs. Ils convoquèrent une assemblée dans les sous-sols du Belasco Theatre, où la pièce de Melvin Levy agonisait, et Harold, s'exprimant au nom des trois, nous annonça que pour eux la saison était terminée et qu'ils allaient désormais consacrer tous leurs efforts à la recherche d'une pièce à répéter durant l'été.

Nous n'étions encore qu'en janvier. Les acteurs, encore tout à leur joie après le triomphe de *Lefty*, allaient se retrouver à la rue, dans le froid, sans emploi et sans argent pour manger et payer leur loyer. Devant cette décision, Stella, seul membre de la compagnie à ne pas craindre les foudres de Lee, dit tout haut ce que tout le monde pensait tout bas. « Tant que nous avons des pièces en réserve, je ne vois pas pourquoi nous ne jouerions pas », lança-t-elle. Et de regarder en direction de Clifford. Ce dernier suggéra alors timidement que sa nouvelle pièce, désormais intitulée *Awake and Sing!*, était libre — l'homme qui avait pris une option ne l'avait pas renouvelée — et qu'il ne voyait pas d'objection à la proposition de Stella.

Les directeurs affichèrent un silence unanime. Lee et Cheryl, qui avaient travaillé sur *Gold Eagle Guy*, étaient à bout de forces. Bon. Mais Stella exigea de savoir pourquoi Harold, qui n'avait rien fait et n'était donc pas épuisé, s'était senti obligé de se ranger aux côtés des deux autres ? Pourquoi avait-il informé les acteurs d'une décision qui n'emportait pas son adhésion ?

On leva la séance mais ce soir-là, tout au long de la représentation de *Gold Eagle Guy* et après, la rage des acteurs contre les trois directeurs ne cessa de s'amplifier. Jeter trente acteurs à la rue en plein hiver, et ce alors même qu'une pièce était disponible, c'était tendre la perche à la révolte. Les acteurs exigèrent une autre réunion avec les directeurs.

Lee s'y rendit à contrecœur et le fit bien sentir. Une fois encore, son autorité, jamais défiée avant *Lefty*, était remise en cause. Pâle, les lèvres pincées, il fit mine d'étudier la page des sports d'un quotidien pendant que les acteurs prenaient place et que la réunion se mettait en route. Elle avait été demandée par les acteurs, non par les directeurs, et il voulait donner l'impression de nous faire une faveur en étant présent.

Mais cette réunion allait changer sa vie.

Il persista à feindre l'indifférence pendant un petit moment encore. Pour lui, la saison était terminée. Mais les acteurs n'étaient plus ces « enfants » dociles et pétris d'admiration qu'il avait formés pendant plus de cinq ans. *Lefty* les avait changés. L'un d'entre eux en était l'auteur ; ils l'avaient monté malgré l'indifférence de Lee et la lassitude de Harold. Ce jour-là, il y avait de l'électricité dans l'air et les acteurs n'allaient pas se laisser marcher sur les pieds.

Ils contraignirent Lee à prendre position, sans équivoque. Il ne prononça qu'une phrase, mais je crois qu'elle suffit à détruire son pouvoir sur le Group. Pas tant les mots en eux-mêmes, mais le ton et l'attitude qu'il avait adoptés. Personne ne lui accorda le bénéfice de la lassitude, personne ne prit en compte les déceptions qu'il avait endurées. Les mâchoires serrées, plein d'acrimonie, devant un parterre d'acteurs qui avaient consenti des sacrifices répétés, au fil des années, pour maintenir la cohésion du Group, qui lui étaient demeurés loyaux, été comme hiver, malgré les privations et les épreuves, et ne désiraient rien de plus que les autres acteurs, c'est-à-dire continuer à travailler, voici ce qu'il dit à Clifford, et à travers lui à l'ensemble de la compagnie : « Tu n'as pas l'air de comprendre, Clifford : nous n'aimons pas ta pièce ! » Ces mots n'ont jamais été ni oubliés ni pardonnés.

Une chape de silence tomba sur l'assemblée. Les acteurs se regardèrent les uns les autres. Ce « nous » incluait-il Harold ? Ce dernier ne pipait mot. Cheryl non plus. Le succès soudain de Clifford avait-il ébranlé Lee à ce point ? Craignait-il donc de ne pouvoir maintenir très longtemps son emprise sur nous ? Voilà qui aurait expliqué son attitude défensive. Pour une raison mystérieuse, car tout le monde l'avait entendu la première fois, il répéta ce qu'il avait dit, toujours à la première personne du pluriel (figure de style dont il deviendrait de plus en plus friand en vieillissant) : « Pourquoi ne veux-tu pas comprendre, Clifford ? Nous n'aimons pas ta pièce ! » Ces mots furent prononcés d'un ton péremptoire, destiné à mettre un terme à la discussion — et à la saison. Pour Lee, la réunion était terminée.

Les acteurs se détournèrent de lui ; ils n'en attendaient plus rien. Harold n'avait toujours pas donné son avis sur la question, mais les acteurs bougèrent. Ils décidèrent de se rallier à la motion qui avait été proposée par certains d'entre eux lors d'un comité restreint antérieur à cette réunion : Clifford lirait sa pièce remaniée à la compagnie.

Ce jour-là, Lee brilla par son absence. Il avait déclaré connaître la pièce suffisamment bien. Mais Harold assista à la lecture, manifestant en cela son soutien aux acteurs. Il fut à même d'entendre une nouvelle lecture de la pièce, devant un public en extase. Les acteurs furent conquis et leur détermination s'en trouva renforcée. C'était leur pièce ; leur porte-parole, en quelque sorte. La poésie de son dialogue les touchait au plus profond, son humour déclenchait leur hilarité. Leur décision était irrévocable. Que cela vous plaise ou non, madame et messieurs les directeurs, cette pièce serait montée ! Sur-le-champ.

Harold convoqua une assemblée au soir de la dernière de *Gold Eagle Guy* et annonça que la prochaine production du Group serait *Awake and Sing!* Ce faisant, il rendait publique sa rupture avec Lee. Personne n'aurait pu dire à quel point elle était consommée. Mais le temps le dirait. Il nous informa également qu'il avait téléphoné à notre vieux collègue Franchot Tone à Hollywood et que celui-ci avait promis d'envoyer les cinq mille dollars nécessaires à la production de la pièce. (Oui, vous avez bien lu : *cinq* mille dollars !) De plus, Harold assurerait la première mise en scène de sa vie. Dans les Mémoires qu'il a consacrés à cette période, *The Fervent Years*, il rapporte ce que Lee avait répondu en entendant que son partenaire allait diriger *Awake and Sing!* : « Grand bien lui fasse. »

J'ai mentionné ci-dessus un comité restreint ; il s'agissait en fait de la cellule communiste du Group. L'idée de faire lire la pièce aux acteurs par Clifford — ils appelaient ça « aller vers les gens » ou, sur une échelle plus grande, « aller vers les masses » — n'émanait pas seulement de Clifford. Depuis la première de *Gold Eagle Guy* au Belasco Theatre, la cellule du Group s'était réunie tous les mardis soir après le spectacle dans la loge de Joe Bromberg, parce que c'était notre leader (ou peut-être parce qu'il ressemblait à Georgi Dimitroff, à tel point qu'il l'avait incarné dans une autre pièce, que j'avais écrite avec un autre acteur). A cette époque-là, Joe était un homme impressionnant, au fait du dogme et des moyens de le populariser. C'est dans sa loge qu'avaient été mises au point les manigances qui aboutiraient à la lecture, puis à la production de *Awake and Sing!* ; c'est là que nous avions décidé que cette pièce serait notre prochain spectacle, quel que soit l'avis de Lee.

Je tiens à préciser que l'une des membres de la cellule du Group n'était autre que la femme de Lee, Paula.

Je suis tombé des nues lorsque j'ai lu, des années après, sous la plume de Cheryl Crawford, que celle-ci ignorait tout des rencontres hebdomadaires de la cellule du P.C. au Belasco Theatre. Quoi qu'il en soit, notre conspiration n'avait peut-être pas tiré à conséquence mais elle avait réussi. Nous avions atteint notre but : démocratiquement.

Harold Clurman était issu d'une famille de la petite-bourgeoisie du Lower East Side, dont les membres étaient chaleureux et cultivés. Avant même que Harold n'ait atteint sa dixième année, son père l'avait emmené voir Tchekhov joué par une compagnie yiddish. Plus tard, M. Clurman père avait réussi à envoyer le jeune Harold à la Sorbonne. C'est à Paris qu'il avait rencontré les intellectuels qui façonneraient son système de pensée et de valeurs. Parmi eux se trouvait Aaron Copland.

J'avais été son régisseur en 1935 et l'avais donc regardé mettre en scène *Awake and Sing!* A cette époque-là, Harold était le metteur en scène idéal pour la première semaine, et il était également notre meilleur critique dramatique. Durant cette première semaine de travail idyllique, il avait rendu lumineux le thème de la pièce, puis avait brossé un portrait rapide de chacun des personnages — et avec quel brio! —, puis en avait défini la place dans l'architecture globale de la production. Il s'était ensuite croisé les bras et avait observé les acteurs s'escrimer sur les objectifs qu'il avait fixés.

De Harold, j'ai appris qu'un metteur en scène doit d'abord donner envie à ses acteurs d'interpréter leur rôle. Il avait une façon unique de s'adresser à eux — je n'avais pas ce don moi-même, ni personne d'autre à ma connaissance. Il les charmait par son intelligence, la finesse de ses analyses et ses intuitions de génie. Mais aussi par sa joie de vivre. Le travail avec lui s'effectuait dans la gaieté. Il ne cherchait pas à en remontrer à ses acteurs depuis son piédestal, tel un tyran. C'était un partenaire, pas un suzerain, qui combattait sur le même pied que ses compagnons pour monter une production. Dès le début des répétitions, il indiquait à chacun comment il voyait son rôle : c'était toujours inattendu et enrichissant pour l'acteur. Harold donnait toujours des aperçus brillants que les acteurs avaient hâte de mettre en pratique. Ses descriptions de personnages fourmillaient de détails et de trucs de mise en scène. Il éprouvait de la compassion pour les dilemmes auxquels se heurtaient ces personnages, pour leurs échecs et leurs aspirations insatisfaites. Il avait le cœur sur la main. Lui et Odets faisaient la paire : même approche de la vie, même chaleur humaine.

J'avais pris l'habitude de lire les remarques qu'il griffonnait en marge de son script et de noter ce qu'il disait aux acteurs après chaque répétition. J'étais à ses côtés du matin au soir et je l'inondais de questions. (Stella était jalouse de notre complicité. « C'est un pédé, ce type, ou quoi? » avait-elle demandé.) J'étais émerveillé par la profondeur et par l'humanité dont cet homme faisait montre dans ses analyses.

Il avait suffisamment de culture pour savoir que si l'on entreprend une tâche difficile, on a autant de chances d'échouer que de réussir, et qu'il n'y a pas de honte à échouer. Ce genre de défaite est temporaire, n'affecte pas le noyau dur de l'être humain. Je n'ai jamais vu Harold humilié, quelles que soient les circonstances — las, déçu, blessé, oui, mais pas humilié. En cas d'échec, il ne se mettait pas à bouder, à ronchonner ou à se plaindre. Il n'allait pas « se mettre au vert ». Personne n'aurait pu entamer son amour-propre. Dans la défaite, il m'a toujours donné l'exemple ; il m'a appris à rédiger moi-même mes propres critiques.

Et il m'a enseigné l'arrogance, aussi. Je m'empresse de vous en informer, lecteur, au cas où vous ne vous en seriez pas encore aperçu : loin de moi l'idée que les derniers seront les premiers. Les faibles, dans le monde du spectacle, devraient changer de métier. Harold m'a fait sentir que les artistes se situaient au-dessus de tous les autres hommes, et pas seulement dans notre société. Depuis la nuit des temps, en vérité. Aucune autre élite ne m'impressionne autant, que ce soit celle de l'argent, du pouvoir ou de la célébrité. J'en suis redevable à Harold.

Mais après ce départ en fanfare, les seconde et troisième semaines de travail suivirent. Il devint alors très vite évident que Harold n'était pas fait pour la mise en scène. Il avait beaucoup de mal à concrétiser ses brillantes analyses psychologiques en jeux de scène du même acabit. Ses directives frôlaient souvent l'ineptie. Par exemple, il n'était pas fichu de régler les entrées et les sorties de ses acteurs. Il s'en remettait à eux ou, confronté à un problème de mise en scène épineux, à moi. Je faisais ce qu'il me demandait. Je ne pensais pas pour autant que c'était un incapable mais seulement qu'il se situait au-dessus de ces contingences « mécaniques », comme il disait. Un architecte n'a pas besoin d'être expert charpentier, maçon, électricien et plombier, n'est-il pas vrai ?

Tout le monde a ses limites. Celles de Harold furent sans conséquence cette année-là, dans cette situation d'urgence. Selon moi, il a été parfait. *Awake and Sing!* n'aurait pas pu être mieux distribué, mis en scène ou interprété.

Le jour de la première, il m'adressa un télégramme où il m'appelait son frère. Nous étions devenus bons amis et nous le resterions jusqu'à sa mort. Je me sentais un peu comme son frère cadet, en effet ; il m'apportait un point de vue différent et un savoir dont j'étais dépourvu. Je maîtrisais certains aspects de la mise en scène qui lui seraient étrangers toute sa vie, mais pour ce qui est de l'approche générale d'une pièce et des comédiens, de la nature et de l'objectif des répétitions, j'ai tout appris de lui. J'ai contracté envers lui une dette éternelle.

Encore une chose, dont je n'ai pris conscience que bien plus tard : sa vision de l'art, sa sensibilité artistique constituaient un antidote à la conception de la vie professée par les communistes. Harold était un humaniste, pas un marxiste.

La première de *Awake and Sing!* eut lieu le 19 février 1935. Certains critiques firent la fine bouche mais la valeur intrinsèque de la pièce et de l'interprétation qui en avait été donnée n'échappa à aucun. Le théâtre comptait une nouvelle voix ! Les critiques de gauche trouvèrent la pièce « insuffisamment révolutionnaire » mais pardonnèrent à Clifford. Après tout, il avait écrit cette œuvre avant *Lefty*. Ils étaient persuadés qu'il ferait mieux la prochaine fois et dépêchèrent quelques camarades pour l'en convaincre.

Ce fut un triomphe professionnel pour le Group. C'était également un triomphe personnel pour les acteurs : ce succès leur avait donné raison. Le commentaire adressé par Lee à Clifford dans les sous-sols du Belasco Theatre n'était pas tombé dans l'oreille d'un sourd : quelques bonnes âmes l'avaient colporté.

Cependant, la compagnie qui venait de remporter ce triomphe était bel et bien celle que Lee avait travaillé si dur, pendant des années, à rassembler et à former. Ce n'est pas Harold qui nous avait harmonisés en un ensemble parfait, mais Lee. Et personne ne l'en remercia. Alors que tout le monde se réjouissait, il ressemblait à la statue de la désolation. Comme sa confiance en lui, à l'instar de tous les metteurs en scène, se fondait sur l'empressement d'autrui à le servir et à le révérer, il lui a fallu des années pour s'en remettre. En fait, je crois bien qu'il ne s'en est jamais remis — pas tant qu'il est resté avec le Group, en tout cas. Il n'a jamais plus été vénéré de la sorte. Et il n'a jamais été récompensé pour sa contribution au triomphe de notre compagnie.

Quant à Clifford, il devint la célébrité la plus courue du Tout-New York. On assista à un déferlement médiatique : critiques, chroniqueurs et animateurs de radio chantèrent ses louanges à l'unisson. Les grandes compagnies de production hollywoodiennes n'avaient de cesse de l'embaucher. Tout le monde voulait le rencontrer, voir à quoi il ressemblait, lui poser des questions, écouter ce qu'il avait à répondre... et le baiser. Les femmes manifestaient une curiosité particulière à son égard. Des femmes plus sophistiquées, plus expérimentées et plus agressives lui couraient après, désormais. Il arrivait que ses rendez-vous galants se chevauchent. Il dut soudain faire face aux avances effrénées de Tallulah Bankhead, petite garce spirituelle et distrayante qui commençait à en avoir assez des restrictions que la bonne société imposait aux éclats de sa vie mondaine. Bea Lillie était folle de lui. Ruth Gordon se prit d'affection pour lui et fit passer le temps entre Jed Harris et Garson Kanin avec cet autre génie. Ils devinrent très proches. Homme d'un naturel curieux et enclin à l'expérimentation, Clifford noircissait son petit carnet d'observations glanées au gré de ces aventures. Sa vie ne serait plus jamais la même.

Il ne fut pas long à douter de son succès. Dans la pièce qu'il écrivit deux ans plus tard, l'Enfant chéri, la femme que le héros (en passe d'atteindre les sommets dans sa profession) poursuit de ses assiduités lui répond : « Ce que j'aime le plus chez toi, c'est que tu as encore l'impression d'être un raté. » Je me souviens bien que de temps à autre, durant cette période d'adulation forcenée, Clifford a remis en question, en privé, les éloges dont on l'inondait. La morosité s'était emparée de lui et il manifestait soupçons et hostilité vis-à-vis des flagorneurs qui l'entouraient. Ses jours — sa vie — étaient dévorés par des activités qui ne lui tenaient pas vraiment à cœur. Il regrettait ses plaisirs simples de naguère.

Je ne peux mieux le comparer qu'à moi-même au faîte de ma carrière. Il m'arrive encore de me poser cette question : Est-ce que je mérite ce respect exagéré ? Je crois qu'il en allait de même pour Clifford : je sentais un gouffre entre ce que les gens disaient de moi et ce que je savais être. Ce n'est pas de moi qu'ils parlent ! Combien de fois ai-je demandé de qui ils voulaient parler quand ils prononçaient mon nom. Suis-je bien cet Elia Kazan ? M'inviteraient-ils à leurs soirées s'ils savaient qui je suis vraiment ?

J'ai appris ce que Clifford découvrirait lui-même : dans notre microcosme, les réputations se font et se défont du jour au lendemain. Plus dure sera la chute... Voilà pourquoi je suis devenu capricieux et sceptique.

La reconnaissance ultime lui fut accordée par le Parti lui-même. Ils reprirent sa carte à Clifford, gommèrent son nom de leurs registres et firent disparaître son dossier de leurs fichiers. Ils sentaient venir la répression et avaient décidé de l'élever, lui et d'autres notabilités, au statut suprême de membre sans carte, aussi appelé membre non rattaché. Si les « flics fascistes » faisaient irruption dans les locaux du Parti, Clifford serait en sécurité. Je les ai toujours soupçonnés d'avoir fait le même honneur à Lillian Hellman et à d'autres intellectuels séduisants.

Ainsi, à tous points de vue, la vie de Clifford était-elle devenue à la fois plus facile et plus compliquée. Tous les plaisirs étaient à sa portée, mais il avait de moins en moins de temps pour lui-même. La pompe à flatteries ne tarissait jamais et il ne pouvait pas s'empêcher de s'y abreuver. Simultanément, il croyait de moins en moins ce qu'on disait de lui. Il finirait par ne plus y accorder aucun crédit.

Mais voilà, selon moi, le cœur même du problème. Une fois apaisés les contrariétés, les difficultés et les conflits préexistant au succès, une fois le combat (en apparence) terminé, on appose sur sa porte l'écriteau « Ne pas déranger ». Et il devient bientôt évident que tous ces maux qu'on a relégués dans l'armoire aux mauvais souvenirs constituaient la source même de ce talent vecteur de succès. La célébrité et l'argent protégeaient Clifford des épreuves et de l'inconfort qu'il avait connus dans ses jeunes années, mais ils le sauvaient aussi des écorchures qui avaient aiguisé son génie.

Tout se paie.

Un cortège d'interrogations classiques vinrent se bousculer à son portillon : Tout d'un coup, je peux faire tout ce que je veux, alors que faire ? Je peux prendre n'importe quelle direction, alors pour laquelle vais-je opter ? Qu'est-ce que j'attends de l'existence ? A quoi vais-je employer mes années à venir et mon énergie ? Si je possède bien le talent dont on me pare, à quoi vais-je l'appliquer ? Je dispose d'un éventail de choix illimité, alors que choisir ?

NOTRE TRIOMPHE fut tout à fait au goût du Parti communiste. Notre cellule faisait désormais la fierté de la 12ᵉ Rue. Ses hommes étaient convaincus que nous allions bientôt prendre le contrôle du Group Theatre ; et en avant pour le grand jeu ! Tout en nous félicitant, on nous poussait à l'action. Le Coup de Tonnerre Prolétarien fut invité à s'asseoir devant le bureau du commissaire culturel du Parti communiste américain, le camarade V. J. Jerome, pour discuter.

Après les félicitations d'usage, nous en arrivâmes au sujet de la politique d'avenir. V. J. (des initiales, encore des initiales !) savait comment l'histoire avait bougé en d'autres circonstances, à d'autres époques. Selon lui, c'était le bon moment, le moment classique pour entamer une révolution, on ne devait pas le laisser échapper. Les acteurs avaient contraint les metteurs en scène du Group à admettre ce grand succès ; à eux de prendre les commandes du théâtre. Le slogan du moment était le classique : « Tout le pouvoir au peuple. »

Ma tâche consistait à faire part des instructions (suggestions, dites-vous ? Non, instructions) du camarade Jerome à la cellule. Mais avant cela, je voulais discuter de ma position avec une personne de confiance. Je ne pouvais m'adresser à Harold Clurman pour des raisons évidentes, aussi me tournai-je vers l'autre personne dont je respectais le point de vue et les principes : ma femme, Molly. Bien que responsable des pages théâtrales du magazine *New Theatre*, Molly prenait ses distances par rapport au dogme. Marx nous a enseigné : « Il faut douter de tout. » Il ne m'avait jamais semblé que les camarades doutent de quoi que ce soit. Ils savaient ce qu'ils pensaient, et ce qu'ils pensaient, eh bien, c'était ce qu'on leur avait dit de penser. Molly, en tant que Yankee, avait reçu une éducation qui l'avait conduite, sinon à douter de tout, du moins à se poser des questions sur tout. Elle ne se fit pas prier pour contester la capacité des acteurs du Group à diriger leur organisation. Elle s'en esclaffa rien qu'à l'idée.

Molly avait enseigné à l'Union du Théâtre et connaissait donc bien ces amateurs politiquement « corrects » qui tiraient avantage de leur idéologie pour bomber le torse dans les groupements artistiques. Elle avait vécu l'expérience du Théâtre de l'Action avec moi. Elle avait assisté à la séance de fessée infligée par le Parti à Jack Lawson et avait vu celui-ci battre en retraite de façon humiliante et abandonner ses prétentions artistiques personnelles. Elle avait décrété que cette attitude était celle d'un « lèche-bottes de V. J. Jerome ». « Qu'est-ce que Jerome connaît du fonctionnement d'un théâtre ? » avait-elle accusé. Avait-il jamais mis les pieds en coulisses ? Jack, ayant exprimé ses regrets quant au choix du héros de *Gentle Woman* et fait amende honorable dans les grandes largeurs, était parti pour Hollywood où, converti et récompensé, il superviserait désormais le grand spectacle du Parti. Il ne fallait pas rompre les rangs de ceux qui marchaient à gauche toute.

Je rapportai le message du camarade Jerome lors de notre réunion habituelle du mardi soir dans la loge de Joe Bromberg. Je transmis ses instructions selon lesquelles notre cellule devait se mettre immédiatement en devoir de transformer le Group en une collectivité, en un théâtre dirigé par ses acteurs. Je fus surpris de voir les membres de notre cellule réagir, sans perdre de temps et unanimement, comme les gens du Théâtre de l'Action vis-à-vis de la pièce sur La Guardia — c'est-à-dire se soumettre aux directives politiques de l'homme de la 12e Rue. Ce fut alors mon tour de parler. J'étais timide, en dépit de ma réputation actuelle de taureau impétueux, et briser les rangs constituait pour moi un acte de bravoure. Je surpris tout le monde par mon attitude récalcitrante, à commencer par moi. Je crois que je devais donner l'impression de m'excuser de ne pas être d'accord. Je perçus une certaine incrédulité mêlée d'impatience autour de moi. Sans doute ma prise de position équivalait-elle à un manque de respect pour le bon sens politique de mes camarades acteurs. Et peut-être aussi pour leur courage. Ils votèrent contre moi.

Plus tard, je découvris qu'ils avaient jeté le blâme sur Molly et sur l'influence de Harold Clurman. Selon eux, j'étais du côté des metteurs en scène, pas de celui du « peuple ». J'étais donc antidémocratique. Et par voie de conséquence — quelle ironie ! —, je n'étais pas un bon communiste. Mais ils en avaient surtout après ma personnalité. J'étais un opportuniste qui aurait fait n'importe quoi pour arriver au sommet. J'ai été accusé de cela bien des fois par bien des gens. Le fait est que je pense sérieusement — appelez ça de l'élitisme — que certaines personnes sont plus intelligentes, mieux éduquées, plus énergiques et dans l'ensemble mieux qualifiées pour diriger que d'autres. Je croyais aussi, et le crois encore, que si une personne partageait mes opinions politiques, il n'en découlait pas automatiquement qu'elle possédait un talent artistique. Je ne fus pas impressionné par les arguments de mes compagnons de cellule.

A l'évidence, la discussion s'était poursuivie après la réunion dans la loge de Joe Bromberg, car on me fit savoir, quelque temps après, qu'une autre réunion allait être organisée — mais pas à notre demande. Apparemment, il avait été décidé, au sud de la ville, par quelqu'un de plus haut placé, que nous devions nous rassembler de nouveau pour régler notre problème. La réunion ne devait pas avoir lieu dans la loge du Belasco Theatre mais dans le salon spacieux et confortable de l'une de nos camarades, Mrs. Paula Strasberg. (Son mari, Lee, avait accepté d'aller faire un tour au cinéma ce soir-là.) On m'indiqua où je devais me rendre et je savais que ce qui allait se passer serait de la plus haute importance et que l'issue en serait décisive, définitive. Je m'efforçai de mettre au point ma position — mais je ne savais pas quelle tournure prendrait la réunion. Ni qui dirigerait la conversation.

Essayez de garder à l'esprit, en lisant ce qui va suivre, que cette réunion décisive a lieu dans un appartement situé juste au-dessus de la pâtisserie Sutter, où se fabriquent les meilleurs cookies de Greenwich Village. La pâtisserie est en pleine activité ce soir-là et, tout au long de la réunion, les parfums les plus délicieux — caramel, cannelle et chocolat épais en train de fondre — vont monter embaumer la pièce.

Le lendemain de cette réunion, j'ai écrit un long mémo pour moi-même, un compte rendu des événements survenus la veille au soir. Je savais me trouver à un tournant de ma vie et je ne voulais oublier aucun détail de ce qui s'était passé. J'ai raccourci ce que j'avais écrit quarante-huit ans auparavant mais je ne l'ai pas remanié. J'avais intitulé ces notes, à l'époque : « l'Homme de Detroit ».

A mon entrée dans le salon des Strasberg, je comprends qu'il va s'agir, dans cette réunion, de définir une politique. L'heure n'est pas à la traditionnelle conversation à bâtons rompus entre amis, pas ce soir. En accord avec la procédure du centralisme démocratique, la « ligne » sera tracée non par les membres mais par un « camarade leader ». On ne me présentera jamais à cet homme, et je n'ai aucune idée de son nom. Il y a quelques autres nouveaux visages dans la pièce, empreints d'une séduction toute « révolutionnaire ». [A cette époque-là, quiconque n'appartenait pas au monde du théâtre nous semblait séduisant. Il était « de plain-pied avec la vie », du moins nous autres acteurs le pensions-nous.] L'orateur principal exerce des responsabilités dans le Syndicat des ouvriers de l'automobile, son quartier général est situé à Detroit. On nous le présente en insistant lourdement sur la chance qui est la nôtre de compter cet homme parmi nous. Il nous met tout de suite dans l'ambiance : nous avons un peu perdu les pédales — « c'est une tendance fréquente chez les artistes », dit le camarade. (Tout le monde acquiesce en minaudant.) Donc, « nous avons besoin d'être remis sur la bonne voie », ajoute-t-il.

Puis le centralisme démocratique se met à l'œuvre. [Le centralisme démocratique est un processus selon lequel l'un des hommes du « noyau dur », un « camarade leader », nous affranchit, puis tout le monde réfléchit et dit : « Je suis d'accord. » Ensuite, tout le monde regagne ses foyers et fait comme a dit le camarade. Seuls des gens aussi peu sûrs d'eux-mêmes que des acteurs pouvaient avaler le morceau avec autant de docilité que nous autres. Ce souvenir me met mal à l'aise.]

L'Homme de Detroit parle avec détermination. Et ça, je ne m'y attendais pas, uniquement de moi. Il m'analyse. Bien qu'il ne m'ait jamais vu avant cette réunion, il me comprend parfaitement. Il en a rencontré beaucoup d'autres comme moi dans son travail, dit-il. J'appartiens à la catégorie des contremaîtres. Je cherche à gagner la faveur des patrons. Je veux m'associer à ceux qui exploitent la classe ouvrière. (Les « patrons » du Group avaient touché cinquante dollars cette semaine-là.) Il met en évidence mes erreurs. Si cet homme me rencontre dans la rue demain matin, il ne me reconnaîtra pas, mais cette nuit il a, sinon des détails, du moins toute une théorie sur mon compte. Je suis typique, proclame-t-il. J'ai le visage volontaire.

Je hume les odeurs qui montent de la pâtisserie et regarde autour de moi. Les garçons et les filles présents dans la pièce sont tous assis avec sur le visage l'expression d'une perplexité soumise. C'est celle des enfants quand ils sont confrontés à un problème qui les dépasse, problème qu'ils sont soulagés de laisser à la responsabilité de leurs aînés — on lit dans ce regard la stupeur et l'attente : il y a eu je ne sais combien de ces réunions interminables. Tout le monde en a assez.

Soudain, l'Homme de Detroit se fait plus direct. Il me parle net, me pressant de revenir dans le droit chemin (apparemment, tout n'est pas perdu). Il me couvre de son mépris d'une manière élégante, théorique. Une porte s'ouvre au fond de la pièce et le visage ensommeillé du mari de la camarade dont c'est l'appartement (Lee) apparaît dans l'entrebâillement. Tout le monde se réveille pour le chasser. La porte se referme sur nous et sur moi. J'aimerais être dehors. Les autres membres, arrachés à leur extase figée, me regardent un instant avant de fixer de nouveau leur attention sur l'orateur venu de Detroit. Leur regard est devenu bienveillant et indulgent. Il existe peu de sentiments aussi agréables que celui du pardon accordé à autrui. On va me pardonner ! Je peux en être sûr. Mais d'abord, je dois avaler encore un peu du sermon bien connu sur le vilain petit canard. Le camarade leader m'en verse une bonne rasade. Ce n'est pas Dieu possible ! Cet homme m'a vu pour la première fois il y a une demi-heure. Il a un sacré culot ! Et comment ces gens peuvent-ils rester assis là à me regarder de cette façon ? Je commence à en avoir assez de ce regard bienveillant, plein de tolérance envers mes erreurs, qui resplendit sur le visage de chacun d'eux. L'air froid et pur de l'hiver, au-dehors, me manque.

L'Homme de Detroit arrive à la fin de son discours. Je le sais parce qu'il mentionne le classique : « Laissons la porte ouverte au pécheur s'il décide de revenir parmi nous ». Oui, on tient la porte grande ouverte pour que je rentre à nouveau dans les faveurs de ces gens ; mais à en juger par l'air de chien battu qu'arborent mes amis compatissants, on attend de moi que je revienne à genoux. Je n'écoute plus. Je veux foutre le camp. [J'étais un jeune homme musclé et je commençais à me demander combien d'entre eux je pourrais rosser. Mais, bien sûr, ce n'était pas le problème.]

On a voté. J'ai oublié les termes exacts de la motion. Je ne pense pas l'avoir entendue. Elle revenait à : combien contre moi ? Tous sauf un. Combien pour moi ? J'ai levé la main. J'ai voté pour moi. Un grand pas de franchi.

Dehors, il fait froid. Au passage, j'aperçois les pâtissiers qui travaillent tard. Les rues de Greenwich Village sont vides. A la maison, avant de me coucher, j'écris une lettre : je démissionne du Parti.

Cette réunion allait me permettre de comprendre bon nombre d'événements dans l'avenir, mais elle m'avait aussi appris tout ce que j'avais besoin de savoir sur le fonctionnement du Parti communiste des États-Unis. L'Homme de Detroit avait été dépêché pour couper court à la menace la plus dangereuse pour le Parti : des gens qui se mettent à penser par eux-mêmes. Une « discussion » avait eu lieu après son discours. Les camarades avaient pris la parole : c'était à qui dirait le mieux « moi aussi ». Du beau travail. En vérité, personne n'avait fait appel contre le verdict de l'Homme de Detroit, aussi aucune discussion n'était-elle nécessaire. C'est lui qui m'a fait comprendre le sens de l'expression « État policier ». Je sais ce que je lis quand je tombe sur les mots « gouvernement autoritaire ». Cet homme ne se contentait pas d'empêcher les gens de penser ; il avait mis au point un rituel de soumission que je devais interpréter. Il n'agissait même pas en accord avec ses propres convictions — lui aussi obéissait à des ordres. Il nous avait été envoyé avec un couperet, qu'il avait déjà utilisé auparavant. Malgré le réconfort apporté par les cookies au chocolat et le thé chaud bien sucré, c'est la manière forte qui avait prévalu dans cette réunion. Il était venu pour nous faire peur, nous soumettre et nous faire acquiescer sans poser de questions. Sa tactique, tabler sur la lâcheté humaine, était si profondément insultante que je n'en ai véritablement saisi toutes les implications que bien des années plus tard. Mais à ce moment-là, j'étais devenu un homme différent.

Une surprise m'attendait. Malgré ma démission, qui n'avait rien d'équivoque, mes relations avec mes vieux camarades ne changèrent pas. Les gens du Théâtre de l'Action devaient être au courant de ma décision, ils avaient dû parler de moi, mais je continuais d'exercer pour eux les fonctions de directeur de formation et ils me manifestaient le même respect et le même dévouement. Quelques mois plus tard, le 1er Mai, j'ai défilé avec mes vieux camarades du Group pour la fête du Travail. L'harmonie la plus chaleureuse régnait parmi nous. Comme j'étais heureux et détendu ! J'étais content d'être *dehors* et content aussi d'être encore *à l'intérieur*. Pour la parade, cette année-là où défilait un front uni, nous avions construit un grand cadre triangulaire sur lequel nous avions étalé un drap noir. Nous avions percé des trous de part en part, à travers lesquels nous avions passé la tête. Chacun de nous portait le couvre-chef d'une corporation différente — couvre-chefs de mineur, d'ouvrier métallurgiste, de docker, de pâtissier, de cuisinier, et moi, bien sûr, de chauffeur de taxi. Cette fête du Travail a été une célébration joyeuse et pleine de vie et, si je ne devais plus jamais rien avoir à faire avec le Parti communiste, je n'en sympathisais pas moins avec le mouvement mondial pour la libération des opprimés et je n'en ai pas moins marché au côté des autres pour le proclamer avec enthousiasme.

Que pensaient de moi mes ex-camarades ce printemps-là? On ne me l'a jamais dit; j'imagine qu'ils devaient me trouver équivoque mais utile. L'harmonie dont je profitais était le résultat d'une tactique. Qui ne devait pas durer.

Une surprise encore plus grande m'attendait. Un vieux mythe grec décrit un demi-dieu (ou est-ce un humain, je ne suis plus très sûr) qui met un masque pour déguiser son identité, puis décide de l'enlever après un certain temps, mais il ne le peut pas: le masque ne se décolle pas. Il en est allé ainsi avec moi. Il m'a fallu longtemps, comme vous le verrez, pour ôter ce masque.

En d'autres termes, j'ai continué à penser comme un communiste. Le théâtre est une arme. Une pièce doit donner une leçon. Le point culminant du troisième acte doit renvoyer chez lui un public plein d'espoir et de courage, car il vient d'avoir la révélation fondamentale de l'idéal révolutionnaire. Moi seul et mes pareils connaissions les réponses. Je continuais à trouver la société qui m'entourait hostile et répressive, oui, tellement corrompue que la rédemption ne pourrait plus venir par un changement pacifique. Pourquoi? Parce qu'elle était dirigée par des banquiers. Le changement est nécessaire, en fait il est inévitable. Quelle sorte de changement? Un changement radical. Final. Un renversement de pouvoirs. Il faut faire confiance à la classe ouvrière. A elle seulement. Défendre l'U.R.S.S. avec tous ses défauts. (Sur ce point, la ligne a été modifiée par la suite.) Mon devoir, en tant qu'artiste de théâtre, consistait à mettre les autres sur la bonne voie et à prendre leur tête sur ce chemin.

Tous ceux d'entre nous qui sont sortis du « mouvement », comme tous ceux qui y sont restés, portaient le sceau de cette arrogance intellectuelle. Nous étions sûrs de nos « positions », et c'était tant pis pour qui n'était pas d'accord avec nous. Nous étions convaincus d'avoir raison. Après avoir démissionné, je ne pensais pas différemment. Pour tout dire, je n'ai pas changé dans beaucoup de mes convictions.

Si les membres du Parti n'ont pas modifié leur attitude à mon égard pendant un certain laps de temps, c'est pour une raison bien simple. Durant ces années-là, le programme du Parti s'identifiait au Front populaire. Le seul critère en politique était le suivant: qu'est-ce qui est le mieux à même d'assurer la survie de l'U.R.S.S.? Le Parti a vu venir Hitler et la Seconde Guerre mondiale bien plus distinctement que les dirigeants américains. Bien sûr, ils étaient beaucoup plus menacés. Déterminés à créer un front d'alliance le plus large possible contre cette menace, ils voulaient s'assurer le soutien de ceux qui étaient « utiles » d'une manière ou d'une autre, fussent-ils aussi insignifiants que moi. Et ils étaient déterminés à obtenir le soutien des U.S.A. dans la crise à venir. Ils brandissaient ce slogan: « Le Communisme, c'est l'Américanisme du xxᵉ siècle. »

Certains l'ont gobé. Pendant un temps, j'ai moi-même commis l'erreur de confondre la philosophie de ce pays avec celle du P.C. Mais contre le simulacre de démocratie et le patriotisme purement tactique affichés par le Parti, se dressait l'homme au menton en galoche et au fume-cigarette en berne. Derrière F.D.R., il y avait toute la tradition américaine d'indépendance de l'individu. Et derrière cette tradition, la Constitution. Chaque action, chaque attitude, chaque discours de F.D.R. disait: « Cette société peut fonctionner. Notre peuple est un bon peuple. Nos problèmes peuvent être résolus — à notre façon. La démocratie doit être préservée. Nous vaincrons tous les obstacles. » Il n'avait pas besoin de formuler cet espoir : il en était l'incarnation.

Sa présidence a constitué la seule période de ma vie où, en tant que nation, nous étions unis et avions foi en l'avenir ; nous savions rire, nous n'avions peur de rien, nous étions intelligents, pleins d'énergie, et nous éprouvions même un peu d'amour les uns envers les autres. C'est durant son règne que j'ai commencé à briser mon vieux moule d'Anatolien, grâce à F.D.R. et à M.D.T. — ma femme, Molly, autre individualiste intrépide et entêtée. C'est au cours des années F.D.R. que j'ai découvert que je pouvais appartenir à ce peuple, au lieu de m'ériger contre lui. L'esprit des années 30 m'a sauvé de mes racines.

L'année suivant la production d'*Awake and Sing!*, je jouais dans la nouvelle pièce de Clifford, *Paradis perdu*. Les critiques n'avaient guère été enthousiastes et nous vivions tous sur des salaires réduits. Une semaine, j'ai touché dix-huit dollars de moins, une autre douze dollars, et comme nous attendions un enfant, Molly et moi, j'ai dû chercher ailleurs un revenu supplémentaire. J'ai commencé à travailler comme acteur dans des programmes d'une heure à la radio. C'étaient des émissions comme *les Antigangs, Médecin et policier,* le *Ed Sullivan Show* et, pour Orson Welles, un truc qui s'appelait *l'Ombre* et dont il était la vedette. Je me souviens de son arrivée à la répétition un matin ; il avait passé toute la nuit à faire la bringue mais n'avait pas l'air de s'en porter plus mal et débordait encore d'enthousiasme. Un valet de chambre-secrétaire l'attendait sur un côté de la scène avec une petite valise contenant du linge propre et les articles de toilette dont il avait besoin. La répétition n'a pas été interrompue — Orson disposait d'une énergie et d'une force de récupération inépuisables à l'époque —, et il est bientôt apparu propre comme un sou neuf. Personne ne se vantait des problèmes que lui posait sa conscience esthétique ; *l'Ombre* n'était pas traitée avec condescendance mais faisait juste l'objet de quelques plaisanteries affectueuses. Les acteurs étaient « ses gens » — plus tard, beaucoup se sont retrouvés dans *Citizen Kane* — et ils connaissaient leur boulot, si bien que l'épisode de la semaine a été rondement mené, vite fait bien fait. C'était un moyen de gagner convenablement sa vie dans une période difficile qui n'avait rien d'infamant, surtout à la lumière des projets d'Orson pour le Mercury Theatre et les films qu'il préparait. J'ai rarement côtoyé un homme doté de talents aussi abondants et rempli d'un tel appétit de vivre.

Un demi-siècle plus tard, j'avais abandonné le cinéma et le théâtre pour écrire des romans. Je n'avais jamais été un intime de Welles et j'avais perdu sa trace, exception faite des échos habituels dans les gazettes. Un week-end, je me trouvais à Beverly Hills pour une série d'interviews télévisées, destinées à promouvoir mon dernier roman. Mon éditeur m'avait fourni une limousine pour me transporter rapidement — mon emploi du temps était chargé — d'une émission à l'autre. On m'avait donné un chauffeur qui s'était avéré écrivain en herbe. Il avait un jour transporté Welles de son hôtel au studio où il faisait un spot publicitaire, il l'avait observé soigneusement et me l'a décrit avec le sens du détail d'un écrivain.

Il m'a dit qu'Orson était devenu si gros qu'il n'avait pas pu passer par la portière arrière de la limousine, et qu'il avait fallu le pousser à l'intérieur par la portière avant et l'installer à côté du chauffeur. Welles tenait un sac en papier marron en provenance de chez le traiteur et, une fois sur la voie express, il avait ouvert ce sac, en avait sorti un poulet rôti, et s'était mis à mordre dans une cuisse à belles dents. Morceau par morceau, il était venu à bout du volatile, respirant fortement, et avait fini par s'assoupir. Arrivé à la station de télévision, le chauffeur avait dû le réveiller et l'aider à sortir de la voiture et à pénétrer dans le studio où Welles allait vanter les mérites d'une société productrice de vins. « Est-ce qu'il essaie de se tuer ? » avait demandé le chauffeur.

Je n'ai pas manqué de regarder le spot. Orson garantissait la valeur du produit à la nation, de sa voix toujours aussi chaude et vibrante — c'était vraiment un bel instrument —, et sa présence était toujours aussi imposante, même si je l'ai trouvé un peu grotesque. Je n'ai pas pu m'empêcher de me demander — comme chaque fois que je vois un spot publicitaire où un artiste est payé pour dire ce qu'il est payé pour dire — si Orson croyait en ce qu'il affirmait. Bien sûr, il devait être fauché et n'avait pas d'autre choix que de gagner sa vie de cette façon. Quelle tragédie d'utiliser un tel talent à cette fin !

J'ai comparé ce bonimenteur bouffi au jeune homme intrépide et plein d'entrain avec lequel j'avais travaillé dans les années 30. La manière dont il s'habillait désormais a attiré mon attention : tout en noir, dans un costume informe et flottant, comme ceux que choisissent les femmes âgées pour dissimuler les infirmités de leur corps vieillissant. Cet accoutrement me faisait penser à une grande tente sous laquelle il se serait caché. J'ai repensé à ses années de gloire : il m'a alors fait l'effet d'être une grande baleine échouée, entraînée sur la grève par une tempête ou, plus probablement, par quelque mystérieuse turbulence de l'âme. Pourquoi ce lent suicide parmi les baleines ? Personne ne l'a jamais compris. Orson était-il victime d'un sentiment de honte maladif ou d'un défaut de la cuirasse qui l'aurait poussé à « se laisser aller », puis à dégrader ses dons immenses en apparaissant dans des spots publicitaires ? Une impulsion secrète, comme celle qui conduit les baleines à s'échouer, l'a-t-elle précipité vers sa fin ?

Quelques mois plus tard, je l'ai entendu parler à Central Park lors d'un meeting antinucléaire, calé dans une chaise roulante sur la plate-forme où il avait été déposé par un monte-charge : il a parlé une fois encore sans mâcher ses mots, comme au bon vieux temps, et il a apprécié les acclamations qu'on décerne aux célébrités populaires. Cependant, ses déclarations provocatrices contre l'*Establishment* m'ont paru un peu creuses.

Quand je pense aux talents immenses qui se sont échoués à la suite d'une crise, le premier nom qui me vient à l'esprit est celui de Clifford Odets. Il existe une douleur qui doit faire souffrir plus que tout ces hommes en rade : celle qui naît de leur incapacité à rester fidèles à l'image d'eux-mêmes sur laquelle ils avaient fondé leur fierté. A la différence d'Orson, Clifford était un membre éminent du Parti communiste. En 1935, après le succès de ses deux premières pièces à New York, il devint l'artiste révolutionnaire par excellence, honoré et respecté par tous les hommes de bien. En 1952, il fit ce que j'avais fait : il donna le nom des membres du Parti au sein du Group à la Commission des activités anti-américaines. Mais si cette action, pour malheureuse qu'elle ait été, me procura une identité, le fait de nommer ses anciens camarades priva Odets de l'identité héroïque dont il avait tant besoin. Je ne crois pas qu'il ait jamais été le même homme par la suite.

Un soir, quelque temps après son témoignage, nous marchions, lui, Molly et moi dans Lexington Avenue quand nous fûmes accostés par un groupe de jeunes gens — oh, tout ce qu'il y a de plus convenable et bien éduqué ! — qui se mirent à railler Clifford, en lui disant combien il les avait déçus, qu'il était différent de ce qu'ils avaient cru et qu'il les avait salement laissés tomber. Clifford ne se défendit pas ; il demeura silencieux. L'incident ne dura pas et nous reprîmes bientôt notre marche. Il ne parlait toujours pas et je ne trouvais rien à dire ; quant à Molly, elle préférait se taire. Je me suis toujours réjoui de ce que j'avais fait ; j'ai regretté d'avoir blessé quelques vieux amis, mais jamais de m'être blessé moi-même. Clifford, à l'inverse, souffrait non pas d'avoir blessé d'autres gens mais d'avoir tué ce qu'il admirait le plus en lui-même.

Dix-huit ans plus tard, durant cette décennie où j'ai pu faire tous les films que je voulais mais où Clifford avait échoué à Hollywood, je me rendais dans l'Ouest de temps en temps pour discuter avec les dirigeants des studios qui m'allouaient l'argent des productions que je mettais en scène, et le premier ami que j'appelais était Clifford. « Viens, je t'emmène dîner, lui disais-je. Allons chez Chasen. » Mais il ne voulait pas, jamais. J'ai fini par cesser de l'inviter. Je voyais que les raisons pour lesquelles il refusait lui étaient pénibles. Il ne voulait pas aller au restaurant *in* de la colonie hollywoodienne parce qu'il faudrait passer devant des tables dont les occupants demanderaient : « Qu'est-ce que tu fais maintenant ? » et qu'il lui faudrait soit mentir soit dire : « Rien. » Ou bien il tomberait sur des libéraux qui le regarderaient, puis détourneraient les yeux à son passage. Le fait est qu'à l'époque il ne pouvait obtenir que des travaux de réécriture, de rapiéçage ou de toilettage de dialogues, ce qu'il avait du mal à admettre ; mais ce qu'il aurait eu le plus de mal à supporter, ce sont les rebuffades. En conséquence, il me répondait : « Restons ici. J'ai de l'aloyau. Je vais nous préparer deux bons steaks et nous parlerons du bon vieux temps. » Et c'est ce que nous faisions. Sa maison était sombre et tranquille ; c'est étrange, mais j'ai compris qu'il se trouvait sur un rivage inconnu, telle une baleine échouée.

D'autres encore, vers la quarantaine, sont allés s'échouer, portés par les remous de la pensée et de l'art, sur des rivages désolés. Brando, chez qui l'excès de poids, comme chez Welles, tient de la névrose, et qui, en vertu d'un choix mystérieux, ne respecte rien ni personne, et surtout pas sa profession ou ses dons incomparables, se terre dans une colline poussiéreuse sur les hauteurs de la colonie du cinéma, ou bien à Tahiti. Je pourrais encore en citer d'autres qui sont nombreux à gagner grassement leur vie en apportant leur soutien à des entreprises commerciales — vous les avez vus à la télévision. Ces hommes, dans l'intimité, se présentent encore comme des rebelles — comme ces vieux acteurs qui reviennent encore une fois jouer leur rôle favori, celui qui leur a valu leurs plus grands triomphes. Mais au fond de leur cœur, me semble-t-il, ils connaissent la triste vérité, ils savent qu'ils sont maintenant profondément intégrés au système qu'ils détestaient et attaquaient jadis. Beaucoup sont riches, nantis d'une Mercedes ou de la certitude d'obtenir une limousine et un chauffeur obéissant au moindre claquement de doigts. Ce sont tous des hommes de bien, des hommes qui ont participé au « mouvement », comme on disait ; pas le mouvement communiste, mais l'élan d'espoir, de confiance et de détermination qui avait fait suite à la Grande Dépression, le mouvement anti-capital et anti-monopole, le mouvement dans lequel l'Américain moyen se reconnaissait, le mouvement anticolonialiste des années 30 et 40. Ces causes valaient, et valent encore la peine, je les soutiens et, autant que les autres, j'ai conservé mes attitudes de l'époque et suis fidèle aux rêves que nous avons tous partagés à un moment. Mais aujourd'hui, dans la froide lumière d'un matin glacial, ces rêves m'apparaissent flous, quand ils n'ont pas complètement disparu, et sur la plage reposent les cendres de cette époque lointaine.

Certains de ceux qui ont partagé cette expérience avec moi m'inspirent moins de compassion. J'ai la photo d'une publicité faite par Lillian Hellman pour une société privée. Quand on lui a demandé comment elle avait pu en venir à se prêter à une exhibition commerciale d'aussi bas étage, elle a répondu qu'« ils lui étaient tombés dessus un mauvais jour ». Ce n'est pas le drapé du vison (sa compensation) qui rend la photo intéressante mais le défi exprimé par sa façon de tenir une cigarette, dans le plus pur style « magazine de mode », et son visage qui semble dire : « Je ne suis plus si moche, maintenant, hein ? Je suis aussi bien que Mercouri, Streisand et même Bacall ! Vous ne trouvez pas ? »

Si je peux comprendre cela, il m'est plus difficile d'admettre cet autre épisode du passé, qu'elle ne mentionne pas dans ses Mémoires : à la fin de la Seconde Guerre mondiale, elle se faisait peloter par l'ambassadeur de Russie, Maxim Litvinov, dans la limousine officielle, pendant que ses frères juifs mouraient par centaines de milliers dans les camps de travail instaurés par les maîtres de Maxim. On raconte qu'un soir, Litvinov et sa femme, Ivy, étaient rentrés chez eux après s'être rendus à un meeting de soutien au Front Uni, et que Max a demandé à Ivy, alors qu'ils allaient se mettre au lit : « Ces libéraux n'ont-ils donc aucune idée de ce qui se passe dans notre pays ? » Lillian le savait — merde, nous le savions tous, et certains d'entre nous trouvaient même que c'était justifié —, mais Lillian ne disait rien. Elle ne s'est pas échouée, cependant, mais a passé la fin de sa vie en haute mer, à battre de la queue et à cracher très haut !

Tous ces gens luttent pour s'accrocher à une intégrité dont ils sentent qu'elle n'est plus de saison, et à un espoir défunt. Ils n'ont pas trouvé cette vie nouvelle qu'ils pourraient respecter et font de leur mieux, en des circonstances difficiles, pour garder un peu de ce qu'ils avaient jadis, et en quoi ils croyaient. Mais par-dessus tout, peut-être, ils luttent désespérément pour rester tels qu'en eux-mêmes sur la pente descendante et pour terminer, au moins, dans un style qui leur soit propre. Artistes talentueux, ils ont combattu, et combattent encore aujourd'hui, pour garder intacts leur amour-propre et leur fierté. Le talent qui leur fait défaut est celui d'accepter quelques vérités pénibles. Ce n'est pas une honte. Ce en quoi ils ont cru, il y a bien longtemps, n'était pas une réalité, n'avait pas de substance ; c'était un rêve, ce qui n'enlève rien à sa valeur, mais...

Los sueños sueños son.

J'AI PEINE À LE CROIRE AUJOURD'HUI, mais j'ai été acteur pendant huit ans.

J'éprouve trop de respect envers l'art des grands acteurs que j'ai admirés pour me comparer à eux. J'étais chargé à bloc de l'énergie ambiante à cette époque-là, et l'intensité de mes névroses chroniques transpirait dans mon jeu. Quelqu'un a écrit un jour que j'étais « suralimenté ». Merci beaucoup. Je porte un regard moins flatteur sur moi-même. Sur scène, je n'étais à l'aise qu'au faîte d'une rage si violente — je n'aurais jamais osé l'exprimer dans la vie — qu'elle submergeait mes sens. Je ne pouvais pas interpréter de scènes détendues. Mon jeu était dépourvu de variété. Ma prononciation demeurait incertaine, abâtardie par mon accent new-yorkais. Quant aux classiques, ils étaient hors de ma portée. En dépit de ces tares, j'ai fait l'objet d'un culte pendant plusieurs années. J'étais le porte-parole de mon époque.

Mais la plupart des rôles que j'interprétais étaient de la même eau. Je personnifiais le contestataire, et fier de lui avec cela. Allez vous faire foutre, tous autant que vous êtes, les grands comme les petits! Voilà ce que je marmonnais — en moi-même, bien sûr, à couvert. En coulisses, j'avais la réputation d'être agréable en toutes circonstances, même sous pression. Promoteur de la concorde. Doux comme un agneau. « Gadget », en un mot. Sur scène, je pouvais donner libre cours à mes frustrations et, au bout de ces huit ans, j'étais devenu un autre homme. Vous n'auriez peut-être pas été séduit par cet autre moi qui émergeait alors, mais c'est le plus authentique des deux.

Lorsque j'avais douze ans, nous vivions dans une petite maison de bois en haut de Sickles Avenue, à New Rochelle. Pas très loin de chez nous, la rue se transformait soudain en pente raide et, quand il neigeait, les gamins du quartier venaient y faire de la luge. Un mamelon rocheux aux arêtes vives bordait cette piste improvisée, et c'est là que les jeunes coqs allaient en découdre. Tels étaient les hauts lieux de notre voisinage.

Sur cette pente enneigée, les garçons avaient l'habitude de lancer leur

Flexible Flyer parallèlement au mien : ils pouvaient ainsi me renverser
facilement. Je remontais en haut de la colline sans protester et je repartais. Durant la saison chaude, sur le mamelon rocheux, un petit juif habile
de ses poings bien que gaucher, le dénommé Dave, m'a flanqué une raclée
à trois reprises. Comment ces trois combats avaient-ils pu aboutir au
même résultat ? N'aurais-je pas pu demander grâce ? Préférais-je la bagarre à la mise à l'écart ? Supportais-je mieux une bonne correction que
l'exclusion du terrain de jeu ? Comment savoir ? Je ne pipais mot. Je me
revois rentrant à la maison au crépuscule, toujours silencieux, pour me
mettre à lire mes histoires de Tom Swift ou O. Henry : ces jeunes aventuriers intrépides me donnaient des complexes.

Et pourtant, le moment venu, je n'ai joué que les petits durs.

Je le devais peut-être à un stratagème qui m'était venu à l'esprit. Au
cours de notre dernière année dans Sickles Avenue, je m'étais lié d'amitié
avec un garçon qui vivait au bas de la colline. Il s'appelait Greg Draddy et
vivait dans l'ombre de son frère Vin. Pour une raison que j'ignore, il
s'était pris d'affection pour moi — ces soudaines affinités entre adolescents sont bien mystérieuses —, et je n'ai jamais oublié cette scène :
entourés d'un cercle d'adolescents hurlant à la mort, nous sommes là,
Greg et moi, en train de nous rouer de coups. Le combat est truqué, mais
personne ne s'en douterait, à voir les regards assassins que nous échan-
geons et à entendre les grossièretés que nous nous adressons. Notre
secret ? Nous sommes convenus de ne jamais nous frapper au visage et de
retenir un peu chaque coup de poing. J'en ai conçu une audace inhabituelle. Je peux me montrer tel que j'aurais souhaité être. En toute
sécurité. Ce fut mon premier contact avec le théâtre, mon premier rôle de
petit dur. J'avais dû impressionner mon auditoire car l'hiver suivant,
personne ne renversa ma luge.

Ma vie la plus intense a toujours été ma vie intérieure. Du jour où j'ai
compris qui j'étais et quelle serait ma place dans la société (en marge), j'ai
souhaité être quelqu'un d'autre — un Américain, par exemple. Ce que je
n'osais pas faire dans ma vie, je l'accomplissais dans mes rêves éveillés.
Encore aujourd'hui, il m'arrive de marcher dans la rue et de me surprendre à discuter avec un interlocuteur qui n'existe que dans mon imagination. Je vis un film vingt-quatre heures sur vingt-quatre : j'y interprète
toutes sortes de rôles. Je suis tour à tour héroïque, rebelle, terrifié,
amoureux (scènes classées X). Je ne me comporte pas toujours en héros,
mais je me montre toujours plus courageux que dans la vie.

Ce qui se passe « pour de vrai » au cours de mes journées présente
rarement autant d'intérêt. Je me suis longtemps imaginé que mon comportement était exceptionnel, mais je me suis aperçu que nombre de mes
congénères, dans la rue, se jouent eux aussi une comédie dont ils sont
l'auteur. La méthode Stanislavski ne présentait pas de difficulté pour moi :
je donnais corps sur scène à mes rêveries intimes.

Avec le recul, mon atout principal me paraît être la persistance face à
l'échec. Je n'inspirais confiance à personne, mais bien qu'on m'infligeât
tous les désaveux possibles, une force irrationnelle me poussait à revenir à
la charge. J'avais un appétit de réussite trop grand pour qu'on puisse me
décourager.

Je me souviens pourtant avoir subi une humiliation répétée : les séances de lecture. Invariablement, elles prenaient place sur une scène nue, et la personne qui me donnait la réplique n'était autre que le régisseur. Il avait joué à ce petit jeu vingt fois auparavant et, c'est bien compréhensible, il ne l'amusait plus du tout. D'ordinaire, la salle était plongée dans la pénombre ou illuminée par une ampoule nue d'au moins mille watts, suspendue au-dessus de la tête du candidat. Résultat, les gens assis devant lui avaient l'air de se vautrer dans une indifférence totale, leur chapeau rabattu sur les yeux pour lutter contre l'éblouissement. En général, une voix s'élevait de la salle pour ordonner, d'un ton plus ou moins amical : « Allez-y ! » Personne ne peut rester cordial plusieurs heures d'affilée, dans cette situation. Lorsque j'en avais terminé, il m'arrivait d'entendre : « Merci » — traduction : « Vous ne faites pas l'affaire ». Mais parfois j'entendais des chuchotements, voire des rires étouffés ; ils n'avaient probablement aucun rapport avec ma performance, ou ma contre-performance, mais comment pouvais-je en être sûr ? Je sens encore le rouge me monter aux joues. Souvent, je n'avais pas la moindre idée de qui se trouvait là. Etait-ce l'auteur (et son agent) ? Le metteur en scène (et sa petite amie) ? Ou encore l'assistant-metteur en scène auquel on avait assigné la tâche de trier les candidats pour les rôles d'appoint ? Je ne savais jamais ce qu'on avait pensé de moi. Ou même si l'on m'avait écouté. (Parfois un lampiste remontait l'allée centrale pendant ma lecture, avec du café et des pâtisseries.) J'effectuais ma lecture, on me rejetait et je prenais la porte. Mais il ne s'écoulait pas longtemps avant que je sois prêt à essayer de nouveau.

Telle était la vie d'un acteur professionnel de Broadway lorsque j'arrivai de New Haven. Les années passaient, il attendait une occasion. Il n'avait aucun pouvoir sur sa destinée. Ce serait peut-être un rôle, une pièce, un film, une influence, un ami haut placé (en général un homme âgé émoustillé par une jeune actrice). Comment parvenait-il à supporter la misère, l'incertitude du lendemain, le mépris et le rejet, saison après saison, sans tomber dans le cynisme, sombrer dans l'alcoolisme ou (de nos jours) se tirer une ligne ? Comment échappait-il à la tentation de chercher la bagarre, de verser dans la criminalité ou de céder au démon du jeu ? Dans de telles circonstances, la sauvegarde de l'amour-propre exige une réaction violente, n'est-ce pas ? Mais les comédiens endurent tout avec une grâce et une générosité extraordinaires. Leur amour du théâtre demeure intact, et ils cherchent à se frayer un chemin dans la profession qu'ils ont choisie. Ils ont beau désespérer, ils n'en renient pas leur idéalisme pour autant. Parmi les gens de théâtre — et dans la société en général, si on va par là — personne n'est aussi courageux et digne de respect. Tout au long de leur vie, ils entretiennent cette illusion salutaire qu'un beau jour ils vont tomber sur le rôle « de leur vie », un de ces rôles qui ont lancé les Brando (vraiment ? Un rôle ?), les Dean, les Julie Harris, Paul Newman, Bobby De Niro, Lee Remick, Jason Robards, Dustin Hoffman, Al Pacino. Ce sont leurs héros : ils ont « réussi ».

Bien sûr, tout cela, c'est du passé pour moi. Mais il m'arrive encore, bien que je ne sois plus ni acteur ni metteur en scène et que je n'entretienne plus aucun lien avec le théâtre, de songer à ce que je ressentais et de me mettre à leur place. Les acteurs sont mes « enfants » préférés. Je les aime pour leur innocence, leur manque de réalisme et leur ténacité. Je me surprends à m'inquiéter de leur bien-être, à m'attrister de leurs espérances frustrées et à me réjouir de leurs triomphes. Je sais bien que toute pièce à succès finit sur une « dernière » et que la vie continue, mais l'acteur, lui, survit toujours, d'une manière ou d'une autre.

Au fil des années, les acteurs ont beau avoir acquis un tant soit peu de dignité et de confiance en eux à la force du poignet, il n'en reste pas moins que ce sont d'abord eux, au théâtre, qui doivent plaire à tout le monde — le producteur et ses partenaires, l'auteur et son agent, le metteur en scène et son agent, la star et son imprésario, les financiers et leurs femmes, sans oublier le public, quand il se déplace, les commentateurs de la télé, les critiques des journaux, les échotiers et les médisants patentés. Partant, il n'est guère étonnant que les membres de cette profession, la première par ordre d'importance au théâtre, fassent le plein d'angoisses et de leur contrepartie : la colère rentrée.

Je ne faisais pas exception à la règle.

En plus de leurs réussites diverses, Lee et Harold ont conféré une certaine dignité à l'acteur. Ils l'ont rétabli dans une position honorable et ont placé son art sur un pied d'égalité par rapport aux autres métiers du théâtre. Ils ont réaffirmé ses droits — et pas seulement ceux des stars. De nos jours, un acteur — et pas besoin d'être une vedette — n'hésitera pas à prendre le risque de passer pour arrogant et posera des questions sur le personnage dont il est censé lire le rôle. Ce genre de questions embarrasse bien des metteurs en scène. Si l'acteur a du toupet — et d'autres offres dans sa manche —, il ne se gênera pas pour refuser de lire le rôle tant qu'on ne lui aura pas fourni de script digne de ce nom. Et il lira ce script jusqu'au bout. Bien sûr, il faut désormais en passer par les jérémiades des producteurs et des metteurs en scène qui fustigent l'arrogance de « nos » acteurs. Pas étonnant ! Si l'on donne chaussure à son pied à celui qui s'est fait botter le cul, eh bien, il l'enfile… L'acteur n'accepte plus d'être pris pour un con. Il arrive même qu'une star se venge sur son metteur en scène ou sur son producteur d'indignités subies par le passé. Oui, c'est injuste et certains appellent cela de l'arrogance.

Je suis moi-même devenu arrogant.

Le Group Theatre a éclaté en 1936, s'est reformé sur des bases différentes en 1937 et s'est dissous définitivement en 1940. C'est à ce moment-là que les acteurs et les metteurs en scène qui avaient vécu cette expérience ont commencé à enseigner ce qu'ils avaient appris. Aujourd'hui, au moment où j'écris ces lignes, on trouve partout des écoles qui se réclament, avec des variantes, du même noyau théorique : la Méthode. Par une ironie curieuse, les rebelles des années 30 et 40 constituent l'*Establishment* d'aujourd'hui. Personne ne dit plus : « Tu as ce qu'il faut, ou tu ne l'as pas » ; on dit : « Viens avec moi, je ferai de toi une vedette. »

Chaque star ou presque, de nos jours, devrait son succès à tel ou tel

professeur d'interprétation, si l'on en croit ces derniers. Le journal de la
profession est émaillé de longues listes de leurs « élèves ». Il est difficile
d'avoir une conversation avec Robert Lewis sans qu'il mentionne Henry
Winkler, un de ses anciens élèves, ou glisse une allusion à Meryl Streep,
une de ses dernières recrues. Cette fierté est bien naturelle ; les architectes
ne montrent-ils pas du doigt leurs constructions? Mais maintenant cette
tendance échappe à tout contrôle. Le colonel Sanders, fondateur de Ken-
tucky Fried Chicken, est mort ; son entreprise, devenue une chaîne, continue à fonctionner sous franchise. Lee Strasberg est mort ; son entreprise
continue. Le droit de prononcer son nom se paie — grassement.

Il existe une tonne de livres qui instruisent l'étudiant débutant sur la
façon dont la Méthode se pratique, et comment elle se pratiquait avant.
Vous pouvez tout lire, si ça vous amuse! Le système de Stanislavski a tout
simplifié! J'ai une étagère pleine de ces manuels, mais l'expérience m'a
enseigné qu'ils n'aident les acteurs que rarement ; ce qu'il faut, c'est de la
pratique. Même ceux de ces livres qui ont été écrits par des amis très
proches m'ennuient, mais sans doute est-ce dû au fait que j'ai entendu tant
d'exposés dogmatiques sur le sujet au fil des années. Je ne peux pas croire
qu'il soit nécessaire à un acteur de rester assis sur une chaise confortable à
écouter un gourou. Quand j'ai donné mon dernier cours (c'était vraiment
le dernier, car je ne veux plus jamais enseigner), il n'était pas question que
les acteurs restent assis pendant deux heures. Ils ont accompli sur leurs
deux jambes les exercices que j'avais choisis et s'en sont trouvés ravis.
Lorsque je vois ces rangées d'acteurs perchés tels des juges en train de
rendre un verdict sur le travail de leurs camarades, mon pelage se hérisse.
Quand j'entends l'expression « cours magistral », j'ai envie de vomir.

Aujourd'hui, quand un nouveau venu plein d'ardeur me consulte pour
savoir « à qui demander conseil », je lui réponds généralement que pour le
renseigner, il faudrait que j'en sache davantage que lui — et je m'empresse de préciser que je suis trop occupé pour ça. Je frissonne à l'idée de
donner des recettes en matière d'art théâtral, des tuyaux pour « y arriver ». Bien sûr, l'expérience d'autres acteurs et d'autres metteurs en
scène peut se transmettre et constitue une aide, mais l'un dans l'autre, il
est préférable pour un acteur très motivé de trébucher, de tomber, de se
relever, de repartir et de trouver ainsi sa voie. Ce que je dis parfois, c'est
que se choisir un professeur équivaut à prendre position sur un amant : il
faut pouvoir s'ajuster l'un à l'autre. Strasberg, le professeur le plus célèbre
et le plus riche de notre époque, a aidé certaines personnes — Al Pacino
et Ellen Burstyn ne jurent que par lui. D'autres, tout aussi excellents, le
honnissent. Stella Adler, professeur fougueux, flamboyant, qui met
l'accent sur la caractérisation et l'interprétation d'un rôle plutôt que sur le
recours à des émotions éprouvées dans le passé, est arrivée en classe le
lendemain de la mort de Lee et a ordonné à tous ses étudiants de se lever.
« Un homme de théâtre est mort hier soir », a-t-elle annoncé. Pendant
une minute, les membres de son groupe, d'une bonne taille, sont restés
debout, certains tête baissée, tous silencieux. Ensuite, miss Adler leur a
ordonné de s'asseoir et a dit : « Il faudra cent ans pour réparer le mal que
cet homme a fait au théâtre. »

Cette affirmation paraît bien excessive, et je ne vois pas très bien à quoi Stella faisait allusion. Je crois qu'elle en viendra sans doute à reconnaître, en se poussant du coude, qu'elle a appris beaucoup de Lee dans les premières années du Group. Mais je peux donner mon avis sur la question : en dépit des impressions négatives que j'ai éprouvées récemment à son sujet, je dois beaucoup à Lee et au mouvement qu'il a mis sur pied avec Harold : le Group Theatre. Je leur dois tout. C'est parce que j'ai moi-même été acteur — et je n'aurais eu aucune chance de le devenir sans leur aide et ailleurs que dans leur théâtre — que j'ai appris à ne jamais avoir peur des acteurs. Dans mes films, je ne les ai jamais traités comme des jetons sur un tapis vert, manipulables à ma guise. Jamais je n'ai souhaité les voir frappés de mutisme, j'ai toujours été réceptif à leur imagination et j'ai bénéficié de leurs suggestions. J'ai pu supporter sans me troubler ces questions qui faisaient broncher d'autres metteurs en scène. J'en ai même tiré profit dans mes romans — en effet, s'ils ont une qualité particulière, c'est leur dialogue, qui a l'air naturel. Mes années d'acteur m'ont beaucoup appris.

Mes opinions diffèrent parfois de celles de mes vieux amis et associés. Aucun de ceux qui ont appartenu au Group et enseignent aujourd'hui ne procède exactement de la même façon ni ne met l'accent sur les mêmes points. Sanford Meisner, Robert Lewis, Stella Adler et Paul Mann ont tous aidé des acteurs à devenir des artistes. Je le sais pertinemment : j'ai travaillé avec « leurs » acteurs sur des films. Mais chacun d'eux est extrêmement individualiste dans son travail et je les ai entendus se dénigrer mutuellement. Les professeurs d'interprétation ont tendance à décrier les méthodes de leurs collègues et, çà et là, il m'est arrivé de détecter, m'a-t-il semblé, une pointe de jalousie à l'égard de la réussite financière de Lee Strasberg. Comme dans tout art où l'homme cherche à progresser, il existe au théâtre une variété d'approches fascinante. Mais en dépit de cela, les professeurs dont j'ai parlé insistent tous sur le même principe de base, qui est fondamental : l'expérience vécue sur scène doit être réelle, et non pas suggérée par une imitation de surface. L'acteur doit éprouver ce qu'éprouve le personnage qu'il interprète. L'émotion doit être vraie, et non pas feinte. Ressentie, et non pas indiquée.

Voilà notre définition de l'hérésie : *indiquer* constitue le péché capital en interprétation. Et pourtant, même cette conception peut être mise en question. Certains grands acteurs imitent l'extérieur et « travaillent en profondeur » à partir de là. Laurence Olivier, par exemple. En premier lieu, Larry doit savoir comment la personne qu'il va interpréter marche, se tient debout, s'assied, s'habille. Il doit pouvoir entendre dans sa tête la voix de l'homme qu'il va imiter. Mon appartement était situé en face du sien à l'époque où je dirigeais sa femme, Vivien Leigh, dans la version filmée d'*Un tramway nommé Désir*, et j'effectuais souvent un saut chez lui. Larry travaillait avec Willy Wyler sur *Carrie* et, selon son habitude, se concentrait sur ce qui « nous » semblait être des détails insignifiants de sa caractérisation du personnage. Je me souviens d'un dimanche, en fin de matinée, où je m'étais accoudé à la fenêtre et, sans me faire remarquer, avais observé Larry se livrer à une pantomime qui consistait à offrir une chaise à un visiteur. Il essayait d'une façon, d'une autre, en regardant l'invité, puis la chaise, la bougeant avec l'élégance d'un hôte maniéré, puis d'un geste sans grâce, la poussant enfin brutalement en avant — pensait-il ressembler davantage à Hurstwood de cette façon? —, mais jamais satisfait, toujours en quête de la manière la plus révélatrice d'accomplir ce qui n'aurait été qu'un petit jeu de scène sans importance pour n'importe quel autre acteur.

Y compris pour ceux du Group, nous qui aurions travaillé la disposition mentale de l'acteur au moment de la visite, ce que ressent Hurstwood pour son invité et ce qu'il veut accomplir dans la scène suivante. Après avoir déterminé ces données — non, pour être plus précis, après en avoir fait l'expérience, c'est-à-dire les avoir trouvées en nous —, nous n'aurions pas douté un seul instant que la façon adéquate d'offrir la chaise nous viendrait naturellement.

Est-ce le cas? Pas toujours. Quelle est la meilleure technique? Comme dans tout art, les deux se complètent. Il y a le fond et la forme. Le talent de l'artiste réside dans sa passion, mais aussi dans sa façon d'exprimer cette passion. Peut-être notre problème consiste-t-il à devoir créer une forme d'expression à l'intérieur de laquelle le caractère spontané de la vie, avec son cortège de surprises inattendues, aveuglantes, se manifeste en liberté. Il est bien connu que les plus grands acteurs donnent chaque soir la même interprétation à une légère différence près — mais, pour l'essentiel, c'est la même. Les deux techniques sont importantes: susciter puis verrouiller ses ressources émotionnelles, d'une façon, puis d'une autre, tout en usant de toutes les ruses de son corps pour adopter le comportement extérieur le plus parlant.

La technique qui consiste à exhumer des passions intenses enterrées, au moyen d'associations stimulantes, en d'autres termes l'appel aux émotions passées, n'est plus considérée comme ésotérique. Nous connaissons tous la madeleine de Proust et l'effet qu'elle produit. Le comportement glandulaire du chien de Pavlov nous est familier. S'imaginer que l'art véritable de l'interprétation tourne autour de ce truc psychologique — dont les professeurs adorent faire la démonstration car elle ne manque jamais d'impressionner les étudiants — tend cependant à en faire une compétition dont le vainqueur est celui qui en rajoute le plus dans l'étalage de ses émotions. Ce n'est pas important, ce n'est pas non plus la Méthode, qui s'intéresse surtout à la raison pour laquelle un personnage est sur scène et à ce qu'il veut faire — ou peut faire — dans le contexte de la scène. On critique souvent les gens de l'Actors Studio, comme on critiquait autrefois les acteurs du Group, sous prétexte qu'ils réduisent l'interprétation à l'exhibition d'un feu d'artifice émotionnel au lieu de jouer la scène correctement, dans ses limites véritables.

Le problème majeur est encore celui de la forme et il s'applique tout autant aux mouvements intérieurs qu'aux manifestations extérieures de l'émotion. Car les émotions sont différentes les unes des autres; chacune possède des qualités distinctes; elles font partie intégrante de la caractérisation; chacune est spécifique. Nous ne ressentons pas tous les choses de la même façon, et nous ne sommes pas toujours au sommet de notre forme. « Dans la vie », beaucoup d'entre nous cachent leurs sentiments, ne veulent pas que les autres les déchiffrent ; je connais beaucoup d'acteurs, en particulier les élèves de Lee, qui brandissent ces émotions comme si le talent ne se mesurait qu'à leur aune. L'artiste doit ressentir l'émotion et lui donner son expression la plus appropriée : c'est le problème fondamental auquel il est confronté. Ce problème ne peut pas davantage être ignoré au théâtre qu'en peinture ou en musique. Les grands metteurs en scène russes de la période classique — Vakhtangov, Meyerhold, et même, sur la fin, Stanislavski, se sont posé le problème de la forme.

Récemment, j'ai mis en scène une adaptation de l'*Orestie* avec des acteurs de l'Actors Studio, mais malgré leur dévouement et leur opiniâtreté, malgré l'affection que j'éprouvais pour ces gens très sympathiques, j'ai trouvé leur diction, à quelques exceptions près, mauvaise. Elle était, et elle continue de l'être aujourd'hui, influencée par leur quartier d'origine, et même parfois par leurs racines ethniques. Ils parlaient un « américain de la rue », parfait pour *Sur les quais*. Trop d'entre eux partaient du principe suivant : si j'ai l'émotion, je n'ai besoin de rien d'autre. Ils avaient été formés par Lee Strasberg. J'en ai observé quelques-uns dans de tout petits rôles, qui jouaient les utilités : ils se préparaient pendant plusieurs minutes, dans un état d'hébétude total, avant de faire leur entrée et, une fois sur scène, ne livraient rien d'original. Tous ceux qui sont sortis du Group n'ont jamais pu apporter de réponse à la question qui leur a été si souvent posée, à juste titre : pourquoi les acteurs américains n'ont-ils jamais eu de succès dans les pièces classiques ? Pourquoi la production de ces pièces, fleurons de nos bibliothèques, a-t-elle été abandonnée aux Anglais ? Les acteurs, dans notre pays, ont encore du pain sur la planche.

Les metteurs en scène aussi. Je me suis colleté par deux fois avec une pièce « classique » et j'ai échoué lamentablement les deux fois. La vérité, c'est que je n'ai eu ni formation ni expérience me permettant d'aborder une telle entreprise. Il n'existait aucune tradition, dans ce pays, sur laquelle m'appuyer, en tout cas pas à mon époque. Mais je ne doute pas qu'il existe un moyen de combiner les qualités du Group et les splendeurs d'un théâtre qui se consacre aux pièces en vers des grands dramaturges.

Un dernier mot sur ce sujet. Une émotion véritable, fondée sur l'expérience et authentiquement ressentie par un acteur, possède un pouvoir dont elle est dépourvue quand elle n'est que simulée ou habilement suggérée. Vous pouvez vous en apercevoir lorsque vous regardez les grands acteurs dans leurs meilleurs rôles : Raimu, dans *la Femme du boulanger*, ressemblait moins à un acteur qu'à un boulanger, mais les humiliations qu'il subissait à l'écran, de celles qui frappent un homme vieillissant amoureux d'une jeune femme, étaient ressenties avec une telle authenticité qu'elles m'ont ébranlé. Garbo, dans *le Roman de Marguerite Gautier* : insurpassable. D'où provient son mystère ? De sa personnalité même. Judy Garland, à la fin de sa vie, vous donnait à voir, le temps d'un éclair (Hazlitt aurait pu ajouter « comme si la foudre lui était tombée dessus », ce qu'il avait écrit au sujet de Kean), sa propre souffrance quand elle chantait le *blues pop*. Mais aussi Caruso et Callas, lui avec cette majestueuse voix théâtrale, elle avec cette voix si souvent critiquée, toutes deux si profondes, cependant, qu'elles faisaient oublier les défauts. Bessie Smith, qui a rassemblé tous les exclus de la société, a chanté pour eux et pour sa race. Brando, l'âme à nu dans *Sur les quais*, où il donne la plus belle interprétation masculine de l'histoire du cinéma, parce qu'il met dans les scènes d'amour une tendresse et une délicatesse complètement inattendues. Et tous les autres : Michaël, le neveu d'Anton Tchekhov, Walter Huston dans *le Trésor de la sierra Madre*, Lee Cobb, dans *Mort d'un commis voyageur*, avant qu'il n'« améliore » son interprétation. Et ce grand acteur japonais, Takashi Shimura, dans *Vivre*, de Kurosawa. Voilà quelques-uns des trésors de ma vie. Vous auriez sans doute d'autres noms à proposer. Mais demandez-vous maintenant pourquoi ces performances d'acteur — ou celles que vous avez choisies — survivent dans votre mémoire tandis que d'autres, tout aussi louées, tout aussi célèbres, ne s'y sont pas gravées.

Mon avis sur la question, c'est que ces acteurs — grâce à leur technique ou au hasard — vous ont livré un morceau de leur vie, ce qui représente sans doute la générosité ultime pour un artiste, et ils l'ont fait sans être intimidés. Vous avez pénétré au plus profond de leur intimité. Et ces artistes vous ont rendu visite dans votre jardin secret, celui que vous cachez. Ils vous ont offert plus que de l'astuce ou de la technique : ils vous ont donné l'émotion vraie, celle qui vous blesse en même temps qu'elle vous transporte.

Ces expériences rares sont terrifiantes et inoubliables car elles éveillent une sorte de peur — pas pour eux mais en vous au moment où vous regardez —, une peur qui est peut-être la forme ultime du respect que vous, spectateur, pouvez offrir en retour. Tout d'un coup, vous n'êtes plus sûr de ce qui va suivre — ou de ce qui va arriver à la fin. Tiendront-ils le coup, s'en sortiront-ils ? Comme dans la vie, il est probable que des surprises sont à venir qui vous mettront mal à l'aise. Tous les acteurs et les actrices de premier plan devraient posséder en eux un côté imprévisible et dangereux. Vous devriez être inquiet de ce qu'ils préparent peut-être ; ils pourraient dépasser les bornes. Bogart ne rentre-t-il pas dans cette catégorie ? Et Bette Davis ? Le premier rôle va-t-il faire l'amour avec sa partenaire ou la frapper — Cagney ? Qui peut déchiffrer le mystère Greta Garbo ? Elle ne se livre pas, elle ne se fait pas d'amis ; elle ne cherche pas votre approbation, jamais. Oui, même les héros devraient laisser planer une menace permanente. Ils devraient prendre le contre-pied de la docilité, seulement à moitié domptés, pas tout à fait civilisés. Immodérés.

Assis au cinéma ou devant votre petit écran, vous comprenez que vous êtes en train d'assister à un événement réel, plus réel que la vie, car dans la « vie » on se heurte aux limites de la civilisation — la police, par exemple. En art, il ne devrait en exister aucune. Vous ne devriez pas savoir quelle va être l'issue du drame. Vous devriez regarder avec appréhension — c'était le cas dans *Raging Bull*, de Martin Scorsese, interprété par Bobby De Niro. En compagnie de ces acteurs, vous ne devriez pas vous sentir en sécurité, pas plus que lorsque vous traversez une rue dans les quartiers pauvres de Harlem la nuit, si vous êtes blanc ; ou que vous conduisez une Jeep décapotable dans la savane au crépuscule et que les prédateurs commencent à remuer. Vous ressentez ce même sens de l'immédiat que lorsque vous assistez à un affrontement terrible dans la vie ou que vous lisez le premier acte de *Richard III*. Vous espérez que tout va se terminer pour le mieux mais vous n'êtes pas sûr de la tournure que vont prendre les événements. Vous espérez, comme lorsque vous assistez à une représentation de *Lear*, que le plus grand de tous les vieillards de la terre va émerger de sa stupeur, ne fût-ce que le temps d'un éclair, à la fin — c'est ce qui arrive d'ailleurs à Lear — et qu'il va former en cet instant une vision claire de sa vie et du monde. Quand cela se produit, votre propre vie a fait un pas en avant. Ce qui est arrivé aux gens sur la scène ou à l'écran vous est arrivé à vous.

Voilà le type d'interprétation auquel j'aspirais.

En attendant Lefty s'était joué sur un coup de dés, mais quand j'obtins un rôle dans *Paradis perdu* de Clifford, je sus que j'avais réussi, que j'étais bien membre d'une compagnie théâtrale. Je commençai les répétitions depuis le début, je passai par tous les stades de la préparation d'un rôle formidable sous la direction d'un homme brillant, Harold Clurman. Avec lui, je me suis enrichi. A la première de la pièce — surprise ! —, je fus applaudi à la fin de chacune de mes scènes.

Tenir un rôle me semblait être la responsabilité la plus importante qui m'ait jamais été confiée. Je découvris ce qu'était la joie débordante : celle de jouer devant un public qui vous admire, celle d'entendre exulter votre voix intérieure : « Ça y est ! J'y suis ! Enfin ! Ils m'adorent. Écoute-les rire ! Et maintenant, comme ils sont silencieux ! Quel est ce murmure ? Je pense qu'ils me trouvent sexy. Non. Si, je crois. Je dois me regarder dans le miroir dès que je reviendrai dans ma loge. A la façon dont ils écoutent, je dois être important. Ou bien est-ce ce que je dis ? Bien sûr, les mots de Clifford, espèce d'idiot. Mais pourtant, maintenant, à ce moment précis, ils m'appartiennent tous. Je crois qu'ils aiment le fils de pute que j'interprète. Écoute ce rire, ah ! ah ! ah ! Je t'aime, je t'aime, je t'aime. Je sais. Oui, je vous aime aussi. Je suis grand, vous êtes grands, nous sommes grands ensemble. »

C'était comme ça. Chaque soir, j'étais réconforté par des centaines de mains en train d'applaudir. Que demander de plus ? Oh, mon âme en éprouvait tant de satisfaction ! Quel autre artiste en récolte autant ? Reçoit l'approbation de son public si rapidement ? Vous trouvez ma réaction puérile, n'est-ce pas ? Vous avez raison : elle était primitive.

Il importait peu, dans ces conditions, que le salaire des acteurs ait été réduit du jour au lendemain et que je gagne seulement la somme ridicule de dix-huit dollars et douze *cents* par semaine. Molly avait un petit revenu. Notre loyer mensuel ne dépassait pas cinquante-cinq dollars. J'adorais mon travail. Je l'adorais elle. Elle m'adorait. J'adorais déjà l'enfant qui remuait dans son ventre. Certaines femmes, une fois enceintes, deviennent moins belles. Molly, elle, l'était davantage. Son visage était radieux. L'enfant à venir semblait profiter du bonheur de sa mère. Pour la première fois de ma vie, j'avais confiance dans l'avenir.

De plus, les critiques m'encensaient, allant jusqu'à me distinguer du lot
— pardonnez ma vanité. Et dans les « magazines d'opinion », s'il vous
plaît! Voici l'opinion de Mr. Stark Young, du *New Republic*: « Mr. Elia
Kazan est un délice, une menace, un farceur plein de fougue. Son habileté
saute aux yeux. Il fait comme qui dirait de l'œil au public, et cet œil
suggère le drame tout en pétillant de malice! » Qu'est-ce que c'est que ce
type? me suis-je demandé. Un pédé? Puis les gens du théâtre s'y sont mis
aussi. Jed Harris, ce salaud, à qui l'on me comparerait un jour, l'a écrit
noir sur blanc: « Une interprétation de génie! » J'ai reçu un télégramme
de George S. Kaufman, me demandant d'avoir l'obligeance de faire un
saut à son bureau pour discuter d'un rôle. Quel plaisir de dire non à un
géant du théâtre au nom de mes obligations envers le Group!

Mais un événement plus important encore que tous les autres se produisit. En moi. Dans une scène, l'auteur me demandait d'éclater en sanglots,
en dépit du caractère de mon personnage, petit dur qui s'en prenait à tout
le monde. Je n'avais pu y parvenir durant les répétitions. Mais soudain,
devant un public, elles ont coulé, ces larmes, à flots. Je ne pouvais plus les
arrêter. Je n'avais jamais pleuré de ma vie — ah, si! une fois, quand Lee
m'avait passé un savon à cause de son foutu tremblement de terre. Mais
toute ma vie je m'étais efforcé de ne trahir mes blessures devant personne,
de ne jamais m'avouer humilié, de ne jamais chercher à obtenir pitié ni
même compassion. Alors pourquoi à ce moment-là et en public? Était-ce
dû à la présence de cette foule tout autour de moi? Était-ce pour moi la
forme suprême de l'intimité?

J'exprimais des sentiments que j'avais toujours dissimulés. Je savais que
c'était le résultat du travail du Group et de l'idéal d'ouverture totale à
l'émotion que Lee avait exalté. Il avait l'habitude de dire à ses classes:
« Ne niez pas vos émotions, soyez-en fiers! » A ce moment-là, pour la
première fois de ma vie, je montrais mes émotions avec fierté — je ne les
indiquais pas; je les vivais. J'offrais au monde tout ce que j'avais toujours
masqué, tous les sentiments que j'avais emmagasinés pendant des années
sans en parler à personne. Je chantais enfin mon propre *blues* et je le
faisais sans que ma nature de « mâle » en souffre.

Cette expérience de la scène, soir après soir, vint à bout de ma réserve.
Le masque du bon garçon complaisant tomba par terre bruyamment et je
l'envoyai d'un coup de pied dans un recoin de mon âme — au cas où j'en
aurais encore besoin. Je pris la décision de satisfaire ma vraie personnalité, même si c'était celle d'un fils de pute.

Bon, O.K., laisse-toi aller, me dis-je. Est-ce que je suis vraiment comme
ça? Tant pis. Pourquoi pas? Montre-leur la vérité. Là! Regardez! Tous
autant que vous êtes. Regardez!

Un autre changement survint. Quand j'étais régisseur de cette troupe,
mon boulot consistait à veiller à ce que tout soit en ordre, à ce qu'ils aient
tout le confort pour travailler dans les meilleures conditions. Désormais,
je me trouvais dans l'arène, en compétition avec eux. C'étaient des
combattants expérimentés, ils connaissaient toutes les ficelles du métier.
Je devais apprendre à tenir bon. Quand les répétitions commencèrent, on
me traita comme un débutant et on me donna plus de conseils que je n'en

avais besoin. Ce manège continua même une fois les représentations entamées. Stella Adler, que j'ai fini par apprécier quelques années plus tard, estimait qu'il lui incombait de m'offrir son opinion sur mon interprétation, plus certaines recommandations en vue de l'améliorer. Notre metteur en scène, Harold Clurman, ne se montrait pas assez ferme avec cette actrice. Je me doutais bien de ce qu'il avait dû lui dire : « Bien sûr, Stella, vas-y, parle-lui, pourquoi pas, c'est un gentil garçon. » Mais ce « gentil garçon » était en voie de disparition. Je sentais qu'elle cédait en fait à une sorte de condescendance à mon égard et je pris la décision de ne plus me forcer à paraître obéissant et attentif. Je me mis à utiliser une tactique que j'avais mise au point en présence de mon père : oublier ce que je désirais oublier au moment même où je l'entendais. Un hochement de tête, une hésitation dans les sourcils, un haussement d'épaules ambigu, un sourire distant suffirent pour que Stella s'aperçoive bientôt qu'elle ne recevait pas l'attention qu'elle croyait mériter et fasse retraite dans le silence. Les autres acteurs de la compagnie ne tardèrent pas à comprendre que j'étais sorti du placard où le gentil garçon s'était enfermé et qu'ils avaient affaire à un jeune homme plein de fierté — vous pouvez l'appeler suffisant, vous pouvez l'appeler arrogant.

Bientôt, je découvris que je pouvais faire dans la vie ce que j'étais capable d'accomplir sur scène. Toutes les émotions qui m'animaient, l'amour comme la colère, firent surface. Je n'étais plus ce gamin qui ne pouvait s'empêcher d'être agréable à tous, ce « gadget ». J'étais quelqu'un de neuf, ce qui donna un petit choc à mes amis. Je marchais désormais dans les rues en me pavanant. Je croisais des connaissances sans les saluer. Je me regardais effectivement dans le miroir et finis par y trouver ce que j'avais espéré : mon visage était en train de changer. En mieux. J'avais foi en mes possibilités. J'avais confiance en mon talent. C'est ma vraie personnalité qui émergeait.

Il fut mis un terme à la carrière de *Paradis perdu* après soixante-treize représentations. Un échec commercial sur toute la ligne. Nous avions tout essayé : déclarations scandalisées, témoignages enthousiastes de personnalités du monde de la culture, travail sans salaire. Rien n'y faisait : les tickets ne se vendaient pas. La bise de la désillusion vint donc s'ajouter à la froidure de l'hiver.

L'année suivante, le Group première formule éclata. Plusieurs causes avaient concouru à cette issue. Il est difficile de survivre à l'échec, dans notre théâtre, c'est un fait. Mais dans notre cas, le motif principal de la désunion tenait à la perte de notre idéal : notre adoration pour Lee et Harold, véritable ciment de notre troupe, s'était refroidie. Dans les mois qui suivirent *Paradis perdu*, l'adulation céda la place à l'amitié. Et à l'égalité.

Nous enchaînâmes sur deux productions que je n'aurais pas recommandées : elles révélaient les défauts de nos leaders — pour commencer, c'étaient des hommes comme les autres. Puis il nous devint de plus en plus difficile de maintenir toute notre compagnie au travail en même temps.

Une compagnie permanente est-elle viable dans ce pays? Impossible n'est pas français, dit-on, mais c'est une autre chanson de ce côté-ci de l'Atlantique. De telles compagnies existent de par le monde, mais elles bénéficient de subventions de l'Etat. En Angleterre, par exemple, la continuité est maintenue grâce aux reprises d'œuvres qui appartiennent au patrimoine classique de ce pays. Nous, nous n'avons jamais eu de Shakespeare; de toute façon, nos acteurs n'ont jamais pu le jouer. Manque d'intérêt, à l'évidence. L'esprit du Group était issu des années 30. Nous nous étions rassemblés pour donner des pièces qui « disaient quelque chose » de notre vie. Nous étions en phase avec l'air du temps.

La résolution du P.C. de prendre le Group en main était partie en eau de boudin. Comme je n'avais pas assisté aux réunions, je ne sais pas ce qui s'y était dit. Quoi qu'il en soit, les directeurs avaient une compagnie d'acteurs impatients sur les bras et il leur fallait trouver une pièce à mettre en répétition, et vite. Une autre exigence venait compliquer les choses: il fallait un rôle pour chacun de nos acteurs. Seul le travail maintiendrait la cohésion du Group. L'inévitable se produisit alors: nous montâmes une pièce en laquelle personne ne croyait, *l'Affaire Clyde Griffiths*, adaptée par Irwin Piscator d'*Une tragédie américaine*, de Theodore Dreiser. Nous le fîmes de surcroît pour de mauvaises raisons. Le moins qu'on puisse dire de cette pièce, c'est qu'elle était froide et schématique. Son thème l'étouffait et, malgré l'arrogance affichée par sa forme avant-gardiste, elle additionnait les lieux communs. Lee, disciple de la méthode... Coué, se convainquit de la mettre en scène. Il y décelait une intrigue romantique et un défi formaliste. Nos directeurs étaient passés maîtres dans l'art de l'autojustification, mais nous n'étions pas dupes — eux non plus, d'ailleurs.

Dans le monde du spectacle, il est une vertu qui n'en est pas une. A Hollywood, on loue un metteur en scène que l'on estime capable de « diriger n'importe quoi »: westerns, comédies musicales, histoires d'amour, drames sociaux, farces, peu importe. Cette faculté d'adaptation ne signifie qu'une chose: l'homme n'a pas de personnalité et ce qu'il tourne a toutes les chances d'être « synthétique », quelles que soient ses qualités professionnelles. J'ai regardé le pauvre Lee s'escrimer sur la bouillie pour les chats concoctée par Piscator: rien n'aurait pu être moins à son goût ni desservir davantage son talent. Lee avait de la personnalité, lui: portée à l'intimisme, monacale pour tout dire — peu de pièces lui convenaient. Mais un artiste véritable n'a souvent qu'un message à faire passer, un seul style fondamental, un thème en tout et pour tout. Considérez Goya, Cézanne, Whitman, Mozart, Dante, Hopper, Eisenstein, Van Gogh, Renoir père, Renoir fils; songez à Tolstoï, Dostoïevski, Stendhal, Kurosawa, Flaubert, Giotto (oubliez Picasso), Balzac, Proust, Dreiser lui-même, quand on ne se mêle pas de l'adapter. Pourquoi diable voudraient-ils exceller dans tous les domaines? (Encore une fois, oubliez Picasso.) C'est l'affaire des échotiers. Lee n'avait pas la classe de ceux que je viens de nommer, mais c'était un artiste et il avait les défauts — une vision étroite, un esprit de ghetto — de ses qualités. La valeur d'un artiste se mesure à l'aune de sa profondeur, pas à celle de son registre. Notre

production de *l'Affaire Clyde Griffiths* obtint ce qu'elle méritait : une vie
brève et malheureuse — dix-neuf représentations — et une mort que
personne ne pleura. Elle nous laissa exténués et amers. Nous avions
besoin de repos.

DÉCHIFFREZ la photographie numéro 19 avec moi. De vieux amis sont réunis, qui ont fait un bon bout de chemin ensemble et ont bien mérité de se reposer. Nous venions d'arriver au Pinebrook Country Club, pour y passer un été studieux de plus. Regardez mieux : je fais sans doute preuve de sagesse rétrospective mais la passion qui nous avait rendus si réceptifs quand Harold nous décrivait ce que notre compagnie pourrait devenir si nous le voulions et si nous y travaillions, eh bien, cette fièvre, je dirais qu'elle était retombée. Nous n'étions plus « affamés ». Pour la plupart, nous avons l'air plus calmes, peut-être plus gentils, certainement plus détendus, prêts à discuter et à rire ensemble, à écouter de la musique, à jouer au tennis, à faire la fête et même à travailler convenablement sans se disputer. Mais est-ce bien ce dont un groupe comme celui-ci a besoin pour rester soudé ? Une dose de fantasme n'est-elle pas nécessaire ? N'y a-t-il que les jeunes pour éprouver un tel désespoir, un tel désir ? On le dirait. Seuls les hommes de génie, passé un certain âge, donnent l'impression qu'ils seraient prêts à tuer pour leur travail. Quant au reste de l'humanité, que demande-t-elle de plus à la vie que de pouvoir se rassembler par un jour ensoleillé de juin et goûter la compagnie de vieux amis ? Devrais-je m'en tenir là ? Non. Je perçois un regard inquiet sur le visage des acteurs chevronnés assis aux premiers rangs : il y a de la rupture dans l'air. Vous remarquerez que nos deux directeurs artistiques sont assis chacun à une extrémité différente du cadre. Lee Strasberg, à gauche, apparaît morose et blessé derrière ses lunettes. J'éprouve de l'indulgence à son égard car il a dû porter un poids énorme sur ses épaules et a échoué. Au fond de lui-même, il est probablement déçu mais ne veut pas l'admettre. Lee n'a jamais pu admettre ses faiblesses. A sa gauche se trouvent Sanford Meisner, Robert Lewis, John Garfield et (c'est Paula Strasberg qui regarde par-dessus son épaule) Harold Clurman. Est-ce qu'il a l'air satisfait ? Non. Il ne l'est pas. Les deux hommes en étaient certainement conscients, ils n'avaient pas rempli leur devoir premier : la compagnie ne disposait d'aucune pièce prête à être répétée. Les acteurs allaient bientôt s'en rendre compte et il y aurait des récriminations. Les metteurs en scène se rejetteraient l'un sur l'autre la responsabilité de cet échec et de bien d'autres

encore. Les rancœurs éclateraient au grand jour. Pendant ce temps-là,
nous autres, les acteurs, nous devions gagner notre croûte en jouant pour
la clientèle du camp. A l'affiche de notre premier spectacle : des pièces en
un acte de Tchekhov.

Trois personnes ne figurent pas sur la photo. Harold n'avait pu résoudre
le problème Stella Adler. Il n'y avait de rôle pour elle dans aucune des
deux productions qui étaient à l'étude et par conséquent aucune raison
pour elle de venir au camp ou même de continuer à faire partie du Group.
Elle ne croyait pas aux belles paroles de Harold : il ne l'aiderait pas dans
sa carrière, il l'avait dupée, pensait-elle. Nous en voulions tous à la dame
car selon nous elle avait perturbé la concentration de Harold et corrompu
son bon sens. Nous estimions que le problème qui avait détourné son
attention — que faire pour la vie professionnelle de sa protégée — était
hors de propos. Nous n'avions pas oublié un incident survenu pendant les
représentations d'*Awake and Sing!* Au moment des rappels, Stella en-
levait sa perruque grise pour faire savoir au public qu'elle faisait une
faveur au Group — à contrecœur — en acceptant de jouer le rôle d'une
femme plus âgée qu'elle. Les autres acteurs, très en colère, étaient allés se
plaindre auprès de Harold. Il avait sans doute parlé à Stella mais elle n'en
avait pas moins continué à enlever sa perruque aux rappels. Nous étions
persuadés qu'elle avait porté un coup au moral de la compagnie.

Joe Bromberg, qui avait donné une interprétation si brillante d'Oncle
Morty dans cette pièce, était parti pour la Californie et s'y était installé. Il
n'était pas venu au Pinebrook Country Club avec nous, arguant de son
désenchantement.

Clifford Odets manque également sur la photo. Il avait pris un boulot à
Hollywood pour payer ses factures et avait loué une maison pour l'été
dans les environs de notre camp. Quelques semaines après le début de nos
activités, il était venu avec Luise pour qu'elle rencontre les gens du
Group. Il espérait qu'elle se lierait au Group et, comme toujours, il y
accordait une importance cruciale. Elle arriva avec mal à la gorge et
semblait effrayée. Les acteurs eurent l'occasion de jeter un coup d'œil sur
elle et de lui parler. Certaines de nos femmes pensèrent que Luise « passait son temps à jouer la comédie ». C'était certainement une personne
hypersensible, habituée à être adulée et à bénéficier d'une bienveillance
constante de la part d'autrui. Luise sentit l'hostilité venir de tous les côtés.
Elle détestait la maison que Clifford avait louée et était jalouse de son
abnégation pour les gens du Group. A la réception d'un appel « urgent »
de la M.G.M., elle se rua vers l'Ouest et la tension s'apaisa — momentanément.

Clifford avait apporté avec lui le manuscrit de la pièce qu'il avait révisée
et souhaitait nous voir monter, *le Partenaire silencieux*. Harold lut le
manuscrit le premier et lui fit savoir que c'était peut-être sa meilleure
pièce, mais qu'elle n'était pas prête pour les répétitions. Je la lus à mon
tour ; ce n'était pas sa meilleure pièce et elle n'avait aucune chance de le
devenir. Voici l'une des modifications suggérées par Harold : Clifford
devrait écrire un beau rôle pour Stella, mais de grâce pas celui d'une
vieille femme, comme dans *Awake and Sing!* Je trouvai l'idée bizarre ; que
diable irait faire Stella dans une pièce sur la grève ?

Le Group prévoyait d'ouvrir la saison avec la pièce d'un autre auteur, encore dans sa phase de rédaction : Clifford s'en offusqua. Il décida, puisque les répétitions de sa pièce n'étaient pas au programme, de faire plaisir à sa femme en retournant à Beverly Hills où il procéderait à des révisions. Ils ne se sont jamais autant aimés qu'à leur séparation.

Dans les semaines précédant l'arrivée au camp de la compagnie, Cheryl Crawford, qui avait l'esprit pratique, avait travaillé avec Kurt Weill et Paul Green sur l'adaptation du *Brave Soldat Schweik* dans ce pays. (Était-ce l'idée de Weill ? Cheryl l'a revendiquée. Harold a laissé entendre qu'il en était à l'origine.) Ce devait être du théâtre total, influencé par Bertolt Brecht. Cette adaptation était en train de voir le jour à Chapel Hill, Caroline du Nord, où Paul s'efforçait de donner à notre pièce musicale sa coloration américaine unique. Kurt pouvait mieux que quiconque imiter la musique d'une autre culture, mais l'idée d'amener Schweik en Amérique, pour astucieuse qu'elle fût, n'en était pas moins artificielle.

Alors nous attendîmes. Nous en étions parvenus au point où nous ne pouvions même plus donner de cours d'interprétation ; mais Stella, dès son arrivée, eut l'audace de présider quelques sessions destinées à exprimer les différences qu'elle entretenait avec Lee dans son approche de la Méthode. Elle méditait en fait un mauvais coup : elle souhaitait ébranler le trône sur lequel Lee était resté assis pendant si longtemps, si confortablement. Comme Stella était la maîtresse de Harold, ces cours élargirent la faille qui séparait les deux hommes. L'été s'écoulait sans répétitions et ils étaient tous les deux à cran. Nous écoutions Weill jouer du piano tout en égrenant ses souvenirs de Berlin et de Brecht, nous écoutions chanter Lotte Lenya, nous les admirions tous les deux, mais le drame se jouait dans les coulisses : qui allait mettre en scène le spectacle musical ?

Harold avait un plan. Il avait été impressionné, du moins c'est ce qu'il m'avait dit, par ma mise en scène pour le Théâtre de l'Action ; il me trouvait énergique et techniquement compétent, bref j'étais la personne idéale pour fournir à Stella l'aide additionnelle dont elle aurait besoin pour assumer les fonctions de metteur en scène. Il suggéra que nous dirigions le spectacle ensemble, elle et moi. Harold, je le savais, n'avait émis cette suggestion que dans l'espoir de résoudre le problème personnel qui l'accablait. Mon ambition était désormais de devenir metteur en scène — j'avais observé les autres et je pensais en être capable — mais je ne voulais pas débuter comme « caddie » de Stella. Je n'avais pas apprécié le jugement que Harold avait porté sur moi — « techniquement compétent » — et me demandais pourquoi il ne dirigeait pas le spectacle musical de Green et Weill lui-même.

En fait, Harold était suffisamment malin pour éviter de se lancer dans les entreprises qu'il n'était pas sûr de mener à bien. Après une série de conversations tendues en coulisses, Harold, Kurt et Cheryl, obéissant au désespoir plus qu'à la sagesse, convainquirent Lee d'accepter cette responsabilité — « pour le Group ». Mais Lee ne cadrait pas davantage avec cette œuvre qu'avec *l'Affaire Clyde Griffiths*, et ce pour la simple raison que le spectacle était censé être drôle. Lee mettait en scène revêtu d'une camisole psychologique, et c'est précisément cette qualité qui donnait à ses productions, quand elles étaient réussies, toute leur intensité. De plus, parler de Brecht est une chose, et Lee ne s'en lassait pas, mais être Brecht au travail en est une autre.

Aussi vivions-nous dans l'attente et dans le doute, lorsque Molly me téléphona pour m'apprendre qu'elle allait bientôt accoucher. Je quittai le camp précipitamment mais ne parvins pas à temps à l'hôpital pour voir naître le bébé. Je me dis en moi-même que Molly « comprendrait » — après tout, c'était une femme de théâtre. Mais cette priorité que j'accordais à certaines valeurs devait se manifester de nouveau par la suite et causer des dissensions entre nous. A ce moment-là, Molly semblait encore accepter avec magnanimité mon attitude (« le Group d'abord »), mais combien de temps cela durerait-il ?

Durant les trois jours passés auprès de ma nouveau-née, ma vie changea du tout au tout. La petite main du bébé saisit un de mes doigts et serra fort : je n'étais plus moi-même. Je fus étonné de voir combien les seins de Molly avaient grossi et avec quel acharnement le nourrisson aspirait les mamelons. Elle aurait une forte personnalité, on pouvait s'en rendre compte, et nous commençâmes à nous disputer pour lui choisir un nom. C'était une lourde responsabilité, me sembla-t-il, que de donner un nom à quelqu'un pour toute sa vie. (Il nous a fallu des mois pour décider : Judy.) J'observai le visage de Molly, comme elle tenait l'enfant dans ses bras : c'était celui d'un être comblé ; j'y vis la marque d'une émotion bien plus intense que celles qu'il m'était donné d'éprouver. Il s'agissait de quelque chose de plus profond et de plus important que la création théâtrale. Quand Molly s'endormit, avec l'enfant dans les bras, je m'assis pour les regarder. J'étais un père désormais ; elle n'était plus seulement une épouse, une compagne, une conseillère et une camarade de chambre : elle était la mère de mon enfant. Molly allait désormais se dévouer pour deux personnes, et je fus surpris de sentir en moi l'aiguillon de la jalousie. Quand je la serrerais dans mes bras, nous serions trois au lit.

Lorsque je revins au camp, mon compagnon de chambre, Bobby Lewis, organisa une petite soirée pour marquer mon accession à ce nouveau statut. J'étais content de retrouver mes amis mais une certaine froideur s'était installée au fond de mon cœur. La petite main primitive de Judy s'accrochant à mon doigt m'avait demandé quelque chose. Quoi au juste, je l'ignorais : protection, aide, chaleur, amour, fidélité ? Mais je le lui donnerais dans tous les cas. L'étreinte de cette main avait donné une nouvelle détermination à ma vie. Tels ces crustacés qui naissent avec la peau douce, je me trouvai soudain recouvert d'une coquille. Je devais assumer ma propre existence et apprendre à ne pas céder sur ce qui était important pour moi. C'était une révolution bien plus importante que je ne l'imaginais. J'avais cessé d'être un membre obéissant et fidèle du Group ; j'avais commencé à regarder autour de moi.

Je savais maintenant qu'il ne fallait pas prendre au sérieux mes petits succès professionnels en tant qu'acteur. *En attendant Lefty* et *Paradis perdu* étaient de l'histoire ancienne. Je m'étais mis dans la tête, en regardant travailler Lee et Harold, qu'il devait y avoir une place pour moi dans les rangs de ceux qui étaient considérés comme des metteurs en scène professionnels. Il me fallait chercher à obtenir ce poste. Avais-je raison de placer ma vie et mes espoirs entre leurs mains, de m'en remettre à leurs jugements ? Je n'étais même pas sûr qu'ils étaient compétents et je savais qu'ils ne se soutenaient plus l'un l'autre. J'avais découvert qu'en plus de ses talents considérables, Harold avait un don pour la rationalisation — c'est-à-dire le mensonge à soi-même — et qu'il l'avait utilisé et le ferait encore pour le bien de Stella. J'en venais progressivement à comprendre que Harold irait contre les intérêts d'un ami au nom de son désir de satisfaire Stella, puis trouverait à se justifier.

La vie, je voulais y mordre à belles dents et le Group ne me le permettait pas. De l'air, de l'espace, du changement, du défi, de l'aventure, voilà ce qu'il me fallait pour m'épanouir. Je méprisais ce rôle insignifiant qu'on m'avait confié dans cette pièce artificielle et — là, j'étais sans doute injuste, mais c'était la vérité — j'en voulais à petit Kurt de trottiner de long en large devant la fosse d'orchestre, toujours à donner des leçons de chant. J'étais soudain devenu injuste, intolérant et fichtrement impatient.

La tension entre les metteurs en scène s'étalait désormais sur la place publique. Lee fut blâmé pour les échecs — ce qui était peu charitable : il s'était tellement donné au Group pendant si longtemps —, Harold fut blâmé pour son manque d'attention et d'à-propos dont l'origine avait été attribuée à Stella. Qui en fut blâmée à son tour. Que s'était-il passé en coulisses quand ces trois-là s'étaient rencontrés, je n'en sais rien. Selon la rumeur, Lee avait affirmé qu'il ne désirait pas risquer sa santé mentale en poursuivant ses fonctions de directeur administratif du Group Theatre. Il ne fait pas de doute que Lee avait dû supporter le plus gros de la pression, pas Harold. Leurs relations continuèrent à se détériorer, puis ils se séparèrent. Cheryl a cette remarque tranchante dans ses Mémoires : « Harold et Lee ne seraient jamais restés ensemble sans moi. Je devais constamment les présenter l'un à l'autre. » Peu après, Lee et Cheryl remirent leur démission et, à la suite de cela, annoncèrent qu'ils envisageaient de créer leur propre compagnie théâtrale.

Les acteurs s'étaient empressés de se trouver n'importe quel petit boulot. Je devais gagner ma vie, aussi repris-je ma place à la radio. Un seul acteur parmi nous, grâce à sa chance, à sa personnalité et à son talent, décrocha un rôle intéressant dans une pièce à succès. Il mit en plein dans le mille avec *Having Wonderful Time* et fut sollicité par le cinéma. Julius Garfinkle allait devenir John Garfield. Cheryl, comme d'habitude, avait vu les choses d'un œil pratique : elle avait aidé beaucoup d'entre nous à trouver des emplois dans le cinéma. C'était un cadeau d'adieu typique : elle se souciait pour les acteurs et ne négligeait jamais le facteur humain. Le boulot qu'elle m'avait trouvé ne me rendrait pas riche ; Walter Wanger, le producteur hollywoodien, allait me verser cent cinquante dollars par semaine, pour rester en *stand-by*. Je ne savais pas ce que cela voulait dire, mais je devais saisir ma chance et j'avais bien besoin de changement.

Je partis donc pour l'Ouest. Clifford y écrivait un scénario pour Lewis Milestone et me promit d'essayer de me trouver du boulot par l'intermédiaire de « Milly ». Il m'invita à partager de nouveau son hospitalité et celle de Luise, et, autant par curiosité que par amitié, j'acceptai. La pénombre régnait chez eux de jour comme de nuit. Clifford aimait que son espace vital soit plongé dans l'obscurité. Luise ne travaillait pas et elle m'apparut comme une hôtesse chaleureuse et généreuse qui veillait à ce que je ne manque de rien. Nous prîmes plusieurs fois le petit déjeuner ensemble pendant que Clifford faisait la grasse matinée. Elle se sentait seule et avait besoin de soutien. Des différends les opposaient et chacun me donnait son point de vue. Cette tension m'était désagréable et je m'en libérai en me dégotant un petit meublé où je serais tranquille.

Harold s'était vu offrir une place d'assistant auprès de Walter Wanger et vint dans l'Ouest rejoindre Stella (devenue Ardler) au pays du soleil. Wanger était aussi mon patron. J'envoyais chaque semaine une partie de ses cent cinquante dollars à la maison et vivais en reclus. Je découvris que *stand-by* voulait dire passer des auditions avec des acteurs promis à un destin plus glorieux que le mien. Si j'avais de la chance, j'attirerais peut-être l'attention d'un metteur en scène qui me donnerait du travail. J'observais avec profit tout ce qui se passait sur les plateaux de tournage, m'imbibant de tout ce qui s'y faisait et de tout ce qui s'y disait. Je passais aussi beaucoup de temps à étudier Wanger. Il avait fait Dartmouth et à première vue il avait grande allure, mais il avait aussi un côté naïf très prononcé. Je me rappelle avoir été impressionné par ses vestes sport, son eau de toilette et la réussite de cet homme parti de rien. A sa mort, Tallulah Bankhead devait lui rendre cet hommage : « Il avait une belle bite, a dit cette garce, mais il ne savait pas s'en servir. » J'imagine qu'elle s'était dit que cela lui conviendrait en guise d'épitaphe. Wanger ne savait pas non plus comment utiliser Harold. Celui qui, naguère encore, attisait les passions n'était rien d'autre qu'un intellectuel décoratif dans le bureau de Wanger.

Je me retrouvais donc en exil à Hollywood et j'étais déterminé à en profiter au maximum. Je me dotai d'un agent, personnage affable issu de l'écurie William Morris. Notre première rencontre fut interrompue à plusieurs reprises par la sonnerie du téléphone. Si les gens qui l'appelaient étaient « connus », il ne manquait pas de mentionner leur nom à mon intention. Prises en sandwich entre ces conversations se glissèrent quelques marques d'intérêt ; il se dit certain de pouvoir me trouver du travail. Encore innocent au sujet des agents — je n'en avais jamais eu —, je crus ce qu'il me disait. Je devais apprendre que les agents dupent leurs clients, ce qui, je suppose, est la règle du jeu. Ils appellent ça « encourager » ou « maintenir le moral », mais au bout du compte c'est bien de mensonge qu'il s'agit. J'ai espéré pendant deux jours. Il m'a dit que j'étais sur les rangs pour *Rue sans issue*, dans le rôle du copain débile de Bogart. Peut-être que j'étais « sur les rangs » mais je n'arrive pas à me rappeler si je suis rentré dans le bureau du metteur en scène, Willy Wyler, pour qu'il voie à quoi je ressemblais, ou si j'ai été présenté à Sam Goldwyn, le producteur, et j'imagine que si ç'avait été le cas, je m'en souviendrais. Quand « ça n'a pas abouti » — c'est leur expression —, les agents ne se sentent pas obligés d'expliquer pourquoi, de présenter leurs excuses ou même d'en notifier leur client dans les plus brefs délais. Le silence est plus parlant. Ils préfèrent se distancier de l'échec ; c'est vous qui avez échoué, pas eux. Après s'être exposé à l'indifférence des metteurs en scène et des responsables de la distribution des rôles, votre agent comprend que ses efforts n'ont servi à rien. S'il croit que vous aurez peut-être du succès un jour, il vous invite à déjeuner — et vous passez par « profits et pertes ». Je ne me souviens d'aucun déjeuner cet été-là. Je finis par comprendre le topo et je cessai d'espérer. Dans un effort désespéré pour remplir mes journées, je tentai même de rédiger un projet de scénario avec un autre acteur du Group, lui aussi désœuvré. Ce projet disparut dans la gueule béante du service littéraire de William Morris pour ne plus jamais en ressortir.

Je passai une audition pour « donner un coup de main » à Luther Adler qui était pressenti pour un rôle dans le film que Clifford écrivait pour Milestone. « Ils sont en train de tester Luther pour le rôle principal, écrivis-je à Molly. Il s'est fait opérer du nez ce matin. Ils essaient de le redresser. S'il ne réussit pas, ils prendront Henry Fonda. » C'est Fonda qui eut le rôle. Je me rappelle les efforts du maquilleur pour redresser mon nez et le raccourcir en masquant son extrémité. Le département coiffure essaya d'arranger mes cheveux pour que je n'aie pas l'air si anatolien. Rien n'y fit. J'étais « catalogué » immigrant de fraîche date — arrivé en troisième classe. Il me suffit de voir le test une fois pour comprendre que je n'avais aucun avenir, pas comme acteur en tout cas, et pas à Hollywood. Je me dis que ce que j'avais de mieux à faire, c'était de serrer les dents et de regarder les choses en face.

Je pris la décision de retourner dans l'Est et de travailler pour la radio, où l'on ne me voyait pas. J'avais reçu des lettres pleines d'amour de Molly, accompagnées de dessins minuscules de notre petite fille dans la marge. C'était mon univers.

Puis il apparut que Clifford avait effectivement parlé de moi à Lewis Milestone. J'allais passer six des semaines les plus heureuses de ma vie. Milly avait engagé Clifford pour écrire un scénario qui allait s'appeler *Le fleuve est rouge*, histoire d'amour sur fond de guerre d'Espagne. Ce qu'il fallait à ce moment-là, c'est trouver de nouvelles toiles de fond pour des histoires éculées. Lors de ma première rencontre avec Milestone, je lui dis que ce que je voulais le plus au monde, c'était devenir metteur en scène, puisque je savais n'avoir aucun avenir en tant qu'acteur. Milly ne le contesta pas et, à part ça, répondit avec générosité : il me dit qu'il préparait le découpage d'un film, à partir du scénario que Clifford lui avait fourni, et que si j'étais intéressé, je pourrais travailler pour lui comme secrétaire-assistant. Ce seraient mes classes.

« Je sais taper, dis-je, sautant sur l'occasion. Ce n'est pas payé ? Aucune importance. »

Chaque matin, donc, après m'être présenté chez Wanger pour m'entendre dire qu'il n'y avait rien d'autre à faire pour moi que d'attendre, je me hâtais vers la maison blanche de style colonial que Milly occupait à Beverly Hills, grimpais à toute vitesse l'escalier qui menait à son bureau, où il m'attendait dans sa sortie de bain, et j'y restais jusqu'au milieu de l'après-midi. C'était un cours de mise en scène pour débutant. Milly avait dit à Clifford : « Écris comme tu le ferais s'il s'agissait d'une pièce de théâtre. Je m'occupe du reste. » Et c'est exactement ce qu'avait fait Clifford. Quant à moi, plan par plan, sous la direction de Milly, je tapais de courts paragraphes numérotés, substituant images et descriptions à la pléthore verbale de Clifford.

J'apprenais rapidement. « Ne décris pas les événements. Montre-les en train de se produire », disait Milly. J'observai également qu'il aimait organiser chaque scène autour d'un objet significatif, qu'il plaçait au premier plan, près de la caméra. Au fur et à mesure que la scène progressait, les gens se rapprochaient de cet objet et la scène se terminait sur un gros plan. Milly, à ma grande surprise, concevait ses films comme une série de longues scènes, un peu comme dans une pièce de théâtre. Où étaient passés Eisenstein et son montage fondé sur une succession rapide de plans très courts ? Pourtant, Milly venait de Russie, lui aussi. Et lui aussi essayait toujours d'amener chaque scène à un point culminant riche de signification, ou de la conclure par un retournement de situation assurant la transition vers la scène suivante — là encore, comme au théâtre.

C'est en regardant Milly organiser son découpage, si différent de ce que Clifford écrivait, que j'en suis venu à penser — au grand dam des membres de la Guilde des scénaristes — que le metteur en scène est bien le véritable auteur du script définitif. C'est Milly et moi qui sommes les auteurs de son scénario. Pas Clifford.

Mais ce n'était pas du travail créatif — aucune passion ne nous animait, nous n'apportions aucune idée neuve, aucune surprise, aucun regard ironique. C'était du boulot soigné, de professionnel. Milly, briscard authentique, l'avait fait bien des fois auparavant et le ferait encore, toujours exactement de la même façon, travaillant avec méthode, progressant plan par plan, échafaudant ainsi scène après scène, jusqu'à obtenir un script définitif moitié moins long que celui de Clifford. Milly savait toujours exactement ce qu'il voulait faire ; c'est de mécanique qu'il s'agissait, plus que de mise en scène. Et cet homme ne doutait jamais de lui-même.

De plus, il ne tolérait pas que la moindre tension vienne perturber le déroulement harmonieux de chaque journée de travail. A midi et demi environ, une domestique, qui s'exprimait d'une voix très douce, apportait deux plateaux : notre déjeuner. Je me souviens d'omelettes aussi légères que des soufflés et de pain de seigle suri passé au gril. Pendant le repas, Milly répondait à mes questions sur les débuts du cinéma et en particulier sur *A l'ouest, rien de nouveau*, son film le plus célèbre. Il semblait complètement satisfait de sa vie et rien n'aurait pu modifier le cours qu'il lui imprimait. Rien ne l'indisposait : il n'était pas névrosé et ne se prenait pas pour le Bon Dieu. Et je ne sais pas comment il s'y était pris, mais il avait rendu notre travail très simple. Jour après jour, nous avions accumulé des plans et Milly avait indiqué explicitement comment ils devaient être mis en scène. Je pourrais en faire autant. A la fin de chaque journée de travail, je me sentais un peu plus sûr de moi, bien déterminé désormais à devenir metteur en scène de cinéma. Milly ne m'avait pas traité comme un étudiant ou comme un inférieur ; il avait même accepté quelques-unes de mes suggestions. Oui, c'était la solution à mes problèmes d'avenir — mais comment débuter ? Mystère et boule de gomme. Comment me faire admettre ?

Milly avait aussi un avis sur cette question : il fallait que je reste en Californie, il me trouverait un rôle ou quelque autre occupation sur un de ses futurs tournages. Je n'accepterais pas son offre, mais je lui en fus reconnaissant. La confiance qu'il me portait intensifia mon désir d'indépendance. Mais notre film n'avait toujours pas reçu l'aval des producteurs et Milly ne savait pas combien de temps il faudrait. (En fait, le film ne s'est jamais fait.) Je ne pouvais que rester là à attendre.

J'en étais venu à détester la « zone de Los Angeles », selon l'expression des pilotes de ligne (je ne m'y suis jamais habitué). J'avais en horreur ses buildings factices, la vapeur s'élevant du macadam pendant la journée et le froid humide qui tombait sur la région pendant la nuit. J'exécrais l'allure des gens : leur bronzage ressemblait à ce qu'un sous-directeur de pompes funèbres étale sur le visage des morts pour qu'ils aient l'air plus sains que lorsqu'ils étaient vivants. Je maudissais la circulation et les arbres, les restaurants et les magasins, et le *New York Times* me manquait. Pendant les années qui ont suivi, j'y ai travaillé à plusieurs reprises sur de longues périodes, mais je n'ai jamais réussi à comprendre cet engouement pour le pays de Hollywood.

C'est le Group qui me manquait le plus, ce Group auquel j'avais participé, et ceux qui le composaient. J'en étais vraiment étonné : quel retournement de situation ! Soudain, je sentis à nouveau combien j'avais besoin, pour apprécier ma vie et conserver mon sens de l'humour, d'être proche de camarades qui partagent mon amour de l'art, mes espoirs et mes valeurs, et qui aspirent aux mêmes buts. Oui, à ma grande surprise, le Group me manquait — pas l'organisation, le personnel ou les directeurs ; non, juste le fait de se sentir ensemble, unis, et de vivre en harmonie avec des gens que l'on aime, au lieu d'affronter le chaos et l'indifférence qui régnaient autour de moi en Californie.

J'en discutai avec Harold, Luther Adler et surtout Clifford, qui tenait au Group plus qu'aucun d'entre nous. Je proposai de donner un nouveau départ à notre compagnie. Je ne tardai pas à m'apercevoir qu'ils pensaient tous trois, comme moi, que le sud de la Californie et son industrie cinématographique ne leur convenaient pas et qu'eux-mêmes ne cadraient pas avec. Ils n'avaient donc aucune raison d'y rester. Il avait fallu que le Group se désintègre pour que je comprenne son importance pour moi — et pour eux aussi, mais pas tant comme théâtre que comme mode de vie. Jusqu'à la fin de mes jours, je resterais attaché à un groupe : d'abord, la seconde naissance du Group tel qu'il était à l'origine, et ensuite l'Actors Studio — où je travaillais encore à soixante-dix-sept ans.

Nous commençâmes à échafauder des plans pour sauver notre peau.

Luther savait qu'il n'avait pas impressionné les producteurs. Harold faisait figure de bouffon dans le bureau de Wanger — ils se moquaient de lui derrière son dos — et il n'avait toujours aucune mise en scène de film en vue. Le dialogue de Clifford, qui paraissait si bon sur une scène new-yorkaise, sonnait faux à l'écran. Et moi? Rien. Aucun de nous n'avait réussi dans le monde du cinéma, et notre conscience de la valeur et de l'importance du Group s'en était trouvée renforcée. Nous voulions tous redémarrer. Surtout Clifford.

Plus que tout autre écrivain de ma connaissance, Clifford avait besoin qu'on ait besoin de lui pour écrire. Il était comme une puissante auto-mobile sans démarreur automatique fiable ; c'est sur notre demande qu'il se mettait en marche. Je me mis, ainsi que Luther, à le presser avec acharnement d'écrire une pièce pour nous, et à railler Harold qui, en dépit de ses déboires avec Wanger, avait l'air à l'aise parce qu'il était proche de Stella et mangeait dans des restaurants de luxe où les maîtres d'hôtel l'appelaient par son nom. Je me rappelle avoir constaté, plein d'une désapprobation puritaine à son égard, que Harold avait pris du ventre et appréciait désormais les cravates voyantes. J'en conclus que la prospérité avait changé cet homme. Et je me rappelle aussi en avoir déduit que l'idéalisme n'était possible que dans des conditions de pénurie ; je décidai que l'homme qui peut entretenir la fièvre de ses rêves quand il a suffisam-ment d'argent pour manger régulièrement est un cas unique. Peut-être était-ce un reliquat de ma période communiste et du slogan : « Ne faites confiance qu'à la classe ouvrière. » Mon objectif principal pendant ces quelques semaines consista à remettre Harold en situation difficile pour qu'il redevienne lui-même.

Clifford nous avait parlé d'une pièce qu'il avait en tête ; sur un jeune homme qui voulait être à la fois violoniste de concert et champion de boxe. Ce thème, à l'évidence, reflétait le conflit intérieur qui animait Clifford, partagé entre deux valeurs : la dévotion spartiate de l'artiste engagé d'un côté, une vie de liberté assise sur la célébrité, la richesse, l'aventure et la licence morale de l'autre. Dans le rôle du violon, il y avait le Group. Quant à la boxe, c'étaient Hollywood, la célébrité et la richesse.

Le conflit suggéré par cette pièce reflétait mes propres préoccupations à ce moment-là. (Tout cela paraît tellement simpliste avec le recul.) Le fonctionnement des studios et la plupart de leurs films ne m'avaient guère impressionné. Mais j'étais fier de ce que le Group avait fait — ses pièces, la qualité de ses productions et de ses acteurs. Nos succès, quand nous en avions eu, avaient été extraordinaires. Je voulais retrouver notre théâtre. Peut-être étais-je influencé par le prestige que j'avais acquis au sein du Group ; en Californie, je n'étais rien qu'un assistant bénévole, en *stand-by*.

La pièce avait des résonances biographiques non seulement pour moi et Clifford, mais aussi pour les autres membres du Group. Clifford avait envoyé des échantillons d'écriture de ses amis à un graphologue, qui lui avait retourné des analyses psychologiques détaillées. Clifford distribuait les rôles en même temps qu'il écrivait la pièce ; il mettait dans chacun ce qu'il pensait de la personne qui allait l'interpréter. Par exemple, Clifford me voyait comme un homme plein de rêves qui ferait n'importe quoi pour obtenir ce qu'il voulait. Cette analyse fut confirmée par le graphologue. Clifford lui-même s'était endurci au contact d'un environnement difficile, aussi était-il plutôt enclin à admirer ma détermination et ce qu'il estimait être ma nature impitoyable. En même temps, il comprenait mon côté fragile et en tenait compte. Il fonda la personnalité de Fuseli, le gangster de la pièce, sur cette ambivalence, et l'écrivit pour moi. Je ne sais pas exactement ce qu'il pensait des autres acteurs du Group en tant que personnes, mais j'imagine que cela correspondait aux rôles qu'il leur destinait.

Quant au rôle de la jeune femme dont le jeune héros tombe amoureux, il s'inspirait de toute une kyrielle de ces femmes que Clifford connaissait si bien, qui « flottaient » dans New York, vulnérables, sans protection, et dont les hommes se servaient sans vergogne. Incapables de se prendre en charge, ces femmes survivaient en s'accrochant à un homme — elles prenaient ce qu'elles pouvaient trouver de mieux — qui les soutenait et les protégeait.

La rédaction de cette pièce touchant à sa fin, nous décidâmes de rentrer à New York. Une fois là-bas, tout le monde se rassembla et nous louâmes un petit local divisé en bureaux dans l'immeuble du Saint-James Theatre où nous commençâmes à organiser la production. Je devins l'« adjoint » de Harold. Molly, notre lectrice, s'occuperait de la prospection. (Elle a fini par « découvrir » Tennessee Williams.) Nous nous adressâmes à un directeur commercial expérimenté que nous engageâmes pour décharger Harold des problèmes de gestion. Il s'appelait Kermit Bloomgarden et est demeuré l'un de mes meilleurs amis pendant plusieurs années. Dix ans plus tard, je lui apporterais la pièce d'Arthur Miller, *Mort d'un commis voyageur*. Mais cinq ans après, en 1952, nous ne nous adressions plus la parole.

J'avais cessé d'idolâtrer Harold, mais nous étions convaincus, Clifford et moi, qu'il devait prendre la direction du nouveau Group. Harold accepta. Nous pensions qu'il fallait le défier, qu'il fallait mettre ses jugements en question. Clifford aimait Harold « comme un frère » ; mais il était intolérant vis-à-vis de ses faiblesses. Moi, je pensais que ses faiblesses correspondaient à mes points forts. Ainsi, par exemple, Harold n'avait pas de talent visuel : je travaillai donc sur les décors de la pièce avec Max Gorelik.

Ce dont nous voulions nous débarrasser à tout jamais, c'était de la condescendance de Strasberg. Notre nouvelle compagnie n'allait certainement pas reconduire l'image qui avait été la sienne précédemment, celle d'une famille du Lower East Side — ou de ma propre famille d'immigrants — où l'on forçait les enfants à obéir aveuglément à leur père en leur faisant peur. Nous serions tous égaux. Nous contrôlerions Harold, le maintiendrions sous pression en permanence, le stimulerions dans ses moments de relâchement, lui ferions sentir notre impatience le cas échéant. De cette manière, nous instaurâmes une organisation quelque peu excentrique mais qui fonctionnait bien.

Nous prîmes une décision difficile sur-le-champ : les rôles dans la pièce iraient à ceux de nos membres qui convenaient le mieux et avaient le plus de talent, et nous ne nous sentirions pas obligés de trouver une autre pièce pour le reste des membres de la première heure. En conséquence, bon nombre d'entre eux restèrent en plan, mais malgré leurs plaintes et leurs vociférations, nous les abandonnâmes à leur sort. Des sensibilités furent heurtées ; d'autres encore le seraient par la suite. C'est à ce moment-là qu'est née ma réputation de « sans-cœur ». Nous n'allions pas nous embarrasser de leurs destins individuels — ou céder au remords qu'ils attendaient de nous. Les exclus clamèrent que nous avions trahi l'idéal du Group. D'accord ! Nous étions désormais des anciens qui en avaient bavé et nous avions décidé d'accepter certaines réalités même si elles devaient léser de vieux amis.

Il y avait un problème, cependant, et qui représentait un danger. Depuis des mois, Clifford promettait à Julie le premier rôle — du moins c'est ce que Julie prétendait. Clifford en avait également parlé à Luther Adler. C'est une pratique courante chez les auteurs, l'un de leurs privilèges. Ils créent le personnage et, d'une manière générale, sont les mieux placés pour savoir ce qui est requis pour l'interpréter. Dans ce cas précis, une lutte s'instaura. A première vue, Julie était parfait pour ce rôle. Mais ce n'était pas l'avis de Harold. Et c'est lui qui mettait en scène la pièce et dirigeait la compagnie ; en outre, c'est son intelligence que Clifford respectait le plus. Harold voulait Luther. Selon lui, le rôle n'était pas, à la base, celui d'un combattant, mais celui d'un jeune homme sensible et viril qui cherchait sa voie. Luther, disait Harold, incarnait davantage l'artiste que Julie.

Je n'étais d'accord ni avec l'un ni avec l'autre. C'est moi qui aurais dû interpréter ce rôle.

Harold l'emporta : il convainquit Clifford.

Julie, à qui son grand frère et ami, Clifford, avait laissé entendre qu'il aurait le rôle, fut blessé. Il demeura loyal envers le Group, accepta Siggie, rôle intéressant mais plus court, et obtint un vif succès ; mais il avait été amené à penser que le premier rôle lui serait confié et sa femme s'attendait à ce qu'il le décroche. Ce soudain retournement — ou devrais-je dire détournement — conduisit amis et agents à s'immiscer dans le conflit, à prendre parti (pour Julie) et, ce faisant, à agrandir la faille en remuant le couteau dans la plaie.

Julie pensait, tout comme moi, que Harold avait choisi Luther pour faire plaisir à Stella — la sœur de celui-ci. Une distance de 4 500 kilomètres les séparait et Harold s'accrochait à elle. Bien que le fait de travailler de nouveau avec lui ait ravivé mon admiration pour Harold, je demeurais persuadé qu'il aurait pu se convaincre de n'importe quoi, pourvu qu'il veuille le croire. Des années plus tard, cependant, je me rendis compte qu'il avait pris la bonne décision. J'ai interprété le rôle de Joe en tournée et, avec le recul, je dirais que de nous trois Luther constituait le meilleur choix.

Nous engageâmes Frances Farmer pour le rôle féminin principal. Cette année-là, elle était d'une beauté parfaite. J'ai lu qu'elle était la maîtresse de Clifford. Si c'est vrai, je n'étais pas au courant. Ce dont je me souviens, c'est qu'elle possédait un éclat unique, une peau sans imperfection, des yeux brillants — une blonde de rêve. En outre, elle avait l'air désabusée et, parfois, déçue, ce qu'elle exprimait dans un rictus qui convenait bien au rôle. C'était le jour et la nuit par rapport à ces hommes ténébreux partis de rien avec qui elle allait jouer.

En tant qu'actrice, c'était une débutante.

Les répétitions constituèrent l'apogée de ma vie d'acteur, et j'en ressortis avec une confiance totale en mes dons pour le théâtre. Je connaissais mon métier, je ne faisais plus de courbettes devant personne et n'en ferais jamais plus. Ce n'était pas le même type de rôle que dans *Lefty* ou *Paradis perdu*, où je reconnaissais un aspect de ma personnalité. Non, c'était un rôle de composition. Harold me résuma le problème en une expression : il me dit que je devais jouer un prédateur et que mon « épine dorsale » — c'est-à-dire mon activité essentielle — consistait à toujours courir après de nouvelles possessions. Je jouai de cette façon-là, encerclant le jeune combattant dont je voulais « un morceau » comme un faucon, puis « plongeant » sur lui pour l'emporter dans mes serres. Je ne pouvais détacher les yeux de Luther ; il représentait mon idéal. Je fis des recherches, étudiai des photos. Je mis dans le rôle l'élégance dont les figures de proue du gangstérisme faisaient montre dans leurs manières et le choix de leurs vêtements.

Je m'efforçai aussi de penser comme un homosexuel. Un jour, j'avais vu une actrice remettre un petit porte-monnaie à un assistant-régisseur homosexuel avant d'entrer en scène. Il avait porté à ses narines la petite bourse qui était restée suspendue entre les seins de l'actrice et son visage avait affiché une expression de pur dégoût. Je m'étais souvenu de ce type et de l'expression sur son visage. Quand je regardais Frances Farmer sur scène, je ressentais ce dégoût. Je n'arrivais pas à comprendre ce que l'homme que je désirais voyait en elle.

La pièce fit un triomphe. Nous étions un succès pour le S.R.O., en route pour une longue série de représentations. On m'assiégeait de propositions pour des pièces ou des films. J'avais toutes les raisons d'être complètement heureux — j'avais accompli ce que je voulais accomplir. *L'Enfant chéri* et la renaissance du Group n'auraient pas pu avoir lieu sans moi, je le savais. J'avais aiguillonné Harold et l'avais soutenu dans ses périodes d'incertitude. J'avais poussé Clifford, ce qui n'avait pas toujours été facile. Durant nos parties de handball, j'avais apaisé les griefs de Julie. J'avais dessiné des plans que j'avais donnés à notre décorateur, Max Gorelik, et j'avais amené de l'extérieur de jeunes acteurs pour remplacer les anciens membres du Group devenus inutiles. Je montais la garde pour toute l'équipe. Quant à mon interprétation, elle ne m'avait attiré que les louanges les plus flatteuses, et je savourais chacune d'entre elles sans complexes.

Un soir, au début du printemps suivant, il s'est produit un événement extraordinaire durant une représentation. J'attendais en coulisses que la réplique qui devait me donner le signal de mon entrée en scène soit prononcée. Quand je l'ai entendue, j'ai eu l'impression qu'elle — cette réplique — était venue avec retard. Puis j'ai compris que je l'avais déjà entendue — et que je n'avais pas bougé. On la répétait à nouveau. Je suis resté où j'étais, juste derrière le rideau, et j'ai commencé à me demander ce qui m'arrivait. J'ai entendu la phrase qui constituait la réplique répétée sur scène une fois de plus, avec insistance. Les autres acteurs meublaient en m'attendant. Je me suis dit : « Ils improvisent très bien. » Je ne bougeais toujours pas. Le régisseur est apparu à l'autre bout des coulisses et a sifflé. Je suis entré.

Plus tard, je n'ai pas offert d'explication. Je n'en avais aucune.

J'AI QUITTÉ le Belasco Theatre, situé dans la 44e Rue, et j'ai marché jusqu'à notre appartement de la 98e ; à mesure que je remontais, les rues devenaient plus sombres. Je me suis dit que ce qui s'était passé allait au-delà de la distraction. J'avais refusé d'entrer en scène et il s'était trouvé en moi une force suffisamment puissante pour m'en empêcher. Qu'est-ce que cela voulait dire ? Était-ce un message de mon inconscient ? Notre entraînement au sein du Group nous poussait à chercher un sens caché derrière chacun de nos actes. Ce qui s'était passé voulait-il dire que je ne désirais plus jouer, même dans une pièce aussi bien reçue et dans un rôle aussi acclamé ? Cela tenait-il au fait que je voulais devenir metteur en scène, et sans attendre ? Ou bien était-ce quelque chose de mystérieux, une angoisse que je refoulais.

A ce moment-là, je lisais un livre de Karen Horney, *la Personnalité névrotique à notre époque*, et en le parcourant, j'avais griffonné des initiales dans la marge. C. O. : Odets ; H. C. : Clurman ; E. K. — nous y étions tous. Horney considérait le succès comme une drogue qui, une fois goûtée, place l'« utilisateur » en état de « dépendance » : il ne comprend pas certains de ses actes et fait des choses qu'il regrette ensuite. Mais comme il y a goûté, il en veut encore plus. Plus de quoi ? Plus de ce qui lui avait été refusé auparavant mais que la vie peut maintenant lui offrir, plus de tous les plaisirs de l'existence, de tout ce qui rassure, flatte et excite. Bien sûr, j'avais commencé à ressentir les effets de cette « drogue ». Je n'avais pas besoin de Horney pour comprendre que lorsque le succès vient à la suite d'une période marquée par une série d'échecs humiliants, tels ceux que j'avais connus en Californie, l'« utilisateur » s'entête et devient imprudent. Désormais, rien ne pourrait plus m'empêcher d'obtenir tout ce que je voulais de la vie.

Mais cela n'expliquait pas ce qui s'était passé au cours de la représentation.

En approchant de notre appartement, j'ai ralenti l'allure. Je désirais être tranquille et seul. Je savais que Molly attendait que je rentre pour se coucher ; c'était son habitude. Je me suis assis quelques instants sur les marches. Puis j'ai pénétré dans l'appartement en faisant le moins de bruit possible, traversant l'entrée jusqu'à la chambre sur la pointe des pieds. Elle dormait d'un œil. « Bonsoir, poussin », m'a-t-elle dit, avant de se rendormir, un sourire plein d'amour sur les lèvres.

Je suis allé dans la cuisine pour me faire du thé. Je me sentais affreusement mal à l'aise. Ce n'était pas seulement dû au fait que j'avais une liaison, la première qui fût vraiment sérieuse. C'était parce que je m'y étais engagé à fond. Mais encore une fois, quel rapport cela avait-il avec ce qui s'était passé au théâtre ? Je n'en voyais aucun.

J'avais eu quelques aventures sans lendemain, vite oubliées, mais cette fois je ne me comportais pas en homme marié sensé, qui aime son épouse et son enfant mais se ménage de temps en temps un rendez-vous discret avec une autre femme, et contient ses émotions dans des limites raisonnables. J'avais perdu la tête.

Tout cela était arrivé, pensais-je, parce que j'étais devenu acteur. Jouer sur scène est un acte sexuel. L'acteur, tout autant que l'actrice, s'offre comme objet de désir. Il dit : « Je suis puissant. Regardez-moi, écoutez-moi, je suis important. » Il dit aussi : « Je suis viril. » Le fait de jouer m'avait apporté ce que je n'avais jamais connu, le sentiment de posséder cette sorte de pouvoir. Il me semblait pouvoir obtenir toutes les femmes que je voulais. Je jouissais de cette puissance sur scène. Mon jeu s'était amélioré quand j'avais découvert qu'il m'était possible d'avoir des aventures sexuelles. Peu après le début des représentations, je m'étais mis à « regarder autour de moi ». C'était étrange, car j'avais toujours été un homme prudent.

Et j'ai ressenti comme une explosion. Elle s'appelait Constance Dowling. Elle est morte, alors je peux la nommer.

Cet hiver et ce printemps-là, nous nous sommes comportés comme des animaux pendant la saison de la chasse ou comme deux criminels suivis de près par la police, faisant l'amour n'importe où ; si la nuit était froide, tout contre le radiateur qui réchauffait l'entrée de son appartement ; le premier jour miraculeux du printemps, sur le toit, derrière les cheminées. Si nous marchions dans les rues sombres de la ville, il nous arrivait parfois de nous engager soudain dans une ruelle étroite entre deux gratte-ciel. Ou bien, si le désir persistait, nous nous donnions rendez-vous dans une loge du Belasco Theatre avant l'arrivée du public : les lourds rideaux étouffaient nos cris. Même pendant les représentations (je n'apparaissais pas dans le premier acte de *l'Enfant chéri*), nous le faisions contre la balustrade à l'arrière de l'orchestre — juste par provocation — ou, en deux temps, trois mouvements, dans le salon situé à l'étage en dessous. L'après-midi, nous disposions de plus de temps et nous nous retrouvions dans des chambres prêtées par des amis accommodants — j'en avais toute une liste —, ou encore, si j'avais de l'argent en trop, dans une chambre à un lit, qui ressemblait à une bouche d'aération, dans un hôtel miteux qui donnait sur la Huitième Avenue à hauteur de la 46e Rue. Seize dollars bien utilisés. Je n'étais plus seulement insouciant, j'étais devenu inconscient. Qu'importait-il que le chauffeur de taxi nous observe dans son rétroviseur ? Étais-je en train d'essayer de faire voler en éclats ma vie bien ordonnée jusqu'à ce qu'il ne soit plus possible d'en recoller les morceaux ?

Constance avait dix-neuf ans et possédait tous les charmes de la jeunesse. Elle était danseuse, pas étonnant avec ces jambes-là, et avait joué dans deux ou trois comédies musicales. Elle voulait être actrice de théâtre et travaillait comme ouvreuse au Belasco, pour assister à nos représentations. Des années plus tard, quand tout fut terminé entre nous, elle devint actrice de cinéma, très appréciée en Europe, quasiment une star.

Une bataille de tous les diables avait lieu en moi. Je me sentais coupable en vertu du code moral dans lequel j'avais été élevé. Mais d'un autre côté, ce qui m'arrivait était excitant, avait un parfum d'aventure et — c'est le moins qu'on puisse dire — se révélait très instructif. Jamais auparavant je n'avais cédé si complètement à mes émotions. J'avais perdu tout contrôle sur ma vie.

Molly est entrée dans la cuisine. Pieds nus, elle a pris une chaise et s'est assise les jambes repliées sous elle. « Fais-m'en une tasse aussi », m'a-t-elle demandé. Encore à moitié endormie, elle a posé sa tête sur la table mais a levé les yeux pour me regarder, en biais, un sourire tendre sur les lèvres. Je l'ai regardée un long moment. J'aimais vraiment ma femme et ma petite fille. J'aimais mon foyer. J'aimais rentrer tard et trouver Molly couchée, chaude et, même endormie, en train de m'attendre. Elle représentait pour moi l'ordre, l'honnêteté, les valeurs essentielles ; elle était mon rempart contre le chaos. Ne perds pas ça, me suis-je dit. Fais attention. Tu as besoin de ce qu'elle représente. Tu as de la chance de l'avoir. J'ai senti un frisson d'angoisse me parcourir. Depuis un certain temps, je rentrais à la maison de plus en plus tard après mes rendez-vous avec...

« Qu'est-ce qu'il y a ? a demandé Molly. — Rien. (La réponse classique : « Rien ».) — Ça va, poussin ? — Ça va », ai-je répondu.

J'ai pris la décision de rompre avec Constance. J'ai apporté son thé à Molly. Nous étions assis tous les deux dans la cuisine, on n'entendait aucun bruit ; Molly m'a raconté les choses extraordinaires que ma fille avait faites ce jour-là. « C'est formidable ! » me suis-je exclamé en souriant et en secouant la tête avec incrédulité — pas seulement à cause de ce que la petite Judy avait fait, mais aussi parce que les yeux de Molly brillaient pendant qu'elle parlait. Je me suis senti soulagé après ma décision. Nous sommes allés nous coucher et nous avons fait l'amour.

Au matin, je n'étais pas plus heureux. Je n'étais même pas aussi heureux que la veille. Je considérais l'une et l'autre solution sans parvenir à faire un choix. Je les désirais encore toutes les deux.

Nous avions acquis les droits de *Casey Jones*, la nouvelle pièce de Robert Ardrey. Bob trouvait que Harold était trop influencé par New York et le suppliait de me laisser mettre en scène sa pièce. Harold accepta ; j'en fus content. Ce devait être ma première mise en scène pour le Group, mais elle ne serait pas interprétée par des acteurs du Group : en effet, ils étaient retenus par *l'Enfant chéri*. Je m'en réjouissais aussi,

secrètement, car les anciens de la compagnie auraient pu en faire baver au
« petit nouveau ». Nous prîmes donc des acteurs de l'extérieur. Pour
trouver un acteur capable d'interpréter le légendaire Casey Jones, il nous
fallut feuilleter le catalogue de Hollywood, où figurait Charles Bickford.
Je ne l'avais jamais rencontré, mais je ne pris même pas le temps d'aller
lui parler avant les répétitions, ou de consulter un tiers à son sujet. Nous
étions pressés ; Ardrey était satisfait ; son agent, Harold Freedman, était
satisfait. Bickford correspondait au rôle et n'avait aucun autre engagement. Son contrat fut signé sans attendre.

Je ne savais pas dans quoi je m'embarquais. Quand j'avais dirigé une
pièce pour le Théâtre de l'Action, l'argent n'était pas entré en ligne de
compte, la réputation d'un auteur n'était pas en jeu, aucun agent ne
montait la garde auprès de son client. J'allais recevoir une leçon, non pas
en matière de mise en scène — ce qui allait se passer était bien éloigné de
ces considérations — mais plutôt de respect des impératifs commerciaux.
Diriger une pièce à « Broadway », devais-je découvrir, implique que la
personnalité du metteur en scène soit passée au crible. Tous ses défauts
sont révélés, toutes ses qualités sont requises. J'ai aussi appris la politique
de la mise en scène : identifier les tensions et les forces qui existent en
coulisses. Ce qui revient à dire que j'ai appris à me protéger. J'ai appris
que le metteur en scène est entièrement responsable du succès d'une
pièce ; tout est de sa faute. C'est pourquoi les metteurs en scène à succès
gagnent tant d'argent : ils se tiennent sur un piédestal, sans protection, et
chacun de ceux qui ont investi dans le succès de ce qui se prépare peut lui
tirer dessus. Je me tenais moi-même sur ce piédestal et l'on m'a abattu.

Bickford et moi n'étions pas *simpatico*. Il était hostile de naissance et
constamment méfiant. Je consacrais toute mon énergie à m'efforcer de lui
être agréable, je me disais que je gagnerais peut-être son amitié en lui
offrant la mienne. Mais ce n'était pas l'amitié qui posait un problème. La
vérité, c'est que j'avais peur de lui. Et lui, comme toutes les bêtes sauvages, pouvait renifler ma peur. Cela le rendait arrogant. J'avais encore à
apprendre que la seule façon de se comporter avec une brute, c'est de la
brutaliser. Charlie se comportait comme les stars hollywoodiennes d'autrefois : les répétitions servaient à déterminer qui serait le patron. De telles
vedettes dévorent le metteur en scène tout cru, s'il se laisse faire.

Un autre événement survint qui aggrava ma honte. Bob avait écrit un
joli rôle féminin, et je n'étais pas peu fier de l'interprète que j'avais
choisie. Elle s'appelait Katharine Bard et je la considérais comme une
« découverte ». Elle possédait une pureté et une innocence qui ne couraient pas les rues par chez nous. Elle aussi était complètement dominée
par Bickford. Elle croyait (à juste titre) qu'il désapprouvait ce choix. Ce
n'était guère un encouragement pour elle, ni pour moi. Katharine progressait lentement mais j'étais convaincu qu'elle réussirait. Les répétitions
débutèrent et les personnalités concernées s'installèrent à l'orchestre pour
livrer leur appréciation.

Parmi elles se trouvait Harold Freedman, Anglais qui exhibait ses
façons discrètes. Quand il devint évident à la première répétition que les
scènes de Katharine ne passaient pas, Harold Freedman, sans m'adresser

la parole, sortit avec son client, Bob Ardrey. Cette consultation qui suit la
première répétition est essentielle : Freedman rencontra Harold Clurman
et lui conseilla vivement de remplacer Katharine. Quand les gens qui
tiennent les cordons de la bourse s'aperçoivent qu'une production ne
fonctionne pas, leur solution consiste toujours à remplacer quelqu'un —
un acteur, un metteur en scène, peu importe, mais quelqu'un doit sauter.
Cela ne marche que très rarement. En général, c'est la pièce qui est en
cause, mais l'agent peut difficilement l'avouer à son client, n'est-ce pas ?
Bob Ardrey, un bon ami, se comporta comme tel et me dit sans ambages
que mon problème s'appelait Katharine et que je devrais me concentrer
sur elle. Harold Clurman était présent. Je leur réaffirmai à tous deux ma
conviction selon laquelle Katharine, bien que lente dans ses progrès, se
débrouillerait très bien. La réponse de Clurman ne laissa pas de me
surprendre : il n'était pas du tout sûr que j'avais raison, mais conseillait à
Ardrey de ne pas s'en faire, car ce dont Katharine avait besoin, c'était de
quelqu'un pour lui faire répéter son rôle ; et Harold savait à qui s'adresser.
Sur ces entrefaites, il fit entrer Stella Adler.

Je pouvais soit démissionner, soit faire un scandale et être renvoyé. Je
ne fis ni l'un ni l'autre. Ce dont j'ai honte, c'est d'avoir dit à Katharine
que Stella pourrait l'aider alors que je ne croyais pas qu'elle le pouvait ou
même le souhaitait. Il était impossible d'imaginer deux personnalités aussi
antinomiques que celles de Katharine et de Stella. Stella, énergique,
flamboyante, connaissait la vie et le théâtre. Katharine, d'une étoffe
délicate, n'avait d'expérience ni de l'une ni de l'autre. Le metteur en scène
transmet une partie de ses instructions aux acteurs sans l'aide des mots ;
tout ce que Stella communiquait à Katharine de cette manière lui faisait
perdre tous ses moyens. Je les observais depuis les coulisses et je ne
parvenais pas à comprendre quelles qualités chez Stella avaient conduit
Harold à penser qu'elle ferait l'affaire dans cette entreprise. C'était une
erreur de distribution éhontée — la répétitrice, pas l'actrice. Quant à moi,
j'avais été émasculé. Je l'avais toléré ; et mérité.

Bien sûr, Katharine s'effondra. Je vis qu'au fond d'elle-même elle avait
abandonné. Ce qui m'avait échappé, en revanche, c'est ce qui se passait
en moi. Harold, en m'imposant Stella pour des raisons qui, selon moi,
n'avaient rien d'artistique, m'avait dépossédé de ma confiance.

Devant le fiasco des dernières répétitions, les défenseurs de l'auteur se
rabattirent sur Harold en exigeant qu'il soit procédé à une redistribution
du rôle au profit d'une « vraie pro ». C'était une jeune femme généreuse
nommée Peggy Conklin, que je dus préparer pour le rôle en l'espace de
quelques jours. Stella avait quitté la scène.

J'avais reçu ma leçon. J'avais été malmené par Charles Bickford, et
j'avais laissé faire, en gardant constamment sur le visage mon masque de
chic type. Mon ami Harold Clurman s'était servi de moi à son avantage, et
j'avais laissé faire. Je savais que la prochaine fois il me faudrait défendre
mes droits, même si c'était contre un ami.

Je quittai le théâtre dans l'après-midi le jour de la première — ce n'était
pas très courageux de ma part. Seul dans un hôtel de Floride, je reçus un
télégramme de notre directeur général, mon ami Kermit Bloomgarden :

« A l'heure qu'il est, tu es sans doute au courant que la pièce a eu de mauvaises critiques pour la simple raison que Mr. Bickford n'a pas pu jouer. Il était mort de peur... » Et ainsi de suite. Bickford était mort de peur !

Mais le fait de blâmer quelqu'un d'autre ne me rassurait pas. J'étais épuisé, plein de doutes à mon sujet et en colère contre tout le monde. Dans les semaines qui suivirent, je me rendis compte que la mise en scène constituait un test pour la force de caractère d'un homme ; et je regardai la réalité en face. Nous partîmes pour Londres où nous avions signé un contrat pour montrer notre production de *l'Enfant chéri* au monde du théâtre britannique. J'allais jouer de nouveau mon rôle de dur, Fuseli, ce qui constituerait un soulagement... et une ironie. Nous traversâmes sur un bateau français. La mer fut calme pendant la totalité des six jours, que je passai à jouer au palet et au *deck tennis*. Molly, de nouveau enceinte, n'était pas venue, aussi me retrouvais-je seul la nuit. Je ressassais les mêmes rêves : scènes que j'aurais dû jouer avec Bickford, et d'autres encore, où je tenais tête à Harold Clurman et prenais le parti de Katharine. Pourquoi n'avais-je pas combattu Bickford ? Quelle force m'en avait empêché ? Devant un homme que je ne respectais pas et ne pouvais supporter, j'étais demeuré figé dans un respect hypocrite. J'avais tort d'accuser Stella ou même Harold de ce qui s'était passé ; je ne pouvais m'en prendre qu'à moi-même. Je l'avais permis. Je m'étais trahi. Désormais, j'allais apprendre à m'endurcir.

Les gens de théâtre britanniques furent étonnés par notre production et notre approche de l'interprétation. Ni eux ni le public n'avaient jamais rien entendu de tel que le langage familier dont nous nous servions. Ce niveau de langue est maintenant devenu une habitude dans leur théâtre, mais en 1938 notre dialogue les avait fait sursauter. Le gangster que j'interprétais avait impressionné le public non par la menace qu'il représentait mais par la séduction dégagée par sa présence sur scène. J'incarnais ce qu'ils avaient lu au sujet de l'Amérique : un mélange de rumeurs et de fantasmes, un réalisme accru, la vérité intime des êtres théâtralisée et vécue sur scène. Des acteurs britanniques m'ont dit que notre attitude sur scène avait depuis lors influencé les productions de leur pays. Écrivains et metteurs en scène commencèrent à se tourner vers les gens « ordinaires » pour s'en inspirer et s'en servir comme d'un matériau de base.

Ma confiance en moi, qui s'était effondrée à la suite de *Casey Jones*, se rétablissait lentement. J'achetai mon premier costume sur mesure à Savile Row ainsi qu'une paire de chaussures « à mon pied » — que je dus mettre au rancart peu après car, comme toutes les chaussures anglaises, elles avaient été dessinées pour des pieds étroits et pointus d'aristocrates, et non pour mes battoirs anatoliens. Le costume n'était pas donné mais je me sentais bien dedans. Sur scène, je jouais un gangster dont les vêtements reflétaient la ruse ; à la ville, je restais dans la peau du personnage, un « dur », et dangereux. Cela me plaisait beaucoup.

Je ne tardai pas à me trouver une autre fille, une certaine miss Diggins ; je l'appelais Diggie. Ce n'était pas une de ces blondes que j'affectionnais tant. Elle ne ressemblait en rien aux filles qui m'avaient fait saliver au collège, ces petites allumeuses blondes que nos athlètes avaient la réputation de s'envoyer. Diggie avait des cheveux de jais, coupés court, lissés en arrière pour découvrir un visage d'une pâleur absolue — car c'était une créature de la nuit. Deux morceaux de charbon trouaient ce masque blanc : ses yeux.

Elle m'impressionnait énormément. Elle n'avait pas reçu d'éducation à proprement parler, mais elle avait le don de m'intéresser, quel que soit le sujet dont elle choisissait de parler. Une pulsion irrépressible poussait Diggie à la confession ; et elle avait son franc-parler. Aucun petit censeur ne trônait au sommet de son larynx. Elle n'avait pas été dressée à faire semblant d'être bien élevée. Ou progressiste. Ou encore intellectuelle. Je suis persuadé que le lendemain de mon départ de Londres, elle s'était trouvé quelqu'un d'autre. Pour elle, il était aussi naturel de baiser que de manger, et elle s'y adonnait tout aussi fréquemment. Avait-elle jamais connu la culpabilité ? Rien n'est moins sûr.

N'est-il pas étonnant que mon souvenir le plus cher de ma visite à Londres en 1938 concerne une personne que Molly aurait traitée de coureuse ? Moi, je trouve.

Essayais-je encore de briser ma vie ?

Afin de préparer la saison suivante, Harold et moi étions rentrés en Amérique avant les autres. Nous attendions une autre pièce de Clifford ; notre première tâche fut de suivre l'auteur à la trace. Il s'était acheté une Cadillac et adorait la conduire dans toutes sortes d'endroits. C'était sa première voiture.

Molly était venue m'attendre au port. Elle était très enceinte et le soleil lui avait mis du rose aux joues. Elle était comme une vision céleste coiffée d'un chapeau de paille et vêtue d'une robe d'été. Et elle m'appartenait complètement. Que désirer de plus ? me demandai-je. Es-tu fou ? Nous avions loué une maison à la campagne et nous nous préparions à passer un été tranquille. Après cette année très mouvementée, tout ce que je voulais, c'était un peu de calme. Et de solitude. Jouer avec ma fille que j'adorais. J'essayais de comprendre pourquoi j'étais toujours au bord de détruire ma vie. Je sentais le danger pointer à l'horizon. Mais Bon Dieu ! quelle était cette force qui me dévorait ? Qu'est-ce que je pouvais bien vouloir ?

Septembre arriva, et nous partîmes tous pour Chicago, où la première de *l'Enfant chéri* devait avoir lieu. Jamais plus je ne recevrais une telle adulation. Cela commença quelques jours après la première, avec une caisse de scotch livrée à ma loge. Il n'y avait pas de carte et je n'arrivais pas à deviner qui me l'avait envoyée.

Deux ou trois jours plus tard, je reçus la visite d'un dénommé Eddie Fried. Il m'arrêta alors que je sortais du théâtre et me confia qu'un certain ami — était-ce l'un des siens ? l'un des miens ? Il ne le précisa pas —

m'invitait à dîner. Acceptais-je ? Il ne disait toujours pas de qui il s'agissait. Impatient et intrigué, je lui dis que oui et que j'amènerais Frances Farmer avec moi.

Un Italo-Américain beau garçon nous attendait au restaurant. Il ne se présenta pas ; il ne l'avait pas proposé et je n'avais pas insisté. Il avait les cheveux grisonnants et portait des habits à la mode. Il nous conduisit à une table tout au bout de la salle et nous plaça à sa droite et à sa gauche de sorte que nous ayons chacun le dos au mur. Je remarquai que la pièce n'avait aucune fenêtre. L'entrée ne payait pas de mine et l'escalier était vermoulu, mais une fois installés, nous pûmes apprécier une ambiance harmonieuse, une hospitalité généreuse, une nourriture délicieuse, un vin qui flattait le palais et ne manquait pas de bouquet. On m'acceptait dans un monde où je n'avais jamais mis les pieds ; c'était un privilège.

Nous mangeâmes sans échanger une parole ou presque, et quand le repas fut terminé, nous remerciâmes notre hôte et quittâmes les lieux. S'il avait eu une raison pour nous inviter, je l'ignorais. Il avait été affable et s'était assuré que nous avions tout ce qu'il nous fallait et même davantage, mais il m'avait à peine parlé. Et guère plus à Frances.

Quelques jours plus tard, le portier frappa à ma loge après la représentation et m'informa qu'un homme m'attendait en bas. « Qui ? lui demandai-je.

— Je ne connais pas son nom, me répondit-il, mais vous feriez mieux d'y aller. Il attend. »

Je m'habillai et me précipitai en bas. Il y avait là un homme que je n'avais jamais vu. Il était bien habillé, il émanait de lui une sorte d'austérité menaçante ; il se déplaçait et s'exprimait avec discrétion, et me conduisit dans un endroit tranquille derrière l'escalier qui menait aux loges. Vous ne croirez certainement pas un mot de notre conversation, et pourtant je m'en souviens très bien, car j'avais pris des notes cette nuit-là.

Il me demanda s'il pouvait faire quoi que ce soit pour moi.

« Non, répondis-je. Mais merci quand même. Non, tout va bien. »

J'ignorais ce qu'il pensait pouvoir faire pour moi.

« N'importe quoi, renchérit-il. Tout ce que tu veux.

— Non, vraiment. Merci.

— Est-ce qu'il y a quelqu'un qui t'ennuie ? demanda-t-il.

— Non, répondis-je. Personne ne m'ennuie.

— Parce que si quelqu'un t'ennuie, reprit-il, en esquissant un geste, dis-le-moi. Nous nous en chargerons.

— Non, non, merci. Merci beaucoup.

— Si quelqu'un t'ennuie, tu devrais me le dire, insista-t-il.

— Bah, dis-je, si c'était le cas, je le ferais. Mais personne ne m'ennuie.

— Parce que nous t'aimons beaucoup », conclut-il.

Je ne lui demandai pas qui était « nous ».

« J'en suis très content », répondis-je. C'était la vérité. J'étais soulagé.

« Nous aimons la façon dont tu joues ton rôle dans cette pièce, là, dit-il. Tu as de la classe.

— Eh bien, dis-je, il me semblait qu'il avait de la classe.

— Nous aimons la manière dont tu t'habilles, continua-t-il. Tu as l'air bien sur scène.

— Ben ouais, dis-je, je voulais qu'il ait de... de la classe.

— On s'en est bien rendu compte, ajouta-t-il. Tu donnes une bonne image de nous.

— Je m'en réjouis, répondis-je.

— Alors tu me dis si quelqu'un t'ennuie, hein. »

Je le rassurai une fois de plus en lui disant que personne ne m'ennuyait et, tout d'un coup, il s'en alla, non sans conserver son expression méditative. Il ne me laissa ni son nom ni un numéro de téléphone où le joindre si quelqu'un s'avisait de m'ennuyer.

Le lendemain soir, il revint me voir et me demanda où j'habitais. « Au Sherman », répondis-je un peu vite, en me demandant si j'avais bien fait de le lui dire. Cela me dérangerait-il de lui montrer ma chambre ? Désormais, la curiosité l'emportait sur la crainte, aussi le conduisis-je à mon hôtel après le spectacle pour lui montrer ma petite chambre. A l'évidence, il ne fut pas impressionné : il jeta un coup d'œil rapide sur la pièce et s'en alla.

Une journée passa et je reçus de nouveau la visite d'Eddie Fried qui m'informa qu'« ils » allaient m'installer dans un hôtel de South Michigan Avenue. Je n'osai émettre la moindre protestation ; en effet, le ton d'Eddie suggérait que l'invitation s'accompagnait d'une nuance comminatoire. « Combien de temps te faut-il pour emballer tes affaires ? » demanda-t-il.

Je fis rapidement mes valises, réglai ma note et montai dans une auto qui m'attendait au bord du trottoir. C'est Eddie qui conduisait. Comme nous nous dirigions vers la partie sud de Michigan Avenue, je me rendis compte que nous dépassions de beaucoup la limite de vitesse et que nous étions suivis par une voiture munie d'une sirène. Eddie ne ralentit pas. J'attirai son attention sur la voiture qui se rapprochait de nous. Il hocha la tête. Quand cette voiture arriva à notre hauteur, je vis qu'elle était, comme prévu, bourrée de flics. Celui qui était assis à côté du chauffeur — un sergent, à en juger par sa plaque — passa la tête à l'extérieur et cria : « Salut, Eddie ! » Eddie lui répondit avec la même cordialité et poursuivit sa route.

L'homme qui m'avait demandé si quelqu'un m'ennuyait m'attendait à l'hôtel. On me fit visiter une suite d'une taille respectable et l'on me fit savoir qu'Al Capone possédait la suite juste au-dessus, décorée pareil et tout. Il n'était pas là, précisèrent-ils, il tirait sa peine, mais ils gardaient la suite pour lui. J'exprimai mon admiration et ma reconnaissance. Dans le salon se trouvaient deux filles, assises sur le bord d'un fauteuil. On aurait dit qu'elles étaient dans une agence pour l'emploi, attendant qu'on s'occupe de leur cas. Mon protecteur les salua comme de vieilles connaissances, et j'en conclus qu'elles étaient avec lui. « Laquelle tu veux ? » me demanda-t-il. Je manifestai quelque hésitation ; je m'en tirai en disant que j'avais quelqu'un. « Enfin, si tu changes d'avis, dit-il, l'une ou l'autre, ou les deux, comme tu veux. » Il y avait des bouteilles d'alcool sur le buffet. « Il n'y a pas de note, ici, dit-il en s'en allant. Commande ce que tu veux. Les gars veulent te montrer qu'ils t'apprécient. »

Dans les semaines qui suivirent, je rencontrai beaucoup de ces gars. Ils m'emmenèrent à l'appartement de Capone. Il y régnait un calme parfait.

Les stores étaient baissés. Ce n'était pas seulement lui qui manquait : en effet, l'appartement semblait vide de tout. En y repensant, je songe aux maisons des morts que j'ai visitées des années plus tard dans la banlieue du Caire, meublées de fond en comble mais sans personne d'autre à l'intérieur que l'âme des morts.

J'ai fait une autre rencontre cet automne-là à Chicago, qui a hanté mes souvenirs. C'était l'époque où je travaillais ma voix, et, toujours levé de bon matin, je me rendais à notre théâtre pour consacrer une heure à ma résonance, au placement de ma voix, à ma diction et ainsi de suite. Dans le théâtre voisin se donnait une pièce qui avait pour vedette Laurette Taylor. C'était avant *la Ménagerie de verre* et elle ne faisait pas l'objet d'un culte, pas encore. Un matin, parvenu devant l'entrée des artistes — elle jouxtait celle du théâtre d'à côté —, qui donc est-ce que je trouve au bas de l'escalier de secours ? Miss Taylor, roulée en boule à même le béton, en plein sommeil. Elle était en train de « cuver ». Je savais pourquoi elle se trouvait devant l'entrée des artistes. Pour les acteurs, le théâtre où ils travaillent représente le véritable foyer. Quand ils sont perdus ou ivres, ils se mettent à le chercher, veulent y retourner pendant qu'ils en sont encore capables, afin d'être prêts pour la représentation et de ne pas se réveiller trop tard, en quelque autre endroit. Je l'ai portée jusqu'à sa loge, où se trouvait un sofa. Je ne crois pas qu'elle se soit vraiment réveillée, car je lui ai dit bonjour quelques jours plus tard et elle ne m'a pas répondu. Voilà comment finissent les acteurs, me suis-je dit.

Clifford nous avait envoyé un télégramme du Canada, où il « allait et venait ». Il nous informa qu'il était « trop déconcerté pour travailler » sur *la Fusée vers la lune*, la pièce que nous attendions avec impatience. Mais il avait dû bénéficier d'un sursaut de créativité car il l'acheva alors que notre contrat pour *l'Enfant chéri* touchait presque à sa fin. Harold, Clifford, ainsi que Luther Adler et Morris Carnovsky, prévus pour jouer les rôles principaux, revinrent à New York pour préparer la production.

Je repris le rôle de Luther (Joe Bonaparte, enfin !) et Lee Cobb celui de Morris. En tête d'affiche pour la première fois, je me trouvais au centre du spectacle et je découvris ce que cela signifiait ; l'attention se portait sur moi chaque soir. Si vous aimez critiquer les acteurs parce qu'ils se prennent trop au sérieux, essayez un jour de jouer le premier rôle dans une pièce à succès. Cela fait enfler les chevilles.

Je vivais toujours à l'écart des autres et m'en trouvais très bien. J'avais une petite amie qui me rendait visite de temps en temps : elle habitait Joliet, ville renommée pour son immense prison. Cette jeune demoiselle était le type de fille — blonde, mince, lèvres boudeuses, démarche provocante — qui m'avait attiré toute ma vie et qui peuple les histoires que l'on se raconte au collège. Elle aussi voulait devenir actrice et, quelques années plus tard, elle obtiendrait même un succès modeste à Hollywood. Mais je n'arrivais pas à oublier Constance. Je n'avais pas retrouvé ce que j'avais connu avec elle. Elle était littéralement la fille de mes rêves. J'avais coupé court à notre liaison lorsque j'étais parti pour l'Angleterre, car je sentais qu'elle mettait en danger tout ce que ma vie comptait de « solide ».

J'éteignis la lumière, me versai une rasade de scotch de mon hôte et m'assis face à la fenêtre qui donnait sur Michigan Avenue. Ce jour-là, j'avais lu un « article » mentionnant que Constance avait été vue avec Bob Capa, le photographe de guerre. J'étais fou de jalousie et je m'en voulais terriblement d'avoir laissé Constance me glisser entre les doigts. J'enviais Capa pour son mode de vie et les femmes qu'il avait connues. Mais je désirais — j'en avais besoin — une chose dont lui se passait : un foyer. De nouveau, le fait d'avoir été cloîtré toute ma vie — à la maison, à l'école, à Yale, puis, sans transition, dans le Group — me remplissait d'amertume. Quand allais-je donc commencer à « vivre » ? La pire prison, c'était encore ce rôle que je jouais tous les soirs. Voilà pourquoi je n'étais pas entré en scène à New York bien que mes partenaires aient répété ma réplique à mon intention. Je ne voulais plus de cette vie restreinte, et mon inconscient me l'avait signalé avant que je ne le comprenne. Je ne voulais pas rester confiné. Je me posais cette terrible question : « N'y a-t-il rien d'autre dans l'existence ? »

Le calme régnait dans la chambre ; il se faisait tard. Les lumières de l'avenue, en bas, formaient un halo devant mes yeux. L'endroit était anonyme et je me trouvais seul, comme je l'avais souhaité — pas seulement dans cette pièce, donnant sur South Michigan Avenue, mais à Chicago, dans l'Illinois, dans le monde entier. J'étais séparé, selon mon vœu, de tout et de tout le monde. C'était la première fois que cela m'arrivait, mais cela se reproduirait à différents moments de ma vie. Je me trouvais une fois de plus au bord du gouffre.

Le bureau où j'écris ces mots comporte six volets en bois de style ancien, teintés couleur acajou et orientés au nord. Afin que la lumière du ciel tombe sur ma machine à écrire — mes yeux sont devenus sensibles et ma vue a baissé —, je garde tous les volets fermés sauf un. Quand je tourne la tête et que je regarde à l'extérieur, je vois, sur la façade de l'immeuble situé de l'autre côté de la rue, un alignement de trois fenêtres à hauteur du troisième étage. Elles ont des volets semblables aux miens à l'exception de leur couleur : ils sont blancs.

Ce sont les fenêtres de la chambre où, il y a vingt-cinq ans, je rencontrais une jeune fille dont je tairai le nom. Le passé fait face au présent, de l'autre côté de la rue ; la distance qui les sépare est minime. Juste en dessous de ces trois fenêtres était placée une sorte de banquette-lit dans laquelle — une fois les volets fermés — nous nous plongions. Cette jeune femme ne sortait pas de l'ordinaire à un détail près. Quand elle faisait l'amour, son visage se colorait d'un rose extraordinairement vif. C'est mon souvenir d'elle le plus marquant. Elle ressemblait à un modèle de Renoir. Si vous l'aviez rencontrée dans la rue, vous auriez certainement pensé que c'était une jeune fille convenable et même un peu collet monté. Ce qu'elle était — sauf dans ses ébats amoureux. Elle devenait alors une autre femme.

Est-ce que je regrette tout ce qui s'est passé de l'autre côté de ma rue il y a vingt-cinq ans ? Comment le pourrais-je, moi qui chéris encore le souvenir de cette jeune femme et de son visage rose vif ?

Cette ville est propice aux ironies du sort. C'est ma seconde femme qui a déniché l'appartement où j'habite et m'a demandé de l'acheter ; nous y avons vécu et elle y a passé ses derniers jours. Il me paraît ironique qu'elle en soit venue à choisir un appartement juste en face de ces trois fenêtres qui recelaient un secret dont elle ignorait tout. Mais il en va ainsi de cette ville. Au moment où j'écris ces lignes, j'y habite encore, avec ma troisième femme.

La ville est un album. Je veux dire la ville entière. Lorsque je la parcours à pied, et Dieu sait que je marche, j'ai l'impression de tourner les pages d'un album de souvenirs. Où que je sois, je passe toujours devant un immeuble, un théâtre, un hôtel, un restaurant, un bar, une entrée, une fenêtre, une allée dans un parc, ou au bord de notre grand fleuve, où quelque événement intime et mémorable a eu lieu. On n'en a pas parlé dans les journaux mais j'en ai gardé un souvenir ému. Je revois ces événements, je me pose encore des questions à leur propos, ma mémoire s'en saisit comme un avare de ses louis d'or. Ils constituent ma richesse.

Est-ce que je regrette qu'il me soit arrivé certaines choses ? Est-ce que je regrette ce qui a rendu cette ville si riche à mes yeux ? Comment le pourrais-je ? Oui, j'ai fait du mal à certaines personnes, dont beaucoup m'étaient très chères, en particulier ma première femme à l'époque où j'obéissais à mes pulsions plutôt qu'à ma raison. Mais avez-vous jamais réussi à vous en tirer dans l'existence sans jamais blesser personne ? Que répondez-vous à cette question ? C'est impossible. De plus, comment éprouver du remords au souvenir d'une main posée sur vous, d'une voix aimante, d'un tendre regard, d'une étreinte pleine de gratitude, d'un moment de dévotion absolue, de l'aide que vous avez reçue et de celle que vous avez donnée ?

Parfois, je m'imagine que ces trois fenêtres, de l'autre côté de la rue, me regardent et me demandent : Où t'es-tu donc enfui, tout d'un coup ? Parfois, je songe : Qu'est-elle devenue, cette fille aux joues de feu ? Où s'en est-elle allée ? J'espère qu'elle est mariée, qu'elle a des enfants et que ses joues rosissent toujours de plaisir quand elle fait l'amour avec son mari. Cet homme détient un trésor. J'aimerais bien savoir comment elle va. J'aimerais bien savoir comment elles vont... toutes.

C'est d'une autre sorte de richesse qu'il s'agit, et c'est elle qui a le plus de valeur à mes yeux : la richesse de mes expériences. Je n'aurais voulu en manquer aucune. Ni aucun des souvenirs qu'elles ont engendrés. Que disait le poète ? Je les ai toutes aimées à ma façon — et je n'ai point de regret. Je voulais que mon album soit plein.

Eh bien, il l'est. Comment ai-je pu y parvenir tout en menant une vie « respectable » ?

La réponse tient en peu de mots — et c'est le revers de la médaille : grâce à ma duplicité. C'est la solution à laquelle j'étais parvenu dans la suite située en dessous de celle d'Al Capone dans cet hôtel de South Michigan Avenue il y a près de cinquante ans. Ce que j'avais décidé cette saison-là à Chicago, c'était de me libérer du carcan de la culpabilité, des restrictions et de la moralité approuvées par la société. En secret, sans faire de bruit, je décidai de les mépriser et de suivre ma propre route, extorquant à la vie le plaisir et les aventures que je désirais plus que tout.

Existe-t-il une société qui, à un moment ou à un autre de son histoire, ait réussi à résoudre de manière satisfaisante le problème posé par la relation entre les deux sexes ? Les Européens regardent la vérité en face. Les hommes et les femmes français prennent maîtresse ou amant et vivent heureux avec leur moitié légale. Les Mexicains, quant à eux, ont leurs *casa chicas*. Personne n'a les mêmes désirs ni les mêmes besoins que son voisin, et aucun individu n'éprouve les mêmes toute sa vie. Il est certain que la nouveauté en fait partie, pourquoi ne pas l'admettre ? Une vie sexuelle fournie agrandit votre savoir. L'album s'enrichit de nouvelles pages et chaque souvenir est un trésor. Et un stimulant. La promiscuité sexuelle pourvoit à l'éducation de l'artiste, constitue pour lui une source formidable de confiance en soi et le soutient dans son travail. Ironiquement, elle peut aussi déboucher sur une authentique fidélité conjugale. En effet, elle vaut mieux, car plus saine, que les rêves licencieux et les convoitises inassouvies. Sans parler de la culpabilité. Tout cela provoque haine et ressentiment dissimulés, aigrit l'existence.

Le mariage et l'amour physique sont différents. Leurs exigences sont contradictoires. La maîtresse ou l'amant, bien souvent, libèrent leur partenaire de ses inhibitions. Le mariage répond à une nécessité inverse. Ce que l'on attend du conjoint, c'est qu'il soit stable, soit homme ou femme d'intérieur, désire des enfants, et c'est tout ce qui compte.

Le décorateur Boris Aronson a dit, quand il a rencontré Marilyn Monroe pour la première fois, qu'il comprenait pourquoi Arthur Miller la désirait. Mais Boris a ajouté, forçant sur son accent juif et scandant sa phrase de manière on ne peut plus provocante : « C'est une épouse, ça ? » J'entends encore les modulations de sa voix quand il avait posé cette question dévastatrice. Et de soumettre cette réponse : « Merde, non ! »

J'aime bien aussi cette autre histoire au sujet d'Aronson : un jour, en début d'après-midi, sa femme rentra dans leur appartement pour le trouver au lit avec une autre femme, plus jeune. Aronson a raconté comment il avait bondi hors du lit en s'exclamant : « C'est pas moi, c'est pas moi ! » Il avait raison. La personne qui hurlait : « C'est pas moi ! » n'était pas celle que sa femme avait épousée mais une autre, dont elle n'avait pas soupçonné l'existence. Ou dont elle refusait l'existence. C'était le double d'Aronson, qu'il avait gardé secret et qu'il désavouait. Momentanément.

Je ne parvins à aucune décision consciente ce soir-là dans la suite que j'occupais en dessous de celle d'Al Capone. Ni d'ailleurs pendant les quatre semaines passées à profiter des faveurs dont les « gars » du sud de Chicago me comblaient. Je ne vis pas Constance pendant plusieurs semaines, mais je lui rendis visite dès mon retour à New York. Ainsi, en fait, j'avais bien pris une décision, mais elle n'était pas consciente. Ce que j'avais accepté, c'est de mener désormais une vie où régnerait un chaos perpétuel. J'étais résolu à laisser venir les événements, plutôt que de les réprimer.

J'en vins à admettre ce que la plupart des gens doivent se résoudre à admettre à un moment ou à un autre de leur existence, à savoir que la vie est insoluble, qu'il est impossible de trouver une issue à certains problèmes et que certaines questions sont condamnées à demeurer sans réponse.

Ce que j'avais décidé, sans le savoir, c'est que je m'apprêtais à vivre dans le conflit et dans la confusion. Je savais ce que cela signifierait: il me faudrait esquiver, tricher, mentir, faire semblant, dissimuler — toutes choses honteuses, humiliantes... et nécessaires si l'on veut obtenir ce que j'avais appelé « les deux ». J'avais décidé de sauter le pas. Mais si j'avais essayé de m'adresser toutes ces belles paroles ce soir-là à Chicago, je n'aurais pas admis qu'elles disaient la vérité. Je les aurais niées. J'aurais dit: « Il ne s'est rien passé. La vie continue comme avant. »

MON FILS Chris vint au monde pendant que je répétais *The Gentle People*, d'Irwin Shaw. On interrompit une séance pour m'annoncer la nouvelle. On me félicita, et la répétition reprit. Pour la première fois, je ne jouais pas un dur mais un pauvre type, tout comme moi. J'avais même une scène d'amour avec Sylvia Sidney, que je n'aimais pas jouer, peut-être parce que la dame ne m'intéressait pas de cette façon-là. Question : est-il nécessaire pour deux acteurs qui interprètent une scène d'amour d'être attirés l'un par l'autre ? Réponse : ça ne fait pas de mal. Je me rappelle avoir entendu dire que Sylvia était cette beauté qui avait brisé le ménage du nabab hollywoodien B. P. Schulberg. Eh bien, ma curiosité n'en fut pas éveillée pour autant. Je ne lui étais pas particulièrement sympathique non plus. Chaque fois que nous devions nous embrasser, elle me sautait au cou et me mordait les lèvres. Bientôt, je me mis à reculer quand elle s'avançait vers moi, ce qui n'arrangea pas nos relations.

Je travaillais de nouveau avec Harold sur la mise en scène et j'étais désormais reconnu comme son bras droit. C'est en son nom que j'expliquai à notre décorateur, Boris Aronson, la disposition scénique que nous envisagions. Sur ce plan, le metteur en scène donne une première idée de sa vision des choses : il y définit le style et le mouvement de la mise en scène qu'il est en train d'élaborer, et il doit le donner au décorateur pour qu'il s'en inspire. Les répétitions, dans le cas d'une œuvre dramatique (il en va différemment d'une comédie musicale), doivent permettre aux acteurs de jouer *à l'intérieur* d'un décor, pas simplement devant. Boris, compagnon de travail délicieux, fut reconnaissant de l'aide que j'avais pu lui apporter. Il faut plus qu'un décorateur de talent pour concevoir l'aspect visuel d'une production.

Je savais que la compagnie ne m'avait pas accepté en tant que metteur en scène, et quand j'entrepris de diriger une nouvelle pièce, je sentis s'installer le doute, voire dans un cas l'hostilité. Irwin avait écrit une pièce expérimentale, *Cité tranquille*, qui, bien qu'incomplète et mal construite, était davantage dans la veine de son auteur que *The Gentle People*, fourbi libéral et conventionnel qui assurait les classes moyennes (son public) que le petit homme au cœur généreux finirait par vaincre la brute — thèse que je n'avais pas vue illustrée dans la vie. Il me semblait que *Cité tranquille*, si Irwin la travaillait, pourrait devenir une pièce bien meilleure, et que l'auteur en tirerait profit si nous la « rodions ». Nous décidâmes de la mettre à l'affiche six dimanches de suite en soirée. Harold était d'avis que je la mette en scène, Irwin aussi, et j'étais prêt à effectuer une nouvelle tentative. Notre ami Aaron Copland composa une très belle partition et nous commençâmes à travailler.

Les acteurs donnaient huit représentations hebdomadaires de *la Fusée vers la lune* et de *The Gentle People* ; *Cité tranquille* venait en plus. Je sentis que quelque chose n'allait pas dès le premier jour, mais je ne pouvais pas dire ce que c'était. Maintenant je peux. Ce n'étaient pas les acteurs qui étaient sur la sellette, mais bel et bien le metteur en scène. Je jouais encore les intrus dans leur famille ; peut-être m'accepteraient-ils, ou peut-être pas. Celui dont l'hostilité était devenue immédiatement évidente, c'était Morris Carnovsky, le plus vieux membre de la compagnie. Il arrivait systématiquement en retard, parfois jusqu'à une demi-heure après le début de la séance, quelquefois encore plus tard. Il s'excusait, mais le mal était fait. Et je ne crois pas qu'il était sincère. Son manque de ponctualité était chronique, il ne pouvait rien y faire.

Aujourd'hui, avec le recul, je dirais que je n'avais pas été en mesure de faire sentir à Morris l'importance de ce que nous voulions tenter avec Irwin. C'était mon boulot et j'avais échoué. Les acteurs avaient l'habitude du tape-à-l'œil avec Harold, et j'étais incapable de l'égaler. Boris me rassurait — en privé, il appelait Harold « Dié lé Père ». Mais comme j'étais dépourvu de son talent, je l'enviais. *Cité tranquille* alla au terme de ses six représentations et tout le monde s'empressa de l'oublier, y compris son auteur.

Il est rare que les bonnes relations entre un auteur et son metteur en scène survivent à un échec. Mais ce fut le cas entre moi et Bob Ardrey. Il estimait, je crois, que les membres du Group appartenaient à un autre univers mais que moi, grâce sans doute à une certaine adaptabilité, j'étais plus « américain ». Il voulut que je mette en scène sa pièce suivante, *Thunder Rock*. Harold donna son accord. J'appréhendais cette nouvelle expérience après celle de *Cité tranquille*, qui me restait sur le cœur. Mais une réaction très saine se produisit en moi. Je commençai à m'irriter de cette situation.

Thunder Rock a été représenté à Londres quelques années plus tard, avec Michael Redgrave dans le rôle principal, et y a remporté un vif succès. A New York, la pièce avait été mal reçue. Je crois que la responsabilité en revenait pour une grande part aux acteurs. Il m'a fallu longtemps pour établir ce principe de mise en scène auquel je crois : la distribution d'une pièce devrait être à l'unisson des qualités de base de l'auteur. Si le surnom dont certains membres du Group avaient affublé Bob Ardrey, « Pied de maïs », était justifié, alors sa pièce aurait dû être interprétée par des acteurs qui possédaient les mêmes qualités que les gens du Middle West — ou bien par des acteurs anglais : en effet, ils retiennent leurs émotions qui s'accompagnent généralement d'un humour désabusé. Nos acteurs, tous des citadins et de surcroît très démonstratifs, ne convenaient pas à la pièce de Bob. Même remarque pour le metteur en scène: je n'étais pas à ma place. La pièce d'Ardrey était « contenue »; elle était décontractée et intellectuelle. Mais ses interprètes et son metteur en scène sortaient tout droit d'*Awake and Sing!* Nous avions continué à jouer du Odets, et cela n'avait pas marché.

Pourtant, l'affaire ne manquait pas d'ironie: je me sentais plus à l'aise avec Bob qu'avec mes compagnons du Group. J'ai compris que j'avais dirigé cette compagnie à bout de bras, en évitant soigneusement toute critique, sans jamais exprimer ce que je ressentais vraiment, sans jamais rien dire qui puisse être jugé « personnel ». J'agissais sans spontanéité, avec prudence. Je me souviens d'être rentré à la maison plus las que de raison après une générale, et d'avoir dit à Molly: « Je ne suis pas sûr d'être encore à ma place parmi ces gens. Je ne sais pas pourquoi je prétends le contraire. » Je parlais du Group et c'est la première fois que cette idée me venait à l'esprit.

Toute entreprise qui lie des êtres humains peut mourir avant que ses animateurs ne s'en aperçoivent. J'interprétai le rôle principal dans *Musique de nuit*, la dernière pièce qu'Odets écrirait pour le Group, et notre compagnie rendit l'âme à ce moment-là, mais sur le coup personne n'en avait eu conscience. Le spectacle s'arrêta après vingt-deux représentations, et quand le rideau fut retombé une dernière fois, le réseau étroit de liens qui nous avait maintenus en activité s'était dénoué; le Group partit en capilotade. Nous produirions encore une pièce, mais à l'état de morts vivants.

L'ironie, c'est que durant les répétitions de *Musique de nuit*, j'avais eu l'impression que régnait la plus parfaite harmonie. Il fallut attendre que la presse et le public trahissent leur indifférence envers la pièce pour que Clifford fasse savoir qu'il était mécontent de la mise en scène de Harold et cruellement déçu par mon interprétation. « Chaque fois qu'il était l'acteur le plus brillant sur la scène américaine, devait écrire Clifford dans son journal, ma pièce passait à la trappe. »

Peut-être la délicatesse n'était-elle pas mon fort, mais pourquoi se plaindre après coup, comme le fit Clifford, que ma caractérisation ne présente pas « une variété d'approches »? Pourquoi Clifford n'avait-il pas exigé que Harold me dirige avec une plus grande variété d'approches? J'aurais peut-être pu y faire quelque chose.

Il y avait une raison à cela. « Je n'ai jamais eu le courage d'affronter Harold quand j'avais une critique à formuler à l'égard de son travail », devait encore écrire Clifford dans son journal. Que protégeaient-ils, leur amitié? Ça n'a pas marché. « C'était un ami », devait dire Clifford en parlant de moi, vingt-cinq ans plus tard, à quelqu'un qui n'avait pas fait partie de la troupe, « alors nous ne pouvions pas le remplacer. » A quoi rime l'amitié, me suis-je demandé après que le spectacle eut quitté l'affiche — j'avais eu vent de l'amertume de Clifford —, si l'on ne peut pas se dire la vérité quand on travaille ensemble?

Il me restait encore à découvrir que les auteurs rejettent presque toujours la responsabilité de leurs échecs sur quelqu'un d'autre — la troupe, les acteurs principaux ou même les décors, que Clifford avait trouvés « pesants » dans cette dernière pièce. Mais avec le temps, j'apprendrais également que c'est toujours la pièce qui est fautive, ce qui est difficile à admettre. J'ai entendu parler d'une dizaine de versions différentes d'*Un tramway nommé Désir* avec dix Blanche Dubois différentes ; c'est toujours un succès et souvent « mieux que l'original ». Même chose avec *Mort d'un commis voyageur*. Je n'ai jamais entendu parler d'une production satisfaisante de *Musique de nuit*. Odets a dit plus tard qu'il aurait voulu Jimmy Stewart ou quelqu'un de semblable. S'il avait obtenu Jimmy, il aurait trouvé un autre défaut à son interprétation. C'est la pièce qui échoue, en premier comme en dernier lieu.

Je n'ai jamais retravaillé ni avec Harold ni avec Clifford. Mais je n'ai jamais changé d'avis sur Harold : c'était bien notre plus grand critique dramatique, qui connaissait tout des problèmes d'une pièce en tant que texte dramatique mais qui, après s'être livré à une analyse brillante, ne pouvait y remédier sur scène. J'enviais son savoir et sa perspicacité, et je l'ai aimé jusqu'à son dernier jour sur terre. J'ai également continué à aimer Clifford, en dépit de tout ; il est difficile de ménager la chèvre et le chou quand l'amitié vient se mêler à la production d'une pièce ou d'un film. Une fois les représentations de la pièce terminées, nous avons laissé passer quelques années, Clifford et moi, puis nous avons admis nos qualités et nos défauts respectifs et sommes redevenus très bons amis. Mais j'ai fait en sorte, durant les années qui ont suivi, que l'on sache à quoi s'en tenir dans mes répétitions : si un problème survenait, il était débusqué dès le début. Je n'attendais pas qu'il soit trop tard pour y remédier. Quant à ce copinage qui rend impossible toute conversation franche et coupe court aux disputes, pourtant essentielles dans toute répétition digne de ce nom, il ne devait pas prendre le dessus. C'est l'amitié qui avait tué *Musique de nuit*, au-delà même de ses faiblesses.

Quand tout fut terminé, je savais au fond de mon cœur que notre compagnie ne renaîtrait jamais et que j'étais déjà loin, ailleurs, et content d'y être. Je reçus une proposition pour jouer dans un film.

Le metteur en scène qui me voulait était Anatole (« Tola ») Litvak, homme de culture à la réputation considérable, célèbre pour son film *Mayerling*. Dans la première moitié de *Ville conquise*, Tola, amateur de théâtre, voulait que je fasse la même chose que dans *Paradis perdu* ; dans l'autre moitié du film, il voulait que je m'inspire de *l'Enfant chéri*. En ce sens, je n'aurais qu'à répéter une performance qui, c'était important pour Tola, avait déjà reçu l'imprimatur de la critique.

A mon arrivée, le premier jour, dans les studios Warner, on me dirigea vers le bureau de l'assistant de Jack Warner, Steve Trilling, homme compréhensif et respectable qui se mit en devoir de me donner une leçon d'interprétation cinématographique. Selon lui, il n'y avait aucune comparaison entre ce qui marchait sur scène et ce qui marchait à l'écran. Il me faudrait me méfier de ne pas trop en faire. J'avais vu le test que j'avais passé avec Luther Adler, alors je savais de quoi Trilling parlait. « Il y a un gars qui est ici aujourd'hui, me dit Steve, et qui en connaît un rayon sur l'interprétation au cinéma. Tu veux discuter avec lui? — Oui, pourquoi pas, s'il vous plaît », répondis-je. Il me dit où aller. « Présente-toi et explique-lui ton problème », dit Trilling.

Au bord d'un plateau de tournage, en train d'attendre confortablement dans un fauteuil de metteur en scène que l'opérateur effectue ses réglages pour la scène suivante, était assis George Raft. Je lui fis part des inquiétudes de Trilling à mon sujet. J'ajoutais qu'il m'avait dit que lui, Raft, savait comment jouer au cinéma mieux que quiconque et particulièrement dans quelle mesure c'était différent de l'interprétation au théâtre. J'avais dû forcer sur l'humilité parce que Raft lâcha quelques conseils. « Première chose, dit-il, sur scène, tu dois parler, d'accord? — Oui, répondis-je, en général. — Ici — et Raft désigna la caméra —, on fait des images. Moins tu en dis, mieux ça vaut. Jette au panier autant de répliques que tu peux. Laisse-les au type qui est en face de toi. Laisse-le raconter l'histoire et tout le baratin. Toi, tu te contentes de le regarder, comme ça — il me montra —, comme si tu doutais, tu comprends? Et trouve un truc comme moi, cette pièce que je fais sauter d'une pichenette ; ça leur donne quelque chose à filmer pendant que tu te tais. Tout le public se demandera à quoi tu penses ; toi, tu ne penseras à rien, mais ça ils ne le sauront pas. Au cinéma, il vaut mieux se poser des questions que de savoir. » Je l'ai remercié et me suis retiré sans insister. En le regardant tourner, je n'ai pas compris un traître mot de ce qu'il disait, mais je me suis effectivement demandé ce qu'il pensait.

J'étais décidé à passer autant de temps derrière la caméra que devant, et à visiter tous les autres plateaux de tournage de l'unité de production. Les studios Warner étaient très actifs cette année-là et les stars y pullulaient. On pouvait toutes les voir, elles étaient comme à la parade quand elles se rendaient de leur plateau à la cantine, c'était l'élite de la communauté cinématographique. Muni, Flynn, Cagney, Bogart, Davis, Cooper, ils étaient tous là. Ronald Reagan était là aussi, en train de tourner *Knute Rockne, All American*. En regardant les metteurs en scène travailler, je remarquai qu'ils s'en remettaient souvent à leur opérateur pour décider de la place de la caméra, ce que Litvak ne faisait pas. Je ne fus pas très impressionné par certains d'entre eux, en dépit de leur sympathie à l'égard d'« un acteur de la scène new-yorkaise ». Il me semblait que le talent le plus utile dont certains d'entre eux disposaient, c'était de faire de beaux discours, ce qui leur avait permis de décrocher leur contrat.

Plusieurs réputations étaient attachées à Tola. L'une d'entre elles m'intriguait : celle de don Juan. Il avait récemment défrayé la chronique pour avoir rampé sous un piano à queue avec une actrice en vogue à ce moment-là, durant l'une de « ces soirées hollywoodiennes », pour y déguster une gâterie amoureuse de celles qu'on ne voit pas dans les films. Peut-être allais-je découvrir cette facette de Hollywood dont j'avais entendu parler dans les gazettes mais que je n'avais pas eu l'occasion d'étudier lors de mon dernier séjour dans l'Ouest.

Cela dit, ce que j'attendais le plus, c'était de rencontrer Cagney, la star du film et l'un de mes héros. J'allais jouer quelques bonnes scènes avec lui ; l'expérience promettait d'être fascinante. Ce qui me frappa d'abord chez lui, c'est l'antipathie prononcée qu'il manifestait envers Litvak. Elle allait très loin, je ne pouvais pas l'expliquer. Je me rendais compte que Jimmy ne pouvait tolérer la présence de cet homme, mais il n'élevait jamais la voix contre Tola ; c'était trop profond. Était-ce en rapport avec sa race ? Je me le suis demandé (jusqu'à ce que je connaisse mieux Jimmy). Cagney était d'origine irlandaise et catholique, Litvak était juif. Et l'intensité de cette aversion allait au-delà du raisonnable. J'essayai de deviner ce que la star détestait autant chez son metteur en scène.

La seule explication plausible, c'est qu'il n'aimait pas la façon dont Tola tournait chaque scène, ni le type de répétition que cette technique impliquait. La méthode de Litvak n'était pas simple et directe, comme celle de Raoul Walsh ou de Jack Ford, mais donnait dans le tape-à-l'œil et, d'une certaine manière, dans le style « européen ». A son arrivée le matin, il demandait qu'on place la caméra sur un chariot, constitué d'une petite plate-forme qui roulait sur des rails. Puis il s'asseyait sur le siège du cameraman et, l'œil contre le viseur, s'efforçait de faire tenir le plus possible de la scène dans un seul plan, à coups de travellings avant et arrière et de panoramiques de gauche à droite et de droite à gauche. Les répétitions rendues nécessaires par ce procédé prenaient plus de temps et engendraient davantage de complications que les techniques traditionnelles du plan général, du plan moyen et du gros plan, et elles ne rendaient service qu'aux techniciens chargés de la caméra, pas aux acteurs. Lors du tournage de chaque scène, ceux-ci devaient se déplacer entre les marques tracées à la craie sur le sol ; il n'y en avait pas qu'une ou deux mais toute une série, pour permettre à la caméra de cadrer parfaitement l'action pendant toute la scène. « A vos marques » devint le leitmotiv de ces répétitions : Jimmy trouvait cela fastidieux et s'arrangeait pour que personne ne l'ignore.

L'équipe technique aimait Cagney et le respectait ; ils sortaient de la rue, eux aussi — mais ils n'appréciaient pas la façon dont Tola leur parlait ; Jimmy non plus. Tola, en effet, avait une manière brusque de donner des ordres. Il se montrait dominateur en toutes circonstances et s'impatientait si quelqu'un élevait une objection ou commettait une erreur. J'allais retrouver ces intonations tyranniques en Europe quand j'y travaillerais, surtout en Allemagne. Les metteurs en scène de ce pays, à cette époque-là en tout cas, considéraient leurs techniciens comme des ouvriers qui ne déjeunaient pas dans le même café qu'eux. Les stars et les metteurs en scène américains offrent généralement une image démocratique d'eux-mêmes : ils font ami-ami avec leur équipe technique.

Ce que Jimmy n'aimait pas non plus chez Tola, c'est sa réputation de tombeur. J'ai noté que beaucoup de « grandes » stars de l'époque, en dépit de la séduction véhiculée par leur image publique, étaient plutôt pudibondes. Fonda constituait une exception, mais il demeurait réservé et secret au sujet de sa vie privée. Errol Flynn en était une autre, mais il était aussi britannique, ceci explique cela. Je n'ai jamais vu de femme avec

Jimmy et je n'ai jamais rencontré son épouse, même après plusieurs mois
passés à travailler avec lui. Les scènes qu'il partageait avec des hommes lui
venaient naturellement. Mais pour ce qui était des scènes d'amour avec
Ann Sheridan, une fille pourtant charmante, je sentais qu'il les jouait
parce qu'elles figuraient dans son contrat. Je ne sais pas si Jimmy avait ou
non un problème avec les femmes. Mais ce que je sais, c'est qu'il appelait
la sienne « Bill », et je me suis toujours posé des questions sur les hommes
qui donnent des petits noms masculins à leur femme. Peut-être n'était-il
pas si éloigné de son personnage de *l'Ennemi public* qui, dans une scène
célèbre, écrase un pamplemousse sur la figure de Mae Clarke.

Le plus souvent, ce sont les « grands » metteurs en scène qui jouaient
les tombeurs. En effet, il est presque impossible pour une actrice de
résister aux avances du metteur en scène avec lequel elle travaille, ou
espère travailler — à moins qu'il ne soit physiquement aussi repoussant
que Hitchcock. Chaque matin, lorsque Cagney ouvrait le *Hollywood Reporter* à la page des potins, il était sûr d'y trouver une fois encore le récit
des frasques de Tola la nuit précédente. Une nouvelle conquête y était
suggérée. Tola ne venait pas travailler en vêtements de sport, comme le
reste de la population de la côte Ouest, mais en tenue de soirée. Je ne
pense pas qu'il possédait l'habillement adéquat pour le golf, le tennis ou
l'équitation ; seulement pour séduire. Le soir, quand il quittait le plateau,
son élégance suggérait le rendez-vous galant dans un restaurant de luxe.
Le jour suivant, nous découvrions l'identité de sa compagne d'un soir.

Litvak tolérait le mépris de Jimmy. Il ne le rappelait jamais « à
l'ordre ». Pour la simple raison qu'il vaut mieux remiser son orgueil au
placard quand on doit respecter un plan de tournage très serré. On ravale
sa fierté et on remue la queue. Et puis autre chose entrait aussi en ligne de
compte : dans la hiérarchie de Hollywood, c'est celui qui gagne le plus
d'argent qui est le patron. Dans ce cas précis, c'était Jimmy.

Sans causer de remous, celui-ci fit manger de la vache enragée à Tola.
Dans la dernière scène du film, Jimmy devait porter une grande cicatrice
au-dessus du sourcil, de celles qu'on voit sur le visage des boxeurs professionnels. Un maquilleur la posait soigneusement le matin. Vers la fin de
l'après-midi, Cagney, dont le contrat spécifiait qu'il devait cesser de travailler à cinq heures et demie, regardait sa montre et si, selon lui —
Cagney, pas Tola, ni le cameraman —, il ne restait pas assez de temps
pour mettre en boîte le plan que les électriciens avaient commencé de
préparer, Jimmy arrachait la cicatrice et mettait fin du même coup à la
journée de travail. Il quittait alors le plateau sans adresser un mot à
Litvak.

Jimmy était un acteur complètement honnête. J'imagine qu'il mettait au
point chacune de ses scènes chez lui et qu'il savait ce qu'il avait à faire et
comment s'y prendre quand il entrait sur le plateau. Mais il donnait
toujours l'impression de jouer spontanément. Non seulement il n'avait pas
besoin des directives de Tola, mais il les refusait. Il n'avait suivi aucun
cours d'art dramatique mais il éprouvait un respect immense pour les bons
acteurs. Si l'Actors Studio avait existé à l'époque, je suis sûr qu'il ne lui
aurait inspiré que mépris. Il ne se livrait à aucune préparation élaborée

avant que le moteur de la caméra ne tourne ; je dissimulais la mienne afin de ne pas baisser dans son estime. Jimmy ne cherchait pas la complexité dans son approche d'une scène ; il la prenait à bras-le-corps et la jouait avec une énergie brute. Il aimait son travail. Il croyait en lui-même et n'avait pas besoin de recevoir constamment des éloges. C'était un acteur complet. Il a éveillé bien des doutes dans mon esprit quant au snobisme artistique de certains des acteurs du Group.

Voyant combien je l'admirais, il entreprit de m'enseigner quelques trucs du métier. Un jour, nous jouions une scène ensemble où nous nous faisions face. Il m'attrapa par les épaules et me fit pivoter dans la direction de la caméra. Il pointa le doigt vers son visage et me dit : « Montre-leur qui tu es. » Une autre fois, nous partagions encore une scène et la caméra était placée derrière son épaule. Il me dit : « Parle à mon troisième œil. » Les rares fois où Tola a essayé de lui donner des indications mécaniques, Jimmy a fait celui qui n'entendait pas. Visiblement, il ne respectait pas Tola quand il entendait celui-ci nous donner, à Arthur Kennedy et à moi — c'était notre premier film —, des directives arbitraires sur un ton inflexible. « Plus, Getch, plus ! » s'époumonait Tola, en prononçant mon surnom de travers. Finalement, je rassemblai assez de courage pour lui demander : « Plus de quoi, Tola ? » Il n'avait rien à dire à cela et se contenta de me répondre par des mouvements forcenés des bras et du corps. Je n'étais pas du tout convaincu que « plus, plus ! » était le meilleur conseil qu'on puisse me donner. En regardant d'autres acteurs travailler, j'avais constaté qu'il leur suffisait d'en faire très peu pour « passer » à l'écran — dans le cas de Gary Cooper, qui se trouvait dans le même studio que nous, rien du tout. J'en conclus que la caméra n'était pas un instrument d'enregistrement mais un microscope qui révèle ce que l'œil ne discerne pas. Elle pénètre au plus profond des gens, sous leur enveloppe de surface, et enregistre leurs pensées et leurs sentiments — tout ce qui se passe à l'intérieur. Je ne l'oublierais jamais.

Quand *Ville conquise* sortit sur les écrans, la critique généralement considérée comme celle qui reflétait le jugement de l'industrie sur le film et les gens qui avaient contribué à sa réalisation fut publiée dans le *Hollywood Reporter*. Arthur Kennedy et moi-même, en tant que débutants, fûmes complimentés, mais une distinction avait été établie entre nous. Après avoir prédit une grande carrière à Arthur, le critique du *Reporter* avait écrit : « Cependant, Elia Kazan, doué du même talent, aura du mal à diversifier ses rôles du fait de son physique. »

Mon jugement final divergeait de celui-ci. C'était : « Je veux bien être pendu si je ne suis pas capable de mettre en scène mieux qu'Anatole Litvak. »

On était au printemps, l'époque de l'année que les Grecs appellent « l'Ouverture », et nous roulions, Molly et moi, sur une route de campagne du Connecticut. Nous étions en train de tirer des plans sur la comète au sujet d'une maison à la campagne que nous achèterions peut-être un jour. Molly avait été élevée à South Orange, New Jersey, banlieue où les maisons étaient traditionnelles, d'une grande taille, avec les appartements des serviteurs au dernier étage. Enfant, elle avait eu la possibilité de jouer dans un jardin immense avec des arbres qui se comparaient à des monuments, des massifs de fleurs entre lesquels serpentaient des allées de brique et un cadran solaire qui fonctionnait. Elle voulait que nos enfants profitent des mêmes avantages. Moi aussi.

Ce qui se produisit alors semble sortir d'un de ces mauvais romans auxquels on ne croit pas. A la fin de l'après-midi, nous avions atteint un point élevé de la route et j'avais arrêté l'auto pour aller pisser contre un arbre. Pendant que je m'activais, mon regard se porta sur un large champ. A travers les arbres qui l'entouraient, j'aperçus un plan d'eau. J'ai toujours été attiré par l'eau, qu'il s'agisse d'un ruisseau ou de la mer. Je contemplais une mare de huit hectares — que certains auraient qualifiée de lac, à ceci près qu'elle avait été aménagée de main d'homme. Un barrage avait été construit pour former un ruisseau qui alimentait un moulin qui servait aussi bien à broyer le maïs qu'à presser les pommes. Une maison de fermier dominait le champ et le plan d'eau. Peinte en blanc, elle avait de nombreuses fenêtres orientées à l'ouest, que le soleil couchant mordorait. Derrière la maison se trouvait une saunière, également peinte en blanc. Les vieux érables à sucre qui montaient la garde sur l'endroit commençaient à verdir et leurs samares les tachetaient de rouge. La maison était inoccupée. J'appelai Molly pour qu'elle y jette un coup d'œil. Je voulais cette propriété. Tout de suite.

Nous y retournâmes le lendemain matin. Elle était à vendre et — le croirez-vous ? — les cinquante-six hectares, avec la maison, la mare, la saunière, et en prime une vieille pommeraie ne revenaient qu'à 17 500 dollars. L'impulsion cédait la place au bon sens. Nous décidâmes de l'acheter. Comment allions-nous payer ? Ça, c'était un autre problème. Nous avions trouvé notre maison idéale et elle avait déjà commencé à nous rapprocher. Nous en discutâmes tout le long du chemin, en rentrant chez nous.

J'avais un motif pour réagir avec autant de détermination, motif que je n'avais pas révélé à Molly. Cette propriété constituerait un gage de fidélité et de constance, un symbole de continuité qui nous unirait dans la période difficile que je pressentais avec appréhension. L'argent qu'elle coûterait représenterait ma pénitence pour les péchés que j'avais commis. J'avais recommencé à me comporter comme un imbécile, comme si je souhaitais que ma liaison avec Constance soit découverte. Était-ce le cas ? Le désirais-je vraiment ? Cette hypothèse ne laissait pas de m'effrayer. Mais vu la façon dont je me comportais, j'allais me faire prendre, c'était inévitable. De plus en plus de gens nous voyaient tous les deux ensemble, collés l'un contre l'autre au cinéma ou affalés dans un coin sombre de bar. J'avais dépassé les bornes de l'irresponsabilité en louant au mois une petite chambre dans un hôtel de la 48e Rue, l'Alpine, où nous avions installé quelques affaires. Je disposais désormais de deux chambres à coucher. Tôt ou tard, nous tomberions sur quelqu'un qui ne saurait pas tenir sa langue, dans le hall de l'hôtel ou en sortant par la grande porte. Étais-je prêt à en assumer les conséquences ? Tout bien réfléchi, non.

Tola Litvak m'avait offert un autre rôle. Les frères Warner avaient acheté une pièce dont j'avais détenu les droits pendant un temps, pour les abandonner ensuite en désespoir de cause. C'était au sujet d'un orchestre de jazz et des conflits qui éclatent entre ses membres. Je n'avais pas pu réunir assez d'argent pour la monter, aussi avais-je décidé, d'un commun accord avec l'auteur, de la vendre. Litvak, qui ne connaissait rien à ce genre de musique, allait la mettre en scène. Je suppose qu'il cherchait un autre sujet « vraiment américain » pour jeter aux orties l'étiquette de « metteur en scène européen » qui lui collait à la peau. Il m'avait proposé le rôle du joueur de clarinette, mais je n'avais pas particulièrement envie de retravailler avec lui, aussi avais-je traîné pour lui répondre. La maison à la campagne emporta le morceau. Ce rôle nous apporterait l'argent dont nous avions besoin et il me donnerait une chance, une fois seul en Californie, de faire le point sur ma situation.

Je fis des adieux passionnés à Constance avant de décider qu'elle devrait voyager avec moi jusqu'à Chicago. Nous passâmes une nuit délicieuse sur une couchette inférieure, à regarder défiler la campagne plongée dans l'obscurité. Au milieu de la nuit, j'avais dit : « Je t'aime, Constance. » A quoi elle avait répondu : « Et alors ? » Je m'étais tu. Je ne voulais pas la perdre, mais je ne connaissais aucun moyen efficace de la retenir. Incapable d'assumer ma toquade, je me contentais, pour le moment, de faire la seule chose qui m'était possible : établir une distance entre nous. Tous les trois.

A peine arrivé en Californie, je dus me mettre à apprendre la clarinette suffisamment bien pour pouvoir en jouer en gros plan. Il me fallut aussi apprendre à danser correctement ; ce fut plus facile, car personne d'autre ne savait danser, Tola n'innova pas. Ce fut de nouveau : « Plus, Getch, plus ! » La seule chose qui m'impressionnait dans cette production, c'était la partie musicale. Jimmie Lunceford et son orchestre étaient les meilleurs artistes du studio. Immédiatement derrière venaient Johnny Mercer, qui avait écrit les paroles des chansons, et celui qui avait composé la musique, Harold Arlen, un génie. Les Noirs et les juifs, ce sont eux qui possédaient le vrai talent. Quant au reste de la distribution — pardonnez-moi, compagnons, si vous lisez ceci —, c'étaient tous des médiocres. Nous ne disposions d'aucun Jimmy Cagney pour agrémenter nos journées.

Je faisais en sorte de tomber de fatigue, chaque après-midi, quand je revenais dans ma chambre pour y descendre le lit replié contre le mur. Je ne fréquentais pas les « parties » en quête d'aventures. Je ne voulais pas d'autre maîtresse que Constance. Je ne voulais pas d'autre épouse que Molly. En fait, je voulais les deux. Au fond de mon cœur, je ne trouvais pas cette attitude déraisonnable. Elle me semblait au contraire parfaitement normale et sensée, même si elle allait à l'encontre des règles morales édictées par la société et de l'éducation que j'avais reçue. Je m'étais d'abord senti coupable puis j'en avais conçu une réaction de défi. Lorsque quelqu'un me manquait, c'était Constance. Lorsque ma famille me manquait, c'était celle que je formais avec Molly.

Ma femme était très affairée à organiser notre installation dans cette maison à la campagne. Nous allions devoir faire face à des dépenses imprévues. En effet, nous avions acheté la maison sans nous rendre compte que c'était une résidence d'été, dépourvue du chauffage central. Molly avait engagé un entrepreneur « local » pour installer une chaudière, des radiateurs, des tuyaux et tout ce qui s'ensuit, et elle supervisait les travaux. Elle m'écrivit pour me décrire ce qui se passait étape par étape et me brosser des portraits rapides de toute la galerie de personnages conviée pour l'occasion. Elle m'envoya également les premiers dessins aux crayons de couleur de ma fille. Ces maudits dessins me brisèrent le cœur.

Constance aussi me tenait au courant de ce qui se passait dans sa vie. Elle m'annonça, pleine de gaieté, qu'un représentant de Samuel Goldwyn s'intéressait à elle et allait la présenter au grand patron la prochaine fois qu'il viendrait à New York. A la fin de chacune de ses lettres, elle me disait combien mon absence la faisait souffrir. A relire ces lettres aujourd'hui, elles me font l'effet d'avoir été écrites par une jeune fille passionnée mais réservée, en rien comparable à celles que l'on rencontre aujourd'hui à tous les coins de rue. La douleur que ces lettres suscitaient en moi ne s'apaisait pas. Je les attendais avec impatience. Je compris, après quelques semaines de ce traitement, que ma fuite n'avait rien résolu. Puis je me demandai ce qui arriverait une fois le film terminé. Je n'avais pas de réponse à cette question.

« Quand un acteur est sur scène, a dit un vieux critique, c'est comme si l'on plaçait une lampe à l'intérieur de l'âme d'un homme pour nous permettre de voir qui nous sommes et qui nous souhaitons être. » Ce n'était rien de tel, cet été-là, sur le plateau de Litvak. Quand *Blues in the Night* passera un soir, très tard, à la télévision, je vous conseille de changer de chaîne. J'avais décidé, une fois le Group dissous, que la profession d'acteur exercée dans de telles conditions était humiliante. La perspective de continuer dans cette voie ne m'exaltait guère. L'acteur flotte au milieu d'une immense nappe d'eau stagnante, attendant la marée qui l'emmènera où il pense vouloir aller. La marée arrive et il a l'impression de bouger. Quand la vague se retire et que la nappe d'eau stagne de nouveau, l'acteur se rend compte qu'il se trouve au même endroit qu'avant. Je respecte les acteurs qui restent fidèles au théâtre d'année en année. Je les comprends. Les producteurs misent l'argent de quelqu'un d'autre, les acteurs jouent leur vie. Quand la pièce fait un four, l'auteur, le metteur en scène, ainsi que leurs épouses et agents respectifs ne tardent pas à s'éclipser vers les rivages d'une île des Caraïbes, léchés par les vagues chaudes de la mer. Les acteurs restent en scène, à jouer le rôle pour lequel ils ont été éreintés par la critique, dans cette pièce qui a été rejetée, souvent même tournée en ridicule. Cet été-là, je pris la décision de ne plus jamais jouer. Et je m'y suis tenu.

Mais aucun événement ni aucune réflexion ne m'avaient conduit à une telle décision en ce qui concernait ma vie personnelle. Quand je revins à New York, je n'étais plus dans la même situation qu'à mon départ: le temps écoulé depuis avait aggravé mes problèmes au lieu de les simplifier.

Je viens d'une famille de voyageurs. Mon oncle et mon père étaient des clients de passage, moins par goût que par nécessité. Ils étaient insaisissables, par la force des choses. Élevés dans un monde de souvenirs, ils avaient appris, une fois adultes, à ne pas faire confiance au destin. « Ne t'inquiète pas, me disait toujours mon oncle, tout va mal tourner. » Il savait que même si les choses semblaient se présenter sous des auspices favorables, la chute se préparait. Ni l'un ni l'autre n'avaient recours à l'analyse. L'habitude acquise au fil des années s'était muée en instinct. Tels les daims qui mordent dans l'herbe et, quand ils relèvent la tête, regardent à gauche et à droite pour détecter les prédateurs potentiels, ma famille a passé sa vie prête à prendre la fuite à tout moment. Cet instinct est inné chez moi.

L'homme insaisissable dépend, pour le rester, de la chance. Il joue aux courses ou au loto, aux dés, s'en sort à l'université en étudiant le poker. Dame la chance était ma madone. A ce moment de ma vie, j'en avais bien besoin, et elle se présenta avec ses bienfaits. Carly Wharton, l'épouse charmante d'un avocat d'entreprise, et Martin Gabel, ami dont la voix suave était familière dans les *soaps*, me demandèrent de mettre en scène *Café Crown*, pièce sur le Café Royale, repaire des gens du théâtre juif. Je lus la pièce avec l'appétit d'un homme affamé.

Fidèle à moi-même, je devins soupçonneux. Pourquoi m'avaient-ils choisi, moi? A l'évidence, c'était parce que j'avais toujours fréquenté des membres du théâtre juif depuis que j'avais quitté Yale, parce que j'avais joué maintes et maintes fois avec Luther et Stella, le fils et la fille du légendaire Jacob P. Adler. Puis je me mis à inventorier les raisons moins flatteuses. Par exemple, que cette pièce ne cassait pas trois pattes à un canard et que tous les metteurs en scène à succès de la ville devaient l'avoir refusée.

Je laissai vite tomber ces conjectures spécieuses. Importait-il de savoir pourquoi ils m'avaient offert ce job? J'avais ce que je voulais, une autre chance de mettre en scène. Je me mis donc à étudier la pièce — et l'auteur. Hy Kraft, scénariste hollywoodien, avait, de tous les auteurs avec lesquels j'ai travaillé, le talent le plus limité. Mais il maîtrisait son petit capital: l'anecdote juive. Je voyais très bien, d'après ce que mes pérégrinations dans la colonie du cinéma m'avaient enseigné, d'où il venait: de l'arrière-boutique de la librairie Stanley Rose, sur Sunset Boulevard, repaire des intellectuels et des gauchistes de l'Eldorado californien, qui s'y réunissaient pour boire un verre en échangeant des potins du plus haut intérêt sur qui écrivait quoi pour qui, et se vanter des « bonnes choses » qu'ils avaient glissées dans leurs scripts et que les responsables des studios étaient trop bêtes et trop ignares en politique pour remarquer.

Lors de mes préparatifs de mise en scène, je résolus de ne plus essayer d'imiter les flots de rhétorique à la Clurman ou à la Strasberg: je ne possédais pas ce don. Du même coup, la tension que j'avais ressentie en dirigeant le Group disparut. L'essentiel consisterait pour moi à en faire le moins possible. Parfois, un metteur en scène gagne à limiter ses interventions et surtout à ne pas tenter de « gonfler » une pièce de petite envergure. Je choisirais des acteurs typés, « ethniques », je les ferais se déplacer d'une façon qui paraîtrait spontanée et naturelle et, c'était là le point capital, je m'arrangerais pour que les répliques clés soient prononcées correctement et que les réponses, censées déclencher les rires, soient perçues clairement par le public. C'était une petite pièce populaire traditionnelle, et j'aurais commis une grave erreur si j'avais essayé de l'améliorer. Je ne m'impliquerais pas dans ma mise en scène, je me contenterais de faire ressortir l'essentiel et je ferais en sorte que les répliques comiques soient prononcées face au public par des acteurs bien éclairés. Quel soulagement de diriger des acteurs de « Broadway »! Je leur dirais sans ambages ce que je voulais, comment ils devraient se déplacer et sur quoi mettre l'accent, et ils auraient intérêt à marcher à la baguette. J'avais beaucoup trop fait ami-ami avec les acteurs dans le passé ; mais j'allais m'endurcir.

Ainsi donc, durant ces répétitions, le gamin « suralimenté » du Group Theatre céda la place à un homme pondéré. Rien dans cette pièce n'était motif à s'exalter. Enfin détendu, je pris plaisir à mon travail, maintenant la discipline tout en riant aux numéros et aux trouvailles de certains acteurs. Le fait qu'un metteur en scène rie de son propre spectacle est généralement interprété comme un mauvais présage, mais cette fois-là, le public partagea mon enthousiasme et la pièce fonctionna. Un certain nombre de leçons s'étaient imposées à moi : il ne faut pas essayer de faire d'une pièce ce qu'elle n'est pas ; dans bien des cas, la modestie des effets renforce le propos ; le calme et l'aisance d'un metteur en scène sont contagieux et donc inestimables ; il ne faut pas essayer d'instruire le public ; s'il n'y a pas de thème dans la pièce, il ne faut pas s'efforcer d'en imposer un ; et, enfin, le plus important à mes yeux : il ne faut pas s'inquiéter de savoir si les acteurs vous aiment ou pas. Ce n'est pas essentiel. Carnovsky, qui jouait l'un des rôles principaux, s'entendit avec moi sans pour autant que nous devenions amis. Non, l'amitié n'est pas indispensable. Elle peut même être néfaste dans certains cas.

J'obtins mon premier succès de mise en scène avec cette pièce.

Je me trouvais dans le bureau de Carly Wharton, en train de discuter de nos problèmes de distribution, quand une secrétaire entra et dit : « Allumez la radio. » Nous étions le 7 décembre 1941, et voilà comment j'ai entendu la nouvelle de l'attaque de Pearl Harbor. Deux ou trois semaines plus tard, las d'attendre qu'on me mobilise, je rendis visite à mon conseil de révision pour savoir quelle était ma situation. Je désirais vivement partir, non parce que je me consumais sous l'ardeur de mon patriotisme, mais parce que mon engagement me délivrerait d'une vie personnelle dans laquelle je m'empêtrais. J'imagine que nombreux furent ceux qui rejoignirent le rang sans tarder pour des raisons similaires. Mon conseil de révision m'informa que j'entrais dans la catégorie 3-A, en raison de mon âge, de mon mariage et de mes deux enfants. Il me faudrait résoudre mes problèmes personnels personnellement.

Mon succès avec *Café Crown* avait été modeste mais comme il y avait

pénurie de metteurs en scène à cause de la guerre, mon ascension soudaine parut plus remarquable qu'elle ne l'était en réalité. Quelle ne fut pas
ma surprise d'être invité à me rendre chez un certain Mr. Michael Myerberg à l'hôtel des Artistes et de l'entendre me dire qu'il avait acquis les
droits de la nouvelle œuvre de Thornton Wilder, *la Peau de nos dents*, et
qu'il voulait me proposer de la mettre en scène. « Éventuellement »,
ajouta-t-il. C'était un homme grand, mais dépourvu de la grâce conférée à
certains par la haute taille, d'une maigreur maladive, rachitique pour tout
dire, et dont le teint évoquait le vert des toilettes publiques. Il pérora sans
fin, énumérant ses idées pour la production, qui, du fait que je n'avais pas
lu ce qu'il appelait « le texte », sonnaient comme charabia à mes oreilles.
Essayait-il de m'impressionner avec ses considérations sur l'avant-garde
lâchées goutte à goutte ? Pourquoi Thornton qui, après *Notre petite ville*,
aurait pu obtenir n'importe quel producteur sur la place avait-il été choisir
cet homme ? Et comme il aurait pu aussi obtenir n'importe quel metteur
en scène, pourquoi me trouvais-je là ? Myerberg jouait-il franc-jeu ? Je
n'aurais su le dire.

Dans les jours qui suivirent, que je passai à lire et à relire la pièce, tanné
par ma femme qui lui portait une admiration extravagante, je ne pus
m'empêcher de me demander pourquoi Jed Harris, qui avait effectué un
travail extraordinaire sur *Notre petite ville*, ne la mettait pas en scène. Je
posai cette question à mon avocat. Il avait entendu dire que Jed avait
exigé sa part des royalties versées à l'auteur — chose que Thornton ne lui
avait pas pardonnée. Un type qui travaillait au sous-sol du drugstore
Walgreen, où les acteurs se réunissaient habituellement, me confia qu'il
avait entendu Thornton dire à Jed : « Tu n'as jamais compris la fin de ma
pièce. » S'il voulait parler de la scène du cimetière, dans laquelle tous les
parents et amis de la défunte tiennent des parapluies noirs ouverts, moi,
j'avais trouvé que c'était une idée brillante. Que demander de plus d'un
metteur en scène ? Je croisai un acteur du Mercury Theatre, qui m'apprit
que Myerberg avait contacté Orson Welles. Celui-ci aurait constitué un
choix parfait, selon moi : il avait plus d'imagination que moi, et davantage
de style. Personnellement, j'aurais opté pour Orson. Mais au fait, pourquoi ce soudain accès de modestie ? Avais-je peur de mettre en scène une
pièce d'une conception si audacieuse ?

Lors de mon second entretien avec Myerberg, je lui demandai pourquoi
il n'avait pas offert la pièce à Welles. Sa réponse ? Du charabia. En y
réfléchissant, je compris pourquoi. Orson, au sommet de sa réputation,
aurait insisté pour constituer la distribution lui-même, avec les acteurs du
Mercury, et pour engager son propre décorateur. Myerberg m'avait indiqué le genre de distribution qu'il souhaitait — des stars, et des grandes ! —
et aussi qu'il avait déjà engagé un décorateur, Albert Johnson, qui avait
réalisé des esquisses.

Puis Myerberg mit les points sur les i et devint soudain très clair.
Voulais-je, oui ou non, mettre en scène la pièce ? « Oui », répondis-je, et
l'affaire fut conclue. Je lui envoyai mon avocat, et des négociations pro-
longées s'engagèrent. « Ne comptez pas dessus, me conseilla mon avocat.
La moitié du temps, je ne comprends pas ce que dit ce type. De plus, il dit
qu'il doit obtenir l'approbation de ses stars à votre sujet.

— Qui sont...? demandai-je.

— De deux choses l'une : soit il n'en sait rien, soit il ne veut pas le dire. »

Paula Strasberg avait fait partie de la distribution de *Café Crown* et avait profité de l'atmosphère chaleureuse — solidarité entre femmes, solidarité entre hommes — qui émane d'une production à succès, même si celui-ci est modeste. Elle était devenue amie avec moi, mais surtout avec ma femme, pour laquelle elle éprouvait une admiration particulière. Soudain, elle s'inquiéta de l'état de notre mariage. Elle s'était mis dans la tête qu'il était menacé et elle voulait aider ses amis.

Elle avait de quoi s'inquiéter. En effet, j'avais décroché le pompon après une série de bêtises toutes plus énormes les unes que les autres : Molly m'avait poussé à mettre en scène une pièce de Paul Vincent Carroll qu'elle avait découverte et, bien que cette pièce n'ait pas eu ma faveur, dans un effort pour lui faire plaisir et pour compenser ma négligence récente à son égard, tout autant que pour couper court aux soupçons avant même qu'ils ne soient éveillés, j'avais accepté. L'autre raison qui m'avait conduit à accepter de mettre en scène la pièce, c'est qu'elle comportait un rôle pour Constance, le meilleur qu'il lui serait jamais donné d'interpréter au théâtre.

C'est la coutume, dans le monde du spectacle, pour l'homme de pouvoir qui s'attache les faveurs d'une jeune femme, de veiller à ce que sa chérie se voie, au bout d'un certain temps, offrir quelques avantages professionnels. Ce que je fis. Je lui donnai un rôle dans la pièce, cette pièce sur laquelle ma femme était encore en train de travailler avec le producteur et l'auteur. Je faisais cette pièce pour Molly ; je la faisais aussi pour Constance. Dans un accès d'idiotie, aussi bien vis-à-vis de ma vie personnelle que de ma vie professionnelle, j'essayais de m'accrocher à deux femmes qui étaient en compétition l'une avec l'autre, et dont l'une ignorait tout de cette compétition pendant que la confiance de l'autre s'affermissait de jour en jour.

Il était inévitable que des gens moins innocents et au cœur moins pur que Molly ne tardent pas à comprendre ce qui se passait : il suffisait de me regarder lorsque j'expliquais son rôle à Constance. Les commérages commencèrent à inonder les répétitions et les fuites vers la communauté théâtrale ne tardèrent pas à se multiplier. Je savais ce qui se passait et j'essayai, mais un peu tard, de refréner les manifestations extérieures de ma ferveur. Malheureusement, dans notre monde, une fois que l'on a commencé à « parler », il n'y a plus rien à faire. Les gens sont avides de ce genre de « rapportages » : ils apaisent leur conscience.

Le talent de Paula dans ce domaine était illimité. Avec toute la compassion d'une épouse dont les plus belles années sont derrière elle, elle me flanqua dans la panade. Elle écrivit à Molly, dans un langage discret et affectueux, pour lui faire savoir que je paraissais avoir une liaison avec Constance, et offrit son aide en ces circonstances pénibles. Je crois sincèrement qu'elle cherchait à nous rendre service à tous les deux et qu'elle

avait engagé une campagne pour sauver notre mariage. Elle avait adopté
la tactique classique de la Ligue des femmes bourgeoises : éliminer la
jeune rivale. Paula, j'en suis sûr, s'était dit que Molly aurait réagi comme
elle, en se débarrassant de l'intruse, en jetant l'opprobre sur le mari et en
pardonnant sa folie à l'indélicat — enfin, après l'avoir laissé mijoter un
moment.

Mais elle avait mal jugé ma femme. Molly n'évoqua même pas le
problème avec Paula et ne chercha pas à en savoir davantage. Molly ne
courbait pas l'échine comme les gens du *show business*. Elle était en quête
d'absolu, passionnément. Pour elle, il y avait le bien et le mal, et rien
entre les deux. Elle adorait son mari, qu'elle aurait suivi jusqu'au bord de
la tombe, mais du jour au lendemain elle ne voulut plus entendre parler de
lui. Elle s'était sentie humiliée publiquement. Elle apparaissait maintenant
aux yeux de notre petite communauté comme une oie blanche trop naïve
ou trop sotte pour soupçonner ce que personne n'ignorait. Par ma faute,
elle avait été ridiculisée par son entourage. J'avais porté un coup à ses
organes vitaux qui, dans son cas, abritaient sa fierté.

Le résultat tourna au cauchemar. J'en avais été l'artisan et je le méritais.

Selon le vœu de Molly, je déménageai de notre chambre à coucher pour
m'installer dans mon bureau, petite pièce contiguë à la chambre. Molly
pouvait garder le contrôle d'elle-même durant la journée, quand les enfants étaient là, mais la nuit, quand ils dormaient dans leur chambre, elle
ne pouvait pas s'arrêter de pleurer. J'entends encore l'intonation métallique de ses pleurs rauques qui traversaient la mince cloison séparant le lit
où elle se tordait de celui où je ne parvenais pas à trouver le sommeil. Je
me disais en moi-même que les enfants ne pouvaient pas l'entendre, mais
je ne vois pas comment cela aurait été possible : elle ébranlait tout l'appartement. Le matin, le visage de Molly ressemblait à celui d'une noyée
qu'on vient de tirer de l'eau.

En l'espace de quelques jours, elle demanda le divorce. Ce fut un
soulagement, un semblant de solution. Puis elle changea d'avis, apparemment à la suite d'une conversation avec l'une de ses amies intimes, épouse
elle-même, dont l'essentiel, selon ce qui m'a été rapporté après coup,
tenait en ces termes : « Si tu le veux, il te faudra le prendre tel qu'il est. Ce
qui t'est arrivé nous arrive à toutes ; attends un peu. » Molly retira sa
demande. A la place, elle décida de quitter notre appartement. Un après-
midi, je rentrai à la maison et découvris qu'elle était partie avec les enfants
— chez mes parents à New Rochelle. Ma mère adorait Molly, et c'était ma
mère.

Nous étions désormais séparés. Constance et Molly avaient engagé un
combat mortel, au grand jour. Et j'étais là où je méritais de me retrouver,
seul sur l'épave du naufrage, honteux et confus.

Quelques jours après le départ de Molly, j'emménageai à l'hôtel Belvedere. J'éprouvais des scrupules à inviter Constance dans l'appartement. Je
ne m'y rendais que pour me changer et voir s'il y avait une lettre de Molly.
Je veillais à maintenir une ligne de démarcation entre les deux camps.

Ma mère m'écrivit. Pourquoi diable tout le monde prenait-il le parti de

Molly? Qui savait ce qui s'était passé entre nous? Elle disait: « Beaucoup de gens sont victimes de petites mésententes et bénissent la patience qui leur a évité de prendre des décisions hâtives. L'amour indique le chemin vers plus de compréhension et vers l'acquiescement. » Où avait-elle pêché cet « acquiescement »? Elle ne connaissait pas de tels mots.

Le jour suivant, je reçus une lettre de Molly, qui contenait son alliance. Voici ce que j'écrivis dans mon journal: « Je sais combien il a dû lui être douloureux d'enlever cette alliance. Elle la portait depuis dix ans et ne l'avait jamais ôtée pour quoi que ce soit. Elle l'avait gardée au doigt pendant deux accouchements. Au moment où j'écris ces mots, je sens mon estomac se tordre comme sous l'effet d'un poids énorme. » La lettre de Molly (que je ne retrouve pas) faisait deux pages. Sur la première, elle me disait sa haine, son dégoût de notre mariage. Sur l'autre, elle me confiait combien son amour pour moi était encore vivace. Je ne lus pas cette lettre. Je me contentai de la parcourir. C'était trop douloureux.

Constance m'apporta un réconfort. Plus tard, j'écrivis: « Elle vient de partir. Je suis amoureux de deux femmes. Je ne sais pas ce que je fais. Elle en veut tellement! Toujours prête. Je la vois encore debout devant moi, avec ses petits seins fermes, ses jambes parfaites, son ventre rond et sensuel comme celui des femmes représentées sur ces tableaux de la Renaissance italienne que l'on nous faisait étudier pendant les cours de dessin à Williams. Et son buisson secret et parfumé. J'aime ses yeux quand je la baise. Mon plaisir, c'est de la voir en avoir. Quand elle jouit, elle s'écrie: "Oh, chéri!", puis elle ajoute: "O mon Dieu!", non sans tristesse, et enfin: "Ne t'arrête pas, ne t'arrête pas", avec sur le visage un mélange de joie et de souffrance. Quand je pense à ces moments-là, je veux ne jamais mourir. Je ressens quelque chose, que tout le reste aille au diable! Est-ce que je suis amoureux? Il n'y a pas d'autre explication. Je ne peux penser à rien d'autre. Je ne veux pas travailler. Ce qui me motivait naguère me laisse indifférent. Tout ce que je désire, c'est la voir chaque après-midi que Dieu fait, chaque nuit. J'ai perdu mon ambition. *Connie* veut dire con en vieil anglais. La fleur délicatement refermée avec ses deux pétales, voilà mon obsession! Je ne peux penser à rien d'autre. »

J'avais reçu une lettre chaleureuse de Thornton (« Cher Gadget, défends-toi pour obtenir les dédommagements que tu mérites »), ce qui m'avait soulagé. En effet, je craignais qu'il n'approuve pas les complications de ma vie personnelle: comme celle de Molly, sa famille était originaire de New Haven, Connecticut. J'avais toujours l'impression de me tenir sur une corniche étroite au bord du gouffre. Le moindre souffle aurait suffi à m'y précipiter et j'aurais ainsi été discrédité aux yeux de la bonne société américaine.

Je me rendis à l'hôtel des Artistes, en m'efforçant de me gonfler à bloc pour faire bonne impression. Mike Myerberg m'informa que j'allais devoir rencontrer Fredric et Florence March (qui avaient accepté de jouer Mr. et Mrs. Antrobus), dont le contrat stipulait qu'ils devaient approuver le metteur en scène. Il glissa au passage que Ruth Gordon, qu'il avait en vue pour Sabina, disait qu'elle ne jouerait ce rôle que sous la direction de Jed Harris. Mike et mon avocat n'avaient pas terminé les négociations. La pente semblait bien savonneuse. C'est du moins l'impression sur laquelle Mike m'avait laissé. Volontairement?

Il arrangea alors un rendez-vous avec les March. « Autant en avoir le cœur net, dit-il. Elle va nous offrir un verre. Mettez un beau costume et retrouvez-moi à la maison à quatre heures et demie. »

L'appartement luxueux des March surplombait East River. Une domestique nous fit entrer, asseoir et attendre. J'enviais leur vue. Sur les murs étaient accrochées des œuvres d'art traditionnellement admirées. Je préférais les barbouillages au crayon de nos enfants. Je n'avais jamais rencontré ce couple célèbre. C'était une situation unique, pensais-je : un metteur en scène passant une audition devant des acteurs. Puis ils firent leur entrée, Mrs. March d'abord, suivie d'une table roulante poussée par une servante noire et sur laquelle étaient disposés des cocktails, et enfin Freddie. Leur mise évoquait celle d'un riche couple sur le point d'interviewer un candidat pour une place de serviteur de haut rang. On servit les boissons. La venue du printemps suscita des commentaires. Freddie fit quelques plaisanteries. Florence se força à rire. Je notai que Freddie ne quittait pas Florence des yeux, un peu comme un gamin anxieux.

Puis Florence prit la direction des opérations. A ma grande surprise, ce dont elle voulait parler, c'était de certaines questions de société. Je connaissais par cœur ce discours et je savais quelle position adopter. Quand il parut clair que Florence approuvait mes opinions sur un certain nombre de questions clés, Mike demanda s'il pouvait aller téléphoner et fut accompagné hors de la pièce. Je continuai à « jouer le jeu » pour Florence, mais je sentis s'établir entre Freddie et moi une connivence immédiate au-delà des mots. Il avait gardé une mentalité de gamin que sa tenue, un costume bleu à fines rayures et une cravate de banquier, ne démentait pas. Mais son sourire trahissait la malice. Je crois que cet entretien, audition qui ne voulait pas s'avouer comme telle, le gênait. Je découvris, en apprenant à le connaître mieux, que l'un de ses plaisirs consistait à faire des bêtises pour que Florence — sa mère de substitution — le gronde. « Freddie, enfin, disait-elle, enfin, Freddie! » Il m'amusait, et me fait encore sourire quand je repense à lui. Quand sa femme était dans les parages, il se tenait à carreau. Mais dès que le chat s'en allait, la souris se remettait à danser.

Je sentis qu'elle me testait — pourquoi, je ne sais trop. Son attitude m'apparut présomptueuse et je lui en voulus de la position dans laquelle elle me plaçait. Mais le masque du jeune homme honnête et libéral demeura en place. J'étais déterminé à faire cette pièce. Cependant, je n'ai jamais pu effacer complètement l'image que j'avais formée de la dame cet après-midi-là. Quand Freddie plaisantait, elle lui coupait le sifflet, conservant toute sa solennité à cette séance. Je dus lui expliquer en long et en large comment je voyais la pièce et ce qu'elle signifiait pour moi. Bordel! C'était évident, ce que cette pièce voulait dire : que la race humaine — dans l'esprit de l'auteur — réchapperait de tous les désastres, même si sa survie ne tenait qu'à un fil, qu'à « la peau de nos dents ». Mais il fallait que Florence entende de ma bouche ce message réconfortant. Et il fallait que je sois d'accord avec! Même Thornton n'avait pas été jusque-là.

Peut-être s'assurait-elle simplement que le nouveau camarade de jeux de Freddie n'était pas un rigolo. Je refusai un troisième cocktail. A la fin, elle me parut être une femme digne, honnête, sincère, sur laquelle on pouvait compter, mais comme ces vertus peuvent devenir ennuyeuses quand elles ne sont pas pimentées par le doute, le dénigrement de soi-même et la générosité du cœur! Bref, la jobarde idéale, comme je m'en rendrais compte par la suite, pour miss Tallulah Bankhead.

De retour au Belvedere vers minuit, voici ce que j'écrivis dans mon journal :

Constance ne se trouvait pas au restaurant à huit heures comme je le lui avais demandé. Je n'aurais pas dû m'en formaliser car je ne l'avais prévenue que quelques heures à l'avance et elle avait dû quitter son domicile avant l'arrivée de mon télégramme. J'ai téléphoné chez elle ; personne n'a répondu. J'ai pris un autre verre. Puis je me suis mis à parcourir les rues, dans le centre de la ville. J'étais inconsciemment à sa recherche. J'ai jeté un coup d'œil à l'intérieur du Faisan d'Or, le restaurant où, m'a-t-elle dit, elle a l'habitude de rencontrer Bob Capa. Pouvais-je décemment espérer que Constance reste constante (jeu de mots!) pendant que j'étais à Hollywood en train de tourner *Blues in the Night*? Elle m'a dit qu'elle avait couché avec quelqu'un d'autre cet été. Pendant que moi, j'étais célibataire! Sur le siège arrière d'une Pontiac, a-t-elle précisé. Je me demande quelle robe elle portait ce soir-là. Je ne peux pas supporter l'idée de quelqu'un d'autre en train de la caresser. Ou l'image de Constance allongée sur le dos, en train de se faire mettre avec appétit, les jambes en l'air! Et là, entre ses jambes, la fleur avec ses deux pétales. Je n'y avais jamais goûté avant. Cela m'avait toujours paru sordide. Mais pas avec elle. La sienne est délicate. Deux pétales roses et deux yeux goulus. Maintenant je sais ce qu'est la jalousie. N'oublie pas ce que tu ressens maintenant la prochaine fois que tu dirigeras une scène de jalousie.

Je pris un autre verre, puis appelai de nouveau chez elle ; cette fois, je réveillai sa mère. Après avoir raccroché, je repris mon journal :

Sa mère me déteste. Je le sens au ton de sa voix. Elle m'a dit non sans plaisir que Constance était partie en week-end avec Jack Houseman. Jack Houseman! Bon Dieu! Elle m'avait bien dit une fois que Houseman était l'homme le plus charmant qu'elle ait jamais rencontré mais elle avait ajouté tout de suite après que c'était moi qu'elle aimait. Il me semble entendre le téléphone sonner à tout instant. Mais si elle est chez lui, comment pourrait-elle m'appeler? Qu'elle aille se faire foutre. Je n'ai pas confiance en elle. Dès que j'ai le dos tourné, elle part en week-end avec un autre homme. Pourquoi diable est-ce que je sacrifie ma famille? Si seulement Molly m'appelait. Elle m'aime vraiment, elle. Mais ce coup de téléphone-là, je sais que je ne le recevrai pas. Plus jamais. Non, plus jamais. Molly a compris qui tu es.

Au matin, pour la simple raison que je ne savais pas où aller, je me rendis à l'appartement. La femme du concierge me remit une lettre, qui était arrivée en recommandé. C'était une lettre de ma mère, et si vous pouviez lire l'original, vous verriez qu'elle avait dû l'écrire dans l'affolement. Je n'ai pas essayé d'arranger la ponctuation.

Cher E. C'est une lettre bien triste et je l'écris avec le cœur brisé
Ces choses sont difficiles à mettre dans une lettre et je comprends qu'il doit être très dur pour toi d'en parler J'ai une fille malade avec moi Tu sais Molly est encore très jeune mais je tiens à dire qu'elle se comporte comme une femme de quarante-deux ou quarante-cinq ans qui change de vie comme ils disent. Une chose que je sais c'est qu'elle t'aime très fort et que son cœur est brisé et malheureux combien de temps elle peut continuer à t'aimer et souffrir ? Tu dis que tout va s'arranger un jour Ce qu'elle dit est différent Elle ne supporte pas que tu l'aimes un jour, et que tu aimes quelqu'un d'autre le lendemain personne ne peut ça ne peut pas exister Si tu ne te dépêches pas tu auras une femme malade sur les bras pour le restant de tes jours Je t'aime maman.

J'appelai New Rochelle. Mon père décrocha. « Elle va au Connecticut, dit-il, à l'endroit qui donne mal à la tête. » (Voilà comment mon père avait surnommé la propriété que nous avions achetée, me rappelant chaque fois en mentionnant ce nom qu'il m'avait mis en garde contre les problèmes d'argent inévitables qui me donneraient mal à la tête.) Puis il baissa la voix pour adopter un ton plus intime. « Qu'est-ce qui se passe ici, pour l'amour de Dieu ? demanda-t-il. — Je ne sais pas, papa », mentis-je. Je ne voulais pas me bagarrer avec lui. « Est-ce qu'elle a pris les enfants avec elle ? demandai-je. — Bien sûr, qu'est-ce que tu crois ? Elle s'occupe bien des enfants. Je te dis ça, cette femme, bonne mère. » Rarement auparavant avait-il eu un mot gentil pour Molly.

Journal :

Arrivé en stop à Bridgeport. En trois fois. J'ai dû faire à pied les trois derniers kilomètres en grimpant une colline verdoyante, avant de rentrer dans la cour de la propriété, et de la voir, en train de biner le bout de jardin que j'avais commencé à retourner puis que j'avais abandonné. Elle s'est jetée dans mes bras comme si mon arrivée soudaine répondait à une prière. Je vis qu'elle était au bord de l'effondrement. Je l'assure que je suis revenu pour de bon. « Je ne repars plus. » Sur le moment, j'avais été sincère. Mon visage et mon cou brûlaient. Pendant que je vais chercher une boisson fraîche, elle va s'asseoir sur le rocher qui surplombe le champ. A mon retour, elle ne parle pas. Je me rends compte qu'elle n'est pas prête à me croire, et je regrette mes paroles. « Ce n'est pas si facile », dit-elle. Son visage était de pierre, comme le roc yankee sur lequel elle était assise, de la même matière.

Puis les gosses ont débarqué comme des *marines*. Ils m'ont fait visiter, la petite me tenant par la main et me tirant dans tous les sens. Ils m'ont fait voir les changements qu'ils avaient opérés. J'ai admiré la corde à linge qu'ils avaient posée tous les trois. En revenant, j'ai aperçu Molly à travers les arbres, mais quand nous avons rejoint l'endroit où elle était assise, elle avait disparu de nouveau. Elle nous a fuis, mais les enfants pensent que c'est un jeu. « Allons la chercher », disent-ils en riant. Finalement, nous la trouvons, mais elle n'a pas envie de jouer. Elle avait besoin d'un peu de calme pour rassembler ses esprits.

Dîner. Amical. « Ragoût d'enfants », à partir d'une grosse et grasse poule. A plusieurs reprises, Molly a semblé prête à s'ouvrir, mais elle s'est reprise. Plus tard, elle a mis les enfants au lit. Puis elle m'a montré où dormir. Une bonne nuit de sommeil qui porte conseil. L'instinct de Molly lui dit que je suis là à cause d'un sursaut de pitié — qu'elle ne saurait accepter. Ce n'est pas quelque chose sur lequel elle peut compter, dit-elle. « Tu as de la peine pour moi maintenant, continue-t-elle, mais tu retourneras vers Constance. » Je nie tout catégoriquement, mais je ne la prends pas dans mes bras et je ne la force pas à me croire. Elle veut que je parte demain matin. « Ce n'est pas si facile », répète-t-elle. Une pensée traverse mon esprit : Constance est peut-être libre demain soir.

J'essaie de lire *Guerre et Paix*. Peut-être ce livre va-t-il m'aider à m'endormir. L'instant d'après, elle se tient dans l'embrasure de la porte, en chemise de nuit. Je n'oublierai jamais cette chemise de nuit. Elle était en lin, avec une ravissante frange découpée dans le tissu qui la faisait ressembler à une petite fille. Elle était courte aussi, tombant juste au-dessus du genou, et d'un goût excellent : du lin, mais sans la moindre raideur. Ceci constituait, pour Molly, le sommet dans l'art de la séductrice. J'ai attendu qu'elle parle, et vice versa. Je ne savais pas quoi dire. « Je suis fatigué. » Elle répondit : « La journée a été longue pour tous les deux. — Est-ce que je t'ai jamais dit combien ton visage était beau, même sur cette carte d'hôtesse de l'air ? » Elle a ri, puis elle m'a dit : « J'aurais dû me douter que pour toi aussi, c'était l'enfer. » Elle semblait s'excuser. Ou bien me lançait-elle un appel ? « J'aurais accepté n'importe qui plutôt que cette petite gourde blonde, vulgaire et sans talent, m'a-t-elle lancé. (Silence.) Ça, je ne peux pas te le pardonner. — En vérité, c'est une personne très bien, ai-je répliqué. Je l'aime bien — en tant que personne. — Oui, et tu l'aimes bien d'une autre manière aussi. — Oui, d'une autre manière aussi. » Je disais enfin la vérité.

Et ç'a été tout. J'ai essayé de lui dire que je l'aimais mais que je ne voulais pas revenir ; en effet je ne pourrais revenir que quand je serais prêt ; ce qu'elle avait dit était vrai : ce n'était pas si facile. « Tu ne crois pas que j'ai raison ? ai-je ajouté. Tu ne penses pas que ce que

je viens de dire était sage ? » Et ainsi de suite. En résumé, je lui ai
coupé l'herbe sous le pied, et, alors que j'étais en train de parler, elle
a quitté la pièce.

J'ai repris *Guerre et Paix*. J'avais passé des mois à essayer de lire ce
fichu bouquin. Mais rien à faire. J'ai éteint la lumière et j'ai attendu
que le sommeil vienne. Je commençais à m'assoupir quand Molly s'est
précipitée dans la pièce en sanglotant et s'est mise à me frapper —
essentiellement au visage. « Je te hais, hurlait-elle. Je te hais. —
Chut ! ai-je dit en protégeant ma tête. Les enfants vont t'entendre. —
Qu'ils entendent ! a-t-elle crié. Je te hais. » Elle est tombée par terre
à côté de mon lit et a sangloté pendant dix minutes. « Je t'aimerai
toujours », lui ai-je dit. C'était vrai. « Va-t'en, m'a-t-elle répondu. S'il
te plaît, va-t'en. Et pense un peu à qui tu es et à ce que tu veux.
Pense ! »

Au matin, elle m'a demandé de mettre sa voiture dans la grange ; il
menaçait de pleuvoir. En fouillant dans son sac pour trouver les clés
de la voiture, j'ai trouvé un petit calepin. Sur la couverture, elle avait
inscrit « Mr. et Mrs. Elia Kazan ». Il contenait ses projets de décoration pour la maison que nous venions d'acheter. Sur une page, les
rideaux du petit salon ; sur une autre, les fauteuils qu'elle avait
l'intention de faire recouvrir, et ainsi de suite, jusqu'aux assiettes et
aux serviettes de toilette ; et en regard de chaque chose, une touche
de l'aquarelle des gamins pour indiquer la couleur qu'elle désirait.

Molly paraissait anéantie quand je suis parti. « Demande-toi si tu
pensais quoi que ce soit de ce que tu m'as dit. » Puis : « Ça te
dérangerait de poser un ou deux porte-serviettes avant de t'en aller ? » En pleine crise, alors que son mariage menace de se briser,
cette fille pense à des porte-serviettes ! Est-ce cela qu'on appelle
l'« Éternel Féminin » ?

Les enfants m'ont escorté jusqu'à l'endroit où j'allais essayer de
faire du stop. Ils ont voulu savoir pourquoi je m'en allais, pourquoi je
ne restais pas. « Il y a beaucoup de choses à faire ici », a dit la petite.
Le garçon m'a regardé sévèrement. Je ne suis pas sûr qu'il voulait que
je reste. « Pour mes affaires », ai-je expliqué. Je savais qu'ils lui
avaient parlé à elle aussi, et je savais que si j'avais voulu, honnêtement et passionnément, retourner avec eux à ce moment précis,
j'aurais pu la supplier de me reprendre et qu'elle aurait accepté.

Le lendemain matin, je reçus un coup de fil de Mike Myerberg. Ruth
Gordon l'avait éconduit, mais il avait réussi à obtenir la personne qu'il
voulait pour Sabina : Tallulah Bankhead.

Je n'ai haï que deux personnes dans ma vie. L'une d'elles était Tallulah
Bankhead. Avec le temps, j'ai surmonté ce rejet. Quant à l'autre, elle fait
encore monter la colère en moi ; j'y viendrai plus tard.

Mais il n'en reste pas moins que je dois un cadeau à Bankhead : c'est
elle qui a fait de moi un metteur en scène. Lorsque j'avais mis en scène les
pièces d'Ardrey, ainsi que durant les répétitions de *Café Crown*, je parlais

aux acteurs en aparté ; je chuchotais, n'élevais jamais la voix, ne laissais jamais transparaître aucun signe de colère, ni même d'irritation, de déception ou d'impatience. Je fus bientôt auréolé de ma réputation d'être réservé et maître de mes réactions ; il m'en coûtait car je bouillais en mon for intérieur. La patience constitue une vertu salutaire pour un metteur en scène, à condition que l'on sente la menace sourdre. En effet, Bankhead m'a enseigné, à son insu, que rien n'est plus nécessaire à un metteur en scène qu'une détermination inflexible à obtenir le résultat qu'il veut, de quelque façon que ce soit, de préférence par la manière douce, à force de patience et de manipulations subtiles, mais si besoin est par tous les moyens que la situation exige — une voix intimidante ou même une crise de rage, feinte ou réelle.

Mike m'emmena à l'hôtel Élysée pour ma dernière interview-audition. On nous fit monter jusqu'à la suite de la dame et là, nous fûmes invités par une servante noire fort civile à nous asseoir et à nous mettre à l'aise. Nous ne fûmes en mesure d'obéir qu'à la première requête. Même Mike semblait nerveux. Il s'écoula un bon quart d'heure avant que la star ne pénètre dans la pièce, toutes voiles dehors. Lorsqu'elle s'y décida, ce fut pour poursuivre une conversation avec sa femme de chambre comme si nous n'existions pas. Une fois installée, elle se tourna pour m'inspecter. J'eus l'impression qu'elle n'avait jamais rien vu qui me ressemble de près ou de loin auparavant. Je souris ; aucun sourire ne me fut retourné. Elle avait le visage de quelqu'un qui vient de passer une mauvaise nuit. Quelques années plus tard, je me serais dit : Elle est sur un « coup ».

Je n'arrive pas à me rappeler ce dont ils ont parlé, Mike et elle. On me tint à l'écart de la conversation, à l'exception du moment où Bankhead fit une plaisanterie au sujet du Group Theatre. J'avalai ma langue, le prenant à la blague. Assis là avec sur les lèvres un sourire forcé, je me demandais si je n'allais pas démissionner. J'en avais marre de tous mes problèmes ; ils m'usaient. Je n'avais aucune idée du metteur en scène que Bankhead voulait pour la pièce. Avait-elle seulement une préférence ? Pas moi, en tout cas. Mike déversait son charabia habituel. J'en voyais maintenant l'utilité. Malin, il évitait d'aborder la question dont nous étions venus discuter : étais-je à la hauteur ? Nous partîmes sans aucune indication sur son jugement. Je ne reçus ni approbation ni encouragements. Ses dernières paroles à Mike — elle ne s'adressait toujours pas à moi — furent pour lui dire qu'elle avait juré de ne plus toucher aux boissons alcoolisées jusqu'à ce que nous ayons gagné la guerre. Je me rappelle qu'elle avait mentionné le nom de Churchill à plusieurs reprises.

Elle m'avait bien fait passer une audition, mais différemment de Florence March : Bankhead s'était servie de son instinct, pas de son intelligence. « Ne vous inquiétez pas... », me dit Mike dans l'ascenseur. Au lieu de terminer sa phrase, il toussa, sans mettre la main devant sa bouche, ce qui me permit de constater que l'intérieur de cette bouche était peint en bleu. Je m'étais vraiment associé avec une fine équipe ! « Qu'est-ce qu'elle a dit ? demandai-je. Qu'est-ce qu'elle avait à dire quand vous êtes resté avec elle ? — Qu'elle m'appellerait », répondit Mike, esquivant ma question.

Je n'obtiendrais jamais le verdict de Bankhead. Mais je savais à quoi m'en tenir. On me mettait de nouveau à l'épreuve. Si je voulais ce boulot, je devrais me défendre bec et ongles. Eh bien, soit. J'étudierais la pièce et serais prêt à parer au moindre de leur doute. Quelle ironie : la perspective de perdre cette pièce me la fit aimer davantage.

« Votre avocat est très difficile, me dit Mike au moment de nous séparer. Parfois, je ne comprends pas de quoi il parle. — C'est ce qu'il dit de vous, Mike », lui répondis-je. Il esquiva encore. « Avec lui, tout donne lieu à une lutte au couteau, reprit-il. Mais je crois que je suis parvenu à lui faire accepter les bases d'un accord. Alors maintenant... au travail ! Je m'inquiète à votre sujet. Il y a certains jours où vous m'avez donné l'impression de n'être plus vous-même — qui que vous soyez. » Il se mit à rire et je vis de nouveau l'intérieur de sa bouche. Oui, c'était ça : bleu indigo. Une couleur menaçante.

Puis, un beau matin, je me réveillai ma décision prise et plus aucune bataille à mener. J'avais blessé beaucoup de gens sans défense et je ne trouvais pas de solution. Je ne pouvais détacher mes pensées de ce qui s'était passé avec Molly dans la maison du Connecticut. Je savais que jamais de sa vie elle n'avait été si humiliée ; cette blessure ne se referme-rait jamais. Je la revoyais debout à la porte, dans sa courte chemise de nuit. Elle était si discrète, d'une étoffe si délicate, que seul un sentiment des plus profonds avait pu la conduire à s'offrir à moi de la sorte. Elle avait dû faire tomber toutes les barrières érigées par sa réserve naturelle. Le lendemain, lorsque j'étais parti, j'avais bien vu qu'elle était blessée à vif. J'avais blessé une sainte, une personne qui ne méritait que bonté. Non seulement elle n'avait aucun moyen de rendre les coups — un week-end, fût-ce « en tout bien tout honneur », avec un autre homme, par exemple —, mais elle ne disposait d'aucun bouclier pour se protéger. Chaque coup porté à cette fille la touchait au plus profond. Son visage pâlissait, son menton tressaillait et ses yeux me fixaient, désespérés. Chaque fois que je lui faisais mal, j'avais l'impression de presser un citron, et quelques gouttes de vie s'écrasaient au sol.

Constance disposait d'une défense solide, elle ; elle « voyait » un autre homme (pour reprendre ce mot passe-partout affectionné des filles dans son genre). N'oublie pas, me disais-je, avec quelle rapidité elle a trouvé Capa pour te remplacer pendant la tournée de *l'Enfant chéri*. Et elle vient de passer un week-end avec Jack Houseman. Et il y en a eu d'autres, sans aucun doute. Sur la banquette d'une Pontiac, je rêve ! Si je la quittais aujourd'hui, elle serait dans les bras d'un autre homme demain soir. Ils veulent tous la sauter, et quel meilleur compliment pour une femme comme Constance ? Je vous demande un peu ! Il y en aura bien un dans le tas pour la séduire. Il faut que je reste avec elle à chaque instant, pour la surveiller. Je ne peux pas lui faire confiance lorsqu'elle est seule.

Quant à nos enfants, ils paieraient pour mes écarts dans les années à venir, et peut-être même toute leur vie durant. Je revoyais encore leur visage lorsque j'étais parti ce matin-là, et la main de la petite, agrippée à la mienne. Je n'avais pas oublié leur question : « Pourquoi tu t'en vas maintenant ? » Comme le petit avait l'air tendu, presque solennel ! Pourquoi continuer à leur faire mal ?

Et ma mère : méritait-elle cette peine insupportable que trahissaient ses lettres ?

Tout le monde souffrait le martyre à cause de moi. J'étais un scélérat.

Ce que Constance me donnait était-il si important ? Était-ce la seule à pouvoir me fournir ce type de plaisir ? Ne m'étais-je pas engagé trop loin avec elle ? Il me fallait tirer mon épingle du jeu, maintenant. L'important pour moi, c'était de faire du bon travail sur la pièce de Wilder ; au diable les tensions et les problèmes ! Ils étaient en train de démolir ma vie.

Je pris la décision de crever l'abcès.

J'écrivis à Constance. « Ma très chère Constance, cette semaine à la campagne a sans doute été la pire de ma vie. Il me faut l'admettre : ma femme et mes enfants me manquent terriblement. Je me suis dit : "Ça te passera", mais rien n'y fait. Quand je me suis retrouvé dans la chambre des enfants, c'est comme si une bête sauvage m'avait rongé l'estomac, et l'empreinte de Molly dans cet endroit — qui traduit ses espoirs — me tue. Elle, elle me hait et ne me fait pas confiance pour emmener les enfants avec moi ne serait-ce qu'un week-end. C'est pour toutes ces raisons que je me suis comporté si bizarrement, que j'ai ces accès de dépression et de cafard inexpliqués, que je disparais soudain sans autre forme de procès. Je tiens à toi, c'est la vérité, mais je ne t'en ai pas moins traitée abominablement et je m'en veux. C'est pourquoi je n'arrive pas à travailler comme je le devrais. C'est la nouvelle pièce qui me porte sur ses épaules et non l'inverse. Je subis le cours des choses, au lieu d'influer sur elles de toute la force de ma conviction. »

Et ainsi de suite. Enfin : « Voilà. C'est une vieille, très vieille histoire. Je ne vais pas pouvoir te rencontrer pendant un certain temps. Il faut que je fasse le point. Je ne peux pas vivre sans eux mais il le faudra peut-être. Entre-temps, je vais travailler. J'ai beaucoup à faire sur cette pièce — et il va me falloir beaucoup réfléchir. »

Je reçus une réponse immédiate de Constance. « Mon cœur se brise. N'essaie plus de m'écrire ou de me voir. » Ce fut tout.

Le jour où j'avais écrit à Constance, j'avais aussi envoyé une lettre à Molly, qui débutait par : « Très chère Molly » et continuait par quelques considérations ménagères sur notre maison à la campagne. J'y étais allé après leur départ et j'avais surveillé le plombier pendant qu'il installait le chauffage central. Le dernier paragraphe disait : « J'ai rompu avec Constance aujourd'hui. Je ne veux pas d'autre femme que toi. Ici, je suis seul, je travaille et je n'ai pas d'autres projets. Je vais en ville uniquement pour voir Mike Myerberg. » Ce fut tout.

Quelques jours plus tard, je reçus cette lettre de Constance : « Chéri, je ne sais pas comment commencer ni quoi dire. Je dois en permanence me mordre les doigts pour ne pas pleurer. Je comprends ce que tu ressens, vraiment. Si seulement je l'avais su plus tôt ou, c'est plus exact, si je l'avais accepté plus tôt ! Je me suis raconté des histoires ces derniers mois, jusqu'à me convaincre que tu tenais à moi tout en sachant que ce n'était pas vrai. Pas assez en tous les cas. Je te suis reconnaissante de ce que tu as été pour moi. J'ai passé avec toi les plus beaux moments de ma vie. Le type qui a dit de l'amour que "tous les autres plaisirs ne valaient pas la souffrance qu'il entraîne" savait de quoi il parlait. Tu m'as dit un jour que tu ne serais jamais loin de moi, quoi qu'il arrive. Tu avais raison. Je serai toujours fière d'avoir été ta maîtresse. »

La lettre de Constance ne resta pas sans effet sur moi. Je l'admirais. Je crois qu'elle était sincère quand elle parlait des sentiments contradictoires que je ressentais, alors que je ne l'étais pas moi-même. Son absence ne fut pas non plus sans conséquence : chaque jour passé loin d'elle me rappro-chait d'elle. Voici ce que j'écrivis dans mon journal : « Je suis encore fou de cette fille. Jamais je n'ai eu plus envie de lui écrire une lettre d'amour que ce soir. Je suis jaloux de l'homme qui se la fait. »

Mais je ne lui écrivis pas. Voici ce qui suit directement dans mon journal : « Aujourd'hui, le Q.G. allemand a annoncé la capture de Rostov. Il semble que la flotte américaine soit en passe de perdre la bataille des îles Salomon. Gandhi s'est fait arrêter et les émeutes se multiplient en Inde — ce qui ne peut que rendre service au Japon... »

En guise de solution de la dernière chance — car les séparations n'ap-portaient pas le résultat attendu —, je posai ma candidature au Bureau d'information du ministère de la Guerre. C'était la seule possibilité de résoudre mes problèmes à laquelle je pouvais penser. Je n'allais pas fort. J'avais besoin d'aide pour sortir de mon dilemme. Voici la réponse que je reçus du B.I.M.G. : « En réponse à votre lettre, je me vois dans l'obliga-tion de vous informer qu'il n'existe pour le moment aucune ouverture dans notre organisation pour une personne de votre expérience — fût-elle vaste et diversifiée. » J'en conclus qu'ils avaient jeté un coup d'œil dans leurs dossiers pour s'apercevoir que j'avais été membre du Parti commu-niste. C'est ce qu'ils entendaient par « vaste et diversifiée ».

Molly n'avait pas répondu à ma lettre. Je ne pouvais guère lui en vouloir, et m'en abstins.

A désirer deux femmes, je me retrouvais sans aucune.

DÈS L'INSTANT où Tallulah Bankhead pénétra sur scène à grandes enjambées — Malbrough s'en va-t-en guerre! me dis-je en moi-même —, suivie de sa servante noire flanquée de tout un attirail bien inutile pour une première répétition, je devinai ce qu'elle avait derrière la tête : me faire virer. Vous pensez sans doute que j'étais paranoïaque, mais attendez la suite.

Quatre stars et Monty Clift, appelé à en devenir une, étaient alignés devant moi. Je les présentai les uns aux autres. Les embrassades traditionnelles dans le monde du spectacle ne vinrent pas spontanément. Ce ne furent que hochements de tête, sourires timides, gestes de la main : ils gardaient leurs distances. Monty était impressionné par l'assemblée select dont il faisait partie. Florence Reed, la mère ravageuse de *Shangai*, n'était impressionnée par personne. Florence Eldridge March, quant à elle, jacassait, s'efforçant de passer pour cordiale aux yeux de tout le monde — je suppose qu'elle était soucieuse de son image de marque ; je ne peux concevoir, en effet, qu'elle ait éprouvé la moindre sympathie pour Bankhead. Tallulah répondait de son rire chevalin, entrecoupé de quintes de toux dues à l'abus de nicotine. Je pressentais que Mrs. March, avec ses manières plutôt artificielles, son rire « mondain » et ses poses outrées de grande star, constituerait une cible irrésistible pour Tallulah, et je pouvais déjà voir une lueur dans les yeux de cette garce, l'annonce que le sang allait couler. Quant à Freddie March, il restait sur ses gardes, car il sentait que l'objectif de miss Bankhead serait de créer une atmosphère de tension si grande lors des répétitions qu'elle-même, et non la pièce, deviendrait le problème, et que chacun devrait alors consacrer toute son énergie à satisfaire ses moindres désirs. Ces considérations en tête, j'avais placé Freddie entre sa femme et miss Bankhead. Je n'avais qu'une seule préoccupation : je me rappelais la scène qui avait eu lieu à l'Hôtel Elysée et je craignais qu'elle ne fasse en sorte de prouver que j'étais incapable de diriger les répétitions, ce qui lui permettrait d'exercer son petit chantage en toute impunité : « Vous voulez que les répétitions se passent bien, monsieur Myerberg ? Alors, débarrassez-vous de Kazan et engagez un vrai pro. »

L'auteur, Thornton Wilder, fut absent pendant presque toute la période de préparation et de répétition. Il servait dans l'armée de l'air (dans le 328ᵉ régiment de chasseurs, à Hamilton Field, Californie), et je ne pus le rencontrer que lors de ses visites occasionnelles dans l'Est. Nous communiquions par lettres. Je lui posais des questions et il me répondait, en ajoutant chaque fois qu'il me faisait une confiance absolue — il n'avait pas le choix, d'ailleurs. « Je t'envoie ces quelques mémos, m'écrivit-il un jour. C'est de cette façon que j'ai travaillé avec Jed et Reinhardt. C'est surtout utile quand les répétitions commencent. Il n'y a rien de tel pour vous épuiser et vous embrouiller que ces discussions interminables au café, après les répétitions. » Dans l'ensemble, il se comportait avec moi comme un maître envers son élève, ce qui me convenait parfaitement car je n'avais jamais mis en scène de pièce comme celle-là et je n'avais pas lu non plus les œuvres littéraires — Joyce, à ce qu'on m'avait dit — qui l'avaient en partie inspirée.

Je ressentais cette pièce comme un défi qui allait au-delà de mon talent et de ma technique. Je n'ai pas immédiatement cherché, comme je l'avais fait avec d'autres pièces, à essayer de masquer ses défauts, mais plutôt à trouver le moyen de développer mes aptitudes. J'admirais la créativité et l'imagination théâtrale dont elle faisait preuve. Elle présentait un curieux contraste : novatrice dans sa forme, et constamment surprenante, les valeurs de son auteur, sur lesquelles elle reposait, la rendaient conventionnelle et, au bout du compte, ennuyeuse et moralisatrice. J'ai souvent senti, dans d'autres pièces que j'ai appréciées, l'expérience de l'auteur. Celle-là semblait avoir été conçue dans la bibliothèque d'une université, sans problèmes financiers. Wilder avait l'âme « propre » et l'esprit vif, mais notre pays se débattait dans une violence de cauchemar, une guerre mondiale. Thornton nous disait que nous allions survivre à cette épreuve comme à toutes celles qui avaient marqué notre histoire. C'était bien gentil, mais des paroles d'espoir aussi simplistes que celles qui émaillaient la pièce avaient tendance à sonner le creux. Ce qui explique, je suppose, pourquoi la pièce ne fut pas reprise aussi souvent que nous l'avions prédit, au soir de sa triomphale première. Avec le recul, je me rends compte que les pièces et les films qui m'ont le plus ébranlé sont ceux dont la fin n'offrait pas de réconfort. Thornton, homme « livresque », avait besoin d'imiter les professeurs d'université avant les vacances, qui récapitulent leurs cours et se font une fête de la nouvelle année qui s'annonce.

Ce que Thornton détestait par-dessus tout au théâtre, c'est la sentimentalité excessive. Il avait répété inlassablement à Jed Harris, sur *Notre petite ville*, de garder l'œil sec. Il voulait que les décors de *la Peau de nos dents* ressemblent aux arrière-plans de bande dessinée — ce ne fut pas le cas — et que le comportement des personnages soit en rapport : cela, je ne m'en sortis pas trop mal. Mais il est bien possible que toutes ses pièces n'aient véritablement pris vie que dans son imagination.

Quand les répétitions avaient débuté, deux facteurs m'avaient sauté aux yeux : la tension entre les March et Bankhead, que j'avais prévue, était au rendez-vous ; ma tâche quotidienne consistait à les empêcher de se battre. La perspective de devoir jouer une scène avec Tallulah terrifiait Florence

March. Elle passait son temps à me dire de me méfier de « cette garce ». Il ne s'écoulait guère de journée sans qu'elle ne me dise : « Quand allez-vous vous décider à faire quelque chose au sujet de Tallulah ? » Mais il me fallait admettre que j'aimais bien ce que faisait Bankhead aux répétitions. Chaque jour, elle arrivait électrisée par quelque angoisse ou quelque rancune secrète qui l'emportait sur tout le reste, mais cette tension se révélait productive. Elle méprisait Florence March pour sa constante maîtrise d'elle-même et son image de petite sainte. Elle trouvait que l'attitude soumise de Florence devant la vie allait à l'encontre des exigences de l'art. Je me surpris plus d'une fois à épouser son parti plutôt que celui de Florence. Je trouvais également leur antagonisme profitable à la pièce, en ce qu'il cadrait bien avec leurs personnages respectifs. Je tenais donc à le préserver.

Chacun de mes acteurs attendait de moi quelque chose de différent. Florence March voulait protection et explications sans fin ; je les lui apportais en privé. Bankhead exigeait une attention et une admiration de tous les instants ; non sans peine, je parvenais en général à la satisfaire. Freddie, quant à lui, m'avait dit dès le premier jour : « Ne me laissez pas forcer la note. » Sa requête fut la plus facile à exaucer. Florence Reed, enfin, voulait qu'on la laisse tranquille ; elle s'occupait de son rôle et de lui seul, un point c'est tout. Pendant quelques jours, tout se passa bien. J'appréciais mon travail. Qu'il s'agisse des scènes de famille, ou de celles avec les animaux (surtout le bébé dinosaure), les enfants ou le père suffisant et fort en gueule, c'était du gâteau. Il s'avéra que les rôles avaient été distribués à la perfection (par Myerberg, pas par moi) et que la pièce allait fonctionner. Mais je travaillais vite car j'avais le pressentiment que l'ordre et la paix ne se maintiendraient pas éternellement, et que la pagaille ne tarderait pas à se mettre de la partie.

Un beau matin, à la fin de la première semaine, Bankhead ne se présenta pas à la répétition. J'attendis un moment puis j'appelai Myerberg pour lui rendre compte de la situation. « Je suis au courant, me répondit-il. Nous avons un problème. » Je me rappelle avoir été frappé par son utilisation du « nous ». « Qu'est-ce qui se passe ? » dis-je. A l'évidence, c'est Bankhead qui était à l'origine du problème. « Vous feriez mieux de venir ici, me dit-il.

— Maintenant ?

— Oui.

— Qu'est-ce que je dois faire, annuler la répétition ?

— Non. Allez chercher la doublure.

— Mais elle n'a pas eu le temps d'apprendre les mouvements.

— Ça ne fait rien, dit Mike. Allez la chercher, le régisseur lui montrera. Et venez tout de suite après.

— Quel est le topo ? demandai-je.

— Elle n'aime pas la façon dont vous la dirigez », répondit Mike.

Comme je m'apprêtais à quitter le théâtre, Freddie s'approcha de moi — il savait de quoi il retournait — pour me dire qu'il me soutenait entièrement. Ce fut pour moi un grand réconfort. Je savais que c'était ma première grande chance et j'étais décidé à m'y accrocher jusqu'au bout.

Il exsudait de la suite de Bankhead l'atmosphère chaleureuse d'une morgue. La servante noire, venue nous accueillir à la porte, s'adressa à nous d'une voix étouffée. On se serait crus dans l'antichambre d'une morte. Il nous fallut encore une fois attendre un long moment avant de voir entrer la star. Bankhead avait l'air droguée ; elle chancelait. Elle se laissa choir sur le sofa, en rejetant la tête en arrière comme si c'était elle la victime, et sans un regard pour moi. Aujourd'hui, je pense qu'elle avait sincèrement l'impression d'être maltraitée et que sa résolution — me faire virer — l'embarrassait peut-être, mais qu'elle était néanmoins déterminée à la voir appliquer. J'étais prêt pour la confrontation et j'allais tomber le masque.

« Qu'est-ce qui ne vous plaît pas dans ma façon de vous diriger ? exigeai-je de savoir.

— Il ne sait pas comment on dirige une star, dit-elle à Mike.

— Qu'est-ce que j'ignore de la direction des stars ? lui dis-je.

— Il vient du Group Theatre, dit-elle, toujours en s'adressant à Mike, où ils sont tous égaux ou prétendent l'être. Je ne suis pas comme ces acteurs. Pourquoi devrais-je être traitée comme n'importe quelle autre actrice et servir la soupe au ménage March ?

— Je ne vous traite pas de cette façon-là », répondis-je.

Et je continuai en disant :

« Il y a trois autres stars dans cette compagnie, et elles ne se plaignent pas.

— Bien sûr que non, répondit-elle, avec vous ils sont toujours sur le devant de la scène. »

Elle s'était tournée vers moi pour la première fois, avec des yeux larmoyants, et elle avait l'air blessé d'un souffre-douleur. « Vous laissez des gens traverser la scène devant moi », dit-elle. Puis, se tournant vers Mike : « Il y a des gens devant moi en permanence. Le public est censé me regarder moi, et pas une bande d'acteurs décatis, d'animaux et d'enfants qui n'arrêtent pas de passer et de repasser devant moi. Il ne sait pas comment on dirige une star. Il a appris la mise en scène au Group Theatre. — Vous voulez dire que jamais personne ne doit passer devant vous ? » J'exigeai une réponse. « Oui, hurla-t-elle, oui, oui et oui, c'est ce que je veux dire. »

A ce moment-là, on aurait dit qu'elle allait craquer complètement : au bord de l'hystérie, elle glissa du sofa et se laissa tomber par terre. La servante se précipita vers elle et l'aida à gagner la porte. J'avais le sentiment d'avoir échoué mais Mike hocha la tête en signe d'approbation. Quelques minutes plus tard, la servante revint dans la pièce pour nous dire que miss Bankhead ne pourrait plus consulter ce jour-là ; il lui fallait se calmer et se reposer. « Dites-lui, glissa Mike, qu'il n'y a pas urgence. La doublure est en train de répéter, et tout se passe bien. »

Je savais maintenant que je m'en étais sorti, car Mike avait eu l'occasion de me renvoyer et il ne l'avait pas saisie. Le lendemain, Tallulah était de retour. Nous avions tous deux digéré les leçons de notre entrevue et nous étions prêts à reprendre le combat. Elle avait sans doute résolu, puisque je n'avais pas l'intention de respecter ses privilèges de star, de se protéger

elle-même. Elle ne manquait pas une occasion, mais le conflit était maintenant étalé au grand jour. Quel soulagement de pouvoir enfin donner
libre cours à mon hostilité ! Je me sentais beaucoup plus à l'aise. Je me
régalai avec les scènes situées à Atlantic City ; l'irascible Florence Reed ne
s'en laissait pas conter et répondait à Tallulah en usant du même langage
de charretier. Les acteurs éprouvés, que nous avions engagés pour jouer
les présidents de commission, en avaient vu d'autres avec les stars et
n'étaient donc pas le moins du monde impressionnés par les sérénades de
Tallulah. Si j'avais l'air mélancolique, le matin, Freddie me prenait à part
et me racontait sa dernière histoire cochonne, et la journée débutait par
un éclat de rire. Je savais bien que si j'arrivais à supporter la rancœur, le
mépris et l'hostilité que notre diva jetait à tous les vents, si je pouvais faire
front encore quelques semaines, nous obtiendrions peut-être un spectacle
extraordinaire. Mais je savais aussi qu'à la prochaine crise, elle essaierait
encore de se débarrasser de moi.

Lorsque tout n'allait pas exactement comme elle l'entendait et que je
répondais à son entêtement par mon inflexibilité, elle quittait la répétition, suivie par sa femme de chambre dans tous ses états. Je prétendais ne
pas remarquer son départ et, selon le conseil de Mike, je faisais appel à la
doublure. La répétition se poursuivait alors comme si de rien n'était. Je
finis par éprouver une certaine fierté à persister contre vents et marées
sans faire trop de vagues moi-même.

La première représentation devait avoir lieu au Shubert Theatre, dans
la ville natale de Thornton, New Haven. Il n'était pas présent, mais il nous
envoya à tous des témoignages de sa sympathie et de sa gratitude. La
compagnie arriva sur place à la mi-journée, tout le monde s'entassa dans
l'hôtel Taft, à côté du théâtre, et, sans prendre le temps de déjeuner, nous
nous précipitâmes, la plupart d'entre nous, pour aller voir le décor, qui
avait été monté et dont on était en train de régler l'éclairage.

On a beau expliquer maintes fois aux acteurs ce à quoi le décor va
ressembler, on a beau leur montrer des maquettes et des croquis, ils
ressentent un choc la première fois qu'ils doivent effectivement travailler
dans ce décor. Il y avait un espace, sur le côté, entre le décor qu'Albert
Johnson avait conçu et les coulisses. Dans le premier acte, on pouvait voir
les acteurs qui arrivaient chez les Antrobus avant qu'ils n'entrent en scène.
C'était une innovation à l'époque, et elle convenait parfaitement à la
pièce, mais elle déclencha la fureur de Tallulah. La tension d'une première la rendait particulièrement nerveuse et elle avait besoin de trouver
un exutoire — ce que je pouvais comprendre —, mais je ne m'attendais
pas à ce qu'elle pique une telle crise en découvrant dans quoi elle allait
devoir travailler. Ce fut un déchaînement frénétique, qui se poursuivit
pendant toute la générale et même après la première représentation.
Même quand elle n'était pas sur scène, on l'entendait maudire le décor,
son créateur, la direction, et moi. Elle exigeait que les « coulisses » soient
arrangées de façon à masquer ses entrées. Myerberg refusa de modifier le
décor. Je refusai d'exiger que le décor soit modifié. Et je continuai à me

comporter comme si je me trouvais en face d'une personne raisonnable
avec des exigences raisonnables. Appelez cela de la patience — mais il
m'en coûta.

Mike était très malade et cela se voyait. Il avait désormais le cou teint
d'un bleu électrique et ne cherchait plus à dissimuler l'intérieur de sa
bouche. Nous ne savions pas ce qu'il avait, mais sa maladie avait l'air si
grave que nous n'osions pas le lui demander. Il aurait dû rester couché,
mais il s'était fait installer un lit pliant au bas de l'allée située sur la droite,
près de la scène et, la tête posée sur un oreiller, il assistait à la répétition,
invalide déterminé à mener sa production à bien, coûte que coûte. J'admirais Mike.

La première répétition générale donna lieu à une hystérie cauche-
mardesque. Bankhead ne pouvait pas se tenir tranquille en coulisses,
n'entrait jamais au bon moment et ne montrait que haine envers les autres
acteurs. Florence March était démoralisée et, me semblait-il, effrayée ;
Freddie était furieux ; Florence Reed hautaine et méprisante à l'égard de
tout le monde ; et Monty Clift terrifié par ces tempéraments de feu qui
explosaient autour de lui comme autant de mines. Nous fûmes tous soulagés quand les horaires syndicaux nous contraignirent à faire une pause
pour le dîner, ce qui permit à chacun de prendre le large furtivement. Je
ne comprenais pas exactement comment, mais j'avais échoué — pas face
aux autres, mais face à moi-même. Je cherchai un endroit pour me cacher
et me reposer.

Je grimpai l'escalier étroit qui menait aux loges du deuxième balcon.
Les rideaux de velours bordeaux étaient tirés, séparant la salle de la scène.
La douce pénombre me réconforta. Je me jetai par terre et fis un oreiller
de mon pull-over. Dormir — espérais-je. J'entendais encore Tallulah
gargouiller. Mais moins. « Quand allez-vous vous décider à faire quelque
chose au sujet de Bankhead ? » Combien de fois Florence March m'avait-
elle posé cette question ? Elle avait raison. Qui m'avait donc enseigné que
la patience était une vertu excellente ? C'en est une en Turquie, où les
Grecs n'ont aucun recours, mais personne ne la respecte ici. La Merveille
de l'Alabama n'aime pas le décor. Eh bien, qu'elle aille se faire foutre ! Je
n'aime pas beaucoup ce décor non plus, mais c'est le nôtre et elle jouera
dedans. Est-ce que toutes les belles du Sud s'expriment dans un langage
aussi ordurier ? Je ne sais pas s'il me reste beaucoup d'énergie en réserve,
et pourtant il va m'en falloir. Ma fameuse patience ! Il y a en moi une
vague de colère qu'un mur de papier de soie empêche de déferler. J'en ai
par-dessus la tête que tout le monde se sente en droit de se plaindre et de
se chamailler avec les autres, pendant que moi je suis occupé à les séparer.
« Quand allez-vous vous décider à faire quelque chose au sujet de Bankhead ? » Il se trouve que miss Talloo, comme tous les gens qui m'ont
approché, sait bien que je ne « ferai rien à son sujet », que je serai
compréhensif — ou ferai semblant de l'être : j'opinerai du bonnet, un petit
sourire, et je les assurerai tous que ma patience compatissante est sans
limites et qu'ils peuvent donc me balancer tout ce qu'ils veulent dans la
figure sans risque de me voir riposter. Je suis à moitié endormi maintenant. Laisse-toi aller. Ils te réveilleront. Ma fameuse patience. J'en crève.

Et ça dure, pour dire enfin la vérité, depuis toujours. Ils peuvent faire ce qu'ils veulent, dire ce qu'ils veulent, se comporter en parfaits égoïstes, de façon scandaleuse ; qu'ils ne s'inquiètent pas — je peux l'encaisser. Ce n'est pas seulement Bankhead, bien qu'elle tienne le pompon. Mes meilleurs amis, même eux, m'ont traité de cette manière toute ma vie. Je les ai laissés faire. On se demande, n'est-ce pas, pourquoi je continue à les considérer comme des amis ? Harold Clurman, par exemple, qui s'est toujours montré condescendant avec moi, et m'a utilisé sans vergogne. « Arrange cette petite porte pour moi, veux-tu, Gadg ? C'est seulement du bricolage. » Si c'est seulement du bricolage, pourquoi ne l'arrange-t-il pas lui-même ? Mais ça, je ne le dis pas. Ce que je dis, c'est : « Bien sûr, Harold, bien sûr. » Quand il m'a flanqué entre les mains de Stella pour m'humilier, je n'ai pas moufté. Et mon pote Clifford, assis chez Lindy à déguster un flan avec Jed Harris et Billy Rose, en train de leur expliquer que si sa pièce n'avait pas marché, c'était ma faute. Il m'a fallu un an pour le remettre en place, et encore, par lettre, pas les yeux dans les yeux. Et Strasberg, mon mentor, m'accusant d'avoir foutu la merde dans son tremblement de terre. Qu'est-ce que je fais, alors ? Je me précipite dans le salon de l'habilleuse, pour pleurer. Et ces salauds d'acteurs du Group, qui me traitaient comme un apprenti verni, et M. le doyen Morris Carnovsky, ce cuistre ; je ne lui pardonne pas d'être arrivé en retard à mes répétitions, jour après jour. Mais je ne lui ai jamais rien dit, rien de sincère en tout cas. Je ne peux pas leur en vouloir de me traiter de cette façon : je ne leur ai jamais prouvé que je pouvais montrer les dents. Ma femme aussi, qui me lance son « Je te hais, je te hais ! », puis qui me frappe au visage, sans compter ses simagrées moralisatrices. Pourquoi suis-je censé être responsable de tout ce qui s'est passé entre nous ? N'y a-t-il plus besoin d'être deux pour danser le tango ? Même ma mère s'en est rendu compte. Mais je ne l'épargnerai pas pour autant, chère vieille dame. Qu'est-ce qu'elle connaît du monde d'aujourd'hui — pas de 1906 ; d'aujourd'hui ! Qu'est-ce qu'elle connaît de la joie que j'ai éprouvée avec Constance ? Constance, qui est partie maintenant, qui est avec quelqu'un d'autre maintenant. Avec qui ? Laisse tomber. Ma chère mère, je ne veux pas attendre pour profiter des joies adultes de la compréhension et de l'acquiescement. L'acquiescement, encore ! C'est ce dont je crève, l'acquiescement. N'est-ce pas un autre nom pour la patience ? C'est ce dont je crève. Je vous parle, à vous tous, qui vous entassez dans ma mémoire. J'ai cessé de tout faire pour gagner votre tolérance et votre approbation. Parce que si je suis méprisable, eh bien, tant pis. Je n'ai rencontré qu'une personne qui ne me condamne pas, du haut de son piédestal moral — et pourtant, elle ressemble à un ange quand nous baisons. Constance est dans la fange avec moi, c'est un animal, comme moi, l'animal que j'aime. Maintenant je l'ai perdue, je l'ai sacrifiée à des « valeurs morales plus élevées », je ne sais même pas lesquelles. Dites-moi la vérité : qui les respecte ? Je doute fort que ce soit le cas de tout le monde. Alors, Elia, arrête de te cacher, de chuchoter et d'espérer qu'ils vont t'aimer. Tu veux quelque chose ? Sers-toi. Il y a quelqu'un dans la distribution qui est là pour toi, qui t'attend. Elle ne me plaît pas vraiment, mais... pourquoi pas ? Ça te fera du bien.

Ça fera passer une heure. Ce soir, peut-être? Puis, la nuit t'aidera à oublier. Laisse-la aller, ta vraie nature. Oui, si je suis méprisable, eh bien, tant pis, je ferai ce dont j'ai envie, même si ce n'est pas O.K., parfait, approuvé. Dorénavant, je vais vivre avec les corniauds, je m'en vais peindre mon visage en noir et rejoindre les nègres, parce que je suis l'un d'eux et que j'ai toujours été en marge des « gens respectables », tout comme eux. Laisse-*les* acquiescer eux-mêmes, mes supérieurs moraux. J'en ai ma claque d'acquiescer. Laisse-les jouer aux juges, qu'ils aillent au diable. Si je suis méprisable, eh bien, tant pis. O.K.? Je ferais mieux de redescendre.

Le dénouement survint à trois heures du matin. Toute l'équipe était rassemblée sur scène et attendait que Mike décide de l'heure à laquelle le travail reprendrait le lendemain. L'entrée des artistes avait été verrouillée — il y avait eu du chapardage — et l'on demanda à la compagnie de sortir par la porte principale. Freddie fit sortir sa Florence en toute hâte. Je me dis que j'aurais une autre invalide sur les bras le lendemain matin. Les anciens se coulèrent dans l'allée centrale et se volatilisèrent comme des fantômes ancestraux. Enfin, miss Bankhead, suivie de sa servante, avait rassemblé suffisamment de ses esprits pour regagner sa chambre d'hôtel. En traversant la scène, elle m'aperçut; elle bondit alors sur moi tel un tigre et se mit à me traiter de tous les noms, hurlant à tue-tête, parce que je ne l'avais pas soutenue au sujet du décor. Je lui répondis que je ne l'avais pas fait car le décor me plaisait, ce sur quoi elle perdit tout contrôle et, comme folle, se mit à pousser des cris d'orfraie. Le point culminant de cette *aria furiosa* fut atteint, pour des raisons que je ne m'explique pas, lorsqu'elle me traita de « Turc ». Apparemment, le mot revêtait des implications sinistres pour la Merveille de l'Alabama, et elle y était allée de bon cœur.

C'est alors que je suis devenu metteur en scène. Le barrage a cédé. Devant toute l'équipe en arc de cercle, avec Myerberg sur son lit pliant et le directeur de la compagnie, Bennie Stein, à côté de moi, s'efforçant de me calmer, j'ai perdu la tête. Personne ne pouvait m'arrêter. J'ai dit à Bankhead, en hurlant à tue-tête et dans le langage le plus cru, qu'elle s'était comportée d'une façon honteuse. Je lui ai dit que je la méprisais et tous les autres aussi. J'ai dit que oui, j'étais un Turc et que je pouvais gueuler plus fort qu'elle — pendant tout ce temps, elle me répondait en glapissant, mais je faisais plus de bruit. Je lui ai ordonné d'arrêter de me faire chier, et comme elle continuait à se diriger vers la sortie, après avoir descendu les marches qui reliaient la scène à la salle (marches qu'elle devait utiliser dans le deuxième acte et au sujet desquelles elle avait également émis une protestation), je l'ai suivie jusqu'au bord de l'estrade et j'ai continué à hurler dans sa direction tout le temps qu'elle remontait l'allée centrale et jusqu'à ce qu'elle ait disparu au fond de la salle. « Je sais que ça fait un mois que vous essayez de me faire virer, mais je suis toujours là — vous me voyez? Je suis toujours là! »

A ce moment-là, elle avait disparu, me laissant le terrain libre. Lorsque

j'ai enfin retrouvé mon calme, toute l'équipe, assise en rond tout autour
de la scène, m'a donné une salve d'applaudissements nourris. J'ai pénétré
à l'intérieur de ce cercle et je les ai regardés les uns après les autres, en les
remerciant pour leurs applaudissements. Je m'étais montré à la hauteur.
Ils me considéraient comme un metteur en scène.

C'est la première fois que je m'étais permis cette colère qui vous sauve
la vie. De retour dans ma chambre d'hôtel, je m'aperçus que mon estomac, qui se contractait chaque soir après le travail et chaque matin avant
les répétitions, était détendu. Et mes maux de tête cessèrent du jour au
lendemain.

Le matin qui suivit, je passai l'entrée des artistes et grimpai sur scène,
un héros aux yeux de tous. L'endroit m'appartenait. Elle ne m'adressa pas
la parole et je ne lui parlai que pour lui donner des instructions de routine.
Elle gardait à l'esprit ce qui s'était passé la nuit précédente, moi aussi, et
tous ceux qui travaillaient à cette production. Je ne lui présentai aucune
excuse pour l'avoir injuriée. Elle se plaignait encore, mais beaucoup plus
calmement, et seulement au pauvre Myerberg sur son lit pliant. Cette fois,
c'était au sujet des marches qui descendaient dans le public et qu'elle
devait emprunter. Je dis à Mike qu'elle avait raison — je lui jetai cet os à
ronger —, que ces marches étaient branlantes et qu'il fallait les consolider.
Je n'attendis pas que Mike en donne l'instruction : je donnai moi-même
l'ordre au charpentier de s'occuper immédiatement des marches et de les
rendre solides et sûres. Myerberg était trop faible pour tenir les
commandes, aussi le remplaçai-je.

Le succès de la première dépassa nos espérances. Je crois que tout le
monde dans la compagnie, y compris Bankhead, fut surpris de constater
combien la représentation s'était bien déroulée et combien la réaction du
public avait été bonne. Une salle comble fut impressionnée et s'amusa. Il
n'y a rien de tel pour rassurer un acteur que les rires du public. Bankhead
en eut davantage que son compte ; le public l'avait adorée. Elle me
regarda en sortant de sa loge pour quitter le théâtre, mais elle ne dit pas
un mot. Si je m'attendais à ce qu'elle fasse une concession, j'allais être
déçu. Sur son visage, on pouvait lire ce message contradictoire : « Malgré
les obstacles que toi et Myerberg avez placés en travers de mon chemin »
— c'est mon interprétation tout du moins —, « je m'en suis sortie, n'est-ce
pas ? Espèce de sale bon à rien de Turc ! »

Bien des années plus tard, en 1983, en fouillant dans les papiers que
Molly avait laissés (elle est morte en 1963), j'ai trouvé cette lettre de
Florence March :

Chère Molly Thacher, je croyais, au bout de quarante ans, avoir
appris à m'occuper de mes affaires sans me mêler de celles des autres
mais je n'ai pu résister à l'envie de vous écrire en tant que membre,
moi aussi, du « Club des Épouses ». J'espère que vous me pardonne-
rez si je vous parais impertinente — c'est juste que si Freddie ressentait pour moi ce que Gadg ressent à votre sujet, j'aimerais bien le
savoir.

Hier soir, nous avons vraiment fait un triomphe — une pièce très difficile, à l'équilibre délicat, a pris vie en douceur lors d'une représentation sans heurts et tout le monde a senti que Gadg était en grande partie responsable de ce résultat étonnant. Nous nous sommes rassemblés dans la suite de Mr. Myerberg et tout le monde débordait d'enthousiasme, de Phil Barry à John O'Hara, en passant par Bob Ardrey, Harold Freedman, etc. Gadg est entré et s'est assis sur le divan, très calme. Je lui ai demandé si quelque chose le préoccupait et il m'a dit : « Je n'ai pas eu de nouvelles de Molly. » Il voulait vous appeler mais il a eu peur de vous réveiller si tard. J'ai eu le sentiment que seule votre approbation aurait été importante à ses yeux.

Chaque fois qu'il voulait m'indiquer une qualité vraiment exceptionnelle chez Mrs. Antrobus — un moment où elle montre de la compréhension, ou de la fierté —, il me l'expliquait, souriait avec tant de tendresse et disait : « Ma femme, Molly, est comme ça. »

Maintenant, après quinze ans de mariage, je sais que Freddie éprouve les mêmes sentiments à mon égard, mais j'ai dû me battre tant de fois par le passé contre un sentiment de fierté blessée et le sentiment que le jeu n'en valait pas la chandelle. Cela m'aurait aidée de savoir qu'au fond j'étais sa raison d'être.

Pardonnez-moi, s'il vous plaît, si j'ai été audacieuse mais je sais, d'après le portrait que Gadg m'a brossé de vous inconsciemment, que je m'entendrais bien avec vous, alors je vous souhaite bonne chance. Bien sincèrement, Florence March.

Pour autant que je sache, cette lettre n'a pas reçu de réponse.

Vous avez compris, maintenant, que j'ai le don de la dissimulation. L'impression que j'avais faite sur Florence était peut-être à soixante-quinze pour cent exacte. Il m'arrivait cependant d'éprouver en même temps des sentiments contradictoires. La première avait été un succès et je me sentais rempli d'allégresse et tout à fait indépendant. Quant à Molly, je ne savais plus où elle était. J'en avais parlé avec Bob Ardrey (nous étions toujours des amis très proches) et il m'avait dit que Jack Houseman — oui, encore lui ; il semblait marcher sur les deux trottoirs de ma rue à la fois — lui avait offert un job avec la Voix de l'Amérique, que Houseman dirigeait, et qu'il s'apprêtait à en offrir un à Molly. Je pourrais lui écrire là, m'avait-il dit. Bob m'avait aussi appris que Molly avait trouvé une petite maison du côté de la 92ᵉ Rue Est et l'avait louée.

Elle avait sauté le pas définitivement. Je l'admirais de l'avoir fait — elle se retrouvait seule maintenant. Je lui écrivis à sa nouvelle adresse, pour en quelque sorte entériner le fait qu'elle était désormais indépendante — et moi aussi. Ma nouvelle amie ne remplaçait pas Constance. Ni, d'une autre manière, Molly. J'appris le sens du mot « passade ». Notre mariage était mort et enterré, mais j'étais déterminé à conserver un lien d'amitié.

Un beau soir, une heure environ après la fin du spectacle, on frappa à la porte de ma chambre d'hôtel avec insistance. Je n'avais aucune idée de qui cela pouvait être, mais en ces jours de crise et de violence larvée, je ne pouvais guère passer outre à un martèlement aussi impérieux que celui-là. Je saute du lit, je déverrouille la porte et retourne en hâte sous les draps. C'est Bankhead qui entre. Sans perdre de temps, elle défait sa courte jupe marron. Elle ne portait jamais de sous-vêtements. Elle retire son pull beige sans manches : je suis frappé de voir qu'elle a les seins en gant de toilette. Nous ne nous sommes parlé que du bout des lèvres depuis des semaines. Si c'est sa façon de briser la glace, elle n'y va pas de main morte. Plus tard, je me rendrai compte qu'elle n'a jamais été aussi près de me concéder la victoire. Au moins, j'ai tenu plus longtemps qu'elle. Elle se précipite vers mon lit mais s'arrête net quand elle voit qu'il y a quelqu'un dedans avec moi — membre de la troupe, elle aussi, mais plus bas dans la hiérarchie des salaires. Tallulah me regarde, folle de rage, gronde comme un animal, remet ses vêtements et s'en va.

Le lendemain du jour où *Variety* avait fait son apparition dans les kiosques, je reçus un coup de téléphone surprise au milieu de la nuit : Constance. Elle avait lu *Variety* et « n'avait pas pu résister » à l'envie de me féliciter. J'étais si content d'entendre sa voix que pendant quelques secondes je ne m'étais pas rendu compte de ce qu'elle disait. Puis ce fut plus clair ; elle était en train de me donner sa grande nouvelle — qui devait être la véritable raison de son appel car elle en avait plein la bouche. Elle avait rencontré Sam Goldwyn, elle lui avait plu, il l'avait revue, et il était « fou de moi ». Il lui avait dit qu'il allait l'emmener en Californie pour faire des essais et mentionné au passage le rôle féminin principal, face à Danny Kaye, dans le film qu'il préparait. Je lui demandai quand elle pensait partir, en essayant de ne pas paraître inquiet. Elle me répondit peut-être vers mi-décembre — d'ici sept semaines. Alors, dis-je, nous avons deux motifs de célébration. Je n'eus pas besoin d'un second souffle pour l'inviter à venir voir mon spectacle, ni elle pour accepter.

J'avais perdu tout espoir avec Molly — et vice versa, en apparence. L'appartement qu'elle avait loué, l'emploi qu'elle avait accepté auprès de Houseman — décision on ne peut plus sensée — auraient suffi à me faire abandonner tout plan sur la comète. J'avais mon content de rancœur autour de moi et je n'avais qu'une envie : être tout à la joie que me procurait Constance.

Nous passâmes la nuit entière à faire l'amour, la seule fois de ma vie où je n'aie pas arrêté un seul instant. Je la retrouvai égale à elle-même, propre et douce, ferme mais délicate, sans aucune ride, sans rien en trop, parfaite. Et d'une tendresse absolue.

Au matin, nous prîmes le petit déjeuner dans la chambre. « Alors, je vais partir dans l'Ouest, dit-elle.

— Et qu'est-ce qui se passera ensuite ? demanda l'homme habitué à être au centre de la vie de sa femme.

— Ensuite ? s'étonna la jeune femme qui voyait soudain s'ouvrir devant elle tout un éventail de possibilités. Ensuite, tu viendras toi aussi. »

Elle paraissait avoir confiance en elle mais elle avait usé d'un ton un petit peu trop impérieux pour mon goût. « Il faut absolument que tu viennes, dit-elle, comme pour clore le débat.

— Quand ? m'enquis-je.

— Bientôt, répondit-elle, très bientôt. Ne me laisse pas là-bas toute seule. »

C'est justement ce que je pensais. « O.K., dis-je. Je le ferai. Je viendrai. »

Puis nous prîmes une douche ensemble : elle était belle mais je la trouvai soudain très pâle. Je compris alors que cet être doté d'un formidable appétit de vivre n'était pas une épouse, ni même une petite amie fidèle, mais une jeune femme déterminée à satisfaire ses ambitions coûte que coûte et qui en avait désormais les moyens, une personne qui voulait faire carrière et dont l'avenir se présentait bien, selon un tour — je ferais mieux de l'admettre — propre à nous mener vers une séparation inévitable. Je préférai ne pas aborder le sujet, ne pas aller au-devant des problèmes. Le mieux étant l'ennemi du pas trop mal, je décidai de continuer à vivre au jour le jour et d'apprécier ce que je pouvais retirer de chaque instant. J'avais transformé cette ouvreuse un peu miteuse — je me souviens du petit uniforme noir lustré au contact du strapontin, qu'elle portait au Belasco Theatre — en cette femme sensible et fougueuse. Nous ne pouvions, ni l'un ni l'autre, raisonnablement imaginer que ce que nous avions ressuscité ce soir-là résisterait aux 4 500 kilomètres qui nous sépareraient bien souvent dans les deux années à venir.

Aujourd'hui, quarante-cinq ans après la production de *la Peau de nos dents*, je vois peut-être mieux qui j'étais et ce que je représentais — et aussi qui je suis et ce que je représente maintenant. Par exemple, je peux désormais admettre franchement que j'ai toujours voulu une vie familiale solide et sans inquiétude, mais en profitant en même temps de la liberté d'un célibataire. Mais cela ne marche jamais. Il y a forcément quelqu'un qui souffre. Cette illusion que je pourrais avoir les deux a pesé sur ma vie comme une malédiction. Et pourtant, je voulais tout à la fois et, dans un sens — les années m'ont apaisé —, c'est encore le cas aujourd'hui. Vous savez de quoi je parle. Vous n'êtes pas si différent, n'est-ce pas ?

Je ne parle pas seulement de ma vie sexuelle. J'essaie de me placer sur un plan général.

Par exemple : j'ai toujours préféré croire que j'étais un aventurier, et pourtant je reste bourgeois, même un peu vieux jeu ; je suis maintenant à la tête d'une grande famille traditionnelle avec des commodités héritées du XIXe siècle, au lit, dans la salle de bains, dans mon bureau et à table. Ma voiture est une Mercedes, et non pas ce que j'ai parfois envié à d'autres, une Alfa Romeo.

J'ai toujours rêvé de vivre sans m'encombrer d'enfants, de biens matériels ou d'animaux familiers, dans un petit appartement où je ne disposerais que de l'essentiel : mes livres, mes disques, mes cassettes, mes documents, ma machine à écrire, des rames de papier, de pleines boîtes de stylos à pointe fine, et un frigo plein. Là, absolument seul, je travaillerais tous les matins, sans être dérangé par les besoins affectifs des autres. Le soir, j'apprécierais la compagnie de nombreux amis, jamais les mêmes, pas de répétitions.

Mais alors que j'écris ceci, je vis heureux et fidèle au milieu d'une espèce de zoo, avec une jeune femme formidable, ses deux enfants, une secrétaire-assistante parfaite qui organise ma vie, une gouvernante dévouée, plus deux chiens, deux chats et, à l'autre bout du fil, cinq enfants adultes et cinq petits-enfants. Ai-je dit sans m'encombrer ?

J'apprécie la moralité à l'ancienne mode et les habitudes régulières de ma jeune épouse ; elle préfère se coucher tôt et ne sort pas le soir. Mais même à la soixantaine bien sonnée, je ne trouvais jamais le moyen de résister à des aventures dans d'autres chambres à coucher. Il m'a fallu attendre soixante-dix ans. J'en étais encore à apprendre qu'on ne peut pas aimer deux personnes à la fois.

J'ai la réputation d'avoir l'instinct grégaire. Je suis heureux en compagnie ; je ris, je taquine, je plaisante, j'invite à faire une partie de tennis. En été, quand des amis viennent jouer sur notre court, je suis enchanté de les voir. Je suis également enchanté de les voir partir.

Je suis bien ordonné mais je conserve, je collectionne, je découpe dans les journaux, j'accumule. Partout où j'ai vécu, il s'est empilé une montagne de notes, de papiers, de lettres, de projets que je ne réaliserai jamais — il me faut maintenant les passer tous en revue. Voilà pourquoi je mets si longtemps à écrire ce satané bouquin.

De temps en temps, je décide que je vais passer le restant de mes jours à la campagne, porter le même jean et le même pull jusqu'à ce qu'ils pourrissent et tombent en morceaux. Je connaîtrais enfin les signes attachés à chaque saison et j'apprendrais à produire des tomates précoces. Pourtant, je ne peux pas me résoudre à quitter cette métropole horrible ; le chaos de Manhattan m'attire, ses dangers me fascinent. Je suis parvenu, dans ce cas précis, à avoir les deux, et je crois qu'il en sera toujours ainsi.

J'admire les U.S.A. plus que n'importe quel autre pays ; ils m'ont donné tout ce que je voulais et tout ce dont j'avais besoin. Mais de temps en temps, je décide que l'endroit où j'aurais vraiment envie d'habiter, c'est Paris. Ah, que ne donnerais-je pas pour vivre au sein d'une culture séculaire et déguster les mets les plus riches ! Je veux aussi une maison en Grèce — que je n'aurai jamais.

Je veux mener une vie sobre ; je suis un enfant de la Dépression. Mais je veux voyager partout — au Japon, en Inde, au Mexique, en Tanzanie, et descendre tout le cours de l'Amazone. Je veux des surprises et de l'aventure. Mais quand je m'en vais effectivement de chez moi, j'emporte ma carte de crédit aérienne, une carte American Express, une épaisse liasse de chèques de voyage, une pharmacie portative et un billet de retour rempli *in extenso*. Je veux être bien sûr de pouvoir rentrer à la maison sans encombre.

Je veux être anonyme, parcourir les rues de ma ville sans être reconnu. Cependant, je goûte ma modeste célébrité, et quand une inconnue (de préférence à *un*) m'arrête pour me dire qu'elle adore mes livres et mes films, j'apprécie. Je m'éloigne avant qu'elle n'ait fini de parler, mais c'est pour donner l'impression que les compliments m'embarrassent du fait que je suis une personne modeste.

Politiquement, je me considère de centre gauche. Je crois que la paix ne sera pas de ce monde tant que chacun n'aura pas une maison protégée des intempéries et propre, et suffisamment à manger dans son assiette. C'est du socialisme! Oui. Toutefois, j'ai un matelas confortable à la banque et je vis sur les intérêts. J'ai investi dans le système capitaliste. Je me réjouis que Ronnie ait réduit l'inflation, mais je ne voterais pas pour lui.

Je suis américain: je ressens un appétit de réussite éhonté et j'affirme ma position dans le monde avec agressivité. Je suis aussi anatolien: mes ancêtres m'ont légué leur ruse et leur prédilection pour les chemins détournés; je possède leur ténacité dans l'épreuve, leur capacité à accepter le châtiment sans se plaindre. Vaincu, je m'en vais à reculons, puis je viens reprendre la même place sans me faire remarquer. Je suis mon père, modeste mini-négociant; je suis mon oncle, qui perdit quarante mille dollars en une journée en jouant au baccara à Monte-Carlo. Ma mère? Je ne peux guère m'en réclamer. C'était une sainte.

Il m'est arrivé de formuler ce que je ressentais d'une façon que d'autres trouvent émouvante, mais je me détourne quand on me qualifie d'artiste et je n'aime pas la compagnie des gens qui se prennent pour des artistes. Je suis fier de mon œuvre, mais je nourris des doutes quant à sa pérennité. Je suis plus impressionné par les films des autres que par les miens. Mais quand ce jugement est prononcé par les critiques, je le prends mal.

Je suis fier de ce que j'ai été et de ce que j'ai fait — mon palmarès, si on veut. A quelques rares exceptions près, qui me gênent quand j'y repense mais que je révèle maintenant non sans inconséquence, je me respecte. Écrire à mon sujet heurte ma modestie et pourtant voici ce long volume dont vous n'ignorez pas le sujet. Je crois ce que doivent croire les écrivains: que lorsque je parle de moi, je parle de vous.

Je veux être aimé. Je veux qu'on me craigne.

Je suis lâche. Je suis courageux.

Je suis beau. Je suis laid.

Je suis vaniteux. Je suis humble.

Je suis maigre et noueux. Je suis corpulent et bien charpenté.

Je suis inconstant. Je suis digne de confiance.

Je cherche la bagarre, mais je ne me bats pas, car je sais que j'en suis incapable.

Ma femme actuelle m'appelle « le Roc ». Je ne dirai pas comment mon épouse précédente m'appelait.

Je suis un homme déterminé et énergique, et je ne m'arrête pas de travailler à tout instant sous le moindre prétexte; je travaille même le matin de Noël. Rien de contradictoire en cela. Et quant au reste, tout ce que je viens de décrire est la vérité. A plusieurs reprises, j'ai étonné les gens en changeant apparemment du tout au tout quant à certaines de mes positions et de mes attitudes. En conséquence, on s'est parfois méfié de moi. En mainte occasion, mes désirs contradictoires m'ont conduit à me soumettre à l'un ou à l'autre.

Voilà où en était ma vie au moment où j'ai écrit ces lignes. Aujourd'hui, elle en est toujours plus ou moins au même point.

Le spectacle débuta sa carrière à New York mi-novembre et Thornton obtint ce qu'il méritait : un succès énorme. *La Peau* devint *la* pièce qu'il fallait voir et nous étions partis pour une longue série de représentations. Beaucoup de spectateurs restaient perplexes — à quoi tout cela rimait-il ? — et certains sortaient avant la fin. Mais ces réactions alimentaient la rumeur qui avait immédiatement rendu la pièce célèbre. Je surpris la conversation d'un couple qui sortait du théâtre. « De quoi ça parle ? se plaignait l'homme auprès de sa femme.

— Eh bien, George, c'est sur l'amour, la haine, la passion, sur *tout ce qui existe* depuis que le monde est né.

— Ah bon, répondit l'homme, mais il doit y avoir autre chose derrière ça. »

Il se trouva des intellectuels pour exprimer leur déception « au niveau du texte ». Pour reprendre une expression de miss Bankhead, il fallait selon eux se fier aux apparences : ce n'était que de la poudre aux yeux. Mon ami Boris Aronson vint la voir et, alors qu'il remontait l'allée à la fin du premier acte, je lui demandai si la pièce lui plaisait. « Beaucoup, dit-il. C'est tellement confus ! » Je l'agrafai au même endroit à la fin du second acte, prêt à recevoir de nouveaux compliments. « Ça te plaît toujours, Boris ?

— Moins, me répondit-il. Ça s'éclaircit. »

Chacun des membres de la distribution fit l'objet de la même admiration. Mais les ovations allaient-elles apaiser les tensions parmi les acteurs ? Allaient-ils se montrer plus tolérants les uns vis-à-vis des autres, plus sages, plus compréhensifs ? Le temps les conduirait-il à faire preuve de plus de générosité ? Je devais avoir perdu la raison...

Dix jours après la première, une autre crise éclata en coulisses, et à en juger par les débordements hystériques de Florence March, elle était sérieuse. Elle me convoqua au théâtre et se répandit en doléances pleines d'acrimonie, toujours les mêmes : il me fallait faire quelque chose au sujet de Bankhead. « Qu'est-ce qui se passe maintenant ? demandai-je.

— Vous n'allez pas voir le spectacle ? voulut savoir Florence. (Je suis bien connu pour ne jamais retourner voir une production après la première et on me l'a reproché à juste titre.)

— Je n'y suis pas allé récemment, concédai-je.

— Eh bien, faites-le, dit Florence, c'est votre spectacle, après tout, et regardez ce que fait cette garce pendant mon discours sur le mariage à l'acte deux. »

De mauvaise grâce, je me rendis à une matinée et vis ce que Bankhead avait inventé pendant le discours qui primait sur tout le reste de la pièce aux yeux de Florence. (« Je ne t'ai pas épousé parce que tu étais parfait. Je ne t'ai même pas épousé parce que je t'aimais. Je t'ai épousé parce que tu m'as fait une promesse. Cette promesse compensait tes défauts, et celle que je t'ai faite en retour compensait les miens. » Et ainsi de suite. Je suis certain que Florence pensait à Freddie et à elle-même en le prononçant.) Durant cet éclat, essentiel à la compréhension du personnage de Mrs.

Antrobus, Tallulah rejetait la tête en arrière, appuyée contre une balustrade sur le devant de la scène, laissait tomber ses cheveux blonds et entreprenait de les peigner, lentement et fièrement. Florence avait raison, bien sûr : ce jeu de scène secondaire détournait l'attention du public de sa grande tirade ; Bankhead le faisait sciemment.

J'eus quelque difficulté à réagir à ce coup bas : Bankhead, depuis l'épisode survenu dans ma chambre d'hôtel à Baltimore, avait refusé toutes mes notes. Qu'à cela ne tienne, je pénétrai de force dans sa loge, sans frapper. A mon entrée, elle couvrit sa poitrine et continua à se maquiller, comme si je n'étais pas là. Je dis ce que j'avais à dire, sur un ton peut-être péremptoire, mais j'avais épuisé mes stocks de patience. J'en avais plus qu'assez de mes acteurs et de leurs histoires. Finalement, Bankhead se tourna vers moi, me lança un regard haineux et, au sommet de sa grandiloquence, m'ordonna de ne plus jamais remettre les pieds dans sa loge et de ne plus dire un mot sur son interprétation.

Thornton avait eu la bonne idée de venir dans l'Est, pendant une permission, pour jouir de son fantastique succès. En guise de bienvenue, je lui déballai tout mon sac. Je lui dis que Mike était parti prendre des vacances au soleil, qu'il avait déjà l'air d'un cadavre et ne pouvait donc être utile en rien. J'ajoutai que j'étais *persona non grata* dans la loge de sa seigneurie mais qu'il pourrait peut-être lui toucher deux mots et ramener à la raison la fille du premier sénateur de l'Etat d'Alabama. Thornton me répondit d'un petit rire nerveux et hocha la tête, ce qui aurait dû éveiller ma méfiance. Cette réponse ne signifiait qu'une chose, en effet : ce genre de caprices chez les actrices ne laissait pas de l'intriguer.

Je traînai dans les parages pour voir ce qui allait sortir de l'entrevue. J'entendis des rires se mêler, suffisamment forts pour faire trembler les murs. Thornton s'éclipsa de la loge une heure plus tard, se faufila par la porte de sortie située sur le côté de la scène, se hâta de traverser la salle déserte et s'engouffra dans la rue — sans s'occuper de savoir où j'étais. Il avait conservé l'amitié de miss Bankhead.

Je n'avais pas d'autre choix que de retourner en coulisses pour confesser mon échec et celui de notre auteur à Freddie avant la représentation qui devait avoir lieu ce soir-là. Il souffrait d'un terrible mal de gorge, et j'éprouvais des scrupules à lui annoncer cette nouvelle, mais puisque la dame ne me tolérait pas dans sa loge et n'acceptait pas mes critiques, il n'y avait rien à faire sinon en référer à Myerberg à son retour de vacances et lui suggérer d'appeler le Syndicat des acteurs. « Ne vous donnez pas cette peine », dit Freddie. Et il continua à se préparer pour la représentation.

J'assistai au spectacle depuis les coulisses. Bankhead recommença. Puis, pendant l'acte suivant, arriva sa grande scène à elle, celle qu'elle préférait parce qu'elle était à la fois sérieuse et sentimentale. Juste avant, Freddie quittait la scène. Je le vis pénétrer dans les coulisses, où son habilleur l'attendait avec un petit bol en émail contenant un médicament. Freddie porta le bol à ses lèvres, renversa la tête en arrière — il se tenait juste au bord des coulisses, de sorte que certaines personnes dans le public pouvaient le voir — et il se gargarisa. Puis il vida sa bouche dans le bol en émail et, pendant que Bankhead parlait, se gargarisa à nouveau — je pouvais l'entendre clairement depuis l'autre côté de la scène — et, une fois encore, vida sa bouche. Il continua, et ses gargarismes coïncidaient avec les répliques de la dame. Je la vis regarder dans la direction de Freddie : elle avait compris le sens de son message. Mon régisseur m'a dit qu'à la représentation suivante, « Talloo » ne s'était pas peignée pendant le discours de Florence.

Mais l'affaire ne s'était pas arrêtée là. Des semaines plus tard, Freddie me raconta la suite. Il se doutait qu'elle se vengerait de lui d'une façon ou d'une autre, ce qu'elle fit. Dans la scène où ils devaient s'embrasser, elle enfonça la langue profondément dans sa bouche. « Qu'est-ce que tu as fait ? demandai-je à Freddie.

— Je l'ai mordue », répondit-il. Ce fut efficace. Pour un temps.

Est-il ironique qu'une pièce avec de telles prétentions philosophiques ait été interprétée par des acteurs en proie à des chamailleries aussi puériles ? Eh bien, c'est ça le théâtre. Je pris la décision de ne pas rester dans les parages à attendre d'autres incidents en coulisses. Au lieu de cela, je « disparus », laissant les acteurs en état de guerre. Je me rendais compte que ces querelles dureraient une éternité, celle précisément qui constituait le sujet de la pièce de Wilder. J'en conclus que certains problèmes n'avaient pas de solution. En guise de consolation, j'en vins à cette conclusion : la production ne pourrait que bénéficier de cet antagonisme entre Tallulah et Florence. Je n'aurais jamais pu l'obtenir d'elles si j'avais essayé.

La presse m'exprimait son admiration mais, si j'appréciais la lecture des critiques, j'étais trop préoccupé par mes problèmes personnels pour me rendre compte de ce qu'elles signifiaient pour moi en termes professionnels. Constance était partie dans l'Ouest effectuer ses essais pour Goldwyn ; Molly, apparemment, avait recommencé une nouvelle vie. Comme j'avais décidé de ne plus fréquenter les coulisses de mon spectacle, j'étais seul jour et nuit. Trop désemparé pour songer à me chercher de nouvelles compagnes, je pris pension dans un hôtel, tout seul : maintenant que je suis vieux, j'apprécie la solitude, mais à trente-deux ans ce n'était pas le cas. Constance m'écrivait des lettres enfiévrées me suppliant d'aller la rejoindre dans l'Ouest. Mais cela aurait donné un tour officiel et peut-être définitif à ma séparation d'avec ma femme et mes enfants, et je n'y étais pas résolu. Je me retrouvais donc dans une impasse.

Je fus tiré de ce dilemme — provisoirement — par une invitation à rencontrer Gilbert Miller, producteur et metteur en scène d'une pièce intitulée *Harriet*, qui avait pour vedette Helen Hayes. Producteur riche et célèbre, Miller professait des opinions élitistes, mais l'âge commençait à diminuer ses facultés. Son nom était synonyme de distinction et de grand train des deux côtés de l'Atlantique. Nourritures lourdes et bon vin l'avaient bouffi, ce qui le rendait physiquement repoussant. La pièce qu'il produisait racontait l'histoire de Harriet Beecher-Stowe et devait être montée au Théâtre Henry Miller, propriété de Gilbert qui lui avait donné le nom de son père, acteur et directeur de théâtre célèbre du siècle dernier. Il m'emmena déjeuner dans un restaurant de luxe, le Pavillon, et, en pleine bisque de homard, me demanda de le remplacer. Je demandai à entendre la pièce lue par les acteurs qu'il avait choisis. Il passa un coup de téléphone, revint et me dit que nous pouvions y aller tout de suite — aussitôt après avoir pris moi un dessert et lui un verre de porto.

A notre arrivée, nous trouvâmes les acteurs assis en rang d'oignons sur toute la largeur de la scène ; ils paraissaient découragés. Je fis la connaissance des auteurs, une petite dame grassouillette aux manières douces, qui était passée du stade du découragement à celui de la détresse, et son collaborateur, d'une distinction qui évoquait celle d'un maître d'hôtel dans une comédie de boulevard britannique. Je vis de quoi il retournait : elle, c'était l'auteur, lui le mari et l'escorte à la fois. Miss Hayes m'accueillit chaleureusement et, bien que Miller fût à côté d'elle, exprima le désir pressant de me voir prendre la relève. Cette franchise ne sembla pas le perturber.

Cette pièce m'avait paru pleine de bonnes intentions mais un peu légère du point de vue théâtral. A la lecture par les acteurs, elle me sembla pire encore, contrairement à ce qui se passe en général. Miller et moi-même étions assis côte à côte, face aux acteurs. Au bout d'environ une demi-heure, je perçus une forte respiration et, tournant la tête, je vis que Gilbert, qui était assis à deux ou trois mètres seulement des acteurs, s'était endormi. La lecture se poursuivit. Il continua à dormir. Apparemment, ce phénomène s'était déjà produit ; aucun des acteurs ne parut trouver cette attitude extraordinaire. Je compris subitement pourquoi miss Hayes avait insisté avec tant de frénésie pour que je prenne les choses en main.

Du fait que les répétitions avaient commencé depuis une semaine, j'aurais deux semaines de travail, payées cinq cents dollars chacune, et ensuite, durant la tournée prévue dans le pays, je toucherais un pour cent de la recette brute à concurrence de deux mille cinq cents dollars, après quoi je ne toucherais plus rien. J'étais nouveau dans le métier et je ne me rendis pas compte que ce salaire ne pouvait convenir au sauveur que j'étais. On m'escroquait. Peut-être la perspective de frayer avec un producteur célèbre m'influença-t-elle. Ou était-ce cette lueur d'espoir si intense dans les yeux de miss Hayes ? Je crois plutôt que j'avais hâte de trouver une échappatoire au gâchis de ma vie personnelle. Ce travail me tiendrait éloigné de mes deux femmes et me donnerait le temps dont j'avais besoin pour faire le point de la situation.

Les acteurs étaient chargés à bloc de l'énergie du désespoir. Je m'efforçai de mettre de l'ordre dans le chaos et d'insuffler un peu d'espoir dans la désolation générale. Avec succès. Miss Hayes — Helen — ne tarda pas à s'extasier devant moi et me dirait plus tard que mon talent avait consisté à mettre mon « énergie extraordinaire » au service de cette pièce. Manifester plus d'énergie qu'un metteur en scène qui roupille n'est pas une bien grande affaire ; personne ne s'endormit en ma présence. Dès que les acteurs eurent compris ce qu'ils venaient faire sur scène et pourquoi, ils se mirent à travailler avec enthousiasme. En même temps que son énergie, la troupe retrouva le moral. Je dois avouer que je goûtais la compagnie de Gilbert. A ma grande stupéfaction, il émit une suggestion excellente. « Vous pensez que ça va marcher ? lui demandai-je.

— Si je pense ! s'exclama-t-il, mais je le sais. Ça a marché à Paris, je l'ai vu — et il me donna le nom du théâtre, de la pièce et l'année de production. Je suis, continua-t-il, l'incarnation du triomphe de la mémoire sur une imagination de troisième ordre. »

La pièce obtint un grand succès et l'on m'acclama de nouveau. Deux succès à Broadway en même temps ! On répéta encore et encore, en exagérant, comment je m'y étais pris pour sauver *Harriet* — « sauver », disaient-ils. On m'attribua la prouesse d'avoir transformé une pièce plutôt banale et des acteurs démoralisés en « une belle soirée au théâtre ». Le soir de la première, les auteurs m'envoyèrent un mot de remerciement qui contenait ce petit couplet : « Kazan, Kazan / Le clairvoyant / Appelez-le promptement / Sans perdre de temps. » « Le clairvoyant » avait débuté avec *la Peau de nos dents*, pièce que les observateurs s'accordaient à décrire comme formidablement difficile, surtout avec Tallulah Bankhead. Maintenant j'avais dirigé une autre grande star, je l'avais guidée dans les arcanes d'un rôle que nombre de critiques considéraient comme son meilleur.

Mais lorsque j'avais assisté aux premières répétitions, j'avais vu tout de suite que Helen allait nous resservir son cliché favori : la petite bonne femme pleine d'entrain, énergique et déterminée, mais très grande dame en même temps, qui prend les choses en main, mais d'une manière qui ne se révèle pas humiliante pour son mari. Elle accomplirait des miracles, mais avec prudence, toujours adorable, tout sucre tout miel avec une pointe d'acidité. Nous l'avions déjà vue cent fois dans ce rôle préfabriqué. Image familière, effets éculés. Avec tout le doigté dont j'étais capable, je l'amenai à en prendre conscience et fis appel à son amour-propre. « Tu ne veux pas refaire ce que tu as déjà fait si souvent, n'est-ce pas ? Surtout que tu es capable d'une performance qui étonnera tout le monde. »

Qui pourrait refuser perspective si flatteuse ? Elle s'en garda bien ! « Je vois ce que vous voulez dire », répondit-elle. Mais ce ne fut pas une partie de plaisir pour elle. Au bout d'une semaine, elle déclara ne pas se sentir à l'aise par rapport à ce que je lui demandais. « Tu te sens mal à l'aise, expliquai-je, rêche et condescendant, parce que tu ne l'as jamais fait avant. Mais c'est là que réside tout ton mérite. Tu es en train de te familiariser avec ta nouvelle peau d'artiste, il est normal qu'elle tire un peu. » Helen, qui ne manquait pas d'intelligence, pigea au quart de tour. Ce fut le parcours du combattant, mais au bout du compte je fus satisfait du résultat : elle incarnait désormais une fanatique pleine de cran, nature, une *pasionaria* du XIXᵉ siècle, bref, une personne de caractère, qui suscitait mon admiration.

Puis vint le jour de notre première, en tournée de « rodage ». Helen se retrouva devant un public tout acquis à sa performance et elle fit alors marche arrière. Elle offrit à ses admirateurs ce qu'ils attendaient d'elle : son répertoire d'adorables âneries. Je garde entre autres le souvenir cuisant de ses petits pas rapides décrivant un cercle, puis encore un autre : le public — des femmes, pour la plupart — en avait gloussé de contentement. Harriet Beecher Stowe était devenue pour toutes ces spectatrices un modèle à imiter. Quand, avec une délicatesse inhabituelle, je lui fis re-

marquer cette volte-face, elle me regarda d'un air étrange. Son interprétation avait été saluée par une ovation la veille au soir, que voulais-je
donc de plus ?

Et le fait est que le public l'adorait. Elle menait ses émotions à la
baguette. Du premier au dernier rang, c'était l'enchantement, au sens
fort. Tout ce que j'avais essayé de gommer, ses minauderies, ses mignar-
dises, faisait le régal de ses fans. Ils frétillaient à chacun de ses ronds de
jambe, à chacune de ses pirouettes. Lorsqu'elle hochait la tête d'un petit
air impertinent, les dames gloussaient dans leur barbe. Moins son interprétation me plaisait — on aurait dit qu'elle nous refaisait le coup de *What
Every Woman Knows*, la pièce de J.M. Barrie —, plus l'enthousiasme du
public se déchaînait. Si un miracle s'était produit, il était dû à son alchimie. A supposer qu'elle ait donné l'interprétation que j'avais demandée, la pièce aurait-elle été un succès ? Le public, venu voir Helen (qui
d'autre ?) n'aurait-il pas été déçu ? Ce n'aurait pas été « leur » Helen.

L'ironie tenait au fait que ma réputation de metteur en scène clairvoyant ne provenait pas tant de ce que j'avais accompli que de l'interprétation de Helen, qui ne me plaisait pas et que j'avais tout fait pour
contrarier.

Mais je ne fus pas sensible à cette ironie — pas à ce moment-là. Mon
succès m'était monté à la tête. J'ai une photographie de moi avec Gilbert
Miller, que je vous épargnerai. Quand je la « déchiffre », je vois un jeune
homme arrogant dominant un vieil anglophile qui le fixe du regard avec
effarement (sinon avec terreur), comme si pour la première et la dernière
fois de sa vie, il s'était fait tirer les oreilles. Je ne sais pas ce que Bankhead
avait libéré en moi, mais j'étais devenu — et si rapidement ! — un petit
mec vachement sûr de lui.

Je goûtais mon succès et le fait que ma valeur avait enfin été prouvée et
reconnue. Je me délectais des flatteries que je recevais où que j'aille — et
pour certaines de sources inattendues. Mon père s'était mis à découper
des morceaux du *New York Times*, et je me réjouissais de son changement
d'opinion sur mon compte. J'étais satisfait de la fierté de ma mère ; je
l'avais payée de retour pour le soutien qu'elle m'avait apporté pendant
tant d'années. L'accueil réservé à mes triomphes dans les rues voisines de
nos théâtres me comblait. Le maître d'hôtel de chez Sardi devint l'un de
mes familiers. Il avait toujours une bonne table pour moi, et tout le
monde levait le nez quand il m'y conduisait. Je savourais l'adulation des
gens du théâtre qui, semblait-il, parlaient tous de moi. Les jeunes metteurs en scène ne seraient pas longs à imiter mon style personnel.

J'effectuais des promenades superfétatoires le long de Broadway, dans
un sens puis dans l'autre — des promenades ? Disons plutôt que je marchais comme à la parade, avec juste un peu plus de modération —,
appréciant qu'on me reconnaisse et dégustant les coups d'œil admiratifs.
Je répondais à des questions sur ma technique de mise en scène, affirmant
bien haut mes positions et prononçant des jugements définitifs qui n'ad-
mettaient pas la contradiction. Je décidai d'écrire un livre sur la mise en

scène ; j'avais conservé mes notes du temps du Théâtre de l'Action. Je lisais et relisais les articles élogieux à mon sujet, je les découpais (ils sont maintenant à Wesleyan University), et je savourais les brocards lancés contre moi par les échotiers — même quand je les savais faux et exagérés. J'étais content d'avoir plus de succès que Harold Clurman et Lee Strasberg. Je me demandais ce que Molly pensait de mes productions. Avait-elle lu les journaux ? J'étais devenu une figure légendaire du théâtre — que pensait-elle de cela ?

Pas un mot d'elle. J'étais désormais le metteur en scène que tout le monde s'arrachait et mon porte-monnaie avait pris un peu de poids, aussi envoyai-je à Molly quelques dollars. Elle m'écrivit (enfin) en me disant qu'elle était « très reconnaissante ». Je fus surpris de constater qu'elle ne s'était pas attendue que je subvienne à ses besoins ; mon standing moral, en la circonstance, se situait très bas. J'avais conscience de l'avoir mérité. Je savais aussi qu'aucun réconfort — ni aucune flatterie — ne me parviendrait de cette source. Je lui envoyai des places pour *Harriet*.

Mon mariage, me semblait-il, avait atteint le bout de son rouleau. Je m'en fichais ! Sans réfléchir aux conséquences, assoiffé que j'étais de changement, de soulagement et de plaisir, débarrassé en un sens de mon sentiment de culpabilité, je résolus d'obtenir ce que je voulais, quel qu'en soit le prix. Je pris un billet pour Los Angeles, où j'arrivai tôt un matin. Constance m'attendait dans le hall de l'hôtel Hollywood où j'avais réservé. La chambre et le lit n'avaient pas été faits, mais nous accrochâmes un panneau « Ne pas déranger » à la poignée de la porte et verrouillâmes celle-ci. J'étais un animal de sexe mâle plein de besoins, je ne l'avais jamais vue aussi jolie ni aussi heureuse. Elle me mit à l'aise comme je ne l'avais plus été depuis son départ de New York.

Dans cette communauté féroce, je pus mesurer toute l'étendue de mon succès. Personne n'avait entendu parler de mes échecs: comme si je n'avais mis en scène que deux pièces, *la Peau de nos dents* et *Harriet*, toutes les deux très populaires, toutes les deux montées à Broadway, avec des stars difficiles que j'avais menées au succès avec habileté. Un halo flottait au-dessus de ma tête et je tombais du ciel. On me découvrit aussi — fait nouveau — plutôt beau. Enfin, dans mon genre. Je lisais cela dans les yeux des femmes, et j'étais prêt à le croire. « Qui est-ce ? demandaient-elles.

— Oh, mais vous ne savez pas ? C'est celui qui... qui...
— Qui quoi ? »

Puis on leur apprenait qui j'étais, avec force superlatifs, inexacts donc plus flatteurs encore.

« Et il sort avec qui ? » demandaient-elles.

On aurait dit que tout le monde était au courant de mon arrivée. Les échotiers publiaient des mini-interviews. La rumeur selon laquelle « mon mariage connaissait des difficultés » ajoutait à ma séduction. Quel génie n'a pas de problèmes de couple ? Le fait que je venais d'entrer dans cette communauté, que je constituais une nouveauté, ajoutait de l'éclat à mon personnage. « Qu'est-ce qu'il est, arménien ?

— Non, non, juif. Comme nous. » On m'invitait à des dîners très collet monté où l'on me plaçait à la droite de l'hôtesse (Constance se retrouvait au milieu de la table), avant de me servir les spécialités de la maison et des vins de choix, qu'on soumettait à mon approbation. L'hôtesse me regardait goûter. On me prêtait une sophistication new-yorkaise dont j'étais dépourvu. Il m'arrivait souvent de demander : C'est bien de moi dont ils parlent, c'est bien sur moi qu'ils écrivent ? Cela dit, j'avalais tout avec appétit.

Tout le monde avait vu mes productions, ou du moins le prétendait. Thornton avait remporté le prix Pulitzer ; dans le cercle des grands metteurs en scène, on m'en attribua presque tout le mérite. « Je me demande comment vous y êtes arrivé ! » me disaient les gens. Je gardais un silence modeste — ce qui constitue le sommet de l'immodestie. La vérité, c'est que j'étais venu m'entendre dire, et le croire, que j'étais meilleur que d'autres (ou plutôt que la plupart des autres) metteurs en scène de New York. N'avais-je donc pas vu leurs travaux ? Hollywood, en ces jours empreints de frénésie, ne s'en formalisait pas. Des producteurs que je ne connaissais pas voulaient s'entretenir avec moi. M'intéressait-il de mettre en scène un film ? « Bien sûr, pourquoi pas ? Quel film ? » Un homme courtaud de l'agence William Morris m'invita à déjeuner et m'apprit que mon futur ne comportait pas de limites et que je deviendrais très riche. Quelques jours plus tard, je reçus la consécration publique ultime : le patron de cette agence, Abe Lastfogel, célèbre pour son honnêteté et pour sa ruse, m'invita à dîner chez Romanoff, où se retrouvaient stars, metteurs en scène et acteurs vedettes. En dégustant nos steaks tartares (« Pas trop cuit pour moi », avait précisé la femme d'Abe ; le serveur l'avait rassurée), Abe me pressa de m'installer dans l'Ouest pour de bon. Je répondis que j'y songeais. Il ajouta qu'il « s'occuperait de moi » personnellement — comme si ce devait être un honneur.

Voilà le tableau. J'étais devenu un mythe.

J'INTERROMPS mon récit pour dire un mot de la personnalité de Samuel Goldwyn (Goldfish), le producteur ; à son insu, il devait affecter le cours de ma vie. Goldwyn appartenait à cette race qui pullulait au sud de la Californie dans les années 20 et 30, celle des créateurs de ce qu'on appelle Hollywood. A une exception près, je les connaissais tous : Louis B. Mayer et son homme de main Eddie Mannix, B. P. Schulberg, les frères Warner, Darryl Zanuck, Spyros Skouras, Harry Cohn, David Selznick, Samuel Goldwyn et les hommes de moindre envergure qui frayaient avec ces monstres merveilleux et s'en servaient comme de modèles. C'étaient tous des hommes d'une énergie inépuisable, d'une stature qui ne se rencontre plus de nos jours, à l'exception peut-être de Rupert Murdoch, le magnat de la presse australien. « Nabab » est un mot trop faible pour suggérer la qualité des hommes dont j'évoque le souvenir ; c'est pourquoi j'ai placé à part Irving Thalberg, qui était par ailleurs plus cultivé. Ce dont je parle, c'est d'une ruée vers l'or, d'hommes prêts à tout, escaladant des rochers escarpés sans autre accessoire que leurs mains et leurs pieds, d'hommes qui se cachaient à peine d'être des rustres, tout droit sortis d'un roman de Frank Norris ou de Theodore Dreiser, qui partageaient la même avidité et les mêmes appétits, et se retrouvaient parfois autour d'une même table, mais étaient prêts, s'il le fallait, à s'étriper les uns les autres.

Dans la pleine vigueur de leur jeunesse, ils étaient impatients de rejoindre leur bureau chaque matin, un peu comme ces champions de boxe qui se fraient un chemin à travers une salle comble tant ils sont pressés de monter sur le ring et de flanquer une raclée à leur challenger. Malgré quelques démonstrations de mauvaise humeur, je les admirais pour l'intensité maniaque qu'ils mettaient dans chacun de leurs actes, et pour leur vanité. Oui, leur vanité. Chez eux, elle renforçait la créativité. Ils se livraient entre eux à une compétition acharnée et sans frein pour savoir qui produirait le meilleur film de l'année, qui encaisserait les plus grosses recettes, qui signerait un contrat avec la star, le metteur en scène ou l'acteur le plus grand. Faire des films, c'était leur vie ; rien d'autre ne comptait.

Samuel Goldwyn était un homme fier : de ses productions, à juste titre, mais aussi de lui-même. De sa silhouette, de son maintien, de son apparence et de sa vitalité physique. A soixante-trois ans — il avait alors Constance sous contrat —, il se forçait à marcher de chez lui à son bureau tous les matins, suivi de près par son chauffeur dans la voiture, au cas où il s'essoufflerait. Il devait bien savoir que les gens l'observaient et l'admiraient. « Oh, il fait ça chaque matin ! Oui, c'est un sacré bonhomme, monsieur Goldwyn. » Disposant des plus beaux tissus pour ses costumes et des chemises les plus fines, soigneusement arrangé par un valet dévoué, il avait certes belle allure. Sam voulait ressembler à Samuel Goldwyn.

Constance ne se rendait pas compte de sa chance. Sam n'établissait pas un « programme » de films annuel, comme Harry Cohn et Zanuck, comme les Warner et Louis Mayer. Il faisait un film à la fois et c'est la qualité qui primait. Il n'employait que les scénaristes les plus doués, les plus grandes stars et, quand il le pouvait, le meilleur metteur en scène du moment, à ses yeux : Willy Wyler. Comme pour beaucoup de ses contemporains, l'énergie extraordinaire qui animait cet homme avait une base sexuelle. De temps en temps, il leur fallait, à lui comme aux autres, s'assurer que leur virilité demeurait intacte. Mais lui ne galopait pas autour de son bureau, chassant des starlettes sur lesquelles il aurait eu tout pouvoir. Là encore, c'est la qualité qui primait.

On m'a raconté un épisode mettant en cause Madeleine Carroll, assise sur le sofa dans le bureau de Sam, calme, assurée et très britannique. Pour un ancien vendeur de gants venu de New York, elle devait avoir un attrait irrésistible. Il réussit à lui grimper dessus, mais la dame provenait d'une culture sophistiquée et possédait une expérience considérable des mâles déchaînés. D'un habile mouvement du bassin, elle délogea Sam de son ventre et le poussa vers le sol. En « réajustant » sa tenue, Sam adopta sa posture la plus digne et, de ce ronronnement sifflant dont il avait le secret, proclama : « Je n'ai jamais été aussi humilié de ma vie ! »

Sam était fier, comme tous les producteurs de cette génération, des talents qu'il découvrait. Apparemment, il croyait que Constance était de la graine de star, car il envisageait sérieusement de lui faire faire des essais pour le rôle principal face à Danny Kaye dans *Un fou s'en va-t-en guerre*. Mais pourquoi Constance avait-elle produit sur lui une telle impression, elle qui n'avait que très peu d'expérience ? Tous ces hommes considéraient chacun de leurs films, même les plus sérieux, comme une histoire d'amour et, en conséquence, distribuaient les rôles en fonction d'une règle simple : est-ce que cette actrice m'excite ? Ou bien est-ce que cet acteur va éveiller le désir chez les spectatrices féminines ? Quand il s'agissait de juger le *sex-appeal* d'un nouvel acteur, Darryl Zanuck appelait sa femme, Virginia ; il accordait une grande autorité à ses jugements et à sa franchise. Ou bien il rassemblait des secrétaires qui ne craignaient pas pour leur emploi et disaient vraiment ce qu'elles « pensaient ». Il lui arrivait aussi d'être influencé par ce qu'on appelait l'« itinéraire » des acteurs. Mais quand il s'agissait d'actrices, ni Darryl, ni Harry Cohn, ni Louis Mayer, ni Sam Goldwyn n'avaient besoin d'avis extérieurs. Ils appliquaient une règle simple et utile : est-ce que j'ai envie de la baiser ?

Je suis convaincu que cette pratique est non seulement inévitable mais fondée et qu'elle constitue la meilleure méthode pour le genre de films qu'ils fabriquaient. Le public doit s'intéresser aux personnages du film de cette façon-là. Sinon, il manque un facteur essentiel. Si le producteur n'était pas accroché par l'actrice, il était sûr que le public ne le serait pas non plus.

Mais une autre raison d'ordre plus général entrait en ligne de compte dans le choix de cette pratique. Beaucoup de ces hommes devenus de grands producteurs s'étaient élevés à partir de l'échelon le plus bas des classes moyennes et ne possédaient pas de naissance les qualités qui leur auraient permis de gagner les faveurs de femmes séduisantes ; de plus, beaucoup d'entre eux étaient juifs et, d'une certaine manière, se sentaient exclus de la grande société *goy* que leurs films représentaient. Par voie de conséquence, ils étaient particulièrement attirés par les blondes et les femmes « convenables » (Grace Kelly). Toute l'action du film tendait à ramener ces femmes immaculées (Deborah Kerr) sur terre (ou sur une plage, dans les rouleaux) où le reste de l'humanité se vautrait dans le péché. Sam Spiegel préférait que ses actrices vedettes soient des Anglos sans expérience, munies de longues jambes et de petits seins. C'est Dorothy McGuire qui tenait ce rôle dans *le Mur invisible*, et Julie Garfield, qui jouait avec le physique de l'emploi un type sorti de la rue, devait la moucher. Hitchcock avait un faible pour les femmes d'apparence froide (Madeleine Carroll, Tippi Hedren, Grace Kelly) et pure (Ingrid Bergman) ; leur vie privée importait peu. Tout l'enjeu du film consisterait à plonger ces déesses dans le pétrin, à les précipiter dans la « boue » où se débat le reste de l'humanité.

Ces vieux messieurs appréciaient également une autre image de la séduction féminine : celle de la fille insolente, que les publicitaires d'aujourd'hui qualifient de « provocante ». Sam Goldwyn ne se lassait pas de répéter à Constance qu'il allait faire d'elle une autre Carole Lombard, et elle le croyait. Ce genre de femme, en défiant le sexe opposé, attisait chez les hommes le désir de soumettre et de dominer. Sam voyait cette possibilité en Constance et il la considérait comme une qualité fondamentale chez elle, innée. Il ne voyait pas de talent d'actrice en elle car, pour charmante qu'elle soit, Constance était peu douée pour la comédie. Mais c'était un garçon manqué, et Sam s'en était aperçu.

Sam s'asseyait sur ses genoux, me disait-elle, et lui donnait des instructions quant à la conduite qu'il voulait lui voir adopter. Laquelle ? Celle d'une star. Au-dessus des autres femmes. Il l'éloigna de certains amis, l'encouragea à en fréquenter d'autres. Il lui conseilla la discrétion en ce qui concernait sa vie privée. Il la présenta à toute la coterie de ses confidents. A chaque rencontre, Constance passait en fait une audition. Sam appelait ses amis le matin suivant, à la première heure, et leur demandait ce qu'ils avaient pensé d'elle. Elle était toujours en représentation et soumise au jugement d'autrui. Certains des amis de Sam la trouvèrent charmante mais d'autres, plus avisés et plus expérimentés, répondirent en ces termes : « J'aimerais voir un de ses bouts d'essai d'abord. »

Sam lui disait comment s'habiller, marcher et se maquiller. Il critiquait son maquillage voyant, préférait qu'elle en porte le moins possible, l'essuyait lui-même sur son visage. Il la mit en garde contre l'excès de paroles, quelles que soient les circonstances. « Ils ne peuvent pas te reprocher ce que tu n'as pas dit » : c'était son idée. Il pensait que le mystère jouait un rôle essentiel chez la star. Garbo ! A mon avis, ce n'était pas le style de Constance, mais elle l'écoutait et lui faisait confiance, il travaillait à établir entre eux intimité et dépendance, il voulait qu'elle se sente libre de venir le voir n'importe quand pour lui demander conseil et qu'elle le considère comme une espèce de papa — un papa plutôt libidineux, il n'y a pas de doute là-dessus.

Il avait ordonné à son service de presse de commencer à rassembler des documents sur elle, des photographies dans toutes les poses, habillée et déshabillée, ainsi que toutes sortes d'histoires, vraies ou imaginaires, et de garder ces documents sous la main, de façon à être prêts si les « choses » se concrétisaient !

Quand le moment fut venu pour elle de faire les essais, et il y en eut beaucoup, il lui donna « tout » — le meilleur cameraman, la plus belle garde-robe (il lui avait acheté quatre nouvelles toilettes pour se promener dans la rue, toutes un peu écrasantes à mon goût, mais je n'étais pas fabricant de stars), et fit réaliser les tests par l'homme qui devait mettre en scène le film, Elliott Nugent. Elle était flattée à mort par tant d'intérêt et de souci.

Elle me confia que Goldwyn avait hâte de me rencontrer et me conduisit elle-même à son bureau ; je suppose qu'elle voulait me montrer combien elle était « dans ses petits papiers ». Mais c'était un fait : ils étaient très intimes. Il me dit qu'il allait faire d'elle une star. J'avais rencontré Sam plusieurs années auparavant, quand j'avais effectué un test pour sa *Rue sans issue*. Je lui rappelai l'épisode, mais je ne suis même pas sûr qu'il m'ait entendu. Il ne pouvait penser à rien d'autre qu'au film en préparation. Il me transmit son énergie et son optimisme ; et il arriva à me faire croire qu'elle allait réussir !

Elle passerait toutes ses journées au studio, à répéter avec Danny Kaye, dont ce devaient aussi être les débuts au cinéma. J'étais libre mais ne savais pas à quoi m'occuper. A mesure que mon intérêt pour le tennis s'amenuisait, l'impatience et l'ennui me gagnèrent. Il n'y a rien à faire dans le sud de la Californie. La nuit, l'espoir et l'angoisse la mettaient à cran. Je compatissais mais commençais à me dire qu'elle préférerait peut-être ne pas être distraite pendant les moments importants qui s'annonçaient. Je lui fis part de ma décision d'aller passer quelque temps à New York — pour voir mes enfants. Elle n'y fit pas d'objection. Nous venions de passer des semaines extatiques.

A New York, je découvris que Helen Hayes m'avait cherché. Elle voulait que certains passages de la pièce soient repris. Or, rien ne m'ennuie plus que de ramasser les morceaux, faire du raccommodage et calmer l'agitation en coulisse. Sans me rendre au Henry Miller, je partis pour notre maison à la campagne, pour voir comment fonctionnait notre nouvelle chaudière. Ça allait. J'y passai quelques jours. J'avais enfin la possibilité d'être seul. Quand je revins à New York, j'appris que Helen, irritée par l'indifférence que j'avais montrée, avait convaincu Gilbert d'arrêter de me verser mes royalties de metteur en scène, qui s'élevaient à cinquante dollars par semaine. Je me remémorai Helen, sa gratitude quand j'étais arrivé pour prendre en main les répétitions, et l'expression « clairvoyant » : tout cela était passé à la trappe, oublié. Pour cinquante dollars. Quelle leçon !... surtout pour mon avocat.

Maintenant, une confession. Quand les Soviétiques ont conclu leur pacte avec Hitler, en août 1939, j'ai éprouvé des sentiments ambivalents. Je voyais le pacte comme un effort de la part de l'U.R.S.S. pour protéger sa frontière occidentale en envoyant Hitler dans une autre direction. Cette alliance, me disais-je, avait été rendue indispensable par cette guerre de survie. Elle était également en accord avec la ligne professée en tous lieux par les communistes. Bien que le dégoût m'ait conduit à démissionner du Parti quatre ans plus tôt, j'avais conservé une attitude protectrice à l'égard de la Russie ; l'endoctrinement avait la vie dure. Ce que j'avais condamné en 1935, me disais-je, c'était spécifiquement le Parti américain et son ingérence dans les milieux du théâtre. Mais l'Union soviétique, après tout, demeurait le seul endroit sur terre où l'expérience socialiste était tentée. Et la nation qui avait produit les films et les pièces que j'admirais devait avoir un noyau sain. Enfin, depuis la révolution russe de 1917, le « camp capitaliste » (encore une bonne vieille expression du P.C. !) s'était escrimé à essayer de détruire l'U.R.S.S.

Que cette loyauté ait persisté m'étonne encore aujourd'hui. Mais je crois que ma réaction était beaucoup plus répandue à l'époque — secrètement — qu'on ne le suppose en général. Ce qui acheva de m'écœurer, c'est la volte-face des camarades leaders, deux ans plus tard, quand Hitler envoya ses panzers en direction de l'est, pour envahir la Pologne et la Russie elle-même. Nombre d'intellectuels de gauche retournèrent leur veste sans vergogne — en l'espace de vingt-quatre heures. Cette guerre qu'ils considéraient la veille comme impérialiste, ils proclamaient désormais qu'elle avait pour but de sauver la civilisation, ce qui était certes le cas. Je gardai mes distances par rapport aux débordements prosoviétiques qui s'ensuivirent. Cet épisode marqua le commencement de la fin de mon attachement à l'U.R.S.S.

Il a fallu l'attaque japonaise sur Pearl Harbor quelques mois plus tard pour que je commence à sentir vibrer en moi la fibre patriotique. J'ai consulté le conseil de révision dont je dépendais ; ils m'ont catalogué 4 F. Comme je ne pouvais pas m'engager, je persévérai dans mes activités théâtrales. Plus tard, en Californie, j'observai non sans amusement les dirigeants des studios, les producteurs et les metteurs en scène devenir colonels « d'un coup de baguette magique ». Ils jetaient aux orties leurs vestes de sport et allaient faire prendre leurs mesures chez des tailleurs de luxe en vue de l'acquisition de leurs uniformes d'officiers. Une fois à Londres, ils emménageaient au Connaught ou au Claridge, deux hôtels situés bien en deçà des lignes. Mais John Huston et Darryl Zanuck durent véritablement affronter le danger, et j'ai admiré ceux de mes amis qui s'étaient engagés comme deuxième classe et s'étaient rendus là où on les avait envoyés. J'ai tout particulièrement admiré Jimmy Stewart, qui avait pris plus de risques que n'importe qui d'autre au-dessus de l'Allemagne. Pendant ce temps-là, je lisais les journaux et suivais la guerre depuis les coulisses, comme s'il s'était agi d'une grande fresque épique. A Hollywood, la guerre semblait se dérouler à l'autre bout du monde ; dans un lieu retiré.

Mais à mon retour à New York, mes sentiments changèrent du tout au tout. Je me sentais coupable et j'éprouvais de la honte. Autre chose aussi : je passais à côté de l'événement qui allait marquer ma génération. En tant que cinéaste, pouvais-je me le permettre ? Puisque j'étais toujours 4-F — j'avais vérifié encore une fois —, j'essayais de frapper à d'autres portes. Je parlais le grec et le turc, et j'eus l'idée d'aller faire un tour au Bureau des services stratégiques[1], où je serais peut-être de quelque utilité. Je m'étais fait un ami en Californie qui était membre du B.S.S., et je lui écrivis en lui demandant de présenter ma candidature.

Entre-temps, j'avais accepté de monter un spectacle à New York pour le ministère de l'Agriculture, qui expliquerait au public l'importance du rationnement. Je travaillais avec Earl Robinson, vieux compagnon venu du théâtre de gauche, et Arthur Arent, qui avait été rédacteur en chef du *Living Newspaper*. Nous inventâmes quelques trucs percutants destinés à frapper directement le public, comme cette innovation qui consistait à faire dialoguer une femme sur scène avec son image sur un écran de cinéma, au sujet du rationnement. Mon vieux professeur de danse, Helen Tamiris, figura un steak appétissant en quelques mouvements de danse moderne (alias révolutionnaire). Une fois le spectacle monté, il reçut des louanges de Washington et, à ce qu'on m'a dit, fut joué dans tout le pays. Je n'en ai plus jamais entendu parler depuis et je ne sais pas du tout s'il avait rempli avec succès sa fonction de « pièce didactique ». Ce dont je me souviens par contre, c'est que je me sentais mieux dans ma peau : j'avais rempli une partie de mon devoir.

Constance me fit savoir qu'elle avait obtenu le rôle avec Danny Kaye ; elle voulait que je « ramène mes rognons » là-bas. Elle vint me chercher, plus jolie que jamais et soudainement plus adulte. Peu après, elle nous fit couler un bain brûlant, qu'elle parfuma. Nous allâmes au Beachcomber, notre repaire favori, pour « récupérer » en nous envoyant trois *golds*. (Un *gold* est une boisson délicieuse, onctueuse, odorante, sucrée, acidulée, mousseuse, au rhum.) Le lendemain était un dimanche et nous restâmes chez elle toute la journée à discuter sérieusement, selon sa requête expresse. Je lui dis que je n'entretenais aucun doute quant à mon divorce. Molly l'avait demandé, ajoutai-je — c'était la vérité. Je l'assurai qu'après un dernier spectacle à New York, j'avais l'intention de m'installer dans l'Ouest pour de bon et d'y faire des films — ce qui était également la vérité.

Je recevais des offres alléchantes de la part des studios ; je n'avais que

1. Précurseur de la C.I.A. *(N.d.T.)*

l'embarras du choix. M.G.M. me proposait un contrat pour plusieurs films. Warner Brothers et leur producteur énergique et rondouillard, Jerry Wald, avaient engagé mon ami Clifford Odets pour préparer un scénario d'après une idée de Jerry ; cela devait s'appeler *An Errand for Uncle*, œuvre patriotique typique de la période. Mais elle reposait sur une idée, pas sur un script, et pour agréable que soit la compagnie de Jerry, je trouvais qu'il avait tout d'un arnaqueur. Si je n'aimais pas une idée, il en sortait une autre, souvent tout à fait contradictoire, de son chapeau. Malgré Clifford, je pris mes distances. Abe Lastfogel m'avait emmené chez Fox, le studio *goy*, pour y rencontrer Louis D. Lighton, producteur qui s'apprêtait à faire un film à partir du roman de Betty Smith, *le Lys de Brooklyn*. Cet homme me plut immédiatement. Il tenait des propos auxquels je n'étais pas accoutumé, défendant des positions très conservatrices, mais il parlait aussi de sentiments, de capter des émotions, d'êtres humains dans l'épreuve et de l'ambivalence présente en chacun de nous. Il me faisait penser à un Yankee de Nouvelle-Angleterre, un fermier peut-être, cet homme grand et fier, dont le ventre plat contrastait avec le paquet de saindoux censé éveiller la sympathie qui ceinturait Jerry Wald. Et de fait, quand Lighton ne produisait pas de film, il « administrait » un troupeau en Arizona. Il me donna un exemplaire du roman de Betty et me dit de prendre mon temps pour le lire.

Objet de tant d'attention, je menais une vie merveilleuse — flatteries le jour, « Schéhérazade » la nuit. De temps à autre, j'étais pris d'un accès de culpabilité — pourquoi ma mère ne m'écrivait-elle pas ? Comment allaient les enfants ? —, mais lorsque Constance me supplia de m'installer avec elle dans l'appartement qu'elle allait prendre sur Sycamore Drive en prévision de son succès, j'acceptai. Elle vivait dans un tourbillon : jouer avec Danny Kaye, recevoir une attention de tous les instants, le maquillage, les costumes, la publicité ! Tout le monde l'adorait sur le plateau, je le voyais bien. Chaque fois que je le pouvais, je restais dans sa loge et elle s'y précipitait entre les prises, à ma recherche. Comme elle était adorable avec son chapeau de paille ou, dans une autre séquence, son treillis ! C'était le paradis !

J'étais occupé à savourer ce bonheur et à refouler toute pensée désagréable quand ma vieille amie Cheryl Crawford me demanda de mettre en scène une comédie musicale. Je n'en avais jamais dirigé, aussi sa proposition éveilla-t-elle ma curiosité. Ce serait mon dernier spectacle sur scène, promis-je à Constance et, une fois de retour dans l'Est, j'entamerais la procédure de divorce. Elle était si occupée et si heureuse, non seulement à cause de son travail mais aussi parce que je lui avais renouvelé mes promesses d'amour éternel, qu'un beau matin, alors qu'elle s'apprêtait à partir travailler (j'étais encore au lit), elle m'embrassa (sa façon de me donner sa bénédiction) et disparut. Je me souviens de ce que j'avais éprouvé en me retrouvant seul : du soulagement. On me donnait encore un répit.

De retour à New York, où je vivais dans un appartement emprunté, j'entamai une série de rencontres avec Kurt Weill, que je connaissais depuis *Johnny Johnson*, et avec S. J. Perelman et Ogden Nash, que je ne connaissais pas. Weill et Perelman étaient en train de préparer le livret du spectacle et Ogden mettait la dernière main aux paroles des chansons. Il devint rapidement évident que Kurt dominait cette clique d'originaux. Je lui demandai pourquoi ils voulaient que je mette en scène le spectacle. Il me répondit, avec une conviction et une persuasion sans faille, qu'ils désiraient que cette comédie musicale soit dirigée comme s'il s'agissait d'une pièce de théâtre, et non selon la tradition désuète et sans équivoque de notre théâtre musical. Ce style était daté ; *Oklahoma!* avait tout changé. Après tout, observa Kurt, les chansons venaient en continuité du dialogue et devaient donc être traitées comme telles. J'étais d'accord.

Mais en dépit de tout ce que j'avais pu faire et de la présence de Mary Martin, qui pouvait faire croire n'importe quoi à un public, le livret était toujours aussi stupide et ennuyeux quand *Un caprice de Vénus* fut rodé en province. Rien de ce qui se passait entre les numéros musicaux ne captait l'attention du public. Le « clairvoyant » n'avait pas accompli de miracle.

On ne fut pas long à me rétrograder. On ne m'invita plus à participer aux réunions de travail. On attaqua le décor que j'avais mis au point avec Howard Bay et on le remplaça sans mon accord. Je découvris qui était le patron. Ce n'était pas moi. J'étais devenu une sorte de régisseur surpayé, aux ordres de tout le monde. Je me convainquis que ce genre de théâtre appartenait à une espèce différente, pour laquelle je ne disposais d'aucun talent. Mais je n'en sauvai pas la face pour autant.

Malgré tout, quand il parvint à New York, le spectacle rencontra un succès énorme — le troisième d'affilée pour moi. Pourquoi ? Comment ? Cette fois, je regardai la vérité en face. Les scènes dialoguées ne comptaient pas — si elles avaient été meilleures, cela n'aurait rien changé à l'affaire. Le succès revenait non pas au « clairvoyant » mais à trois femmes merveilleuses que Cheryl Crawford avait réunies et présentées à Kurt.

Mary Martin, notre Vénus, était une fille formidable qui est restée une « fille » toute sa vie et adorait être aimée. Les deux autres femmes extraordinaires que Cheryl avait engagées — les véritables faiseuses de miracles — s'appelaient Agnes De Mille et sa première danseuse, Sono Osato. De tous les artistes que j'ai connus, c'est Agnes qui avait le plus de volonté. Elle était absolument sûre de ce qu'elle voulait faire et insistait pour que l'on exauce ses désirs de la manière la plus précise. Elle avait mis au point la chorégraphie du plus gros succès de cette période : *Oklahoma!* ; elle avait acquis depuis lors une confiance irrésistible ainsi que l'énergie pour venir à bout de toutes nos résistances. Elle exigea (de moi) qu'on débarrasse la scène de tous les décors pour ses danses. Elle voulait de l'espace ! Mais je dois dire qu'elle savait comment le remplir. Elle exécutait de superbes compositions, avec un début, un milieu, une fin, et, en artiste véritable, nourrissait son travail de son expérience personnelle. Sa première danseuse, Sono Osato, était un poème en mouvement. Lorsqu'elle était sur scène, je ne pouvais regarder personne d'autre. J'étais très impressionné par le dévouement et la discipline manifestés par les danseurs d'Agnes. Ils ne cessaient jamais de travailler et montraient une passion de fanatiques. J'ai connu peu d'acteurs qui répètent avec une intensité aussi constante que ces « bohémiens ». Ils habitaient sur la scène qui servait aux répétitions ; ils y restaient du matin au soir, sans relâche. Ils ressentaient la même dévotion pour Agnes que pour une déesse — ce qu'elle était.

Quand les représentations arrivèrent à leur terme, une question demeurait : si j'avais continué à mettre en scène le livret et les numéros musicaux de la façon dont Kurt me l'avait demandé au départ et si Agnes l'avait suivi dans cette voie, le spectacle aurait-il fonctionné ? De même, si Helen Hayes avait continué dans la direction où je la poussais, *Harriet* aurait-elle tenu pendant trois cent cinquante-six représentations ? L'étape suivante de ma réflexion m'amena à la conclusion qu'à un moment ou à un autre, tout spectacle a besoin d'un miracle, de quelqu'un dont l'interprétation ou les dons dépassent les espérances. *Harriet* bénéficiait de la présence de Helen, ce spectacle-ci comptait Mary, Agnes et Sono : quatre talents plus grands que nature. La réussite de ces spectacles ne tenait qu'à elles. Voilà pourquoi c'étaient des stars ! Voilà aussi pourquoi c'était du théâtre !

Un forestier expérimenté peut détecter dans la nature des informations qui nous échapperaient, à vous comme à moi. Il peut déterminer quels animaux sauvages et quels oiseaux vivent dans les parages, quelles espèces dominent et qui a attrapé et dévoré une grouse. J'ai pu observer ces petits tas de plumes duveteuses dans les bois du côté de chez moi, comme j'avais pu détecter des informations dans les studios Goldwyn le matin même de mon retour en Californie.

J'avais quitté New York quelques jours après la première d'*Un caprice de Vénus*, et après être resté suffisamment longtemps pour apprécier les longues files qui s'étiraient devant les guichets. Constance ne m'avait pas retrouvé à son appartement car elle travaillait sur un autre film, *Knickerbocker Holiday*. J'étais curieux de savoir, bien sûr, si elle avait remporté un succès au côté de Danny Kaye dans *Un fou s'en va-t-en guerre*. Ce film n'avait pas encore commencé sa carrière ; quand ce moment viendrait, la carrière de Constance décollerait ou serait brisée à tout jamais.

En passant la grande porte des studios Goldwyn ce matin-là, je tombai sur une blonde et jolie actrice du nom de Virginia Mayo. Nous nous étions rencontrés des années auparavant à Chicago, à l'époque où elle était *girl* avec Constance dans un spectacle qui effectuait une tournée. Elle « sortait avec » (selon l'expression consacrée) un chanteur populaire du nom de Dick Haymes. (Aujourd'hui disparu. Alcool. Cancer.) Les deux jeunes filles séjournaient dans le même petit hôtel au nord de la ville et elles étaient devenues copines. Par une nuit d'été, nous organisâmes une petite soirée sur le toit de l'hôtel, tous les quatre. Non, non, je vous arrête tout de suite, il n'était pas question d'échangisme : nous n'étions pas aussi sophistiqués dans ce temps-là et de plus nous préférions notre intimité, Constance et moi. Virginia se souvenait de moi et se montra ravie de me voir en Californie. Je lui demandai si elle avait vu Constance, qui travaillait dans les studios. Elle me répondit que non et je lui proposai alors de m'accompagner pour aller lui dire un petit bonjour : cela ferait plaisir à Constance. Virginia me dit qu'elle était déjà en retard pour un rendez-vous en haut et partit en hâte. Rien de plus.

Je découvris l'endroit où *Knickerbocker Holiday* se tournait. Goldwyn avait prêté Constance pour jouer face à Nelson Eddy. Elle me l'avait écrit mais je n'avais pas répondu. C'était pour sûr ce qu'un Anglais aurait appelé une combinaison « embarrassante » : Constance ne savait pas chanter ; quant à Eddy, il ne savait pas jouer la comédie.

J'attendis que la lumière rouge située à l'extérieur du studio s'éteigne, puis je gagnai discrètement l'endroit où l'équipe était au travail. Je vis un tableau poignant. Ma petite amie était là, trop bien habillée dans son costume de l'époque de la Révolution — je parle de 1776 —, assise à l'écart et en train de lire. Je ne sais pas exactement pourquoi cela me parut être mauvais signe — je veux dire le livre —, mais c'est un fait. Il n'y avait personne pour l'interviewer, personne pour lui faire répéter ses répliques, personne pour s'affairer à sa coiffure ou à son maquillage. Personne n'était agenouillé à ses pieds en la suppliant de lui accorder un autographe. Non, elle était là, sa lourde robe repliée au-dessus des genoux, en train de lire, toute seule.

Elle fut transportée de joie à ma vue et menaça avec un sourire en coin de se trouver un autre beau la prochaine fois que je resterais éloigné d'elle si longtemps, et ainsi de suite. Mais son humour n'avait plus le même mordant. Ou avais-je décelé quelque chose d'étrange dans son calme inhabituel ? J'approchai une chaise tout près d'elle. « J'ai vu ta vieille copine Virginia Mayo, dis-je. — Ah, formidable ! Où ça ? — Ici, juste devant le studio. Je lui ai dit que j'allais te voir et je lui ai demandé de venir avec moi, mais elle avait autre part où aller. — Il faudra qu'on organise une petite soirée, dit Constance en prenant ma main, la semaine prochaine. Je suis si contente de te voir. Tu m'as manqué. Tu me manques même quand tu es là. » Je l'embrassai. Elle avait l'air contente. « Qu'est-ce que ton copain Sam pense du film ? Je veux parler du *Fou*. — Oh, il est content ! répondit-elle, enfin c'est ce qu'on m'a dit. Je ne le vois plus très souvent. Il a un boulot monstre... » Elle s'arrêta, puis demanda : « Qu'est-ce qu'elle fait ici ? — Qui ? — Virginia. — Je ne sais pas ; elle ne me l'a pas dit. » A ce moment, on l'appela et le maquilleur arriva pour vérifier l'état de son visage. En s'en allant, elle me lança : « Ne regarde pas maintenant ; tu me rends nerveuse. »

Je partis à mon tour et me trouvai alors face à face avec le petit costumier boiteux qui m'avait habillé deux ou trois ans avant pour mon essai sur *Rue sans issue*. Il me dit bonjour et quand il tourna la tête pour regarder la répétition, je fis de même. C'était un type constamment taciturne, mais il me dit quelque chose à ce moment-là que je n'oublierais jamais. Je ne pense pas qu'il savait que j'étais « à la colle » (selon une autre expression consacrée) avec Constance, parce qu'il avait désigné les acteurs qui répétaient avec leurs perruques révolutionnaires avant de me confier : « Tu vois ces costumes ? Ils n'ont jamais été dans un film qui marche. » Je hochai la tête et je continuai mon chemin jusqu'à la porte qui était gardée par un flic. « Dites à miss Dowling que je reviens. »

Je savais où m'adresser pour connaître le fin mot de l'histoire: je me rendis auprès du monteur. Celui-là montait tous les films de Goldwyn, c'était une vieille connaissance du temps où j'étais venu aux studios pour faire un essai et tenter d'apprendre quelque chose de la mise en scène. Il était penché sur sa Moviola et de longues bandes de film tombaient de ses casiers dans un grand tonneau gris ou s'étalaient par terre. Il savait que je m'intéressais à Constance. « Comment ça se passe? lui demandai-je, après lui avoir dit un mot du succès de *Vénus*. — Le film avec Eddy? me demanda-t-il. Pas mal. » A Hollywood, fantastique veut dire pas mal, bien veut dire pas terrible et pas mal veut dire nul. « Elle passe bien à l'image », précisa-t-il, et il déchira un bout de film et me le donna. Je l'étudiai rapidement et dis d'un air entendu: « Ouais, c'est une mignonne petite, puis j'enchaînai sur: En fait, je voulais parler du *Fou*. — Pas mal, répondit-il. — Et ça, c'est qui? » J'avais remarqué des bandes qui pendaient de casiers différents, et avais soulevé l'une d'elles jusqu'à mes yeux. C'était Virginia Mayo. « Quelqu'un qu'il est en train de tester, dit le monteur. — Pour quoi faire? — Je ne sais pas, dit-il. Comme ça. Pour voir. On ne sait jamais. J'ai lu que tu allais devenir metteur en scène ici. T'es un malin. — Ouais, je n'avais pas beaucoup d'avenir comme acteur, hein? — T'es pas Gary Cooper, répondit-il. — En parlant d'avenir, repris-je, et puisque tu es franc, dis-moi une chose: est-ce qu'il y a assez de films sur l'agenda de Mr. Sam Goldwyn pour qu'il ait besoin de deux blondes qui se ressemblent? — Samedi, me répondit-il, je vais pêcher l'albacore du côté de Catalina. »

En me rendant chez Connie, je fis le bilan de sa situation. Mr. Sam avait promis monts et merveilles à Constance: plus dure serait la chute. Il avait encouragé cette fille à s'imaginer qu'elle était une star de demain. Mais si *Un fou s'en va-t-en guerre* avait déçu — il avait dû le voir en projection privée —, le blâme retomberait, de strate en strate: il ne pouvait pas s'arrêter sur Kaye, à qui Goldwyn avait fait signer un contrat à long terme, ni sur le metteur en scène, dont l'itinéraire était sans reproche et qu'on demandait ailleurs. Restait...

J'arrivai à l'appartement avant Constance et y trouvai Doris, sa sœur. Elle se vanta auprès de moi de sortir avec Billy Wilder et loua sa fidélité: « Avec lui, on sait à quoi s'en tenir, ce n'est pas comme avec certains que je connais. » Puis elle m'annonça que Billy allait lui offrir un rôle dans un film sur un ivrogne qu'il était en train de faire.

Plus tard, Constance m'apprit qu'après mon départ elle était tombée sur Virginia Mayo dans la salle de maquillage et que lorsqu'elle avait suggéré que nous nous retrouvions tous le week-end prochain, Virginia avait répondu qu'elle avait déjà prévu d'aller faire une balade dans le désert. « Elle avait l'air changée? demandai-je. — Je peux te dire qu'elle avait l'air nerveuse », dit Constance.

Je ne savais pas si Constance avait enfin saisi ce qui lui arrivait. Ce soir-là, au lit, elle me parut aussi innocente qu'une enfant et je dus déployer davantage de tendresse que d'habitude. Je me sentais si triste pour elle, j'avais l'impression d'avoir profité de sa bonté, de son innocence et de sa jeunesse. Elle ne se lassait pas de faire montre de l'optimisme bidon que son agent lui avait insufflé pour conserver sa cliente. J'éprouvais la crainte terrible que dans cet endroit où seuls les plus costauds survivent, cette gentille fille ne soit mangée toute crue et qu'on ne retrouve d'elle qu'un petit tas de plumes.

Je craignais aussi, à cause de mon comportement, d'en être un peu responsable, peut-être le premier responsable. J'en conclus qu'il était temps pour moi d'arrêter de la tromper. Bien que je ne lui aie pas menti, j'avais essayé de gagner du temps sans le lui dire, et j'atermoyais encore. « Je vais accepter ses conditions, dis-je. Celles de ma femme. Elles sont dures, mais peu importe. Elle s'est trouvé un avocat ; tu devrais le voir : c'est Wall Street sur pattes. Elle l'a déniché dans la vieille compagnie de son père. Mais je m'en vais courber la tête et accepter la déculottée. — Quand ? demanda-t-elle. — Maintenant. J'y retourne dans quelques jours pour en finir. » Et là, je le voulais pour de bon.

Quand je revins à New York, je découvris que Molly avait superbement arrangé la petite maison de la 92e Rue. Je retrouvai tout notre vieux mobilier, comme en attente. Elle avait trouvé une école pour les gosses et apparemment ils s'en tiraient bien ; elle me montra leur carnet de notes. Je montai à l'étage. La balançoire que nous avions suspendue dans l'encadrement de la porte, à l'entrée de la chambre des enfants, dans notre ancien appartement, avait repris sa place. A l'intérieur étaient affichés les dessins qu'ils avaient faits à l'école. Je fus soulagé de constater que tous deux avaient si bonne mine. Molly était fière de ce qu'elle avait accompli par elle-même et il y avait de quoi. Elle me parla de ce qu'elle faisait au B.I.M.G. avec Jack Houseman et Bob Ardrey — Nick Ray y était lui aussi —, et j'éprouvais jalousie et admiration mêlées.

Elle consultait un psychanalyste, Bela Mittelmann, qui lui redonnait confiance. Elle ne voulait plus divorcer. Elle ne croyait pas, disait-elle, qu'au bout du compte je resterais avec Constance, et elle avait décidé d'attendre mon retour. « Tu es plus malin que ça », m'avait-elle dit sur un ton qui ne me plaisait pas du tout. Elle avait ajouté, menaçante, que si jamais je voulais revenir avec elle, il me faudrait consulter un analyste moi aussi. Elle était convaincue — comme seule Molly, de toutes les femmes que j'ai connues, pouvait l'être — que cette thérapie représentait le seul moyen de me sauver. Elle me pressa d'aller voir Mittelmann. Je soupçonnais que l'idée était venue de lui, et il me déplaisait d'être sermonné par une personne qui la soutenait. Mais je me rendis chez Bela ; j'avais besoin d'aide.

Bizarrement, nous nous entendîmes bien, ce docteur et moi. Pourquoi ? Parce qu'il me flattait. Il avait vu mes pièces et se révéla être un fan. Après deux ou trois séances, il conclut en gros que j'avais l'air en meilleur état que Molly et que c'était elle qui souffrait du problème le plus grave. Après tout, je remportais beaucoup de succès dans mon travail. Ce qui signifiait, aux yeux de Bela, que rien ne devait vraiment aller mal pour moi. Mais je ne réagis pas à cette conclusion favorable comme vous ou lui vous y seriez attendus. Je fus indigné : il trahissait Molly. A l'évidence, j'étais à l'origine de tous nos problèmes. Mais Mittelmann, issu d'une culture d'Europe Centrale dominée par les hommes, avait eu tôt fait de prendre mon parti et, dans un sens, ne considérait pas mes problèmes avec suffisamment de sérieux. « Si elle continue ainsi, me dit-il un jour, vous ne pourrez pas vivre avec elle. »

Comme vous le savez désormais, j'avais toujours plus d'une raison pour agir — par exemple, pour rentrer dans l'Est ventre à terre. En dépit de ma promesse à Constance que *Vénus* serait mon dernier spectacle à Broadway, je désirais maintenant mettre en scène une pièce de Franz Werfel, *Jacobowsky et le Colonel*. La Guilde du Théâtre possédait les droits et me l'offrit. La rumeur courait que Jed Harris envisageait également de monter la pièce. La perspective de l'emporter sur lui n'avait rien pour me déplaire. J'acceptai l'offre et l'on me présenta à l'adaptateur, S. N. Behrman, ou, pour le replacer dans le contexte de son Worcester natal, dans le Massachusetts : Samuel Nathaniel Behrman. Sam était anglophile et attachait une grande valeur à son amitié avec « Willie » Maugham et avec cette génération d'auteurs anglais. Peut-être le mot « amitié » est-il trop faible. Il vénérait ces hommes, leur œuvre, leur esprit, leur attachement aux biens de ce monde, leur sagesse inflexible et leur aisance financière.

C'est la Guilde et l'un de ses deux directeurs, Lawrence Langner, qui avaient engagé Sam pour prendre en main l'adaptation de la pièce de Werfel. Celui-ci n'avait pas encore donné son accord sur le nom de Sam, et Lawrence avait demandé que je me rende en Californie, où Werfel vivait entouré de nombreux artistes allemands déracinés, pour y obtenir son approbation ou au moins un accord de principe donné à contrecœur. Longtemps auparavant, avait précisé Lawrence, la Guilde avait monté une pièce de Werfel, *Goat Song*, qui n'avait pas donné satisfaction à son auteur. « Vous le trouverez sans doute un peu difficile », m'avait promis Lawrence.

Me voilà donc parti pour la Californie où je rencontrai Werfel. Ce n'est pas lui que je trouvai difficile ; c'est sa femme. C'était la veuve du compositeur Gustav Mahler, et au cas où quelqu'un s'aviserait de l'oublier, elle se faisait appeler Alma Mahler Werfel. Elle me conduisit dans une pièce à la lumière tamisée, où Werfel m'attendait assis, comme si elle m'accordait le privilège de contempler un objet d'art extraordinaire, si délicat qu'il risquerait de se briser en mille morceaux si j'élevais la voix. Juste avant que nous n'entrions, Alma Mahler me mit au courant du problème de Werfel. « Son cœur », dit-elle, en se tapotant la poitrine. Elle nous présenta l'un à l'autre d'une voix étouffée, puis alla se placer derrière son mari et posa des mains protectrices sur ses épaules. On me fit asseoir en face du grand génie — un peu comme un suppliant devant son juge — et après quelques généralités, j'entamai mon baratin en faveur de Sam.

Je ne pus guère aller bien loin. Le volume de sa voix ne posait pas de problème à Werfel. Elle tonnait. Pourquoi, voulait-il savoir, sa pièce était-elle adaptée ? Pourquoi ne pas présenter une traduction pure et simple de son œuvre? Se trouvait-il ici un meilleur écrivain que lui? Je lui expliquai que l'adaptation visait un public américain. C'est alors qu'il se mit à hurler après moi. Il s'exclama — à tue-tête — que les Américains n'avaient pas de littérature théâtrale digne de ce nom. Je l'interrompis en parlant aussi fort, pour nier ce qu'il venait de dire. Puis mon regard se posa sur Alma Mahler, derrière son mari, qui s'était mise à me signaler, vivement et avec insistance, l'endroit de la poitrine où son propre cœur se trouvait. Je redevins calme. Pas Werfel. D'une voix encore plus toni-truante, il commença à s'en prendre à la culture, au théâtre et aux films américains, mais surtout au tempérament américain. « Sauvage! beugla-t-il. Vous êtes des sauvages, ici! » C'est plus que je n'en pouvais supporter, et je lui répondis en beuglant encore plus fort que lui. Immédiatement, Alma Mahler agita son doigt de gauche à droite à mon intention et se tapota la poitrine au-dessus du cœur. Je me refrénai alors, en songeant à l'objectif de ma mission. Ces simagrées se poursuivirent jusqu'au bout de l'entretien, qui ne déboucha sur rien de concret. Je fus simplement sub-mergé par un flot d'injures.

Je téléphonai à Lawrence pour lui dire que j'avais échoué. Homme d'expérience familier des complications juridiques, il déclara que ce qui ne pouvait être accompli par le débat le serait peut-être par l'intermédiaire de certaines sommes d'argent. « Il veut davantage », dit Lawrence. Un ac-cord de cette sorte intervint sans doute en coulisses car Sam devint bel et bien l'adaptateur officiel de la pièce de Werfel.

Ma résolution chancelait. Un jour, je me disais: Est-ce que je veux d'une famille comme celle-là — une sœur qui m'attaque et une mère qui me déteste? A supposer que Constance tombe enceinte et que je me retrouve coincé, est-ce vraiment ce que je veux? Est-ce que, par exemple, je désire m'installer définitivement à Hollywood? Le lendemain, je pen-sais à cette maison de la 92ᵉ Rue que Molly avait arrangée et à sa détermination inébranlable à mon sujet — elle, elle savait ce qu'elle voulait: moi. Elle devait avoir confiance en un aspect de ma personnalité qu'elle imaginait menacé. Je pensais à nos enfants, à leur visage, à leur façon de bouger. Elle ne les avait jamais montés contre moi. Ils me manquaient.

Une nuit, j'étais en train de faire l'amour avec Constance quand je me mis soudain à penser à cet analyste à la gomme. J'avais raconté à cet homme comment nous faisions l'amour pour l'amener à sentir combien cette expérience était parfaite et précieuse, je lui avais dit que nous tirions souvent complètement le drap de dessus pour nous y enfouir et nous retrouver dans un monde où il n'y avait personne d'autre, un monde parfait. Sa réponse à cette confession intime m'avait agacé. Il avait déclaré que nous étions une belle paire de névrosés, et que lorsque nous placions le drap au-dessus de notre tête — il appelait cela notre « tente » —, nous essayions d'atteindre une perfection qui n'existait pas et que nous cher-chions à oublier nos problèmes à travers l'amour physique. « Il n'y a rien à faire, vous ne pouvez pas vous débarrasser de vos problèmes de cette façon-là, avait-il dit avec au coin des lèvres son sourire conciliant (que je trouvais condescendant), parce que c'est fini en quelques minutes, n'est-ce pas, et vous vous retrouvez là, au point de départ, dans la même situation. Rien n'a changé, sauf que vous êtes fatigué et que vous avez envie de dormir. »

Il avait excité ma fureur.

« Eh bien, oui. Nous sommes peut-être des névrosés chroniques, et peut-être même que nous sommes malades, mais c'est précisément ce qui donne sa charge à notre relation physique — j'avais utilisé un mot plus cru. Vous dites que nous sommes excessifs et stupides ; je dis que c'est merveilleux ! » Quand j'en avais eu fini, un petit sourire patient et doux s'était dessiné sur ses lèvres, le sourire d'un homme qui avait déjà entendu des centaines de fois ce que je venais de lui dire, de la bouche d'autres névrosés tout aussi insensés que moi. Mais cette nuit-là, en Californie, où ses mots m'étaient revenus en tête, j'avais repoussé le drap et ouvert notre « tente ». C'est elle qui avait replacé le drap au-dessus de nos têtes, et c'est à ce moment-là qu'elle avait dit : « Ah, si seulement il n'y avait que deux personnes au monde — toi et moi ! »

J'obtins avec cette pièce mon quatrième succès d'affilée, et l'on me surnomma le « petit génie de Broadway ». Mais je ne gobai pas le compliment. J'avais suffisamment d'expérience désormais pour y trouver à redire. Quelqu'un s'était montré clairvoyant dans ce spectacle aussi, et ce n'était pas moi. Il s'appelait Oscar Karlweis. Je n'en avais jamais entendu parler avant que la Guilde ne me le présente ; on m'avait seulement dit qu'il était assez connu en Europe en tant que vedette de comédies légères et d'opérettes. Je me souviens de son interprétation dans notre pièce comme de l'une des plus adroites et des plus délicates qu'il m'ait jamais été donné de voir. Le public était subjugué par la magie de son jeu — ils en gloussaient — et il méritait bien tous ces adjectifs rebattus dont usent les critiques : « captivant » ou « enchanteur », par exemple. Il était les deux à la fois.

Je me reconnais un mérite dans ce cas précis, c'est d'avoir retenu certaine leçon. Après une semaine de répétitions, je fus déçu du résultat. Je crois que j'étais parti du mauvais pied en mettant en scène cette pièce comme s'il s'était agi d'un drame réaliste alors que c'était en fait un conte de fées. J'étais anxieux à l'idée de le confesser aux acteurs ; allaient-ils perdre leur confiance en moi ? Néanmoins, je les réunis pour leur dire que j'avais mis en scène cette pièce comme pour le Group Theatre alors qu'il s'agissait en fait d'une comédie légère, et qu'il nous faudrait prendre un nouveau départ et recommencer depuis le début. J'ajoutai que j'espérais qu'ils comprendraient. Ils ne me retirèrent pas leur confiance, et c'est même le contraire qui se produisit. Leur confiance redoubla. Je leur avais dit exactement ce qu'eux-mêmes, sans pouvoir le formuler, ressentaient devant la tournure que prenait la pièce, et ils ne furent que trop contents de revenir à la « case départ ». Nous recommençâmes et je compris que l'important, dans ma profession, c'était de ne pas se mentir à soi-même, se placer sur la défensive ou rationaliser, et de se convaincre que ses associés apprécieraient qu'on leur fasse suffisamment confiance pour leur dire la vérité.

Mon souvenir de cette production se teinte pourtant d'une note sombre, qui concerne Joe (J. Edward) Bromberg, l'un des membres du Group que j'admirais le plus. Quand je m'étais engagé dans cette organisation, j'avais trouvé son talent d'acteur immense ; il pouvait jouer toute la gamme des rôles de composition. Mais durant nos répétitions, je m'étais rendu compte qu'une brisure le minait. Lou Calhern, excellent dans le rôle du colonel, brutalisait Joe comme Oscar, mais alors qu'Oscar esquivait avec adresse et se moquait de la domination « pour rire » de Lou, Joe ne disposait d'aucun moyen, apparemment, pour se défendre. Il se comportait comme un homme blessé. Finalement, je demandai à Lou d'arrêter, ce qu'il fit. Mais Joe n'était toujours pas l'homme que j'avais connu. Plus tard, on attribua ce phénomène à la liste noire et à la pression anticommuniste, mais en 1944, rien de tout cela n'était d'actualité. Joe avait bourlingué, interprétant des rôles indignes de lui ; peut-être avaient-ils porté atteinte à son âme et à sa confiance en son talent.

Le soir de la première, il me prit à part et me remercia d'avoir été patient avec lui. Je n'avais pas eu l'impression de l'avoir été. J'aimais bien Joe et je me réjouissais de lui avoir apporté un peu de bien. Il continua : « Je me sens mieux maintenant, bien que les migraines persistent. » Il se toucha le front et je compris soudain qu'il avait passé des semaines à répéter et à jouer tout en souffrant de maux de tête implacables, sans jamais se plaindre à moi. Il était victime d'une espèce de tension dont l'origine m'était inconnue. Mais je ne lui posai pas de question, et lui-même ne me donna pas de détails. Sept ans plus tard, je devais le dénoncer comme l'un des membres de la cellule communiste du Group. Joe était déjà mort à ce moment-là, et ce qui l'avait miné resta pour moi un mystère.

Notre tournée se poursuivait avec Boston lorsque Constance, qui effectuait elle-même un périple promotionnel pour *Un fou s'en va-t-en guerre*, en profita pour me rendre visite. Je suppose que son idée était de se faire photographier avec Lou Calhern. Elle portait un superbe manteau de fourrure — prêté par les gens de chez Goldwyn — et ressemblait vraiment à une star de cinéma, mais quand nous nous retrouvâmes seuls, je vis qu'elle était très démoralisée. Elle me révéla que son agent l'avait informée que Goldwyn avait décidé de ne pas aller plus avant avec elle ; à la place, puisque son contrat n'avait pas encore expiré, il l'avait envoyée sur les routes pour faire de la publicité. Elle préféra ne pas me voir en privé mais, quelques jours plus tard, je reçus un coup de téléphone d'elle. Les gens de chez Goldwyn l'avaient installée à l'hôtel Ambassador (aujourd'hui rasé) à New York, où elle gardait le lit, malade. Elle m'annonça qu'elle avait quarante de fièvre, température très élevée pour un adulte. Après la répétition, je pris sans attendre le train pour New York. J'y parvins à minuit et me rendis à sa chambre sans perdre de temps. Je ne lui avais pas annoncé ma venue. Sa façon de répondre lorsque je frappai à sa porte me fit comprendre que je l'avais réveillée. Il y avait une bougie dans la pièce ; c'était la seule lumière — plus douce pour ses yeux, me dit-elle.

paraissait soulagé que je ne demande rien d'autre. Quand il quitta la
pièce, une jeune femme entra et se présenta. Ma secrétaire. « J'aurai
toujours du café prêt », jura-t-elle. Puis je me retrouvai seul, allongé sur le
sofa.

Devais-je appeler Constance ? Non. J'étais d'humeur maussade et j'appréciais le calme. Toute ma vie durant, j'ai cherché le moyen d'échapper
aux engagements professionnels que je venais de ratifier. Désormais,
j'étais vraiment loin de ma famille : je venais d'accomplir un pas de géant
dans ce sens ! Mais souhaitais-je véritablement passer six mois en exil ?
Désirais-je vraiment faire ce film ? Lighton me convoqua de nouveau dans
son bureau. Je n'avais plus le choix.

D.F.Z. avait reporté notre entretien une fois de plus. « Ce sera pour
demain, pas de doute », dit Bud. Je fus surpris par sa patience. « Entre-
temps — il attrapa un manuscrit relié sur son bureau —, voici ce que j'ai.
Deux actes. Je travaille sur le troisième. » D'un signe de tête, il me
désigna son bureau dans la pièce voisine, où j'aperçus tout un attirail très
élaboré de verres épais et de montures réglables. Je pris soudain conscience que Bud Lighton était presque aveugle. Et qu'il était en train de
réécrire le script ; je ne devais jamais rencontrer les auteurs dont le nom
figurait au générique.

De retour dans mon bureau, un message de l'agence William Morris
m'attendait : Mr. Lastfogel m'avait invité à dîner. Durant ces années-là,
lorsque Abe invitait à dîner, c'était toujours chez Chasen ou chez Romanoff, deux annexes du lieu de travail de Lastfogel. Ce soir-là, c'était chez
Chasen, et je pus y assister à un défilé impressionnant de stars, qui se
rendaient de l'entrée de l'établissement à leur table réservée. En passant
devant nous, elles se confondaient en *salaam* devant Abe. J'eus l'occasion
de rencontrer Spencer Tracy et fus surpris du respect qu'il témoignait à
mon agent.

Assise à côté d'Abe, sa femme, Frances. Les Lastfogel avaient vraiment
l'air d'un couple de péquenauds ; je les imaginais patrons d'une charcute-
rie dans l'Upper West Side de Manhattan. Frances avait mené une carrière d'actrice comique et de chanteuse de troisième ordre — bien que
mariée à Abe, qui n'avait certes pas besoin d'argent. Je l'avais vue sur
scène un jour à Philadelphie : trois chansons comiques dans trois accents
différents. Elle parcourait la salle des yeux avec un air menaçant et quand
les gens s'arrêtaient à notre table, elle semblait leur conseiller de ne pas
témoigner à son mari moins de respect qu'il n'en méritait. Et il avait droit
selon elle à un respect absolu. Abe était un roi dans le monde du cinéma à
cette époque-là, et Frances traitait les plus grandes stars comme des
gamins du quartier : elle les cajolait et, en même temps, les grondait par
anticipation. Ils avaient intérêt à filer doux, car son mari manifestait
peut-être une grande bienveillance, mais elle non. Elle n'allait pas se
laisser marcher sur les pieds.

A notre table se trouvait également le partenaire d'Abe, Johnny Hyde,
agent tout aussi puissant grâce aux stars importantes qui lui avaient confié
leur carrière. Johnny était célèbre pour avoir déniché Lana Turner sur un
tabouret, dans un drugstore. Les deux hommes partageaient la même

petite taille, un mètre soixante-cinq. Quand j'avais rencontré Johnny pour la première fois, j'avais cru qu'il était irlandais; il avait le teint rubicond d'un natif de Donegal. Mais il s'avéra que ses parents étaient venus de Russie et qu'ils portaient le nom de Haidebura. Il devait sa carnation rougeaude à l'hyperactivité d'un cœur fatigué. Assise à côté de lui se trouvait sa compagne dévouée, jeune femme aux cheveux clairs, ni blonds ni platinés comme ils le seraient plus tard, mais d'un très beau châtain clair naturel. Elle avait la beauté classique de la jeune provinciale américaine, et quand elle regardait Johnny, c'était avec l'expression d'une starlette hébétée qui voue une admiration sans mélange à son protecteur. A l'évidence, elle vivait sous son aile et ne doutait pas de sa dévotion pour elle, car de temps en temps il passait la main sous la table dans sa direction. Cette fille m'adressa un coup d'œil rapide, mais prenait garde à ne pas laisser traîner trop longtemps son regard sur les mâles. On me la présenta mais je ne pris pas la peine de retenir son nom — je ne le fais jamais lors d'une première rencontre. Plus tard, je découvris que sur le conseil de son agent-amant, elle allait changer de nom. C'était Norma Jean Dougherty; ce serait Marilyn Monroe, nom synthétique aussi commode qu'un autre.

Cette union se termina, de façon caractéristique (pour Marilyn), tragiquement. Johnny, bien qu'il donnât encore l'impression de se dépenser sans compter, comme tout agent qui se respecte, n'avait plus longtemps à vivre. A sa mort, il devint clair que sa famille vouait une haine farouche à Marilyn. Je suis sûr que sa vénération pour le petit Johnny, comme pour les autres hommes qui se sont succédé dans sa vie, n'était pas dictée par l'intérêt, comme la famille de Johnny le croyait, mais par les intentions les plus pures. Elle se trouvait à ses côtés dans les derniers instants, mais le corps fut emporté sans tarder et on lui interdit d'en approcher. Elle apprit que Johnny reposait chez lui sur son « lit de parade » et que certains membres de la famille veilleraient le corps. Dans la nuit, elle se servit de ses clés pour pénétrer dans la maison. Si quelqu'un était censé monter la garde à côté du cadavre, il était parti se coucher; les bougies avaient baissé. Marilyn m'a dit qu'elle était grimpée sur le lit et s'était allongée sur Johnny. Elle était restée là, amoureuse silencieuse et immobile, jusqu'à ce que les membres de la famille commencent à remuer, au matin. Puis elle s'était glissée hors de la maison — seule au monde.

Le temps pour moi d'arriver chez Constance en m'inventant des excuses, il était déjà onze heures et demie, et pourtant mon coup de sonnette resta sans réponse. Je m'assis d'abord sous la véranda pour y attendre Constance, mais bientôt embarrassé à l'idée de me trouver là à son retour, j'allai m'asseoir sur le bord du trottoir, de l'autre côté de la rue, adossé contre une roue de voiture, et je continuai ma surveillance de Sycamore Drive. Au bout d'une heure, je la vis arriver en se dandinant sur ses jambes de danseuse, accompagnée d'un homme plus vieux que moi et, qui plus est, ventripotent. Il alimentait la conversation, elle l'écoutait d'un air embarrassé, hochant la tête comme pour dire: « Oui, oui, je vois ce que vous voulez dire, bien sûr, c'est très intéressant ! » J'en conclus que son compagnon devait appartenir à l'espèce intellectuelle et qu'il misait, pour convaincre Constance, sur son point faible : une éducation incertaine. Ces intellectuels ont un tel pouvoir sur les jeunes filles en fleurs, pensai-je en les regardant s'avancer dans la cour sombre. Il étalait sa science, elle le buvait des yeux. A Hollywood, dès que vous avez le dos tourné, il se trouve toujours quelque grand esprit pour venir apporter à votre délicieuse petite amie la solution de ses problèmes. Ce n'est pas des jeunes athlètes séduisants qu'il faut se méfier, mais de ces trafiquants d'idées, qui s'insinuent dans la place en rassurant la jeune femme en détresse dans les domaines où elle en a le plus besoin.

Je les suivis, dissimulé derrière les buissons, jusqu'à ce que j'aperçoive sa porte ; je n'eus que le temps de la voir tourner la clé dans la serrure et entrer, suivie de son compagnon, qui parlait toujours. Puis la porte se referma sur eux.

A l'intérieur, le plafonnier s'alluma puis s'éteignit, remplacé par deux lampes discrètes placées de chaque côté du sofa — celui-là même où nous avions fait l'amour si souvent, mes pieds calés contre l'accoudoir, à l'endroit exact où le postérieur fessu de cet homme était maintenant enfoui. Elle s'approcha de la fenêtre, sa silhouette se découpant dans la lumière comme celle d'une star sur le point de jouer une scène de séduction, et elle tira lentement les rideaux.

Non, il ne resta pas toute la nuit. Je m'en assurai — assis dans la cour, baissant la tête chaque fois que quelqu'un passait. Environ une heure plus tard, la porte s'ouvrit et il sortit, en se retournant pour recevoir le baiser rituel. Mais ce bonsoir manquait de la chaleur que cet inconnu — peu importe son identité — espérait peut-être. L'inquiétude lui voûtait le dos quand il repartit. Il discutait encore — avec lui-même. J'attendis encore un peu pour ne pas donner à Constance l'impression que j'avais passé tout ce temps à guetter — il me restait un peu de fierté — puis je sonnai à la porte.

Nous fîmes l'amour et ensuite seulement je lui avouai ce que j'avais fait.

« Pourquoi n'es-tu donc pas rentré ?

— Est-ce que c'était Charles Boyer ?

— Tu plaisantes ?

— C'était qui alors ?

— Je ne te le dirai pas. » Et elle tint parole. « Qu'est-ce que tu t'imagines que j'étais en train de faire ? Tu n'espérais pas, des fois, qu'il allait rester toute la nuit, pour pouvoir me le reprocher ensuite ? »

Je mentionnai le ragot dans le *Hollywood Reporter*. Elle prétendit n'être pas au courant. Je n'en crus pas un mot mais laissai tomber le sujet. Malgré mes soupçons, j'étais ravi de me retrouver avec elle. Elle aussi ? Je pense. Mais quelques jours plus tard, elle me confia que Capa lui avait écrit de nouveau pour lui demander de l'épouser. Elle aimait beaucoup Bob Capa, m'avoua-t-elle.

Sa sœur déménagea — j'en déduisis que c'était pour s'installer avec Billy Wilder — et j'emménageai. Nous formions maintenant un couple établi et lorsqu'on me demandait mon adresse, je donnais celle de

Constance (mais pas à Molly). Chaque fois que nous faisions l'amour, je lui disais, sous le coup de l'excitation : « Je t'aime, ma poupée, je t'aime sincèrement. » Le temps de reprendre ses esprits et elle me répondait : « Je ne te crois pas. Si c'était vrai, nous serions déjà mariés. » Je faisais alors retraite dans le silence ou je changeais de sujet, et Constance me regardait, hochait la tête, montrait les dents et disait : « D'accord, d'accord, d'accord ! » Je ne savais pas ce qu'elle voulait dire, mais je pouvais interpréter le ton de sa voix. Menaçant.

Notre première rencontre eut enfin lieu. Je m'efforçai de regarder Darryl sans idée préconçue, débarrassé de son image médiatique. D.F.Z. m'apparut comme un petit homme hyperactif avec des dents de castor et une moustache qui lui servait de filtre. Il me serra la main sans conviction avant de retourner s'installer en hâte à son bureau et de s'emparer d'un maillet de polo comme d'autres auraient allumé une cigarette. Tout en parlant, il parcourait de long en large les zones dégagées de la pièce, sans raison valable me semblait-il, sauf à canaliser un trop-plein d'énergie. Une secrétaire dodue et maternelle était assise à côté de son bureau, occupée à prendre en note tout ce qu'il disait au cas où l'un d'entre nous éprouverait par la suite le besoin de poser des questions relatives aux souhaits de Darryl. J'ai oublié ce qu'il avait dit et je ne sais même plus de quoi il parlait ; sans doute du *Lys de Brooklyn*, mais le personnage et son comportement me fascinaient trop pour que je prête attention à ses propos. A la réflexion, j'en vins à la conclusion que ses laïus tenaient pour lui de l'autohypnose, comme si le son de sa propre voix lui conférait la confiance nécessaire à un homme de sa position dans l'exercice de ses activités. S'il avait marqué un intérêt particulier pour ma personne, je ne m'en étais pas rendu compte ; je devais apprendre par la suite que son impression de moi dépendrait uniquement de ce que j'impressionnerais moi-même sur la pellicule. Très bien ! Je remarquai, par contre, que Bud Lighton montrait un grand respect et, peut-être parce qu'il avait constaté mon silence, me prodiguait quelques marques de déférence. Je hochais la tête, suivais du regard les *travellings* avant et arrière du petit homme, ne le quittant jamais des yeux d'une façon qui paraissait sans doute ridicule. Puis, sans préavis, l'entretien arriva à son terme et nous regagnâmes le bureau de Lighton. « Qu'est-ce qu'il a dit ? demandai-je.

— Tout s'est bien passé », répondit Bud.

J'évoluais désormais dans un nouveau monde et côtoyais quotidiennement deux hommes extraordinaires, tous deux originaires du Nebraska, nés à soixante kilomètres l'un de l'autre, tous deux dans la même profession et pourtant on ne peut plus différents. J'en vins à les respecter. Ils ne venaient pourtant ni l'un ni l'autre du théâtre, ne professaient pas d'opinions de gauche et ne méritaient guère le titre d'intellectuels. Darryl et Bud avaient débuté comme scénaristes de films muets et ils m'influenceraient par la suite. Ils représentaient deux conceptions opposées du cinéma à Hollywood ; ensemble et par contraste, ils constituaient les plus beaux fleurons d'une espèce aujourd'hui disparue.

Mais Hollywood est resté ce qu'il était alors : un art organisé en industrie. Et comme nous sommes en Amérique, les deux entrent en conflit. Le cœur de Darryl balançait entre les deux. A l'heure des choix, c'est l'industriel qui l'emportait. Darryl établissait un programme de films, parfois jusqu'à vingt-cinq par an. Lighton était plutôt un artisan et fabriquait un film à la fois. Darryl se trouvait à la tête d'une usine qu'il dirigeait parfaitement. Je n'ai jamais rencontré meilleur PDG. Lighton gérait son unité de production, « un film à la fois ». Darryl se mesurait aux autres nababs de son époque. Lighton se mesurait à lui-même, se battait pour atteindre les buts qu'il s'était fixés. Darryl passait sa vie entière au studio ; tout son univers y tenait. Lighton gardait dans son bureau une selle finement travaillée typique de l'Ouest, « pour me rappeler mes vaches ». Il n'avait qu'une hâte, du moins il en donnait l'impression, c'était de retourner à son ranch dans le nord de l'Arizona.

Tous les jours, un peu après une heure, Darryl quittait son bureau avec majesté, accompagné du producteur ou du metteur en scène avec lequel il venait de s'entretenir, ou encore d'un invité de marque venu de l'« extérieur ». A sa suite passaient son état-major et ceux que son départ avait libérés de leurs obligations. On aurait cru assister au déplacement d'une flotte de guerre, dont Darryl était l'élément de tête. Sur le chemin de la cantine de l'« exécutif », où sa chaise l'attendait à l'extrémité d'une longue table, il recevait le salut de ceux qu'il croisait. Chacun de ceux auxquels il répondait en éprouvait de la fierté.

Bud Lighton allait déjeuner seul. Il ne prenait pas ses repas dans la cantine de l'exécutif, mais s'asseyait à sa table habituelle dans la cafétéria commune. Quand vous l'aperceviez et qu'il « regardait à travers vous », vous vous rappeliez soudain qu'il était presque aveugle. On le respectait mais on ne lui adressait pas la parole.

Industriel qui portait la responsabilité de mener à bien le programme annuel de films nécessaire pour remplir les salles que sa compagnie possédait, Darryl fabriquait ce qui avait selon lui le plus de chance de plaire au public. Il devait mettre en images le premier film populaire sur l'antisémitisme en Amérique, mais je doute qu'il se soit vraiment impliqué dans son thème. Le succès du roman de Laura Hobson, *le Mur invisible*, indiquait seulement qu'un large public était prêt à accepter un tel sujet. Il ne fit guère montre de plus de sensibilité envers le problème noir quand il produisit *l'Héritage de la chair*. Le thème de ce film flottait dans l'air, donc il apparaissait économiquement viable. Darryl s'intéressait à tout ce qui pouvait donner lieu à une bonne histoire, quel qu'en soit le sujet. Quant à ses opinions politiques, elles ont fluctué au gré d'un film à gros budget sur Woodrow Wilson, d'un engagement pro-Roosevelt temporaire et d'une grande admiration pour Wendell Willkie, avant de se fixer sur Nixon. Son credo ? Les films à succès. Offrir au public ce qu'il aurait envie d'acheter. Il possédait quand même une authentique conviction politique : le patriotisme.

Lighton produisait ses films un par un et d'abord pour se faire plaisir. Chacun de ses films contenait les mêmes thèmes, les mêmes valeurs. Il avait des convictions, les ressentait profondément, en discutait constamment. Elles avaient trait aux valeurs de l'individu, jamais à la politique. Le courage, le respect des autres et de soi-même, les privilèges et le sens des responsabilités, voilà les thèmes qui le faisaient vibrer. Il était opposé au New Deal car il pensait qu'un homme qui possédait de l'amour-propre n'accepterait pas l'aide d'autrui, qui revenait à une manifestation de pitié. Il méprisait la côte Est, l'idéologie et le type de civilisation qui y régnaient. Il incarnait l'idéal de la « Frontier » et de ces hommes vivant sur de larges terres à moitié sauvages, qui n'attendaient aucune faveur de leur prochain ni de la nature et avaient construit leur maison là où ils ne pourraient pas entendre aboyer le chien du voisin. Lighton méprisait le communisme mais il se défiait encore plus des « libéraux ».

Pour la première fois de ma vie, j'éprouvais une grande affection pour un homme dont les opinions politiques différaient des miennes. Soudain, le choix politique m'apparut moins important. Bud réveilla en moi des aspirations plus fondamentales. Disons l'orgueil et l'individualisme, la liberté d'opinion, la satisfaction de ne rien demander aux autres, de ne craindre personne et d'éprouver du courage face à l'adversité. Quand je l'écoutais, mes positions de gauche semblaient relever de l'esprit de clocher et mes convictions sonnaient le creux. Il s'adressait au pan conservateur de ma personnalité ambivalente. Quel choc pour moi que d'aimer autant cet homme ! Avais-je vraiment cru en ce que je professais naguère ? La politique me motivait-elle à ce point ? Oui, bien sûr. Peut-être moins qu'avant, mais elle comptait toujours. Alors comment était-il possible que j'aime autant cet homme ?

Les conceptions esthétiques de Zanuck tenaient dans un mouchoir ; elles sortaient de la notice de fabrication de Warner Brothers : aventure et suspense, action et conflit, la posséderait-il, le posséderait-elle ? Il se souciait comme d'une guigne de la nature du conflit, pour autant qu'il fonctionne dramatiquement. Quand il fallait choisir des acteurs, Darryl avait une prédilection pour les fortes personnalités, les « stars » qui pouvaient porter un film sur leurs épaules, celles dont le nom sur le fronton d'un cinéma ou sur une affiche publicitaire attirerait un public vaste et fidèle. Mais à quelques rares exceptions près — Ty Power, Orson Welles, Clifton Webb —, il ne les considérait pas comme des êtres humains. Ils l'aidaient à vendre son produit. Darryl était prisonnier de ses responsabilités envers sa corporation, d'un ego vorace, et de son passé. Il lui fallait réussir à tout prix.

L'ambition professionnelle de Lighton consistait à capturer une émotion ressentie profondément, en laquelle il croyait lui-même. Il partageait le même point de vue sur les acteurs que les vieux « durs à cuire » de la mise en scène — Ford, Hawks, Raoul Walsh, William Wellman, Henry Hathaway, et son favori : Victor Fleming. Ces hommes massifs et sévères, qui dominaient leur plateau par un tempérament explosif dont les fusibles étaient prompts à sauter, montraient un dédain profond pour ce qu'ils appelaient « les acteurs de New York ». Ils disaient souvent que si un acteur sait qu'il est héroïque, noble ou parfait dans son rôle, le public ne pensera pas de la même façon. Bud méprisait plus que tout les grandes démonstrations de noblesse d'âme. « Dans la vie, quand un homme se met en colère, disait-il, il tourne les talons. S'il est triste, il le garde pour lui. L'émotion est un sentiment privé et doit le rester. Les acteurs sont fiers de leurs émotions ; ils les étalent. Eh bien, quand ils font ça, je ne crois pas à la scène. »

Darryl était une personne sensuelle, du moins c'est ce qu'on raconte. Soit. Il n'est pas rare qu'un gamin venu d'une ville moyenne de l'Amérique profonde lie sa réussite personnelle au nombre de coups qu'il tire. Beaucoup d'histoires circulent à propos de Darryl : par exemple, qu'une starlette était introduite dans son bureau tous les jours en fin d'après-midi, et ainsi de suite. Il est probablement vrai que les jeunes et jolies femmes constituaient pour lui un défi — mais peut-être cherchait-il en fait à mettre à nu un manque de confiance en lui pour mieux le vaincre. Quant au reste, qui sait ce qui se passe derrière une porte close ? Quand on regarde ses films, on se dit qu'il devait se sentir beaucoup plus à l'aise avec les hommes qu'avec les femmes.

Lighton, avec son mètre quatre-vingt-cinq et ses quatre-vingt-huit kilos, était marié à une femme bien plus âgée qui, toute mouillée, devait peser trente-cinq ou trente-six kilos. Selon Henry Hathaway, ami intime du couple, ils n'avaient pas de vie sexuelle. Henry raconte comment Lighton canalisait son énergie inutilisée en allant s'exercer au maniement du fouet sous le soleil matinal, le visage dégoulinant de sueur. Ascète dans toute l'acception du terme, il idéalisait les femmes. Il appelait Dorothy McGuire, que nous avions engagée pour *le Lys de Brooklyn*, « Ange », moyen efficace de la dépouiller de sa sexualité. Constance lui déplut dès leur première rencontre et il ne lui adressa plus jamais la parole après les salutations d'usage. Il aimait énormément Molly, bien qu'il ne l'ait jamais rencontrée. Il pensait que c'était la femme qu'il me fallait et trouvait en elle la qualité qu'il admirait le plus : l'attachement au bien.

Le summum de la séduction, pour Darryl, s'incarnait dans les actrices de music-hall françaises ; elles mettaient en évidence ses lacunes culturelles. Le *nec plus ultra* de la splendeur hôtelière, à ses yeux, c'était le George V à Paris, aussi proche d'un hôtel de Beverly Hills qu'il est possible de l'être en France. Il admirait ce dont il pensait manquer : une sophistication internationale un peu snob.

La haute société et la culture des capitales européennes n'impressionnaient guère Lighton. Ceux qu'il aimait le plus, c'étaient les hommes avec lesquels il travaillait sur son film du moment, et le contremaître de son ranch. Il goûtait par-dessus tout la compagnie de ses vachers.

En dépit de toutes les rumeurs sur sa conduite en privé, Darryl se dévouait à sa famille. Il a effectivement abandonné sa femme pour aller vivre à Paris avec une actrice de music-hall, en 1956, mais il ne s'est pas sauvé comme un voleur. On peut dire qu'il a fait tout ce qu'il fallait pour que ses trois enfants et sa femme disposent de suffisamment d'argent pour voir venir. Des années après, la compagnie se mit à perdre des fortunes et le comité de direction ainsi que les actionnaires exigèrent un changement : il échut alors à Darryl de limoger son fils Dick de son poste de vice-président en charge de la production à la Fox, poste où Darryl lui-même l'avait installé. Certains furent choqués de la décision de Darryl, mais je crois qu'il avait préféré virer son fils lui-même, comme s'il s'était agi d'un geste de protection paternel, en infligeant ainsi à Dick le moins de peine possible. Tout à la fin de sa vie, alors qu'il était malade et souffrait, il retourna auprès de sa femme et passa ses dernières années avec elle. Elle lui apportait la protection dont il avait le plus besoin.

Bud Lighton, après la mort de sa femme Hope, et à la suite d'une aggravation de l'état de sa vue, vendit son ranch bien-aimé pour acheter une maison sur l'île méditerranéenne de Majorque ; il vécut dans ce climat ensoleillé jusqu'à sa mort. Solitaire. Peut-être parce qu'il n'avait jamais eu d'enfants, ses meilleurs films leur faisaient la part belle. La scène la plus touchante de celui que j'ai réalisé pour lui était centrée sur une fillette de dix ans. Bud élaborait chaque scène avec une passion authentique.

Il était de bon ton de s'amuser de la vanité de Darryl, mais elle n'outrepassait pas celle des autres nababs de son époque. Contrairement aux produits concoctés de nos jours par les hommes d'affaires du cinéma, chacun des films fabriqués par ces représentants de la vieille école devait être le meilleur à sortir des studios de la colonie cette année-là. Il leur fallait battre leurs concurrents — Darryl devait surpasser Jack Warner, Sam Goldwyn, Harry Cohn, Louis Mayer, David Selznick — pour obtenir l'oscar. Darryl ne reculait devant aucune dépense, aucun effort, qu'il s'agisse de temps ou d'argent, pour mener à bien les films qu'il fabriquait, ses « productions personnelles ». Un jour, sur le Mur invisible, il me sembla qu'une des scènes que j'avais tournées ne me donnait pas entière satisfaction ; je lui demandai l'autorisation de la tourner de nouveau et il n'hésita pas : « Bien sûr, vas-y, demain. » C'était son film !

Bud était animé de la même passion, mais dans un genre plus calme, et elle ne se manifestait pas non plus de la même façon. Il discutait avec moi de chaque scène avant que je ne la tourne, en m'expliquant quel sentiment il espérait y avoir introduit, sentiment auquel il espérait maintenant me voir donner vie. Il parlait d'humanité, d'émotion, de courage, de fierté, de toutes ces vieilles valeurs de l'« Americana » véhiculées par la société des conquérants qu'il admirait. D'aucuns trouvèrent le Lys de Brooklyn sentimental et mélo, mais j'avais compris l'objectif de Bud et j'avais fait de mon mieux pour l'aider à réaliser sa vision.

Pour tous ces hommes, rien d'autre n'existait que le cinéma. Il leur fallait toujours surpasser leurs créations précédentes, leurs rêves et leurs espoirs, chaque fois qu'ils « retournaient au charbon ». Au-delà de cette capacité à s'engager totalement, Darryl introduisit une autre attitude : l'enthousiasme, la passion du cinéma, qu'il communiquait à ceux qui travaillaient ensemble sur un film. Il avait réuni les meilleurs cameramen, les meilleurs décorateurs, les meilleurs acteurs, les meilleurs techniciens, et ils se trouvaient là parce qu'il était allé les chercher, les payait bien et avait été capable de leur faire sentir l'importance qu'il attachait à son programme de films. C'est vrai, il alliait capacité et fermeté, mais son personnel le respectait pour son sens de la justice et l'affection qu'il lui témoignait. Il avait organisé cette foule de travailleurs, de techniciens et d'artistes en une unité de production soudée. Chacun savait où était sa place à l'intérieur de ce studio, il savait qui il devait satisfaire et en quoi consistait sa tâche. Les anciens studios sont aujourd'hui disparus, mais je les admirais énormément.

Enfin, Darryl possédait une autre qualité que j'admirais, moi, tout particulièrement : personne ne l'effrayait. Quand les autres dirigeants des studios, de confession juive, éprouvèrent des scrupules à l'idée de produire *le Mur invisible*, ils demandèrent à Darryl de venir les rencontrer à la cantine de Jack Warner. Il leur répondit que, malheureusement, il avait trop à faire pour se rendre aux studios Warner Brothers à Burbank, mais qu'il y déléguerait un invité de marque, Moss Hart. Moss, qui mettait au point notre découpage, accepta la mission, se rendit à Burbank, s'assit à la table de ces nababs. Ils lui demandèrent de convaincre Darryl de renoncer à ce film. Leur argument, comme Moss nous le rapporta ensuite, à Darryl et à moi, tenait en ces termes : tout allait bien désormais pour les juifs dans ce pays, aussi pourquoi réveiller le passé — avec ce film ? Moss nous avoua qu'il n'avait pas réussi à les persuader que le film n'engendrerait aucun effet préjudiciable.

Darryl passa outre aux scrupules de ces hommes pusillanimes et fonça bille en tête. Il se produisit le même phénomène quand les catholiques qui dominaient le Breen Office demandèrent instamment à Darryl de ne pas faire de l'héroïne de notre film une divorcée. Cette fois-là, Darryl se mit vraiment en colère. Après tout, le Breen Office était payé par les compagnies de cinéma. Sa tâche ne consistait pas à censurer les films mais à s'assurer qu'ils voient le jour. Aucune loi n'interdisait de faire de l'héroïne une femme divorcée. Ces types-là obéissaient à un autre genre de lois, émanant d'une autorité différente. Les Mexicains n'obtinrent pas davantage gain de cause, quelques années plus tard, quand ils promirent à Zanuck que *Viva Zapata !* serait condamné au Mexique et causerait une grande vague de mécontentement, qui pourrait affecter la réception dans ce pays de tous les produits signés Fox.

Dans toutes ces occasions, la conviction de Darryl, c'était que le public avait une longueur d'avance sur les donneurs de leçons de morale et les censeurs ; les événements lui donnèrent raison chaque fois. L'important pour tous ceux d'entre nous qui travaillaient à la Fox pendant ces années-là, c'est que l'homme qui dirigeait notre studio ne reculait pas devant ceux qui le défiaient.

Un metteur en scène de cinéma ne recule devant rien pour obtenir ce dont il a besoin chez un acteur. Sam Fuller tirait des coups de pistolet — sans prévenir — pour provoquer une réaction de surprise et de peur. On raconte que Bill Wellman avait roué de coups un acteur. Moi-même j'ai frappé — à sa grande surprise — un boxeur nommé Tami Mauriello, que j'avais placé au premier plan d'une scène de *Sur les quais* et que je voulais voir exprimer une rage authentique. Ma technique de mise en scène fonctionna mais je m'étais assuré de la présence de mon garde du corps à mes côtés.

Jack Ford, que j'admirais plus qu'aucun autre metteur en scène américain, pouvait se montrer gentil et amical, puis, l'instant d'après, hostile et même sadique avec les acteurs. Il n'en était peut-être pas conscient, mais c'est la technique utilisée pour briser un homme dans ce qu'il est convenu d'appeler le lavage de cerveau. Dick Widmark comme Karl Malden, tous deux admirateurs de Ford, m'ont dit que parfois, le matin, quand ils arrivaient pour travailler, Jack leur demandait leur avis sur la façon de tourner une scène. Ils faisaient part à Jack de leurs suggestions : il les écoutait en retour d'un air bienveillant puis tournait la scène d'une façon complètement différente, tout en se moquant de leurs suggestions. Ford pensait gagner quelque chose en démontant ses acteurs au début de chaque journée de travail.

Henry Hathaway avait mis au point un style qui lui avait valu le surnom de « Henry le braillard ». De bonne compagnie quand il ne tournait pas, il se transformait en brute épaisse sur un plateau. Un jour, Karl Malden trouva le courage de lui demander pourquoi il braillait toujours après tout le monde. Hathaway répondit : « Je ne sais pas comment parler aux acteurs, mais je me figure que si j'arrive à créer une tension énorme sur le plateau, chacun sera dans ses petits souliers. »

Hitchcock se reposait le moins possible sur le jeu des acteurs pour faire passer ses histoires à l'écran. Lorsque Cary Grant, au début d'un tournage, lui demanda comment il devrait interpréter son rôle, Hitchcock déclara : « Faites comme d'habitude. » Hitchcock se servait de l'angle de ses cadrages et de son montage (juxtaposition de morceaux de film assez brefs) pour obtenir ce que, sur scène, nous attendions des acteurs.

Un vétéran de la mise en scène que je connaissais a fait un jour l'effort de m'expliquer la différence entre l'interprétation au théâtre et au cinéma. Il m'a dit que la meilleure actrice, à Hollywood, c'était Lassie, la chienne. On pouvait (enfin, son dresseur) lui faire faire tout ce dont on avait besoin par les moyens les plus simples et les plus directs, et Lassie jouait toujours juste. Elle ne savait pas simuler, et elle ne demandait jamais d'explications.

Ce qui cassait les pieds aux metteurs en scène de la vieille génération, c'étaient les acteurs qui cherchaient des motivations. « Pourquoi est-ce que vous faites ça ? rugit un jour Ford à l'adresse d'un acteur. Parce que je vous le dis. » Puis il lança à l'acteur son regard le plus menaçant et c'en fut terminé des problèmes de motivation. On raconte des histoires similaires à propos de Wellman et de Vic Fleming. Un acteur enclin à l'introspection tend à être lent, ce qui constitue un grave défaut au cinéma, où l'on gagne à parler au moins dix pour cent plus vite que sur scène. « Pensez *en même temps* que vous parlez, aboyaient certains metteurs en scène, pas avant. Ne me bouffez pas de la pellicule avec vos pensées à la con ! » Le seul acteur à s'en sortir avec le rythme de ses répliques était Brando, parce que ses silences en disaient souvent plus long que le dialogue qu'il devait prononcer.

Je mourais d'envie d'avoir une longue conversation avec Ford. J'y suis finalement parvenu et je lui ai demandé d'où il sortait ses idées de mise en scène. « Du décor. » Je n'ai pas compris ce qu'il avait voulu dire. Il était plutôt grognon ce jour-là, mais j'ai persisté. « Venez sur place tôt le matin, a dit Ford, avant tout le monde. Baladez-vous et regardez ce dont vous disposez. — Oh, ai-je répondu, et ensuite vous regardez le script et vous inscrivez la scène dans le décor? — Non, a-t-il grommelé, ne vous occupez pas du putain de script. Il va vous embrouiller. Vous connaissez l'histoire. Dites-la en images. Oubliez les mots. — Quoi d'autre? ai-je encore demandé. — Les acteurs, a-t-il dit, ne les laissez pas jouer. Mettez en scène comme s'il s'agissait d'un film muet. » Conseil que je n'ai pas très bien saisi sur le coup; mais, quelques années plus tard, mon ambition est devenue de faire un film à la manière de Ford, un film qu'un sourd pourrait suivre.

L'exemple type de cette attitude envers les acteurs est fourni par Federico Fellini. Il postsynchronise tout le dialogue de ses films après avoir filmé l'action. Lorsqu'il distribue les rôles, il ne recherche pas la bonne lecture mais le visage expressif — *faccia* en italien. Un visage, selon lui, est une sculpture qu'il a fallu une vie entière pour façonner, et qui en dit donc davantage que n'importe quelle technique d'interprétation. J'ai observé Fellini au travail et je l'ai vu faire ce qui aurait été intolérable pour un metteur en scène de théâtre passé au cinéma (moi, par exemple). Il parlait sans discontinuer pendant chaque prise, en fait il s'époumonait à l'adresse des acteurs. « Maintenant, là, arrête-toi, tourne-toi, regarde-la, *regarde-la*, bon sang! Tu vois comme elle est triste, tu vois ses larmes? Oh, la pauvre petite! Tu veux la rassurer? Ne t'en va pas, va vers elle. Ah, mais elle ne veut pas de toi, n'est-ce pas? Quoi? Va vers elle quand même! » Et ainsi de suite. Je ne l'ai pas entendu donner ces instructions précises car je ne comprends pas l'italien, mais je l'ai vu travailler de cette façon un jour, et c'est pourquoi il peut, en tournant ses films aux studios Cinecittà, près de Rome, employer des acteurs de tous les pays. Il effectue une partie de l'interprétation à la place des acteurs.

Ma propre règle est la suivante: on ne peut pas l'obtenir d'eux s'ils ne l'ont pas déjà en eux. Voilà pourquoi la technique qui consiste à faire lire son rôle à un acteur ne me paraît d'aucune utilité et peut même égarer. Les meilleurs « lecteurs », je m'en suis rendu compte, ne s'avèrent pas les meilleurs acteurs pour mes films. Brando marmonnait. Les acteurs qui obtiennent un grand succès à la télévision possèdent le don de réciter un rôle de façon impressionnante après une seule lecture de leur script, mais une fois passée cette première impression, il n'y a guère de chances que d'autres surprises se trouvent en réserve pour le réalisateur. C'est pourquoi j'emmène les acteurs faire un tour ou dîner pour fouiller dans leur vie. C'est particulièrement facile avec les actrices. Après quelques instants d'attention compatissante, j'ai découvert que la plupart des gens n'ont qu'une envie, c'est de vous raconter leur vie. Il est aisé d'amener les femmes à révéler à n'importe qui d'un peu amical les secrets de leur vie intime; rien ne compte davantage pour elles. Un metteur en scène doit savoir quoi chercher avant de se mettre en quête de son matériau.

Les étudiants m'ont souvent demandé s'il existait une différence entre l'interprétation au théâtre et au cinéma. Avant d'avoir mis en scène mon premier film, je croyais qu'un bon acteur ferait mouche dans les deux cas. Avec, bien sûr, quelques exceptions: Jean Arthur était une actrice de cinéma exceptionnelle, mais elle aurait été incapable de percer sur scène. Certains de mes collègues du Group Theatre étaient, selon moi, trop « pittoresques » — je suis gentil avec eux — pour l'écran. Un acteur de théâtre doit maintenir la même qualité d'interprétation soir après soir, aussi une technique solide est-elle nécessaire. Il doit rester crédible tout en attirant l'attention sur lui, il doit posséder une voix bien placée et jongler avec les mots. Une certaine intelligence ne peut qu'aider.

Mais je me suis vite rendu compte que de telles exigences n'étaient pas requises au cinéma. Ce qu'il faut, en plus de l'essentiel magnétisme « animal », c'est fournir à la caméra de l'authentique, de l'expérience vécue. Sur scène, on peut s'en tirer — et nombre d'excellents acteurs ne s'en privent pas — en faisant semblant, en « indiquant » ses émotions ; mais il est difficile, voire impossible, de tricher devant la caméra. Cet instrument pénètre l'écorce même d'un acteur, révèle ce qui l'anime en profondeur — parfois rien du tout. Un gros plan exige la vérité absolue. C'est une épreuve très dure que beaucoup redoutent. L'acteur de cinéma fait un boulot plus honnête.

Nous commençâmes, mon producteur Bud Lighton et moi, à constituer la distribution du *Lys de Brooklyn*. Partis dans des directions opposées, nous avions abouti aux mêmes conclusions, ce qui ne laissa pas de nous surprendre. Bud aimait à citer cette maxime de Vic Fleming sur l'art de l'interprétation : « Le bon acteur est celui à qui l'on demande ce qu'il fait dans la vie et qui baisse la tête, fait rouler une petite crotte du bout de sa chaussure et marmonne, un peu honteux : "Je suis acteur." » Cette histoire me déplut la première fois que je l'entendis mais quand Bud et moi commençâmes à travailler ensemble, je me rendis compte que nous poursuivions le même but : capturer une émotion vraie sur pellicule. Selon une expression qui lui aurait sans doute fait dresser les cheveux sur la tête, Lighton, lui aussi, voulait une « agitation de l'essence », une expérience vécue, pas une série de rôles « distribués ». En d'autres termes, la distribution des rôles devait s'inspirer d'une philosophie différente selon qu'elle était destinée au théâtre ou au cinéma. Je n'étais pas impressionné — Bud non plus — par un acteur capable de lire son texte avec intelligence. Il nous fallait trouver l'émotion véritable, pas une simulation.

Le personnage principal de notre histoire, homme complexe, alcoolique et dissimulateur, raté mais plein de charme, parvenait à conserver l'amour véritable et durable de sa petite fille. Sur scène, ce rôle aurait pu donner lieu à une composition. Pour l'écran, au contraire, il nous semblait, à Bud et à moi, que nous devions chercher et trouver cet homme dont l'échec n'ôtait rien au charme, cet alcoolique, repenti ou non, ce dissimulateur qu'on pouvait néanmoins aimer, dans la vie réelle. Et que cet homme, par chance, serait aussi un acteur. Notre choix tint du miracle : Jimmy Dunn. Je savais avant de commencer ce que je pourrais obtenir de Jimmy, Bud également. Voilà un acteur promis naguère à un grand avenir. Il était généralement admis que rien ne l'empêcherait de devenir une star de première importance — sauf ce qui l'en empêcha effectivement : l'alcool. Dans les bottins de la profession, il fut catalogué : « Boit ! » La nouvelle se propagea. On ne lui offrit plus de rôles. Son amour-propre fut touché au vif. Il se sentait coupable de trahison envers lui-même. Je le vis sur son visage dès notre premier entretien. Voilà ce que je filmerais : ce visage en détresse. On pouvait y lire que Jimmy avait raté son examen de passage dans la vie. Pourtant, il désirait encore infiniment être aimé — ce désir était là, intact, visible — et cela le rendait touchant, lui conférait même un certain charme. Jimmy conviendrait parfaitement à ce rôle : c'était l'histoire de sa vie. Je pris conscience de tous ces éléments à la faveur des on-dit et d'une conversation unique avec lui. Jimmy promit de ne pas boire pendant le tournage du film, et il tint parole — sauf les jours où il ne travaillait pas.

Le rôle de l'enfant était tenu par une gosse merveilleuse qui s'appelait Peggy Ann Garner. Un autre miracle. Je vis immédiatement ce qui se passait dans sa tête : elle me dit en effet qu'elle rêvait souvent de son père, qui servait outre-mer dans l'armée de l'air. Quand arriva le jour où, selon notre programme, elle devait s'effondrer et se mettre à pleurer, je lui parlai de son père. Mes propos contenaient implicitement la suggestion que son père ne reviendrait peut-être pas. (Suggestion qui se révéla fausse.) Peggy passa la journée entière à pleurer et nous parvînmes à mettre en boîte cette émotion à l'état pur. Nous ne l'obtînmes qu'une fois, mais c'était suffisant. Cette explosion de souffrance et de peur était essentielle à son rôle ; elle lui donnait toute son authenticité. Cette scène me remplit de fierté, à cause de l'absolue vérité qui s'en dégageait. A la fin de la journée, il nous fallut demander à sa mère de la raccompagner à la maison. Le lendemain, les enfants sont ainsi faits, elle avait tout oublié.

Mon seul désaccord avec Bud Lighton concernait cette scène. Je l'avais tournée en plaçant la petite face à la caméra et les larmes coulaient sur son visage. Ce plan choqua Bud. Il abominait le recours excessif à l'émotion. Il se détournait à la vue des larmes. Dès qu'un acteur devait dire une phrase de dialogue qui risquait de paraître un peu trop larmoyante, Bud suggérait que je demande à cet acteur d'accompagner sa réplique, avant ou après, d'un « Bon Dieu ! » prononcé à mi-voix. Le juron compensait la guimauve. Vous ne me croyez pas ? Essayez. Ça marche.

« Mais cette gamine ne dirait jamais une chose pareille, même à mi-voix, protestai-je. — Eh bien, retournez ce plan, rétorqua Bud, et filmez-la de dos. » Je le fis, et bien que l'émotion y perde en intensité, la scène passait mieux. Les spectateurs pouvaient deviner, à la tension et au tremblement de ses épaules, ainsi qu'à sa voix étouffée, ce qui se passait. La douleur n'en paraissait que plus forte. Bud me disait en fait que mieux vaut amener le public à se poser des questions que lui mettre les points sur les i. Un vieux principe du théâtre me revint à l'esprit : quand un acteur pleure, le public reste de marbre. Il vaut mieux que le public se demande : « Qu'est-ce qu'elle se dit maintenant ? Est-ce qu'elle pleure ? » En ce sens aussi, moins, c'est plus.

Ainsi donc, j'évoluais désormais dans un monde nouveau et fascinant qui m'enthousiasmait et me donnait l'envie d'en apprendre le plus possible dans tous les domaines. Celui de la caméra, par exemple. Lighton m'avait

attribué un cameraman de renom, Leon Shamroy, détenteur de plusieurs
oscars. J'en viendrais à apprécier cet homme, mais il me faudrait quelque
temps. Quand Leon arrivait le matin sur le plateau, un serveur noir lui
tendait un café et le *Hollywood Reporter*. Puis Leon se laissait tomber sur
une chaise en toile. Pendant qu'il digérait les dernières nouvelles de la
colonie — qui baise qui —, je faisais répéter les acteurs, sans obtenir de
Leon la moindre attention. Il finissait enfin par lever les yeux pour
demander : « Quel est le programme aujourd'hui ? Toujours les mêmes
foutaises ? » Le terme « foutaise » s'appliquait au dialogue de la scène que
nous allions tourner. « Vous n'avez pas lu le script ? demandais-je alors. —
Où est-il votre script ? J'aimerais mieux regarder une répétition », répon-
dait-il. A-t-il jamais lu le script ? J'ai mes doutes là-dessus.

Il se rendit très vite compte que je n'en savais pas lourd sur la fabrication d'un film, mon seul talent résidant dans la direction d'acteurs, et il
suggéra que je dirige chaque scène comme je l'aurais fait au théâtre ; il
photographierait l'action pour moi et me dirait quels « inserts » et quels
gros plans étaient nécessaires une fois réalisé le *master*. J'en référai à
Lighton qui trouva l'idée intéressante, et nous nous mîmes au travail en
suivant ce principe.

Tout se passa bien jusqu'au jour où Leon décida qu'il voulait figurer au
générique en tant que « cometteur en scène », et que le film soit présenté
comme une collaboration entre lui et moi. Lighton ne trouva pas cette
idée-là intéressante. J'avais mes doutes. Mais je n'avais aucune notion du
montage, des mouvements de caméra ou des angles de prise de vues ; je
dépendais entièrement de Leon pour savoir comment les morceaux de film
devaient être assemblés. Lighton me conseilla de ne pas m'inquiéter de
ça : il visionnerait les *rushes* chaque après-midi avec Zanuck et tous deux
les assembleraient pour moi ; ils me diraient quoi rajouter à chaque séquence. Il avait dû en toucher deux mots à Leon car je n'entendis plus
parler de cette collaboration à la mise en scène.

J'ignorais encore combien Zanuck était fier de ses dons de monteur, et
lui comme Bud préféraient sans doute que je demeure innocent le plus
longtemps possible. Je leur donnerais un maximum de « pellicule » pour
chaque scène et ils l'arrangeraient ensuite en une séquence à leur conve-
nance. Certains de mes amis me mettaient pourtant en garde contre la
tendance de Zanuck à « sauver » les films des autres en prenant toutes
sortes de libertés avec ce qui lui était fourni. Des histoires circulaient selon
lesquelles il avait un jour inversé l'ordre des bobines d'un film pour se
vanter ensuite d'avoir sauvé un travail saboté. Comme chaque film tourné
par la Fox reposait sur un script lu et approuvé par Darryl, et comme il
possédait plus d'actions de cette compagnie que n'importe qui d'autre, il
possédait aussi par voie de conséquence chaque mètre de pellicule impressionnée et pouvait, en dernier ressort, en faire ce qu'il voulait. Il ne me
posa aucun problème sur *le Lys de Brooklyn* — Bud était là pour me
protéger. Mais quelques années plus tard, Darryl passa l'un de mes films à
la moulinette afin de le « sauver », et ce sans me consulter : je lui en
voulus pour ce qui me semblait être une arrogance insupportable de sa
part, et je décidai de ne jamais retravailler avec lui. Mais ceci est une autre
histoire.

Pendant le tournage du *Lys de Brooklyn*, il se produisit un phénomène mystérieux dont je ne compris le sens que plus tard. L'histoire que je mettais en images, celle d'une enfant qui lutte pour que ses parents restent ensemble, insistait sur la douleur de la séparation et présentait une fillette prise entre deux adultes en lutte l'un contre l'autre. Cette fillette me rappelait jour après jour davantage ma propre fille, Judy. A mesure que j'avançais dans mon travail et que je cherchais dans mon passé les ressources émotionnelles nécessaires à chaque scène, en m'efforçant de les garder intactes jusqu'au soir, le film m'apparaissait de plus en plus comme le symbole d'une moitié de ma vie, l'autre s'incarnant en Constance. Souvent, après une journée de travail, surtout si je m'étais concentré sur Peggy Ann Garner, je rentrais à la maison nerveux et agressif envers Constance, sans savoir pourquoi. Elle ne comprenait pas non plus ce qui avait pu se passer durant la journée, qui m'avait rendu froid et incapable d'aimer. Je ne pouvais le lui dire car je ne le savais pas moi-même — pas encore. C'est bien après notre rupture que j'en vins à attribuer à mon travail sur ce film les scènes douloureuses et destructrices qui avaient conduit à notre séparation.

Mais Constance possédait un instinct secret. Elle se sentait indésirable sur le plateau du *Lys de Brooklyn* et ne m'y rendait jamais visite. Elle savait mieux que moi ce qui se passait.

JE ME RENDS COMPTE aujourd'hui que mon travail était pour moi une drogue. Il m'empêchait de m'effondrer. C'était ma défonce à moi. Quand je ne travaillais pas, je ne savais plus qui j'étais ni ce que j'étais censé faire. C'est un phénomène courant dans le monde du cinéma. On est tellement absorbé par la fabrication d'un film qu'on ne peut penser à rien d'autre. Un film vous fournit votre identité et quand il est terminé, vous n'êtes plus personne. Quand Darryl quitta la Fox et s'en alla vivre à Paris, il découvrit que là-bas il n'était rien d'autre qu'un « papa gâteau » vieillissant, assis à la table d'un restaurant trop cher pour ce qu'on y servait, avec une maîtresse qui ne lui témoignait pas le respect auquel il avait été habitué. Darryl n'était D.F.Z. que dans un studio de cinéma. Quand il ne travaillait pas sur un film, il s'adonnait à la boisson et au jeu, et accordait à ses performances en chambre une importance démesurée.

Mon amour-propre ne tarda pas à dépendre, pour sa satisfaction, des *rushes* quotidiens. J'avais besoin d'être rassuré chaque jour par quelque exploit en salle de tournage. Même aujourd'hui, des années après, je ne me sens pas bien dans ma peau si je n'ai pas noirci correctement deux ou trois pages d'un livre au cours de la journée. Je déprime et me mets en colère contre moi-même et contre ceux, quels qu'ils soient, qui me distraient par leur présence à mes côtés. Le travail m'empêche de m'appesantir sur mes problèmes personnels. Je les oublie. Dès que je cesse de travailler, mes incertitudes m'envahissent de nouveau — même aujourd'hui, en dépit de toutes les flatteries dont j'ai pu faire l'objet. Je mets en doute ces éloges qu'on m'a décernés et je rends justice à mes détracteurs. Je me demande si mes capacités demeurent intactes. Molly le disait souvent : chaque fois que je n'avais pas le moral, je signais un contrat.

Je pense que c'est le travail qui donnait son équilibre à Tennessee Williams. Il s'y consacrait chaque matin et ne laissait rien le déranger. Il se levait, silencieux, à des lieues dans sa tête de qui se trouvait près de lui, revêtait une sortie de bain, se versait un double Martini dry, garnissait son long fume-cigarette blanc, s'asseyait devant sa machine à écrire, y insérait une feuille vierge et devenait Tennessee Williams. Avant cela, il n'était qu'une vieille tante sur le retour (ses propres termes, en ma présence), seul dans un monde qu'il avait toujours trouvé hostile.

Il en allait de même avec John Steinbeck. Quelques années avant sa mort, il m'a dit qu'il ne lui restait rien. Il semblait en bonne forme physique et je n'ai pas compris ce qu'il voulait dire. Il m'a expliqué qu'il ne trouvait plus rien à écrire. A une époque, nous avions occupé des bureaux contigus à Broadway, et je me suis rappelé son arrivée, chaque matin, l'air distrait et inquiet. Il s'asseyait à sa table et passait dix minutes à tailler chacun de ses crayons qu'il accumulait dans un gobelet mexicain, puis se mettait à écrire sur l'un de ces blocs de papier à lettres jaune qu'il affectionnait. Une fois qu'il avait rempli une page, il la froissait et la jetait dans la corbeille à papier. Après avoir observé ce petit jeu — écrire une page, puis la jeter — plusieurs matins de suite, j'avais fini par lui demander ce qu'il pouvait bien écrire dont il se débarrassait ensuite. Il m'avait répondu que ce n'était rien, juste une façon de s'échauffer, qu'il écrivait sur n'importe quoi sauf le roman sur lequel il travaillait, *l'Hiver de notre mécontentement*. Mais cet échauffement devait lui permettre de réaffirmer sa personnalité. Il redevenait alors l'écrivain John Steinbeck.

Mon film achevé, désormais entre les mains du monteur et de Bud Lighton, je ne me sentis bon à rien. De plus, j'en avais après tout mon entourage. En désespoir de cause, je résolus d'effectuer un voyage à New York pour voir ma famille. J'utilisai cette expression, « ma famille », en annonçant ce voyage à Constance, et elle le prit mal. Je lui avais promis à plusieurs reprises que lorsque le film serait terminé, j'irais à Reno ; je n'avais pas menti. J'avais effectivement dit à Molly que je désirais toujours divorcer et que rien n'ébranlerait ma décision. J'assurai Constance que l'objet de mon voyage, à part voir mes enfants, était de me mettre d'accord avec Molly sur les termes de notre divorce. « Je croyais que c'était réglé, s'étonna Constance.

— Je n'en ai jamais été vraiment satisfait », répondis-je.

Mon propos était plus égoïste. Je croyais alors, c'est encore le cas aujourd'hui, que mon identité était fonction de l'endroit où je me trouvais. A New York, j'étais convaincu que je saurais de nouveau qui j'étais censé être. Je me « retrouverais » dans cette ville et dans les souvenirs qu'elle réveillerait.

Molly, Judy et Chris semblaient mener une vie bien réglée. En attendant que Molly revienne de son travail, j'essayai de discuter avec les enfants, mais nous n'avions plus rien en commun et la conversation piétina. Je ne pouvais qu'admirer l'œuvre de Molly : il régnait dans la maison une atmosphère d'ordre et de douceur. Je n'arrivais pas, cependant, à considérer ces trois personnes comme ma famille ni cette maison comme la mienne. Je dis à Molly que les enfants avaient l'air en bonne forme. Elle me répondit qu'elle l'espérait mais ajouta qu'après avoir raccroché, la dernière fois qu'elle m'avait appelé en Californie, elle avait remarqué que Chris la regardait, le visage cramoisi. « Pourquoi ? demandai-je. Est-ce qu'il en avait après moi ?

— Je ne sais pas, répondit-elle. Il ne m'a rien dit. »

Nous dînâmes ensemble ; je me retrouvais parmi eux, admiratif de la qualité unique de Molly — disons sa dignité. Ou devrais-je dire sa « classe » ! Elle me raconta ce qu'ils faisaient au B.I.M.G. avec la Voix de l'Amérique, elle et Jack Houseman. Nick Ray, mon assistant sur le tournage du *Lys*, était revenu dans l'Est pour les aider avec la Voix. Au dire de Molly, « Nick en sait beaucoup plus que quiconque sur ce qui se passe dans les arrière-cours de ce pays ». Je me rappelle avoir secrètement souhaité qu'elle éprouve la même admiration à mon égard. Elle n'avait toujours pas vu mes pièces. Elle ne me demanda pas non plus comment s'était passé le tournage du film. Voilà qui remet les choses à leur vraie place, pensai-je.

Plus tard, ce même soir, arriva un homme corpulent, alourdi de quelques kilos superflus, qui courtisait Molly. Nous fîmes un brin de conversation. C'était l'un des rédacteurs en chef de *Yank*, le magazine des G.I. Nous ne parlâmes que de ça, la guerre. Je voulais ma part du gâteau : je glissai donc que tous les gens qui avaient travaillé sur mon film s'accordaient à dire que le tournage s'était bien passé. Personne n'embraya sur le sujet. Quand je fis référence au personnage joué par Peggy Ann Garner, je compris que Molly n'avait même pas lu le livre que je lui avais laissé. Elle s'occupait de problèmes plus importants, de ces problèmes auxquels j'aurais dû m'intéresser moi-même. En effet, ce que faisaient cet homme, Molly et Jack semblait tellement plus important que de savoir si Peggy Ann Garner faisait face à la caméra ou lui tournait le dos ! Molly avait réussi à devenir le centre de gravité d'une famille alors que moi j'errais sans port d'attache.

A onze heures, je me levai pour partir et Dick Harrity, le soupirant, m'emboîta le pas. Je ne pensais pas qu'il allait rester avec Molly, mais j'étais satisfait qu'il quitte les lieux. La méthode de Dick pour séduire Molly consistait à courtiser toute la famille. Il ne voulait pas briser « l'intégrité » de celle-ci, ou quelque chose dans ce goût-là. Le fond de l'air était frais cette nuit-là et nous marchions lentement, mais Dick, tout en me disant combien mes enfants le rendaient admiratif, semblait incapable d'endiguer le flux d'une abondante transpiration. Je suppose qu'il se sentait coupable en ma présence. Je lui dis que j'aimerais bien écrire pour *Yank* moi aussi, et que je ressentais le besoin de prendre le bateau et d'aller apporter ma petite contribution, d'une manière ou d'une autre, à l'effort de guerre. Je lui révélai que le B.S.S. avait rejeté ma candidature à cause des tendances gauchistes qu'il me supposait. Dick ne répondit rien.

Et qu'y avait-il donc à dire de toute façon ? Je regagnai ma chambre à l'hôtel Royalton et restai assis là à écouter la circulation sous mes fenêtres. La vie me semblait dépourvue de toute valeur. Il n'y avait pas si longtemps, j'avais été l'enfant chéri de Broadway, qui suscitait la jalousie de tous. Mais à ce moment précis, après avoir observé Molly, essuyé par son intermédiaire la colère de Chris, dont j'étais sans nul doute la cible, après avoir appris quelle était la contribution de Molly à l'effort de guerre et celle de Dick Harrity à *Yank*, journal pour lequel il suait sang et eau, je me sentis un moins que rien. Mon château de cartes s'était effondré.

De retour en Californie : hosanna au plus haut des cieux ! Mon film était « formidable ». C'est du moins ce dont on m'informa. J'étais redevenu un petit génie. Personne n'aurait pu deviner que je me débattais en même temps dans un pétrin pas possible. Cette communauté voyait en moi un jeune homme agressif, énergique, et un metteur en scène à succès. Le tout premier soir, je fus invité à dîner chez Romanoff par Abe Lastfogel, très fier. Romanoff en personne vint traîner ses guêtres du côté de notre table : un compliment. Tous ceux qui passaient devant nous saluaient Abe et il me présentait à chacun. Tous avaient entendu parler de moi et du film « formidable » que j'avais fait. Mais, cette nuit-là, on me couvrait de compliments pour un film que je n'avais même pas encore vu. Lighton m'informa que notre monteur y mettait la dernière main mais que Zanuck le trouvait « formidable ». Le lendemain matin, à mon bureau, je trouvai un long mémo de D.F.Z. me confiant qu'il avait projeté le film en privé à Spyros Skouras et à quelques rares privilégiés des services de distribution et de vente, et qu'ils s'étaient « extasiés » à son sujet. « Virginia — c'était sa femme — a pleuré », m'écrivit-il. Après le déjeuner, je tombai sur Skouras, qui me prit dans ses bras et m'appela « *patrioti* », exprimant par là sa fierté que nous appartenions tous deux au peuple grec. « Rejoignez-moi au bain turc tout à l'heure, dit-il, *patrioti !* »

Le bain turc ! Réservé aux privilégiés !

Deux ou trois jours plus tard, je vis le film. Peut-être avais-je surestimé les louanges : il n'était pas mal, mais, au nom du ciel, c'était un film comme les autres ! En dépit de tous les « Bon Dieu ! » chuchotés et en dépit de ces dos trop émouvants tournés devant la caméra, il était parfumé à l'eau de rose. C'est un fait, je trouvais Peggy très bien, Jimmy plus vrai que nature, Lloyd Nolan merveilleux et Dorothy McGuire valeureuse, mais l'ensemble sentait sa pauvreté passée à la brosse à reluire. Venu des rues de New York, j'avais à mon actif *Gens des Cumberlands*, documentaire sur la région des mines dans le Tennessee, et l'expérience de la pauvreté dans le Sud (quand je m'y étais rendu avec le chef de district du Parti communiste) ; j'avais également travaillé dans un ranch pendant quelque temps, et je connaissais donc bien la différence entre ce qui était décrit dans *Germinal* de Zola, le livre que j'admirais le plus à cette époque-là, et ce que j'avais porté à l'écran. Mais dans mon état — contrarié, vaincu dans ma propre maison, seul —, comment résister à la flatterie ? Le lendemain matin, ma résistance céda. J'acceptai les louanges, d'où qu'elles viennent. C'est l'affection témoignée par mon équipe technique qui me toucha le plus. Ils travaillaient déjà tous sur un autre film, pour Henry Hathaway, mais quand je fis mon entrée sur le plateau, tout le monde s'arrêta. Ils m'entourèrent et je me sentis aimé — au moins par eux. Le lundi suivant, ils m'apportèrent de l'albacore fumé, du pain fait à la maison et d'autres cadeaux en provenance de leur cuisine. Je me sentais de nouveau bien dans ma peau —, au moins dans celle-là.

L'après-midi suivant, Abe Lastfogel me rendit visite avec sur le visage cet air calme, *cool,* qui n'appartenait qu'à lui. Nous prîmes place dans mon bureau et il m'annonça que Lew Schreiber ne le lâchait plus. Lew était le bras droit de Darryl, celui qui faisait — ou brisait — les contrats. Fox — et Bud Lighton — voulait que je mette en scène *Anna et le roi de Siam*. « Quand ? demandai-je.

— Immédiatement, répondit-il. Lighton voudrait en parler avec vous cet après-midi.

— Mais j'ai donné mon accord pour une pièce de Sam Behrman à New York, dis-je.

— Qu'est-ce que c'est? demanda-t-il.

— *Dunnigan's Daughter*, répondis-je.

— Qu'est-ce que c'est? répéta-t-il.

— Une pièce. Pour la scène.

— Oh, vous pouvez vous décommander! Votre avenir est assuré dans cette ville. Zanuck est dingue de vous. Vous n'aimez pas Lighton?

— Plus que n'importe quel autre des producteurs pour lesquels j'ai travaillé, répondis-je.

— Rappelez-vous, reprit-il, que si vous n'aimez pas cette histoire, vous pouvez en suggérer une autre, selon notre contrat. Je pense que vu les sentiments de Zanuck à votre égard, il vous laissera faire tout ce que vous voulez. Cela ne dépend que de vous. »

Cette remarque ne tomba pas dans l'oreille d'un sourd. Mon ambition — devenir cinéaste — pouvait désormais être satisfaite. « Pensez-y », ajouta-t-il. Je hochai la tête.

J'avais du succès, apparemment, un succès fou. Ou bien étais-je un raté, un superbe raté? Peut-être étais-je les deux à la fois.

Je repris mes quartiers au Jardin d'Allah. La mère de Constance avait fait le voyage dans l'Ouest; le clan se regroupait. La sœur de Constance la montait contre moi en lui disant la vérité: à savoir que j'hésitais. Doris était maintenant la petite amie régulière de Billy Wilder, et j'attendais de voir si elle réussirait à le convaincre de l'épouser. Les belles paroles ne coûtent rien.

« Je vais à Reno, dis-je à Constance. Arrête de m'embêter avec ça.

— Quand?

— Dès que j'en aurai fini avec le film.

— As-tu signé ce que tu avais dit?

— Non, mais ils sont en train de rédiger les papiers et je le ferai.

— Quand? » Elle resta silencieuse un moment. « Oh, bon sang, j'en ai marre! De la façon dont tu me tiens. Et de la façon dont je dois te parler. J'en ai vraiment marre. »

Plus tard elle me chuchota: « Si seulement nous étions seuls au monde. Si seulement il n'y avait personne d'autre sur terre, nulle part. Nulle part. »

Nous étions dans notre « tente », bien sûr, quand elle avait dit cela.

Je n'émis aucun commentaire sur le « personne d'autre ». Cette perspective n'allait pas tarder à me rendre complètement dingue.

Voici comment se déroulait une journée classique avec Constance. Nous habitions Hollywood, où un homme couronné de succès, ce que j'étais devenu du jour au lendemain, peut avoir tout ce qu'il désire, et où la vie n'est orientée que vers le plaisir, gage de perfection. Nous nous éveillions vers le milieu de la matinée dans mon bungalow du Jardin d'Allah; nous

« chahutions » un peu, seulement à moitié enfouis sous le drap (et donc dans une extase relative), puis nous somnolions de nouveau. Après nous être ébroués, nous prenions une douche — Constance y allait en premier, je restais au lit. J'aimais la regarder s'habiller, je l'adorais dans des sous-vêtements blancs. Ensuite, nous allions prendre le petit déjeuner quelque part. Le reste de la population du monde était au travail, nous en étions les maîtres. Lorsque la foule commençait à se presser aux portes des restaurants, nous découvrions qu'il était déjà midi passé. Nous avions une longue journée devant nous et rien de spécial à faire. J'adorais Constance mais je m'ennuyais avec elle durant la journée. J'aurais voulu qu'il fasse nuit mais le soleil était dans le ciel et je n'avais qu'une envie : m'asseoir quelque part, seul, et lire le New York Times. Ils n'envoyaient pas encore le Times par avion à l'époque, mais le Herald-Examiner donnait les scores du base-ball et j'étudiais les comptes rendus des matches qui s'étaient disputés dans l'Est avec beaucoup plus d'attention qu'ils n'en méritaient. Nous n'avions rien à nous dire, ce qui était parfait quand je travaillais. Mais quand ce n'était pas le cas, je passais mon temps à me demander ce qu'elle pouvait bien penser. Allait-elle me harceler de nouveau avec ce foutu divorce ? Non. « Allons au cinéma, suggérait-elle. — Il n'y a rien d'intéressant, répondais-je. — Mais enfin, on va bien faire quelque chose ! On ne va pas rester assis là toute la sainte journée quand même ! — Quoi, par exemple ? » Silence. « Allons faire un tour en voiture. — Où ça ? On connaît toute la paroisse par cœur. » Silence. « Tiens, tu sais quoi, reprenais-je, allons donc chez Pickwick acheter quelques bouquins. — Mais tu n'as même pas encore lu ceux que tu as achetés avant-hier. — Je les lirai, répliquais-je. Allons-y. »

Nous allions chez Pickwick, sur Hollywood Boulevard, où nous partions chacun de notre côté, vers des rayons opposés, en prenant bien le temps de regarder en détail chaque présentoir. Au moment d'aller à la caisse, j'avais déjà lu la plus grande partie des livres que j'achetais. Debout dans le magasin. Je lui faisais un petit signe et nous prenions la queue avec notre sélection. « J'ai acheté celui-ci hier, lui disais-je, quand je voyais ce qu'elle avait pris. Remets-le. — J'en veux un exemplaire, me narguait-elle, pour chez moi. » Peut-être lui avais-je parlé sur un ton désagréable. « O.K., allons voir ce film qui t'intéressait, concédais-je. — Tu as changé d'avis ? s'étonnait-elle. — Ouais, allons-y. Puis on pourra peut-être aller au Beachcomber's pour prendre un gold et manger un morceau. » (Les golds étaient mon trip, ils me faisaient oublier tout le reste.) « Il est trop tôt pour dîner, disait-elle alors. Allons au cinéma et on verra comment on se sent après. — Non, reprenais-je. J'ai changé d'avis. Je ne veux pas voir ce film. Allons au lit. — O.K. », répondait-elle. Elle était toujours prête pour ça.

De retour sous la « tente », tout baignait dans l'huile, enfin presque tout. La tente apaisait les doutes et apportait la paix. Constance était un poulet qui n'avait que du blanc et je la dévorais. C'était un narcotique presque aussi puissant que le travail, mon autre drogue. Nous baisions jusqu'à tomber de sommeil. La dernière chose que je remarquais avant de m'endormir, c'était le réveil de voyage que Molly m'avait offert longtemps auparavant. Il indiquait cinq heures de l'après-midi. Quand nous nous réveillions, il était près de sept heures et le problème posé par la journée était résolu. Sus au Beachcomber's ! Un *gold*, deux *golds*, trois *golds*. Embarquons-nous sur le Léthé ! En route pour l'oubli ! Le dîner ! La nourriture moitié chinoise moitié américaine glisse bien. Rassasié ? Non, pas encore. Allez, un dernier *gold* pour la route. A onze heures, retour sous la tente. Et à l'harmonie que procure l'épuisement atteint de concert. Nous n'avions pas de problèmes. Oh si, il y en avait quand même un : sa carrière. Elle s'était remise à en parler. Etant donné que Goldwyn ne l'avait pas retenue, que lui restait-il à faire ? Il ne l'inviterait plus dans son bureau désormais. « Tu vas bientôt recevoir des offres, promettais-je. — C'est ce que mon agent n'arrête pas de me répéter, répliquait-elle. — Tu es trop jolie pour qu'ils t'ignorent. » Alors elle m'embrassait. Elle m'aimait parce que je l'aimais et réciproquement.

Durant cette journée, nous avions réussi à écourter au maximum nos instants de lucidité. A certains moments — quelques minutes tout au plus —, je me serais fichu de ne plus jamais retravailler.

Quand j'étais à New York, ce damné psychanalyste avait fini par dire une chose avec laquelle j'étais tombé d'accord. « Quel âge avez-vous ? m'avait-il demandé.

— Je vous l'ai déjà dit. Vous n'écoutez donc pas ? »

Il m'avait gratifié d'un de ses sourires pâteux.

« Trente-six.

— Il me semble à moi, avait-il ronronné à travers ses lèvres moelleuses de Hongrois, que vous êtes en train de vivre votre dix-huitième année. Mais cela ne durera pas éternellement. Il nous faut juste prendre garde à ce que vous ne vous effondriez pas avant, hein — quoi, qu'est-ce ? »

Et il s'était effondré de rire.

Je ne suis pas retourné le voir pendant un moment.

Jusqu'à maintenant, j'avais dit plus ou moins la vérité à Constance, mais je m'étais mis à mentir. Enfin, j'avais l'intention de faire quelque chose dont je ne lui avais pas parlé. J'avais décidé de voir à quoi ressemblait la guerre avant qu'elle ne se termine — ne fût-ce qu'en spectateur. Semblable en cela à n'importe quel autre habitant de Hollywood couronné de succès et expérimenté, quand j'avais besoin de quelque chose, j'allais voir mon agent. Et Abe Lastfogel me le procurait ; il présidait à l'organisation des spectacles dans les campements. Il me répondit que j'avais raison, que je devrais aller outre-mer comme tous les patriotes, y aller avant que ce ne soit fini, et qu'il pourrait certainement arranger ça pour moi. Il parlait comme s'il s'agissait d'un contrat à négocier.

Ma relation avec Constance prit un tour désespéré. Son impatience se transformait en colère et s'exprimait — en présence de toutes sortes de personnes. Sans retenue. Elle et sa sœur avaient beau être dans leur droit, cela ne changeait rien à l'affaire. On m'attaquait ; je me protégeais en m'éloignant. Je me mis à poser des questions qu'on ne se pose pas, normalement, dans un état d'extase sublime : Même quand je serai divorcé, pourquoi faudrait-il donc que je me marie ? C'est Constance qui en a besoin ; pas moi.

Je crois que les femmes sont plus malignes que les hommes. Je me gardai de parler — le silence, c'était la sécurité —, mais elle savait ce que je ressentais. Elle cessa de venir passer la nuit entière avec moi au Jardin d'Allah. J'y étais seul désormais, et des phénomènes terrifiants commencèrent à se produire. Aux dernières heures de la nuit, il m'arrivait de noter que le bruit des voitures qui passaient à toute allure sur Sunset Boulevard, dehors, se rapprochait. Non, ce sont les voitures qui se rapprochaient — c'est du moins ce que je pensais. Elles passaient tout près de mon lit. Elles faisaient la course, ébranlaient les murs. Ces voitures semblaient m'attaquer. Je me réveillais et regardais par la fenêtre de derrière. Tout était comme d'habitude.

Je me souviens très bien d'un cauchemar que j'avais eu, car il s'était répété à plusieurs reprises. J'avais rêvé que mon fils, Chris, était tombé d'un quai de gare et passé sous un train. J'entendais le gamin hurler. Je voyais son corps mutilé. Je criais quelque chose. « Attention ! » Trop tard !

Une autre nuit, je perdis tout contrôle de moi-même et devins hystérique. C'est cette nuit-là que je me précipitai, tout nu, dans la cour du Jardin d'Allah. Je restai là à sangloter jusqu'à ce que je me rende compte de l'endroit où je me trouvais et de ce que j'avais fait. Je me rappelle l'intensité avec laquelle je désirais sortir de ce lit, de cette chambre, de cette ville, du sud de la Californie — et de ma situation personnelle.

Complètement désespéré, je me rendis chez Abe Lastfogel pour lui demander si je pouvais compter sur sa promesse de m'envoyer outre-mer. Il me répondit que « c'était en train », que l'armée marchait à son propre pas — qui est lent — mais que je devais me tenir prêt. Et calme — il avait remarqué, je suppose, que je vivais sur le fil du rasoir. Peut-être allais-je retourner dans l'Est voir ma famille, lui dis-je. (C'était la première fois que cette pensée me venait à l'esprit.) Il m'enjoignit de ne pas m'inquiéter, il me trouverait où que je sois, organiserait mon transport quel que soit mon point de départ, s'assurerait que tous les papiers étaient en règle, oui, je pouvais compter dessus. Puis il me demanda si oui ou non, je voulais tourner *Anna et le roi de Siam* pour Lighton et Zanuck ; avais-je pris une décision ? Je répondis que non. Zanuck devait le savoir d'une façon ou d'une autre très vite : qu'avais-je à répondre à cela ?

J'ai dû réagir à cette question avec la violence d'un névrosé. J'avais les larmes aux yeux. Il s'en aperçut car le ton de sa voix changea. « Ne vous inquiétez pas, dit-il. Ils vous attendront. Si ce n'est pas le cas, vous ferez autre chose. Ils vous veulent tous, ici, maintenant. Vous devriez envisager de vous installer ici. C'est l'endroit idéal pour vous. »

Je pris la porte. Constance, pour des raisons personnelles, aurait voulu que je fasse *Anna et le roi de Siam*.

Je me mis à éviter de la rencontrer. La tente était vide la plupart du temps. Je ne savais pas ce qu'elle faisait pendant la journée, mais je me doutais bien qu'elle devait se rendre chez son agent pour tenter un nouveau départ. En vertu d'une réaction irrationnelle, elle estimait que c'était ma faute si Goldwyn l'avait laissée tomber, mais il ne me semblait pas qu'il était de mon devoir de m'inquiéter pour sa carrière. J'étais moi-même trop en danger pour m'inquiéter des problèmes d'autrui. Le succès du *Lys de Brooklyn* n'adoucissait pas la peine qui ne me quittait pas de la journée et troublait mes nuits. Pour la première fois de ma vie, mon horizon était bouché.

Enfin, une nuit, au bout du rouleau, j'écrivis un mot à Constance, que je laissai dans l'appartement (elle avait une clé), et je disparus. Je pris un taxi pour le centre-ville, montai dans le *Chief* en direction de l'Est, et m'allongeai dans un compartiment individuel d'où j'observai le désert de Californie défiler lentement devant ma fenêtre et disparaître. Puis je baissai le rideau et m'endormis. Je dormis tout l'après-midi comme si le sommeil constituait mon unique refuge et, pour la première fois depuis des semaines, sans interruption. A mon réveil, je fis mon examen de conscience. La honte s'empara de moi. Je l'éprouve encore aujourd'hui. Je n'avais pas cessé d'aimer Constance. Je m'étais éloigné d'elle au moment où elle avait le plus besoin de mon soutien et de mon aide. Mais mon amour ne lui était d'aucune utilité. Et vice versa. Notre vie ensemble me tuait à petit feu. A ce stade, l'amour ne résoudrait ni mes problèmes ni les siens. Tu t'en es tiré de justesse, me dis-je en moi-même.

Je lui dis que j'avais quitté Constance.

« Je ne m'impliquerai plus jamais aussi profondément. »

Mittelmann avait pris avec humour la crise dans laquelle je me débattais depuis des mois. Vous réagissez probablement, lecteur, de la même façon, après tous ces hauts et ces bas, tout cet étalage de détails. Mais il en va différemment quand on est jeune. On est déchiré. Mittelmann était assis là, son sourire mystérieux sur les lèvres. « Pourquoi tenez-vous tant à vous remarier? demanda-t-il.

— Pas tant que ça », répondis-je en détournant les yeux. Pourquoi le laissais-je me coincer?

« Eh bien, alors, pourquoi cette hâte? » Il attendit ma réponse.

« Vous n'avez pas besoin de prendre une décision tout de suite, dit-il. Laissez faire la vie, voyez ce qui se passe. » Je ne répondis rien. « Votre problème, reprit-il, c'est que vous n'êtes pas assez égoïste. Vous essayez toujours de faire plaisir aux autres pour maintenir un *statu quo*. Ne vous occupez pas de savoir si l'on vous approuve. Vous ne pouvez pas faire plaisir à tout le monde en toute circonstance.

— Je sais cela, répondis-je, d'un air froissé.

— Eh bien, alors? interrogea-t-il.

— Qu'est-ce que ça veut dire, eh bien, alors? répliquai-je, prêt pour l'affrontement.

— Pourquoi essayez-vous? Son problème n'est pas *votre* problème, et c'est pareil avec votre femme. Vous ne pouvez pas leur faire plaisir à toutes les deux. Faites-vous plaisir à vous-même. Essayez de déterminer ce que vous voulez.

— C'est pour cela que je vais outre-mer, répondis-je.

— Bien, allez-y. »

Il m'adressa de nouveau ce sourire tordu, et même s'il avait raison, il m'indisposait. « J'ai honte de ce que j'ai fait, dis-je.

— Comment ça?

— Je n'arrive pas à oublier Constance.

— Oui, mais vous êtes ici. C'est ici que vous êtes. Peut-être que vous ne disiez pas la vérité.

— A elle?

— Non, s'impatienta-t-il, à vous-même. A elle non plus. Mais ce qui compte, c'est vous. Réfléchissez! Peut-être vous en êtes-vous sorti de justesse. Peut-être avez-vous sauvé votre peau. »

Je remontai lentement dans les rues de Manhattan. Molly avait dit qu'elle me ferait à dîner. Elle nous servit à boire, deux *old-fashioned*, et me répéta que Jack Houseman avait été si merveilleux et que Nick Ray était si brillant, et qu'ils faisaient toutes ces choses formidables à la Voix de l'Amérique.

Plus tard, je confiai à Molly combien je lui étais reconnaissant de ne pas avoir monté les enfants contre moi. Elle m'enlaça. Le dimanche suivant, nous nous rendîmes à New Rochelle tous ensemble pour dîner avec mes parents. Aucun discours ne fut nécessaire. Mon père et ma mère m'enjoignirent de ne pas aller outre-mer; ils ne voyaient aucune raison à ce voyage, et je ne pouvais le leur expliquer. Molly prit mon parti mais son effort ne lui gagna pas leur faveur. Je rentrai à la maison avec elle.

Je vais décrire Molly.

Dans la ville de Zurich, le long du fleuve qui se jette dans le lac de Zurich, on trouve plusieurs églises imposantes. Toutes sonnent les heures, assurant ainsi le déroulement ordonné de chaque journée. L'une d'entre elles m'a particulièrement impressionné, l'église Grossmünster. C'est une église protestante, construite en énormes blocs de pierre équarris, de style roman, comme en témoignent ses arcs en plein cintre, qui repose sur une base solide et ne s'élance pas vers le ciel. Lorsque vous poussez sa lourde porte d'entrée pour y pénétrer, elle se referme toute seule derrière vous, très vite. Vous vous apercevez tout de suite qu'elle ne comporte pas d'autel, mais une sorte d'estrade munie d'un escalier au bout de la nef; aucune barrière, aucune balustrade. Tous les vitraux, de chaque côté, sont en verre très clair de couleur grise; il se dégage du corps de l'église une impression de sévérité, voire de rigidité et de froideur, et une atmosphère surannée qui envahissent la totalité du bâtiment. Mais dans ses profondeurs, dans la partie la plus secrète, là où se trouvait peut-être autrefois un endroit consacré, se dressent trois hautes et longues fenêtres en verre teinté, très étroites. Elles ont été installées par un artiste du XXᵉ siècle, et leurs couleurs intenses et brillantes — rouge sang, violet, bleu outremer, vert sylvestre — expriment richesse, passion et modernité. Tout dans ce bâtiment fait démodé et manque de chaleur, mais si vous jetez un coup d'œil tout au fond, une surprise vous attend! Quand vous pénétrez dans les profondeurs, comme je l'ai fait, vous découvrez ces fenêtres pleines de passion, qui sont l'âme de l'église.

Molly m'invita à venir vivre chez elle jusqu'à mon départ outre-mer.

L'AVION préféré des combattants de cette guerre était le C-47, bel engin bimoteur à hélices, qui remplissait toutes les fonctions possibles et imaginables, et qui pouvait se poser n'importe où et décoller sans beaucoup d'élan. Le mal-aimé, c'était le B-24, l'avion qui me transportait ainsi que deux autres gars vers l'est et Hollandia, quartier général de MacArthur sur l'île de Nouvelle-Guinée. J'en fus informé après avoir gagné l'avant de la carlingue, où un enfant — avait-il seulement vingt et un ans, pesait-il seulement soixante kilos? — était aux commandes. Je fis un brin de conversation avec lui. Nous volions sur pilote automatique — surnommé George — et le « gamin » était en train de lire un magazine de cinéma. Durant notre conversation, c'est à peine s'il leva la tête pour essayer de percer la blanche couverture de nuages. Quand je lui demandai pourquoi le B-24 encourait une telle désapprobation de la part des hommes qui le pilotaient, il me répondit que ce n'était pas un avion mais un wagon de marchandises qui, de plus, avait tendance à exploser. « Personne n'a jamais trouvé pourquoi, me dit-il, et si deux de ses quatre moteurs s'arrêtent, ou même un seul quand nous sommes en pleine charge, tout le monde descend. » Cette conversation ne me réconforta pas. Je regagnai la soute où des gens étaient éparpillés comme les cartes d'un jeu qu'on aurait jeté au sol, la plupart en uniforme, d'autres non, tous très jeunes. Ils étaient assis par terre — il n'y avait pas de sièges — ou allongés. Le rythme lancinant des moteurs en avait bercé quelques-uns. Je repris ma lecture de *Guerre et Paix*.

Avant de rendre visite au pilote, j'avais lu le commentaire de Tolstoï sur la lettre envoyée par Nicolas Rostov à sa famille: selon Tolstoï, il est impossible à un jeune homme d'écrire la vérité: il se présente sous un jour avantageux et rejette les événements et les détails qui ne correspondent pas à la façon dont il aurait voulu que les choses se passent. C'est là que j'en étais resté de ma lecture. Cette observation m'avait rappelé la lettre que j'avais envoyée à Constance pendant que nous attendions à San Francisco, moi et les autres, notre ordre de mission. Je lui avais dit combien elle était importante pour moi, combien elle me manquait, que je pensais à elle en permanence — ce qui était vrai — et que j'avais honte de ce que j'avais fait. Je suppose qu'il s'agissait là pour moi d'une amorce prudente de réconciliation — au moins sur une base amicale. Elle avait répondu, je l'avais bien mérité, d'un ton cassant ; ce serait le dernier message d'elle que je recevrais jamais. « Pourquoi n'agis-tu pas comme un homme, pour une fois, m'écrivit-elle. Oublie-moi. C. » Point final. Ma lettre était stupide et complaisante. Sa réponse adaptée à la situation.

Durant les semaines qui avaient précédé ce vol et où j'avais trouvé refuge chez Molly, elle avait remarqué : « Tu as grincé des dents toute la nuit. Et tu as des tics aussi. » Une chose m'inquiétait au sujet de mon sommeil : et si je murmurais le nom de Constance ? Les vieux amis que je rencontrais par hasard s'étonnaient de mon comportement étrange : je me réfugiais dans des silences soudains, ne montrais aucune réaction à certains de leurs propos, puis répondais tout d'un coup à une question qu'ils m'avaient posée cinq minutes plus tôt. J'avais aussi noté, lorsque j'étais seul, ma méfiance en sommeil, que j'étais parfois au bord des larmes.

Les lettres de Constance m'avaient achevé. Elle avait raison, bien sûr, et j'allais avoir une autre occasion de prendre la mesure de son sens pratique.

L'un des gars qui volaient vers l'est avec moi, auteur de comédies à Hollywood, avait apporté quelques exemplaires du *Hollywood Reporter* et à la page deux, celle que tout un chacun dans cette communauté consulte en premier, le monde qui n'attendait que cela était informé que ma Constance sortait maintenant avec Helmut Dantine et qu'ils étaient officiellement « à l'ordre du jour ». C'est du rapide, ai-je pensé... et une bonne nouvelle pour ses amis. Constance avait décidé de refaire sa vie. Ce nouveau départ prendrait-il place à une autre table du Beachcomber's, ou sous une autre « tente » ?

J'avais beau être obsédé par Constance lorsque j'étais seul, en particulier la nuit, je pensais malgré tout qu'elle m'avait tué à petit feu. Par contraste, je me remémorais la voix de Molly ; le matin du dimanche où l'on nous avait fait grimper dans cet avion, elle m'avait appelé de New Rochelle, où elle avait de nouveau été invitée à dîner par mes parents. Ma mère soutenait Molly sans réserve, mais elle m'avait souhaité bon voyage au téléphone, ainsi que mon père. Seul Chris, alors âgé de cinq ans, avait refusé de quitter la véranda pour venir me parler. Encore une fois, Molly m'avait décrit le visage de mon fils, rose d'émotion mal maîtrisée. Mais Judy était juste à côté du téléphone et cela m'avait fait plaisir de les entendre tous. Molly m'avait paru, comme d'habitude, merveilleuse de chaleur humaine et de noblesse ; une personne de qualité.

Aujourd'hui, quarante ans plus tard, je me revois accroupi sur le plancher de cet avion pesant qui s'éloignait du soleil. Mon dos reposait sur la paroi métallique et je tenais un livre sur lequel je n'arrivais pas à me concentrer. Je n'étais qu'un petit bonhomme angoissé qui avait pris la fuite, choisi la dérobade physique et psychologique, et ce petit bonhomme déconcerté cherchait à restaurer son amour-propre. Ma mémoire m'offre l'image d'un homme qui l'a échappé belle. Je m'étais bel et bien sauvé la vie.

Mais je l'avais fait en blessant quelqu'un — j'ignorais à quel point. Je m'étais comporté de façon abominable et je ne m'en remettrais jamais tout à fait. Mais, en y regardant à deux fois, je n'avais pas menti à Constance. La passion que je lui avais témoignée était sincère. Ce n'est qu'au moment où j'avais pris conscience de ce que serait la vie avec elle, où j'avais comparé cette existence à celle de Molly, que j'avais trouvé la force de prendre ma décision.

Je l'avais échappé belle en effet! J'aurais pu finir comme metteur en scène maison à la Fox. Mon premier film avait remporté un vif succès et Zanuck m'adressait des avances effrénées. On aurait « réajusté » mon contrat à long terme avec empressement, c'est-à-dire augmenté la somme. J'aurais pu disposer d'une villa magnifique et spacieuse à Bel Air, dans le style de mon choix parmi toute une variété — tous y étaient représentés — ou d'une villa donnant sur la plage à Malibu, ou des deux, et pourquoi pas d'un ranch plus au nord dans Ojai Valley (à une petite heure et demie de là)? J'aurais pu ouvrir un compte numéroté en Suisse et bénéficier des services d'un attaché de presse qui aurait veillé à ce que je sois assez couvert de louanges pour étouffer les doutes que j'entretenais à mon sujet. Mon nom aurait pu figurer une fois par semaine dans le *Hollywood Reporter* comme celui de tant d'autres et, en récompense, j'aurais goûté la compagnie de n'importe quelle jeune actrice avide de succès. J'aurais pu apprécier toutes les joies qu'une carrière hollywoodienne auréolée de succès m'aurait apportées. Mais le comble, c'est que j'étais aimé; pas défié, aimé! Les équipes techniques m'adoraient, les décorateurs m'adoraient, les chefs de section m'adoraient, les cameramen, en masse, m'adoraient; tous n'attendaient que de travailler avec moi. « Quand? Quand? s'étaient-ils écriés. Quand allez-vous faire un autre film? » Je n'avais jamais vécu dans un endroit aussi agréable que le studio de la Fox, en cette année 45. Si je n'étais pas roi — Darryl occupait le trône —, j'étais prince. Tout le monde me saluait, qu'ils me connaissent ou non; ils ne pouvaient pas se permettre de m'ignorer; qui pouvait prédire, en effet, jusqu'où je m'élèverais dans la société? La foule new-yorkaise me manquait-elle? Non, ils étaient tous là, ou en chemin, prêts à boire un verre avec moi le soir ou, le dimanche, à pique-niquer au bord des piscines remplies d'une eau couleur d'émeraude, claire et pure au point qu'on pouvait la boire. Quant à mon contrat pour mettre en scène la pièce de Sam Behrman, *Dunnigan's Daughter*, eh bien, ce n'était pas vraiment un contrat, juste une poignée de main. Mon agent trouverait un moyen de me tirer de là. Je ne voulais pas monter cette foutue pièce de toute façon.

Et si je la désirais encore, qu'est-ce qui m'aurait empêché de récupérer Constance? Elle avait besoin d'un protecteur maintenant, et qui était appelé à plus de succès que moi?

Voilà le tableau, mes perspectives d'avenir. Et sans le bon sens de Molly et son humanité, son respect pour moi quand je ne me respectais pas moi-même, je serais devenu ce type formidable à Succès-City, Californie, entouré d'amis qui avaient « réussi » ou étaient sur le point de « réussir » ou encore se tournaient vers moi pour que je les y aide.

Qu'est-ce qui m'avait stoppé?

Il est difficile de faire le point à quarante ans de distance, mais peut-être

les idées s'éclaircissent-elles avec le temps. Je repense à Clifford Odets —
je n'ai jamais connu personne de plus talentueux. Il n'a pas pu résister à
l'argent, à la flatterie, à la sécurité apparente procurée par la communauté
du cinéma. Et il s'est perdu. Harold Clurman, l'un des hommes que j'ai le
plus admirés, a eu plus de chance : ceux qui dirigeaient les grands studios
n'ont pas voulu de lui et il a dû revenir dans l'Est, ce qui l'a sauvé, car il
avait l'air perdu au sud de la Californie. Mais loin de moi l'idée de vanter
l'Est au détriment de l'Ouest. C'est tout simplement que New York
constituait mon habitat, que s'y trouvaient mes sources. A Hollywood, il
m'aurait fallu compter sur mon astuce et sur ma facilité, qualités techniques et non pas artistiques. La seule fois que j'ai rencontré William
Faulkner, il portait des bottes de caoutchouc couvertes de la boue de son
Mississippi natal en hiver. Pendant longtemps, il n'a pas quitté sa maison
d'Oxford. John Steinbeck, lui, a quitté le nord de la Californie et s'est
ridiculisé dans le monde du théâtre new-yorkais et sur la rive droite à
Paris. Saul Bellow est un sage : il reste à Chicago. Quant à Nick Ray, qui
en connaissait plus sur les arrière-cours et ainsi de suite, je l'ai vu baisser
pavillon et se perdre parmi les nababs du cinéma. Et Orson Welles,
l'homme de théâtre le plus talentueux et le plus inventif de mon époque :
comme il avait l'air sot dans les restaurants et les hôtels de luxe qu'il
fréquentait dans les capitales européennes, et comme il avait l'air triste
des années plus tard, quand il lui a fallu jouer dans des spots télévisés pour
éponger ses dettes. Et Tennessee Williams, qui à ma grande tristesse se
perdait à faire la navette entre tous les endroits chics de la planète.
L'argent que son énorme succès lui avait apporté l'avait conduit à vivre
sur un mode qui étouffait son talent. Il aurait bien mieux fait de rester
dans son Sud natal, cette partie du monde où il se sentait mal à l'aise,
voire indigné d'être considéré comme un outsider. Voyez comme Picasso
est demeuré là où se trouvait sa glaise natale, tout comme Matisse, Renoir
et Cézanne. C'est une gageure que d'essayer de faire sortir Fellini d'Italie,
Bergman de Suède ou Satyajit Ray du Bengale, et ce quel qu'en soit le
motif. Ils savent où se trouvent leurs racines artistiques. J'ai rencontré
Kurosawa à New York et il ressemblait à un enfant pressé de rentrer chez
lui — ce qu'il ne tarda pas à faire. Lisez la correspondance de Gustave
Flaubert et vous remarquerez qu'il se rendait très peu à Paris, où sa
maîtresse attendait sa visite avec impatience. Il savait que son matériau de
base se trouvait dans la province de Normandie. Et Proust : il vivait dans
le monde qu'il décrivait — une vie que personne d'autre n'aurait tolérée.

Là où je veux en venir, c'est qu'il me fallait moins trancher, cette
année-là, entre deux femmes — j'éprouvais des sentiments très forts pour
l'une comme pour l'autre — qu'entre leurs styles de vie respectifs. Certes,
je n'aurais pas effectué les mêmes choix si Molly ne m'avait aidé en
décelant en moi ce que je suis à même, quarante ans plus tard, de
constater. Je jardine dans le Connecticut et j'ai appris combien il est
difficile de déplacer un arbre une fois que ses racines ont creusé la terre.
Mais j'ai presque essayé. Avec le recul, je regarde en arrière et je me
rends compte que j'étais malade et que l'inquiétude et le respect de Molly
à mon égard m'ont sauvé. C'était son cadeau, un cadeau qu'elle a pu
m'offrir parce qu'elle m'aimait.

Quant à l'amour sexuel, la passion qu'on éprouve à posséder physique-ment une femme, il me paraît aujourd'hui moins essentiel que l'instinct de conservation. Nous autres Américains en avons fait une sorte d'étalon de notre valeur personnelle. Ce qu'il n'est pas. Je n'aime plus me servir du mot « amour », il a été souillé par nos chansons *pop*, bien que j'éprouve vraiment cette émotion qu'on appelle amour envers ma femme actuelle, mes enfants et mes petits-enfants. Il me semble que c'est un sentiment qui va beaucoup plus loin que le simple « Qui va se la faire ? ». J'ai aimé Constance, mais le fait d'être avec elle laminait ma vie. Molly, au contraire, me remplissait d'espoir et avait instillé en moi un embryon d'amour-propre ; avec elle, au moins, j'avais l'impression de savoir qui j'étais. Tout ce que j'ai vu, appris et découvert durant le voyage outre-mer qui allait suivre a assis ma conviction dans deux domaines : comment j'allais exploiter mes dons et mes capacités, et ce qui comptait vraiment pour moi. Si j'étais malade, comme je le crois, ce voyage sur le champ de bataille m'a guéri. J'en rapporterais des souvenirs et des impressions dont je me nourrirais jusqu'à la fin de mes jours. J'en reviendrais riche — pas en termes d'argent ou de célébrité, mais plutôt de matériaux pour le travail que j'entreprendrais peut-être. Aujourd'hui, quarante ans après, j'aimerais avoir deux fois plus longtemps à vivre, car je ne fais que commencer à utiliser ce monde que j'ai vu.

Quelques mots pour en finir avec Constance. Elle ne perça jamais à Hollywood. Elle partit pour l'Europe avec sa sœur, Doris, et pendant quelques années, en Italie, elles furent admirées et heureuses. Là-bas, Constance devint la maîtresse de Cesare Pavese, poète de talent handica-pé par des problèmes sexuels qui s'ajoutaient sans aucun doute à d'autres qui étaient la cause de ses problèmes sexuels. Pavese se suicida et Constance retourna aux États-Unis, épousa un producteur et mit au monde deux fils. Elle avait quarante-sept ans quand une hémorragie cérébrale mit fin à sa vie.

Nous nous posâmes à Hollandia, sur la côte nord de la Nouvelle-Guinée. Je viens de regarder sur la carte pour retrouver l'endroit, mais il n'y figure pas ; pourtant, je me souviens bien d'un village. A peine notre avion avait-il atterri qu'un autre lui succéda ; nous faisions partie d'un mouvement de pénétration interminable. Le premier homme avec qui nous échangeâmes quelques mots nous annonça qu'il faisait frais ce jour-là sur la « piste » ; ils avaient connu une température de cinquante degrés. Nous progressâmes à travers la colonie que les ingénieurs militaires avaient créée de toutes pièces sur la plaine côtière. Il y avait là les soldats noirs, affectés aux « services » ; on ne leur avait pas donné de fusils, mais ils conduisaient des camions, déchargeaient le ravitaillement, nettoyaient les installations sanitaires. Une phrase de Lighton au sujet des Noirs me revint en mémoire ; il regrettait qu'on les éduque, parce qu'ils « perdaient alors leurs qualités les plus authentiques, qui les rapprochaient des en-fants ». Mon Dieu, quel imbécile !

Nous tournâmes pour nous engager sur la pente qui menait à la colline où MacArthur avait installé son quartier général. Les hommes venus de Californie l'avaient surnommée la colline des Snobs. Le général, se déplaçant vers l'est, avait déjà marché sur les vagues jusqu'à l'île de Leyte. « Je suis revenu », avait-il annoncé. C'était le cas de nombreux autres. Une pluie battante poussée par le vent se mit à tomber et ne s'arrêterait pratiquement pas durant les trois semaines que nous passerions là. Notre mission consistait à monter des unités de divertissement pour les soldats, afin de les empêcher de devenir dingues avant qu'on ne les emmène vers d'autres théâtres d'opérations ou qu'on ne les rapatrie. Je me rendis compte que les soldats ne tenaient pas en grande estime les spectacles organisés par l'armée. Ils aimaient bien voir de jolies filles se tortiller et se secouer, mais après coup ils les traitaient d'allumeuses. Quant aux maîtres de la plaisanterie, les comiques, les hommes sentaient bien que la plupart étaient des amuseurs de cabaret vulgaires, ringards, bref, de troisième ordre. Mais il n'y avait rien d'autre à faire que de jouer aux dés ou aux cartes.

Ah, si! il y avait les W.A.C. Quelqu'un a comparé ces femmes à la légion étrangère d'aujourd'hui. Toutes avaient connu un épisode malheureux qui les avait poussées à revêtir l'uniforme. Pour donner rendez-vous à l'une d'elles, un soldat avait besoin, outre de manifester avec conviction un certain désir, d'une jeep et d'un pistolet. La jeep, c'était pour aller chercher la W.A.C. et l'emmener dans un endroit sombre ; le pistolet, selon la rumeur, c'était pour affronter les Noirs qui, « comme chacun sait, violent les filles blanches en moins de temps qu'il n'en faut pour dire "capote anglaise" ».

Notre mission me paraissait absurde. La seule chose qui intéresse des soldats inactifs, c'est de manger et de dormir. Leur divertissement, c'était le jeu. L'un d'entre eux avait appelé les baraquements où ils vivaient des rangées de lits de camp séparées par des joueurs de dés. J'étais venu avec mon idée derrière la tête. Je me levais avant les deux gars qui m'accompagnaient et faisais du stop jusqu'à l'hôpital. J'y découvrais le visage innocent des blessés. Ce n'étaient rien que des gamins, qui évoquaient leur vie fichue avec une ouverture remarquable. Toute la partie inférieure de leur corps, pour certains, était dans le plâtre. D'autres avaient eu le visage remodelé, le nez refait et avaient subi des greffes de peau. Ils ne voulaient ni louanges ni compassion. Ils voulaient qu'on les considère comme des gens normaux, ce qui était impossible évidemment. Leur plus grand souci, c'était de savoir s'ils ressortiraient entiers de l'hôpital.

C'est là que je rencontrai un jeune acteur, élève à Juilliard School. Un gamin au visage doux et à l'âme tendre. Il était très beau ; enfin, il l'avait été. Une grenade avait déchiqueté sa jambe et mutilé son visage. Sa compagnie avait reçu l'ordre de prendre la colline 522. Les renseignements avaient dit au colonel dont ils dépendaient qu'il n'y avait qu'une compagnie de Japonais sur cette colline. Mais il s'avéra qu'il s'agissait en fait d'un régiment. Le lieutenant qui commandait la compagnie du gamin était aimé de ses hommes pour son humanité. Il protesta contre l'ordre donné par le colonel de déclencher l'assaut ; ses hommes n'avaient pas dormi depuis quatre nuits, expliqua-t-il. Le colonel le menaça alors de le rétrograder sur-le-champ au rang de simple soldat s'il n'exécutait pas ses ordres. Il mena la charge lui-même et fut tué sur le coup. La compagnie, quand elle découvrit à qui elle avait affaire, et ce sans officier de commandement, battit en retraite, abandonnant le corps du lieutenant sur le champ de bataille. Ils observèrent les Japonais, pris de boisson (« Ils prennent du saké avant chaque bataille, me dit le gamin de Juilliard, ils combattent ivres ») : quand ceux-ci eurent découvert le corps du jeune lieutenant, ils le taillèrent en pièces et le trouèrent de balles, encore et encore. Plusieurs heures après la mort du lieutenant, les Japonais s'acharnaient encore dessus, le déchiquetant petit à petit, à tour de rôle, sous les yeux des membres de sa compagnie.

« Je m'ennuie, disait souvent Constance. Faisons quelque chose. — Allons à la librairie, disais-je, acheter des livres. — Mais tu n'as pas lu ceux que tu as achetés avant-hier, répliquait-elle. Allons au cinéma. Allons m'acheter des chaussures, allons faire un tour en voiture, faisons quelque chose ! — Allons prendre un *gold* et mettons-nous au lit », suggérais-je.

Je ne me souvenais pas d'avoir jamais entendu Molly dire qu'elle s'ennuyait.

On me raconta un nombre infini d'histoires sur les atrocités commises par les Japonais : par exemple, ils avaient pendu un homme par les pouces, l'avaient éventré, avaient versé de l'essence à l'intérieur et y avaient mis le feu. Nos hommes avaient répondu du tac au tac ; ils avaient pris quarante-neuf prisonniers japonais, les avaient attachés tous ensemble en une masse compacte, puis les avaient inondés de kérosène et les avaient tous brûlés. On disposait d'essence à ne plus savoir qu'en faire. Quand ils ramenaient des prisonniers japonais en C-47 pour les interroger, ils laissaient ouverte la porte de la soute, sur le côté de l'avion, et quand l'interrogatoire d'un homme arrivait à son terme, celui-ci était poussé hors de l'avion avant de parvenir à destination. Aucun des deux camps ne gardait de prisonniers.

Je me mis à penser à la pièce que j'étais censé monter, *Dunnigan's Daughter*. Comment aurais-je pu rendre importants les problèmes d'une riche bourgeoise ? Je veux dire, pour moi.

« Si nous laissions debout une seule de leurs chiottes en paille quand nous arriverons à Tōkyō, me dit un officier qui avait perdu une jambe, nos enfants et nos petits-enfants devraient nous fusiller. » Aujourd'hui, cet homme regarde probablement un match de football sur un Sony et conduit une Toyota. Nous passâmes trois semaines à Hollandia. Cet endroit était devenu une aire de repos et de loisirs, mais les loisirs dont les gars étaient friands, nous ne pouvions pas les leur offrir. De temps à autre, nous passions machinalement en revue les préparatifs de notre mission, préparions des rapports et des feuilles de suggestions, etc., etc. Mais je ne m'intéressais guère aux plans que je défendais avec une vigueur feinte et, pour tout dire, j'avais baissé les bras en secret. Je n'étais là que pour deux raisons : voir quelque chose de cette énorme machine de guerre avant la fin des opérations, et échapper à une situation personnelle que je ne pouvais pas maîtriser. Désormais j'avais du temps devant moi et mes tensions commençaient à s'apaiser. Je prenais des notes sur tout ce que je voyais et j'emmagasinais des souvenirs. Je fis une longue marche à travers la jungle guinéenne en compagnie d'un soldat dont c'était le tour de repartir pour les États-Unis. J'attrapai la « pourriture de la jungle », qui fit peler mes aisselles. Certains morceaux de peau morte avaient la taille d'une pièce de 25 *cents*. Je pris des notes sur ce phénomène. Plus tard, j'exhiberais mes cicatrices en guise de souvenirs.

Puis arriva pour nous le moment d'aller voir le combat de plus près. Nous reçûmes l'ordre de nous rendre à Tacloban, sur l'île de Leyte, qui avait servi de relais avant l'assaut contre l'île principale, Luçon, et sa capitale, Manille. Notre C-47, cependant, n'atterrit pas à Tacloban mais sur une toute petite île en chemin : Biak. Pendant la descente, j'avais pu prendre la mesure de la gravité des combats qui avaient eu lieu sur Biak. Du côté de la piste d'atterrissage qui donnait sur l'océan, des épaves d'avions décomposés étaient léchées par les vagues. Apparemment, certains s'étaient écrasés ou retournés en se posant, et comme depuis plusieurs jours ces avions arrivaient au rythme d'un toutes les cinq minutes, la seule mesure efficace consistait à repousser les épaves jusqu'à la mer, à l'aide d'un *bulldozer*. Notre pilote, au vu du carnage, eut ce commentaire laconique : « Il y a des pilotes casse-cou et il y a de vieux pilotes, mais il n'existe pas de vieux pilotes casse-cou. » Il posa l'appareil en douceur, car la piste était courte et nous l'abordions depuis le flanc d'une colline. Il pleuvait quand nous descendîmes de l'avion et une odeur de poisson pourrissant nous prit à la gorge. Elle provenait d'un lagon en bout de piste. Biak, essentielle à la progression d'île en île du général MacArthur, avait été prise d'assaut par les marines ; le bilan avait été lourd. Les mots d'un autre général me revinrent en mémoire. Il avait déclaré qu'il ne pourrait plus jamais voir un marine sans éprouver un profond respect pour lui.

Un artilleur évoqua le sort des prisonniers japonais. « Quand ils sont pris, expliqua-t-il, il faut les protéger de nos hommes, qui les tueraient sans se poser de questions ; en une seconde. » Cependant, une fois que le Japonais était mis en confiance, il se pouvait aussi bien qu'il veuille se venger de ses officiers tout autant que nos hommes. En effet, les « huiles » japonaises avaient pour habitude de gifler et d'humilier leurs subalternes. L'un des prisonniers avait indiqué, au bénéfice de notre artillerie, l'endroit où se trouvait le poste de commande de son officier ; puis il avait dirigé le feu, sans cesser de baragouiner, et en sautant de joie chaque fois qu'une des pièces d'artillerie qu'il avait guidée touchait sa cible. « Que lui est-il arrivé à la fin ? demandai-je. — Oh, quelqu'un l'a descendu », répondit le soldat.

Cette nuit-là, une surprise m'attendait : ils passaient — vous n'allez pas le croire — *le Lys de Brooklyn*. Un flanc de coteau couvert d'herbes folles servait de cinéma ; les soldats étaient assis par terre, les officiers et leurs infirmières préférées sur une plate-forme juste au-dessus du sol. L'écran, où étaient projetées les images des rues de New York et du logement que Jimmy Dunn partageait avec sa famille, était encadré par des palmiers qui portaient les cicatrices des bombardements qui avaient préludé à l'invasion. La pluie ne cessa de tomber pendant toute la durée du film mais j'eus l'impression que la plupart de ceux qui n'étaient pas de service ce soir-là avaient fait le déplacement. Au-dessus de nos têtes, le ciel était bas. Un avion n'arrivait pas et quatre puissants projecteurs étaient pointés vers le ciel : des balises. Des P-61, chasseurs de nuit qu'on appelait aussi « Veuves Noires », tournoyaient, patrouillant sans relâche. La dernière alerte avait eu lieu trois semaines auparavant, mais nous restions constamment sur nos gardes. La route principale menant à la piste d'atterrissage longeait le cinéma. Le matériel lourd n'arrêtait pas de défiler : amphibies, chenilles, « six-six », toute une procession constellée de jeeps. Le bruit créé par ce mouvement accompagna tout le spectacle. Tout comme la pluie.

Avec ce tapage, il était difficile de s'intéresser au film. Mais quand une des bobines cassa, un énorme brouhaha s'éleva de la foule, et les scènes finales déclenchèrent les rires. Ils aimaient nos personnages. J'entendis une infirmière dire que si elle avait été chez elle, elle aurait utilisé quatre mouchoirs. Mais j'avais regardé le film avec une certaine crispation. Je ne pouvais m'empêcher de penser au contraste entre l'intensité et le coût formidables de tout ce qui se passait autour de moi, et le conte de fées sentimental que j'avais réalisé — ce fut du moins ma réaction à ce moment-là. Je quittai les lieux aussitôt que possible, regagnai mon lit de camp et ouvris la boîte de sardines que j'avais apportée avec moi. Je ne dis à personne que le film était le mien. Le matin suivant, il circula une rumeur selon laquelle une poignée des Japonais encore sur l'île s'étaient tapis au sommet de la colline pour voir le film. Personne ne les avait dérangés.

Nous restâmes encore deux jours à Biak, puis le temps s'améliora et nous partîmes pour Leyte. J'avais entendu dire, ce matin-là, que l'armée américaine tenait un bordel juste en dehors de Tacloban, et nous allâmes y jeter un coup d'œil. L'endroit était géré par la police militaire, et les gars qui voulaient consommer devaient faire la queue, comme pour la gamelle. C'était une longue file, qui conduisait à six petites cabanes. Le tarif s'élevait à dix *pesos,* environ cinq dollars américains ; selon moi, l'armée devait en dégager un profit. Je ne savais pas qui étaient ces filles, je n'avais pu en voir aucune, mais à ce prix-là elles n'avaient pas dû être importées de bien loin. Les gars, à peine sortis de l'émoustillant *Des filles à la parade*, défilaient les uns après les autres, le séjour à l'intérieur ne dépassant pas quatre à cinq minutes. A leur sortie des cabanes, on les dirigeait tout droit vers une antenne prophylactique de l'armée, installée tout près. Plus bas sur la route, il y avait un trou, éclairé par les phares de deux vieux camions. A l'intérieur du trou, des coqs s'étripaient pour le plus grand plaisir des indigènes. Certains de nos hommes participaient aux réjouissances et les paris allaient bon train. Quelques jours plus tard, on m'offrirait des distractions autrement plus raffinées.

Je reçus une invitation à traverser le bras de mer pour aller voir les installations de la marine dans la baie de Subic. « Ils ont du whisky là-bas », me promit-on. Et ils en avaient effectivement et tous les « accompagnements » — je veux dire de la glace — dont on pouvait rêver. Les huiles de la marine vivaient sur un pied plus élevé que celles de l'armée de terre. Leurs officiers avaient mis au point un trafic avec l'Australie, où ils se rendaient par B-25 très rapides ou par vedettes lance-torpilles. Ils rapportaient du whisky, des légumes verts et de la viande. « Je parle de vrais steaks », nous avait dit notre hôte sur l'île. Au contact du whisky, les langues se déliaient. Ce jour-là, la conversation tournait autour de la sauvagerie de nos alliés philippins. A l'admiration se mêlait du mépris.

« Quand nous avons brisé les reins de la flotte japonaise au large de Leyte, vers le sud, racontait l'un d'eux, des milliers de marins japonais se sont retrouvés au jus et se sont mis à nager vers le rivage. Une unité de l'armée américaine a reçu l'ordre d'y aller et de ramasser quelques prisonniers pour que notre gégène les interroge. Quand ils sont arrivés à l'endroit de l'île vers lequel les Japonais nageaient, ils ont vu que la mer grouillait de petits bateaux philippins — des canots, des pirogues, des trucs comme ça. Les Philippins ne tuaient pas les Japs. Ils avaient des machettes et tranchaient un bras, puis l'autre, et laissaient les bridés, encore vivants, aux requins. »

Quand ce fut le moment de partir, un des officiers, qui m'avait regardé sans mot dire, nous fit part — avec un sourire moqueur — de son opinion selon laquelle la prochaine guerre opposerait New York au reste du pays. A l'évidence, il avait dû croire que j'étais juif.

C'est en revenant vers la vedette que j'entendis l'annonce de la mort de Roosevelt. Il avait été mon héros pendant toute la Dépression et l'était resté ensuite. Il le demeure aujourd'hui encore, au moment où j'écris ces lignes. Quand j'appris, le lendemain, qu'une cérémonie allait être organisée en sa mémoire à Manille, je voulus gagner cette ville immédiatement. Un changement de programme serait nécessaire qui, au rythme de l'armée, prendrait plus de temps pour être mis au point que je ne désirais attendre. J'enfreignis donc et le règlement et l'étiquette : en bluffant, je pus monter à bord d'un avion de commandement de l'armée de terre. Ce fut plus facile que je ne l'aurais imaginé.

Vue du ciel, la capitale Manille offrait un spectacle épouvantable. Les hangars des aéroports étaient détruits et les pistes, à l'exception de la principale d'entre elles, qui avait été immédiatement réparée, étaient criblées de cratères consécutifs aux bombardements. Notre avion dut louvoyer entre eux pour rejoindre son point de stationnement. La ville elle-même, à ce qu'on disait, avait été autant dévastée que les endroits les plus touchés d'Europe. Je ne vis aucun bâtiment entier, tous avaient été éventrés par les bombes ou calcinés par les incendies allumés par l'ennemi à son départ. Notre artillerie avait transformé les murs de pierre en tas de gravats. L'ennemi s'était retrouvé sans même un trou pour se cacher. Mais les Japonais se montraient des combattants obstinés et nos hommes avaient dû fouiller la ville de fond en comble pour les déloger. Des quarante-cinq membres d'un groupe envoyé dans la ville, dix-sept s'en sortirent. Combien notre mission « pour le plaisir » me semblait absurde en regard de ce que je voyais autour de moi ! Mais je n'avais rien d'autre à faire que serrer les dents.

Je me rendis sans attendre au quartier général des Forces armées des États-Unis-Extrême-Orient et demandai à voir un certain colonel Metcalf. J'avais fini par me rendre compte que l'armée était le théâtre d'une foule de jalousies mesquines et de conflits internes. Chacun tirait à hue et à dia en fonction de ses intérêts personnels. J'avais décidé que dans un tel milieu, seule l'audace payait. Je voulais rester à Manille quelques jours, puis aller vers les collines du Nord et me rapprocher du combat.

Dans la lettre que je soumis au colonel Metcalf, je me plaignais de l'indifférence manifestée à notre égard par le colonel Disston, en charge du ravitaillement à Tacloban : il avait paru très clair qu'il voulait que nous abandonnions notre mission et rentrions chez nous.

Je faisais encore semblant de porter le plus vif intérêt à notre mission alors que je n'y croyais pas plus que le colonel Disston. Mais j'avais peur d'être renvoyé aux États-Unis si je ne faisais pas pression de la sorte. J'étais désormais partie prenante dans le drame qui se jouait tout autour de moi ; c'est ma conception de la vie qui avait été ébranlée par ce que j'avais vu.

On me cantonna dans un ancien magasin de vêtements en gros, qui ne reposait plus que sur trois murs. Mon lit était placé derrière un comptoir, en bois bien astiqué, c'est le moins qu'on puisse dire. L'endroit était rempli d'hommes ; lits de camp et matelas s'entassaient dans tous les coins. A peine posé mon sac, je sortis dans la rue, une des artères principales, qui était jonchée de papier-monnaie comme autant de feuilles en automne, imprimé par les Japonais en vue de leur occupation des lieux, rédigé en japonais et en anglais. Un petit gamin philippin, me prenant pour ce que j'étais, un touriste, m'attrapa le bras et me dit : « Hé, Joe, hé, Joe, regarde ! Japonais mort, viens, regarde ! » Il désigna une rangée de tramways et je le suivis. Ils avaient servi de barricades et avaient été salement mitraillés. A l'intérieur de l'un d'eux se trouvait un soldat japonais mort. Je le sentis avant de le voir. Il était en décomposition. Ses bras, dont le pourrissement avait ratatiné les chairs, étaient cramponnés à son ventre ; à l'évidence, c'est là qu'il avait dû être touché. Ses lèvres étaient contractées, découvrant les dents, en une sorte de rictus. Quand la sueur avait séché, ses cheveux s'étaient collés pour ressembler à une espèce de feutre. Le petit gosse philippin n'arrêtait pas de hurler à l'adresse du soldat mort : « Fils de pute, Japonais, salaud de Japonais ! » Se dépensait-il à mon intention ? Je lui tendis un de leurs billets, mais il le jeta par terre. Il ne voulait que de l'argent américain. Voilà à quelle vitesse l'histoire se fabrique.

Non loin de là, des soldats en repos, touristes d'un jour, contemplaient un immeuble. A l'intérieur, une pancarte : « Dans cette pièce, sur ce même mur, à ces pointes de fer, des officiers et des soldats américains ont été pendus par les pouces et battus à mort pour que vous puissiez venir à Manille, espèces de fumiers, vous bourrer la gueule ! »

Voilà comment je passai cette journée et la suivante. Puis je reçus un message de Metcalf, me demandant de venir le voir. Il me dit que le ministre de la Guerre, Stimson, et le général Marshall, notre chef d'état-major, avaient ordonné que des cérémonies à la mémoire de Roosevelt soient organisées dans chaque poste et chaque base où la situation le permettait. Il n'y avait guère de monde pour assister au service auquel nous nous rendîmes et il nous fallut patienter un bon bout de temps avant que le général MacArthur ne fasse son apparition. Puis un aboiement militaire retentit et chacun, y compris moi, se leva d'un bond et ouvrit les oreilles. MacArthur entra et nous fit rasseoir d'un geste. Il prit place au premier rang et le service débuta. Il me parut plus petit que je ne m'y attendais ; l'une des raisons pour lesquelles il donnait une impression de grandeur était son port de tête arrogant — appelez-le fier si vous voulez. Ce fut une cérémonie scandaleuse, avec des salamalecs en guise de véritable respect et un baragouin d'une banalité confondante prononcé sur le ton d'une psalmodie, un discours sur la fraternité et l'amour donné en offrande par des hommes qui ne pensaient qu'à tuer. Puis on chanta un cantique, *O Dieu, qui nous a aidés dans le passé,* on prononça une invocation à l'unisson, on récita un psaume sous forme de répons dits alternativement par l'aumônier et les fidèles, on fit une prière et tout le monde reprit en chœur *Mon pays, cela te revient.* Point final. Pas un seul mot de regret authentique ne fut prononcé ; MacArthur resta muet. Trois phrases sincères dites par le premier venu auraient davantage honoré la mémoire de Roosevelt. MacArthur s'en était-il remis à ces formalités stériles pour dissimuler le fait qu'il ne ressentait aucune perte ?

Deux jours plus tard, le colonel Disston arriva et la discussion s'engagea. Apparemment, un conflit opposait deux branches de l'armée de terre, et j'étais pris entre les deux feux, mais en vérité tous deux étaient convaincus que ma mission défiait le réalisme. J'insistai sur le fait que je désirais écrire un rapport détaillé avant mon départ et qu'il me faudrait donc observer quelques unités au combat. Puis je rédigerais mon rapport, retournerais chez moi et le remettrais aux autorités qui m'avaient dépêché sur le théâtre des opérations en Extrême-Orient. Ma mission se conclurait ainsi dans les formes.

Je découvris du même coup combien un rapport paraît menaçant à ceux qui vont y être mentionnés. Metcalf et Disston devaient être satisfaits du compromis que j'avais suggéré car le jour suivant on me présenta le responsable des relations publiques de la 32ᵉ division, qui était engagée dans une opération au nord de la capitale, le long d'une certaine piste de Villa Verde. Peu après je reçus un message radio de l'officier commandant cette division dite Flèche Rouge, un certain général Gill, deux étoiles. Il était adressé à un dénommé Alla Kaxon, mais à part cela, rien d'anormal ; c'était même beaucoup mieux que ce que j'avais espéré. « Je crois savoir qu'il vous intéresserait d'obtenir des renseignements concernant les activités de la 32ᵉ division. Je vous lance une invitation à visiter notre division et à examiner ses états de service, dont nous sommes fiers. Transport et cantonnement ont été organisés à votre intention et je vous prie d'accepter l'assurance... » Et ainsi de suite. Signé, Gill.

Un Piper Cub avait été envoyé pour me transporter dans le Nord. Il me déposa sur une piste si mal balisée que je ne l'aperçus pas avant d'y avoir atterri. Je sortis de l'appareil, suivi par le pilote qui souleva l'avion par la queue et le fit pivoter — il ne pesait pas plus lourd que ça — avant de

repartir pour le Sud sans attendre. Un homme se tenait à côté d'une jeep.
« Le général Gill vous attend, monsieur », me dit-il.

« Non, pas de questions, général Gill, dis-je, quand on m'eut conduit
auprès de lui. Je veux juste suivre le mouvement et voir ce que je vois. » Il
sourit et esquissa un geste imperceptible de la tête et du bras, un geste
élégant de la part d'un homme sobre. Je me sentis tout de suite à l'aise.
Nous marchions le long de la piste — on ne pouvait appeler ça une route :
elle était de la largeur exacte d'une jeep. De chaque côté se trouvaient des
tentes éparpillées au petit bonheur la chance, pas toutes de la même taille
ni de la même forme. Au loin, devant nous, on distinguait, sous un ciel
alourdi par une épaisse couche nuageuse, un alignement de collines vertes
arrondies, sans arbres, qui ondulaient jusqu'à disparaître dans les nuages.
Cette toile de fond engendrait une mélancolie accentuée par la fraîcheur
de l'air. Et la brise gémissait, à l'unisson de cet endroit désolé.

« Où est le front, général ? » demandai-je. Il avait l'air préoccupé,
même quand il s'adressait à moi. Son visage inexpressif s'était habitué au
masque de douleur et de patience qui lui collait à la peau. Ses longues
jambes lui permettaient d'avancer à grands pas, et mes petites pattes
devaient s'activer sans relâche pour rester à sa hauteur. Ma question fit
craquer légèrement son masque figé — comme une ébauche de sourire.
« On ne peut pas appeler ça un front. Ce n'est pas ce genre de guerre. » Il
fit décrire un arc de cercle à son bras déployé : « Il est tout autour de
nous, l'ennemi. Le combat fait rage de tous côtés, parfois même sur nos
arrières. »

Nous passâmes devant une batterie de canons. « Des 105, dit Gill, vous
les entendrez ce soir. Pour ce qui est de ce que vous appelez le front, il se
trouve également sous nos pieds. Les tunnels creusés par l'ennemi. Cet
ennemi, continua-t-il, il nous faut le débusquer, en passant chaque grotte
au peigne fin, ou bien le coincer à l'intérieur en y introduisant de la
dynamite au bout de longs bâtons : nous bouchons ainsi toutes les entrées
et il meurt étouffé. Ces tunnels sont très élaborés ; j'en ai vu un qui
comptait trois étages et des galeries interminables. C'est lorsque nous
arrivons assez près de l'ennemi pour utiliser la dynamite que nous perdons
des hommes. Nous savons que nous le tenons quand il se suicide à la
grenade pour ne pas être pris. Nos gars entendent un cri, puis l'explosion
d'une grenade. Le Jap, vous savez, ne se rend jamais. Ce concept est
absent de leur terminologie militaire. Ils savent que nous ne leur faisons
pas confiance. On en a eu je ne sais combien qui sont sortis les mains en
l'air, puis se sont fait sauter avec tous ceux qui se trouvaient autour au
moment où nous voulions les attraper. » Il redevint silencieux, et son pas
s'allongea ; je devais me hâter pour le suivre.

« Quel est le nombre *véritable* des victimes, général Gill ? » demandai-
je. Mais il ne m'avait pas entendu et je n'insistai pas. Cette question
m'était venue sans y penser et je regrettais de l'avoir posée de nouveau.
Puis il me répondit — il avait bien entendu : « Environ trente par jour. Là,
regardez. »

Nous étions parvenus à hauteur de l'antenne chirurgicale : un monceau
de sacs de sable, voilà à quoi elle ressemblait. Avec à même le sol une

1. *La famille Shishmanoglou.*

2. *Elia-pappou, Evanthia et leurs cinq enfants.*

3. *George et Athena,
lors de leurs fiançailles.*

4. L'auteur.

5. Photo extraite de l'annuaire du collège.

6. A bord du
Kaiser Wilhelm.

7. Molly,
ma première femme.

9. Avec Alan Baxter.

8. Lee Strasberg, Harold Clurman et Cheryl Crawford
à la fleur de l'âge.

10. Molly entre dans la famille.

11. *Le Group Theatre en action.*

12:

THE GROUP THEATRE presents

AWAKE

and SING!

By CLIFFORD ODETS

13. *Clifford Odets.*

14. *Mon premier film :
...ens des Cumberlands.*

15. *Ma première fille : elle s'appelait Judy.*

16. *Les membres du Group, à l'origine.
A droite, Clifford et moi.*

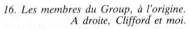

17. *Stella Adler*

18. *En tournée,
je jouais
le premier rôle
— avec
Frances Farmer
(Golden Boy).*

19. *Le Group
au Pinebrook
Country Club.*

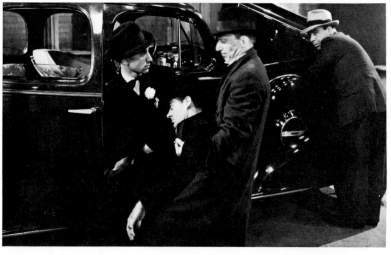

20. *Le rôle me colle
à la peau
(La Ville conquise).*

21. *Les autres sont Art Smith, Luther Adler et Bobby Lewis.*

22. *Le ballot amoureux* (The Gentle People).

23. La Peau de nos dents.

25. Constance Dowling.

24. La célébration
après Jacobowsky.

26. La troupe
de l'Actors Studio
dans Sundown Beach.

27. *Sur le tournage*
du Lys de Brooklyn.

28. *Mon premier film*
à Hollywood
(le Lys de Brooklyn) *:*
j'en bave.

29. Truckline Café,
avant qu'il ne devienne célèbre.

30. « *Sur le terrain* ».

31. A.E. « *Joe* » *Kazan, mon oncle,
sur le tournage de* Boomerang.

32. *Sur le tournage du* Maître de la prairie.

33. La vie dans la famille Kazan.

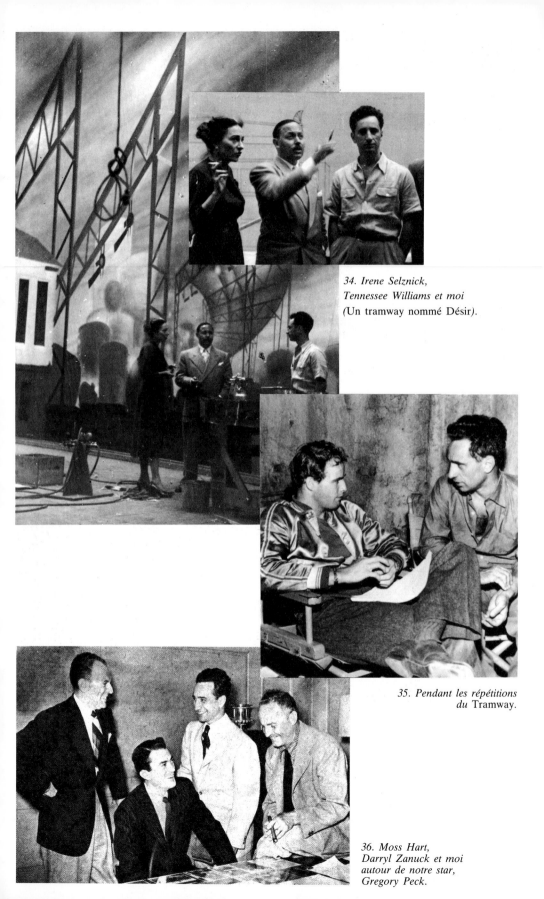

34. *Irene Selznick,*
Tennessee Williams et moi
(Un tramway nommé Désir).

35. *Pendant les répétitions*
du Tramway.

36. *Moss Hart,*
Darryl Zanuck et moi
autour de notre star,
Gregory Peck.

37. Une scène du Tramway.

38. Mort d'un commis voyageur.

*39. Avec Dick Murphy
(Panique dans la rue).*

41. Avec Arthur Miller.

*40. Mon père et moi en train de lire
les critiques.*

*42. Vivien Leigh
et Kim Hunter
sur le tournage
d'Un tramway nommé Désir.*

*43. La fin du tournage d'*Un tramway...

44. Steinbeck.

45. Tournage de Viva Zapata.

46. La jeune Marilyn Monroe.

47. Brando en extérieurs.

rangée de corps cachés sous une couverture ; seuls les pieds dépassaient, les orteils pointés vers le ciel. Certaines des chaussures que portaient les morts avaient l'air presque neuves. Il y a des familles aux États-Unis, me dis-je à cet instant, qui ne le savent pas, mais elles ont perdu un fils.

« Du terrain », lança Gill. Il avait dépassé l'antenne et continuait sa progression. « Ils nous rebattent les oreilles avec ça, c'est tout ce qui les intéresse. Mais ce terrain, vous le voyez bien, ne fait que monter et descendre, et nos percées n'apparaissent pas sur leurs cartes, où elles ont l'air insignifiantes. » Puis il me montra quelque chose du doigt. « Là-bas ! » Je décelai une pointe de fierté dans sa voix. Il me signalait un bulldozer à chenilles. « J'ai quand même fini par obtenir une chenille blindée, s'exclama-t-il. Ils m'avaient descendu deux soldats et j'ai dû faire un barouf de tous les diables, mais ils ont fini par me l'avoir. De temps en temps, voyez-vous, ils tirent sur ce gamin, ou ils lui balancent une grenade — il fait une belle cible perché là-haut. Mais il est toujours là, à défricher ma route. » Je lui demandai où se trouvaient les Japonais et Gill me répondit : « Là-bas devant, à cent mètres peut-être. Mais, comme je vous l'ai dit, ce n'est pas une ligne fixe. Parfois, ce gamin — il pointa son doigt en direction de la chenille — pénètre plus loin que notre poste d'observation le plus avancé. »

Le conducteur de la chenille, qui avait ménagé un accotement en bordure de la route, aperçut le général, fit demi-tour, stoppa son engin et descendit de notre côté, avant de s'accroupir derrière sa chenille. Gill le rejoignit, s'assit lui aussi sur ses talons et je fis de même, bien que cette position ne soit pas naturelle pour un citadin. Gill redevenait un gosse quand il parlait au conducteur ; son autorité ayant cédé la place à l'affection et à l'admiration, il avait l'air d'un fan devant un champion de football. « C'est calme ce matin », dit le conducteur. Puis ils discutèrent de la route qui restait à percer. Comme le succès de la campagne de Gill dépendait entièrement de l'ouverture et du maintien en l'état de cette voie de ravitaillement, il était reconnaissant envers le « gamin » au volant de la chenille pour sa bravoure ; il le vénérait comme un héros.

Je me mis à songer à la profusion des ressources en équipement fournies par l'industrie américaine : les avions qui atterrissaient, un toutes les cinq minutes, et redécollaient aussitôt ; la flotte des bâtiments que j'avais vus, coque contre coque, dans le port de la baie de Subic, où j'avais visité les installations de la marine et dégusté son scotch et ses steaks ; les « P.T. » et les gigantesques navires ravitailleurs ou pétroliers. Je gardais le souvenir de Hollandia et des camions qui effectuaient des livraisons jour et nuit, toujours conduits par des Noirs, ainsi que des commodités de banlieusards dont bénéficiaient les officiers du quartier général de MacArthur, perchés sur leur colline. Je me rappelai MacArthur, sa façon de garder la tête bien droite, et son état-major phénoménal : des hommes qui avaient droit de vie ou de mort sur des milliers d'autres hommes. Je repensai au terrain d'aviation en Californie où le mouvement d'hommes et de matériel était si considérable que nous avions dû attendre une semaine pour trouver une place en direction de l'ouest, même après avoir été en état d'alerte. Me revenaient également en mémoire ces hommes, à Washington, dont j'avais observé les réactions quand j'avais monté ce spectacle stupide sur le rationnement : « ces salauds de planqués », comme on les appelait parfois, et je me comptais parmi eux — ces généraux sur fauteuil pivotant, ces commandos sur coussin d'air, Abe Lastfogel qui avait resquillé pour m'obtenir ce voyage, et notre auteur de comédies, qui trouvait toujours une table à l'El Morocco. Tout cet effort historique, l'Amérique au combat, aboutissait ici avec ce gosse, seul dans sa chenille, qui frayait une route étroite sous le feu de tireurs isolés ; c'était lui le fer de lance ! Il ressort de tout cela une vérité : cette guerre, je parle du combat effectif, sur le terrain, était menée par un tout petit nombre d'hommes. Tous les autres n'étaient que des « troupes de soutien ». Ils ne risquaient pas leur vie, mais mangeaient du blanc de dinde et autres mets délicats volés à l'Intendance ; on appelle ça les réquisitions d'appoint. Ils dormaient dans des draps, riaient aux saillies de Bob Hope, remuaient la queue devant les filles qu'il avait amenées avec lui pour faire rêver les mâles au spectacle de leurs trémoussements, et restaient assis sous la pluie à regarder *le Lys de Brooklyn.*

Nous marchions en silence et je n'osais le regarder dans les yeux. Je me trouvais là sous un faux prétexte, j'étais un imposteur. Lui, qui risquait sa vie à longueur de journée, tenait le coup malgré la mort de ses soldats, chaque jour davantage, sans espoir de rémission, et se battait pour faire exécuter des ordres dont il pensait — du moins je le soupçonne — qu'ils étaient injustes. J'éprouvais le respect le plus profond pour cet homme et la douleur qui l'habitait. Je ne savais plus où me mettre.

Sur le chemin du retour, je lui demandai de me laisser à l'antenne chirurgicale. « Restez à l'intérieur, dit Gill. Nous pensons qu'ils ont un de leurs mortiers braqué dessus. » Je l'assurai que je serais prudent et il poursuivit sa route. C'était un homme grand et décharné, dont les épaules ployaient sous la douleur et les soucis. Apparemment, il s'y effectuait une grosse opération toutes les demi-heures — avec une adresse, une audace, une rapidité miraculeuses. Il n'y avait pas de temps à perdre : plusieurs de ces hommes seraient morts s'il avait fallu les ramener plus loin en jeep. Autour de l'une des tables d'opération, on se servait d'une lampe électrique pour les manipulations délicates. Je fus impressionné par l'un des garçons, à qui l'on avait fait une anesthésie locale. Un médecin soignait son genou, dont il extrayait des morceaux d'os broyés. Sur un lit voisin, un autre homme lisait un journal qui mentionnait les derniers développements de la guerre. Le garçon qui était sur le billard leva la tête et fit remarquer que les nouvelles dataient de deux jours et que les Russes se trouvaient désormais beaucoup plus près de Berlin. Personne ne parut ébranlé par ce commentaire. Le chirurgien, entre-temps, s'était attaqué aux muscles de la jambe et en avait retiré un morceau de métal dentelé. « Voilà un bout de ferraille qui vient de chez nous ou je ne m'y connais pas », dit-il alors. Il jeta le fragment de métal dans une cuvette métallique, et il fit en tombant un bruit que je n'ai pas oublié.

Tout ce que j'avais vu me rendit honteux d'avoir fait une telle salade à cause d'un problème d'ordre « amoureux ». Je ne voulais pas m'en aller de cet endroit, je ne voulais pas retourner à la maison — quelle qu'elle soit, où qu'elle soit.

C'est peut-être le profond lien de parenté que je ressentais vis-à-vis de ces hommes qui me fit rebrousser chemin à la sortie de l'antenne chirurgicale, pour me diriger non vers le quartier général de la division mais vers la chenille. A l'avant, rien de nouveau, tout semblait calme. Au loin, on entendait les avions au travail, le marmitage battait son plein. Ce doivent être les nôtres, calculai-je ; les leurs seraient plus près de nous, leurs cibles. Le bruit de la chenille en action me réconfortait à mesure que je me rapprochais d'elle. Qu'est-ce qui me propulsait ? Gill m'avait ordonné de ne pas y retourner et je respectais ses ordres mais pourtant j'avançais encore. Poussé par quoi ? Arrivé à hauteur de la chenille, je fis un signe de la main en indiquant la route devant moi et le conducteur me répondit en m'informant, du moins c'est ce que je choisis de croire, que la voie était libre. J'avançai lentement, dans un sentier désormais envahi par les herbes. Était-ce une manifestation de ce lien que je ressentais ? Ou en avais-je tout bonnement assez de moi-même, au point que je ne me souciais pas de ce qui pourrait bien m'arriver ? Voulais-je partager la souffrance des blessés entassés dans l'antenne chirurgicale ? La route, une fois dépassée la chenille, se réduisait à une piste ; et encore, recouverte de broussailles. La peur me saisit mais je ne m'arrêtai pas. La brise humide rafraîchissait mon visage mais le calme de l'endroit, après que j'eus laissé la chenille derrière moi, me donnait le frisson. Le seul bruit qui me parvenait était celui des avions au loin, de l'autre côté de la vallée. Et de nouveau ce souhait : ne pas quitter cet endroit. Depuis, je me suis rarement senti si proche de quelque chose ou de quelqu'un. Était-ce cela, cette connivence, qui me faisait avancer ? Ou bien l'effondrement dont on m'avait averti ? Voulais-je en finir avec la vie en ce lieu, en compagnie de ces gens que j'admirais sans réserve ?

En marchant, mon pied buta sur quelque chose de mou — et dur en même temps. Mon gros orteil ne pouvait l'identifier. Je m'arrêtai pour voir ce que c'était. Une tête de Japonais. L'homme était à moitié chauve et le sommet de son crâne ressemblait à l'une des vieilles perruques de Luther Adler, du temps où il jouait au Yiddish Theatre. Ce type devait pourrir depuis un moment, car il dégageait une odeur forte. Je repris ma progression. Leurs morts ne te font rien, pensai-je, alors que les nôtres te rendent malade. Je désapprouvai ma réaction ; c'était pourtant bel et bien la mienne. Puis j'aperçus un groupe d'hommes, des nôtres, à l'intérieur d'un cratère qui avait été formé par un gros obus. Ils se tenaient en contrebas de la route, ce qui explique pourquoi je ne les avais pas vus plus tôt.

« Il y a un Jap mort là-bas derrière, dis-je.

— Il y en a partout ici, répondit l'un d'entre eux. Vous ne les sentez donc pas ?

— Feriez mieux de vous baisser », lança un autre homme précipitamment.

Je sautai dans le cratère.

« Qu'est-ce qui vous dit que ce ne sont pas les nôtres ? » repris-je.

Alors ces hommes, si jeunes, si endurcis, parlèrent d'odeurs. Ils me dirent que « la leur » (l'odeur des Japonais morts) était différente de la nôtre, que les corps en décomposition ne sentent pas aussi mauvais que le sang putride en train de se désagréger, que certaines zones, tout autour de nous, étaient saturées de telles odeurs ; ne m'en étais-je pas aperçu ? L'un d'entre eux se vanta de pouvoir repérer un Japonais vivant à l'odeur, ce qui lui permettait de savoir quand ils étaient dans les parages la nuit.

Un autre restait silencieux ; il observait quelque chose au loin. Je vis ce que c'était : une démonstration aérienne. Nos 47 bombardaient et mitraillaient la colline qui nous faisait face, le flanc qui inquiétait le général Gill.

« Quelqu'un peut-il apercevoir leur cible ? » demandai-je.

« Ils sont en train de descendre mes titres d'emprunt de guerre, voilà ce qu'ils font », marmonna le garçon qui était demeuré silencieux.

Il y eut un grognement d'approbation général.

Mes « quartiers » étaient constitués d'une tente située à la bordure du campement. Sur les barbelés, juste derrière, on accrochait, à intervalles réguliers, soit deux quarts attachés ensemble, soit deux tiges de métal en fer à cheval ; les uns ou les autres donneraient l'alerte si un bridé essayait de s'introduire de nuit. Lorsque le soir tombait, en effet, la terreur s'emparait des hommes. C'est à ce moment-là que l'armée japonaise accomplissait ses missions spéciales : au couteau ou à la dynamite.

Le clair de lune et la peur m'empêchaient de dormir. Il me semblait que la clarté augmentait, et la brise avait nettement forci : elle faisait remuer le fond de la tente. Je ne le quittais pas des yeux. Puis les 155 donnèrent de la voix et les ondes de choc vinrent heurter mon corps avant de s'éloigner.

Je me sentais très triste et très heureux à la fois. Mon voyage touchait à sa fin, et j'allais rentrer. Mes yeux se portèrent sur les collines dont la lune adoucissait les contours. Je me demande qui est en train de la baiser ce soir, me dis-je. Je fus le premier étonné par ma réponse à cette question : Je m'en fous.

C'était fini. Tout ce que je voulais, c'était survivre à cette nuit, c'était que le général Gill arrive à Santa Fe par la route n° 5 et c'était enfin qu'aucun autre des garçons que j'avais rencontrés ce jour-là ne soit tué.

Quant à cette autre tente... c'était une prison, et j'étais bien content d'en être sorti.

LORSQU'ON M'INTERVIEWE aujourd'hui, on me demande comment l'Actors Studio est né. Voici la réponse. Elle n'est pas simple mais elle est vraie.

A mon retour de la piste de Villa Verde, j'avais décidé de passer quelques jours tranquilles à Manille, pour écrire mon rapport. Je savais que si je retournais directement aux États-Unis, je ne le rédigerais jamais, et il me paraissait important de conclure mon expérience à cet endroit — pas pour faire plaisir au commandement des Services spéciaux, mais pour moi-même. On me cantonna dans un petit baraquement du quartier chinois. Le sol était couvert de boue et comme l'air s'infiltrait de tous les côtés, il n'y avait pas besoin de fenêtres. Pour ma première nuit au sein de la « civilisation », je décidai d'aller voir un film : *This is the Army*, d'Irving Berlin. Après Tacloban et la piste de Villa Verde, après les histoires que j'avais entendues, cette vision séduisante me mit en colère. Elle m'épuisa avec toutes ses attractions, chanson sur chanson, numéro après numéro. Ce film transformait en spectacle un événement tragique et complexe à cause duquel tant de vies avaient été brisées net ou ruinées. Ce patriotisme et ces bons sentiments vides, faciles, étaient typiques du Hollywood et du Broadway que je commençais à rejeter.

De retour dans mon baraquement, j'étais déterminé à trouver un endroit où taper, à emprunter une machine et à me mettre au travail le lendemain. Mais au matin, j'avais la tête en feu et, une heure après, tout mon corps était douloureux ; brûlant. Je me sentais très faible. Je tombai sur mon lit, sous le coup d'une fièvre intense — oui, c'est arrivé aussi vite que ça. Je me retrouvai à quatre pattes, ce qui me soulagea. Je parvins à ramper jusque dans un coin, je me mis à vomir et bientôt j'eus la chiasse tout en continuant à dégueuler. Deux ou trois heures plus tard, je n'étais plus qu'à peine conscient, et seul le fait de me traîner à quatre pattes m'apportait quelque soulagement ; le mouvement et la position aidaient. Cela dura toute la nuit et ne fit qu'empirer, de telle sorte que le lendemain matin je me fichais de savoir si j'allais m'en tirer ou non. J'étais comme un animal mourant sans la volonté de se survivre.

Eh bien, alors, qu'est-ce que tu dis de ça ? me demandais-je sans cesse.

Qu'est-ce que tu dis de ça, alors? Que voulais-je dire? Tout au long de l'année qui venait juste de s'écouler, j'avais été très demandé à Broadway, moi, ce petit génie avec plusieurs succès à l'affiche simultanément et un film qui faisait un triomphe dans tout le pays, mais j'avais aussi éprouvé un sentiment de gêne croissant devant les acclamations que je recevais, car dans certains cas je les trouvais injustifiées et dans d'autres, elles venaient récompenser un travail que je méprisais ou qui ne correspondait pas à mon idée de départ. Souvent j'avais eu envie de repartir de zéro, un souhait que j'éprouverais continuellement tout au long de ma vie — être enterré et renaître de mes cendres, être ramené à mon véritable niveau. J'imagine qu'en dépit de la confusion que la fièvre faisait régner dans mon esprit, cette volonté de mise à plat avait dû me revenir en mémoire car c'était bien ce qui s'était passé, je me retrouvais là où j'avais si souvent souhaité retourner : au bas de l'échelle — et je me demandais : Eh bien, alors, qu'est-ce que tu dis de ça?

Ma fièvre portait le nom de dengue et m'ôta toute envie de continuer à vivre pendant deux jours. En ce sens, je fis l'expérience de la mort. Je « mourus ». Mais le soulagement qui se manifesta deux jours après, une fois la fièvre retombée, ranima mes espoirs et mes désirs. J'en ressortis faible mais l'esprit clair. En rédigeant mon rapport sur cette « mission », je pris certaines décisions à mon sujet.

Tout d'abord, je résolus de prendre ma vie en charge et d'organiser ma vie professionnelle de façon à être en mesure de prendre toutes les décisions d'ordre artistique moi-même ; de faire ce que je voulais et non ce que les autres attendaient de moi. Je n'étais pas comme les autres et je n'allais pas faire comme tout le monde. Cela prendrait du temps, mais je trouverais mon chemin.

Le Group Theatre me manquait, ce qu'il représentait et le style de vie qu'il rendait possible. Je me mis en tête de recréer, d'une façon ou d'une autre, ce type d'activité professionnelle. Je n'avais aucune idée de la manière de procéder — ce problème serait résolu un an plus tard avec Bobby Lewis —, mais mon désir de retrouver la vie théâtrale qui me convenait et ma détermination à faire quelque chose pour y parvenir constituèrent le point de départ de ce qui allait devenir l'Actors Studio.

Je pris également une autre décision pendant ces trois ou quatre jours sombres passés dans le baraquement au sol boueux, tandis que la température de mon corps redescendait et que mes forces revenaient peu à peu : je déterminai où j'allais vivre, comment et avec qui.

J'imagine que, même s'il arrive souvent que les participants ne s'en aperçoivent pas, tout mariage s'interrompt de temps à autre. Parfois, il ne s'en remet pas et s'interrompt pour de bon. S'il continue, c'est souvent juste pour la forme. Mais dans certains cas, il connaît un véritable regain et les partenaires se jurent de nouveau fidélité. En ce sens, on peut parler d'un autre mariage, sur une base nouvelle. Cela est vrai non seulement d'une relation entre un homme et une femme mais aussi de celle qui unit deux amis. De temps en temps, les deux parties doivent effectuer un véritable examen de conscience quant au lien affectif qui les unit, et ce tout particulièrement au sein du mariage, car on épouse non seulement une personne mais aussi un mode de vie ; et, en fait, une culture. Pour être honnête envers soi-même, on doit d'abord se demander : « Est-ce que ce mode de vie, dans lequel je m'apprête à entrer, me convient vraiment ? » Et ensuite seulement prendre la décision de se marier ou non.

Quand je vis que Molly avait sauvé sa propre vie et avait poursuivi sa route, effectuant elle-même sa remise en question et devenant ainsi une personne différente, je ne pus que l'admirer, et mon amour pour elle s'en trouva renforcé. Je fus particulièrement impressionné de constater qu'elle n'avait pas monté nos enfants contre moi — ce qui aurait pourtant été si facile. A mesure que la crise de notre couple s'intensifiait, je l'appréciais davantage ; plus nous nous éloignions l'un de l'autre et plus je la respectais. Mais ce que je chérissais plus que tout, c'est le mode de vie qu'elle apportait avec elle, ses « bagages ».

La géographie entrait également en ligne de compte. Pendant tous les mois passés en Californie, je n'avais cessé de m'ennuyer de l'Est. Pas à cause des maisons de Los Angeles, que je trouvais, rangée après rangée, abominables ; ni parce que je n'aimais pas les arbres qu'on trouve là-bas ou cette verdure qui n'est pas verte ; ni parce que les changements de saison me manquaient, tout comme la promesse d'humidité apportée par l'air rafraîchissant de la côte orientale. Non, c'était le reste de ces fameux bagages : la culture qui allait de pair avec la Californie, cette culture des agents et des restaurants, Chasen's et Romanoff's ; ainsi que l'atmosphère de la cantine réservée aux directeurs des studios, les bains de vapeur à la Fox, et tout ce qui allait avec : la page des potins dans les journaux minables et le *Hollywood Reporter*, par exemple. Je résolus de retourner à New York et de m'y installer définitivement.

Je pense que mon rapport n'avait guère plus de valeur que la mission qui m'avait conduit en cet endroit. Mais les décisions que j'avais prises durant ces derniers jours passés aux Philippines déterminèrent le restant de ma vie. Même si elles n'étaient pas entièrement conscientes, elles s'imposèrent — ah, ça oui ! Peut-être qu'il m'avait fallu en passer par ces deux jours où j'avais été « mort », me traînant à quatre pattes, le nez dans la fange, tel un animal qui se vidait par tous les orifices jusqu'à ce qu'il ne reste plus rien de mon corps, ces deux jours passés à vivre sans volonté, sans impulsion, sans désir aucun — peut-être avais-je besoin d'en sortir, pour renaître un homme différent, avec la détermination de me façonner enfin la vie que j'entendais mener.

Durant ces derniers jours, je reçus deux lettres. L'une d'Abe Lastfogel, m'informant que Zanuck n'avait pu attendre plus longtemps pour commencer *Anna et le roi de Siam*. « Ne vous inquiétez pas, disait Abe, vous aurez le choix à votre retour. Zanuck m'a dit qu'il vous considérait comme la plus grande découverte des dix dernières années. » J'aurais voulu faire l'autruche devant ce compliment : ce n'est pas ce que je pensais de moi. Quant au : « Ne vous inquiétez pas », je ne m'inquiétais certes pas à ce moment-là, en tout cas pas à ce sujet.

L'autre lettre venait de Molly, une lettre pleine d'amour m'informant que j'allais être père de nouveau. J'étais si heureux que j'en pleurai. C'était ce que j'avais le plus envie d'entendre.

Une pièce m'attendait à mon retour. Molly avait lu *Deep are the Roots* et me pressa d'en faire autant. Nos blessures commençaient à cicatriser. Je lui avais rendu l'alliance qu'elle m'avait renvoyée sur un coup de colère quatre ans auparavant et elle l'avait acceptée. Elle allait me donner un troisième enfant, que nous appellerions Nick. J'éprouvais une immense gratitude à son égard — comme tout Grec qui se respecte — et j'étais prêt à accepter tout ce qu'elle voulait. La pièce traitait de la condition scandaleuse des Noirs dans le sud des États-Unis, thème qui emportait ma sympathie, bien sûr. Les auteurs étaient des intellectuels de gauche comme moi. Toutes les conditions d'une harmonie parfaite étaient réunies. Je ne fus pas déçu.

Un soldat noir de retour après la guerre est accusé d'avoir volé une montre qu'un vieux planteur du Sud avait reçue en héritage. Le jeune soldat est pris dans un engrenage — la montre est glissée dans ses vêtements, pression est faite sur un témoin pour qu'elle ne révèle pas ce qu'elle sait — qui paraîtrait aujourd'hui mécanique et artificiel, de l'avis des auteurs eux-mêmes. Le vieux planteur était — comme l'un des auteurs devait l'admettre plus tard — un scélérat dessiné à gros traits.

Après que la pièce eut remporté un vif succès, on demanda à l'un des auteurs, Arnaud d'Usseau, d'écrire un papier sur moi. Je le cite car il donne une bonne idée de l'esprit de l'époque et parce qu'il recèle une ironie imprévue. « James Gow et moi-même, écrivit-il, pensons qu'une pièce doit reposer sur une thèse ; Kazan applique le même principe à ses mises en scène. Notre Théâtre a connu beaucoup de metteurs en scène brillants ; nombre d'entre eux ont fait davantage sensation que Kazan. Mais ces hommes manquaient de force morale, de principes éthiques. Leur éclat, passé quelque temps, a fini par ternir car ils ne se sentaient pas responsables vis-à-vis de leur art. Il n'en va pas de même avec Kazan ; bien au contraire. Il possède un sérieux inébranlable qui me convainc que toutes ses réalisations à ce jour ne représentent qu'un commencement. »

Ce texte a été écrit en 1946. Je ne peux m'empêcher de me demander ce que mon ami d'Usseau a pensé six ans plus tard, quand j'ai témoigné d'une façon coopérative devant la Commission des activités antiaméricaines. Vous pouvez imaginer pourquoi la position que j'ai prise à ce moment-là a constitué un choc pour tant de gens. Ce que d'Usseau disait était vrai. Je travaille effectivement à partir de thèses, mais je ne crois plus qu'une pièce ou un film doivent systématiquement adopter une position par rapport aux conflits sociaux. En ces jours d'harmonie, cependant, nous pensions tous de la même façon — ou du moins nous en donnions l'impression. Nous nous rassemblions sur une position politique, tel un vol d'oiseaux migrateurs faisant escale sur un grand rocher au bord de la mer. Pour reprendre une expression en vogue à cette époque, nous étions « corrects ». En fait, nous nous battions pour savoir qui pouvait être *le plus* correct. Je crois que pendant un temps ce fut moi. Avec le succès de cette pièce, je devins « l'espoir du théâtre progressiste ». Un critique écrivit : « Il n'existe personne dans le théâtre ou le cinéma d'aujourd'hui qui puisse soulever plus d'indignation au spectacle de la misère humaine, de la pauvreté et de leurs corollaires qu'Elia Kazan. » Oui, peut-être. Merci pour le compliment.

Mais au fond de mon cœur, je n'étais pas si bon garçon. « Correct », ce mot du vocabulaire libéral, me répugnait. Je n'avais besoin de l'approbation de personne en ce qui concernait ma position politique en tant qu'artiste. Voilà pourquoi j'avais quitté le Parti communiste onze ans auparavant. En lisant le discours prononcé par Churchill à Fulton en 1946 — un « rideau de fer »! —, je m'étais demandé s'il n'avait pas raison, s'il n'était pas, en fait, en avance sur son temps. Les libéraux le traitaient de va-t'en guerre. Mais quand la Lituanie et la Lettonie ont été englouties et ont disparu, aucun de mes amis de gauche n'a protesté. J'étais enthousiaste au sujet de la doctrine de Truman : je ne voulais pas, en effet, qu'il arrive la même chose à la Grèce. Mes amis ne s'en rendaient pas compte mais nous dérivions dans des directions différentes.

Deep are the Roots participait d'un courant de pièces bâties sur le thème du faux coupable. Cette mode avait été lancée dix ans avant par *l'Heure enfantine* de Lillian Hellman, dans laquelle deux femmes qui dirigent une école de filles sont accusées à tort d'être lesbiennes. Lillian, plus coriace que Gow ou d'Usseau, aiguillait sa pièce vers le drame réaliste. Dans le troisième acte, l'une des deux femmes admet qu'elle ressent effectivement une attirance de caractère lesbien envers l'autre. Grâce à ce revirement, la pièce prenait une autre dimension : et si c'était vrai, que se passerait-il alors ?

Et si, dans *Deep are the Roots*, le soldat noir de retour d'une armée qui, comme je l'avais vu, lui refusait le droit de porter une arme et poussait l'humiliation jusqu'à le confiner dans des besognes telles que conduire des camions, creuser des tranchées, nettoyer des latrines et éplucher des pommes de terre, si ce soldat revenait furieux au lieu d'agir en bel et bon garçon noir, patient et bien élevé, qui voue un amour absolument pur à une jeune fille blanche tout aussi pure ? Et s'il l'avait emmenée au lit ou sous un arbre — apparemment, elle n'aurait pas dit non, de la façon dont j'avais dirigé la délectable Barbara Bel Geddes — au lieu de se contenter de la regarder avec des yeux de merlan frit ? Le véritable drame ne fait surface que si l'accusation est justifiée. Des amis noirs me l'ont dit sans ambages : « Nous avons le droit d'être des fils de pute nous aussi. » Tel quel, tout ce qui restait à faire pour les auteurs, c'était de déjouer le complot en prouvant que l'accusation était fausse.

Lorsqu'on traite un problème de société de cette façon-là, le public n'éprouve aucun doute quant à ce que les auteurs veulent qu'il ressente. Il a l'assurance dès le début qu'il se trouve du bon côté : celui du faux coupable. On n'a jamais insinué le doute en lui. Ceci, bien sûr, ne le prépare pas à affronter l'existence telle qu'elle est. Souvent, il trahit aussi un certain masochisme — du moins c'est ce qu'il m'a semblé — quand il se délecte de la culpabilité éprouvée par l'homme blanc issu des classes moyennes à l'égard de l'homme noir. On lui a dit quelle position prendre et quoi penser, et on lui a garanti une traversée sans encombre jusqu'au baisser de rideau. Nous nous trouvons là au sommet de la vague confor-

miste. Voilà un mot que les libéraux disent détester, et c'est bien le cas —
sauf quand il s'agit de leur propre conformisme.

Une telle pièce ne nous apprend rien sur la vie ; c'est de la bouillie pour
les chats libéraux.

Quelques années plus tard, lorsque les Noirs se sont soulevés, envahissant les rues voisines des quartiers de l'Upper East Side où vivaient
beaucoup de riches libéraux, quand ils ont décidé de ne plus suivre Martin
Luther King mais plutôt Malcolm X et se sont mis à réclamer une part
égale du gâteau, quand, enfin, il est apparu que les gens qu'ils détestaient
le plus étaient précisément les libéraux des classes moyennes — spécialement les juifs —, où étions-nous ? Où étais-je ? Cachés. Nous ne fréquen-
tions pas les rues la nuit, nous demandions à nos concierges de veiller à ce
que les portes de nos immeubles soient bien verrouillées, nous nous
félicitions de l'entrée en service de nouveaux gardes ainsi que des nouvelles serrures et alarmes que nous avions installées en toute hâte. « J'ai
un rêve » avait cédé la place à « la prochaine fois, le feu ». De quelle
manière *Deep are the Roots* avait-il préparé son public pour ce jour-là ?

Le plus courageux de nous tous pendant cette période a été Budd
Schulberg. Il est allé à Watts alors que les immeubles brûlaient encore et
que les magasins étaient pris d'assaut. Il s'est intégré aux Noirs, jour après
jour, et a démarré un cours pour leurs jeunes écrivains. Quelques années
plus tard, son groupe a sorti un livre, *Depuis les cendres : la voix de Watts*.
Le dévouement de Budd a été héroïque ; il a aussi été correct.

Après le succès de *Deep are the Roots*, Kermit Bloomgarden suggéra
que nous nous associions, lui et moi. Je réfléchis longuement à sa proposition ; c'était un producteur capable et un très bon ami. Mais en dépit de
tout cela, je n'étais jamais transporté de joie à l'idée de dîner avec lui.
Était-ce une raison ? Eh bien, oui. Je savais autour de quoi tournerait la
conversation ; je la connaissais déjà par cœur. Lui, Gow et d'Usseau
étaient tous trois des types charmants, mais une malédiction frappait notre
amitié : nous étions d'accord sur tout. La perspective de m'installer dans
cette situation ne m'attirait guère. De plus, beaucoup de mes points de
vue évoluaient. Il avait coulé de l'eau sous le pont.

Le seul homme de théâtre capable de me surprendre par ce qu'il disait,
c'était Harold Clurman. Il m'avait contacté lui aussi, et suggéré que nous
devenions partenaires. Sa proposition me tentait. Je cherchais un homme
plus malin que moi. Il me fallait quelqu'un de plus doué. Et qui me défie.
Je voulais fréquenter quelqu'un de plus cultivé que moi. Harold possédait
une intelligence plus subtile. Sa pétulance en faisait un compagnon
agréable. Il avait un petit côté démoniaque qui le rendait réceptif à
l'ambivalence humaine.

Je discutai de la suggestion de Harold avec Molly. Son sang ne fit qu'un
tour. Je persistai : j'ai beaucoup appris grâce à Harold et j'en apprendrais
encore. « Il était toujours intéressant, dis-je, toujours stimulant. » (Son
sang avait maintenant atteint le stade de l'ébullition.) Bon, d'accord,
admis-je, il avait ses défauts — son égoïsme, sa vanité d'intellectuel, son

arrogance très boulevard Saint-Germain-des-Prés, c'est sûr, et aussi son incurable apathie —, mais il arrivait à transformer ces défauts en vertus. « Il pense que je devrais être plus paresseux », dis-je à Molly. Cela resta en travers du gosier de mon épouse puritaine en diable.

Selon un raisonnement qui n'appartient qu'aux épouses, Molly accusait Harold de mes infidélités. Elle ne le mentionna pas dans notre discussion mais cela explique sans doute pourquoi elle se montra si opposée à l'idée que je m'associe avec lui. Ce qu'elle ne se gêna pas pour dire, en revanche, c'est qu'elle entretenait des doutes quant aux fameuses capacités intellectuelles de Harold ; elles avaient été corrompues par son abnégation envers celle qui était désormais sa femme : Stella. Il avait laissé Stella faire de lui un menteur, dit Molly ; ne m'en étais-je pas encore aperçu ? Avais-je oublié l'épisode *Casey Jones* ? Ne me rappelais-je donc pas combien il m'avait humilié ?

Oh ! que si, je m'en souvenais ! Je laissai tomber le sujet. J'aurais le temps d'y réfléchir : j'avais signé pour une autre pièce.

Sam Behrman, l'auteur de *Dunnigan's Daughter*, était un homme attachant, plein de souffrances et de désirs inassouvis, frémissant de toute une panoplie d'incertitudes, et insuffisamment armé pour affronter les crises. Il appartenait à la Compagnie des auteurs dramatiques, placée sous la domination de Robert Sherwood. Son agent, Harold Freedman, exerçait également sa domination sur lui.

Nous avions travaillé ensemble sur *Dunnigan's Daughter*, pour approfondir sa portée sociale. Le rôle masculin principal était celui d'un homme d'affaires américain qui possédait ses épouses sans même les apprécier ni les aider à concrétiser leurs possibilités. L'intrigue constituait en fait une métaphore de l'attitude de nos industriels à l'étranger. Nous étions partis à la conquête d'un monde, disait Sam, que nous ne comprenions ni n'étions à même d'apprécier.

La pièce fit un four absolu quand nous partîmes en tournée pour la roder. Nous reçûmes cependant une critique « délirante » : « La nouvelle pièce de Mr. Behrman est belle et bonne, une œuvre personnelle empreinte d'une grande noblesse de propos, courageuse, honnête, convaincante, forte et optimiste. Ce n'est pas, cependant, une œuvre plaisante ; au contraire, elle vous laisse sur une impression d'inconfort. Si vous voulez rire souvent et fort, vous feriez mieux de passer votre chemin. Mais si vous vous sentez d'humeur à écouter avec attention, vous vivrez une soirée riche et exaltante. » Ce commentaire généreux tua la pièce raide à Philadelphie ; personne ne fit la queue aux guichets. Quand la tournée de rodage ne marche pas, dans le milieu du théâtre commercial, les forces du professionnalisme s'engouffrent dans la brèche. Une pièce qui n'intéresse qu'un public limité n'est pas acceptable. Une pièce sérieuse doit « monter au créneau » encore plus que les autres ; elle doit plaire à tout le monde d'une manière ou d'une autre. Nous avions besoin de temps et de patience pour résoudre nos problèmes par nous-mêmes, mais les vieux pros firent leur entrée en scène et prirent les choses en main. A la manière tranquille des riches, ils étaient hystériques.

Et je les laissai faire.

Quand les producteurs ne savent pas quoi faire, au théâtre, ils changent la distribution. On m'enjoignit de trouver « immédiatement » une distribution plus « professionnelle » qui, de surcroît, puisse « manier la comédie ». Sam lui-même me demanda en présence des autres de redistribuer quatre des cinq rôles.

J'eus honte de ce qui s'ensuivit. La nouvelle distribution ne changea rien à l'affaire. Ni le fait de réciter le texte comme s'il s'était agi d'une « comédie enlevée ». Notre thème de l'innocence tyrannisée par le pouvoir s'était volatilisé. La pièce avait perdu son sens. Quand tout fut terminé, chacun pensa que j'étais un type bien, pas embêtant, d'un commerce toujours agréable, et très coopératif. Mais la pièce était morte. Je m'interrogeai : ne devrais-je pas devenir mon propre producteur pour me protéger en tant que metteur en scène ? Ne devrais-je pas réfléchir à nouveau à la proposition de Harold Clurman : nous serions partenaires et donc nos propres patrons ? C'est ce que je fis et ma pièce suivante fut annoncée comme « une production Elia Kazan ». Le message adressé aux commanditaires, aux agents et d'une manière générale à tous ceux qui n'entraient pas dans le processus de création était clair : le pouvoir exécutif était entre mes mains. Certains, dans le monde du théâtre, et particulièrement des producteurs, trouvèrent cette affiche arrogante. Je veux dire deux mots à ce sujet.

Il y a quelques années, à cause d'un désaccord d'ordre personnel, je pris la décision de renoncer à un film que je m'apprêtais à tourner ; l'auteur du livre qui avait inspiré le film, également coproducteur, m'adressa une lettre pour m'informer qu'il cessait toute relation avec moi en arguant du fait qu'il était impossible de s'entendre avec moi car j'étais un « Anatolien arrogant ».

Rien à redire, bien sûr, au terme « Anatolien ». Mais « arrogant » ? Je ne me sentis plus de joie à la vue de cette épithète. « Enfin ! jubilai-je, j'ai réussi ! C'est ce que j'ai toujours voulu être. » Je crois que tout artiste, par la force des choses, est arrogant. On peut ne pas le suivre dans cette voie : le mot a des connotations malheureuses. Mais quel que soit le propos d'un artiste, s'il proclame une vérité, c'est bien : « Je suis important ! »

L'arrogance, quand elle est représentée à la scène ou à l'écran, se manifeste en principe par un comportement tapageur. Il n'en va pas de même dans la vie. Les gens les plus arrogants que je connaisse — et que j'admire autant pour cette qualité que pour leur œuvre — font montre d'un calme olympien. Ils sont sûrs d'eux, ce qui leur confère cette aisance particulière.

Les artistes diffèrent du commun des mortels et leur comportement l'atteste. Je vous ai déjà fait part de mon opinion selon laquelle l'orgueil — l'un des sept péchés capitaux — constitue souvent un aiguillon pour le cinéaste. Passons maintenant en revue les sept péchés capitaux pour un artiste : être agréable, accommodant, équitable, équilibré, obligeant, généreux, démocratique. Vous n'êtes pas d'accord avec mes choix ? Que diriez-vous de ceux-ci : garder la maîtrise de soi, être gentil, sans préjugés, complaisant, timide, loyal, effacé ? Et pour faire bonne mesure : coopératif. Ils sont tous mortels, pour l'artiste. Ils reviennent à ce que suggèrent des expressions telles que « sympa », « chou », « plaisant », « adorable », « c'est un ange ». L'artiste n'est, ne devrait être, n'a jamais été rien de tout cela. S'il donne cette impression, c'est qu'il dissimule sa vraie nature. Il ferait mieux de semer le désordre, comme un suppôt du diable. Dans les années qui ont suivi, chaque fois que je me suis montré gentil, coopératif, et que j'ai cédé au point de vue des autres, je me suis retrouvé avec un désastre sur les bras.

Arthur Miller est devenu, il n'avait pas le choix, un homme têtu et intraitable. En certaines occasions, une fois balayées ses velléités d'équité et de démocratie, il a révélé sa vraie personnalité. Il suffisait qu'il soit mécontent des répétitions d'une de ses pièces, par exemple, et il n'hésitait pas à enjamber le corps de son metteur en scène prostré et à faire la leçon aux acteurs. Sa rengaine était toujours la même : « Ma réputation est internationale et elle est en jeu ici. Pour le moment, elle est entre vos mains et vous me trahissez. »

Contre-exemple : Bill Inge. Mais sa gentillesse confinait parfois à la trahison de soi-même. En cas de crise, plutôt que de protester, il prenait le large pour éviter le désagrément. L'arrogance de Miller était plus vraie, plus efficace et psychologiquement plus saine. Inge est mort jeune. Miller se porte comme un charme. Avez-vous vu cette photo de Mike Nichols, metteur en scène de talent, qui ornait la couverture d'un récent numéro du *New York Times Magazine* ? Avez-vous remarqué comme il sourit, combien il semble charmant et amical — à première vue ? Regardez-y à deux fois et vous apercevrez la lueur au coin des yeux, vous reconnaîtrez la ruse et la détermination, la dureté de l'expression. Pourquoi s'en priverait-il ? C'est ce qui nous sauve.

Lisez la correspondance d'Ernest Hemingway et demandez-vous si jamais quelqu'un s'est montré plus intolérant vis-à-vis des opinions d'autrui — plus arrogant — qu'Ernest ? Sauf peut-être Ezra Pound. Ou Gertrude Stein. Dick Rodgers avait du génie pour les mélodies d'amour tendre. Mais j'aurais déconseillé à n'importe qui d'essayer de le rouler lors d'une transaction ou au sujet d'une production. Il en allait de même avec Oscar Hammerstein. Je ne connais personne de plus arrogant ni de plus estimable qu'Agnes De Mille ; elle n'en a toujours fait qu'à sa tête et elle a toujours eu raison car c'était elle et elle seule qui dirigeait la chorégraphie.

J'ai observé Toscanini pendant une répétition. C'était une terreur, une brute — mais le moyen de faire autrement pour obtenir des résultats ? Un jour, un producteur informa Boris Aronson qu'il n'aimait pas le décor que Boris avait conçu pour lui. La réponse de Boris fut caractéristique : « C'est votre problème, à moi il me plaît. » Il y a des années, j'ai eu l'occasion de jouer au tennis avec Chaplin : cet homme faisait preuve de l'égoïsme le plus effréné sur un court ; un véritable monstre ! Lee Strasberg portait parfois un masque de douceur : je ne tombais pas dans le piège. « Je n'enseigne pas la méthode Stanislavski, s'exclamait-il quand il était acculé, j'enseigne la méthode Strasberg. » Pourquoi pas ? C'était la vérité.

Je n'éprouvais jamais autant de respect pour Harold Clurman que lorsqu'il beuglait. Le Clurman contenu, accommodant, facile à vivre se montrait parfois sournois et retors. Il adoptait une posture étonnante quand il serrait la main d'une personne plus puissante que lui : il s'inclinait et projetait le menton en avant, tel un marchand de tapis obséquieux. Mais quand il beuglait, il se dressait sur ses ergots, arrogant, admirable. C'était la face digne de sa personnalité, le Clurman que je respectais suffisamment pour devenir son partenaire en 1946.

A l'affiche du premier spectacle de l'association Clurman-Kazan : *Truckline Café*, de Max Anderson, mis en scène par Harold. Je fus déçu par cette production. Le script définitif était resté presque inchangé depuis ma première lecture. Rien n'avait été fait pour l'améliorer ou le rendre plus théâtral. Il y avait bien deux petits rôles interprétés avec brio par deux inconnus (Karl Malden et Marlon Brando), mais les rôles principaux manquaient de fermeté, aussi bien dans l'écriture que dans l'interprétation.

J'avais entendu la première adresse de Harold aux acteurs ; il s'était montré au mieux de sa forme. J'avais admiré son analyse de la pièce et de sa signification. Les acteurs avaient été éblouis, comme tous les acteurs ayant jamais travaillé sous la direction de Harold, par la perspicacité et l'éloquence de cet homme. Mais ensuite... que s'était-il passé ? Très peu de chose. La pièce avait donné à Harold l'occasion de faire son numéro. Quand les acteurs, comme les deux que j'ai mentionnés, possédaient un talent exceptionnel, Harold les avait mis en condition d'offrir une interprétation exceptionnelle. Mais le reste du spectacle s'était embourbé dans un marécage dont il n'était pas ressorti. On s'y ennuyait ferme.

Malgré — ou à cause de — ma déception, j'éprouvai un plaisir pervers à l'échec de cette production. Ce n'est pas une confession très jolie, mais elle est vraie. Je ne parlais pas aussi bien que Harold, mais je vous fiche mon billet que j'aurais fait quelque chose au sujet de ce texte. Je n'aurais pas lâché l'auteur avant qu'il n'améliore sa pièce. Je ne serais pas resté assis sur mon derrière, brillant et adulé, pendant que la pièce se cassait la figure. J'aurais peut-être même contesté les droits que la Guilde avait concédés à l'auteur et procédé à des « aménagements » dans le texte. Harold avait dit, lorsque je m'étais montré impatient devant l'indigence du travail de réécriture auquel Max s'était livré sur sa pièce : « La pièce est comme ça. Tu ne peux rien y faire. Elle aura du succès ou non, mais c'est ainsi. » Je trouvais ce fatalisme intolérable.

Plus tard dans ma carrière, on devait me chapitrer avec sévérité pour avoir marché sur les pieds de certains auteurs, mais pour autant que l'accusation ait été justifiée, je ne l'ai jamais regretté. Trop de gens fondent leurs espoirs sur la réussite d'une pièce pour que le metteur en scène puisse se permettre d'être « au-dessus de tout cela ». Chaque fois que j'ai ressenti fortement une pièce, j'ai fait pression tout aussi fortement : « Ça ne vous plaît pas ? prévenais-je les auteurs, eh bien, ne travaillez pas avec moi. » Que voulez-vous, je ne pouvais pas rester là à attendre de voir comment les choses allaient tourner. (Voilà, au passage, la troisième qualité nécessaire à l'artiste : il doit être vain, arrogant et intraitable.) Je n'ai jamais regretté d'avoir pris ce parti. Quand les pièces tenaient le coup dès la première lecture, comme *Mort d'un commis voyageur*, *Un tramway nommé Désir* et *Thé et Sympathie*, je n'ai demandé aucun changement.

Après *Truckline Café*, il m'apparut qu'il nous faudrait désormais former nos propres acteurs en vue des rôles principaux de nos productions. Les têtes d'affiche, dans la pièce de Sam comme dans celle de Max, ne s'étaient pas montrées à la hauteur. L'heure était venue de s'embarquer pour ce projet que j'avais conçu l'année précédente à Manille mais qui n'en était encore qu'au stade de l'esquisse et du vœu pieux ; l'heure était venue de produire les acteurs dont nous avions besoin pour notre théâtre.

On s'est livré à des controverses ridicules pour savoir qui avait eu le premier l'idée de l'Actors Studio — comme si c'était le fait d'en avoir eu l'idée, et non celui de l'avoir mis sur pied, qui était méritoire. Comme le débat se poursuit encore aujourd'hui, je vais y mettre un terme. C'est moi qui en ai eu l'idée le premier, cette nuit-là, à Manille. A mon retour, j'ai attendu le bon moment. Et le moment était venu.

J'en ai d'abord parlé à Harold Clurman, sans détails, en lui disant juste que nous avions à l'évidence besoin d'une meilleure troupe pour mener à bien la production des pièces que nous serions susceptibles d'entreprendre, et que j'avais dans l'idée de démarrer un petit studio pour former de jeunes acteurs. Il m'a fait la réponse suivante : « J'en parlerai à Stella. » Il n'y avait plus qu'à tirer l'échelle. Je n'ai plus reparlé de mon idée de studio à Harold.

Une autre possibilité m'est alors venue à l'esprit. Pendant tout le temps que j'étais resté au Group, l'un de mes bons amis avait été Bobby Lewis. Tout de suite après la dissolution de cette compagnie, Bob et moi avions projeté de former la nôtre. Nous espérions en faire un théâtre du peuple dont le prix d'admission serait fixé à un dollar maximum (incroyable mais vrai). Nous avions même songé à l'appeler le Théâtre à Un Dollar. Molly serait chargée de trouver et de préparer les pièces. Irwin Shaw avait répondu à notre enthousiasme en écrivant une pièce à notre intention, dont le titre, malheureusement, exprimait une sombre prémonition : *les Travailleurs du vent*. Bobby s'était dépensé sans compter ; son sens de l'organisation m'impressionnait. Mais déjà au stade des projets, l'augmentation des coûts de production rendait impossible l'admission pour un dollar.

Notre échec n'avait pas entamé notre amitié. J'étais donc convaincu que Bobby serait l'homme idéal pour lancer avec moi un studio destiné aux acteurs. Il ne m'est jamais venu à l'idée de contacter Lee Strasberg. Je me heurtais avec lui au même problème qu'avec Harold : ils avaient tous deux été mes patrons. De plus, Bobby possédait des qualités d'enseignant dont Lee était dépourvu : la simplicité, la clarté et le sens de l'humour. Bobby mettait l'accent sur l'imagination, l'audace dans le jeu, plutôt que sur l'émotion intérieure.

J'ai fait part à Bobby de mon projet alors que nous nous promenions dans Central Park. Sans hésiter un seul instant, il a accepté avec enthousiasme. Nous avons dressé des plans ce même jour: il y aurait deux classes, Bobby s'occupant des acteurs les plus expérimentés et moi des débutants. Dans les jours qui ont suivi, nous avons passé en revue la liste des acteurs que nous souhaitions inviter; nous en avons contacté certains pour discuter avec eux de notre projet. Nous avons décidé que les cours seraient gratuits et que nous travaillerions sans salaire. L'unique condition d'entrée serait le talent. Personne n'achèterait son inscription aux cours. Nos buts étaient modestes, nos principes sains. Après quarante ans, ils demeurent les mêmes.

Nous avions besoin d'un administrateur qui comprenne nos objectifs et ne cherche pas à transformer un studio indépendant en une entreprise rentable. Nous avons tous deux pensé à la même personne: Cheryl Crawford. Elle a répondu avec empressement et son aide irait bien au-delà des simples tâches administratives. Cheryl ne m'a jamais déçu.

Bobby si. Il a quitté le Studio au bout de la première année, pour des raisons qui m'ont paru absurdes. Cheryl et moi l'avons remplacé par toute une série de professeurs, tous des personnes de qualité, mais dont aucun n'a aspiré — ou n'a été encouragé par nous — à s'investir totalement dans notre aventure. Pendant les trois années que nous avons passées à rechercher la personne adéquate, j'ai assuré mes classes. Je savais que si je renonçais, le Studio s'effondrerait. Mais il m'apparaissait désormais évident que je n'aimais pas enseigner et que je n'étais pas bon quand je me forçais. Je me souviens encore du jour où j'ai dit à Cheryl qu'il ne s'agissait pas de trouver un remplaçant à Bobby, mais qu'il nous fallait trouver quelqu'un à qui je puisse « confier le Studio ».

Nous sommes arrivés à la conclusion que notre homme s'appelait Lee Strasberg — si nous pouvions l'entraîner à nous rejoindre. Il avait résisté à toutes nos tentatives, les unes après les autres, peut-être parce qu'il m'en voulait de ne pas m'être tourné vers lui en premier. Après tout, il avait été le professeur de Bobby. Il est possible qu'il ait finalement décidé d'accepter à cause de l'échec de son *Peer Gynt* avec Julie Garfield, production à laquelle il pensait depuis des années. A la suite de ce désastre, couronnant une série de revers essuyés par Lee dans le théâtre commercial, il fut prompt à nous rejoindre. Une fois sa décision prise, cependant, personne n'aurait pu se consacrer à cette tâche avec plus d'ardeur ni de dévouement. Ni être plus estimé par tous ceux qui se trouvaient là. Au fil des années, le respect se transforma en culte du héros et le culte du héros en idolâtrie.

DANS LE BON VIEUX TEMPS, le *Super Chief* quittait Chicago à une heure confortable, en fin d'après-midi, ce qui permettait de passer les quelques heures précédant le départ dans la salle à manger de l'Ambassador East puis de passer par le musée des Beaux-Arts. Je me rendais dans l'Ouest pour diriger Spencer Tracy et Katharine Hepburn dans un film qui me tenait à cœur : *le Maître de la prairie*. Les deux nuits et la journée que je passerais à bord du train constitueraient en fait de petites vacances. J'étais content de me retrouver loin des tensions du théâtre. J'allais bientôt entamer le tournage d'un vrai film dans la Grande Prairie, où l'herbe poussait encore sur une terre intacte, et non pas une pièce de théâtre filmée comme *le Lys de Brooklyn*, située dans un taudis lessivé par un décorateur. J'allais franchir un pas de plus dans mon développement avec ce film, un « western » certes, mais qui traiterait d'un conflit de cultures, thème qui ne m'était pas inconnu. J'allais travailler dans le plus grand studio du monde, la Metro-Goldwyn-Mayer, qui abritait « plus de stars que le firmament ». Je serais un metteur en scène parmi de nombreux autres que j'admirais. J'avais décroché la lune.

A ma descente du train, à Los Angeles, je fus accueilli par une limousine avec chauffeur, naturellement : j'avais affaire à la M.G.M. Je m'assis à l'avant, à côté du chauffeur ; naturellement : j'étais un type bien. Le chauffeur m'informa qu'on m'avait trouvé une belle maison au bord de l'océan, dans la colonie très fermée de Malibu. Il se montra certain que ma femme et mes enfants l'adoreraient. Il me dit aussi qu'en vertu du contrat qu'Abe Lastfogel avait signé pour moi, le garage du studio me fournirait deux autos — une pour Mrs. Kazan, une pour moi. Quelle marque désirais-je, quel modèle ? Ils avaient tout ; je pouvais avoir n'importe quoi. Une décapotable ? Bien sûr. De quelle couleur ?

Je fus accueilli dans le bureau qui allait devenir le mien par une jeune secrétaire à la taille fine, avide de savoir quelle sorte de stylos et de crayons je préférais. Je lui dis que je voulais une machine à écrire, une Royal si possible ; vingt minutes plus tard, j'avais ma Royal. Entre-temps, le metteur en scène avec qui je partageais mon salon vint me souhaiter la bienvenue au studio. Je lui donnai du Mr. Cukor et ressentis une grande fierté quand il m'eut dit qu'il avait entendu parler de moi et vu *la Peau de nos dents*, qu'il avait admirée. Nous échangeâmes nos impressions sur Tallulah ; le temps et la distance avaient atténué ma rancœur. Cukor me fit bien sentir quelle chance j'avais de travailler avec « Spence et Kate ». « Il n'y a pas plus gentil qu'eux », insista-t-il. Il semblait être jaloux de mon privilège. Je souris, hochai la tête, manifestai mon accord. Oui, j'avais certainement beaucoup de chance.

Sur mon bureau, j'avais trouvé deux exemplaires flambant neufs du découpage du *Maître de la prairie*, qui portaient la mention DÉFINITIF en majuscules noires. Le roman original était l'un des favoris de Bud Lighton, et il avait même travaillé un temps sur un projet de film à partir de ce livre. Cette approbation me remplissait de confiance. Apparemment, le script avait été écrit par une certaine Marguerite Roberts. Oui, bon, je le lirais plus tard.

A l'heure du déjeuner, le « restaurant » du studio me fit l'effet d'un musée : tout autour de moi se trouvaient les grandes stars que seule la M.G.M. pouvait s'offrir : Lionel Barrymore, Robert Taylor, Walter Pidgeon, le chef de la famille Hardy, Lewis Stone et mon comédien préféré, Jimmy Durante. Il y avait aussi William Powell, et Esther Williams, tout juste sortie de l'eau, et avec elle Lucille Ball. Claudette Colbert avait l'air aussi « adorable » qu'à l'écran. Et puis encore, chaperonnés avec soin par une théorie de femmes en robe de couleur neutre, moitié nurses moitié chiens de berger, les fameux enfants-stars Elizabeth Taylor et Margaret O'Brien ; en train de taquiner Elizabeth, c'était Mickey Rooney, et, de mèche avec lui, Judy Garland. Tout ce petit monde chahutait et s'amusait de blagues idiotes. Comme ils étaient sûrs d'eux, ces gamins !

La table qui m'intéressait le plus, bien sûr, c'était celle où les metteurs en scène s'étaient rassemblés. Je savais qui ils étaient parce que Mr. Cukor s'était assis parmi eux. Il racontait une histoire, et soudain tous éclatèrent de rire, puis il se mit à rire lui aussi et, toujours en train de rire, il regarda dans ma direction. Puis il se pencha pour murmurer quelque chose à l'oreille de son voisin. Mon Dieu, c'était Clarence Brown ! Il avait fait des films avec Garbo ! *Anna Karenine !* Mr. Brown se tourna et regarda dans ma direction, puis il fit un signe de la main — s'adressait-il à moi ? Je n'en étais pas sûr, mais je vis que oui, et je lui fis signe en retour. Oh, oui ! c'était le grand jeu et j'y prenais part ! La Twentieth Century Fox avait l'air d'une troupe d'amateurs à côté. J'étais au Métroparadis !

Une jeune femme qui s'avéra être la secrétaire de Pandro Berman me toucha l'épaule ; elle apportait un message de mon producteur. Mr. Pandro Berman regrettait de ne pouvoir se joindre à moi pour le déjeuner ; il était en train de visionner des *rushes*, mais il demandait que je vienne à son bureau quand j'aurais fini. Acceptais-je ? Bien sûr que j'acceptai.

Je n'avais pas encore rencontré Berman ; ma première impression fut que j'avais en face de moi un homme appartenant à la classe moyenne, un type *gemütlich* d'âge moyen, à la charpente compacte, de taille moyenne et sous l'emprise d'un flux d'optimisme sympathique : celui-ci ne reposait pas nécessairement, en effet, sur le postulat qu'il allait me rouler dans la farine. « Nous avons, claironna-t-il alors que nous nous serrions la main,

trois mille mètres d'une bande fabuleuse, comme je n'en ai jamais vu. »
On aurait dit qu'il me félicitait. « J'ai hâte que vous la visionniez ; vous
allez en être dingue, croyez-moi. C'est extra ! » Il gloussa dans sa barbe.

Je ne savais pas de quoi Berman voulait parler, ni à quoi la « bande
fabuleuse » de « trois mille mètres » faisait référence. « J'aurai le film prêt
pour vous en salle de projection trois à quatre heures. » Tout en parlant, il
griffonna un trois et un quatre sur un bout de papier et me le tendit.
« Voilà. Mettez ça dans votre poche, dit-il. Bon sang, je serai là-bas avec
vous. Je veux voir votre tête une fois que vous l'aurez vu. — Quelle tête !
demandai-je. — Pleine de gratitude ! De bonheur ! Et maintenant, la
première chose à faire... » Il se retourna et cria à sa secrétaire : « Appelez-
moi Plunkett ! » Puis il me regarda de nouveau, passa le bras autour de
mon épaule et, sur un ton plus paterne : « Il faut que vous voyiez les
costumes de Katharine et que vous donniez votre accord. Ils sont extra ! »
La sonnerie du téléphone retentit. Il décrocha : « Walter ! Kazan est là ! Il
meurt d'envie de voir les costumes de Katharine. Quoi ? Eh bien, faites-lui
voir les croquis ; je sais, je sais, mais il devrait donner son accord de toute
façon. Quand ? Maintenant ! Il vous attendra dans son bureau. Allez-y. »
Il raccrocha. « Walter Plunkett, nasilla-t-il, est le plus grand styliste au
monde, actuellement, pour les costumes d'époque féminins ! Il est reconnu
comme tel et payé en conséquence, c'est moi qui vous le dis ! Il est en
route vers votre bureau. Ses costumes pour Katharine vont vous faire
sortir les yeux de la tête. Attendez juste de les voir ! Vous en serez dingue.
Ils sont déjà dans l'atelier, bien sûr, pas moyen de faire autrement ; c'est
un gros travail. » Il m'avait raccompagné à la porte. « Autre chose, il faut
que vous alliez jeter un coup d'œil sur les chevaux de Spencer avec lui cet
après-midi. J'arrangerai ça. Ils ont hâte de vous rencontrer — pas les
chevaux : lui et Kate. Ils veulent vous emmener dîner. Ils sont si contents
de travailler avec vous. Vous saviez qu'ils venaient tous les deux de la
scène new-yorkaise ? Vous saviez ça, jeune homme ? » Il ouvrit la porte.
« Je crois que nous avons une équipe du tonnerre ; ça va être un film
formidable. Et je n'ai pas l'habitude de me laisser aller à ce genre de
prédictions. Les nominations vont se bousculer ! Il y en aura pour tout le
monde ! Ces stars, notre script qui est extra. Et vous ! Et on les décroche-
ra, les oscars ; c'est du tout cuit. Je vous verrai à quatre heures. Je ne me
fais aucun souci. » A ce moment-là, j'étais déjà dehors, et il avait refermé
la porte.

Sur le chemin de mon bureau, une chose qui n'avait rien à voir me
revint en mémoire : je n'avais jamais rencontré les auteurs du scénario du
Lys de Brooklyn. Je savais qui ils étaient, la romancière Tess Slesinger et
son mari, Frank Davis, mais j'avais fait le film sans même avoir l'occasion
de leur dire bonjour. Bud Lighton l'avait-il fait exprès ? Je pris place
derrière mon bureau, pour attendre Plunkett. Mon regard se porta sur les
deux exemplaires du découpage. Les lettres du mot DÉFINITIF, inscrites au
pochoir, me paraissaient encore plus grosses et encore plus noires — tout
cela semblait très DÉFINITIF. Ces lettres me disaient-elles : « Ne fais pas
l'idiot avec ce script » ? Me faisait-on comprendre que mon boulot consistait uniquement à diriger les acteurs et non à m'occuper du texte ?

Plunkett fit son entrée, l'air claqué. « Vous avez l'air crevé, Mr. Plunkett, dis-je avec un sourire compatissant. — Crevé ? » s'exclama-t-il avant de partir d'un grand rire. C'était un bel homme, qui portait une tenue soignée : des vêtements décontractés à la mode californienne, qu'il avait dessinés lui-même. « Avez-vous la moindre idée du nombre de costumes que nous fabriquons pour vous ? me demanda-t-il. — Personne ne m'en a encore rien dit ! répondis-je. — Eh bien, rien que pour elle, pour Katharine, quelque chose comme vingt-deux. Et elle nous aide, elle a plein d'idées, certaines intéressantes. Cette fille a un avis sur tout, et ça ne la gêne pas de l'offrir en partage au monde entier, qui n'attend que ça. Content de vous rencontrer. Est-ce que je l'ai déjà dit ? Non ? Eh bien, c'est la vérité. Voici, regardez. » Il avait dénoué l'attache d'un grand carton à dessins contenant des croquis de costumes soignés et très détaillés, avec pour chacun un petit morceau de tissu épinglé. « C'est à peu près la moitié. Ces vêtements sont terminés. On est en train de travailler sur les autres, alors je n'ai pas pu apporter les croquis. Allez-y. » Il avait remarqué que je ne regardais pas les croquis. « Excusez-moi de vous presser, mais je dois retourner à l'atelier. »

Je saisis ma chance de placer un mot. « Je ne comprends pas bien la nécessité de me montrer tout ça si les vêtements sont déjà faits. — Eh bien, du point du vue de Pandro, me répondit-il, le but, c'est que vous y apposiez votre signature, ce qui veut dire que vous avez approuvé mes costumes. De votre point de vue, il est bon que vous sachiez ce que vous avez entre les mains ; vous pourriez décider d'intervertir les scènes pour lesquelles ils ont été prévus. De mon point de vue, j'aime les compliments. » Il s'esclaffa, satisfait de sa plaisanterie, et ferma les yeux pour les reposer en attendant mon verdict sur ses croquis.

« Oui, ils sont très beaux, dis-je après avoir passé la pile en revue. — Merci », répondit-il avant de remettre en ordre ses dessins. Il s'apprêtait à partir. « Mais franchement, repris-je sans perdre de temps, je voyais ce film comme quelque chose de plus... euh... nature, non ? » Je vis dans ses yeux que je représentais une menace. J'avais repris les croquis pour les regarder à nouveau. « Cette histoire, poursuivis-je en pesant mes mots, est censée se dérouler, n'est-ce pas, en pleine campagne ? » Je lui lançai un regard interrogateur. Mon Dieu, qu'il avait l'air fatigué ! « J'ai lu le script », dit-il dans un souffle. Je commençais à l'ennuyer, je cassais les pieds à cet homme au bord de l'épuisement et il lui fallait se maîtriser. Mais je ne lâchai pas prise. « J'ai raison ? demandai-je. — Non, dit-il. En fait, ce film se déroule au pays de Metro-Goldwyn-Mayer, où vous et moi sommes assis en cet instant. Excusez-moi, Mr... comment préférez-vous que l'on prononce votre nom ? » Je le lui dis. Puis il lâcha la bride à son ire, et fut plus franc que je ne l'avais été : « Je vais vous parler moi aussi sans détours. Vous ne choisissez vraiment pas le bon moment pour me dire que vous n'aimez pas mes costumes. Vous ne trouvez pas ? — Mais, je ne les avais pas vus avant, me défendis-je avant de m'aplatir un peu. Je les aime beaucoup, mais mon sentiment sur ce film, c'est que... » Plunkett m'interrompit. « Pandro les trouve très bien, lança-t-il. — Je suis désolé que vous le preniez mal, poursuivis-je, mais ma conception de cette production, c'est que... » Il m'interrompit de nouveau : « Je ne le prends pas mal, mais je ne peux plus les changer maintenant, c'est tout. Nous avons une date de remise à ne pas dépasser, à l'atelier. Ils deviennent fous là-bas. » Il pointa son doigt en direction de ce que je supposai être son atelier. « Ça va déjà être la cavalcade. De plus, tout le monde les trouve bien. Sauf vous. Katie les adore. Elle l'a dit. Hier. Peut-être que vous feriez mieux d'en discuter avec elle. Voilà ce que je suggère. » Il se mit à remballer ses croquis.

« J'ai l'impression, dis-je, qu'à chaque fois qu'elle va aller pisser, elle va resurgir des chiottes vêtue d'une nouvelle toilette encore plus chic ! » Enfin, je ne le lui ai pas dit à lui, je l'ai gardé pour moi. J'étais déjà en train de ravaler ce que je pensais. Avec le recul, je me dis que c'est sans doute le moment où j'aurais dû laisser tomber ce boulot. Mais il était déjà bien tard pour cela. Les rouages de l'usine Metro étaient déjà en action et j'étais pris dans l'engrenage.

Plunkett s'était levé et s'apprêtait à se diriger vers la porte. « Et puis en plus, c'est leur lune de miel, ajouta-t-il. — Je sais cela, Mr. Plunkett, j'ai lu le script. — Elle aime Spence, c'est le grand amour de sa vie, et elle veut qu'il pense que chaque jour que Dieu fait, elle est la plus belle du monde. — Je pensais que vous vouliez parler du film, dis-je. — Du film ! s'exclama-t-il, méprisant. Je parle de la vie réelle. D'eux ! C'est ça qui compte ! » Il marcha vers la porte. « Parlez-en à Pandro, et faites-moi savoir ce que vous voulez — je veux dire ce qu'il veut — que je fasse. Si nécessaire. »

Ma secrétaire entra : « Les chevaux attendent. — Où ça ? demandai-je, penaud. — Votre assistant attend dehors dans la voiture. »

« Vous l'avez déjà rencontré ? demanda Plunkett. C'est le meilleur du studio. Mr. Berman a demandé que vous disposiez de tout ce qu'il y a de mieux, et nous avons essayé, ça oui, nous avons essayé. » Il se tourna pour me regarder. Je devais avoir l'air déconcerté car il ajouta : « Ne vous en faites pas. S'il y a une chose dont on soit sûr, ici, c'est que tous les films se terminent un jour. » Et encore ceci : « Tout le monde est un génie, à Hollywood, jusqu'à ce qu'il fasse quelque chose. » Puis il disparut. J'entendis des compliments et des rires à l'extérieur. Il me restait une miette de dignité : je n'avais pas paraphé les croquis. « Mr. Tracy est en chemin », m'avertit ma secrétaire.

L'impression que m'avait laissée Tracy lors de notre brève rencontre l'année précédente chez Chasen était celle d'un bourgeois irlandais aisé, traitant d'affaires commerciales. Quand j'avais appris que j'allais tourner ce film avec lui, je m'étais inquiété à propos de ses bourrelets. Il était censé incarner un homme exposé aux intempéries, contrastant avec la citadine bien protégée qu'interprétait Katharine. Quelqu'un comme Bud Lighton, qui sautait sur son cheval favori chaque matin pour aider ses « hommes de main » avec le troupeau. J'espérais que Tracy avait perdu du poids.

Parvenu à l'autre bout de l'enceinte des studios, j'aperçus deux animaux de type bovin — des chevaux robustes et magnifiquement étrillés — en train de m'attendre. Ils devaient sans doute manger régulièrement au restaurant de la M.G.M. Sur leur large dos, on avait fixé une selle de western, véritable œuvre d'art, ornée d'une garniture finement chantournée et d'un pommeau d'argent. Je ne connaissais pas grand-chose aux chevaux — il me faudrait encore un ou deux films pour en venir à les trouver antipathiques —, mais ces deux bêtes magnifiques ne cadraient pas. J'avais étudié des images du vieil Ouest, des Remington, j'avais lu un rayon entier de livres pour préparer ce film et j'avais une idée très précise de ce à quoi la monture de Tracy devait ressembler. Il était proprement impensable que ces animaux *made in Metro* figurent dans le film que j'avais en tête. Les cow-boys qui en avaient la charge attendaient, tout comme Walter Plunkett auparavant, que j'exprime ma satisfaction et ma gratitude à leur égard.

« Les gars, commençai-je, pour tout vous dire, j'avais pensé à des animaux plus maigres. Vous avez lu le script, vous savez ce que je veux dire. » Ils échangèrent un regard, aucune expression ne venant crevasser le cuir de leurs joues, et j'eus le sentiment qu'ils ne l'avaient pas lu, ce script, qu'ils n'avaient vu aucune raison de le faire. Je remarquai également qu'ils ne semblaient pas le moins du monde dérangés par ma réaction, juste perplexes ; elle leur paraissait déconcertante. « Vos chevaux, repris-je hardiment, sont censés travailler du matin au soir. Cette paire est très séduisante, mais ils ne ressemblent pas à des chevaux en activité. Vous n'êtes pas d'accord ? Ils ont au moins cent kilos de trop. Vous ne trouvez pas ? Quoi ? Non ? Et ces selles ! Elles ressemblent — pardonnez-moi — à ces fauteuils bien rembourrés qu'on trouve dans les ranches de luxe pour touristes. » Je me penchai alors pour regarder sous le ventre des chevaux. « Non mais, jetez un coup d'œil à leur ventre. Il est énorme. Et regardez... » Je fis un geste. « Ils ont été ajustés, lança l'un des cow-boys. — Mon bonhomme doit monter un étalon, insistai-je. Voilà de quel genre d'homme il s'agit. Lisez le script. Il doit monter un animal fougueux, nerveux. »

Les cow-boys échangèrent de nouveau un regard. « Avez-vous vu monter Mr. Tracy ? demanda l'un d'eux. — Non, répondis-je. — Vous devez garder en tête, continua l'autre, que c'est Mr. Tracy qui va monter ces chevaux. Comme ils ont été ajustés, rien ne les dérange. Ils se tiennent tranquilles pour les gros plans. Ils n'ont pas peur de la caméra. Ils ne vont pas se mettre à ruer pour balancer votre star. » Il sortit quelque chose de sa poche, un sucre sans doute, et en donna un morceau à chacune des deux bêtes. « Je me demande ce que fait Mr. Tracy », dit mon assistant, brisant le silence, avant de se diriger vers un téléphone.

C'est alors qu'une chose terrible se produisit, que je confesse aujourd'hui bien qu'elle m'embarrasse encore. Je décidai de faire ami-ami avec tout le monde. Y compris les chevaux. Je résolus de les accepter. Je baissai également les bras au sujet des costumes. Je ne me battrais pas pour ce que je voulais. A quel moment avais-je basculé ? Sans aucun doute à l'arrivée de la voiture du studio qui amenait Tracy — ou pour être plus précis, quand je l'avais vu s'extraire à grand-peine du véhicule — et quand nous nous étions serré la main. Il n'avait pas perdu de poids, n'avait rien de commun avec les Remington, ni la taille mince des cow-boys ou même de Bud Lighton. Spencer ressemblait... aux chevaux. Une fois que j'eus baissé les bras au sujet des costumes, des chevaux et du poids de Tracy, je pouvais dire adieu au film.

La situation empira. Bientôt, Spence me fit rire avec ses histoires, des histoires qui se moquaient de la Metro et de la façon dont ils procédaient ; en fait, de tout ce qui m'avait ennuyé depuis mon arrivée. « Au déjeuner, raconta-t-il, Mervyn LeRoy a déliré sur un livre qu'il vient d'acheter. "Il y a tout dedans. Des surprises, de grands personnages, un thème important, une belle écriture ! Mais, a-t-il ajouté, je pense que je peux faire mieux." Je jure que c'est ce qu'il a dit ! » Nous partîmes tous deux d'un grand rire ; nous étions devenus des potes, lui et moi, moi son admirateur, lui ma star, et il ne me restait plus aucun ressort pour me battre. L'amitié m'avait rabattu le caquet. Et pour les animaux ? Disons qu'il avait le sens des proportions ; en d'autres termes, il s'en fichait. Lequel préférait-il ? N'importe. L'un ou l'autre. Les deux. Voulait-il se mettre en selle ? Pour quoi foutre ? Chaque fois qu'il lui faudrait monter, une doublure le remplacerait. On m'assura que nous disposions d'un double parfait de Spencer sous contrat. Tout ce que Spence avait à faire, c'était s'asseoir sur le dos de l'animal pour les gros plans. C'était tout. « Salut, mon gars. On va bientôt dîner ! » Et il disparut.

A quatre heures, je m'assis à côté de Pandro Berman pour voir défiler trois mille mètres d'une bande fabuleuse, comme il n'en avait jamais vu. Même à ce moment-là, j'étais encore trop naïf ou trop stupide pour comprendre ce qu'on me signifiait. On me montra une douzaine de bobines de la même scène : de l'herbe ondulant sous le vent et sous un ciel sans nuages, en plein soleil — oui, c'étaient bien les grandes prairies. Seules variations : quelques scènes de cavaliers chevauchant à l'horizon, ou encore une douzaine d'hommes à cheval sur fond de prairie ; ils étaient disposés selon une composition artificielle, regardaient droit dans la caméra. Je n'avais aucune idée de ce à quoi cette scène correspondait, mais elle comportait plusieurs versions, de différentes longueurs, avec quelques petites modifications dans l'attitude adoptée par les hommes, alors quelqu'un avait dû trouver ce plan important. « A quoi servent toutes ces versions différentes ? demandai-je à Pandro, qui ne me quittait pas des yeux en quête du moindre signe d'enthousiasme de ma part. — Vous prenez celle que vous voulez, répondit Pandro. C'est pas extra, ça ? — Si », admis-je. Puis : « Certains de ces hommes ont l'air de regarder dans le vide. Mais nous aurons l'occasion de tourner d'autres scènes quand nous irons sur place. — Où ça, sur place ? demanda Pandro. — Là où se trouve l'herbe, répondis-je. — L'herbe ? dit Pandro interloqué, en me regardant comme si je blaguais. Nous n'allons nulle part. » Puis il m'expliqua que le film que je venais de voir était destiné à être projeté en transparence, avec nos têtes d'affiche placées devant, Spencer l'air dominateur, Katharine hors de son élément. Je finis par comprendre que notre film allait être tourné dans les locaux de la Metro, en transparence, et non en décors naturels. « De plus, conclut Pandro, elle n'y est plus, l'herbe. — Alors, où ont-ils filmé ces scènes ? demandai-je. — Je ne sais pas, répondit-il. Mais à cette époque de l'année, quel que soit l'endroit où elle se trouvait, elle a séché. »

J'ai dû adopter la même expression que si l'immeuble qui abritait la direction de la M.G.M. m'était tombé sur la tête. C'est bien de cela qu'il s'agissait d'ailleurs. Pandro m'expliqua combien « nos gars » étaient experts en matière de transparence ; « nous » disposions d'un plateau spécial plus grand et d'un personnel spécial rien que pour cela. « Nous les réussissons mieux que les autres studios, précisa-t-il. Je pensais que vous aviez compris cela. — Non, je n'avais pas compris, répliquai-je. — C'est le seul moyen pour nous de faire un tel film à ce moment de l'année et à un prix raisonnable — et avec cette distribution, ne l'oubliez pas. Nous devons photographier Katharine correctement — ce n'est pas facile ; Mr. Mayer s'inquiète à ce sujet — et surveiller Spence, si vous voyez ce que je veux dire. Vous savez ce qu'on raconte. Grâce à Dieu, Katharine est avec lui maintenant. » Il se leva. « Réfléchissez-y, me dit-il. C'est la meilleure solution. J'ai un invité qui m'attend pour dîner à la maison. Déjeunons ensemble demain et nous discuterons. »

Je demandai à visionner la bande de nouveau et il me dit bien sûr, mais il fallait vraiment qu'il y aille, sa femme lui ferait une sérénade, il était déjà en retard, et ainsi de suite. Je me retrouvai seul devant le film qui défilait devant moi, mais je ne le voyais pas. Dans quoi m'étais-je fourré ? Même à ce moment-là, j'étais trop abasourdi pour entrevoir toutes les implications de ce changement de situation. Il me fallut en rire. Mes rêves de faire un vrai western, un « Ford », étaient détruits. Les vêtements de ferme grossiers que j'avais apportés et les bottes de cow-boy que je portais déjà pour les faire à mon pied, je n'en aurais pas besoin. Tout ce dont je m'étais réjoui à l'avance était hors de question. J'étais risible, un imbécile.

C'est là que j'aurais dû reprendre mes billes et m'en aller. Voici une histoire que m'a racontée Bud Lighton ; elle me revint à l'esprit alors que j'étais assis là, dans la lumière tremblotante de la salle de projection. Elle concerne Victor Fleming, le metteur en scène que Lighton m'avait présenté comme un modèle. Il avait accepté, Fleming, de mettre en scène un film tiré du roman le Yearling. Il aborda ce travail comme d'habitude, avec intensité ; il savait quelle émotion il voulait capter à l'intention du public. Il passa tout le Sud au peigne fin à la recherche de décors naturels, choisit une jolie distribution (dont faisait partie Spencer Tracy), obtint les meilleurs techniciens et se prépara à se donner au film avec l'abnégation dont il était coutumier, cette abnégation qui l'amenait parfois à tellement s'inquiéter qu'il en vomissait son déjeuner. Il mit en boîte plusieurs scènes du film pendant trois jours dans ce décor lointain, puis quitta le tournage tout d'un coup et s'en retourna à Culver City. « Comment puis-je tourner un film, expliqua-t-il aux patrons des studios scandalisés, dont l'essence même est l'amour que les gens éprouvent les uns pour les autres, quand sur ce plateau personne n'aime personne, ne se plaît là-bas, ou n'a même envie de faire le film ? Ils n'aiment qu'eux-mêmes. Le gamin n'arrête pas de nous emmerder parce qu'il veut devenir une star, et il ne pense qu'à son nombril. Tracy ne pense qu'à se faire la belle quelques jours pour aller voir Hepburn à New York. Quant à celle qui joue la mère, elle fait un pet de travers toutes les cinq minutes, mais ce n'est jamais à cause de ce putain de film. » Sur ce, Fleming envoya le film au diable et prit ses cliques et ses claques. Il menait, me semble-t-il, le même combat que moi, contre l'indifférence organisée — mais il avait plus d'expérience et de cran que moi ; il était parti.

J'arrêtai la projection des trois mille mètres de bande fabuleuse, comme Pandro n'en avait jamais vu, et me rassis dans le noir. On en était là, oui ou non, d'accord ou pas, rester ou partir, maintenant ou jamais. Mais il fallait plus de courage que je n'en avais à ce moment-là pour m'en aller. Molly se préparait à venir dans les deux semaines avec les enfants ; ils s'en faisaient tous une joie : la Californie, Malibu, la maison à la plage, et ainsi de suite. Et ainsi de suite !

Je pris la décision de rester et de prendre ma déculottée. Et peut-être aussi une leçon. Effectivement, j'en pris une — petite. J'étais arrivé pour la grande aventure et j'avais été largué dans une organisation structurée qui fabriquait des produits à la chaîne, tant de films par an. La M.G.M. était fidèle à son image, que je n'ignorais pas, celle d'un complexe industriel. Elle fonctionnait de cette façon-là. Au studio, toutes les décisions étaient prises par des hommes qui faisaient tourner la machine. Qui étaient-ils ? Pandro Berman ? Sûrement pas. Il obéissait aux ordres. Qui les lui donnait ? L'un des hommes de pouvoir s'appelait Cedric Gibbons, en charge de la « direction artistique », qui veillait à ce que les arrière-plans des films soient dessinés, construits, peints et montés. C'est Mr. Gibbons qui avait pris la décision — bien avant qu'on ne m'engage — de tourner mon film devant un écran de projection par transparence, et non en pleine nature comme je m'y attendais. Il avait ordonné la conception et la construction des décors — on m'avait fait visiter certains d'entre eux et ils étaient assortis aux costumes de Katharine. Il avait ordonné qu'ils soient arrangés « avec goût » et meublés par ses gens. C'était le personnage le plus influent dans le studio, après les propriétaires, Nick Schenk à New York et Louis B. Mayer à Culver City (l'homme qui m'avait prévenu : « Notre métier consiste à fabriquer de beaux films avec des gens beaux, et quiconque n'est pas d'accord avec ce principe n'a rien à faire ici. »). Ce sont ces hommes qui étaient responsables des décisions artistiques, pas les artistes. C'étaient des industriels. J'avais commis une erreur, et j'allais devoir payer pour cette erreur. Peut-être ne la commettrais-je pas à nouveau.

Chaque fois qu'un artiste se retrouve dans la situation qui était la mienne, il en conçoit colère, ressentiment et désir de vengeance. Je comprends pourquoi certains metteurs en scène, lorsqu'ils ont remporté plusieurs succès et acquis le pouvoir que confèrent ces succès, se rebellent contre les directeurs de studios et leurs producteurs mais éprouvent aussi le désir de les humilier et de leur rabattre le caquet. On raconte une histoire célèbre à propos de John Ford : il était en train de tourner un film pour une des grandes maisons et il commença à recevoir des plaintes de la direction, selon lesquelles il était en retard sur son programme. Ford ne répondait pas à ce type de harcèlement, verbal, par écrit ou même allusif. Quant au patron du studio, il avait trop peur de Ford, dont personne n'ignorait le tempérament féroce, pour oser l'affronter personnellement. Aussi dépêcha-t-il un assistant sur le plateau pour notifier à l'Irlandais qu'il devait accélérer son rythme de tournage. Cet émissaire s'approcha avec appréhension de l'endroit où Ford était assis — après tout, on lui avait demandé de réprimander une légende — et dit ce qu'il avait à dire. A sa grande surprise, Ford répondit sur un ton badin. Il envoya chercher la scripte, lui demanda son exemplaire du découpage, l'ouvrit et se mit à arracher des pages au petit bonheur la chance et à les jeter par terre. Puis il referma le cahier, le rendit à la scripte, regarda l'émissaire du producteur et dit : « Maintenant, nous sommes dans les temps. »

Je mis au point ma propre méthode. Quelques années plus tard, je tournais la version filmée d'*Un tramway nommé Désir* quand on me notifia que je prenais du retard sur le programme. Je n'y prêtai pas attention et continuai à mon rythme. Quelques jours après, Charlie Feldman, mon producteur, fut dépêché par le patron du studio, Jack Warner, pour me faire des remontrances. Il entra dans la salle de tournage — on m'avait averti de son arrivée — et trouva notre plateau plongé dans le silence, sans un signe d'activité. Quand il demanda ce qui se passait — à l'évidence, rien —, on le dirigea vers moi. Il s'approcha avec timidité de l'endroit où j'étais assis ; Charlie était un homme sensible et rien ne comptait vraiment à ses yeux sinon que le film soit de première catégorie et lui fasse honneur. C'était juste le garçon de courses de Jack Warner. « Comment allez-vous ? me demanda-t-il, manœuvre d'approche bien faible en vérité compte tenu de l'objectif de sa mission. — J'ai un mal de tête épouvantable, répondis-je. Je ne pense pas que je vais pouvoir continuer à travailler aujourd'hui. Peut-être que je me sentirai mieux demain. Je l'espère. Je sens toute cette tension autour de moi. Je ne sais pas ce qui se passe. Qu'est-ce qui se passe, Charlie, on ne me fait pas confiance ? Est-ce que Warner est mécontent ? — Oh, non, non ! répondit Charlie. — La rancœur semble suinter de partout, et j'ai ce mal de tête épouvantable. » Charlie ne savait que faire, offrit d'aller me chercher de l'aspirine, bien sûr, mais je répondis que j'en avais déjà pris deux fois sans résultat. Le problème était plus profond. Finalement, Charlie s'en alla ; nous ne travaillâmes pas beaucoup cet après-midi-là. Charlie et Warner ne furent pas dupes, bien sûr ; ils savaient, d'après les comptes rendus de production, que j'avais ralenti, et ils savaient pourquoi. Personne ne vint jamais plus me réprimander.

Mais sur *le Maître de la prairie*, je choisis d'être lâche, de jouer au tennis le week-end et de profiter de la vie à Malibu. Je crois que l'incident le plus humiliant mais aussi le plus amusant qui me soit arrivé pendant cette « mise en boîte » s'est produit le jour où Spencer devait pénétrer sur le plateau qui représentait sa maison sur la prairie battue par les vents, en principe après une nuit passée à cheval dans la tempête de neige. J'avais travaillé avec Spence son déplacement à l'intérieur de la maison, puis je m'agenouillai devant la chaise où ma star se reposait et lui chuchotai des indications sur la nuit qu'il venait de vivre en lui rappelant qu'il avait trimé dans la tempête. Il hocha la tête. Une fois la scène mise au point par le cameraman et ses éclairagistes, je dis à Spence de se préparer, sans plus de recommandations. Il se leva de sa chaise, lourdement, presque de mauvaise grâce, à ce qu'il me sembla, et procéda selon son habitude pour se mettre en condition : il se massa le front de sa paume. Puis il joua la scène. Il n'y avait rien dedans. Je m'approchai de l'endroit où il était retourné s'asseoir, lui répétai une fois encore qu'il avait passé toute la nuit sur un cheval à surveiller son troupeau dans la tempête de neige, etc. Il me fit taire d'un geste qui voulait dire qu'il comprenait ce qu'il avait à faire.

Quand il eut pris sa position en dehors du plateau, je me glissai furtivement jusqu'à un endroit d'où je pourrais observer ce qui se passait avant l'entrée de Spence. Pendant que son costumier redressait le pli de son veston Norfolk, un accessoiriste semait des flocons de neige artificielle mélangés à des gouttes d'eau sur son manteau et ses épaules, puis sur son cou et son visage. Il y a une scène semblable dans une comédie de W.C. Fields, et elle est très drôle. Peut-être en réponse à mes instructions répétées, Spence fit un signe à l'accessoiriste, qui lui envoya quelques flocons de neige artificielle en plus. « Moteur ! » criai-je, puis : « On tourne ! » et Spencer Tracy fit son entrée. Il était crédible en tant qu'acteur, mais il ne passait pas du tout dans la scène. Je mis la scène en boîte et pliai bagage. Je ne savais pas quoi faire d'autre.

Quelques années après, quand Jimmy Dean, jeune homme qui m'était antipathique (alors que j'aimais bien Tracy), opéra une entrée en scène similaire, je lui bottai le cul et lui fis faire trois fois le tour du studio en courant : il était au bord de l'évanouissement avant d'entrer en scène et, fatigué pour de bon, il me joua la scène avec authenticité. Mais il ne me serait jamais venu à l'idée de demander à Spencer — le corpulent, digne, si respecté Tracy — de faire trois fois le tour de l'enceinte du studio en courant. Et je ne suis pas sûr qu'il en aurait été capable.

J'éprouvais de l'affection pour Spencer comme pour Katharine. Katharine était comme ma femme, Molly, qui ne mettait pas de limites à ce qu'elle était prête à faire pour soutenir une cause en laquelle elle croyait. La cause en laquelle croyait Hepburn, c'était Tracy. Elle l'observait jouer une scène, et avant que je ne puisse placer un mot, fût-il favorable, elle disait, suffisamment haut pour que je l'entende : « Est-ce que ce n'était pas merveilleux ? Comment fait-il ça ? Il est si vrai ! Il ne peut rien faire qui sonne faux ! » Et ainsi de suite. Ce qui ne laissait guère de champ à mes critiques éventuelles. Le protégeait-elle de moi ? Je ne crois pas que c'était la raison. Elle l'adorait.

Je ne pouvais m'empêcher de dorloter Spencer. C'était un homme dévoré par un complexe de culpabilité — il en avait l'air et c'est ce qu'on m'a dit — à cause de son fils qui était né sourd. On racontait qu'il se blâmait lui-même, ainsi que ses « péchés », pour cette tragédie. De temps en temps, quand le supplice enduré par son âme de catholique devenait insupportable, il s'enfermait dans une chambre d'hôtel avec une caisse de scotch et restait soûl aussi longtemps qu'elle durait. Katharine, toujours selon la rumeur, dormait par terre en travers de la porte. S'il avait besoin d'aide dans la nuit, elle était là. Spencer ne la laissait pas entrer dans la chambre où il se trouvait, mais il arrivait qu'elle parvienne à y pénétrer quand même : elle lavait son visage et les endroits de son corps qu'il avait souillés, et s'assurait qu'il dormait. Il avait besoin d'aide, en effet, et quand il acceptait celle de Katharine, elle en éprouvait de la fierté. C'est une histoire qu'on raconte — je n'y étais pas, bien sûr — mais je la crois parce qu'elle correspond au personnage de la dame. Ce que cette histoire révèle de son caractère est véridique. Son abnégation ne connaissait pas de bornes.

A la fin du tournage, nous étions amis, mais je ne leur avais rien apporté qui mérite leur admiration — seulement des manières amicales et ce qui passait pour de la patience. Être sociable, apprécier les plaisanteries de Spencer, tolérer ses excentricités, ne pas insister sur les exigences d'une scène pour ne pas risquer de m'aliéner leur amitié, tout cela ne produisit pas un bon film. Et ce n'était pas non plus de l'amitié véritable.

A la fin du tournage, Molly tomba de nouveau enceinte — elle n'était jamais aussi resplendissante que lorsqu'elle attendait un bébé —, et les enfants, y compris Nick, le petit dernier, jouissaient d'une santé magnifique après l'été passé à la plage. Nous étions contents, cependant, de retourner dans l'Est. J'étais un homme découragé, mais la chaleur de ma famille faisait toute la différence. Pas de doute, c'était le style de vie le plus naturel pour moi — être entouré des miens. Je suis attaché à la notion de famille, en bon Européen.

Le monde et l'art du cinéaste, qui m'étaient chers et semblaient naguère à portée de main, me paraissaient maintenant hors d'atteinte. M.G.M. et son organisation avaient étouffé le début de confiance que j'avais acquis en tournant le Lys de Brooklyn. La sortie du Maître de la prairie fut reportée. Chacun, à l'intérieur du grand nid de frelons blanc qui abritait tous ces directeurs surpayés, offrait ses suggestions. Jane Loring, à la tête du département montage, participait aux discussions mais on ne m'invita pas. Le point de vue général semblait être que j'avais fait ma part et que mon avis n'entrait plus en ligne de compte. C'était tout aussi bien. Nous pliâmes bagage et repartîmes pour New York. Nous étions en pourparlers pour acheter une maison avec les louis de Mayer.

En fait, le seul à m'infliger un discrédit, c'était moi. Selon Abe Lastfogel, l'industrie portait sur moi un jugement différent. Il me confia que « ma cote était au plus haut » à la M.G.M., ce que je trouvai insultant vu que mon activité là-bas avait consisté à me soumettre à leur organisation et à faire ce qu'on me demandait. Quand le film sortit enfin sur les écrans, les journaux publiés par l'industrie cinématographique le saluèrent comme « le Plus Grand Film de Femmes depuis des Années! » — ce qui ne correspondait en rien à mon objectif de départ. Un autre critique de la presse publiée par l'industrie écrivit: « Hepburn n'a jamais été plus ravissante ni plus sexy que dans les costumes de Plunkett! » Tant mieux pour lui.

Certains parmi les plus spirituels de mes amis, cependant, livrèrent des appréciations spirituelles. Selon l'un d'eux, mes stars avaient l'air d'être habillées comme pour un bal costumé à Beverly Hills: « Déguisés en leurs Altesses le Roi et la Reine de la Prairie. » A New York, le critique du New Republic écrivit: « Ils errent dans des décors somptueux tels des somnambules pur-sang. » C'est le seul de mes films dont j'aie honte. N'allez pas le voir.

Zanuck avait entendu dire du bien de moi — ou bien la vague créée par
le Lys de Brooklyn me portait-elle encore ? — car il m'envoya un scénario
par l'intermédiaire de Louis de Rochemont, producteur qui se consacrait
alors à des documentaires dramatiques (quelle touchante contradiction
entre les termes !) pour la Fox. Ce film devait s'intituler *Boomerang*. A la
première lecture, ce me parut être un petit *thriller* de routine qui ne
présentait aucun intérêt pour moi. Molly n'était pas d'accord ; selon elle,
on pouvait en tirer quelque chose d'intéressant. Peut-être se disait-elle que
l'activité me remonterait le moral, parce qu'elle me poussa à l'accepter, ce
que je finis par faire.

Molly avait raison : *Boomerang* m'apporta la guérison. Je devins ami
avec l'auteur, Dick Murphy. Le producteur, Rochemont, homme brillant
qui buvait trop, présentait l'avantage de disparaître de temps à autre.
C'était un homme agréable et intelligent, qui possédait ces qualités en
quantité suffisante pour laisser le cinéma aux cinéastes. Il n'émettait
jamais aucun commentaire sur ce que je faisais. Je choisis les acteurs
parmi mon vivier new-yorkais, dont beaucoup allaient bientôt se joindre à
l'Actors Studio ; plus Ed Begley, alcoolique repenti et homme de bien qui
trimbalait le poids de culpabilité que son rôle exigeait ; plus Dana Andrews, qui se révéla capable d'apprendre sept pages de dialogue pour une
scène de tribunal en l'espace d'une heure à coup de cafés, après avoir
passé toute la nuit à boire autre chose ; plus Jane Wyatt, ma partenaire
dans *Musique de nuit*, plus collet monté que jamais, et certainement pas
une alcoolique.

J'effectuai moi-même tous les repérages et aucune scène ne fut tournée
en studio. Les rues de Stamford, dans le Connecticut, et la salle de
tribunal de White Plains, dans l'État de New York, nous servirent de
décors. Dick Murphy resta constamment à mes côtés ; si une scène ne
fonctionnait pas, nous la faisions fonctionner. Nous ne devions rendre de
comptes à personne. J'avais avec moi un monteur, Harmon Jones, qui
devint lui aussi un ami et me convainquit rapidement que faire des films
n'était pas si difficile que ça — « Regarde tous ces fossiles qui en font ! »
Selon lui, je ne serais pas long à maîtriser les techniques du montage, et je
pourrais me débrouiller tout seul ; d'ici là, je n'aurais qu'à m'en remettre à
lui. Nous expédiâmes la pellicule à Zanuck, qui répondit avec des télégrammes enthousiastes d'une longueur immodérée ; ils auraient eu bien
besoin d'un coup de ciseaux du monteur.

Je me réjouissais à la vue de la foule dans les rues. Un soir, cinq mille
personnes étaient là à nous regarder. Je ne les tins pas à distance ; au
contraire, j'allai me promener parmi eux, échangeant quelques plaisanteries, et je devins le héros du quartier ; à un moment, je demandai à cette
foule de faire silence le temps d'une prise, et ils se turent. J'offris des rôles
à tous les flics qui les acceptaient — nous avions une scène de passage à
tabac — et je fus impressionné par un sergent formidable, qui s'en tira
étonnamment bien. Je fis venir ma mère et mon père de New Rochelle
pour qu'ils me voient travailler, et mon père se convainquit enfin que je
pourrais peut-être gagner ma vie dans cette occupation étrange.

Je fis aussi venir mon oncle — A. E. (Joe) Kazan — sur le tournage. Ce vieillard avait autrefois été le gamin qui deviendrait le héros de mon livre (puis de mon film) *America America*, le premier membre de notre famille à être parvenu dans ce nouveau pays après avoir quitté l'Anatolie. A l'époque dont je parle, il subsistait grâce aux quelques dollars que je lui donnais chaque semaine, à ce qu'il pouvait extorquer de mon père et aux maigres subsides que lui rapportaient les tickets qu'il revendait au marché noir sur le champ de courses (on le récompensait en lui faisant cadeau d'un ou deux tickets à cinq dollars). C'est ainsi qu'il tenait le coup. Il possédait la résistance propre à notre famille et il avait toujours bon moral. En dépit du fait qu'il avait les poches vides, il portait encore son costume de millionnaire — si je le décris comme « usé jusqu'à la corde », je suis en dessous de la vérité — composé d'une houppelande noire, d'un pantalon à rayures « ambassadeur », d'un col cassé, d'un nœud papillon à pois bleus, et, pour couronner le tout, d'un chapeau melon. Tous ces effets râpés et crasseux lui conféraient pourtant style et distinction. Il exhibait aussi une canne à pommeau d'« ivoire », dont on n'avait pas voulu au clou.

Mon incarnation nouvelle l'impressionna : il ne m'avait jamais connu que dans la peau du fils dont mon père parlait comme d'un « cas désespéré ». Je lui offris un rôle pour profiter de sa compagnie. Il n'aurait qu'une heure de travail, mais nous complotâmes pour retarder la scène de sorte qu'il reste avec nous ; et aussi qu'il puisse toucher deux semaines de salaire. Son rôle consistait à escorter une dame d'âge moyen, sans doute sa femme, qui traversait la rue ; point final. Comme il n'avait jamais rien fait de tel auparavant, je lui donnai pour partenaire une actrice expérimentée, membre du syndicat des acteurs. Ils jouèrent la scène plusieurs fois mais Joe gâchait chaque prise par sa maladresse : il démarrait trop tard, trop tôt, me regardait, fixait la caméra. Je tournais la scène de nouveau, en demandant à l'actrice qui lui tenait le bras de s'assurer qu'ils commencent à traverser la rue au bon moment et en rappelant à Joe de ne regarder ni moi ni la caméra jusqu'à ce que je crie « Coupez ! ». Mais rien n'y faisait. Alors Joe, qui voyait bien que je n'étais pas satisfait, me prit à part pour me confier : « Cette femme que tu me donnes ici, elle sait pas jouer. Tu vois bien, elle rate à chaque fois... » Je demandai à cet « arrogant Anatolien » de bien vouloir être patient avec elle ; après tout, c'était une dame d'un certain âge et elle avait bien besoin de ce petit cachet. Joe prit ma suggestion avec paternalisme, mais je réussis à le convaincre d'essayer de nouveau. « Ne lui fais pas d'ennuis, oncle Joe, lui dis-je. Elle a besoin de ton aide. » Ce recours à sa galanterie fit mouche. Il offrit son bras à la dame, ils firent une nouvelle tentative, et cette fois la scène fonctionna. « C'est bon ! » hurlai-je d'une voix triomphante. Tous les spectateurs dans la rue — il y en avait plusieurs centaines — applaudirent. Joe fit un petit signe de la main, en guise de remerciement, et toutes les jeunes actrices de la distribution se précipitèrent pour l'entourer et le câliner, toutes en admiration devant lui.

Joe mourut peu après. Je fus le premier membre de la famille à pénétrer dans sa chambre d'hôtel. Le corps gisait sur le sofa ; Joe n'avait jamais pu apprendre à dormir dans un lit. Sur la table, près d'une fenêtre qui fermait mal, je trouvai une aiguille pour le traitement du diabète et deux paquets provenant d'une chemiserie. L'un contenait une houppelande noire flambant neuve pour remplacer celle qu'il avait usée et souillée, l'autre un nouveau chapeau melon. Voilà ce qu'il avait fait de l'argent gagné sur le tournage. Mais dans la poche du pantalon qu'il portait au moment de sa mort se trouvait un chèque non encaissé de la Twentieth Century Fox — assurance contre le futur dont Joe avait appris qu'il était impitoyable. J'ai dit que *Boomerang* m'avait apporté la guérison. C'est vrai. Je parcourais les rues de Stamford — elles constituaient mon décor — comme si j'en étais le maître. Appelez cela de l'arrogance. Je parlerais plutôt de confiance en moi : elle était revenue en force combler le grand vide qui s'était fait jour à Culver City. Il régnait une harmonie merveilleuse à Stamford et dans le tribunal civil de White Plains. Je travaillais de nouveau dans la joie. J'avais trouvé ma façon à moi de faire des films.

Pendant que j'étais à Stamford en train de tourner *Boomerang*, la déclaration suivante parut dans le *New York Times* : « Harold Clurman, Elia Kazan et Walter Fried annoncent la formation d'une nouvelle compagnie théâtrale (...). Premier spectacle prévu par cette nouvelle association : une pièce sans titre d'Arthur Miller, précédemment intitulée *The Sign of the Archer*. Selon la rumeur, Franchot Tone sera mêlé de très près à cette nouvelle production. »

A l'évidence, cette annonce était l'œuvre de Harold ; je n'avais pas été informé de son libellé et nous n'avions jamais discuté de Franchot Tone. Connaissant Harold, je pouvais y déceler la marque de son avidité et de son orgueil ; dans l'expression « selon la rumeur », je décelai également son habileté.

Harold avait lu la pièce de Miller en premier et me l'avait passée ensuite. Elle m'avait fait grosse impression ; elle possédait une force qu'on ne trouvait chez aucun auteur de l'époque, à part Lillian Hellman, mais la pièce d'Art était chaleureuse et non pas haineuse, comme celles de Hellman. Comme tant d'autres œuvres contemporaines, elle traitait de la culpabilité, mais pas de celle ressentie par une personne accusée à tort. La culpabilité, dans la pièce d'Art, était réelle. Du fait qu'elle ne reposait pas sur une accusation dont la fausseté serait démontrée en trois actes, la pièce mettait en scène un conflit moral authentique. J'admirais Art d'attaquer son sujet bille en tête. La culpabilité mise à nu était celle du père du héros, que celui-ci adorait. Cet élément — une attache émotionnelle solide mise à l'épreuve — donnait tout son relief au sujet. Et comme la culpabilité frappait un homme d'affaires, donc tout le monde des affaires, la pièce prenait valeur de commentaire sur notre société.

Je me sentis immédiatement des atomes crochus avec Art. C'est le Group Theatre qui lui avait donné l'envie d'écrire des pièces, nous étions tous deux des enfants de la Dépression, de gauche, et nous avions eu des problèmes avec nos pères respectifs, car nous considérions le milieu d'affaires dans lequel ils évoluaient comme antihumain. Nous ne tardâmes pas à échanger tous nos petits secrets. Je devais découvrir qu'Art rencontrait beaucoup de problèmes semblables aux miens dans sa vie de famille. Marié mais victime d'instabilité chronique, difficulté que j'avais dû affronter moi-même tout au long de ma vie conjugale, il ne devait sa prudence qu'à ses inhibitions. Il fréquentait notre foyer. Il appréciait la pêche intellectuelle de Molly, elle admirait sa force. C'était comme si Art avait fait partie de la famille. Je le voyais presque tous les jours et la plupart du temps à la maison.

Art s'intéressait énormément au cinéma et je l'invitai à venir assister au tournage de *Boomerang*. Il fut sensible à la gaieté qui régnait sur le plateau et au genre d'acteurs que j'utilisais. Ils ressemblaient à ses propres personnages, des êtres humains ordinaires et non des piliers du Little Bar de Sardi. Il se fit des amis parmi ces acteurs. Je lui fis tenir le rôle d'un suspect lors d'une séance d'identification et il en fut ravi. Il me confia qu'il aimerait écrire pour le cinéma, notamment au sujet de son expérience dans les chantiers navals de la marine, à Brooklyn, où il avait travaillé pendant la guerre. Il pensait que les docks fourniraient un matériau de base passionnant pour le cinéma. Nous organisâmes le travail : il écrirait et je mettrais en scène un film qui se déroulerait sur les quais.

Il voulait que je mette en scène sa pièce avec un certain nombre d'acteurs de *Boomerang* : Ed Begley, Arthur Kennedy et Karl Malden en particulier. Art admirait Harold mais se sentait plus proche de moi. Je désirais ardemment diriger cette pièce, qui s'appelait désormais *Ils étaient tous mes fils*, mais j'avais peur que Harold ne soit vexé du choix effectué par Art. Ce fut le cas, mais il ne voulut pas l'admettre. Harold croyait que ne pas admettre ses faiblesses était signe de force. Il ne put jamais apprendre à ne pas ravaler sa colère ou ses blessures. Il s'était mis dans l'idée — qui aurait pu l'en blâmer, vu qu'Art lui avait donné la pièce à lire en premier ? — qu'il serait choisi pour la mettre en scène. La décision prise par Art, comme toujours au théâtre, fut rendue publique ; tout le monde sut donc à qui était allée la préférence d'Art.

Un autre élément entrait en ligne de compte : la réputation professionnelle d'un metteur en scène dépend des pièces qu'il est capable d'attirer. Harold avait bâti la sienne à partir des pièces que Clifford Odets avait écrites et lui avait offertes. Puis Odets s'était éloigné de Harold. En 1941, il avait demandé à Lee Strasberg de diriger Tallulah Bankhead dans *Le démon s'éveille la nuit*, sa nouvelle pièce. Si Art lui avait donné sa pièce à mettre en scène, la réputation professionnelle de Harold en aurait bénéficié. Ce n'était pas un mince préjudice.

Il n'arrêtait pas de répéter que cela n'avait pas d'importance, qu'il ne s'en formalisait pas. Il affichait une gaieté inébranlable, concédait que je possédais un certain nombre de qualités utiles pour la besogne, dont celles qu'il ne se lassait pas de mentionner : l'énergie, la précision et la dextérité technique. Lui, sous-entendait ce discours, c'était l'artiste, avec sa sensibilité incomparable et sa largeur de vue qui embrassait tout un champ culturel. Bien que ces propos ne soient pas dénués de fondement, ils m'agaçaient. Bizarrement, il ne m'adressa de compliments sincères que des années plus tard, quand je me mis à écrire des romans. Il me dit un jour que les gens me respectaient plus maintenant que j'écrivais des livres. Il voulait parler de lui, bien sûr, pas des « gens ». Durant les répétitions d'*Ils étaient tous mes fils*, qui avaient débuté en décembre 1946, il se comporta de façon odieuse. De fait, il semblait avoir perdu toute maîtrise de lui-même. On aurait dit un gamin mal élevé. Il s'asseyait au fond du théâtre où je travaillais, flanqué de notre secrétaire qu'il devait inonder de notes. Il lui parlait à voix haute, s'esclaffait et faisait des commentaires. Depuis la scène, j'entendais ses borborygmes et je sentais son agitation derrière mon dos. Parfois il était accompagné d'une autre jeune femme, qui lui offrait ses cuisses pour qu'il y réchauffe sa main. Il fallait toujours qu'il attire l'attention sur lui (tout était bon), qu'il fasse irruption sur scène pendant les pauses, bavarde de sujets qui n'avaient rien à voir avec les répétitions, rie de ses propres saillies et monopolise Miller quand j'aurais eu besoin de lui parler en tête à tête. Pendant ce temps-là, je m'efforçais de rassembler mes esprits et de résoudre les problèmes que j'avais remarqués au cours de la répétition. Je n'arrivais pas à comprendre ce qui le rongeait. Molly finit par me le dire. « Il est jaloux. »

Il me faisait sans arrêt passer la même note — j'y voyais une obsession chez lui. Selon cette note, la femme de l'homme d'affaires aurait dû porter sa part de culpabilité. Peu après, je découvris que c'était une idée de Stella. Je n'étais pas d'accord avec cette suggestion, mais Harold ne lâchait pas prise. Dès que j'avais le dos tourné, il faisait également pression sur Arthur. J'imagine que dans l'intimité de leur foyer, Stella devait le harceler : « Alors, tu as dit à Kazan ce que je pense qu'il devrait faire ? » Je crois qu'il finit par convaincre Miller, pas très sûr de lui à l'époque, que Stella avait peut-être mis le doigt sur un point intéressant. Art essaya de réécrire le rôle de la femme, mais sans succès, et la pièce reprit sa forme initiale.

Nos arrangements financiers stipulaient que nous partagerions le cachet du metteur en scène entre nous, Harold et moi, quel que soit celui qui dirigeait : ceci afin de nous donner à tous les deux l'assurance d'un petit revenu régulier. Mais je m'aperçus que son activité principale, de même que celle de notre directeur commercial, Fried, consistait à chercher des pièces que Harold pourrait mettre en scène de son côté — ou que Stella pourrait diriger. Il m'avait dit qu'il voulait que Stella mette en scène une pièce pour nous. Moi, comme d'habitude, je n'avais pas pipé mot, mais je bouillais. Je n'avais pas répondu comme je l'aurais dû, en disant sans ambages que je ne produirais jamais une pièce qu'elle mettrait en scène. Mais Harold devait en entendre des vertes et des pas mûres à la maison. Elle voulait toujours qu'il lui prouve son amour en montrant qu'il la préférait.

Un autre désaveu élargit la faille entre nous. Bobby Lewis et moi avions organisé des classes d'interprétation au Studio, et dès que *Boomerang* eut été « bouclé », ces classes débutèrent. Le message adressé à Harold était limpide : j'avais préféré lancer ce programme avec Bobby. Je n'avais pas attendu que Harold en « parle à Stella ». J'avais écarté les souhaits et les conseils de Harold pour suivre ma route, abandonnant Stella sur le bas-côté. Mais là encore, il ne réagit pas. S'il était en colère contre moi, il ne l'a pas montré.

Notre unité de production — *Ils étaient tous mes fils* en répétition — fonctionna à merveille. Entre Miller et moi, les acteurs et le décorateur, Mordecaï Gorelik, le courant passa. Notre tournée d'essai remporta un grand succès. Art retravailla un peu la pièce avant la première new-yorkaise, puis nous fîmes notre entrée en scène. Brooks Atkinson, le seul homme de qualité parmi les critiques de nos quotidiens, décela la valeur inhabituelle de la pièce et se rendit compte qu'un nouvel auteur dramatique d'importance avait fait son apparition. En dépit de quelques papiers plutôt tièdes (« Il y a plus d'indignation que de talent dans cette pièce », écrivit le type du *Herald Tribune*, et dans le *Daily News*, Burns Mantle déclara: « Bien avant qu'ils n'aient fini de parler et que Mr. Begley ne se soit suicidé, j'étais prêt à rentrer à la maison »), la pièce marcha très fort. Elle finit même par remporter le prix des Critiques dramatiques, battant à plate couture *Voilà le marchand de glace*.

Le *Daily Worker* acclama la pièce: « Miller occupe maintenant la première place parmi cette génération montante de jeunes auteurs dramatiques qui s'efforcent de revenir à la tradition américaine du drame social et d'en approfondir la portée. » Et ainsi de suite. La ville bruissait de conversations dont nous étions l'objet et, une fois de plus, le théâtre de gauche plaçait tous ses espoirs en moi. Harold était ravi et trouvait que son approche de la pièce avait été plébiscitée. Tout ce qu'il dit de cette production dans ses Mémoires tient en ces mots: « J'ai produit *Ils étaient tous mes fils*. » La pièce avait marché, comme il l'avait prédit. Il estimait qu'il avait pris toutes les bonnes décisions, y compris celle de m'engager comme metteur en scène. Le soir de la première, je reçus ce télégramme de lui: « Cher Gadg, c'est un début magnifique pour nous. Tu as fait un travail formidable. Mais n'oublie pas que c'est seulement le début. Amitiés, Harold. »

S'il avait dans l'idée que je voulais remettre en cause notre association, il était dans le vrai.

J'étais désormais très confiant et pénétré de ma valeur. J'avais fait du bon travail avec Arthur et les acteurs. Je savais que j'avais été parfaitement à la hauteur. La nouveauté, c'est que j'espérais être en mesure d'apporter une contribution unique et personnelle au cinéma. Si je pouvais convaincre des auteurs de talent comme Miller d'écrire pour le cinéma — nous avions poursuivi nos discussions au sujet d'un film sur les docks —, je pourrais peut-être réussir ce que personne d'autre n'avait encore fait dans ce pays. Jusqu'à ce moment-là, je m'en étais remis à d'autres — Harold, Bud Lighton, Zanuck et tous les techniciens: cameramen, directeurs artistiques et monteurs. Mais j'avais compris que cette attitude ne me convenait pas. Qu'il me faudrait désormais voler de mes propres ailes.

Cette résolution nouvelle, ajoutée à ma déception et à ma colère devant la manière dont Harold s'était comporté, fit naître en moi le désir de rompre notre association. Je me surpris à essayer d'inventer de bonnes raisons de le faire: je passais mon temps à repenser à sa conduite durant les répétitions, à son attitude condescendante à mon égard, à son indulgence arrogante. Je relus aussi les piques qu'il m'avait envoyées dans ses articles. Ses manifestations de jalousie me revinrent en mémoire. Molly avait vu juste. Je me rappelai aussi l'omniprésence de Stella, à l'arrière-plan.

En regard, il y avait la joie que j'avais éprouvée à me retrouver seul en piste. Pour *Boomerang*. Et pendant la préparation d'*Ils étaient tous mes fils*. J'en conclus que l'artiste ne doit pas s'encombrer de partenaires. S'il possède quelque talent, ce qu'il lui faut produire, c'est une œuvre qui traduise une expression personnelle qui n'appartient qu'à lui. La vérité, c'est que si, avec Harold, nous étions partenaires du point de vue commercial, nous étions concurrents du point de vue artistique — jamais nous ne nous mettrions d'accord sur l'art de l'interprétation, me disais-je. Et la suite des événements me donna raison.

J'en conclus également que le théâtre ne correspondait en rien à ce que m'avaient enseigné Lee et Harold, qui le considéraient comme un art collectif. Une production artistique de qualité exprime la vision, la conviction et la présence obstinée d'une seule personne. Moins on met de mains à la pâte, moins on a recours aux sept vertus fatales (équité, équilibre, tolérance, humilité, raison, ouverture d'esprit, etc.), meilleur est le produit fini. Une compagnie d'acteurs donne les meilleurs résultats quand elle est préparée par son metteur en scène (tyran bienveillant) à remplir un objectif précis : satisfaire aux exigences de ce metteur en scène vis-à-vis de *sa* production. Chaque fois qu'une compagnie théâtrale vénérée a connu le succès, depuis le Théâtre de Moscou jusqu'aux célèbres productions de Vakhtangov et de Meyerhold, en passant par les ballets de Balanchine et les productions d'avant-garde de Grotowski et de Peter Brook, elle avait été amenée par le metteur en scène à servir ses fins, rien de moins qu'absolues. Les grands spectacles de théâtre dont j'avais entendu parler étaient le produit d'un seul artiste, d'un individu qui ne s'en laissait pas conter, d'un visionnaire doté d'un ego dominateur. Il en avait toujours été ainsi. Il en serait toujours de même. Je l'avais compris désormais. Je savais que dépendre d'un tiers, collaborer avec lui, fût-ce Harold que je respectais beaucoup, ne pouvait donner de bons résultats. Il me devenait en vérité de plus en plus difficile de collaborer avec quiconque. Harold serait la dernière personne dont je dépendrais jamais ; il me faudrait briser mes chaînes.

Mais j'hésitais encore à sauter le pas. Je ne pouvais m'empêcher de me demander si Harold en souffrirait. Et le cas échéant, avec quelle intensité ? Je ne voulais pas lui faire de mal. Pendant plusieurs semaines, je fus sur le point de renier, publiquement, un homme que j'aimais encore — en dépit de tout. Pendant toutes ces semaines, je ne parvins pas à me convaincre d'accomplir l'inéluctable.

C'est à ce moment-là que Darryl Zanuck m'envoya le roman de Laura Hobson, *le Mur invisible*. Ce devait être sa « production personnelle », c'est-à-dire le film de l'année pour la Fox, qui se mettrait en quatre pour lui. Il me demanda si je voulais le mettre en scène. Je sautai sur l'occasion. Je pourrais quitter New York et du même coup échapper à l'imbroglio Clurman-Kazan. J'aurais la possibilité de faire le point et de déterminer ce qui comptait le plus pour moi. Je pris également la décision de jouer dorénavant sur les deux tableaux, la côte Ouest et la côte Est — je monterais des pièces à New York et je ferais des films là où les conditions seraient les meilleures, mais de préférence, comme pour *Boomerang*, en décors naturels. Je ne renoncerais à rien, j'aurais le drap et l'argent.

Pendant notre tournée d'essai d'*Ils étaient tous mes fils*, j'avais reçu une lettre de mon fils Chris, âgé de neuf ans, qui avait dû prendre lui-même l'initiative de me l'envoyer, bien qu'elle ait été tapée par sa mère. « Cher papa, écrivait-il, j'aimerais que tu abandonnes ton travail pour que nous puissions te voir plus souvent. Tout, le théâtre et tout le reste. » Cette lettre me convainquit d'emmener toute la famille dans l'Ouest avec moi. Fox nous trouverait une maison avec piscine, nous allouerait des voitures, nous ravitaillerait en abondance et nous octroierait une cuisinière et une gouvernante. Ce qui serait sans doute du goût de Chris et de sa copiste, Molly. Je me rendrais à mon travail tous les matins comme un père de famille ordinaire, reviendrais le soir à la maison, m'occuperais du jardin les week-ends, et les gamins apprendraient à nager. Je fis part de mes plans à ma famille, qui sauta de joie.

Juste avant mon départ pour l'Ouest avec les miens se produisit l'incident qui allait emporter ma décision au sujet de mon association avec Harold. Brecht se trouvait alors à New York et Harold essayait de lui arracher les droits de *Galileo Galilei*, que Harold voulait que nous produisions. Il voulait aussi en assurer la mise en scène. Je ne compte pas parmi les admirateurs de cette pièce et je n'avais guère envie de la produire. Je penchais plutôt pour des drames américains contemporains, qu'il s'agisse de films ou de pièces. Harold me poussait à donner mon accord contre mon gré. Nous rencontrâmes Brecht, son fils et Audrey Wood, son agent. Ils étaient d'accord pour que nous montions la pièce si c'était moi qui la mettais en scène, et non Harold. Je leur répondis que c'était impossible car je m'apprêtais à réaliser un film. J'étais gêné pour Harold qui poussait à la roue pour que Brecht l'accepte comme metteur en scène. « Je ne veux pas d'états d'âme, finit par dire Brecht, et vous allez me servir des états d'âme. Amenez-moi un directeur de cirque. Vous êtes un homme de Stanislavski. — Je m'appelle Clurman », beugla Harold. Sans effet. Brecht n'en voulait pas.

Harold mentionne dans son livre que j'étais resté silencieux durant cette discussion, que je n'avais pas essayé de convaincre Brecht de lui donner la pièce. Harold a raison. Il avait été déçu. Il écrit que je craignais sans doute que « la réputation de communiste attachée à Brecht ne le (me) rende suspect lui (moi) aussi ». Il croyait encore que c'était la raison pour laquelle je ne voulais pas mettre en scène la pièce. Cette idée ne m'avait même pas effleuré ; nous étions en 1947 et je ne témoignerais devant la Commission des activités antiaméricaines que cinq ans plus tard. En 1947, j'aurais apporté un témoignage tout différent. Non, la raison pour laquelle je n'avais pas insisté auprès de Brecht pour qu'il nous donne la pièce et que Harold la dirige, c'est que j'avais acquis la certitude, assis là en train d'assister à cette altercation, que je voulais mettre fin à notre association. Cette fois, ça y était.

Ma famille et moi-même nous installâmes en Californie, dans la maison que la Fox avait louée. Depuis mon bureau dans l'enceinte de la Fox, j'écrivis à Harold pour l'informer de ma décision. Je donnai mes raisons et m'efforçai de faire preuve de tact, mais ces raisons étaient sans rapport, et si je montrai du tact, c'est que j'étais sûr de mon fait : tout était fini !

Je pense que Harold ne m'a jamais entièrement pardonné cette lettre. Humain, trop humain, il lui a fallu ensuite trouver des moyens de me rendre mes coups, non pas en m'attaquant ouvertement mais par l'inter-médiaire d'insinuations calomnieuses que moi seul pouvais comprendre. Il n'a jamais rien écrit d'enthousiaste sur mon travail au théâtre.

En 1978, deux ans avant sa mort, j'ai abordé la question sur le ton de la plaisanterie. Je devais clore une soirée d'hommage en son honneur et j'ai déclaré que si on lui avait demandé de parler de moi, ce soir-là, après toutes nos années d'amitié et tout ce que j'avais accompli, « je crois que tout ce qu'il aurait trouvé à dire, même maintenant, c'est : "Kazan ? Oh oui, c'était mon régisseur." » Harold en a ri à gorge déployée. Moi aussi.

Comme la Californie me semblait calme après New York ! Zanuck était à son zénith ; nos rapports ne seraient plus jamais aussi harmonieux. Le personnel de la Fox m'accordait un soutien sans mélange. A la maison, l'eau de la piscine était claire, propre, à température idéale. Molly et les gosses s'y trempaient deux fois par jour et j'y plongeais moi-même chaque soir dès que je rentrais du studio. Pendant les week-ends, je jouais avec mes enfants. Molly était fière de moi et se réjouissait de ma rupture avec Harold.

Il n'avait pas répondu à ma lettre. Il n'y avait d'ailleurs rien à dire. Mais je n'avais plus personne avec qui me mesurer, vers qui me tourner pour trouver l'inspiration. Je vis combien j'avais dépendu d'autrui au cours de ma vie professionnelle. J'étais enfin seul aux commandes.

Ce matin, j'ai lu la nécrologie de Lillian Hellman dans le *New York Times*. Elle n'est pas signée ; pourtant, d'habitude, les nécros de personna-lités importantes le sont. Cela signifie-t-il que le journal n'a pas ménagé ses efforts pour celle de Lillian ? Ont-ils trouvé et engagé quelqu'un de spécial, qui désirait rester anonyme ? L'article flamboie de l'adoration autrefois réservée aux saintes. Lillian était quelqu'un que je n'aimais pas, mais puisque j'écris ces mots à l'occasion de sa mort, *de mortuis nil nisi bonum*. Elle a prononcé, peu après la période que je viens de raconter, un mensonge ignoble à mon sujet, mais j'y viendrai une fois que son corps aura refroidi.

C'est surprenant, mais la première chose qui me soit venue à l'esprit en apprenant la nouvelle, c'est le souvenir d'un autoportrait de Lillian. Il y a quelques années de cela, un libraire avait demandé à un certain nombre de personnalités du monde artistique de réaliser un portrait d'elles-mêmes. La qualité importait peu. Une sélection de ces croquis fut ensuite publiée. Lillian avait choisi de nous montrer « ce à quoi j'aurais voulu ressembler ». Elle avait dessiné une starlette au trait ; « boucles blondes, naturelles », avait-elle tenu à préciser dans une note en marge, « avec des yeux bleu foncé, naturels ». On trouvait aussi, bien sûr, un nez court, retroussé, et, signifiées par deux points, ses narines. Quand j'ai retrouvé ce livre sur les étagères de ma bibliothèque et que j'ai regardé à nouveau ce dessin — elle s'était représentée comme une collégienne élue reine du bal de fin d'année —, j'ai éprouvé un regain de sympathie pour la dame : au moins, elle ne se prenait pas au sérieux. Le livre, bien sûr, était une plaisanterie d'adultes. Mais c'est lorsqu'on dit une chose « pour rire » qu'on est le plus sérieux, n'est-ce pas ? J'en ai donc tiré la conclusion qu'elle exprimait là un souhait jusqu'alors insoupçonné. Avions-nous affaire ici à une aspiration frustrée ? Etait-ce la source de son célèbre tempérament de feu ?

Finalement, Lillian a joui d'un privilège réservé à très peu d'entre nous : son vœu le plus cher a été exaucé. Elle a été interprétée à l'écran non par une actrice qui lui ressemblait, mais par cette chère Jane Fonda. Un choix, cela va sans dire, approuvé par Lillian. Cette comédienne donnerait au monde entier l'image d'une femme très attirante.

Autre moyen de parer à ce qu'elle semblait considérer comme une infortune de naissance, elle s'était toujours entourée d'une compagnie masculine qui offrait la preuve vivante de sa séduction. On raconte qu'elle avait été jusqu'à entretenir une maison entière à l'intention d'un groupe très sélect de robustes intellectuels : les élus. On y dénombrait un mari jeté aux orties mais toujours dévoué, son metteur en scène-homme de confiance, personnage très capable, le vigoureux rédacteur en chef du plus vigoureux journal libéral du moment et, sur le dessus du panier, Dashiell Hammett, dont la dame vantait avec une telle fréquence et une telle ardeur l'amour qu'il éprouvait pour elle qu'on ne pouvait s'empêcher d'en douter. Lillian, j'en suis sûr, les adorait tous. Que ses amis, s'il s'en trouve pour lire ce livre, n'aillent pas s'imaginer que je me moque lorsque je déclare admirer la dame de s'être procuré ce mini-harem. C'est une chose que même moi, à l'apogée de mes pouvoirs de séduction, je n'aurais pas tentée. C'est aussi le genre d'arrangement dont beaucoup d'hommes, pour renverser les sexes, rêvent en secret. Elle, elle y était parvenue. Chapeau.

Personne n'a jamais révélé ce qui se passait dans cette maison bénie. La sultane convoquait-elle l'objet de son choix à ses côtés, un pour chaque moment de la journée ? Ou suis-je en train de faire preuve de mauvais esprit ? Enfin, comme la reine des abeilles avait préféré garder secrètes les activités qui animaient sa ruche, je respecterai son intimité et ne me livrerai à aucune autre spéculation. Simplement, cet arrangement révèle un besoin qui ne cadrait guère avec l'image d'elle-même que Lillian avait créée par ailleurs. Il révèle que c'était une femme comme les autres.

Sur ces mots, pour le moment, paix à son âme.

AU MOIS D'AVRIL 1947, je reçus une lettre de l'auteur de *la Ménagerie de verre* ; Tennessee Williams m'écrivait de New York.

> Cher Gadg : en ville pour quelques jours, ma première chance de voir *Ils étaient tous mes fils*. Je n'ai jamais vu de meilleure mise en scène à Broadway. Au passage, c'est de la dynamite cette pièce. Elle devrait rafler les deux prix facilement. Le type d'éloquence dont ce pays a sacrément besoin ces temps-ci. J'enverrai mes félicitations à Miller (avec une pointe de jalousie, toutefois).
> Irene Selznick va vous faire parvenir un script de moi. Ce n'est peut-être pas le genre de pièces qui vous intéresse, mais je l'espère. Tenn.

Le bureau de Mrs. Selznick me fit parvenir le script mais je ne me jetai pas dessus pour le lire. Je n'étais pas sûr que Williams et moi appartenions à la même race d'animaux de théâtre ; Miller me semblait être davantage dans mes cordes. De plus, j'avais entendu dire que le script avait été offert à Josh Logan, ce qui m'avait refroidi. Les milieux du théâtre bruissaient de l'enthousiasme de Logan pour la pièce ; il l'avait exprimé ouvertement et à plusieurs reprises. Je ne voulais pas entrer en compétition avec lui. C'était un ami et un homme que j'estimais.

Mais Molly, qui avait un jour poussé le Group Theatre à donner un prix à Tennessee pour trois pièces en un acte, lut cette nouvelle pièce. Elle s'intitulait *Un tramway nommé Désir*. Tennessee était impatient de connaître ma réaction et appela le lendemain matin. Molly savait reconnaître un chef-d'œuvre quand elle le tenait entre ses mains et dit à Williams tout le bien qu'elle pensait de sa pièce. Son inquiétude quant à ma décision persista cependant. « Gadg aime les thèses, je le sais, dit-il à ma femme, et je ne suis pas encore parvenu à définir la thèse de cette pièce. »

Quand Irene Selznick eut acquis les droits de production d'*Un tramway nommé Désir*, les cercles éclairés de Broadway laissèrent libre cours à leur morgue. Je suis embarrassé d'avouer que j'avais suivi le mouvement; la morgue s'empare rapidement de ceux qui connaissent le succès, dans notre rue. Mon cher ami Kermit Bloomgarden se déclara « choqué ». D'autres producteurs s'en prirent à Audrey Wood, l'agent de Tennessee. Ils avaient consacré des années de leur existence, se plaignirent-ils, à travailler avec abnégation pour maintenir en vie le « superbe invalide »; comment osait-elle donner la nouvelle pièce d'un auteur primé à une étrangère? Une intruse venue de Hollywood! Une débutante. Et d'abord, que connaissait Mrs. Selznick au théâtre? Chez Sardi, on remâchait le fait qu'elle était la fille de Louis B. Mayer et la femme de David O. Selznick en même temps que les cannellonis. Comment avait-elle obtenu la pièce? Les fidèles exigeaient une réponse. Une rumeur commença de se répandre, selon laquelle Mrs. Selznick avait prêté (donné?) à Audrey et à son mari suffisamment d'or récolté sur la côte Ouest pour qu'ils puissent s'acheter une maison dans une banlieue huppée du Connecticut. On avait déjà entendu parler de faveurs de cet ordre, accordées à quelque agent puissant de Hollywood, capable d'envoyer (ou de fourvoyer) un client dans la direction souhaitée par un patron de studio encore plus puissant. Et Mrs. Selznick avait été élevée par Mr. Louis B. Mayer, n'est-ce pas?

Je connais Irene depuis quarante ans et je ne l'ai jamais vue faire quoi que ce soit de malhonnête. C'est bien elle, et non son père, qui a produit le *Tramway*.

Pour se familiariser avec ses nouvelles activités, Mrs. Selznick s'arrangea pour rencontrer certains des anciens de notre quartier, qui faisaient partie des meubles pour ainsi dire. Ils ne l'accueillirent pas tous à bras ouverts. Elle interrogea ces vétérans, confessant son ignorance et son inexpérience. A sa demande, ils étalèrent leur science infuse. Irene prit son temps, compara les opinions, mit à nu les contradictions, soupesa les réponses. Parmi ceux qu'elle avait demandé à rencontrer se trouvait Bill Fitelson, l'avocat de nombreuses personnalités du théâtre, dont Josh Logan, dont moi. Elle invita Bill à lui rendre visite à son bureau. Il trouva le temps mais, d'après Irene, s'offensa qu'elle lui ait demandé de venir à son bureau *à elle*. Le fait de savoir qui se rend chez qui représente en effet un critère dans le monde du spectacle. Irene raconte que Bill avait été grossier et avait juré que jamais aucun de ses clients ne travaillerait pour elle. Je n'ai pas assisté à cette conversation, mais je sais que Bill Fitelson ne l'avait pas digérée. La vérité, c'est qu'il ne disposait pas d'une telle influence sur ses clients. Alors était-ce une bravade ou le premier pas vers la négociation?

Il était naturel pour Irene de penser à Logan: c'était le metteur en scène le plus coté sur Broadway. Mais, s'en remettant à quelque instinct, à une impulsion irrationnelle, Williams voulait maintenant demander à Irene de dire à Logan qu'il n'accepterait que moi. Je n'avais toujours pas lu la pièce mais ma femme, qu'elle avait bouleversée, me harcelait. Après l'avoir lue, je dois l'admettre, j'émis des réserves. Je rencontrai l'auteur. Sa modestie me prit par surprise. Nous eûmes une conversation très franche et le courant passa entre nous. J'informai Bill Fitelson que je voulais faire la pièce mais avec les pleins pouvoirs artistiques concernant toutes les décisions de production et une position sur l'affiche qui m'assurerait du respect de ces droits.

Nous nous rencontrâmes de nouveau, Williams et moi ; après nous être serré la main, nous tombâmes dans les bras l'un de l'autre. De notre point de vue, l'affaire était réglée. Il se « retira » à Cape Cod. Je me préparai à véhiculer ma tribu vers la Californie, où je devais mettre en scène *le Mur invisible*. Irene Selznick et Bill Fitelson s'enfermèrent dans la même pièce et verrouillèrent la porte. Il naquit une union loin d'être bénie des dieux. Des conversations eurent lieu qui ne figurent pas dans mes archives. « Je viens d'avoir des nouvelles de Mrs. Selznick, m'écrivit ainsi Williams, et elle dit que Mr. Fitelson lui a rapporté que vous estimiez nécessaire de reprendre la pièce. Est-ce exact ? » Je n'avais rien dit de tel à Bill et, d'ailleurs, je venais de relire la pièce et je ne le pensais pas. Les entretiens précédant la signature de ce contrat, semblait-il, suivaient un chemin familier qui rendait difficile de trier ce qui était vrai de ce qui relevait du bluff. Williams m'invitait à le rejoindre à Cape Cod avant mon départ pour l'Ouest afin que nous puissions parcourir le script pendant le week-end. Il était impatient que je lui fasse part de mes idées. « Il y a quelques passages faibles et quelques touches un peu mélo, continuait-il dans sa lettre. Je suis persuadé que notre concertation sera des plus fructueuses. Le genre rêveur sur son petit nuage, auquel je confesse appartenir, a besoin du regard complémentaire de l'ouvrier, plus objectif et plus dynamique. Je crois que vous êtes aussi un rêveur. On trouve la part du rêve dans vos mises en scène, et elle est très provocante, mais vous possédez également le dynamisme dont mon œuvre a besoin. »

Après cette lettre (dont j'avais dévoré les compliments avec gloutonnerie), je ne pouvais plus rien lui refuser. Sur le point de partir pour la côte Ouest, j'appelai Fitelson en exigeant qu'il me dise où en étaient les négociations. Il me suggéra de m'en remettre à lui. Le processus était délicat, m'expliqua-t-il, parce que nos exigences avaient blessé l'amour-propre d'Irene. Mais, étant donné que l'auteur me voulait moi, il ne semblait pas faire de doute pour Fitelson qu'elle n'aurait pas d'autre choix que d'accepter nos conditions. Il me demanda de rester évasif.

A ce stade, je tenais tellement à monter cette pièce que je fis concurrence à mon avocat en écrivant directement à Tennessee. « Merci pour votre lettre merveilleuse, écrivis-je. J'ai relu la pièce hier soir avec le téléphone débranché et je me suis senti proche de vous. Je ferai tout ce qui est en mon pouvoir pour monter votre pièce. Mais je travaille mieux quand je n'ai affaire qu'à l'auteur. Je ne recommencerai jamais à travailler pour un producteur si cela signifie que je dois le (ou la) consulter sur chaque détail, ainsi que les administrateurs, les patrons, les comités de production, les agents, les commanditaires et associés personnels variés et divers du producteur. Toutes les réunions, sur *Ils étaient tous mes fils*, se sont tenues entre deux personnes, Miller et moi. C'est la meilleure méthode. J'en ai parlé avec Fitelson et nous sommes convenus d'une proposition que Mrs. Selznick trouvera peut-être acceptable. Je l'espère en tout cas. Cela dépendra, d'une certaine façon, de votre détermination à m'engager. Je serai ravi si nous nous entendons. Ceci va vous paraître un peu bébête, mais pourquoi ne pas le dire ? J'en serai honoré. La pièce me fera mûrir, m'obligera à me dépasser et... » Et ainsi de suite.

Cher lecteur, vous rendez-vous compte que je poursuivais la négociation à ma façon subtile ?

En retour, je reçus une lettre de Williams, si révélatrice et si belle que j'en reproduis quelques extraits :

Je suis cruellement déçu de constater que vous et Mrs. Selznick n'êtes toujours pas parvenus à un accord. Je me demande quel est le problème majeur : le script lui-même ou votre répugnance à vous lier à un autre producteur (...). Je suis sûr que vous avez des réserves sur le script. Je vais essayer de clarifier mes intentions dans cette pièce. Je pense que sa qualité première est son authenticité et sa fidélité envers la vie. Il n'existe pas de « bonnes » ou de « mauvaises » gens. Certains sont un peu meilleurs ou légèrement pires mais tous sont mus davantage par l'incompréhension que par la méchanceté. Un aveuglement quant à ce qui se passe dans leur propre cœur ou celui d'autrui. Stanley ne voit pas Blanche comme un être à la dérive, désespéré, acculé dans un dernier coin où il va tenter sa chance une dernière fois, mais comme une garce calculatrice qu'on peut « rouler » aisément (...). Personne ne voit les autres comme ils sont ; on juge autrui à l'aune de ses propres défauts. Voilà comment nous nous voyons, tous autant que nous sommes, dans la vie. La vanité, la peur, le désir, la compétition — toutes distorsions présentes dans notre propre ego — conditionnent notre vision de ceux avec qui nous sommes en relation. Ajoutez à ces distorsions présentes dans *notre propre* ego celles qui leur correspondent dans l'ego *des autres*, et vous voyez combien la vitre à travers laquelle nous nous observons les uns les autres est déformante. Voilà ce qu'il en est de toute relation humaine à l'exception des cas rares où deux personnes s'aiment avec suffisamment de flamme pour réduire en fumée toutes ces couches d'opacité : chacun peut alors voir le cœur de l'autre dans toute sa nudité. Mais de tels cas me paraissent purement théoriques.

Toutefois, dans la fiction et dans le drame, produits de l'imagination créatrice, et pourvu que l'objectif de l'auteur soit cette fidélité dont je parlais plus haut, les gens sont montrés tels qu'on ne les *voit* jamais dans la vie, c'est-à-dire comme ils *sont*. En toute impartialité et dépourvus de tous les défauts présents dans l'ego de celui qui les regarde. Nous voyons de l'*extérieur* ce que nous ne pouvions voir à l'*intérieur* et la vérité qui se cachait derrière ce dilemme tragique apparaît soudain au grand jour. La vérité, ce n'est pas qu'Untel ou Untel est bon ou mauvais, qu'il a raison ou tort, mais c'est que tout le monde se fait des idées fausses sur son prochain. Ce qui à moi me semblait noir mais paraissait blanc à quelqu'un d'autre est en fait gris — perception qui n'est accessible que grâce au regard détaché de l'artiste. C'est comme si un fantôme se penchait sur les affaires humaines et en donnait un compte rendu exact.

Naturellement, une pièce de ce type ne traite un thème et ne met l'accent sur une question que si cette question ou ce thème sont précisément ceux de la compréhension humaine. Quand vous commencez à organiser une pièce autour d'une question particulière, la vraisemblance risque d'en pâtir. Je ne dis pas que c'est toujours le cas. Il peut se faire que l'auteur choisisse d'introduire des éléments propres à mettre cette question en valeur sans que le procédé paraisse artificiel, mais j'ai bien peur que ce ne soit pas la règle.

Je me rappelle que vous m'avez demandé ce que le public devrait ressentir au sujet de Blanche. Certainement de la pitié. C'est une tragédie dont le but, très classiquement, est de produire une catharsis à base de pitié et de terreur, et pour obtenir ce résultat, Blanche doit finalement gagner la compréhension et la compassion du public. Mais tout cela sans présenter Stanley comme un scélérat. C'est une chose (l'incompréhension) et non une personne (Stanley) qui la détruit à la fin. A la fin, on devrait se dire : « Si seulement ils s'étaient connus les uns les autres. »

J'ai écrit tout cela au cas où vous n'auriez pas été sûr, en premier lieu, de mes intentions dans cette pièce. Je vous en prie, ne l'interprétez pas comme une « pression ». Irene et Audrey se disent, c'est du moins ce que le télégramme de l'une et la lettre de l'autre me donnent à croire, que vous avez catégoriquement refusé de vous associer avec nous et que nous devons trouver quelqu'un d'autre. Je ne veux pas me résoudre à cette nécessité sans explorer à fond la nature et le degré des désaccords qui existent entre nous. Et ce d'autant plus qu'elles pensent maintenant à quelqu'un dont je n'ai jamais entendu parler, un Anglais du nom de Tyrone Guthrie. Trouver un metteur en scène différent de vous et capable de donner vie à cette pièce exactement comme si elle se passait dans la vie va poser un problème. Je ne parle pas nécessairement de « réalisme ». Parfois, en effet, une qualité humaine est captée de façon plus satisfaisante par une mise en scène expressionniste que par un traitement censé être réaliste.

Cette lettre devait constituer pour moi la clé de voûte de la mise en scène. Je choisis Brando pour incarner Stanley. Je n'ai jamais, depuis tout ce temps, vu d'autre production de cette pièce, mais toutes les photographies que j'ai vues de Stanley et de Blanche ensemble tels qu'ils sont apparus sur d'autres scènes montrent une brute arrogante malmenant une créature dont les défauts, quels qu'ils soient, disparaissent totalement derrière la spiritualité. Blanche est toujours une héroïne immaculée, et Stanley exactement ce que Williams avait peur qu'il ne devienne dans notre production, c'est-à-dire un « scélérat ».

Ce qui affligeait Irene et Audrey n'avait rien à voir avec une quelconque réécriture de la pièce que j'aurais soi-disant exigée ; non, c'était en fait que Fitelson demandait (et que nous obtiendrions) vingt pour cent des recettes de la production, ce qui voulait dire que les investisseurs contactés par Irene toucheraient moins que ce qu'ils étaient en droit d'espérer, et que Tennessee lui-même (et donc Audrey) gagnerait moins que s'il avait choisi un autre metteur en scène. Pour ce qui était de l'affiche (*Irene Selznick* présente une PRODUCTION ELIA KAZAN), compte tenu du fait que notre productrice m'apparaissait comme une débutante pour laquelle il me faudrait effectuer une grande part du travail de production, je pensais (et c'est encore le cas aujourd'hui) que ce libellé, tout en la protégeant, était équitable. Mais quand les termes du contrat furent rendus publics, on me trouva arrogant. Bientôt, cependant, tout un chacun, parmi les metteurs en scène, s'efforcerait d'embobiner son producteur pour figurer dans cette position sur l'affiche et jouir des mêmes pouvoirs. Nos négociations avaient modifié le statut des metteurs en scène de Broadway.

Je n'avais pas atteint pareille éminence au cinéma ; à Hollywood, c'étaient encore les producteurs qui dictaient la règle du jeu.

Je me demande encore pourquoi j'ai gardé si peu de souvenirs du *Mur invisible*. Bien que Darryl ait remporté l'oscar du meilleur film et moi celui de la mise en scène, j'ai bien peu de chose à dire sur la façon dont ce film a vu le jour. Modèle de ce que les grands studios pouvaient produire, il était parfait dans son genre, c'est-à-dire qu'il n'avait pas de personnalité mais au contraire *plusieurs* personnalités, comme sur un portrait de groupe : celles de Darryl Zanuck et de chaque responsable de département de la Twentieth Century Fox. La production fut menée de main de maître par Zanuck, avec une énergie jamais prise en défaut et une détermination à obtenir le maximum de ceux qui y travaillaient, pendant toute la durée du tournage. Après sa disparition, personne n'a plus jamais été capable de fabriquer des films aussi bien de cette façon-là. Ce n'était pas ma façon de voir les choses, c'était même tout le contraire, mais Darryl effectuait la tâche en laquelle il croyait avec un dévouement passionné. Tous ceux qui travaillaient pour lui le respectaient. Moi aussi.

Avant de partir pour l'Ouest, j'avais reçu toute une série de longs télégrammes concernant la distribution (Gregory Peck et Dorothy McGuire : O.K. ? O.K.) et me demandant mon avis sur un scénariste. Vous remarquerez qu'il avait d'abord choisi le metteur en scène et qu'il le consultait ; ce n'avait pas été le cas de la M.G.M. J'exprimai la demande expresse de faire le film, comme *Boomerang*, en décors naturels. Quand Darryl eut donné son accord, je lui suggérai d'engager Paul Osborn, qui écrirait, quelques années plus tard, le scénario d'*A l'est d'Éden*. Darryl me télégraphia que Paul était occupé, que tous les scénaristes sous contrat de la Fox voulaient le boulot, mais qu'il préférait aller chercher « à l'extérieur » pour trouver quelqu'un d'exceptionnel. Il trouva. Moss Hart. Après que Moss eut été engagé, il exigea qu'on le laisse écrire le scénario sous forme de scènes de dialogue plutôt que de scènes d'action. L'idée de donner du nerf à l'histoire en la situant dans les rues, les bureaux et les appartements de New York dut être abandonnée.

A mon arrivée en Californie, Moss avait déjà travaillé avec Darryl et ils avaient deux actes à me soumettre. Voici comment ils se présentaient : Dorothy McGuire, jeune divorcée issue de la bonne société new-yorkaise, a entamé une liaison avec Gregory Peck, écrivain qui prépare pour un magazine un article dénonçant l'antisémitisme aux États-Unis. Il découvre qu'il se manifeste dans des endroits qu'il ne soupçonnait pas et dans les sphères les plus « libérales ». Finalement, lors d'une conversation avec sa fiancée, il découvre qu'elle est elle-même victime de ce préjugé. Il l'accuse, ils se querellent et c'est la rupture. Voilà où nous en étions ; dans quelle direction devions-nous nous diriger à partir de là ? Moss me demanda de lui faire part de mes idées. J'ai toujours des idées, mais dans ce cas précis, elles ne nous menèrent nulle part. Moss possédait sa façon à lui de raconter une histoire dramatique, par le biais de conversations privées entre des personnes issues de la même culture qui observaient certaines règles de bonne éducation. Ce conflit serait un pavé dans la mare. Il savait ce dont il avait besoin mais ne savait pas comment l'obtenir. Il décida de s'éclipser quelques jours, seul, pour voir s'il arrivait à trouver la solution.

Souvent, dans un film, un seul élément fait toute la différence. Ce peuvent être les stars ou les scènes chantées ou dansées, la nouveauté de l'arrière-plan, un sommet de violence ou une certaine audace sexuelle. Peu importe. Dans le cas de ce film, c'est ce que Moss rapporta de ses journées d'isolement : une scène courte et pleine de délicatesse située dans le dernier tiers. Je suis persuadé que ce fut la trouvaille essentielle, celle qui ferait fonctionner le film. La voici : Dorothy McGuire, angoissée à l'idée d'être séparée de son fiancé et trouvant sa condamnation injuste, demande à l'ami de Peck (c'est John Garfield qui interprétait ce rôle) de venir discuter avec elle. Pleine d'inquiétude, elle lui dit combien l'accusation portée contre elle par Peck est injuste et en veut pour preuve ses sentiments lorsque l'un des invités du grand dîner auquel elle a assisté ce soir-là s'est livré à des insinuations antisémites. Elle raconte à Garfield combien elle a été scandalisée et comment la colère s'est emparée d'elle. « Et alors qu'avez-vous fait ? » lui demande Garfield. Dorothy reprend de plus belle, décrivant la rage qu'elle a ressentie d'un point de vue moral. « J'ai éprouvé un sentiment de mépris à son égard. » Le personnage joué par Garfield l'interrompt de nouveau : « Et quand il a eu fini, qu'avez-vous dit ?

— Oh, j'avais envie de hurler et de lui dire ma façon de penser ! dit McGuire. Je voulais me lever et partir. Je voulais dire à tous ces gens assis autour de la table : "Pourquoi restons-nous assis à l'écouter ?"

— Et alors, qu'avez-vous fait ? » demande Garfield. McGuire commence à comprendre où il veut en venir. « Je suis restée assise là, dit-elle, nous sommes tous restés là, et quand nous avons eu fini de dîner, j'ai dit que je ne me sentais pas bien et je suis partie. C'est vrai. Et j'en ai encore la nausée.

— Je me demande une chose, dit Garfield : est-ce que vous auriez encore la nausée si vous lui aviez dit votre façon de penser ? On éprouve une certaine allégresse à rendre ses coups à quelqu'un. » Il la regarde droit dans les yeux. Alors elle se prend le visage entre les mains et la scène se conclut. Par le biais de cette confrontation, le conflit entre les deux amants trouve sa résolution, elle fait acte de contrition, il lui pardonne. Le héros et l'héroïne sont réunis, plus amoureux l'un de l'autre que jamais.

Ce type de résolution de l'intrigue illustrait à merveille la théorie de Zanuck selon laquelle les problèmes de société devaient toujours être présentés au public américain dans le contexte d'une histoire d'amour dont les protagonistes seraient eux-mêmes confrontés à ces problèmes. Selon Zanuck, si le traitement négligeait cet aspect personnel, il n'exciterait pas l'intérêt du public. Notre film devint le parangon du cinéma « libéral » de l'époque. Et il remporta un grand succès. Élu par les critiques, salué par les fabricants d'opinion, champion du *box-office*, il engendra nombre de déclarations sur l'accession du cinéma, enfin, à l'âge adulte. On signala à plusieurs reprises que le mot « juif » était utilisé pour la première fois dans un film hollywoodien majeur. Eh bien, tant mieux !

On considère aujourd'hui que ce film n'a fait qu'effleurer une question qui aurait requis un traitement plus en profondeur. Il lui manque la qualité qui aurait assuré sa pérennité : l'authenticité qu'aurait pu lui insuffler quelqu'un qui aurait effectivement ressenti dans sa chair l'humiliation et l'amertume d'une telle expérience. Il nous faut aujourd'hui nous demander chez quels spectateurs il provoquait une réelle émotion, qui se sentait coupable après l'avoir vu, qui aurait été contre son message, qui se sentait différent après coup, qui avait été converti. En réalité, le public se sentait flatté de découvrir qu'après tout, il était « du bon côté », du même côté que trois hommes éminents. Mais depuis le film, tant d'horreurs perpétrées contre les juifs ont été révélées qu'il paraît aujourd'hui bien inadapté à l'ampleur du problème. Son succès a marqué ses limites.

Quant aux hommes qui avaient collaboré à sa fabrication, c'étaient trois personnages au succès indiscutable, à la fleur de l'âge, certains d'être applaudis par leurs amis pour ce qu'ils disaient, et suffisamment malins pour mettre tout le monde dans leur poche, même ceux qui risquaient de considérer leur film comme de la « propagande ». De la manière discrète dont il traitait le sujet, en effet, personne ne pouvait y trouver à redire. De plus, nous avions tous les trois, comme Peck dans l'histoire, une bonne excuse. Notre vie n'était pas plus en danger que Peck n'était juif dans le film. Il se faisait passer pour juif, afin d'écrire son article. J'estime aujourd'hui que ce film est condescendant. Il me semble que nous cherchions à rendre service à des gens dont nous considérions qu'ils avaient besoin de notre aide. Noblesse oblige[1]. Compte tenu de l'acuité du problème, le film sonne un peu faux. Mais comme Peck, il a une bonne excuse : *Made in Hollywood,* 1947 !

Quand la dernière main eut été mise au scénario, que Darryl et moi fûmes satisfaits, et Moss content (à juste titre), quand le DÉFINITIF DÉFINITIF eut été inscrit au pochoir en grosses lettres noires sur le script et que les décorateurs et les ouvriers eurent été mis au travail, n'importe lequel parmi trente metteurs en scène disponibles aurait pu faire aussi bien que moi. Quant à l'interprétation, elle était correcte, mais en rien exceptionnelle. Peck était égal à lui-même, sobre, méritant, ni intrigant ni mystérieux, « réglo », sans surprise. Dorothy McGuire était parfaite pour le rôle — ce n'est pas très gentil de dire ça à propos de cette fille épatante.

---

1. En français dans le texte. *(N.d.T.)*

Mais là encore, « réglo », sans surprise. Garfield, le meilleur du lot, jouait sur sa pêche de gamin des rues new-yorkais, avec en plus une maturité nouvelle. Quand il faisait enfin son apparition sur l'écran, à la moitié du film, c'était un soulagement. La seule autre interprétation dont je me souvienne, c'est celle d'Anne Revere : elle avait du mordant et pouvait se montrer en même temps caustique et affectueuse.

Les honneurs décernés par la profession auraient dû l'être d'abord à Moss, qui n'obtint pas d'oscar (son travail ne jetait pas assez de poudre aux yeux), et à Darryl, pour avoir dirigé la production avec une telle maestria. Peck n'eut pas non plus droit à l'oscar, car son rôle ne jetait pas non plus assez de poudre aux yeux. C'est le rôle qui emporte l'oscar et non l'acteur. Celeste Holm ne se débrouilla pas mal, c'est vrai, mais si elle décrocha l'oscar, c'est parce qu'elle bénéficiait des répliques les plus étincelantes de Moss.

Voilà donc ce que fut ma période glorieuse à Hollywood. Oh, je n'ai pas beaucoup sué ! J'allais travailler en veston sport blanc et je prenais des cours de tennis les week-ends. Au restaurant, on me conduisait aux tables d'élite sans même que je le demande. Les journalistes ne me lâchaient pas d'une semelle. Après le travail, j'allais ou non visionner les *rushes* de la veille. Darryl les avait déjà vus, de toute façon, et ils avaient suscité son enthousiasme, à quelques rares exceptions près. Je me fiais à son jugement — surtout quand il était favorable. Parfois, je goûtais l'hospitalité des bains turcs dans lesquels se fondaient les huiles de la Fox et je laissais le « Turc », le masseur de Darryl, s'occuper de moi. Mais la plupart du temps, je rentrais à la maison et sautais dans notre piscine. Je prenais un *old-fashioned* avec Molly et je jouais avec les gamins sur la pelouse. Je ne m'approcherais jamais plus près de la félicité dans le sud de la Californie. Je dormais avec les fenêtres ouvertes, donnant dans l'arrière-cour sur un poivrier, sans couverture ni soucis. Et j'étais fidèle.

Les week-ends, je travaillais sur le *Tramway*. Irene avait fait venir Tennessee dans l'Ouest pour que nous puissions discuter. Avec lui, il avait amené Pancho, son compagnon du moment, jeune Mexicain exubérant. Ce fut le coup de foudre entre moi et Tennessee, et nous n'eûmes pas recours, pour briser la glace, à tout le baratin habituel sur nos amis, nos expériences et nos goûts communs. Une harmonie mystérieuse s'établit entre nous. Contre toute attente, car nous étions aussi différents l'un de l'autre que possible. Notre osmose immédiate ne s'exprima pas, cependant, par des mots ; mais elle durerait toute la vie de Tennessee. Comment l'expliquer ? Peut-être parce que nous étions tous deux en marge. Le comportement des hommes, bien mystérieux, explique souvent leur personnalité. Par exemple, il aimait, tout comme moi, filer à l'anglaise.

Quand je n'étais encore qu'un jeune bélier, avec mes petites cornes, j'avais pour expression préférée : « Il faut que j'y aille. » A peine arrivé dans une soirée, je me sentais mal à l'aise et je disparaissais à la faveur d'un « Il faut que j'y aille ». Parfois je n'offrais même pas cette non-explication à mes hôtes, et je ne donnais en tout cas jamais le moindre indice sur ma destination ou sur la cause de mon départ si soudain. Je me volatilisais, voilà tout. Quelques années après — devenu un bouc entre deux âges —, je n'avais qu'une idée en tête quand je me rendais à des soirées, et si je ne trouvais pas chaussure à mon pied dans ces parages, je m'en allais aussitôt. J'ai bien peur que ce ne soit encore le cas aujourd'hui. Les gens me demandent pourquoi je disparais de la sorte et où je me rends avec tant d'empressement. « Vous nous avez manqué », me dit-on. « Nous nous sommes bien amusés après votre départ », me dit-on encore. Mais cela ne m'empêche pas, lorsque je me trouve de nouveau à l'étroit en compagnie, de jouer la fille de l'air sans plus de cérémonie. Au milieu de mes semblables, on dirait que je me sens pris au piège. Il me faut bientôt m'éclipser et c'est ce que je fais.

Williams venait bien aux réunions de travail organisées dans la splendide maison d'Irene à Beverly Hills, endroit où tous les symboles du plaisir paisible étaient au rendez-vous : une piscine limpide, un court de tennis sans une éraflure, une salle de projection où des sofas longs et profonds invitaient les spectateurs à se détendre (et même à s'assoupir), un parc (et non une arrière-cour) derrière la maison, où poussaient des arbres aussi gracieux que ceux des chasses gardées anglaises (mais qu'est-ce diable qu'un arbre gracieux ?) et du gazon manucuré (manucuré ? Oui, par des jardiniers japonais). Mais bientôt je surprenais un cillement des yeux fuyants de notre auteur, et il s'avérait qu'il avait un autre rendez-vous immédiatement après celui-là. Je ne peux pas me souvenir d'une réunion où il n'ait pas été limité par le temps. Ce qui me convenait très bien, car il me fallait y aller moi aussi, pour les mêmes raisons déraisonnables. Se sentait-il aussi pris au piège en compagnie des autres, fussent-ils ses amis ? On le dirait bien.

Si j'avais le malheur de rentrer (depuis le jardin où nous conversions) dans la maison d'Irene pour utiliser une de ses « salles d'eau », il n'était pas rare qu'à mon retour il ait filé à l'anglaise, suivi de son chat sauvage mexicain. Tennessee détestait autant ces colloques que moi, ne parvenait pas plus que moi à s'y habituer, et n'a jamais réussi à se convaincre de leur utilité — si tant est qu'ils en présentent aucune.

Quand il s'en allait, j'avais l'impression qu'il s'embarquait pour un autre pays, une autre planète — l'univers *gay*, où je ne pouvais pas le suivre ni même le retrouver, pour peu que j'éprouve soudain le besoin de lui poser une question ou de le consulter. Jamais auparavant je n'avais vécu au contact d'un homosexuel, même si j'avais eu deux bons amis qui rentraient dans cette catégorie au Group Theatre, deux types épatants. Mais j'étais si vieux jeu que j'en étais encore à me demander qui fait quoi à qui lorsque deux pédés couchent ensemble. Un an plus tard, je résolus de le découvrir, et pour ce faire j'organisai un rendez-vous à deux couples avec Tennessee. J'avais invité une jeune demoiselle, et chaque couple prit place sur l'un des deux lits jumeaux de Tennessee. Ma curiosité se trouva ainsi satisfaite. Mais cet été-là, leur mode de vie tenait encore pour moi du mystère absolu.

Toutefois, même sous ce rapport, il existait une connivence entre Williams et moi : le fait d'appartenir au monde homosexuel — encore largement claustré — le plaçait dans la même situation que moi avec mon origine étrangère. Nous étions tous deux des outsiders dans la société normale (ou devrais-je dire indigène) dans laquelle nous vivions. La vie en Amérique nous transforma tous deux en rebelles étranges.

J'avais pensé, au vu des lettres si belles de Tennessee, que dès notre premier face-à-face nous évoquerions la mise en scène de sa pièce et que je pourrais déballer toutes mes idées devant lui. Mais ayant tenté à deux ou trois reprises de lui faire du plat à ce sujet, je vis son regard hésiter et devenir vitreux — il pensait maintenant à autre chose —, et il me déroba son attention d'un petit mouvement de côté, un peu comme un boxeur qui esquive un coup et sourit l'air de dire : « Pourquoi nous casser la tête ? Nous n'avons pas besoin de parler. » C'était un écrivain, pas un bavard.

Irene était bavarde, elle. C'était son plaisir. Elle nous réunissait pour que nous discutions en profondeur, mais Tennessee, au détour d'une plaisanterie, d'une pirouette verbale, d'un verre particulièrement apprécié, changeait de sujet, et je dois avouer que je ne me faisais pas prier pour abandonner l'idée d'étaler à ses pieds mes intentions de metteur en scène. Il m'avait choisi d'instinct, celle de ses voix intérieures en laquelle il avait le plus confiance, et voilà tout. Je n'avais pas besoin de faire la preuve de mes capacités. Si j'avais mis en avant certaines généralisations théoriques, il aurait été perplexe ; j'aurais même insinué le doute dans son esprit. Non, ce silence nous convenait aussi bien. Le non-dit circulait parfaitement entre lui et moi. Il se bornait à me faire confiance et à attendre le résultat.

Une autre connivence implicite nous liait. Tout comme je l'ai fait toute ma vie, Tennessee semblait passer ses journées dans l'attente du lendemain matin, ce moment où il se retrouvait seul, en sécurité. Les premières heures de chaque jour lui étaient chères entre toutes, c'est à ce moment-là qu'il ouvrait son cœur. C'est le matin qu'il travaillait, incapable de s'y résoudre à un autre moment, et le travail lui fournissait sa raison d'être. Voici ce qu'il écrirait dans ses *Mémoires* : « Le matin ! Il m'apparaît parfois que ma vie n'est qu'une succession de matins, car je n'ai jamais travaillé que le matin. » Puis : « Créer, le plus beau de tous les mots de cinq lettres, plus beau même qu'amour — enfin, la plupart du temps. » Il devait aussi parler de sa crainte la plus terrible et la plus tenace : « Un artiste connaît deux morts, non seulement la sienne en tant qu'être physique, mais aussi celle de sa puissance créatrice qui s'éteint avant son corps. » Cherchait-il à se prouver chaque matin qu'il était toujours bien vivant ? Cette autre mort le frapperait, et je serais témoin de sa douleur, mais aux premiers jours de notre amitié, il guettait encore les premières lueurs de l'aube, où il ne se retrouverait pas tout seul, mais seul avec lui-même.

C'est le matin que j'exposais de la pellicule au studio de la Fox — j'y arrivais vers sept heures et demie. Aussi, lorsque Tennessee disparaissait soudain de nos collogues sur le *Tramway*, je glissais à Irene un « Il faut que j'y aille » et j'allais recharger mes batteries et m'éclaircir les idées en vue des prises du lendemain. Nous nous entendions aussi sur ce plan, lui et moi. Chacun respectait les besoins particuliers de l'autre.

La seule chose dont nous parvînmes à discuter, c'est de la distribution.

L'actrice suggérée par Irene pour jouer Blanche, Margaret Sullavan, avait
été convaincue d'effectuer une lecture en présence de l'auteur, événement
auquel je n'assistai pas car il se déroula sur la côte Est. Tennessee y réagit,
selon Mrs. Selznick, en disant que miss Sullavan lui avait donné l'impression qu'elle récitait ses lignes avec une raquette de tennis à la main.
Tennessee doutait que Blanche eût été une passionnée de tennis. Je
suggérai, un peu à l'aveuglette, Mary Martin que j'admirais beaucoup,
mais aucune corde sensible ne vibra, ni chez Irene ni chez Williams — ni
vraiment chez moi. Tennessee mentionna Pamela Brown et ma réaction
fut immédiate : « Oh, s'il te plaît, pas une Anglaise ! » Et pourtant j'allais
mettre en scène la pièce puis le film avec, c'est bien ma veine, deux
actrices anglaises dans le rôle de Blanche.

Mais pour l'heure, nous coincions sur ce rôle. Celui de Stanley intéressait John Garfield, mais bien qu'il fût l'un de mes plus vieux amis et
depuis des années mon partenaire au handball, l'idée ne m'enthousiasmait
pas. Je me disais : Garfield et Sullavan ! Je replonge dans le *star system* !
Aussi, quand Irene commença à négocier en vue d'engager Julie, je ne
m'inquiétai pas de la voir rester en première et je ne lui filai pas le train
pour qu'elle convainque Mr. Garfield de se montrer plus raisonnable sur
ses conditions ; et je ne montrai aucune impatience devant sa lenteur, qui
l'apparentait à un omnibus suisse à l'entrée d'un long tunnel obscur sous
l'une des montagnes de ce pays. Oui, vous savez : c'est lent, on est dans le
noir et on a l'impression de faire du surplace. Je préférais attendre de voir
ce que dame la chance avait en stock.

Avec le temps, je changerais d'avis au sujet d'Irene. Cet été-là à Beverly
Hills, et durant l'automne qui avait suivi, je l'avais prise pour une novice :
à tort. C'était une débutante qui voulait désespérément apprendre et visait
à l'excellence. J'aurais dû m'en rendre compte et la respecter. Elle avait
fait ses classes en matière de production avec un homme exceptionnel : le
mari dont elle était séparée, David O. Selznick. Mais c'étaient précisément cette formation et la tradition incarnée par cet homme qui causaient
des difficultés entre nous. Je précise qu'elles n'étaient pas d'ordre personnel ; en effet, Irene a toujours été une femme généreuse et c'était une
décision courageuse que de quitter son mari et leur villa « grand luxe » de
Beverly Hills pour venir s'installer à New York.

Mais je viens de lire un discours prononcé par David Selznick à l'université de Columbia en 1937 (discours excellent avec lequel je suis en désaccord total), qui explique bien mieux que je ne pourrais le faire ce qu'Irene
avait fui. Je me contenterai donc d'en citer quelques passages. David parle
de l'art cinématographique, mais il est aisé de transposer ses propos au
théâtre. « De nos jours, dit-il, un producteur doit être capable, s'il veut
obtenir un résultat correct, de s'asseoir à son bureau pour récrire une
scène qui lui déplaît. S'il critique le metteur en scène, il ne doit pas
simplement lui dire "ça ne me plaît pas", mais lui expliquer comment il
dirigerait la scène lui-même. Il doit aller faire un tour à la salle de
montage et, s'il n'est pas satisfait du rythme d'une séquence, ce qui se

produit dans la plupart des cas, il doit être capable d'effectuer un nouveau montage. » Et ainsi de suite.

Moi, à l'inverse, j'avais pris la tête d'un autre mouvement, tout aussi absolu dans ses exigences. Je pensais que ce pouvoir sur tous les aspects d'une production revenait de droit au metteur en scène, que c'était lui, et non le producteur, qui devait présider aux destinées d'un film. Je faisais partie du groupe des « Jeunes Turcs » qui avaient pris en main le théâtre des années 40 et 50. (Aujourd'hui, on attaque ce goût du pouvoir en traitant ses zélateurs de « grands organisateurs de la mise en scène ».) Ce mouvement a persisté, et va même s'amplifiant. Tous les meilleurs metteurs en scène des années 60, 70 et 80, les Tyrone Guthrie, Peter Brook, Peter Hall, ou encore les Bob Fosse, Hal Prince, Michael Bennett et Mike Nichols exigent le droit d'adapter tous les éléments de la production à leur vision globale. Tout n'est que mise en scène ; il est normal qu'ils dirigent le tout.

Beaucoup de ces hommes ne respectent pas le texte plus qu'il ne le mérite, parfois même moins. Irene a vécu une expérience de la sorte quand Larry Olivier a monté son *Tramway* à Londres. Elle m'avait trouvé dominateur et absolu dans mes exigences, mais je me demande ce qu'elle a pensé de Larry lorsqu'il lui a interdit l'accès à ses répétitions et qu'il a refusé de lui montrer les coupes effectuées dans la pièce de Tennessee.

Selon moi, le producteur devrait être le second du metteur en scène. Il devrait le servir et le soutenir afin que celui-ci parvienne à donner corps à sa vision de la pièce : décors, mouvement, respiration. C'était le type de relations que j'entretiendrais avec Kermit Bloomgarden et Walter Fried sur *Mort d'un commis voyageur*, la pièce que je monterais lors de la saison suivante, et c'est le type de relations que j'établis sur le *Tramway*. Irene n'était pas prête à accepter un metteur en scène tyrannique, mais elle changerait avec le temps, parce qu'elle n'aurait pas d'autre choix. Sur le *Tramway*, j'établis dès le départ la ligne générale de la production et j'entendais que chacun des artisans impliqués dans le spectacle suive cette ligne dans son travail. La productrice fut réduite au statut de propriétaire des droits et ne put qu'observer le déroulement des opérations sans y participer vraiment. C'était un affront à la tradition Selznick dans laquelle Irene avait été élevée. Ce conflit engendra des tensions entre nous ; si notre amitié a survécu, le mérite nous en revient à tous les deux.

En vérité, elle avait engagé le décorateur que j'aurais choisi — elle avait « acheté ce qu'il y avait de mieux », comme David l'aurait fait. Il s'agissait de Jo Mielziner : homme de très haute qualité que je comptais parmi mes amis proches, il fut soulagé quand il apprit que j'allais diriger le spectacle. Nous nous rencontrâmes à plusieurs reprises (sans Irene) et nous travaillâmes de concert à l'élaboration du décor. Je lui avais fourni un concept de départ, comme c'était mon habitude : ce concept de départ, en effet, présente en termes concrets les intentions du metteur en scène. Je discutai avec lui de tous les aspects du spectacle : les couleurs, les accessoires, l'arrière-plan en transparence, les effets spéciaux et les éclairages — que Jo, sage décision, réglerait lui-même. Une fois décidé ce que nous voulions, Jo réalisa une série de petits croquis, et nous présentâmes notre projet à Irene et à Tennessee ; ils en furent ravis, car nous avions fait du bon travail.

Je procédai de même avec notre talentueuse costumière, Lucinda Ballard. Je la rencontrai séparément à plusieurs reprises et me fis ainsi une idée de ce que je désirais. Il lui arrivait d'être agacée par la surveillance exercée sur elle par une Irene anxieuse, et je prenais alors la défense d'Irene. Lucinda, véritable artiste, possédait un tempérament explosif, et je ne voulais pas qu'une guerre civile éclate en coulisses. Je choisis Alex North, le compositeur, un bon ami de la famille (jusqu'à ce que je témoigne devant la Commission des activités antiaméricaines cinq ans plus tard, après quoi il ne fut plus un aussi bon ami de la famille). Alex connaissait bien le jazz (Nouvelle-Orléans !), ce que je voulais. La partition a peut-être surpris Irene, mais je crois qu'elle lui a plu.

Je pris donc en main tous les aspects de la production. Chacun de ceux qui travaillaient à ce spectacle savait ce qui lui était demandé et comprenait dans quelle mesure sa contribution s'intégrait à un ensemble. Entrait-il de l'arrogance dans cette prise de pouvoir ? Oui, mais elle s'était effectuée le plus en douceur possible et de manière adéquate, selon un « organigramme » artistique qui convenait bien à une production théâtrale.

Irene s'était radoucie, avait changé d'attitude. Elle avait décidé de se soumettre à moi plutôt que de rester fidèle aux méthodes de David. Peut-être avait-elle compris que je ne cherchais qu'une chose : traduire le mieux possible la vision de Tennessee — complexe, subtile et contradictoire. C'était d'ailleurs tout ce qu'ils désiraient, elle comme lui. Mais au cours des répétitions, tendues, chauffées à blanc, je m'étais parfois montré brutal avec Irene, sans justification. J'étais grossier, mais je ne suis pas sûr que je me comporterais différemment aujourd'hui. Le metteur en scène a une épée de Damoclès au-dessus de la tête : l'objectif qu'il s'est fixé pourrait bien lui filer entre les doigts. L'art est le produit d'une vision individuelle, c'est pourquoi le metteur en scène doit à tout prix suivre son cap. Le compromis est un piège, toujours prêt à se refermer sur lui. Il me fallait unifier les contributions de tous — Tennessee, Jo, Lucinda, Alex North et chaque membre de la distribution — au profit d'un seul objectif. Et comme c'étaient tous des gens de talent aux opinions bien arrêtées, la tâche était loin d'être aisée. Mais la pièce de Williams devait effectuer le grand saut : devenir une production à part entière, et plus seulement ce que Thornton Wilder appelait un « texte » — mot que j'abhorre lorsqu'il s'applique à une pièce de théâtre. Il fallait lui donner vie, et j'avais la responsabilité de superviser sa métamorphose.

La porte était grande ouverte et la déesse Chance s'y engouffra en caracolant dans les oripeaux de mon bon ami Hume Cronyn, ce qui ne laissa pas de me surprendre. Lui et Molly avaient été les premiers, dans les milieux théâtraux de New York, à reconnaître l'envergure du talent de Tennessee ; Hume, tout comme Molly, avait encouragé Williams au moment où celui-ci en avait le plus besoin.

Donc, Hume avait monté à L.A. une pièce en un acte de Tennessee,

Portrait d'une madone, à l'Actors Lab, atelier que les réfugiés du Group Theatre avaient organisé pour éviter de tourner chèvres quand ils ne travaillaient pas sur un film, c'est-à-dire la plupart du temps. Tennessee avait conçu cette pièce comme l'ébauche du *Tramway* et son personnage central comme un brouillon de Blanche. Hume l'avait-il montée en se disant que l'auteur, en Californie à ce moment-là, irait peut-être la voir et serait, qui sait, frappé par le talent de l'épouse de Hume, Jessica Tandy ? D'aucuns le croient : Hume n'aurait pu choisir meilleur moment et c'était un homme de théâtre entreprenant, à l'esprit pratique, qui vouait à son actrice de femme une adoration sans mélange. Nous nous rendîmes tous à ce spectacle et, comme Hume l'avait espéré, Jessie nous impressionna. Elle venait de résoudre notre problème le plus crucial en un éclair. Les négociations entamées sans tarder par Irene furent une partie de plaisir comparées à celles concernant Garfield. Jessica voulait le rôle, nous la voulions, le contrat fut signé.

Puis j'achevai *le Mur invisible* ou plus exactement je l'abandonnai aux bons soins de Darryl Zanuck après en avoir réalisé les deux tiers. Bien que j'aie déjà mis en scène quatre films, je ne méritais pas encore le titre de cinéaste car je n'avais pas respecté ma tâche jusqu'à la fin. C'est le grand réalisateur George Stevens qui a déclaré que la conception du scénario et le choix des acteurs entraient pour un tiers dans la fabrication d'un film, la mise en scène et le tournage pour un autre tiers, et que le montage et la superposition de la partition musicale aux images en constituaient le troisième et dernier. Je mettrais peut-être davantage l'accent sur la conception du scénario, mais autrement je suis d'accord. Enfin, aujourd'hui. Mais en cette fin d'été, il y a quarante ans, j'étais ravi de laisser le montage entre les mains de Zanuck et il était ravi de s'en charger, car c'était la partie de son travail qu'il préférait. De plus, il estimait que personne ne pouvait le surpasser dans ce domaine. A l'époque où j'avais tourné *le Mur invisible*, c'est le théâtre qui me motivait le plus. Et puis j'en avais assez du sud de la Californie et j'étais ravi qu'on me décharge des responsabilités de tous ordres qui m'y auraient retenu. Molly voulait absolument que les gamins effectuent leur rentrée scolaire dans les temps, aussi acceptai-je les grands remerciements de Darryl et donnai-je quelques interviews rapides — le battage publicitaire en vue des oscars avait déjà commencé — avant d'entasser toute la famille dans le *Super Chief*, direction l'Est, et d'ouvrir le script du *Tramway*.

A cette époque-là, tout acteur ayant acquis une certaine réputation à Broadway pour décider ensuite d'aller dans l'Ouest devenir une star de cinéma confiait à qui voulait l'entendre son intention irréfragable de retourner bien vite sur « la scène new-yorkaise ». On aurait dit qu'il s'exprimait depuis la chaire d'une cathédrale vouée au culte du théâtre, par définition plus noble que le cinéma — c'est vrai dans certains cas, mais seulement dans certains cas ; et encore est-ce dû au talent des protagonistes. Ces vœux pieux prononcés depuis les piscines de l'Eldorado étaient si absurdes, si suspects, que même les échotiers les tournaient en ridicule. Ils savaient bien que rien de tel ne se produirait car personne ne mettait jamais ses belles promesses à exécution. Il y avait à cela des raisons fort simples : après tout, les acteurs étaient des êtres humains. Vous ne trouverez personne, dans les annales du *show business*, qui ait été doté d'un cœur aussi généreux que Julie Garfield ; il ne croyait qu'à moitié en ce qu'il avait dit. Quelle meilleure chance pour lui, en effet, que la pièce de Williams, qui plus est mise en scène par un ami intime qui le protégerait. Et pourtant, quand il fallut en venir aux conditions qu'il réclamait, les négociations capotèrent. Garfield demanda à son agent de dire qu'il ne pourrait apparaître dans la pièce que pendant quatre mois — « apparaître » est synonyme de « jouer », sur la côte Ouest ! — et qu'il exigeait en plus la garantie de tenir le rôle dans la version filmée. A l'évidence, il disait non à notre offre en demandant l'impossible. D'après moi, sa femme Roberta avait compris qu'il lui faudrait soit boucler sa maison en Californie et emmener tout le monde (ils avaient deux enfants) à New York, soit se séparer de son mari et le lâcher dans le quartier le plus « giboyeux » de New York, ce qu'elle préférait, c'est bien compréhensible, éviter. Et donc l'agent de Garfield nous communiqua les conditions définitives de Julie, dont il n'imaginait pas une seule seconde, en homme d'expérience, que nous les accepterions. Nous ne les acceptâmes pas et l'incident fut clos.

Trouver un Stanley se révéla presque aussi simple — une fois abandonnées les recherches dans le milieu du cinéma (où Irene était allée prospecter naturellement) — que de trouver Blanche. Là encore, la déesse de la bonne fortune joua un rôle déterminant. Le premier endroit où je me rendis à mon retour à New York fut l'Actors Studio. La classe de Bobby Lewis était déjà bien organisée et j'avais commencé à rassembler mes « débutants ». Parmi eux se trouvait le garçon qui avait fait un tabac grâce à un petit rôle de cinq minutes dans *Truckline Café*. J'avais toujours imaginé Stella et Stanley comme un jeune couple d'un peu plus de vingt ans, et Blanche bien plus âgée, dans les trente-cinq ans peut-être, l'âge où l'on commence à goûter l'ombre sous les arbres. Je m'étais dit que si Williams voyait lui aussi la distribution aussi jeune, mon idée marcherait peut-être, aussi partis-je en quête de Marlon Brando. Apparemment, ce nomade trouvait chaque soir à coucher sous une tente différente et peut-être même avec une partenaire nouvelle. Enfin, avec l'aide d'espions, je parvins à le dénicher, lui offris vingt dollars, et lui dis où aller — Provincetown, à Cape Cod — et qui demander à son arrivée là-bas. Je passai un coup de fil à Williams pour lui dire de se préparer à recevoir la visite d'un jeune acteur et de voir s'il conviendrait pour Stanley. Je n'en dis pas plus. J'attendis. Pas d'appel de Tennessee. Au bout de trois jours, je lui téléphonai de nouveau pour lui demander ce qu'il avait pensé de l'acteur que je lui avais envoyé. « Quel acteur ? » demanda-t-il. Personne ne s'était présenté, aussi en conclus-je que j'avais perdu vingt dollars et me mis-je en quête de quelqu'un d'autre. Le lendemain, je reçus un coup de téléphone extasié de notre auteur, au bord de l'hystérie. Brando l'avait bouleversé. Pourquoi avait-il mis si longtemps ? Marlon avait eu besoin des vingt dollars pour manger ; il s'était rendu à Cape Cod en stop.

Il n'était pas question qu'on nous contredise, Williams et moi, au sujet de la distribution des rôles, et bien que Marlon ne corresponde pas à l'image qu'Irene se faisait de Stanley — de Garfield, elle était immédiatement passée à Burt Lancaster —, elle accepta notre suggestion. Plus j'y pensais moi-même — en fait, le choix de Brando avait tenu du hasard —, plus l'idée me séduisait. Elle plaisait tellement à Tennessee qu'il me déclara ne pas vouloir se soucier davantage de la distribution ; il s'en remettrait à moi pour les autres rôles. Karl Malden était venu me trouver lorsqu'il avait débarqué à New York pour la première fois, depuis son Chicago natal. Je lui avais donné un petit rôle dans *l'Enfant chéri* puis dans *Truckline Café*, pièce où il avait été brillant dans un rôle de comédie ; Irene pensait qu'il était fait pour le rôle de Mitch. Le choix de Stella fut délicat : j'aime bien regarder les filles, donc il me faut plus de temps. Mais Irene avait repéré Kim Hunter je ne sais plus où et l'avait amenée. Dès le moment où je la vis, je me sentis attiré par elle, la meilleure réaction possible pour un metteur en scène quand il cherche à attribuer des rôles de jeunes femmes. Quant au reste de la distribution, elle fut constituée de membres de l'Actors Studio, des amis de longue date. Et voilà le travail.

Les répétitions du *Tramway* se déroulèrent dans la joie — contrairement à ce que j'avais craint. Entre Jessie, diplômée de Ben Greet Academy à Londres, et le reste des acteurs, mes drôles de zèbres du Studio, j'avais prévu des tensions — surtout du côté de Marlon. Il avait des manies qui m'auraient franchement tapé sur les nerfs si j'avais dû jouer avec lui. Il ne répondait pas directement quand on lui parlait, déterminait lui-même la longueur de ses pauses, laissant parfois les autres acteurs dans l'expectative. Je me disais que de telles pratiques rendraient Jessie complètement folle, ou la pousseraient à venir chercher de l'aide auprès de moi. Mais elle ne s'est jamais plainte, même pas de sa façon de marmonner — ce qui ne veut pas dire qu'elle l'appréciait. Ma secrétaire a dégoté un document où l'on rapporte que Jessie avait traité Brando d'« enfoiré » et de « psychopathe ». Elle l'a sûrement pensé certains jours, mais la plupart du temps elle partageait l'admiration générale devant la puissance torride de cet homme-enfant. Jessie possédait une intelligence d'actrice très fine ; elle savait que les acteurs se surpassent quand ils travaillent avec des partenaires dont le talent est un défi pour les autres, et elle savait aussi qu'il lui faudrait faire des étincelles pour arriver à la hauteur de Brando.

Le moment le plus touchant dont je me souvienne, durant ces répétitions, est dû au mari de Jessie. Au début de la troisième semaine — nous en étions alors au stade des répétitions rapides pour remise en mémoire, et le spectacle commençait à prendre vie —, j'ai laissé Hume regarder. J'aimais énormément cet homme et j'étais content d'avoir son avis. Je ne sais pas s'il a pensé que je favorisais Brando dans ma mise en scène, ce qui n'était pas vrai, ou s'il se disait que Brando, et non sa femme, serait la vraie découverte du spectacle, ce dont personne ne doutait, mais quelle qu'en ait été la raison, je ne pouvais en vouloir à Hume de son inquiétude. Jessie interprétait le rôle principal de la pièce et, je le comprenais aussi bien que Hume, personne ne devait la rejeter dans l'ombre. Ce que je n'avais pas dit à Hume, c'est que je voulais faire de Blanche une héroïne « difficile », sur laquelle on ne puisse pas s'apitoyer facilement ; je voulais aussi que le public prenne d'abord le parti de Brando, dont les valeurs seraient plus proches de lui que celles de Blanche. Puis, lentement, Jessie, moi et la pièce, nous renverserions la vapeur et le public s'attacherait surtout à Blanche et découvrirait peut-être que, comme souvent dans la vie, il avait été victime de ses préjugés et de son insensibilité.

Hume est venu me trouver après la répétition et m'a fait part de sa réaction : « Elle peut faire mieux. » Je n'ai pas très bien compris ce qu'il voulait dire, en quoi Jessie pouvait s'améliorer. Mais il a persisté : « Ne la laisse pas tomber. Pousse-la. Elle peut y arriver. » Peut-être Hume voulait-il dire qu'à côté de Brando, qui ne donnait jamais l'impression de réciter un texte mémorisé mais au contraire celle d'exprimer spontanément une expérience intérieure intense — le niveau que tous les acteurs s'efforcent d'atteindre —, Jessie avait l'air de quoi ? d'une actrice chevronnée ? d'une professionnelle ? Était-ce suffisant pour cette pièce ? Pas pour Hume en tout cas. On ne pouvait oublier qu'elle jouait un rôle ; Marlon, à l'inverse, vivait sur scène. Jessie avait mis au point chaque moment avec sensibilité et intelligence, et l'ensemble formait un tout cohérent, exactement ce que Williams et moi-même avions espéré. Mais Marlon, travaillant « de l'intérieur », se laissait porter par son émotion, où qu'elle l'entraîne. Son interprétation fourmillait de surprises et dépassait nos espérances, à Williams et à moi. Que pouvions-nous faire sinon exprimer notre gratitude ?

La grandeur de Jessie tenait à sa générosité. Elle me dit au cours de la troisième semaine qu'elle trouvait Brando merveilleux, alors qu'une autre actrice se serait plainte (et le ferait d'ailleurs par la suite) en ces termes : « On ne sait jamais ni ce qu'il va faire, ni où il va aller, ni ce qu'il va dire. » (C'est Vivien Leigh qui se lamenta de la sorte au début des répétitions pour le film, mais elle s'y habitua.) Marlon constituait un défi pour les autres acteurs et Jessie, après que Hume eut assisté à la répétition, considéra ce défi comme un stimulant. Je ne la « laissai pas tomber », je la poussai, mais je ne suis pas certain d'avoir jamais satisfait Hume. Il traînait dans le fond de la salle, me regardant d'un air à la fois encourageant et impatient. Il nous avait apporté Jessie et ne pouvait se résoudre à ce que je sois déçu. Je ne le fus pas. Le contraste entre les deux styles d'interprétation aidait à en créer un autre, celui entre la femme cultivée de Belle Reve et le rustre du Vieux-Carré de La Nouvelle-Orléans. Il restait une ouverture que je n'avais pu pratiquer, dans l'interprétation de Jessie, mais je n'étais pas sûr de le vouloir : le personnage de Blanche devait manifester certaines inhibitions, non ? Elle était bien, n'est-ce pas, prisonnière d'une tradition ?

A ce stade, je me mis à m'inquiéter. N'étais-je pas en train de chercher à me justifier ? Marlon rejetait-il Jessie dans l'ombre de la scène ? Hume avait-il raison quand il disait qu'un élément essentiel faisait défaut à l'équilibre de la pièce ? Je me tournai vers qui de droit : Tennessee. Il ne me fut d'aucune aide ; il semblait être tombé sous le charme du jeune garçon. Ce fils de pute en est toqué, me dis-je en moi-même. Il travaillait sur sa prochaine pièce le matin, déjeunait avec Pancho puis débarquait au théâtre, manifestait audiblement son enthousiasme quand il était content, puis se retirait dans un bar du voisinage pour arroser ça. Quand il s'inquié-tait (« Kim sautille comme une étudiante qui se serait shootée à la ben-zédrine »), il se retirait dans le même bar mais pour des raisons dif-férentes. Il n'avait aucun travail à fournir. Nous fîmes une coupe de cinq pages dans la dernière scène, et c'est tout. Il insista cependant pour récrire les répliques prononcées par les acteurs pour « faire du remplissage » pendant certaines scènes de transition, par exemple quand Brando était transporté sous la douche froide. Tenn les appelait des « répliques pos-tiches » et voulait que même ces portions de dialogue infimes possèdent une vraie qualité d'écriture ; aussi me passait-il des petits bouts de papier à lettres de son hôtel où il avait inscrit ce qu'il souhaitait entendre les acteurs dire au lieu des improvisations que j'avais autorisées. Il voulait plaire à l'oreille autant qu'aux yeux.

Irene Selznick était chargée à bloc d'enthousiasme et de dévouement : je commençais à l'apprécier, et *vice versa*. Enfin ! Elle soutenait à cent pour cent le travail des acteurs — elle demandait seulement à entendre Brando. Je la rassurais sur ce point (« Donnez-lui un public et il se fera en-tendre »), ce qui la soulageait. Mais le lendemain, lorsque de nouveau elle ne parvenait pas à l'entendre, elle revenait à la charge, en douceur. Son attitude, mélange d'angoisse et d'admiration, devenait parfois gênante. Elle s'asseyait juste derrière moi et, pendant que je supervisais les répéti-tions, se penchait en avant pour me faire part de ses réactions dans le creux de l'oreille. Elle manquait d'expérience et ne comprenait rien à la manœuvre. Je n'en étais qu'à la charpente de la maison et elle me demandait quand j'allais peindre la cuisine. Un beau jour, lassé de l'en-tendre bourdonner, je me retournai vivement et lui aboyai : « Nom de Dieu, Irene, est-ce que vous allez me foutre la paix ? » J'aurais certaine-ment pu trouver une façon moins brutale de m'exprimer. Elle m'a pardon-né mais ne m'a jamais considéré comme un être « civilisé ».

Selon moi, les répétitions s'étaient bien passées et nous présentions une production homogène ; mais les diverses personnes venues assister aux dernières mises au point avant notre départ en tournée avaient fait naître en moi une sourde inquiétude en dépit de leur enthousiasme. En effet, tout le monde ne jurait que par Brando. La plupart étaient eux-mêmes acteurs ; il était donc inévitable qu'ils soient d'abord sensibles à la perfor-mance d'un nouveau talent, plein de fougue. Mais pourquoi ne disaient-ils rien de Jessie ? Si je leur demandais leur avis sur son interprétation, ils me répondaient qu'elle était bonne. Mais il fallait que je pose la question.

Nous partîmes pour New Haven, où nous nous installâmes dans le vieux Shubert Theatre. Le public adora Brando. Quand il se moquait de

Blanche, le public lui répondait avec des rires d'approbation. La pièce était-elle en train de devenir un « show Marlon Brando » ? J'évitai de soulever le problème car je n'en connaissais pas la solution. Je ne voulais surtout pas que les acteurs s'aperçoivent de mon trouble. Que pouvais-je dire à Brando ? D'être moins bon ? Et à Jessie ? D'être meilleure ? Non, je risquais d'obtenir un effet destructif, surtout chez Jessica.

Un visiteur d'une autre planète, nageant dans l'enthousiasme et visiblement soulagé, me chercha à l'issue de la première pour me féliciter et m'assurer que nous allions tous gagner une fortune : Louis B. Mayer. Irene fut ravie de nous voir nous entretenir avec cordialité, mais c'est parce que j'avais gardé pour moi ce que son « vieux » m'avait glissé un jour dans le creux de l'oreille. Il m'avait enjoint de demander à l'auteur d'effectuer une modification cruciale dans sa pièce : il fallait, une fois que cette « femme épouvantable » venue briser « le ménage heureux formé par ce jeune couple épatant » aurait été expédiée dans une institution, faire sentir au public que le jeune couple allait désormais vivre heureux jusqu'à la fin de ses jours. Il ne lui était pas venu à l'idée que le soutien de Tennessee allait d'abord à Blanche, et je me gardai de l'éclairer sur ce point. Après tant d'années passées à exercer son autorité sur les autres sans jamais douter de lui-même ne serait-ce qu'un instant, il devait être rebelle à toute discussion. Il avait fait pression sur moi avec toutes ses ressources rhétoriques, considérables au demeurant, mais je lui avais filé entre les doigts telle une anguille. « Il faut que vous disiez tout cela à Irene », avais-je répondu. Mais sa réaction déplacée n'avait fait qu'ajouter à mon inquiétude. Il me fallut m'interroger : étais-je satisfait de voir Marlon Brando tirer la couverture à lui ? Était-ce mon intention de départ ? *Quelle* était mon intention de départ ? Je me tournai vers l'auteur : il avait l'air satisfait. Moi seul — et peut-être Hume — savais que quelque chose clochait.

Nous travaillâmes très dur pour résoudre nos problèmes techniques au cours des quatre représentations à New Haven, ceci afin que le spectacle se déroule sans accroc à Boston. Ce qui me sidérait, c'était que l'auteur ne s'inquiète pas de voir le public accorder sa préférence à Marlon. Je ne savais que faire : en effet, c'était à Tennessee que je devais rendre des comptes en dernier lieu, et c'était lui que je devais contenter. Je n'avais toujours pas soulevé la question ; j'attendais qu'il le fasse. J'obtins finalement une réponse ; pas sur la scène de Boston ni à l'issue d'une discussion artistique avec lui, mais grâce à un événement survenu à l'hôtel Ritz-Carlton, dans la suite qui faisait face à la mienne, et qu'occupaient Tennessee et Pancho. Un beau soir, j'entendis un vacarme effrayant de l'autre côté du couloir : des jurons en espagnol, des menaces de mort, un bruit de porcelaine brisée (un grand vase cassé en mille morceaux) et un fracas épouvantable (le grand lustre arraché du plafond et projeté au sol). Pancho faisait des siennes. Parvenu en hâte dans le couloir, je vis Tennessee sortir en trombe de sa chambre, l'air terrifié, pour se précipiter dans la mienne. Pancho le poursuivait mais je bloquai ma porte et il se dirigea vers l'ascenseur, sans cesser de jurer, puis disparut. Cette nuit-là, Tennessee dormit dans ma chambre sur l'autre lit jumeau. Le lendemain matin, Pancho n'était toujours pas revenu.

Williams n'était pas en colère contre Pancho, ne le condamnait pas le moins du monde. En fait, quand nous discutâmes de l'incident, il me dit admirer Pancho pour cet éclat. Au petit déjeuner, je lui fis part de mon inquiétude au sujet de Jessie et de Marlon. « Elle va s'améliorer », dit Tennessee. Et c'est alors qu'eut lieu notre seule et unique conversation au sujet de la mise en scène de cette pièce. « Blanche n'est pas un ange sans défauts, dit-il, et Stanley n'est pas un mauvais bougre. Je sais que tu as l'habitude des thèmes clairs et nets, mais cette pièce ne doit pencher ni d'un côté ni d'un autre. N'essaie pas de simplifier les choses. » Puis il ajouta : « Je me suis moqué de Pancho et il a sauté au plafond. » Et il éclata de rire. Je me souviens de la lettre qu'il m'avait envoyée avant le début des répétitions. C'était une mise en garde : je ne devais pas porter de jugement moral sur Stanley, ni le présenter comme un « scélérat », pour préserver la fidélité à la vie. « Que dois-je faire ? demandai-je. Parfois, le public rigole quand Brando se moque d'elle. — Rien, répondit-il. N'essaie pas de prendre parti, ou de faire une leçon de morale. Si tu commences à organiser l'action de la pièce en fonction d'une thèse à démontrer, sa fidélité à la vie en pâtira. Continue de travailler sur le même mode. Marlon est un génie, mais Jessie bosse dur et elle s'améliorera. De plus en plus. »

Un peu plus tard, nous entendîmes Pancho rentrer et Williams regagna sa suite. Il n'avait l'air ni effrayé, ni consterné, ni même critique, mais il semblait heureux que Pancho soit revenu et impatient de voir l'homme qui avait fait une scène si terrible la nuit précédente. La violence l'avait excité. Si Tennessee était Blanche, Pancho était Stanley.

Nous fîmes un tabac à Boston et Jessie progressa chaque jour. Finalement, c'est la pièce qui créa l'événement ; pas les acteurs, ni le metteur en scène. La pièce nous entraîna tous derrière elle. Dans les années qui suivirent, cette œuvre magistrale, écrite à partir de l'expérience la plus intime de Tennessee, qui ne demandait ni faveurs, ni pitié, ni allégeance d'aucune sorte, ne manqua jamais d'émouvoir son public. Il n'y avait pas moyen d'abîmer le *Tramway*. Peu importe le metteur en scène, le point de vue, la distribution, la langue, on l'acclamait toujours, on disait même parfois d'une production qu'elle « surpassait l'original ». Que pouvais-je dire à cela ? Bravo, Tennessee !

Mon père et ma mère se rendirent à la première new-yorkaise, entendirent le public crier « l'au-teur, l'au-teur ! » et virent Tennessee arriver sur scène en traînant les pieds, de sa démarche de tapette. Je me trouvais dans le coin le plus sombre, au fond de la scène, les larmes aux yeux : des larmes d'épuisement et de soulagement. J'écoutai tout ce brouhaha comme s'il concernait d'autres gens. On me rapporta qu'après nombre de rappels pour Williams, quelques personnes crièrent mon nom. Je n'avais pas répondu, mais je me souviens bien de m'être demandé si mon père avait entendu.

La pièce fit une longue carrière et je disparus comme à l'accoutumée. De temps à autre, on venait me rechercher. Un jour, je reçus une lettre de Jessie, qui s'exprimait au nom de toute la troupe. « C'est ton spectacle, écrivait-elle. Tu devrais continuer à t'en occuper. » A ce moment-là, mes pensées étaient ailleurs, c'est pourquoi je ne fus pas d'un grand secours quand je montrai enfin le bout de mon nez. Ce n'était pas la peine de faire semblant ; un spectacle ne se maintient pas intact après un certain nombre de représentations, il se détériore, même si les acteurs travaillent dur pour améliorer leur interprétation. On raconte une histoire célèbre à propos de George S. Kaufman. Il était parti en vacances outre-mer, à la suite d'une première des plus acclamées, puis il était revenu jeter un coup d'œil sur son succès au bout de quelques mois. Ce qu'il vit ne lui plut guère, aussi expédia-t-il un télégramme à sa troupe, lui demandant de « supprimer les améliorations ».

Cette première mise en scène de la pièce de Tennessee devint légendaire. Mais il n'existe pas de mise en scène définitive d'une pièce comme celle-là, pas plus qu'il n'existe de *Hamlet* ultime, de *Mère Courage* qui empêche d'autres actrices d'aborder le rôle, ou de Willy Loman qui conclue les annales. Je ne revendique rien d'exceptionnel au sujet de ma mise en scène du *Tramway*, si ce n'est que personne d'autre ne l'aurait monté de cette façon-là.

Longtemps après avoir dirigé le *Tramway*, je me posais encore des questions à son sujet — ce qui donne une idée de sa dimension et de celle de l'auteur. Plus j'y pensais, plus la pièce me semblait mystérieuse. Il ne fallait certainement pas se fier à son apparence, celle d'une fable morale qui met en scène une âme sensible malmenée par une brute sadique. Mais alors de quoi parlait-elle ? Beaucoup plus ambivalente que cela, elle avait aussi des résonances beaucoup plus personnelles. Je commençai à m'interroger sur l'auteur et à regarder la pièce comme une œuvre autobiographique. Tennessee restait bien trop sur ses gardes pour se laisser aller maladroitement à des révélations sur ce qu'il préférait ne pas divulguer. Je passais beaucoup de temps avec lui, autant qu'il m'en accordait — avec lui et son exubérant amant, Pancho —, et il m'apparut que lorsque je me replongeais dans la pièce après une soirée passée en leur compagnie, elle se « déchiffrait » différemment.

Tennessee ne correspondait pas à l'idée que je m'en étais faite. Parfois il donnait l'impression d'avoir été récemment libéré après une période de « détention préventive », ou encore d'être un marin à qui l'on aurait enfin accordé une permission à terre, mais dans un pays étranger. Je découvris en lui une combinaison bizarre d'audace téméraire — lui et Pancho draguaient ensemble dans les rues mal famées, levaient des marins et des voyous, les ramenaient à la maison, ce que je trouvais dangereux — et de manières plutôt guindées de petit garçon bien élevé, alliées à une sensibilité des plus délicates. Sa mère lui avait inspiré celle de *la Ménagerie de verre* ; selon la tradition du Sud, Tennessee l'appelait miss Edwina. Il l'aurait peut-être décrite aujourd'hui comme une princesse du Sud déchue. Son père était d'une étoffe plus rude, un commis voyageur et, d'après Williams, un maquereau, qui était constamment sur les routes, aimait « l'Appel du Lointain », comme le personnage de *la Ménagerie*, et finit par disparaître pour de bon. Je retrouvais dans notre Tennessee ses parents. Qu'est-ce qu'un tel père aurait pensé d'un fils « pédé » ? Quelle force il a dû falloir à Tennessee pour accepter son homosexualité dans une

société qui la trouvait honteuse! Il avait dû très tôt souffrir le martyre et
se mettre à part de la société « normale » qui l'entourait. Il n'existait pas
de mouvement *gay* à cette époque-là et, à cause de ses inclinations
sexuelles, il avait dû se sentir, comme moi tout au long de mon adolescence, un outsider. Était-ce la raison pour laquelle nous nous entendions
si bien ?

Éprouvait-il un sentiment de culpabilité hérité de la tradition puritaine,
pensait-il avoir trahi les exigences morales des siens, se conduire en
« pécheur » quand il était le plus « lui-même » ? Dans les années qui
suivirent, il se mit enfin à me parler et j'appris que les deux personnes
qu'il aimait le plus n'étaient pas des amants ou des amis qui partageaient
ses penchants, mais son grand-père, le vénérable révérend Dakin, pasteur
de l'Église épiscopale, et sa sœur Rose, victime de problèmes psychiques
graves et considérée comme désespérément « atteinte ». Il parlait d'eux
avec amour, mais de personne d'autre. J'en vins à me demander si le
conflit intérieur que j'essayais de mettre à nu n'opposait pas en fait la
délicatesse de sa véritable nature aux appels violents de son instinct
érotique. Ce conflit était-il la source de son talent ? La pièce comportait
certainement des éléments autobiographiques, comme je l'avais deviné.
Mais je ne pouvais imaginer Williams comme un puritain en lutte contre
son âme « vile ». J'avais acquis une expérience considérable de l'esprit
puritain — au contact de ma femme bien-aimée —, et sa caractéristique
essentielle tenait à une volonté maniaque de pousser autrui à bien agir.
« Arrête d'essayer de me remettre dans le droit chemin ! » avais-je l'habitude de dire à Molly d'un ton menaçant. Rien de tel chez Williams. Il
agissait à sa guise et laissait aux autres la même liberté d'action. Il
s'efforçait seulement de vivre pleinement sa propre vie, à sa manière. Il
tenait davantage de D. H. Lawrence que de Calvin. Il ne ressemblait en
rien à Arthur Miller ; il n'avait pas besoin de donner des leçons. « Le seul
acte impardonnable, fait-il dire à Blanche dans le *Tramway*, c'est la
cruauté délibérée envers autrui — et je ne m'en suis jamais rendue
coupable. » Art n'aurait jamais écrit cela.

La pièce recèle une autre ambiguïté qui m'a laissé perplexe bien longtemps après que j'en eus terminé avec elle ; il s'agit de la scène avec
Mitch, juste avant la fin. Ce Mitch qu'elle désirait tellement parce qu'elle
s'imaginait qu'avec lui, elle avait trouvé « le seul endroit sûr ». Mais dans
ce cas, pourquoi cette explosion terrible contre Mitch, si provocante et si
téméraire : « Non loin de Belle Reve, avant que nous n'ayons perdu Belle
Reve, il y avait un camp d'entraînement pour les jeunes soldats. Le
samedi soir, ils allaient en ville et se soûlaient, et sur le chemin du retour,
ils pénétraient dans mon jardin en titubant et criaient : "Blanche !
Blanche !" La vieille femme sourde, celle qui restait, ne soupçonnait rien.
Mais parfois, je me glissais dehors pour répondre à leur appel. Plus tard,
le panier à salade les cueillait comme des marguerites, sur le chemin des
écoliers ! » Cette révélation imprudente s'expliquait-elle par un point
d'honneur — de Blanche et de l'auteur — mis à ne rien nier ? Et il y avait
aussi cet appel futile à la compréhension de Mitch : « J'ai vécu dans une
maison où de vieilles femmes mourantes ressassaient leurs souvenirs de

maris défunts. La mort venait s'asseoir ici et la vieille était assise là-bas, et elle voyait la mort comme je vous vois. » Et encore : « La mort. Son contraire est le désir. » Bien sûr, de tels propos venaient à bout de l'intérêt que Mitch lui portait. Et de ses espérances à elle. Tennessee éprouvait-il la même chose que Blanche : qu'elle (il) avait besoin de quelqu'un comme Mitch et de ce qu'il représentait, un homme qui lui offrirait un jour « une anfractuosité dans le grand rocher du monde », à l'intérieur de laquelle elle se loverait ?

Quelques années plus tard, Williams trouverait un tel amant, un jeune Italo-Américain, Frank Merlo, et ils vivraient ensemble pendant dix-huit ans, comme un couple marié, plus proches l'un de l'autre que beaucoup, heureux de cette solution. Je me les rappelle encore, faisant leurs courses à l'épicerie comme des bourgeois français, tenant en laisse leur boule-dogue dodu, qui se dandinait à leur côté. Ils retournaient chez eux chargés de grands sacs en papier marron remplis de provisions. A mon avis, Tennessee n'a jamais été aussi heureux qu'à ce moment-là ; il n'a jamais connu personne d'aussi aimant, loyal et honnête que Frank Merlo. Mais cela ne devait pas durer, le bonheur n'est pas éternel, en tout cas pas celui qui dépend d'une autre personne, comme Tennessee l'écrirait par la suite. Finalement, ils se séparèrent, et Frank mourut d'un cancer. Williams n'a jamais appris à croire en la vie.

La pièce défendait-elle les valeurs spirituelles contre les instincts bestiaux ? Certainement. Mais se résumait-elle à cela ? Non. Quand Stanley dit, juste avant le viol : « Nous avons pris ce rendez-vous dès le début », ses paroles ne contiennent-elles pas une certaine vérité ? Irene Selznick le pensait. Elle avait suggéré à l'auteur que Blanche, après avoir résisté aux avances de Stanley, « commence à y répondre », de façon inattendue. La suggestion avait intrigué Williams et il y avait réfléchi sérieusement. Il connaissait tout de l'anarchie qui régit le sexe, et de l'absence de règles établies en la matière. Je l'avais convaincu de renoncer à cette idée ; à mon avis, Irene allait trop souvent au cinéma. Cela dit, n'entrait-il pas une part de coquetterie dans le personnage de Blanche, semblable en cela à toutes les femmes élevées dans cette tradition ? Ne les entraînait-on pas à « flirter » ? Poliment. Ne faisaient-elles pas, justement, marcher les hommes ? Cette attitude remontait-elle à l'époque de la « Frontier » où elles devaient s'en remettre à eux pour leur protection ? La présence des hommes garantissait leur sécurité. « Alors je suis venue ici, dit Blanche, quand elle raconte ce qui s'est passé lorsqu'elle a été chassée de sa ville natale. Je n'avais nulle autre part où aller. » Elle n'était pas allée chercher du travail. Non, elle s'était installée chez Stanley et Stella — sans y avoir été invitée. Aussitôt, elle avait repéré Mitch, l'avait jaugé, et avait entrepris de le séduire, pour qu'il assure sa sécurité. Un réflexe automatique.

Et Williams ? N'était-il pas attiré par tous les Stanley du monde ? Des marins ? Des voyous ? Le danger lui-même ? Pancho n'était-il pas un Stanley lui-même ? Oh, que si ! et plus sauvage encore. La violence de ce garçon, toujours sur le point de se déclencher, attirait Williams en même temps qu'elle l'effrayait. Quand la femme de Stanley le réprimande sur sa façon de se tenir à table, il lui apprend comment elle doit s'adresser à un homme en brisant toutes les assiettes sur la table. Je doute que Williams ait considéré cet acte comme grossier ; il l'aurait plutôt trouvé excitant. Je l'entends encore jacasser sur la façon dont Brando s'y prenait pendant les répétitions. C'était comme une libération pour Tennessee ; les assiettes appartenaient peut-être à sa mère.

Et lorsque Stanley dit à sa femme : « Quand nous nous sommes rencontrés pour la première fois, toi et moi, tu as pensé que j'étais vulgaire. Comme tu avais raison, ma poule. J'étais aussi vulgaire qu'un porc. Tu m'as montré la photo de la place avec les colonnes. C'est là que tu m'es tombée dans les bras, pas loin de ces colonnes, je t'en ai fait voir de toutes les couleurs ! On n'était pas heureux ensemble, ça ne tournait pas rond nous deux avant qu'elle débarque ? On n'était pas heureux ensemble ? Ça ne tournait pas rond ? » J'entends encore la voix de Tennessee, quand il parlait de son expérience de jeune homme éduqué dans les règles par miss Edwina, sa mère, la princesse du Sud, puis de son éveil brutal aux lois du désir et à ce que l'amour pouvait lui offrir.

Je m'en rends compte en écrivant ces lignes, il se produit en moi le même phénomène que lorsque j'avais étudié cette pièce pour la première fois : quand j'écris « elle (il) », j'associe Blanche et Tennessee. Un autre metteur en scène, Luchino Visconti, quand il dirigea la pièce en Italie, appelait l'auteur « Blanche ». Ceci m'amena à une autre conclusion : Blanche est attirée par l'homme qui va la détruire. Je me mis à envisager la pièce sur la base de ce principe d'ambivalence. Il me semblait que c'était la condition nécessaire pour que je la voie comme Tennessee l'avait voulue : fidèle à la vie dont lui — pas nous autres, les philistins du parterre, mais lui — avait fait l'expérience.

La référence à la vie que menait Tennessee à l'époque était claire. Williams n'ignorait pas les dangers au-devant desquels il allait quand il draguait dans les rues ; il savait que tôt ou tard il se ferait tabasser. Et ce fut le cas. N'empêche, me disais-je, même cette promesse de violence le stimulait. Sans doute son mode de vie créait-il chez lui un complexe de culpabilité. Plus tard, il rapporta des cauchemars qu'il avait eus et dans lesquels il « marchait très lentement le long d'un couloir... vers une pièce éclairée... avec la démarche affectée à outrance d'un travelo, tout en psalmodiant "Rédemption ! Rédemption !" ». Mais c'était bien plus tard. À l'époque de notre première rencontre, il dévorait la vie à belles dents ; il voulait tout, tout de suite.

Je me suis également rendu compte qu'à la fin de la pièce — où l'auteur énonce toujours son message essentiel —, Stella, qui a vu sa sœur devenir folle à cause de Stanley, puis être conduite dans une institution, éprouvait bien chagrin et remords mais aucune désaffection durable envers son mari. Stanley était le père de son enfant. Stanley lui « en avait fait voir de toutes les couleurs ». Mais surtout, Stanley était là. Comme il l'avait dit lui-même, ils avaient été parfaitement heureux jusqu'à ce que Blanche s'installe chez eux. Ce qui est impliqué à la fin de la pièce, c'est que Stella retournera très bientôt dans les bras de Stanley — et dans son lit. Cette même nuit, en fait. Indifférence ? Insensibilité ? Non. Fidélité à la vie. Le but de Williams. La vie continue, disait-il, et nous faisons de notre mieux.

On blesse certaines personnes, mais on ne peut pas avancer dans la vie sans faire de peine à quelqu'un. L'animal doit survivre, à tout prix.

La vie continuait pour Molly et pour moi, sous la forme d'une belle petite fille, que nous avions prénommée Katharine.

Harold Clurman, à l'époque critique dramatique du *New Republic*, fit référence (dans un article brillant) à mon spectacle et en particulier à l'effet produit par l'attribution à Marlon Brando (acteur qu'il admirait) du rôle de Stanley Kowalski. Après avoir fait l'éloge de la façon dont j'avais dirigé la scène où Stanley, agenouillé au bas de l'escalier, appelle Stella, Harold poursuit : « Cette scène, comme je l'ai dit, est magnifiquement montée. Cependant, le talent inné de Brando et un certain flottement dans l'approche du metteur en scène la rendent émouvante mais d'une manière qui ne cadre pas avec la thématique générale ; elle ne correspond pas à ce qui, dans la conception de la pièce, exige que Kowalski apparaisse à tout instant comme vil. » Plus loin, dans la même critique, il écrit : « La pièce (avec Brando dans le rôle) devient le triomphe de Stanley Kowalski ; avec la complicité d'un public qui ne soutient plus l'ange contre le démon (...). Mr. Brando apparaît comme un dur à cuire qui n'est pas pour autant condamné à demeurer vulgaire. »

Lorsque je lus ces lignes, la colère s'empara de moi, mais comme j'avais toujours respecté Harold et que c'était encore le cas, je m'interrogeai pour savoir si son commentaire ne cachait pas quelque chose. Quand le moment fut venu pour nous de constituer la troupe qui partirait en tournée, je me rendis compte que je n'avais plus ni l'énergie ni la volonté d'affronter Uta Hagen, cette actrice excellente mais qui savait ce qu'elle voulait. Aussi — par curiosité ou par perversité, peut-être les deux — je persuadai Irene d'offrir le poste à Harold. Il accepta avec enthousiasme. Pour Stanley, j'avais déjà engagé Tony Quinn, acteur tout disposé à se laisser diriger ; il écoute comme un enfant. Et en moi-même, je me dis : Tu as ce que tu voulais, Harold ; allez, au travail, à ta manière, montre-nous.

Sa mise en scène — j'assistai à une répétition — ne déçut pas mes craintes. Dans cette version, Tennessee était devenu un poète de la frustration et sa pièce disait que « l'aspiration à un idéal, la sensibilité, l'écart par rapport à la norme sont maltraités, meurtris et déshonorés dans le monde d'aujourd'hui ». Ce sont les propres mots de Harold, qui expriment sa conviction et décrivent exactement ce que j'avais vu sur scène. Nous considérions tous, au Group Theatre, à l'époque où nous formions une bande, que nous aspirions à un idéal, que nous étions sensibles et que nous nous écartions de la norme imposée par la société : la façon de penser de Harold ne revenait-elle donc pas à se regarder le nombril et à s'apitoyer sur soi-même ? Ce que j'avais vu me rappela les belles idées que nous agitions dans les années 30 : la conviction que les vilains capitalistes corrompus par l'argent exploitaient tout ce qu'il y avait de bon et de vrai à notre époque — idée que j'assimile maintenant à de la bouillie pour les chats. La pièce, sous l'influence de Harold, était devenue une fable morale qui présentait les personnages auxquels nous nous étions identifiés comme des êtres d'une seule pièce, aux principes éthiques si bien établis et si simplistes que le public n'entretenait aucun doute au sujet de la réaction qu'on attendait de lui : l'assentiment benoît.

Ah, si seulement la vie pouvait être aussi simple ! m'étais-je dit en mon for intérieur. Les difficultés, les ambivalences que l'auteur avait ressenties dans la vie étaient ignorées. C'est la clarté du message qui importait. Le *Tramway* avait été transformé en pièce typique des années 30, quand le Group rendait le Système responsable de tous les maux de la terre, sans songer une minute à faire son autocritique. Nous déplorions notre aliénation au lieu d'accepter, comme Williams, que la vie elle-même comportait un aspect tragique. « La vie ne devrait pas être imprimée sur des billets de banque », a écrit Odets. Tout à fait d'accord ! Il a aussi écrit : « Il n'y a pas de troisièmes actes en Amérique. » Ce qui ne l'a jamais empêché de conclure ses pièces, en bon romantique, par un solo de trompette à la gloire de l'espoir, fût-ce contre toute attente.

Tennessee avait dit à Molly que sa pièce était dépourvue de thème ; elle avait en fait une résonance très profonde en ce qu'elle décrivait un combat universel qui se jouait dans l'âme de son auteur. Que peut-il exister de pire qu'un faux espoir, promis à tort ? L'espèce humaine progresse, et ce, grâce au talent visionnaire des artistes, oui, mais lentement, pas à grandes enjambées. Le Group Theatre a représenté une aventure théâtrale extraordinaire. Mais quand il s'agissait pour nous d'enseigner (ce que nous considérions comme une obligation), nous avions très peu de chose à dire. Qu'était-il advenu de nos rêves révolutionnaires ? Ils ressemblaient à des lambeaux de papier. Et qu'avions-nous obtenu ? Certes, nous avions remporté des succès, mais limités, et nous avions dû nous y acharner. La première étape dans la création d'un nouveau monde consiste à porter un regard honnête sur celui-ci — et sur nous-mêmes.

Nous avons tous rencontré des Stanley que nous avons trouvés séduisants et des Blanche qui nous ont horripilés. Il n'est pas question de dire que le public aurait dû éprouver une sympathie immédiate pour Blanche. Mais à mesure que la pièce progressait, surtout dans les scènes où Blanche se mettait à nu et racontait son histoire sans flancher, les spectateurs auraient dû admirer son courage. J'aurais alors souhaité qu'ils la regardent sous un autre jour et se sentent même honteux de leurs préjugés initiaux. Ce n'est qu'à la fin, au terme d'un parcours difficile, que le public aurait dû découvrir la valeur particulière de cet être complexe. Mais en aucun cas ce processus ne devait justifier qu'on fasse de Stanley un être « constamment (...) un peu vil ». Cette simplification du contrepoint moral serait irréaliste et sans valeur. Quant à déterminer qui est un « petit saint » et qui ne l'est pas, ne faut-il pas admettre une fois pour toutes que le « diable » habite chacun de nous ?

Mon approche du *Tramway* souffrait-elle de ce que Harold avait décrit — « un certain flottement » ? La réponse est oui. La vie est une énigme irrésolue, et quand on y fait son entrée, personne ne se trouve là avec un manuel d'instructions, comme lorsqu'on achète une nouvelle voiture. Et d'une « manière qui ne cadrait pas avec la thématique générale » ? Oui à cela aussi, Harold. Je voulais contrarier le public, et non pas le flatter en

l'admettant trop rapidement et trop facilement dans le cercle des
« anges ». Il lui faudrait mériter cette élévation spirituelle. Pendant qu'il
effectuait sa traversée ardue du purgatoire, peut-être le voyageur enten-
drait-il Williams s'exclamer « Fidélité ! Fidélité ! » et s'en trouverait-il encouragé.

Quand j'eus terminé mon travail sur sa pièce, j'étais rempli d'admiration
pour Tennessee, surtout parce que cette histoire reflétait les luttes qu'il
menait dans sa propre vie ; cet homme avait mis à profit ses contradictions
personnelles et le souvenir de sa douleur pour créer cette œuvre. A son
contact, je compris qu'un véritable artiste doit avoir le courage de révéler
ce que le reste de l'humanité dissimule. Je n'avais pas oublié et n'oublierais jamais son expression, « fidélité », ni le fait qu'il considérait du devoir
de l'artiste de ne rien démentir quand on l'accusait et de refuser l'indulgence envers soi-même. L'artiste, selon lui, ne devait pas s'excuser ou
implorer la pitié, il ne devait en fait s'autoriser aucune pitié envers
lui-même. A la suite de cette expérience, j'envisagerais chaque pièce et
chaque film sur lesquels je travaillerais comme une confession, voilée ou
partielle peut-être, mais toujours révélatrice de la personnalité d'un auteur.

Je n'avais jamais songé à devenir écrivain, car je me trouvais (c'est
toujours le cas) dénué de talent pour la prose. Mais en revanche, je
pensais être doté d'une bonne oreille pour les dialogues, pour l'expression
orale dans un environnement tendu, et c'est grâce à Williams que m'est
venue l'idée de raconter, un jour, peut-être, l'histoire de mon peuple et de
ma famille. Je n'ai écrit *America America* que des années plus tard, mais
c'est à cause de Tennessee que j'en suis venu à envisager de le faire un
jour. Je me remémorai les événements qui avaient marqué ma prime
jeunesse en Turquie et dans l'enclave formée par les Grecs d'Anatolie
dans la 136ᵉ Rue de Manhattan, ainsi que les histoires que m'avait racontées ma grand-mère, et me mis à considérer mes parents et ce groupe
d'excentriques (mes oncles et mes tantes) comme un matériau dramatique.
C'est Williams qui m'amena à réfléchir sur ma vie, à la regarder comme
une pièce de théâtre, et à envisager de devenir moi-même un jour une
sorte d'auteur dramatique.

Il y a quelques mois, j'ai rencontré Eddie Kook dans la rue. « Kookie »
dirigeait la firme qui fournissait l'équipement électrique des spectacles que
je montais ; il a travaillé sur toutes les pièces de Tennessee. Cet homme
désormais âgé de quatre-vingt-deux ans, à l'âme nette et bienveillante,
m'a transmis un message d'outre-tombe. Il m'a dit que la dernière fois
qu'il était tombé sur Williams — quelques semaines seulement avant la
mort de celui-ci —, Tennessee lui avait confié : « Quand tu verras Kazan,
dis-lui de continuer à écrire. » J'ai rarement reçu des encouragements de
mes collègues écrivains ; la plupart ne se sont pas donné la peine de lire
mes livres ; mais Williams dispensait ses encouragements et ses louanges
avec générosité.

DE TOUTES LES PIÈCES que j'ai mises en scène, *Mort d'un commis voyageur* est ma préférée. Quand je l'ai relue récemment, elle m'a frappé aussi fort que la première fois, il y a trente-huit ans — aussi fort et au même endroit, dès la page deux! Je me suis entraîné à ne jamais trahir aucune douleur, mais pourtant j'ai senti les larmes me monter aux yeux en tournant cette page. Je suppose que cette pièce ravive le souvenir, depuis longtemps oublié, de mon père, qui vendait un autre produit, des espoirs qu'il fondait pour ses fils dans ce nouveau pays, et de son sourire anatolien un peu contracté quand il me demandait, à moi, petit gamin de seize ans aux idées confuses: « Qui me supporter mon vieil âge? Hé, toi, Elia, tu dis quoi à ça? » Quand il s'apercevait que je n'avais rien à dire à ça, sinon détourner les yeux et me sentir menacé, il haussait les épaules et marmonnait — je l'entendais: « un cas di-sis-pi-ré ». Ces souvenirs et d'autres encore remontant à cette époque de ma vie, ainsi que certains épisodes auxquels nul mot, nul visage n'était attaché, tous enfouis avec leur lot de tristesse, ont refait surface en se bousculant quand je me suis mis à relire cette foutue pièce la semaine dernière, exactement comme lorsque Art Miller me l'avait donnée, le lendemain du jour où il l'avait terminée, en 1948.

Après ma première lecture, je n'avais pas attendu le lendemain matin pour voir si je porterais un jugement plus « pondéré » sur elle, je n'avais pas attendu, comme c'était mon habitude à cette époque, l'avis de Molly, mais j'avais appelé Art, à peine refermé le manuscrit, pour lui dire que sa pièce m'avait « achevé ». « Je l'ai écrite en huit semaines », m'avait-il répondu.

Quand je dis que cette pièce est ma préférée, je ne veux pas dire que c'est la meilleure. Je ne suis pas critique, et de plus, je crois que Williams écrivait mieux. C'étaient tous deux des puritains, tous deux s'attachaient à l'idée de moralité — Williams plus ouvert à propos de ses « péchés » et de ses problèmes, Miller davantage sur ses gardes. Pourtant, le *Commis* est la pièce qui m'a le plus touché. Comme si un frère me parlait de notre expérience commune, avait vécu exactement la même vie de famille que moi. Art accomplit là quelque chose d'extraordinaire: il nous montre un homme qui représente, selon lui, tout ce qui porte à faux dans notre système, puis nous amène à éprouver de l'affection, de l'inquiétude, de la pitié et même de l'amour pour cet homme. Puis il creuse encore et nous prenons conscience d'un substrat tragique. S'applique-t-il au commis voyageur ? A nous-mêmes ? Et non content d'éveiller en nous cette douleur apitoyée, son héros détestable parvient à nous faire rire. Il est ridicule et tragique à la fois. Comment cet effet est-il obtenu ? Je ne connais pas d'autre pièce dans quelque langue que ce soit, qui dise toutes ces choses en même temps. Mais Miller y est parvenu — cette seule et unique fois.

Selon moi, il a réussi parce qu'il comprenait mieux que personne ses compatriotes et le système dans lequel nous vivons, ou savait mieux que nous ce qui n'allait pas dans notre civilisation. C'est à cause de son oncle. Je me souviens — j'espère ne pas me tromper — qu'il s'était inspiré de son oncle pour créer Willy Loman, « homme très petit, précisent les indications de mise en scène originales, qui porte de petites chaussures et de petits gilets... » et encore : « Ses émotions, en un mot, sont fonction des mercuriales. » Voilà le type d'acteur qu'Art espérait voir interpréter le rôle, et pas Lee Cobb, sûrement pas le grand Leo Jacob Cobb avec sa démarche pesante. Art éprouvait ce sentiment ambivalent envers une personne qui existait vraiment, trouvait qu'il avait l'esprit complètement de travers, qu'il avait fourvoyé sa famille et que tout ce qu'il voulait qu'on prenne au sérieux dans ses propos ne tenait pas debout, mais il ressentait tout de même une immense affection pour lui, appréciait sa compagnie et adorait ses discours passionnés et ineptes. Cet homme faisait rire Art, et Art aime rire. En résumé, il avait sous la main, dans sa propre famille, ce modèle vivant, qui combinait ces qualités si disparates, et il avait été assez malin et talentueux pour s'apercevoir qu'il disposait d'un personnage capable de susciter affection et pitié tout en appelant une condamnation absolue de ses défauts. Il avait compris que ces deux réactions, produites séparément, étaient intéressantes d'un point de vue dramatique, mais que suscitées par une seule et même personne, elles n'en auraient que plus de portée ; ensemble, elles deviendraient tragiques ; ensemble, elles nous représenteraient tous.

En étudiant la pièce, pour préparer ma mise en scène, je commençai à regarder mon père d'un autre œil ; je cessai de lui en vouloir. J'étais enfin prêt à oublier son côté tyrannique et à apprécier ce qu'il avait fait pour moi. Pour comprendre la pièce, en effet, une de mes premières démarches avait consisté à établir la liste des similitudes entre mon père et Willy Loman. George Kazan regorgeait d'une violence rentrée qu'il n'osait libérer qu'à la maison, où il ne risquait rien à se mettre en colère. Mais la menace constante d'une de ces explosions faisait peser sur nous une chape de terreur.

Mon père avait, comme Willy Loman, l'euphorie qui caractérise les vendeurs. Quand sonnait l'heure de séduire un client, il déployait une expressivité toute théâtrale. « Sentez ça ! » cria-t-il un jour à l'adresse d'un client, tout en soulevant le bout d'un grand tapis de Kachan et en le fourrant dans la main de l'homme. « Allez-y, prenez-le dans la main. Donnez-vous le plaisir. C'est gratuit. Comme du beurre, non ? Hein ?

Qu'est-ce que vous en dites? Comme du beurre doux! Dites-moi où vous trouvez une pièce comme cette pièce, dites-moi ça seulement. » Et ainsi de suite. Les gens du métier disaient de lui qu'il était bon vendeur. Mais quand je le voyais se livrer à ces bacchanales de mercanti, j'étais gêné pour lui.

« Baba » portait son habit de vendeur et faisait cirer ses chaussures tous les jours. Même quand il allait passer le week-end à la cidrerie de ma tante dans les Catskills, il amenait avec lui d'autres marchands de tapis, pour discuter prix, marché et sources d'approvisionnement « de l'autre côté », puis jouer au poker ou à la belote une bonne partie de la nuit. Le dimanche, quand il surveillait le chiche-kebab, penché sur les braises brûlantes et occupé à tourner les broches sur lesquelles on avait piqué les cubes de gigot bien mariné, il portait un col empesé et un nœud papillon. Parfois, il portait même la veste de son costume de travail et un chapeau de paille à bord plat. Dans les Catskills, le dimanche, ce marchand attendait lundi.

L'essence de la philosophie du vendeur, c'est que le succès ou l'échec dépendent de l'impression produite sur les autres par vos marchandises mais aussi par vous-même. Vous devez obtenir leur confiance, les convaincre du bien-fondé de tout ce que vous leur dites, même si vous avez recours à une exagération grossière ou à un mensonge éhonté. Voilà comment mon père gagnait sa vie, en mettant sa conviction inébranlable et donc passionnée au service de son argumentaire. Quand on y réfléchit, cette activité n'était pas différente de celle d'un acteur sur scène: poésie ou ineptie, ils doivent convaincre un public de la valeur d'une œuvre, même quand ils n'en sont pas convaincus eux-mêmes. Leur récompense? Non pas une vente mais des applaudissements.

Comme Willy, mon père considérait son fils aîné comme un raté, et Dieu sait qu'il en souffrait! Et moi donc! Mais comment pouvais-je lui en vouloir de n'avoir pas obtenu ce qu'il espérait de moi? A l'évidence, ce que sa femme lui avait fabriqué, ce fils silencieux, renfermé et, pour des raisons mystérieuses, renfrogné n'allait pas lui emboîter le pas et vendre des tapis. Il n'en vendrait aucun, à personne. Jamais. Mon père préférait ses deux autres fils: l'un n'aurait d'autre choix que d'étudier la médecine — mon père l'appelait déjà « le docteur » — et l'autre, c'est vrai, manifesta un intérêt véritable, du moins pendant un temps, pour le métier auquel mon père avait consacré sa vie. Mais celui-ci avait peur de regarder la vérité en face au sujet de son fils aîné, et la vérité, c'est que je n'avais rien à cirer du commerce des tapis d'Orient et qu'en dépit de ses espérances, qui semblaient ne jamais devoir tarir, je ne m'y lancerais jamais. D'ailleurs, si je m'y résignais, j'aurais tôt fait de changer d'avis. Et si je restais quand même, je ne serais bon à rien. Mais tout comme Willy, George Kazan trouvait toujours de nouvelles raisons d'espérer, et le poids de ces espérances reposait sur mes épaules.

Willy avait Linda, sa Linda dévouée, toujours fidèle au poste. Mon père avait ma mère, Athena. Elle restait debout à côté de lui, chaque soir, quand il engloutissait le dîner qu'elle avait passé toute la journée à préparer, et attendait pour prendre son propre repas qu'il se soit installé sur le sofa ; c'est une habitude anatolienne de faire une petite sieste après le *yehmek*. Les vieux lions dorment toujours après avoir mangé ce que la lionne leur a servi.

Et lorsqu'une femme s'aperçoit que l'homme qu'elle a épousé n'a pas satisfait ses espérances, une véritable tragédie commence. Mais cette tragédie ne s'exprime pas par des mots. Ni Linda ni le meilleur ami de Willy, Charley, ne sont dupes à son sujet, mais ils continuent à l'aimer. Comme Linda, ma mère n'a jamais toléré que je critique mon père ; en tout cas, pas de son vivant. Si je laissais paraître quelque désaffection envers lui, elle se retournait contre moi et me répétait que c'était un homme bien. « Il ne va jamais avec autre femme », disait-elle, et je me rendrais compte un jour de ce qu'il avait fait pour nous tous. Il l'avait amenée en Amérique, voyez-vous, il ne l'avait pas trouvée là, et elle lui en était reconnaissante. Elle l'a protégé jusqu'au jour de sa mort. Mais quand il fut mort et enterré, quelle ne fut pas ma surprise d'entendre ma mère concéder : « Ton père était un homme stupide. » Et d'ajouter un moment après : « Ces années — celles qui avaient suivi la mort de mon père — sont les plus belles années de ma vie. »

La pièce d'Art m'avait forcé à mieux comprendre mes parents. En la relisant, je me suis interrogé sur la façon dont je traite mon plus jeune fils, si je montre autant de compréhension à son égard que je le devrais. Le fait de découvrir en moi des traits de caractère hérités de mon père — jusque dans les expressions de son visage ! — avait jeté le trouble dans mon esprit. Mais lorsque mon fils cadet m'a révélé que pendant des années il avait vécu dans la terreur à cause de mes accès de colère, il y a jeté un trouble encore plus grand. Je perpétrais les moyens de pression employés par mon père, et j'ai eu honte de moi quand je m'en suis rendu compte en relisant la pièce d'Art. Cette foutue pièce m'a poignardé à l'endroit où je suis le plus vulnérable : suis-je un bon père ? Non ? Alors pourquoi n'ai-je pas fait mieux ?

Je sais que la pièce a produit cet effet sur beaucoup d'hommes ; de toutes celles que j'ai mises en scène, c'est la seule qui ait arraché des larmes au public masculin. J'entends encore ces sanglots étouffés à la fin d'une des représentations : des hommes, pour la plupart.

Les critiques s'empressèrent d'épingler le thème de la pièce, et Miller les y aida avec son dialogue : « Cet homme ne savait pas qui il était », en guise d'épitaphe, et cette phrase encore plus proche du sens profond de l'œuvre : « Il s'était trompé de rêve », répétée à l'envi. Mais il me semblait que je devais, en tant que metteur en scène, franchir un pas de plus et demander en quoi Willy « s'était trompé de rêve ». Et j'en conclus que le phénomène que voulait démontrer Art était plus meurtrier qu'il ne pouvait l'exprimer par ses mots. Ce thème est intrinsèque à l'œuvre, consubstantiel à sa légende, comme ce devrait toujours être le cas. Il tient en ces mots : le dogme de la foi chrétienne, en laquelle se reconnaît notre civilisation croyante, affirme que nous devons aimer notre prochain comme nous-mêmes. Mais la pièce de Miller nous dit qu'en vérité — celle-là même que nous devons respecter dans notre vie —, nous obéissons à une loi tout autre, qui établit que le but de notre existence, c'est de faire mieux que notre prochain, voire de le détruire si nécessaire, c'est-à-dire en fait, vous avez bien compris, de le tuer. Même le sexe devient une espèce d'agression — ah, l'emporter sur son patron en lui prenant sa femme! Ce contraste entre l'idéal et la pratique, typique de notre époque, donne à cette pièce son caractère de « drame social », et ce thème, qui recouvre des visées si honteuses et si définitives, imprègne la structure même de l'œuvre. Comme ce sont des êtres humains qui nous en donnent une illustration, toute dérobade de notre part est exclue. Voilà une pièce qui dénonce le système sans pour autant tourner à l'« agit-prop ». Nous sommes enfin sortis des années 30 — le public ne doit pas en passer par une séance d'instruction ou de correction. La base de notre société, le capitalisme, se trouve détruite non par le recours à la rhétorique, mais par cette grammaire incontestable, celle qui régit les actions des gens entre eux, et vous convainc que toutes ces choses terribles auxquelles vous assistez sont vraies, inévitables, et que nous sommes tous concernés. De plus, le conflit que nous observons oppose des gens qui ont toutes les raisons traditionnelles de s'aimer. Miller nous amène à comprendre par nous-mêmes la leçon de la pièce ; il ne nous la fait pas ingérer de force. Mais la question demeure : pourquoi respectons-nous cette loi quand nous savons — et Art nous le montre bien — qu'elle débouche sur un résultat si destructeur sur le plan humain ?

Art s'est d'abord inspiré de Henrik Ibsen. La pièce possède une structure très solide. Le spectateur est mis immédiatement au courant, premièrement par le titre, ensuite par la scène où Willy révèle qu'il s'est vu quitter la route, que nous sommes réunis pour assister à l'enchaînement de circonstances qui va conduire à un suicide. Cette promesse de terreur et de tragédie sous-tend chacune des scènes qui suivent, créant le suspense. Vous attendez avec angoisse tout en regardant cet homme ridicule, tragique, fourvoyé et victime d'une obsession qui le rend fou — que ce soit Cobb qui le joue, ou un acteur plus petit comme l'oncle de Miller, importe peu. Mais en fait, c'est vous-même que vous regardez, luttant contre le destin que vous vous êtes façonné.

Cette production devint l'autre partie (avec le *Tramway*) d'un diptyque théâtral de légende. On recommença à pratiquer ce jeu fascinant qui consiste à distinguer entre les faits et ce qui relève d'une campagne de relations publiques bien menée. Dans les comptes rendus de ce spectacle et dans le processus de réévaluation des personnes impliquées qui suivit, ce qui s'était réellement passé fut remplacé par ce dont une presse affamée avait besoin — un bon papier! — et ce que l'imagination des gens qui assistaient au spectacle était prête à gober. De plus, la confiance en soi de chacun des impétrants augmenta à vue d'œil. Nous étions tous convaincus de pouvoir mener à bien tout ce que nous choisirions de faire. Le succès nous paraissait aller de soi, récompense inévitable de nos efforts. Le triomphe de la pièce attestait notre valeur. Nous perdîmes bientôt le sens des réalités : nos chevilles se mirent à enfler. Nos producteurs, Bloomgarden et Fried ; Lee Cobb, Arthur Miller et Elia Kazan ne furent plus jamais les mêmes.

La pièce devint, à la surprise de beaucoup de gens de théâtre, y compris de ses producteurs, un énorme succès. On joua à guichet fermé dès les premières représentations. Kermit Bloomgarden, excellent « contre-maître » veillant toujours à ce que le matériel nécessaire à la production d'un spectacle arrive à temps et en état de marche, était maintenant présenté au public comme le producteur d'exception qui montait des pièces « de classe », ce que personne d'autre n'osait faire à Broadway. Son attaché de presse s'empressa de donner une dimension plus flatteuse encore à la réputation de son patron. Mais il est plus intéressant de savoir comment Kermit avait procédé pour acquérir *Mort d'un commis voyageur* et ce qu'il pensait de la pièce. Laissons la « boursouflure » aux échotiers. L'audace n'entre en rien dans cette histoire. La chance, si.

Ainsi donc, à l'issue de la triomphale première, Eddie Kook, qui avait fourni les éclairages, écoutait les tonnerres d'applaudissements, assis derrière Cheryl Crawford. Eddie remarqua des larmes dans les yeux de Cheryl et fit un commentaire sur la puissance émotionnelle de la pièce. « Ce n'est pas pour ça que je pleure, répondit-elle. C'est parce que j'ai eu cette pièce entre les mains et que je l'ai laissée échapper. » C'était la vérité. Lorsque nous ne savions pas encore à quel producteur nous vouer, Art et moi, j'avais suggéré que nous donnions la pièce à Cheryl. A ma grande surprise, elle n'avait pas ressenti le pouvoir que cette pièce exercerait sur le public. Elle avait hésité ; mais au théâtre, on ne dispose que de peu de temps pour hésiter. Cheryl doutait surtout du potentiel commercial de la pièce. Elle l'avait fait lire à des amis ; ils n'avaient pas été convaincus non plus. Un enthousiasme sans réserve est nécessaire lorsqu'on veut franchir tous les obstacles soulevés par Broadway. Cheryl n'en montrait aucun. Je lui conseillai donc d'oublier la pièce.

C'est à ce moment-là que la chance est entrée en scène. Nous décidâmes, Art et moi, de nous en remettre à un autre ami, Kermit, et à son associé, Walter Fried. Ils avaient accepté l'idée de produire la pièce mais, comme Cheryl, ils doutaient de ses chances au *box office*. Kermit me confia qu'il avait consulté maint propriétaire de théâtre et maint trésorier de bureau de location : tout le monde l'avait prévenu que le mot « mort » dans un titre… entraînait la mort de la pièce elle-même. Ils n'en démordaient pas, la preuve en avait été administrée à plusieurs reprises.

Un beau matin, alors que je travaillais sur la distribution dans l'annexe de Kermit, il fit irruption dans les lieux et déclara qu'il fallait absolument changer de titre. Il ajouta que la pièce contenait une phrase « optimiste » qui en ferait un très bon, à la fois commercial et symbolique. Fried et lui étaient déterminés à ce que la pièce soit rebaptisée *Libre et pur*. Au vu de ma réaction d'abord négative, puis inflexible et enfin — comme ils persistaient — méprisante, ils me demandèrent si je voyais une objection à ce qu'ils en parlent à Miller en mon absence. Je ne sais trop pourquoi je me suis montré si aimable, car j'étais on ne peut plus hostile à leur suggestion, mais le fait est que je leur ai donné le feu vert. Ils ont convoqué l'auteur séance tenante, pour le consulter. Art devait passer devant la petite annexe où j'attendais ; j'avais laissé la porte ouverte. Quand il est arrivé, je l'ai attiré à l'intérieur et, sans lui dire de quoi il retournait, je l'ai mis en garde : « Ils veulent te parler d'un truc qui ne me plaît pas du tout. Ne t'avise pas de leur dire oui. » Art est entré dans le bureau, ils ont discuté sans moi.

Notre titre n'a pas été modifié.

Le côté imaginatif de la pièce d'Art, ce qui ne ressortissait pas au réalisme, fonctionna à merveille sur scène et ajouta beaucoup à la puissance du thème. C'est d'innovation qu'il faudrait parler, et Art méritait bien toutes les louanges qui lui ont été décernées. Mais la façon dont il en était arrivé là, cependant, est tout à l'honneur du théâtre en tant qu'institution et confirme qu'il s'y tisse tout un réseau d'influences. De même, en effet, que Tennessee Williams avait été ému par *Ils étaient tous mes fils*, qu'il avait admiré (« Notre pays a bien besoin de ce type d'éloquence à l'heure actuelle », m'avait-il écrit), de même Art tira profit d'*Un tramway nommé Désir*. Je me souviens du soir où il était venu voir le *Tramway*. Après la représentation, il avait paru s'émerveiller de la richesse expressive du théâtre. Il était sidéré, m'avait-il confié, par la simplicité et le succès avec lesquels les éléments non réalistes de la pièce — « *Flores! Flores para los muertos!* » — se mêlaient aux éléments réalistes. Ces deux hommes, deux êtres humains complètement différents qui ne se fréquentaient jamais en société, se sont mutuellement influencés et ont une dette l'un envers l'autre.

Après que *Mort d'un commis voyageur* fut entré dans l'histoire du théâtre, le texte fut publié. Voici la phrase qui suit « Le rideau se lève » sur les premières pages imprimées : « Devant nous se trouve la maison du commis voyageur (…) un air de rêve imprègne l'endroit, un rêve qui prend sa source dans la réalité même. » Pourtant, l'indication de mise en scène, qui figure dans le manuscrit original qu'Art m'avait donné à lire tout de suite après l'avoir achevé, ne mentionne pas la présence de la maison sur scène. Voici en quoi elle consiste : « Un point de lumière gros comme une tête d'épingle se déplace pour venir éclairer une petite partie de la scène, sur la gauche. Il révèle le commis voyageur. Il sort ses clés et ouvre une porte invisible. » Cette pièce posait un problème de mise en scène qui attendait sa solution.

L'idée de la maison qui se tient comme un spectre au fond de la scène pendant toute la durée de la pièce, toujours présente comme elle l'est sans doute dans l'esprit de Willy, où que ses voyages l'entraînent, même derrière le bureau qu'il visite, même derrière le décor de la chambre d'hôtel et en surplomb au-dessus de sa tombe, cette idée n'est pas suggérée dans le script original. Bien que cette maison sépulcrale s'apparente à une vision de metteur en scène, ni moi ni Art n'en avons eu l'idée. C'est le décorateur, Jo Mielziner, qui nous a enjoints de l'accepter. J'étais pour — elle résolvait nombre de mes problèmes —, et quand nous sommes allés la soumettre à Miller, il a donné son accord. Elle a été la contribution essentielle apportée à ce spectacle et la clé de toute ma mise en scène. On nous a complimentés, Miller et moi, pour une idée que Jo avait eue. Il n'a jamais reçu les éloges qu'il méritait. Dans le livre à paraître, Art modifia son indication de mise en scène, désormais fondée sur le décor conçu par Jo. La version d'une pièce qui est publiée représente souvent une somme de collaborations : les indications du metteur en scène y sont incorporées, de même que les contributions apportées par tous ceux qui ont travaillé au spectacle — « trouvailles » d'acteurs, solutions de décorateur, et ainsi de suite. Le théâtre n'est pas une forme d'écriture exclusivement littéraire. Bien que le manuscrit constitue l'élément essentiel, lorsqu'il est terminé, ce sont acteurs, décorateurs, metteurs en scène et techniciens qui « écrivent » la pièce ensemble.

Lee J. Cobb devint la grande vedette de la saison ; on s'émerveillait de sa puissance et de son intelligence exceptionnelles. Mais peut-être cette adulation lui a-t-elle fait plus de mal que de bien. Quand je l'avais recommandé pour le rôle de Willy, je connaissais déjà bien Cobb car il avait fait partie du Group et nous avions effectué ensemble une tournée avec l'*Enfant chéri*. Notre amitié avait été très étroite, au début, mais comme souvent chez les acteurs, elle n'avait pas tenu le coup. Je le voyais comme une masse de contradictions : affectueux et haineux, anxieux et pourtant suprêmement satisfait de lui-même, suffisant mais rempli de doutes, coupable et arrogant, doté d'un esprit de compétition acharné mais très renfermé, secret en public, soupçonneux mais toujours en quête de la confiance d'autrui, vantard mais avec l'air modeste, suppliant qu'on lui passe tout, quoi qu'il fasse aux autres. En d'autres termes, il était fait pour le rôle ; je savais que Cobb portait Willy en lui et qu'il n'y avait qu'à l'en faire sortir.

Quand il commença à recevoir ces critiques fabuleuses, Lee s'attribua une stature encore plus grande que celle dont le monde du théâtre l'avait gratifié. Il resta grandiose dans le rôle de Willy Loman jusqu'à ce qu'on lui dise qu'il était grandiose tout court et qu'il le croie. Il devint alors moins grandiose. Il atteignit son apogée pendant la dernière semaine des représentations-tests à Philadelphie, avant son triomphe new-yorkais. Peu après le début des représentations à Broadway, il commença à partager l'admiration des spectateurs pour son interprétation et leur pitié pour le personnage qu'il incarnait. La vie à Broadway n'allait pas — c'était impossible — satisfaire le besoin d'être admiré sans réserve qu'éprouvait cet homme. Il se retira de notre pièce en arguant de son état d'épuisement alarmant — ce que nous aurions peut-être admis si nous n'avions pas tous senti qu'il dramatisait à outrance. Il déclara se trouver au bord de la dépression nerveuse et exigea que j'en discute avec son psychanalyste. Ce que je fis ; l'entretien tourna au vinaigre. Je ne sais toujours pas quel était le degré de gravité du problème de Lee ; c'était un très bon acteur déterminé à prouver qu'il lui fallait quitter ce spectacle.

Quand il se retrouva de nouveau « disponible », aucun rôle de l'envergure de Willy ne croisa sa route. Il commença à jouer les martyrs sacrifiés sur l'autel d'un théâtre qui ne reconnaissait pas ses mérites. Il semblait faire la moue dans l'attente que « justice » lui soit rendue, ce qui revenait à dire qu'un rôle immense lui était dû et ne devait pas trop tarder à se manifester. Il se flattait d'avoir l'étoffe du plus grand Lear de notre époque. Certains de ses amis partageaient son point de vue. Mais il ne se produit pas plus de miracles au théâtre que dans la vie, et rien ne se présenta qu'il juge acceptable. Aujourd'hui, on se souvient de Cobb pour son Willy Loman, et c'est tout ; ce rôle est devenu son double.

De nombreux acteurs ne restent dans les annales que pour une seule interprétation marquante, mais cette consolation apportée par l'histoire n'eut pas l'heur de satisfaire Cobb. Quand il vit qu'il n'y avait rien pour lui dans la moisson de pièces qui allaient constituer la nouvelle saison, il décida de retourner dans l'Ouest et de continuer à faire du cinéma. Je l'ai ramené dans l'Est pour qu'il interprète, dans mon « décor naturel » de Hoboken, le leader ouvrier corrompu de *Sur les quais*, et il s'en est bien tiré, puisqu'il a même obtenu une nomination aux oscars. Mais par la suite, les rôles qui lui furent offerts au cinéma ne correspondaient pas à son talent. Il en fut blessé et le prit comme une insulte. Pourtant il découvrit que ceux qui dominaient la communauté du cinéma n'étaient pas moins arrogants que moi. Pour sauver la face, il leur répondit lui aussi avec arrogance. En guise d'exutoire à ses angoisses, il se mit à fréquenter les cercles de jeu plus souvent et plus sérieusement. Je ne sais que ce qu'on m'a raconté, la partie visible de l'iceberg. Je le perdis de vue. Puis, tout d'un coup, il mourut, trop jeune et — je suis d'accord — insuffisamment récompensé. Quel gâchis !

Les penseurs qui s'intéressent au théâtre disent souvent que le succès est un problème plus grave que l'échec — conception qui paraît bien saugrenue à ceux qui ont attendu la consécration aussi longtemps que moi. La réussite ne me posa aucun problème ; le fait de trôner au faîte du succès ne me paraissait pas trop inconfortable. On me prêtait toutes sortes de pouvoirs magiques et je devins l'objet effarouché d'une cour effrénée, artistique tout autant que financière. On m'offrait en premier toute pièce de valeur destinée à Broadway. Il me fallait la rejeter d'un haussement d'épaules. Pour ce qui était des films, il me suffisait de dire ce que j'avais envie de faire. Je ne voyais pas de limites à ce que je pourrais accomplir. Je me mis à rassembler des notes sur d'ambitieux projets d'avenir, ceux dont j'avais un jour rêvé. Maintenant, ils étaient à portée de main ; je n'avais qu'à la tendre. Et me mettre au travail ! Ça, c'était facile ; je disposais d'une santé de fer et d'une énergie illimitée. Les deux plus grands auteurs dramatiques du moment me vouaient une amitié et un attachement profonds ; l'un écrivait une pièce, l'autre un film, qui m'étaient tous deux destinés. Je n'avais pas un seul ennemi, du moins à ma connaissance ; non, rien que des disciples admiratifs. J'avais tellement de succès que la jalousie n'était pas de mise : j'étais trop loin en avant du peloton. J'étais persuadé que tout cela durerait — pourquoi pas ? —, sûr que mon succès ne ferait que grandir, que j'entretiendrais avec mes amis des relations encore plus approfondies et que je m'associerais dans le travail avec une palette de gens encore plus variée. Débarrassé de toute forme de doute à mon sujet, je cessai de voir mon psychanalyste.

Avec le temps, cependant, il me faudrait regarder certaines réalités en face. Je suis un metteur en scène médiocre sauf quand une pièce ou un film évoque un aspect de ma vie. En d'autres occasions, mon astuce et ma facilité ne compensent pas mes défaillances. Quand je m'en remets à des effets mécaniques, je ne fais rien de plus qu'un bon régisseur. Mes goûts ne sont pas très catholiques. Je n'aime pas Beckett — je parle de son œuvre. Je ne suis pas un intellectuel. Mon éventail de talents est limité. Je ne suis bon à rien pour ce qui est comédie musicale ou superproduction à grand spectacle. Les classiques me dépassent. J'apprécie l'humour et les grands clowns, mais je suis incapable d'inventer des plaisanteries ou des jeux de scène amusants fondés sur l'humour visuel. Ce dont j'ai besoin, je le vole à d'autres. Je n'ai aucun sens de la poésie. J'ai un sens visuel assez bon, mais rien d'extraordinaire. Par contre, je suis courageux, et même audacieux. Je suis capable de discuter avec les acteurs ; je ne les crains ni eux ni leurs questions. J'éprouve des sentiments forts, violents, et je les considère comme des atouts. Je n'ai pas peur de lever le voile sur mes propres expériences ; ceci encourage les acteurs à surmonter leurs inhibitions. J'aime travailler avec les artistes ; ils le sentent et le fait de travailler avec moi leur a apporté bonheur et succès. C'est utile.

Molly disait toujours que j'étais trop sévère à mon égard. Mais je n'ai pas l'impression que ce qui précède est inexact. Je préfère ce bilan modéré à la célébrité excessive dont j'ai soudain joui après *Mort d'un commis voyageur* et *Un tramway nommé Désir*. Il m'a fallu plusieurs années pour admettre mes limites en tant que metteur en scène ; en fait, il m'a fallu essuyer une défaite douloureuse au Théâtre de Répertoire du Lincoln Center. A ce moment-là, les médias m'ont traîné dans la boue ; pendant un temps, j'en ai peur, j'ai cru ce que je lisais. Quand je revois des photos de moi qui remontent à cette époque, ce que je vois ne me plaît pas. Pendant trois ans, j'ai évolué tout au sommet, puis la vie a changé de cap, ce n'est pas rare ; ayant survécu à une douleur et à une anxiété intenses, je suis devenu une personne différente. Mais je brûle les étapes.

Un dernier mot au sujet de la mise en scène. La période actuelle, dans le théâtre, est parfois qualifiée d'ère du metteur en scène, ou quelque chose d'approchant. On m'a attribué en partie cette évolution. Le critique Eric Bentley a même été jusqu'à me décréter coauteur des deux pièces que je viens d'examiner. C'est absurde, bien entendu. Mais la question demeure : la mise en scène mérite-t-elle le titre d'art ou ne se résume-t-elle qu'à une technique d'interprétation des œuvres ? Je m'en remets à la réponse classique : comme la musique, la peinture et l'architecture, ce n'est un art que si l'on en fait un art. Mais il s'est produit un phénomène particulier au théâtre : le cinéma et la télévision occupent désormais la plus grande partie de son champ d'action traditionnel. Ce que nous voyons de nos jours sur l'écran, petit ou grand, ne peut être égalé sur scène par aucune production réaliste. Le naturalisme s'est vu reléguer au magasin des accessoires périmés. Mais ce n'est pas un revers ; c'est une invite lancée à l'imagination. Le théâtre doit désormais ressembler à du théâtre.

Les productions d'exception auxquelles il m'a été donné d'assister, et celles conçues par des metteurs en scène dont l'œuvre m'est connue par l'intermédiaire de lectures ou de photographies, se sont aventurées bien au-delà d'une quelconque interprétation littérale. Elles se fondaient sur un texte — une pièce ancienne, un roman, un conte populaire — et le transformaient. Appelez-ça du Théâtre Pur. Le mot « spectacle » convient bien. Le seul Shakespeare que j'ai vraiment apprécié, c'est le *Songe d'une nuit d'été* de Peter Brook, monté comme une sorte de spectacle de cirque, conforme à l'esprit du texte. J'ai trouvé que la plupart des mises en scène de Shakespeare s'encombraient de tout un fatras inutile et sécrétaient l'ennui. J'aime mieux lire les pièces. Le travail le plus imaginatif, dans notre théâtre aujourd'hui, s'effectue dans les domaines de la danse et de nos comédies musicales. Quand Bob Fosse coupait les amarres, quelle pièce réaliste lui arrivait à la cheville ? Les faits ne nous intéressent plus. Regardez l'émission *Aujourd'hui* si vous voulez des faits. Attendez le journal de vingt heures. Le théâtre qui naît d'une imagination en liberté, qui emporte un public entier dans son envol, existera toujours et deviendra, je crois, de moins en moins « réaliste », et donc, comme la peinture et la danse, répondra plus aux impératifs d'un art. Il nous faut de l'émerveillement aujourd'hui, pas de l'information.

La personne la plus touchée par le succès de *Mort d'un commis voyageur* fut l'auteur de la pièce. Ce fut une bonne chose pour lui, mais son existence s'en trouva modifiée par bien des côtés, dont certains lui avaient échappé à l'époque et lui demeurent encore aujourd'hui — excusez ma présomption — inconnus. Du moment où cette pièce commença sa carrière à New York, rien ne fut plus pareil pour lui. Elle alla même jusqu'à rendre Art téméraire — dans les limites des contraintes de sa vie personnelle — et éveilla sa curiosité pour des expériences qui se situaient en dehors de son champ d'action habituel. Une étincelle, pour s'en tenir à des manifestations extérieures, brillait désormais dans ses yeux, et un soupçon de fanfaronnade se glissa dans sa démarche et dans son port. Il atteignit son apogée à ce moment-là ; il cherchait encore, n'avait pas encore confiance en lui, ne se prenait pas encore pour Lincoln. Toujours amusant, avec un sens de l'humour très vif et un don « campagnard » pour raconter des histoires, il déployait ses talents sans réserve et goûtait l'effet qu'ils produisaient — séduisant. C'est aussi à ce moment-là que j'eus pour la première fois une prémonition du danger qui menaçait, ce péril bien particulier qui apparaît lorsqu'un certain nombre d'aspirations jusqu'alors refrénées par l'homme marié petit-bourgeois se trouvent soudain à sa portée. Art entrait dans une période de drames personnels, et mon opinion secrète, c'est qu'il ne pouvait rien en sortir de bon pour lui. J'attendis tout en observant. L'écrivain est un espion.

Durant cette année-là et la suivante, nous fûmes, lui et moi, les meilleurs amis du monde ; le succès de la pièce nous avait rapprochés. Nous nous voyions tous les jours et nous formions l'une de ces associations si rares au théâtre, reconnue comme telle dans tout Broadway. Je n'admirais pas Art davantage que Tennessee — ni moins d'ailleurs. Mais Williams vivait dans un autre monde, les enclaves homosexuelles dans certains endroits qu'il trouvait romantiques : Key West, la côte d'Afrique du Nord, Rome. Je ne le voyais pas souvent ; sa vie quotidienne n'était pas reliée à la mienne. Art et moi étions frères de sang ; n'était notre différence de physique — il avait l'air plus noble —, nous aurions pu être liés par le sang. Pour ce qui était des traits marquants de notre comportement, nous ne formions qu'un seul homme, du moins en apparence. Au cours de la préparation du *Commis*, je ne me souviens pas que nous ayons jamais exprimé des goûts, des convictions, des opinions politiques ou des désirs différents. Nous n'étions ni plus ni moins que des gamins issus d'un quartier petit-bourgeois, qui avaient reçu une formation universitaire, avaient viré à gauche et découvraient l'argent et les plaisirs. Quand les représentations-tests de Philadelphie se révélèrent être un triomphe et que nous sentîmes la richesse affluer de notre côté, nous célébrâmes l'événement à notre façon, non pas en organisant une grande fête pour nous éclater, mais en allant ensemble, un après-midi, nous acheter une paire de chaussures neuves chacun.

Je le trouvais près de ses sous ; je suis plutôt « radin », mais il me battait et de loin. Nous allions souvent dîner ensemble, mais je ne l'ai jamais vu ramasser l'addition. Art m'a expliqué un jour la raison de sa pingrerie. Il m'a expliqué qu'il ne savait pas quand il aurait une autre idée de pièce, si c'était jamais le cas, qu'il n'était pas sûr, de toute façon, d'être capable de l'écrire, et que même s'il y parvenait, il n'était pas garanti qu'elle serait montée ; enfin, même si elle l'était, qui lui disait qu'elle lui rapporterait assez d'argent pour payer ses factures ? C'est une crainte que beaucoup d'auteurs partagent. L'écriture est une entreprise risquée. Art m'a souvent parlé de cette page blanche qui le défiait, de cette feuille encore vierge dans la machine à écrire. Au moment où j'écris ces lignes, il se fait quelque chose comme soixante mille dollars par semaine grâce à une reprise de *Mort d'un commis voyageur*. Enfin la sécurité !

Dans les premiers temps, quand nous montions *Ils étaient tous mes fils*, Art m'avait semblé coincé par ses inhibitions. Quand il prenait une jeune femme dans ses bras en signe d'amitié — ce n'était en rien une invite —, il le faisait en imprimant un pivotement à son corps, présentant ainsi son flanc à la jeune personne, et posait son regard, par voie de conséquence, ailleurs que sur la jeune fille. J'avais remarqué qu'il aimait bien l'une de nos actrices, mais je doute qu'il lui ait jamais fait part de son intérêt, que ce soit par l'intermédiaire de mots ou par celui d'un contact physique quelconque.

Mais après le *Commis*, Art, désormais célèbre dans le monde entier et objet de louanges intarissables venues de tous côtés, commença à ouvrir les yeux et à manifester — avec prudence — une certaine curiosité. Il se rendait compte qu'il y avait plus à voir, à faire, à ressentir et à apprécier que ce qu'il s'était autorisé à apprécier, ressentir et même voir, confiné dans la petite vie précautionneuse, fondée sur un idéal ultra-conservateur, dans laquelle il s'était installé avec sa femme. Avez-vous remarqué combien de ces « progressistes » et de ces « libéraux » mènent en fait une vie extrêmement bourgeoise chez eux? Le succès d'Art lui dessilla les yeux et éveilla ses appétits. Il se dit à ce moment-là, je suppose, qu'il disposait d'un éventail de choix bien plus large que celui dont il avait usé, et que le monde extérieur était plus grand et plus intéressant qu'il ne l'avait imaginé. Il était inévitable qu'une crise éclatât bientôt.

Un week-end, au beau milieu d'une réunion d'intellectuels venus discuter politique, Art fit quelque chose qui déplut à sa femme Mary. Étant donné l'ennui sécrété par ces congrès, peut-être sa femme aurait-elle pu excuser son « péché ». Mais il me confia que Mary était intraitable. Ce qui m'étonna, c'est qu'Art paraisse d'accord avec son épouse. Il paya pour son « écart » sans rancune, sans se rebeller. Si nous en jugeons par sa pièce suivante, *les Sorcières de Salem*, il semble évident qu'Art se considérait comme un pécheur : le personnage principal de cette œuvre fait pénitence pour avoir été infidèle une seule et unique fois. J'en conclus qu'Art présentait des excuses publiques à sa femme pour ce qu'il avait fait.

Mais je crois qu'un grave conflit intérieur le tourmentait, même s'il n'en était pas tout à fait conscient. D'un côté, je présume qu'il avait dû sentir qu'il méritait une punition pour avoir blessé son épouse — chaque fois qu'il la regardait, il pouvait s'en apercevoir. De l'autre, le souvenir du plaisir ne s'estompait pas facilement. Il respectait la loi morale, mais il devait aussi trouver qu'elle restreignait la liberté d'action d'une facette de sa personnalité soudain sortie de sa torpeur : je veux parler de sa vie sensuelle. Sa petite excursion en territoire inconnu l'avait ravi!

Comme tant d'artistes, Art devait éprouver des sentiments qu'il n'était pas prêt à révéler devant son tribunal domestique. Son complexe de culpabilité d'homme soumis à sa femme contrastait avec un désir, qui pour rester secret n'en était pas moins intense, d'explorer à nouveau les champs magnifiques qui s'étendaient au-delà des murs érigés autour de sa vie de couple. Que lui réserverait l'avenir? Art pataugeait dans ses ambiguïtés, l'état normal d'un artiste ; il aimait lorgner les filles mais avait le cœur sensible. Il voulait rester à l'abri et en sécurité dans son foyer, mais aussi pouvoir battre le pavé en toute liberté. Encore un de ces hommes victimes de ce conflit insoluble. Mary attendit. Elle s'inscrivit à Vassar pour suivre quelques cours et reprendre le dessus. Art l'admira d'avoir pris cette décision. Avec le temps — pour un temps — ils se réconcilièrent.

L'avalanche d'éloges et le caractère absolu du respect qu'Art a reçus de partout ont eu une autre conséquence. C'est toujours un homme amusant et de bonne compagnie quand on se trouve seul avec lui, mais il a une tendance croissante, qui n'a pas échappé à certains, à se montrer légèrement pompeux en public, quand les regards se focalisent sur lui. La seule explication que je voie à ce phénomène, c'est que, comme tant d'autres héros du « centre gauche », on l'a invité à trop de cérémonies en son honneur et qu'on lui a posé trop de questions pleines de révérence. Peut-être aussi a-t-il essayé, comme d'autres, de se montrer à la hauteur de sa réputation, d'être l'« Arthur Miller » au sujet duquel on écrivait, l'idéologue en qui l'on pouvait avoir confiance, le pionnier, et ainsi de suite. Il est difficile de résister à ce genre de révérences et de louanges, c'est un danger pour nous tous. Art commença à se délecter d'avoir toujours raison. Censé être un rebelle, il vivait la vie d'un dieu bien établi, et il l'appréciait. S'il y a un danger pour l'artiste, c'est de considérer que son rôle consiste à donner des leçons aux autres et à prononcer des jugements sur tout le monde.

Art n'avait pas jugé Willy Loman ; il avait laissé ses actes prononcer le jugement final. Il aimait le commis voyageur qu'il condamnait. Il n'offrait pas de réponse définitive à son sujet, sauf celle que la vie donne à l'homme sensible : « Comme c'est déroutant ! Comme c'est amusant ! Comme c'est terrible ! Comme c'est noble ! Comme c'est tragique ! » Art n'était pas de ces écrivains qui inventent des histoires. Il devait avoir fait l'expérience de ce qu'il décrivait ; il rendait compte de sa condition intérieure. Art devait en passer par une crise ; elle lui fournirait le matériau de sa pièce. Il lui fallait vivre son sujet avant d'en faire une pièce. Ce n'est pas un homme très intelligent, pas plus que je ne le suis moi-même. Ce n'est pas non plus un intellectuel, bien qu'il passe pour en être un. Au mieux de sa forme, il raconte avec fidélité ce qui lui est arrivé. C'est de son expérience que sont nées ses œuvres de qualité, qu'il a conçues dans le doute et la confusion de sa personnalité ambivalente ; mais leur message final prône la pitié et l'acceptation de la terreur qui nous habite. Quand il cherche à conclure sans ambiguïté, il est moins convaincant et, au bout du compte, il est aussi assez malin pour s'en apercevoir. Une question subsistait — elle ne s'appliquait pas uniquement à lui, bien sûr : vivrait-il de nouveau une expérience propre à fournir la matière d'une pièce aussi bonne ? Combien de pièces vraiment bonnes un auteur porte-t-il en lui ? Combien de vies peut-il vivre ? Art, pour sa part, vivrait une deuxième vie. Et une troisième. Et je serais le témoin de ces vies.

Il n'a pas écrit *Mort d'un commis voyageur* ; il en a accouché. Il la portait en lui, dans l'attente du jour où il lui donnerait vie. Voilà en quoi tient son mérite.

Je suis persuadé que Mary Miller me rendait responsable de la « détérioration » morale de son mari. Et, c'est vrai, je l'ai sans doute un peu encouragé à suivre la mauvaise pente, celle qui plonge dans la jungle des turpitudes. Elle m'a dit un jour — ce sont ses mots exacts, je les ai pris en note tout de suite : « Art est en train de prendre toutes vos mauvaises habitudes et aucune des bonnes. » Je me suis demandé lesquelles de mes qualités, selon elle, Art négligeait d'imiter. Je savais, par contre, de quels défauts elle voulait parler.

Mary me considérait à n'en pas douter comme un « coureur de jupons ». C'est une expression qui me déplaît, une expression de petite-bourgeoise collet monté, vieux jeu et pusillanime, et de plus elle donne une image avilissante des femmes. Ce qu'elle signifie dans l'esprit des gens qui l'utilisent ne s'applique pas à mon cas. J'ai fréquenté beaucoup de femmes en dehors du mariage. On en a exagéré le nombre. Mais peut-on dire que je couchais avec n'importe qui ? Bordel, non ! Pour autant qu'il m'en souvienne, j'ai entretenu des liaisons avec des actrices et nous étions embarqués sur le même bateau : la production d'un film ou d'une pièce.

Dans la plupart des cas, croyez-le ou non, ce phénomène se produisait naturellement — du moins le ressentais-je ainsi — à mesure que les difficultés rencontrées dans notre travail nous rapprochaient. C'est parce que nous partagions, le temps d'une production, les mêmes inquiétudes et les mêmes espoirs que j'en venais à m'attacher à une actrice, d'abord sur le plan physique, puis sur le plan émotionnel. Nous nous en remettions l'un à l'autre : je dépendais d'elle, et elle de moi. Il n'existe pas de lien plus profond. Je devenais son père adoptif, tout-puissant, un père qui croyait en elle, qui la soutenait dans les moments difficiles, qui idolâtrait ses dons. J'étais le garant de sa sécurité — qui, en effet, entretient des relations aussi intimes en de telles circonstances ?

Je crois qu'il est inévitable pour un metteur en scène et ses actrices de se lier de la sorte : ces sentiments naissent de l'interdépendance qui régit leurs rapports et d'un besoin d'être en contact constant l'un avec l'autre. Ces « liaisons » ne sont pas de simples passades ; elles ressemblent à une espèce de mariage temporaire. Elles survivent rarement à une production et, en ce sens, elles ne mettent pas en danger d'autres attaches plus durables.

J'ai commencé à me poser des questions sur ces relations de passage, à me méfier des excès de la passion. En prenant acte de l'intensité émotionnelle que ces relations suscitaient en moi, j'en ai conclu qu'elles ne pouvaient être que temporaires. J'en ai gardé le secret jalousement. Ce qui a fini par me nuire : je suis en effet passé maître dans l'art de la dissimulation. Je trompais mon monde de plus en plus facilement. Je recouvrais mes traces à la perfection. Bien sûr, il fallait en payer le prix : je l'ai payé.

Je faisais tout mon possible pour préserver mon mariage et mon foyer tout en me préservant moi-même. A plusieurs reprises, je l'ai échappé belle. Mais j'ai toujours fait cette concession absurde à la pudeur : ne jamais dire le mot « amour » à aucune de mes maîtresses. C'était tout aussi hypocrite. Je ne sais pas, en effet, comment qualifier ces expériences, mais il y entrait de l'amour, sans aucun doute.

En vieillissant — et là, je vais susciter la colère de mes amies femmes —, les hommes se mettent toujours à regarder ailleurs dans l'espoir de retrouver leur jeunesse, les pauvres. Leur pénis, baromètre de leur vitalité, devient moins coopératif. Ils en conçoivent de l'anxiété. Ils cherchent ailleurs de nouveaux divertissements — nous avons aussi nos geishas. Et pour le réconfort spirituel, rappelez-vous l'épouse numéro un, la plus vieille des reines, dans *Anna et le roi de Siam*. Mais peut-être qu'au fond, ce dont ils ont le plus besoin, c'est d'espérer encore. Le désir, a écrit Tennessee Williams, est le contraire de la mort. En désespoir de cause, nous essayons de sauver les meubles.

C'est plus difficile pour les femmes. Elles éprouvent les mêmes besoins — rajeunissement, divertissements, réconfort, espoir — que les hommes. Mais la plupart des femmes ne trouvent pas l'aide dont elles ont besoin aussi vite et aussi facilement. Je connais bien le visage de ces femmes qui, poussées par leur sens du devoir et, plus encore, par la peur d'être abandonnées (je ne compte plus les femmes de la petite-bourgeoisie qui m'ont confessé leur crainte que leur mari ne découvre ce qu'elles pensent vraiment — à la faveur d'un murmure inconscient dans leur sommeil — et ne les quitte), accomplissent leur devoir toute leur vie, gardant pour elles-mêmes leurs véritables pensées, et n'assouvissent pas leurs désirs les plus profonds. Le visage de ces femmes vertueuses se nimbe d'une aura mélancolique et prend une expression rêveuse, à mesure qu'elles se fanent et que disparaît le dernier espoir de solution. Elles vivent dans un brouillard constant, négligées, désireuses. Un chasseur expérimenté sait toujours quand ces femmes sont au bord du gouffre et prêtes à y culbuter. Leur ambivalence se retrouve dans leur attitude envers les hommes : avec le temps, leurs enfants prennent le pas sur leur mari. Mais un beau jour, les enfants s'en vont aussi. Elles doivent alors affronter l'ultime épreuve : la solitude.

Les femmes ont maintenant réclamé leur indépendance et affirmé leur égalité. Elles y parviennent peut-être mieux dans ma profession que dans aucune autre. Pourquoi cela ? Parce qu'une actrice à succès dispose d'un pouvoir égal à celui de n'importe quel acteur, et de son propre argent — encore plus important. Et on assiste à un autre phénomène intéressant : à plusieurs reprises, je les ai vues exercer leur vengeance, à titre de dédommagement, peut-être, pour toutes ces années passées à subir une domination avilissante. Une colère trop longtemps étouffée s'exprime enfin.

Mes liaisons ont élargi mes connaissances. Elles ont constitué mon éducation. Mais pendant des années, dans ce domaine et dans nul autre, je me suis servi du mensonge et je n'en suis pas fier. Je dois cependant ajouter ceci : le fait de « courir les jupons » m'a sauvé la vie. Il a activé ma sève et m'a empêché de me dessécher, de tomber en poussière et d'être emporté par le vent, comme certains de mes amis. C'est grâce à ce style de vie périlleux que je suis demeuré curieux, à l'écoute, passionné, ouvert et en excellente santé. J'ai tenté l'impossible : brûler la chandelle par les deux bouts sans avoir honte de moi. J'ai échoué. Mais je ne me suis pas résolu à un compromis qui m'aurait complètement étouffé.

Comme pour tout, j'ai dû en payer le prix. Je menais une double vie, ma personnalité s'est dédoublée. J'en ai été affecté. Un psychanalyste me l'a fait remarquer : j'y consacrais une quantité énorme de mon énergie. Mais je ne connaissais pas la solution et j'en suis toujours au même point. Ma propension au mensonge avait beau être circonscrite à un seul domaine, elle n'en fit pas moins de moi un homme différent de ce que j'aurais voulu être. Elle blessa également quelqu'un d'autre, d'où le complexe de culpabilité qui ne m'a jamais quitté. Il était en effet inévitable que je finisse par faire du mal — en dépit de ce que j'interprétais comme son consentement silencieux — à la personne dont j'étais le plus proche et qui comptait le plus pour moi : ma femme Molly.

Un dernier mot au sujet de Miller : je devais voir cet homme se débattre, au supplice, dans une épreuve personnelle terrible. Il y a survécu.

Je l'ai admiré pour ce qu'il supportait, et pour s'être placé lui-même dans une situation où il était aussi vulnérable. J'ai éprouvé moins d'admiration pour le héros inattaquable de la culture du progrès. Il a partagé, pendant longtemps, le lot du reste de l'humanité. Bien que notre amitié ne soit plus, dirons-nous, très « étroite », je me sens encore proche et solidaire de lui. J'étais là quand il s'est réveillé. J'ai assisté ensuite au déroulement de sa vie avec un intérêt tout particulier : j'étais en phase avec lui. Il y avait en lui une ambivalence réelle : il éprouvait le désir d'être le personnage public le plus estimé, le plus honoré, le plus solide et le plus correct, mais il luttait en même temps contre les tentations auxquelles nous sommes tous soumis — vanité, orgueil, luxure, avidité et ainsi de suite. C'est dans ce conflit que réside son humanité.

L'EXPRESSION FAVORITE de mon père était *bot-tuh-muz-gune*. Traduction : « le jour de ma ruine ». Il donnait à cette expression plusieurs interprétations, dont certaines ne manquaient pas d'ironie. En effet, il n'était pas homme à s'apitoyer sur lui-même. Bien au contraire, il résistait face à l'adversité (comme moi) et, lorsque les fruits ne tenaient pas la promesse des fleurs — par exemple sur le champ de courses —, il revenait au point de départ et essayait de nouveau. Il s'attendait toujours à un revers de fortune, ce qui l'aidait à encaisser le coup. Quand l'un de ses six demi-frères, qui se trouvaient démunis à intervalles réguliers, lui passait un coup de fil, mon père ne disait pas « Comment vas-tu ? », mais « Combien veux-tu ? ». Si le coup de téléphone émanait de sa sœur, dont le seul plaisir consistait à se rendre aux enterrements d'amis proches, il demandait : « Qui est mort ? »

Voilà pourquoi son fils ne s'est jamais attendu à recevoir de bonnes nouvelles. J'ai passé le plus clair de ma vie au bord d'une falaise qui s'effritait sous mes pieds, sensible à la moindre chute de pierres annonciatrice de l'avalanche à venir. Vous qui êtes nés en Amérique, vous espérez que le bon temps va continuer éternellement. Détrompez-vous. Croyez-en un Anatolien. Les désastres font moins mal quand on s'y est préparé. Ne pleurez pas ; haussez les épaules.

Je n'ai jamais atteint de tels sommets professionnels que l'année où j'ai mis en scène le *Commis* et *le Mur invisible* et où j'ai remporté tous les prix, sur les deux côtes. C'était le pinacle, je le savais. Je ne pouvais plus que redescendre. En attendant, je vivais comme un roi bohémien, allant et venant à bord du *20th Century Limited* et du *Super Chief*. A Pasadena, la destination favorite des gros pontes de Hollywood, une limousine m'attendait, envoyée par le studio. Lorsque j'effectuais le voyage en sens inverse, c'était le messager de mon agent qui me tendait un script. Je me faisais un plaisir de le jeter au panier. Mais j'avais reçu une bonne éducation et ne me faisais donc aucune illusion sur la pérennité de cette richesse, de cette célébrité et de ces privilèges. Si mon père m'avait enseigné une leçon, c'est bien de ne pas espérer que la bonne fortune continuerait éternellement, et en conséquence de ne pas céder à l'accablement quand elle s'arrêterait. Les Anatoliens ont toujours cru, comme les Grecs, au concept de Destin, mais leur acception du terme diffère de celle des Grecs du Ve siècle avant Jésus-Christ. Pendant longtemps, notre destin à nous a pris la forme d'un Turc tapi dans l'ombre, un sabre dégainé à la main.

Voilà où j'en étais en 1950 — je n'aurais plus jamais autant de succès —, mais dans les deux années qui allaient suivre, je connaîtrais toutes sortes de revers : je serais condamné par la droite, voué à la damnation par la gauche, et chacun de mes projets et de mes espoirs serait détruit par des forces malveillantes que je ne pouvais ni localiser ni décrire. Je savais que plus on vole haut, plus on est visible ; par ailleurs les cibles les plus en évidence sont les plus faciles à atteindre. En 1950, éminent représentant de la culture nationale, seul capable d'exceller au théâtre comme au cinéma, je jouirais pendant un temps d'une immunité totale. C'est du moins ce que je m'imaginais. Deux ans plus tard en effet, je tomberais sous les coups et les insultes de tous les libéraux bien-pensants — ceux mêmes avec lesquels j'avais toujours vécu. Ils me laisseraient « groggy ». Mais, peut-être justement parce que je ne m'étais pas attendu à rester longtemps dans ma position d'éminence, j'ai survécu à mes défaites. Je me suis efforcé de conserver mon équilibre et de rester solide sur mes deux jambes, car je savais bien que si je tombais, je deviendrais une cible facile pour ceux qui me voulaient du mal ou qui souhaitaient assouvir leur vengeance.

Mais je n'avais pas prévu cette chute, oh non ! Au contraire, je nourrissais de grandes ambitions. Art Miller était occupé à rédiger le scénario que nous devions filmer et qui se passait sur les quais de Brooklyn, où Art avait travaillé pendant la guerre comme mécanicien sur les navires de guerre britanniques qui faisaient escale pour cause d'avarie. Ce serait certainement le meilleur matériau dont j'aie jamais disposé, et je l'attendais avec impatience. Tennessee Williams écrivait une pièce qu'il espérait me voir mettre en scène, la Rose tatouée. Où qu'il aille de par le monde, il restait en contact avec moi. John Steinbeck, que j'avais fini par retrouver au nord de la Californie l'année précédente, s'apprêtait à épouser Elaine Scott et à s'installer à New York. Il travaillait à un film pour moi, sur Emiliano Zapata, le révolutionnaire mexicain, sujet auquel il pensait sans succès depuis des années ; nous deviendrions rapidement bons amis. Personne d'autre n'avait de projets aussi aventureux en vue. Ils renforceraient mon image de chef de file des progressistes dans les arts du spectacle.

Ma position était désormais si solide que je pouvais me permettre de faire une faveur à Darryl Zanuck. Il m'appela de New York pour me dire que Jack Ford avait attrapé un zona (j'ai cherché dans le dictionnaire pour vous : « Affection de la peau caractérisée par des éruptions vésiculeuses qui touchent les nerfs de la sensibilité ») et avait dû abandonner le tournage du film sur lequel il était en train de travailler. Darryl me demanda, avec toute la force de conviction dont il était capable de faire preuve, de me ruer vers l'Ouest et de reprendre le film en route. Ford était le metteur en scène américain que j'admirais le plus. Ce serait un grand honneur pour moi que de m'asseoir dans son fauteuil sur son plateau. Comme j'étais romantique ! Le film s'appelait l'Héritage de la chair.

J'envisageai même d'accomplir ce travail sans rémunération mais je recouvrai mes esprits à temps. Je demandai un salaire complet bien que mon temps de tournage fût ramené à une fraction de la durée normale, ainsi que l'autorisation de m'en aller le lendemain du jour où le dernier plan aurait été tourné. D'accord. D'accord. L'honneur était sauf ! J'insistai également sur le fait que je n'utiliserais aucun des plans de Jack, si bons soient-ils. Cela ne posa pas non plus de problème. Darryl était content de balancer ce que Jack avait filmé et je compris pourquoi après l'avoir visionné. Le patron avait dû être tracassé par autre chose que son zona.

Je ne fus pas long à savoir quoi. Le matin suivant, j'arrivai au studio avant Darryl et entrepris de discuter avec les techniciens, des amis pour la plupart, qui étaient tous très réalistes. Ils me donnèrent le fin mot de l'histoire. Je me rendis alors au bureau de Darryl. « Jack n'est pas malade, n'est-ce pas ? dis-je. Il voulait juste se tirer. » Darryl me répondit, sans se démonter : « Il détestait cette vieille négresse — Darryl voulait parler d'Ethel Waters — et elle le lui rendait bien. Il lui a tellement fait peur qu'elle a failli avoir une attaque. » Jack n'avait pas su comment se comporter avec elle. Il ne pouvait pas la maudire, comme « Duke » Wayne. Quand il manifestait la moindre insatisfaction par rapport à ce qu'elle faisait, elle ne prenait pas peur, non, mais elle effectuait un repli stratégique et indigné. La moitié de mon combat consisterait à entrer dans les bonnes grâces d'Ethel.

J'avais appris à être patient et à ne pas me précipiter. Je flattai Ethel en la traitant comme une personne intelligente — ce qu'elle était, mais avec une légère tendance à la paranoïa — et, assez vite, la vieille comprit que je l'aimais bien et se mit à faire du bon travail. Elle incarnait une combinaison unique de religiosité désuète (« Son Œil Est Posé sur le Moineau ») et de haine impétueuse toujours prête à se déclencher tel un torrent furieux. Je n'avais jamais approché de si près une Noire traditionaliste, mais elle ne tarda pas à prendre l'habitude de m'embrasser chaque matin quand elle arrivait sur le plateau, à faire tout ce que je lui demandais et, lorsque arrivait la fin de l'après-midi et que je l'avais complimentée sur son travail de la journée, à demander au Tout-Puissant de m'accorder Sa bénédiction.

Ce n'était pas Ethel, talent sûr, qui me posait un problème, mais mon actrice principale. Peu après le début de notre travail, je me rendis compte que son visage demeurait inexpressif quelle que soit l'intensité dramatique de la situation ; elle flottait dans son rôle sans jamais réagir. Il me fallut trouver un moyen de transformer cette passivité émotionnelle en atout. Elle était entourée de personnalités hautes en couleur, chargées à bloc, et le contraste pourrait se révéler bénéfique : on en déduirait que sa situation avait fini par la pétrifier. Au lieu de me montrer impatient avec elle, ce qui aurait eu un effet désastreux, j'exigeai très peu d'elle, juste sa propre vacuité soumise. Elle incarnait alors parfaitement la victime du mauvais tour que lui avaient joué ses gènes — son teint clair — et se révéla donc, au bout du compte, très efficace dans ce rôle.

Ma préférée, c'était Ethel Barrymore, sorte de baroudeuse au grand cœur dont toutes les voiles étaient encore dehors. Je me tenais toujours à proximité, juste pour entendre sa voix de stentor enroué croasser de nouvelles anecdotes sur les frères Barrymore. J'aimais sa façon de me taquiner ; elle se moquait de mon sérieux imperturbable. Comme beaucoup de vieux de la vieille, elle ne supportait pas d'effectuer plus d'une prise par scène. Et faites-moi grâce de vos analyses psychologiques à la gomme, s'il vous plaît. Gardez-les pour l'Actors Studio. Quand je lui demandais de rejouer une scène, elle me demandait : « Pourquoi donc ? Je ne peux pas faire mieux, mon gamin. » Et si j'insistais, elle me lançait : « Pourquoi tu en veux encore une, pour ta collection ? » Mais elle arrivait en trombe tous les matins, prête à se mettre au travail, et je l'adorais.

En un sens, j'étais devenu un vétéran : je savais exactement ce que j'attendais des acteurs et comment l'obtenir. Cela rassurait tout le monde. Je ne compliquais pas les choses et je ne prolongeais pas inutilement le tournage. J'avais appris à ne pas prétendre déceler de la profondeur là où il n'y en avait pas. Nous savions tous que nous n'étions pas en train de tourner un chef-d'œuvre, aussi personne ne faisait-il semblant. L'équipe technique ne se plaignait pas : nous faisions du bon boulot, sans traîner. J'étais le héros du moment dans le studio de la Fox ; j'avais sauvé pas mal de cachets.

Mais à mi-chemin du tournage, l'évidence me frappa de plein fouet : je ne savais pas comment faire un film ; mon seul talent consistait à expliquer aux acteurs ce que j'attendais d'eux, et cela n'a pas grand-chose à voir. Tu aurais dû commencer comme tout le monde, me dis-je en moi-même, en faisant des comédies de deux bobines. Je disposais d'un cameraman capable et jovial, qui me suggérait une place pour la caméra. J'étais toujours d'accord, car je n'aurais pas su faire mieux. J'avais demandé qu'un monteur soit présent sur le plateau et Darryl m'avait donné un homme d'expérience démangé par la mise en scène. Il me disait quels gros plans insérer une fois la scène tournée en continuité. Vu que je n'avais aucune suggestion « définitive » à émettre, je suivais ses recommandations. Il ne tarda pas à s'installer confortablement dans cette routine. Mais il me parut alors très clair qu'après avoir fait quatre films et décroché un oscar de la réalisation, je demeurais un metteur en scène de théâtre, et que je n'étais pas prêt à réaliser *le Piège* auquel Art mettait la dernière main, ni le *Zapata* de John, sujets qui nécessiteraient un traitement visuel audacieux. Je n'étais pas apte à exercer mon métier. Vers le milieu du tournage, je résolus de mettre à profit tout le temps qui me restait avant d'entamer le travail sur ces deux films qui m'étaient si chers en apprenant la technique cinématographique proprement dite.

Je me mis à concevoir le soir l'aspect visuel des scènes du lendemain, à déterminer la place et les mouvements de la caméra, puis, une fois sur le plateau, je mariais intelligence et ruse, forme et fond, avec l'aide de mon cameraman et du monteur. Je les encourageais à remettre mes choix en question, à me pousser à défendre mes conceptions, et je les amenais en retour à défendre les leurs. Ainsi, ce qui avait commencé comme un travail de routine se mit à devenir plus excitant. J'étais de nouveau étudiant et j'apprenais ce que j'aurais sans doute dû savoir depuis longtemps. N'ayant rien de mieux à faire le soir, je me mis aussi à regarder des films pour essayer d'en apprendre le plus possible des maîtres et des vétérans. Chaque matin, j'arrivais sur le plateau avec une idée, ce qui avait souvent pour conséquence de ralentir la cadence et de nous faire commettre des erreurs (c'est du moins ce qu'ils croyaient). Mais de toute façon, je savais bien que Darryl s'emparerait du film après mon départ et le modèlerait à sa guise.

Désormais, je n'avais plus qu'une hâte, c'était de retourner dans l'Est et de voir où en étaient Art et John de leurs scénarios respectifs. Ils en savaient encore moins que moi sur le cinéma, aussi voulais-je les rencontrer le plus tôt possible pour travailler avec eux sur leurs scénarios. Je fis mes adieux à l'*Héritage de la chair* sans regret. Mon souvenir le plus marquant demeure la soirée d'adieux. Les acteurs et les techniciens me comblèrent de leur affection et je le leur rendis bien. Mon ticket pour le *Chief* du lendemain en poche, j'avais envie de faire la fête. Je décidai donc de me soûler. Nous étions gentiment « partis », Ethel Waters et moi, et tout baignait. Jusqu'au moment où elle but le verre de trop, la goutte qui allait faire déborder le vase. Je saisis ma chance de lui demander ce que je brûlais d'envie de savoir depuis des semaines. « En fait, vous n'aimez vraiment pas les Blancs, Ethel ? — Non, répondit-elle, son masque de religiosité venant s'écraser le nez par terre. — Pas même moi ? repris-je. — Pas même toi, répondit-elle. Je n'aime aucun enculé de Blanc. Je ne vous fais pas confiance. » Le lendemain matin, le masque était de retour sur son visage. Elle m'embrassa, me remercia et appela encore sur moi la bénédiction du Tout-Puissant. Elle n'était pas ravie de s'en aller car les rôles de femmes noires n'étaient pas légion. Quant à moi, j'étais content qu'elle soit redevenue amicale, mais je savais bien qu'elle avait dit la vérité sous l'emprise de l'alcool.

De retour dans l'Est, je dis à Molly que j'avais décidé d'oublier le théâtre pendant un temps pour me concentrer sur les films, ceux d'Art et de John. Elle me donna un conseil excellent — « Attends d'avoir lu leurs scénarios » — dont je ne tins nul compte. Je lui confiai aussi que je désirais prendre des vacances en solitaire. « Tu viens de passer des semaines tout seul ! s'exclama-t-elle, apparemment à bout de nerfs. — Non, il y avait beaucoup de monde autour de moi, répondis-je. Je prends le large un petit moment. » Elle eut des soupçons. « Avec qui t'en vas-tu ? — Avec moi-même, répondis-je. C'est avec moi-même que j'ai perdu le contact. » J'avais dû me dire, je suppose, que puisque nous étions allés tous les deux chez le même psy, elle me comprendrait et ferait même peut-être preuve d'une certaine solidarité, mais ce ne fut pas le cas.

Je me lançai alors dans une aventure quelque peu excentrique : me rendre en stop dans le Sud-Ouest, en pleine nature. Ce paysage n'avait rien à voir avec un studio d'enregistrement. Je rencontrai les gens qui habitaient là ; ils ne ressemblaient pas à des acteurs. Je me débrouille bien pour engager la conversation ; je sais écouter aussi. J'avais emporté un calepin et notais tout ce qui me frappait. Je me rappelle le port de Galveston, au Texas, et sa flotte de bateaux de pêche. Le vent soufflait ce jour-là, faisant claquer les voiles et bruire les arbres. « Le vent ne souffle pas sur une scène », me dis-je en moi-même. L'eau du port se ridait, captant la lumière et la renvoyant aussitôt. Comment le décor de contre-plaqué, de tissu et de peinture d'un directeur artistique pourrait-il rendre ce scintillement ? On déchargeait le poisson d'un bateau. Le sel de la mer flottait dans l'air et je sentais l'odeur des créatures qui la peuplaient. Une poésie se dégageait des sonorités ambiantes et l'ensemble, gigantesque, créait un effet exotique. Voilà ce qu'est le cinéma, pensai-je : un environnement, de l'envergure, de l'espace. En dehors d'un studio !

Là-bas, à ciel ouvert, la vie prenait une autre dimension et la promesse d'aventure était partout présente. Je n'étais ni plus grand ni plus petit que les autres. Je n'étais plus un ponte de Hollywood, mais le désirais-je vraiment ? En même temps, je ne comptais pas pour quantité négligeable. Personne, là-bas, ne cherchait à se blottir contre les autres pour être en sécurité. Je ne faisais partie d'aucun groupe, sauf du plus populeux de tous : j'étais un Américain ordinaire. Je commençais à me faire une idée de ce que cette notion représentait. Comme les autres hommes de ce pays, j'étais indépendant et personne ne cherchait à me faire peur. Aucun chef de cellule, aucun *führer*, ne me donnait d'ordres. J'étais entouré de mes concitoyens, et non de stars au visage grassouillet, sans aspérités, confiné en intérieurs. Je me trouvais au pays des hommes libres, et j'étais libre de faire tout ce que je souhaitais. L'heure était venue pour ma vie de prendre un virage.

Ce que je ressentais dans ce port où le vent balayait les vagues, où des senteurs entêtantes emplissaient mes narines, je savais que je ne pourrais jamais l'exprimer sur une scène de théâtre ou dans le cadre d'un studio hollywoodien. Les « extérieurs » de *l'Héritage de la chair* avaient été filmés en studio sur fond de ciel peint, et ils étaient déshonorants. Quant au *Maître de la prairie*, le label « MGM ! » suffisait à le décrire. Je n'aurais pas pu trouver de mots pour dire la joie extraordinaire que j'éprouvais ce jour-là en observant le large depuis le port de Galveston. Seul le langage du cinéma aurait pu traduire mes émotions. Je savais quelles images y parviendraient. Quant aux sons, il n'y avait qu'à les enregistrer. J'avais même une idée pour suggérer les odeurs. Je savais combien l'atmosphère des docks compterait dans un film comme *le Piège* et je pensais pouvoir la capter. Et pour *Zapata*, je ferais mieux de retourner dans les montagnes de Morelos pour m'imprégner des images et des sonorités qui raconte-raient l'histoire de ce pays et de ces gens si différents.

Voilà comment un metteur en scène est devenu cinéaste.

J'étais victime d'une autre carence, qui me désespérait moins, cependant : il me faudrait apprendre à écrire ou à tout le moins collaborer au scénario de mes films. En étudiant les chefs-d'œuvre que j'admirais, j'avais compris qu'ils exprimaient la vision d'un seul homme. Le premier pas vers la réalisation d'un film exceptionnel consistait donc à prendre part à la conception du script, et je me promis de m'y atteler un jour. Pour une raison que j'identifiais mal, Molly persistait à me décourager de me lancer sur cette voie, et je n'avais pas suffisamment confiance en moi pour la contrer. Je me disais (mais pas à elle) que le cinéma était différent de la littérature : il consistait en séquences d'action filmée, organisées de façon à raconter une histoire. Il reposait sur les images et le mouvement, pas sur des mots ou des phrases. C'était un autre média. Il était fort possible que je ne parvienne jamais à écrire de façon acceptable, mais je pourrais au moins apprendre à concevoir et à structurer mes propres découpages. Il fallait tout de même que j'apprenne ça! Sinon qui écrirait les films que je m'étais promis de réaliser, ces films sur ma famille et son histoire, sur ma propre vie?

A New York, la chance m'attendait. On m'offrait de mettre en scène un film dont le scénario avait été signé par mon ami Dick Murphy, l'auteur de *Boomerang*. Celui-là était situé à La Nouvelle-Orléans, l'endroit où le Mississippi se jette dans la mer, et racontait une traque: il fallait arrêter et mettre en quarantaine un homme porteur de la peste, afin d'empêcher une épidémie. Je n'étais pas aussi enthousiasmé par ce script que par la perspective de tourner *le Piège* ou *Zapata*, mais je connaissais bien Dick et j'étais sûr qu'ensemble nous arriverions à trousser un bon film d'action. En même temps, je pourrais m'aguerrir aux techniques qui me faisaient défaut. J'en ferais un film « muet », qu'un sourd pourrait suivre sans difficulté, j'emploierais des gens authentiques, ou alors « mes propres » acteurs, qui leur ressemblaient. Je téléphonai à Darryl pour m'assurer que je pourrais tourner chaque plan du film en décors naturels, et il accepta. Je ne voulais pas voir le producteur traîner dans les parages et il m'assura qu'il n'en ferait rien. Je ne voulais pas de la star traditionnelle, poursuivis-je, et nous tombâmes d'accord sur mon vieux copain Dick Widmark. Je commençais à me passionner pour ce film. Ma véritable star, ce serait La Nouvelle-Orléans, cette ville merveilleuse où l'on sent partout l'odeur du fleuve, du café et de la cuisine créole. Je donnai mon accord.

Le titre, *Panique dans la rue*, avait été concocté par le service commercial de la Fox. Il suggérait leurs doutes quant aux chances de succès du film. Pourtant, je n'allais pas innover en matière de technique cinématographique mais, au contraire, effectuer un retour aux sources, en retrouvant le mode de fabrication des premiers grands films d'action. Quand Chaplin tournait un court métrage de deux bobines et apprenait soudain que les pluies torrentielles de la nuit précédente avaient inondé Griffith Park, il rassemblait rapidement son équipe technique, plus deux ou trois acteurs comiques, et il s'y précipitait pour exploiter le potentiel comique de la situation. Le scénario? Il l'improvisait. Les décors imposants et encombrés de fioritures n'ont fait leur apparition qu'avec le perfectionnement des techniques d'éclairage et surtout le désir exprimé par certains studios, comme la M.G.M., de voir leurs stars ressembler à des dieux et à des déesses. Mon intention était radicalement différente.

Ce tournage baigna dans l'huile. Pour la première fois, j'éprouvai un plaisir pur à faire du cinéma. Aucune tension ne régnait, peut-être parce que aucun producteur n'était présent, mais surtout parce que je respirais le bonheur. C'est le metteur en scène, en effet, qui détermine l'humeur de l'équipe technique et des acteurs. L'auteur me suivait pas à pas, et nous récrivions chaque scène en fonction de ma vision de cinéaste. Chaque matin, je me rendais sur les lieux du tournage avant tout le monde et je mettais au point la série de plans la mieux à même de préserver le punch de l'histoire. Puis Dick arrivait, nous abaissions le hayon d'un camion, demandions à l'accessoiriste d'installer notre machine à écrire et, tous les deux, nous ajustions les scènes du jour à mes idées. Nous récrivions chaque scène au jour le jour, et je m'asseyais aussi souvent que Dick devant la machine à écrire. Nous ne faisions pas de la littérature, cependant. Mais du cinéma.

J'évoluais en liberté dans toute la ville. Le maire comptait parmi nos « fans », la police elle-même s'était jointe à l'équipe. Les portes des restaurants étaient grandes ouvertes. J'avais fait venir ma famille ; nous disposions d'une vaste maison qui donnait sur une immense cour. On me prêta un remorqueur et j'emmenai mes enfants en balade sur le Mississippi. Le dimanche, certains membres de mon équipe se réunissaient pour un *brunch*, puis nous jouions aux anneaux. Il m'arrivait aussi de faire un combat de boxe avec l'un de mes assistants, qui me remettait à ma place. Le jour de Noël, nous nous régalâmes d'œufs d'autruche brouillés (quelle affaire : deux d'entre eux suffirent à nourrir trente convives !), puis nous passâmes l'après-midi à raconter des histoires entre deux éclats de rire.

Nous utilisions les habitants de la ville comme figurants, et leurs maisons, leurs boutiques et leurs rues nous servaient de décors. Tout le monde nous accueillait à bras ouverts, et ils passaient un aussi bon moment que nous. Je devins comme dingue. Toutes sortes de filles se pressaient sur le tournage, simples visiteuses ou figurantes. Il régnait une atmosphère de fête foraine, un peu comme celle qui accompagne de nos jours les tournées d'orchestres rock de deuxième ordre. C'était une libération fantastique pour moi. Jusqu'alors, en effet, je m'étais comporté en bon garçon discipliné et sérieux. Désormais, j'organisais ma vie et mon travail autour de mes impulsions. J'obtenais tout ce que je voulais. Pour l'une des séquences, nous manquions de figurantes : eh bien, nous sommes allés vider un bordel de ses occupantes ; une journée bien agréable ! On avait mis une chambre à ma disposition dans le plus grand hôtel de la ville. Une fois ma famille repartie à New York pour que les gamins puissent reprendre l'école, je ne fus pas long à partager le lit d'une jeune femme douce et généreuse, qui venait d'accoucher ; ma poitrine se retrouva couverte de lait pendant que nous faisions l'amour. Menant une vie irrégulière, j'étais au paradis.

En même temps, je commençais à comprendre que le cinéma, ce n'était pas seulement diriger des acteurs. Pour la première fois, je n'avais pas de monteur sous la main, et je devais donc prendre toutes les décisions moi-même : quels plans tourner, où les placer, comment organiser l'ensemble, quels gros plans insérer.

Après *Panique dans la rue*, et à l'exception d'*Un tramway nommé Désir*, qui fut écrit par Tennessee Williams, trop bien pour que je le retouche, et de mon dernier film, *le Dernier Nabab*, tourné à un moment où je souffrais terriblement pour raisons familiales, j'ai collaboré avec joie et sans complexes à l'écriture de chacun de mes films. Vous ne verrez pas mon nom apparaître à cette rubrique, sur le générique, mais j'ai été à l'origine de ces films ou les ai conçus en collaboration avec leurs auteurs ; dans tous les cas, les auteurs et moi-même en avons élaboré la structure ensemble. Un script de film tient davantage de l'architecture que de la littérature.

Ce qui suit va faire sauter au plafond mes amis scénaristes, mais c'est la pure vérité : c'est le metteur en scène qui raconte l'histoire d'un film davantage que celui qui en écrit le dialogue. Le metteur en scène est le véritable auteur, c'est d'ailleurs la raison pour laquelle tant de scénaristes veulent devenir réalisateurs. L'ensemble ne fait qu'un tout. La plupart des meilleurs films jamais réalisés peuvent être vus sans dialogue et parfaitement compris. Le metteur en scène exprime l'essentiel à l'aide d'images. Le dialogue, le plus souvent, c'est la sauce. Il arrive qu'il apporte un « plus » énorme, mais rarement. L'interprétation, l'art des acteurs, aide ; mais elle dépend aussi du metteur en scène. Il doit trouver en l'acteur ou en l'actrice les ressources qui vont animer son visage et son corps, et modèle ainsi les instantanés dont il a besoin. Les images, les plans, les angles, les « plans de coupe », les plans d'ensemble poétiques, voilà le vocabulaire du metteur en scène. Rien à voir avec les mots. Jusqu'à *Panique dans la rue*, je m'étais contenté de faire entrer et sortir les acteurs d'un cadre dramatique organisé à l'avance, tout comme je l'aurais fait sur scène, la caméra les filmant la plupart du temps en plan moyen. Mon expérience de la scène, que j'avais considérée comme un atout, était devenue un handicap. Il me fallait apprendre un art nouveau pour moi.

J'appris, entre autres, que le temps n'a pas la même valeur au cinéma que sur scène. L'une des techniques les plus importantes dont un metteur en scène dispose, c'est la possibilité d'étirer un instant pour en accentuer l'impact. Sur une scène de théâtre, le temps réel s'écoule à son allure habituelle ; c'est le même sur scène et dans la salle. Mais dans un film, le temps est artificiellement adapté aux besoins du cinéma. Dans la vie, les moments forts ne durent pas très longtemps : clic-clac, et c'est fini. Mais quand un cinéaste en arrive à un point crucial de l'histoire, il peut l'étirer, multiplier les gros plans, montrer les gens qui sont impliqués dans l'action ou en sont témoins, et effectuer des allers et retours de l'un à l'autre. Dans ce cas, le temps est distendu pour augmenter la tension dramatique. Mais on peut également glisser en vitesse sur d'autres moments de l'action, afin de ne pas leur accorder plus que leur valeur dramatique ne le justifie. Le temps du film devient alors plus rapide que le temps réel. Un cinéaste peut choisir d'entrer directement dans le vif du sujet ou bien de sauter de temps fort en temps fort, en laissant de côté ce qui de son point de vue ne présente pas d'intérêt pour le public. Les entrées et les sorties — à moins qu'elles ne soient lourdes de signification — ne prêtent guère à conséquence. Il importe peu, en effet, de savoir comment le personnage est arrivé là. Il y est ! Il faut donc trancher dans le vif de la scène.

J'appris enfin que la caméra n'est pas seulement un moyen d'enregistrer mais aussi un instrument qui pénètre au plus profond. Elle ne regarde pas un visage, elle regarde *à l'intérieur* de celui-ci. Ce genre d'effet peut-il être obtenu sur scène ? Loin de là ! Une caméra peut également se transformer en microscope. Elle peut s'attarder sur quelque chose, l'agrandir, l'analyser, le scruter. C'est un instrument des plus subtils, capable de rendre un visage lourd ou émacié, crispé ou détendu, pâle ou rougeaud, jovial ou malsain, diabolique ou touché par la grâce. Je découvrais tout cela si tard ! J'avais toujours placé la caméra à hauteur des yeux — l'équivalent de ce qu'on voit sur scène — quand j'aurais pu la mettre à tant d'endroits différents. J'ignorais également qu'il existait toute une variété d'objectifs. J'étais un metteur en scène à succès ignare en technique.

Je découvris encore que la caméra peut créer une ambiance ou capter une vive émotion, et que l'on a recours dans ce cas au plan d'ensemble, dans l'art duquel les D. W. Griffith, John Ford, George Stevens, Howard Hawks et d'autres encore dans les années 30 et 40, mais aussi les grands réalisateurs russes des années 20, étaient passés maîtres. Il ne faisait aucun doute que *le Piège* et *Viva Zapata !* nécessiteraient d'excellents plans d'ensemble, et je partirais à leur recherche. J'étais de plus en plus impatient de me mettre à l'œuvre sur ces films.

J'espère que tout cela vous intéresse, parce que vous regardez des films en permanence — c'est devenu le langage universel. Et, en parlant de gros plans et de leur utilisation, certains d'entre vous sont peut-être familiers de la manière dont s'en servent les réalisateurs d'émissions sportives. Regardez un match à la télé. Voyez comment, après chaque phase du jeu, le réalisateur cadre la personne qui vient de gagner ou de perdre, l'athlète le plus touché par ce qui vient d'avoir lieu, ou bien encore le gagnant et le perdant en alternance, ou les entraîneurs, ou même simplement quelqu'un dans les tribunes, qui est passionné par ce qu'il voit. Le gros plan souligne le contenu émotionnel. Il n'existe pas de technique correspondante sur scène. On peut seulement augmenter l'intensité d'un projecteur ou faire descendre un acteur dans la salle, face au public. Mais de tels effets paraissent grossiers en comparaison et ne peuvent rivaliser en efficacité.

Bien sûr, il a des utilisations plus élémentaires — mettre en valeur la beauté d'une dame, par exemple. Mais le plus important, c'est qu'il maintient la clarté dans le déroulement de l'action. De près, on perçoit l'hésitation dans le regard de l'acteur. Le « plan rapproché » montre bien l'indécision dans le regard d'une personne, nous la comprenons aussi clairement que si elle était exprimée par des mots — mais l'ambiguïté en plus. Puis nous voyons la personne prendre sa décision et l'histoire prendre elle-même une nouvelle direction. Sans ce gros plan, le changement intervenu serait inexplicable. Grâce à lui, la progression de l'histoire se fait sans heurt, le « fil rouge » n'est pas rompu.

La Nouvelle-Orléans était baignée de la musique que j'aime. Au cours de mes errances nocturnes, j'eus l'occasion de rencontrer un certain nombre de musiciens de jazz, en tête Sidney Bechet, maître de son art et poète. D'autres de ces artistes étaient moins raffinés ; ils me plaisaient aussi. A la nuit tombée, le pouls de cette ville battait au rythme de la musique. J'avais l'habitude de parcourir une rue bordée de « boîtes » d'où montaient des effluves de jazz qui flottaient dans l'atmosphère moelleuse de la nuit. J'avais essayé de gorger ma bande-son de cette musique, mais le résultat m'avait déçu. Je ferais mieux la prochaine fois ! Et je fis mieux sur *Zapata*. C'est à La Nouvelle-Orléans, sur le tournage de *Panique dans la rue*, que je découvris l'importance de la musique dans un film; je ne laisserais plus jamais la responsabilité de ma bande-son à un producteur et à son conseiller musical. Bien souvent, elle acquiert une importance égale à celle de la séquence d'images qui raconte l'histoire.

Pendant mes quatre mois de travail à La Nouvelle-Orléans, je me rendis compte que j'en avais assez de ces films et de ces pièces « à thèse » indigestes que j'avais faits jusqu'alors. Le premier film qui utilise le mot « juif », le premier film où le mot « nègre » est prononcé! Et alors! Ils n'en restaient pas moins conventionnels. Quant aux lauriers ramassés parce que j'avais utilisé de grandes stars comme Tracy, Hepburn, Peck, McGuire et Garfield, que le diable les emporte! Je me sentais bien, entouré de la bande turbulente que j'avais réunie, à mettre en images un script qui ne s'alourdissait ni de « message » ni de « second degré ». Rien n'avance avec de plus gros sabots que *le Maître de la prairie* et rien n'est plus ennuyeux, ou « bien-pensant », que cet *Héritage de la chair*, où tout est cousu de fil blanc. C'est un film assommant.

J'ai compris pourquoi Jack Ford s'entourait toujours de durs à cuire sur ses tournages. On peut leur demander n'importe quoi, tout ce dont on rêve. On perd ses inhibitions; on cesse de se préoccuper du confort de l'acteur et même de sa sécurité. Pour *Panique dans la rue*, nous devions repêcher un homme du fleuve. Présumé mort, il avait séjourné dans l'eau toute la nuit. Comment nous y sommes-nous pris? Eh bien, il n'y avait qu'une solution : jeter quelqu'un à la baille. Mais on ne peut pas balancer Spencer Tracy dans un fleuve. « Qui se dévoue pour me faire la scène du "bouillon"? » ai-je demandé. Les volontaires n'ont pas manqué. Une fois notre homme trempé des pieds à la tête et la caméra en place, nous l'avons filmé en train de flotter dans les ordures et les poissons morts le long du quai. Il avait vraiment l'air mort. L'acteur a reçu un bonus et moi j'ai obtenu mon plan.

Un jour, j'ai reçu une visite sur le plateau : celle de Lillian Hellman. Je l'ai appréciée, cette visite. C'était flatteur, le signe que les intellectuels de gauche m'avaient enfin admis parmi eux. Elle me désignait implicitement comme le metteur en scène le plus en vue. Ne vous méprenez pas, cependant. Les auteurs dramatiques sont toujours en quête de metteurs en scène qui rendront justice à leurs pièces. Lillian elle-même l'avait avoué dans un article récemment publié où elle me plaçait *numero uno* sur sa liste. Elle avait peut-être un objectif moins professionnel derrière la tête au moment où elle avait écrit ces mots, mais elle n'en a rien laissé paraître durant sa visite, bien qu'elle l'ait prolongée jusqu'au lendemain. Si j'avais eu affaire à une personne moins redoutable, je me serais peut-être dit qu'elle s'offrait à moi. Quand bien même, je l'ai trouvée bien intrépide. Cette dame avait des couilles! Elle allait chercher ce qu'elle voulait à la manière d'un homme. La vérité, cependant, à ma grande honte, c'est que j'ai des goûts plus ordinaires. J'aurais préféré cette petite chérie que Lillian avait dessinée dans le livre de portraits, la gamine avec son nez retroussé et ses cheveux blonds aux boucles naturelles, l'image donnée par l'artiste de son idéal de beauté. En tout état de cause, j'avais le même que Lillian.

Chaque metteur en scène a son chouchou, parmi les acteurs et les actrices, et mon choix est en général le plus traditionnel et le plus conventionnel qui soit, puisqu'il se porte toujours sur une jeune femme. Certains metteurs en scène — Otto Preminger, par exemple — se choisissaient en fait une tête de Turc. Au début du tournage, ils sélectionnaient un acteur ou une actrice (Jean Seberg fut du lot) sur qui se décharger de leurs frustrations. Mon favori cette fois-là, c'était Zero Mostel — mais je ne voulais pas en faire ma tête de Turc. Je trouvais que c'était un artiste extraordinaire et un compagnon délicieux, l'un des hommes les plus amusants et les plus originaux qu'il m'ait été donné de rencontrer. Je ne savais jamais ce qu'il allait dire. Je ne pouvais pas me passer de lui. Il m'aimait bien aussi — entre autres parce qu'il faisait partie des trois personnes que j'avais sauvées de la liste noire établie par l'« industrie » et qui avait déjà pris effet. Pendant longtemps, Zero n'avait pu obtenir de rôles au cinéma, mais je l'avais pris pour mon film — accroissant ainsi l'admiration que « notre camp » me portait. J'étais également devenu un héros politique.

Une fois le film terminé et oublié, je ne revis pas Zero pendant plusieurs années. Entre-temps, mon opinion avait changé sur beaucoup de sujets, dont l'enquête menée sur le communisme dans ce pays. Au grand dam de certains de mes meilleurs amis horrifiés, j'apportai un témoignage bienveillant à la Commission des activités antiaméricaines.

Un soir d'hiver, sur la 72e Rue, près de Columbus Avenue, je tombai sur Zero. A ce moment-là, je m'étais endurci face au désaveu que m'infligeaient certains vieux amis, et je me fichais pas mal de ce que des gens plus proches que Zero pouvaient bien penser. Mais pour une raison étrange, son opinion m'importait. Il m'arrêta et passa son bras autour de mon cou — en serrant un petit peu trop fort — et me dit sur le ton le plus douloureux que j'aie jamais entendu : « Pourquoi tu as fait ça ? Tu n'aurais pas dû faire ça. » Il m'emmena dans un bar et nous prîmes un verre, puis un autre, mais il ne parla pas beaucoup ni moi non plus. Il se contenta de me regarder, de temps à autre, et je lisais dans ses yeux ce que je n'entendais pas de sa bouche : « Pourquoi tu as fait ça ? » Je ne l'ai jamais revu.

A mon retour de La Nouvelle-Orléans, Miller travaillait encore au *Piège*, et *Zapata* était loin d'être terminé, mais Tennessee était revenu d'Europe et je me rendis chez lui. Il n'avait pas fini *la Rose tatouée*, mais me confia que Charlie Feldman avait reçu le feu vert pour une version filmée du *Tramway* et qu'il voulait — ainsi que Tenn — que je la mette en scène. « Pour l'amour de Dieu, Tenn, répondis-je, mais ce serait comme épouser la même femme deux fois ! Je ne crois pas que je puisse trouver la force de recommencer le *Tramway*. » Il insista, et je vis qu'il y attachait beaucoup d'importance, alors je lui sortis ma réponse toute faite : « J'y réfléchirai. » Il me serait plus facile de lui dire « non » par lettre que face à face. Je lui devais beaucoup.

Mais plus tard, seul, je me mis à considérer cette offre comme une opportunité. Avec la confiance nouvelle que j'avais acquise en me servant des décors naturels de *Panique dans la rue*, je voyais comment je pourrais « aérer » le *Tramway*, faire de la pièce un film proprement dit en montrant à l'écran tout ce que Blanche dit de Belle Reve et de ses derniers jours là-bas dans le dialogue. Ces scènes étaient toutes décrites dans ses discours. Je sortirais de ce petit décor riquiqui, de ces deux pièces miteuses. Je filmerais l'ancienne demeure de la famille et la vieille femme sourde en train d'agoniser, la scène avec les jeunes recrues ivres qui appellent depuis la pelouse (« Blanche ! Blanche ! ») et Blanche qui sort pour les rejoindre, et ce qui se passe après ; je montrerais aussi le panier à salade qui ramasse les jeunes soldats le lendemain matin, et encore la scène où Blanche est jetée hors de la ville, avec gros plans sur le visage de marbre des citoyens trop contents d'être débarrassés d'elle. Je filmerais le tout dans le delta du Mississippi et j'obtiendrais sur pellicule une vision plus fidèle et plus parlante de la pièce que sur scène. Je filmerais l'arrivée de Blanche dans la vieille gare de La Nouvelle-Orléans, émergeant du nuage de fumée émis par la vieille locomotive (je le volerais à *Anna Karenine*). Je donnerais également une image concrète du monde de Stanley, tournerais quelques scènes dans son bowling favori, dans les bars qu'il fréquentait et les rues dans lesquelles il traînait avec Mitch et les autres. Je donnerais à la présence de cette vieille ville une force dramatique, j'insufflerais de l'authenticité au monde du rustre Kowalski. Quel contraste avec l'univers de Blanche ! Quelle leçon de cinéma ! Je décidai d'accepter.

Il me fallut travailler dur, mais je fus aidé en cela par un auteur solidaire de mes difficultés ; nous achevâmes le scénario et j'étais content du résultat. Très satisfait de moi-même, je décrétai que j'avais bien mérité des vacances — Mexico ! Zapata ! Morelos ! Avais-je dit des vacances ? —, puis je reviendrais pour résoudre en hâte le problème de production, en particulier les repérages pour la « Belle Reve » idéale dans le Mississippi. Mais quand j'eus relu le scénario « aéré », je me rendis compte qu'il s'en allait en eau de boudin. La puissance de la pièce tenait justement à sa claustration, au fait que Blanche était prise au piège dans ces deux pièces minuscules, où elle ne pouvait ignorer un seul instant qu'elle irritait Stanley et qu'elle ne pourrait s'échapper même s'il le fallait. Tout ce que nous avions fait pour « aérer » la pièce diluait son impact. Je fis passer notre scénario par pertes et profits, et pris la décision de filmer la pièce telle quelle, point final.

Je choisis un excellent décorateur et parvins à obtenir un cameraman qui comprenait ce que je voulais. Ensemble, nous élaborâmes trois procédés de mise en scène qui nous rendraient service. Les murs de Stanley et de Stella seraient constitués de plusieurs petites cloisons amovibles, de sorte que le décor rétrécisse de plus en plus à mesure que le temps passerait, de plus en plus étouffant et menaçant pour Blanche. C'est un effet étrange, mais il fonctionna. Nous décidâmes également d'utiliser une image que Williams nous avait soufflée : celle d'un papillon de nuit battant de l'aile contre un mur, littéralement. Nous demandâmes à Lucinda Ballard, notre costumière, de fabriquer la robe de Blanche pour la scène du viol dans un matériau léger et diaphane, de la même couleur que les rideaux très clairs de la chambre où Stanley l'accule. Cette idée fut bonne ; elle créait un sentiment de panique fatale. Enfin, je demandai à notre décorateur de faire suinter les murs pour suggérer la chaleur humide de l'endroit. J'ai bien peur que ceci ne paraisse plus efficace que ça ne l'était en réalité. Mais nous renforçâmes effectivement l'impact de la pièce grâce à certains gros plans. Je me souviens tout particulièrement d'un plan de l'ampoule nue dont Stanley a arraché l'abat-jour. Après le gros plan de Mitch allumant la lumière, nous avions filmé Blanche juste en dessous de cette lumière crue. Elle a l'air maladivement crispée et ressemble à une vieille femme. Cette scène en disait beaucoup plus long à l'écran qu'elle ne l'aurait fait sur scène.

Charlie Feldman avait dit que je pourrais utiliser mes acteurs new-yorkais à l'exception de Jessie ; la Warner, qui finançait le film, insistait pour que nous choisissions une star pour le rôle de Blanche, c'est du moins ce que disait Charlie. Je fis part de cette exigence à Jessie. Elle le prit mieux que beaucoup d'autres à sa place. Elle me confia qu'elle avait pressenti ce rejet, qu'elle s'était résignée à cette éventualité. Je n'insistai pas. Pour être tout à fait franc, avec le recul, je ne suis pas sûr que je ne voulais pas moi aussi une actrice différente pour le rôle de Blanche. La pièce ayant perdu de sa fraîcheur pour moi, j'avais besoin d'un électrochoc pour remettre mon moteur en route.

Nous nous fixâmes sur Vivien Leigh pour remplacer Jessie, et il me faut confesser que je n'abordai pas cette nouvelle relation sans appréhension — imperceptible, je l'espère, mais sans trop y croire. Molly et moi les invitâmes, elle et son mari, Larry Olivier, à nous rendre visite dans notre nouveau studio, situé dans le Connecticut, histoire de faire connaissance. L'atmosphère fut cordiale. Il me parut plus sympathique qu'elle.

Notre décor unique fut érigé sur le plateau d'un immense studio d'enregistrement de la Warner Brothers. Je demandai qu'une « réplique » de ce décor soit installée à l'écart, de dimensions égales à celles de l'original, et qu'on y place des meubles qui ressemblent le plus possible à ceux que nous filmerions, de façon que je puisse répéter avec les acteurs pendant que le cameraman et ses assistants régleraient les éclairages. Dès le premier jour, pendant la répétition de la première scène d'intérieur dans le décor factice, tout le projet manqua tomber à l'eau. J'avais demandé que Vivien fasse un jeu de scène que nous avions déjà utilisé à New York avec Jessie, et elle me sortit : « Quand Larry et moi avons monté cette pièce à Londres... » et nous expliqua tout ce qu'elle et Larry avaient fait, qu'elle semblait préférer de loin à ce que je lui demandais. Irene m'avait donné son avis sur la mise en scène londonienne, qui lui avait paru reposer sur une mauvaise interprétation de la pièce. Pendant que Vivien parlait, je me rendis compte que les autres acteurs me regardaient. Ils savaient ce que je savais, qu'il ne fallait pas que je laisse passer ce moment sans réagir. « Mais vous n'êtes pas en train de faire ce film avec Larry à Londres, Vivien, dis-je. Vous êtes en train de le faire ici, avec nous. » Puis, le plus doucement possible, j'insistai pour qu'elle joue selon mes directives. Il lui a fallu deux bonnes semaines pour se sentir à l'aise avec moi, et les scènes qui ont été tournées pendant ces deux semaines, si vous me pardonnez ma suffisance, sont celles où elle a l'air le plus artificielle, théâtrale et contrainte. Lentement, nous commençâmes à nous habituer l'un à l'autre, puis, soudain, nous fûmes bons amis. A la fin du tournage, je nourrissais une grande admiration pour la dame. Elle avait un petit talent mais sa détermination à être la meilleure n'avait pas sa pareille. Elle aurait rampé sur du verre brisé si cela avait été nécessaire pour améliorer son interprétation. Dans les scènes qui comptent, elle est excellente.

Pendant que je mettais en scène *Un tramway nommé Désir*, un tremblement de terre se produisit à la Guilde des réalisateurs d'Amérique, dont j'étais membre. J'étais resté à distance de cette organisation pour deux raisons : la plus simple, c'est que je m'ennuyais aux réunions. Mais un débat s'était élevé qui me concernerait, que je le veuille ou non. Cecil B. De Mille voulait faire tomber des têtes, y compris la mienne. Il avait rassemblé les metteurs en scène les plus conservateurs du comité directeur de la guilde pour qu'ils l'aident à démasquer et à discréditer les membres gauchisants, pour les empêcher ensuite de continuer à travailler comme metteurs en scène. Il obtiendrait ce résultat en dressant une liste de ceux qui refuseraient de signer une déclaration de loyauté, puis en la délivrant sous pli à en-tête de la guilde à tous les patrons de studio. Sur cette liste figurerait également le nom de tous ceux qui étaient sur le point d'être convoqués à Washington pour témoigner devant la Commission des activités antiaméricaines. Je pensais figurer parmi les élus, mais je n'en étais pas sûr.

Cette crainte représentait la seconde raison pour laquelle je m'étais efforcé de rester à l'écart du débat politique qui animait l'industrie. Bien que ma démission du Parti remontât à plus de seize ans, les hommes de Washington voulaient des noms et ils avaient besoin de publicité. On penserait peut-être que je servirais ces propos. Les organisateurs du mouvement conservateur au sein de la guilde soupçonnaient quiconque avait quitté le Parti mais continuait à réaliser le même genre de films et n'avait jamais, en signe d'allégeance à la patrie, élevé la voix contre le communiste dans ses œuvres. Ces hommes croyaient que les films et les pièces que j'avais mis en scène après avoir quitté le Parti en 1935 présentaient des « tendances communistes », sinon dans leur contenu, du moins en raison de l'influence qu'ils exerçaient. Parmi ces films se trouvaient *l'Héritage de la chair* et *le Mur invisible*, mais Zanuck n'était pas vulnérable ; moi si. Je savais bien ce qu'ils penseraient du *Piège* ou de *Zapata*, et je me préparais à les combattre. Personne ne déciderait pour moi quels films ou quelles pièces je pouvais faire ou non. Je me sentais encore en sécurité à New York, mais je savais que je constituerais une cible de choix, parce que indéfendable, pour toute investigation que « C.B. » et sa troupe de patriotes décideraient d'entreprendre en Californie. (Darryl Zanuck, dans un accès de franchise amicale, m'avait révélé qu'on me soupçonnait un peu partout — je n'aurais pas su dire s'il partageait cette opinion ou non — de n'avoir démissionné du Parti que pour brouiller les pistes et d'être en fait demeuré communiste.) Si l'on m'acculait, eh bien, j'adopterais une

attitude intraitable ; je ne m'inclinerais jamais devant De Mille — ni
devant la Commission des activités antiaméricaines.

A ce moment-là, la guilde était présidée par Joseph L. Mankiewicz.
Deux années de suite, il était reparti avec deux oscars, du scénario et de la
mise en scène, pour *Chaînes conjugales* et *Ève*. Après avoir été adoubé
avec son troisième et son quatrième oscar, Joe s'embarqua pour les
vacances européennes qu'il avait bien méritées. En son absence, la clique
de De Mille, au nom du comité directeur de la guilde, sur lequel elle avait
la haute main, soumit aux membres le principe d'un serment de fidélité et
demanda qu'il soit procédé à un vote. Il s'agirait d'un vote à bulletins
ouverts — chaque bulletin porterait le nom de celui qui l'avait rempli. De
cette façon, De Mille et les autres conspirateurs sauraient à quoi s'en tenir
sur chacun.

Joe Mankiewicz, à cette époque-là, était bel homme, mais pas dans le
genre M. Muscle, exactement ce que certaines femmes préfèrent ; il profitait de ses succès en la matière et d'un humour railleur débridé. Railler,
dans cette société, c'était faire preuve de bon sens. Comment en est-il
arrivé à devenir président de la guilde, lui qui ne s'associait jamais à aucun
mouvement, Joe ne peut l'expliquer. Il n'était pas aisé de le mobiliser
pour une cause ou de le faire agir pour défendre une position politique ;
c'était un artiste, et les artistes ne se trouvent jamais là où ils devraient.
Néanmoins, au soir du 22 octobre 1950, Joe présida une réunion organisée
par ses compagnons de la guilde, mit en déroute l'opposition, fit taire
Cecil B. De Mille, et sauva la guilde en réaffirmant l'attachement à la
démocratie de cette organisation.

Mais qu'arrive-t-il à ces vieux réalisateurs qui ont un jour connu une
célébrité aussi importante et un pouvoir aussi absolu que Joe ? Aujourd'hui, âgé de soixante-dix-huit ans, le cheveu clairsemé coiffant un
visage arrondi par l'aisance, il vit, sur de l'argent gagné il y a bien
longtemps, dans une maison de belle taille, quelque part dans le très
huppé comté de Westchester, près de New York ; une épouse bienveillante et compréhensive est aux petits soins pour lui, et ses quatre oscars
montent la garde. Peu solidaire de l'orientation actuelle du cinéma, Joe ne
tourne plus. Il s'est installé dans l'Est il y a plus de vingt ans, décidé à
consacrer le restant de ses jours à l'écriture. Mais pour une raison qu'il ne
peut expliquer, il souffre du blocage de l'écrivain. Ce n'est pas une
question de mémoire, car l'été dernier il s'est entretenu avec certain autre
vieux metteur en scène (tout aussi peu solidaire de l'orientation actuelle
de l'« industrie ») et lui a raconté en détail la nuit du 22 octobre, se
souvenant parfaitement de son déroulement, ainsi que la semaine qui
l'avait précédée. Il l'a évoquée avec passion et s'est montré d'une clarté
éblouissante.

« Ça n'a pas été vraiment un moment important dans ta vie, n'est-ce
pas ? m'a-t-il demandé. Ce moment où tu t'es arrêté à la porte, parce que
tu ne voulais pas participer à notre réunion ? »

Ce moment avait en fait beaucoup compté, mais j'évitai de le contredire ; je voulais qu'il continue.

Sa femme, Rosemary, nous apporta du café. Après son départ, je soufflai la suite à Joe : « La porte ? » dis-je, tout en sachant très bien de quelle porte il voulait parler.

Joe était lancé, maintenant, et il attaqua :

« Je n'ai jamais été membre d'aucun mouvement, je n'ai jamais appartenu à aucune clique antinazie ou anticommuniste. Mais quand je suis revenu à New York, après mon voyage en Europe, j'ai découvert que les membres de la guilde avaient adopté le principe de la déclaration de loyauté par vote à bulletins ouverts, ce qui revenait à dire que pour pouvoir réaliser un film en Amérique, il fallait avoir signé un serment pro-américain. J'en suis tombé à la renverse ; tout d'un coup, je n'ai plus été aussi indifférent. Je n'avais jamais entendu parler de ce vote, et c'était moi le président de la guilde. Ça ne m'a pas plu du tout. D'autres que moi étaient scandalisés. Il devait y avoir vingt-cinq télégrammes qui m'attendaient à mon hôtel new-yorkais. Et je ne parle pas des coups de téléphone ! Jules Dassin m'a appelé. Il m'a dit : "Descends dans le hall, et rappelle-moi à ce numéro depuis une cabine publique." J'ai répondu : "J'ai tout le confort de là où je te parle. Continue." Il a insisté : "Ta ligne est sur écoute, crois-moi." Je lui ai dit : "Allons, Julie. Ça va comme ça." Il a coupé court : "Comme tu veux. Je te rappellerai plus tard." Mais je n'ai plus jamais entendu parler de lui. J'ai su peu après qu'il s'était enfui en France et qu'il avait commencé à y travailler en tant que réalisateur.

« De retour en Californie, j'ai convoqué notre comité directeur pour m'apercevoir que selon nos statuts je n'avais pas le droit de parler, juste le privilège de convoquer des assemblées générales et d'y présider. Le comité directeur avait le droit de voter ce truc-là sans même me demander mon avis ! Et c'est ce qu'ils avaient fait.

— Ce comité national, est-ce que c'étaient tous des vétérans ?

— Tu connais la troupe. De Mille, Clarence Brown et George Marshall — les vieux de la vieille. De Mille m'a fait savoir qu'il y avait eu huit cent quatre-vingt-dix-sept voix pour et quatorze contre, ou quelque chose comme ça. Il m'a demandé : "Est-ce que vous allez vous ranger du côté des quatorze ?" J'ai répondu : "Je suis du côté de tous les membres. Ils n'ont pas eu une seule occasion d'en discuter." De Mille répliqua : "Le moment est venu pour les bons Américains de se lever pour qu'on les compte. — C'est très vrai, lui ai-je dit, mais qui vous a chargé d'effectuer le recensement ?" C'est à ce moment-là que j'ai découvert que, non content d'envoyer aux producteurs une liste des membres qui n'étaient pas en odeur de sainteté parce qu'ils n'avaient pas réglé leur cotisation, le comité envisageait d'y adjoindre une liste de ceux qui refuseraient de signer le serment de fidélité. Je me suis exclamé : "Mais c'est une liste noire, personne ne peut dire le contraire. Et votre vote à bulletins ouverts, ce n'est pas normal. C'est antiaméricain."

« La réunion a pris un tour orageux. Jack Ford était présent, pour une fois, et voici ce qu'il a dit : "Mon meilleur ami est Merian Cooper — tu te souviens de Merian Cooper, il a fait la première version de *King Kong* ? — et il se trouve qu'il est général de brigade de l'armée américaine. Hier soir, alors que nous dînions ensemble, Coop m'a dit qu'il ne signerait jamais aucune de ces foutues déclarations de loyauté et il m'a dit que ce que nous étions en train de faire, c'était une liste noire ; alors je vais vous dire une chose : si un général de brigade de l'armée américaine me dit que c'est une liste noire, eh bien, c'est que c'est bien une saloperie de liste noire !" Puis George Stevens s'est avancé jusqu'à la chaise où De Mille était assis, et lui a dit : "Au fait, C.B., quand j'avais le cul dans la boue à Bastogne, comment se portaient les plus-values de ce côté-ci ?" La réunion s'est poursuivie dans cet esprit. Je n'ai pas été très long à prendre une décision et à la mettre à exécution : j'ai ordonné à Herbert Leeds, notre secrétaire, de convoquer une assemblée générale pour le dimanche soir suivant. A la suite de quoi De Mille s'est levé et a quitté la salle en claquant la porte.

« Le lendemain, j'étais en train de regarder un film et mon frère, Herman, m'appelle au téléphone et me dit : "Qu'est-ce que toi et Andrew Johnson avez en commun ? — Tu en es à combien de verres ? lui ai-je répondu. — A ce moment précis, une procédure de mise en accusation est entamée contre toi. John Farrow vient de passer me voir et il m'a donné tout un tas de grigris et d'amulettes pour toi, qui ont été bénits par tout un lot de papes, et John veut que tu te les accroches près des couilles, parce qu'ils vont te les couper." Apparemment, George Marshall, l'un des anciens, était arrivé chez Farrow en side-car, était entré chez lui et lui avait dit : "Voilà. Signe ça." Et John avait répondu : "Je ne veux pas." » (« Farrow, me rappela Joe, était un réactionnaire de première, tu sais. — Je me souviens », répondis-je.)

« Bref, on aurait dit une comédie de Pete Smith — tu t'en souviens, de ces vieux tromblons qui sillonnaient tout Beverly Hills à moto pour faire signer la pétition qui exigeait ma révocation ?

— Pour quoi faire ?

— Pour me mettre en accusation. Parce que ainsi je n'aurais pas le droit d'organiser cette assemblée générale — celle que j'avais déjà convoquée. Et comme de juste, le lendemain j'ai reçu une convocation à me rendre au bureau de De Mille à la Paramount — leur quartier général —, et quand je suis arrivé là-bas, ils m'attendaient, la plupart des membres du comité directeur. De Mille m'a dit qu'ils étaient prêts à soumettre de nouveau la déclaration de loyauté au vote à bulletins secrets. Et il a ajouté : "Mais bien sûr, il nous faudrait obtenir de vous une déposition, Joe, avant que nous ne procédions à ce vote." J'ai demandé : "Quelle sorte de déposition ?" Et là je te cite les mots exacts de De Mille : "Eh bien, appelez ça, si vous voulez, un acte de contrition." Alors là, je les ai tous envoyés au diable et je suis parti, et le lendemain matin, qu'est-ce que je vois dans le *Daily Variety* ? "Mankiewicz Refuse d'Accomplir l'Acte de Contrition que De Mille Exigeait" — et toute l'histoire racontée. Pendant ce temps-là, une dizaine de motos continuaient à quadriller le casernement en toute hâte, collectant des signatures pour me mettre en accusation et pour empêcher l'assemblée que j'avais convoquée de se tenir.

— Ils essayaient de te mettre en accusation avant même que le meeting n'ait lieu ?

— C'est ça. Alors certains des gars qui étaient de mon côté ont décidé qu'il nous fallait un avocat. Nous avons pris Martin Gang — c'est celui de

Sinatra maintenant —, et il a obtenu très rapidement une ordonnance d'un juge quelconque pour que nous puissions tenir notre réunion, et le lendemain, le dimanche, le jour de l'assemblée générale, tu es venu avec John Huston dans la chambre que j'avais prise au Beverly Hills Hotel, tu te rappelles ? L'assemblée générale devait avoir lieu en bas, dans la salle de bal, et vous avez travaillé tous les deux le discours que j'allais prononcer comme s'il s'était agi d'un scénario, en effectuant des coupes et en suggérant des changements. J'en ai encore un exemplaire avec vos annotations au crayon. Vous y avez travaillé tout l'après-midi, puis quelqu'un est arrivé et a dit : "Il est huit heures et la salle est absolument bondée", alors je nous revois descendre, Huston, toi, George Seaton et deux ou trois autres avec moi, et comme nous nous frayions un chemin vers la porte d'entrée, des gars disaient : "Bonne chance, Joe", et d'autres ne disaient rien, on savait bien de quel bord ils étaient. Puis tout d'un coup, alors que nous venions d'arriver à la hauteur de la porte, tu m'as entraîné à part et tu m'as dit : "Bonne chance, gamin. Je m'arrête ici." J'ai été complètement sonné. Je ne savais pas ce que tu voulais dire. Tu as ajouté : "Je ne rentre pas avec vous." Et je t'ai répondu : "Mais c'est impossible. J'ai absolument besoin de toi. Tu es un vrai lion. J'ai besoin que tu m'aides." Et alors tu as dit : "De Mille va me chercher." Tu te souviens d'avoir dit ça ?

— Je me souviens.

— Et je t'ai demandé : "Pourquoi est-ce qu'il te chercherait ?" Et tu m'as dit : "Joe, il va se servir de moi pour te faire la peau." Je ne savais pas ce que tu voulais dire par là. "Je crois que De Mille sait, voilà ce que tu as dit. — Qu'il sait quoi ? je t'ai demandé. — Je crois qu'il sait qu'on va me demander d'aller à Washington." Et moi : "C'est vrai ?" Et tu as répondu : "J'en suis sûr. Bonne chance. A tout à l'heure." Puis tu m'as pris dans tes bras, tu m'as embrassé et tu es parti.

— Est-ce que tu as compris pourquoi je ne voulais pas aller à cette réunion ?

— Pas vraiment.

— Je ne t'avais pas dit que j'avais été communiste ?

— Non. Tout ce que tu avais dit, c'est : "De Mille sait qu'on va me demander d'aller à Washington." Plus tard, je me suis douté de la raison.

— Je me disais que De Mille savait peut-être quelque chose que je ne savais pas. Et ça s'est bien passé comme ça, n'est-ce pas ? Il savait tout.

— Eh bien, oui. Quand je suis entré, George Seaton est venu vers moi et m'a demandé : "Où est Kazan ?" J'ai répondu que je n'en savais rien. Et George m'a expliqué : "Al Rogell, le bras droit de De Mille, demande où il est." Je lui ai dit : "Tu veux dire que Rogell cherche Kazan ?" Et George m'a répondu : "Quatre ou cinq des sbires de De Mille passent la salle au peigne fin, à sa recherche." Et c'était vrai. De Mille, Rogell, Vernon Keys...

— Alors, j'avais vu juste ?

— En plein dans le mille. Et ceci, je m'en souviens comme si c'était hier : Willy Wyler s'est approché de moi et il a dit : "Pourquoi ils cherchent Kazan ?" Je lui ai répondu : "Je ne sais pas." Mais je savais que De Mille voulait qu'on te retrouve et qu'il avait une idée derrière la tête te concernant. Seaton m'a même fait parvenir une note, sur l'estrade, demandant : "Pourquoi Rogell cherche-t-il Kazan ?" Effectivement, Rogell arpentait encore l'auditorium de long en large à la recherche de quelqu'un. Il ne subsistait plus aucun doute dans mon esprit sur l'objet de ses recherches : toi.

— Et c'est pourquoi je n'étais pas entré. Que se serait-il passé si... ?

— Si tu avais été là et qu'ils t'avaient trouvé, tu aurais été le clou du *show* Cecil B. De Mille.

— Et ensuite, qu'est-ce qui s'est passé ?

— Ensuite, j'ai prononcé mon discours, qui a été bien reçu, et après une longue valse-hésitation, De Mille a commis son erreur. Il s'est levé et a dit : "Permettez-moi de vous lire les noms de ceux qui prennent fait et cause pour Mr. Mankiewicz." Et il s'est mis à égrener les noms des vingt-cinq gars qui avaient signé la pétition demandant qu'une ordonnance soit prononcée contre ma révocation.

— Celle que je n'avais pas signée.

— Oui. J'étais bien content que ton nom n'y figure pas. Et il s'est mis à lire : "Mr. Villy Vyler..." Il prononçait tous les noms de cette façon-là.

— Il voulait les faire passer pour des Allemands ?

— Non, pour des Juifs. Avec l'accent yiddish. Villy Vyler. Comme ça, tu vois ?

— Mais tous ces types avaient une réputation sans tache.

— Pas pour De Mille. "Mr. Fred S-s-s-ini-mon" — tu sais, en faisant siffler les "s". Et comme ça jusqu'en bas de la liste, et soudain six cents hommes dans cette salle de bal se sont mis à hurler : "Hou ! Hou !" Ils l'ont hué jusqu'à ce qu'il se rassoie. Je n'ai rien dit. Je n'en ai pas eu besoin. Quand De Mille a entendu ces huées, il a compris que la réunion avait tourné à son désavantage. Il était battu.

— Est-ce qu'on n'a mentionné mon nom à aucun moment ?

— Non, rien sur toi. Mais si ton nom avait figuré sur l'ordonnance du juge, ou s'ils t'avaient repéré dans le public, ou si De Mille n'avait pas été hué de cette manière... Ces huées t'ont sauvé.

— Qu'est-ce qu'il aurait pu dire, de toute façon ? Je n'étais pas là.

— Tu plaisantes ? Il aurait dit quelque chose du genre : "L'étrange absence de Mr. Kazan me conduit à penser que", et ainsi de suite. Ou : "Si Mr. Kazan n'est pas ici ce soir, c'est probablement parce qu'il prépare son témoignage devant la Commission Unetelle", ou encore : "Je me trouve en possession de certains renseignements sur notre compagnon de la guilde, qui..."

— C'était la technique de McCarthy.

— Ou : "On rapporte dans certains milieux..." ou : "Il se trouve que je sais, bien que je ne puisse vous révéler mes sources, que..." et ainsi de suite.

— Les techniques de McCarthy.

— Exactement. Bon, alors j'ai fini par mettre un terme aux huées, et c'est alors que Jack Ford s'est levé et qu'il a dit : "Je m'appelle John Ford. Je fais des westerns." Tout le monde a rigolé, et il a continué : "Je ne suis pas d'accord avec De Mille. Je l'admire, mais je ne l'aime pas."

— C'est tout Jack.

— "Et je pense que Joe a été calomnié et qu'il est en droit d'attendre des excuses." Alors Mamoulian s'est levé et a dit: "Mr. De Mille, vous avez de la chance d'être né en Amérique. Il m'a fallu attendre plus de vingt et un ans pour devenir citoyen de ce pays. Mais je pense que je suis un meilleur Américain que vous, Mr. De Mille." Puis Fritz Lang s'est levé à son tour — je n'aurais jamais cru qu'il le ferait, ce salaud de nazi — et il a dit: "Mr. De Mille, je veux que vous sachiez que pour la première fois depuis mon arrivée en Amérique, j'ai peur... parce que j'ai un accent. Vous avez créé la peur en moi, Mr. De Mille."

— Merveilleux.

— Et Delmer Daves aussi s'est levé et a commencé à dire quelque chose du style: "Comment osez-vous?" Puis: "Comment osez-vous", mais il avait des larmes de colère dans les yeux, ou il était trop ému, je ne sais pas, mais il n'a pas pu continuer et s'est rassis. Ensuite, ça a été le tour de Willy Wyler — tu sais, Villy — et il a dit: "Il y a un moment, j'ai entendu prononcer mon nom avec une certaine intonation. La raison pour laquelle je suis assis au premier rang, c'est que je suis sourd d'une oreille. Elle a été touchée pendant que je bombardais Berlin où l'armée de l'air m'avait envoyé en mission. J'en ai assez qu'on me traite de communiste parce que je suis de gauche ou parce qu'à une époque j'ai appartenu à une organisation gauchiste. Je veux qu'il soit bien clair que le prochain qui me traite de communiste ou qui suggère que je ne suis pas un Américain, si important soit-il et quel que soit son âge, je m'en vais lui mettre mon pied au..." Et il s'est arrêté là parce qu'il était assis à côté d'Ida Lupino, notre seul membre féminin à l'époque; mais elle lui a dit: "Vas-y, Willy!" Et il l'a fait, il a fini sa phrase, et un tonnerre d'applaudissements interminable a retenti, on aurait dit que tout le monde était soulagé et approuvait à ce moment-là, puis un grand brouhaha s'est élevé: nous avions gagné.

— Et De Mille?

— Il n'avait rien à ajouter, et les types qui le soutenaient n'ont pas osé lutter contre ce raz de marée. L'assemblée s'est conclue sur une intervention de Jack Ford disant que les membres avaient exprimé la volonté que le comité directeur démissionne dans son entier et qu'il soit procédé à un vote pour en élire un nouveau. Le lendemain matin, j'ai lu dans le journal: "Mankiewicz Remporte une Victoire Écrasante", et à un autre endroit du journal, j'ai lu qu'à l'université de Seattle, la moitié des professeurs avaient dû démissionner. Voilà ce qui se passait à ce moment-là; c'était comme une épidémie dans le pays. Mais cette nuit-là, nous avons sauvé la guilde. »

Je n'ai jamais eu l'occasion d'expliquer à Joe pourquoi cette réunion à laquelle je n'avais pas assisté comptait tellement pour moi. C'est parce que je m'étais rendu compte que ce que mes compagnons de la guilde défendaient, c'était une solution modérée. Les hommes qui ont battu De Mille, homme d'extrême droite, n'étaient pas eux-mêmes de gauche. Nombre d'entre eux étaient « réactionnaires », comme John Farrow ou Jack Ford.

Mais tous voulaient que soient respectées l'équité et la décence. Ce qu'ils défendaient, c'était l'américanisme classique, les bases de notre vie en communauté dans ce pays. Et ils y avaient réussi.

Mais si je pensais d'un côté que les forces du bien avaient remporté une victoire durable, quelque instinct que m'avait légué l'Ancien Monde me lançait un avertissement : malgré le triomphe de la guilde, il me faudrait prendre bien garde à moi, la défaite n'avait pas provoqué la déroute chez mes ennemis ; au contraire, ils étaient en train de se regrouper dans l'ombre, et leur prochaine démonstration de force viendrait peut-être d'une direction totalement différente. Le combat n'était pas terminé. Il ne faisait que commencer.

Aussi, quand John Steinbeck m'écrivit pour me dire que le script de *Zapata* était prêt, je finis le film du *Tramway* aussi vite que possible, je le montai, ajoutai la musique et retournai en hâte à New York. Je savais qu'il me faudrait me battre, et j'éprouvais certains doutes à ce sujet. Ils tenaient à ma personnalité. Joe Mankiewicz m'avait appelé « un vrai lion ». Un vrai lion ? Avec mon petit cul potelé de Grec ! Ma méthode pour survivre avait consisté à éviter tout conflit et à revenir une fois que l'on commençait à y voir plus clair. Ce que j'admirais chez mes compagnons de la guilde, c'est la façon dont ils s'étaient dressés face à De Mille. Rien de ce qu'il avait dit ou sous-entendu ne les avait fait reculer. J'admirais Joe Mank et Jack Ford, George Stevens et « Villy », ainsi que tous les autres pour la façon dont ils s'étaient comportés. J'étais fier d'être membre de la guilde, et je ressentais de l'estime pour ma profession. Un metteur en scène ne peut tourner le dos à un problème. Il doit l'attaquer de front pour pouvoir faire du bon travail. Du courage et un don pour la confrontation directe et rapide sont des qualités professionnelles nécessaires dans notre métier. Nul doute qu'une crise pointait à l'horizon.

A DEUX HEURES DU MATIN, par une fraîche nuit du printemps 1950, un groupe de femmes d'âge moyen était agglutiné le long d'un court de croquet attenant à une somptueuse demeure de Palm Springs, en Californie. Le court en question, aussi lisse et vert qu'une table de billard, était éclairé par deux pleines rangées de projecteurs placés bien en hauteur. L'air nocturne pinçait les chairs — les nuits de printemps, au sud de la Californie, sont froides et humides au possible. Les dames ne cessaient de regarder leurs bracelets-montres sertis de pierres précieuses et de remonter leur pull en cachemire afin qu'il couvrît bien leurs épaules et leur buste. Elles attendaient que la partie se termine. Elles ne disaient rien car elles avaient déjà épuisé tous les sujets de conversation possibles. Elles voulaient toutes montrer leur loyauté envers leurs maris — les joueurs. C'est la raison pour laquelle elles attendaient là. Elles avaient beau en avoir par-dessus la tête, pas une n'ouvrait la bouche. Seul bruit audible : celui des lourdes boules de croquet s'entrechoquant.

Les joueurs — tous producteurs ou réalisateurs — étaient employés par leur hôte, l'homme courtaud et vigoureux qui mettait le plus d'enthousiasme à la compétition, ou espéraient le devenir prochainement, « quand ils tomberaient sur un bon scénario ». Ils avaient tous eu leur content de croquet pour la nuit mais n'osaient pas quitter la partie avant que la source de leur revenu mensuel ne l'ait déclarée conclue. Mais l'homme de l'art, un gros cigare enfoncé dans la bouche, semblait prêt à jouer jusqu'aux premières lueurs de l'aube. Il gagnait, et quand Darryl Zanuck était lancé et menait, rien ne pouvait l'arrêter.

Deux des invités, cependant, étaient déjà endormis dans leur lit : John et Elaine Steinbeck. John et moi avions été invités à Palm Springs pour discuter avec Darryl du script de *Viva Zapata!* L'idée que ce décor était plutôt incongru pour une conversation au sujet d'un révolutionnaire mexicain n'avait pas effleuré Darryl. « C'est juste un grand western, me dirait-il plus tard. *Le Mouron rouge* mais avec un thème plus digne ! » Darryl avait fait un sacré nombre de films, et ils étaient classés dans sa tête en fonction de leur genre.

Ce soir-là, nous avions été invités à dîner par Darryl, tout comme les joueurs de croquet et leurs épouses. Quand nous avions quitté la longue table, Darryl avait dit à John : « Nous discuterons demain. Allez vous reposer. » Dix minutes plus tard, il se trouvait sur le court de croquet, à organiser la partie. John s'était senti congédié ; il était mûr pour une cuite. Il s'enfila en vitesse un autre scotch et gagna ses appartements avec Elaine.

Encore habitués à l'heure new-yorkaise, ils se levèrent de bon matin. Je me levai en même temps qu'eux. J'étais inquiet. En effet, je sentais bien que John commençait à perdre patience. Zanuck l'avait traité comme un employé ; je ne crois pas qu'il l'ait fait en mauvaise part : il traitait tout le monde de la sorte. Il ne disposait ni du temps ni de la patience requis pour les échanges de politesses coutumiers entre gens de bien. Je craignais que John ne plie bagage et ne s'en aille sans autre forme de procès. Je craignais aussi que Darryl ne fasse rien pour le retenir. Il ne se serait pas donné cette peine pour un tel projet. Je travaillais sans rémunération — elle serait fonction des recettes. J'en avais l'habitude ; avant de devenir producteur, j'avais toujours travaillé ainsi au théâtre. Mais je voulais faire ce film et j'étais sûr qu'il ne se trouverait pas d'autre producteur dans le circuit pour daigner même envisager ce sujet. D'ailleurs, même Darryl n'avait encore manifesté qu'un intérêt modeste pour l'idée de départ, et j'avais du mal à en déterminer l'intensité. Peut-être son opinion favorable lui avait-elle été inspirée par mes réussites passées pour sa compagnie : rien que des films qui avaient rapporté de l'argent. Mais je savais bien qu'il ne se ferait pas prier pour abandonner le projet s'il était contrarié. J'étais donc sur la corde raide.

John n'était pas rémunéré non plus ; les romanciers en ont l'habitude, eux aussi. John avait pour principe de ne jamais accepter d'avance de ses éditeurs : selon lui, ils saisiraient cette excuse pour l'envahir. John entretenait des doutes quant à la sincérité de Darryl en la circonstance ; il me fallait le rassurer à tout instant. « N'oublie pas, lui disais-je, que c'est le type qui a fait *les Raisins de la colère*. » Zanuck avait envoyé un de ses assistants travailler avec John et préparer le script sur lequel nous nous prononcerions alors. Je n'avais pas été enthousiasmé par ce qu'ils avaient fait, mais je n'en avais rien dit à John ni à Darryl. Je ne voulais rien faire qui risque de les décourager. Je voyais bien, alors que nous étions installés autour de la piscine ce matin-là, à boire du café en attendant que Zanuck nous rejoigne, que John était d'humeur rebelle. Il arborait une expression caractéristique quand il était au bord du « ras-le-bol » : les dents serrées, les maxillaires encastrés l'un dans l'autre, le front ramassé, un œil en berne, et quelques borborygmes incompréhensibles au fond de la gorge. Moi, à l'inverse, j'avais l'habitude d'attendre Darryl ou qui que ce soit d'autre quand j'en avais besoin. Les Anatoliens ressentent ce qu'il est opportun de ressentir — dans ce cas précis, il s'agissait d'être patient.

Finalement, nous nous rassemblâmes tous dans un coin du salon pour parler de l'histoire. Une compétition s'instaura immédiatement entre notre hôte et Steinbeck, quant à celui qui ferait le plus assaut de virilité. Darryl nous offrit des cigares et j'acceptai le mien sans broncher, mais John resta un moment en attente avec le sien, ayant observé que Zanuck avait tendu la main vers une autre boîte pour se servir à son tour. « Je prendrai un de ceux-là », dit alors John, en désignant la réserve Zanuck. Darryl lui en donna un et la discussion s'engagea. Darryl avait beaucoup de critiques sur le script, mais j'y parai comme un goal de hockey qui veille à ce que le palet demeure sur le terrain, en disant des choses du genre : « C'est intéressant, Darryl, nous allons y travailler », et ainsi de suite. Darryl avait mis le doigt sur les faiblesses du script, pas de doute là-dessus ; le problème, c'est qu'il n'offrait pas les bonnes solutions. Il voulait résoudre toutes les difficultés d'un coup de baguette magique, ici même à Palm Springs, à midi. Il travaillait sur tant de scripts pour les amener à leur forme définitive qu'il fourmillait de suggestions. Il offrait une solution à tous les problèmes, comme sous l'inspiration du moment. La vérité, c'est qu'il avait recours à des procédés de routine pour faire progresser l'action, à des clichés usés jusqu'à la corde. Mais je le connaissais assez bien pour savoir que si nous glissions en douceur sur ses suggestions, si nous arrivions à gagner du temps en prétendant être impressionnés — j'avais fait la leçon à John —, il ne serait pas surpris par les changements qu'il découvrirait à sa prochaine lecture du script. D'ici là, il aurait oublié ce qu'il avait proposé : il aurait en effet appliqué les mêmes remèdes à une bonne dizaine d'autres productions en cours.

Quand John se rendit aux toilettes, Darryl me glissa : « Je sais que ce type est un grand romancier mais il ne sait pas bâtir un scénario. Vous feriez mieux de lui en toucher deux mots. » Je lui confiai que j'avais eu la même idée et j'ajoutai : « Attendez d'avoir lu la prochaine mouture avant de prendre une décision. » Il hocha la tête et nous prîmes congé l'un de l'autre. Je m'estimais heureux de quitter Palm Springs sans que notre projet soit tombé à l'eau.

Mais d'un autre côté, il ne se montra insistant que sur une seule de ses suggestions. Il l'avait volée, j'en suis sûr, à quelque vieux western de la Warner, mais il la présenta comme une idée originale : « Zapata doit avoir un cheval blanc, claironna-t-il, et une fois qu'il a été descendu, nous devrions montrer le cheval galopant en liberté vers les montagnes — vous voyez le topo ? Et on termine sur un fondu grandiose. » Nous avions saisi le topo, O.K. Darryl n'avait aucune idée de la portée symbolique de sa suggestion, mais il était si enthousiaste quant à l'émotion qu'elle suscitait qu'il en avait pratiquement l'écume aux lèvres. Le visage de John, lui, était impassible. En fait, j'avais trouvé ça cucu, mais l'idée fonctionna très bien au bout du compte.

John et moi retournâmes à New York et nous travaillâmes sur le script jusqu'en mai. J'étais assis devant la machine à écrire et John à mes côtés, affairé à tailler un morceau de bois ou à transformer sa blague à tabac en collier où suspendre son briquet. J'avais mis au point une structure d'ensemble pour notre script et je demandais à John de me fournir des répliques, qu'il produisait une à une. J'en tapais donc une, puis nous passions à la suivante.

Il y avait une chose dont nous avions discuté, avec John, mais sans en parler à Darryl : j'étais déterminé à tourner le film au Mexique, à l'endroit précis où les événements qu'il décrivait avaient eu lieu. John était d'accord ; il connaissait bien la région et avait passé de nombreux mois à proximité. Une de ses nouvelles, *la Perle*, avait été filmée au Mexique, et il m'affirma que leurs équipes techniques étaient les meilleures du monde. A la différence de nos équipes californiennes, elles n'étaient pas divisées en catégories professionnelles. Les techniciens mexicains étaient polyvalents. John était également un très bon ami du célèbre opérateur mexicain Gabriel Figueroa. « Gabby, m'expliqua John, c'est *el presidente* du Syndicat des techniciens et des ouvriers du cinéma, et il sera ravi de nous aider. » Nous décidâmes donc de partir pour le Sud, de rencontrer Figueroa, d'effectuer les derniers repérages et, une fois acquise la coopération dont nous avions besoin, d'en référer à Darryl.

Nous prîmes des chambres à l'hôtel Marik, dans Cuernavaca, et, comme prévu, rencontrâmes Figueroa. Gabby et John s'embrassèrent comme des *compadres* révolutionnaires et discutèrent vieilles connaissances et beuveries homériques. Ce pays vouait un culte à la masculinité. C'était à qui serait le plus *macho,* à qui boirait le plus. Nous prîmes un verre de tequila, une bière, une autre tequila, puis encore une bière pour accompagner nos *enchiladas Suizas* : les piments réclamaient une boisson fraîche. Ensuite, nous allâmes nous étendre sur l'herbe les uns à côté des autres, tels des frères qui se retrouveraient après une longue séparation. John annonça à Figueroa que nous désirions lui demander son avis et son aide. La réponse de « Gabby » fut extrêmement chaleureuse. « Comme vous le savez, dit-il, je suis le président de notre Syndicat des techniciens de cinéma. Pour vous, tout ce que vous voulez. *A sus ordenes !* »

Mais quand John prononça le mot « Zapata », l'expression de Figueroa changea du tout au tout. « Oui, continua John, nous nous proposons de faire un film sur la vie de votre grand héros Zapata. — Emiliano Zapata ? » demanda Figueroa, comme s'il en existait plusieurs. Puis il me regarda, d'un air incrédule. « Et vous, señor Kazan ? » Je sentis une onde d'hostilité. Puis il parut se remettre et redevint affable. Je me dis qu'il avait dû récupérer après le choc. Quand il reprit la parole, cependant, il aurait été difficile de dire ce qu'il pensait vraiment. « Bien sûr, dit-il, nous aurions dû faire un tel film il y a longtemps. Il a été un grand héros de notre pays. Peut-être le plus pur. Presque un saint ! — Mais puisque vous ne l'avez pas fait, reprit John (et de hausser les épaules mieux que n'importe quel Latin), nous avons pensé que peut-être... La vérité, c'est que nous voulons le faire nous-mêmes parce que nous sommes les admirateurs les plus fervents de votre héros et que nous nous proposons de le tourner ici même, dans son propre État, Morelos, vous comprenez, précisément à Cuautla, son propre village, dans le pays des nombreuses pierres, où tout est arrivé ; c'est la seule façon correcte, non ?

— Comment non ? » dit Figueroa. Puis il se tut.

Je pris enfin la parole à mon tour, pour mentir. « Et nous voulons absolument le faire avec vous, le cameraman pour lequel j'ai tant d'estime. » Ce n'était pas vrai. Il était obsédé par les nuages filmés à travers des filtres et par les madones paysannes, la tête drapée dans leurs *rebozos*. Dans chacun de ses films, on était sûr de trouver au moins une scène où cinquante de ces créatures seraient plantées là, une bougie à la main.

Comment m'y prendrais-je pour y échapper? Mystère. Et puis il me faudrait aussi compter avec cet étrange marxisme mâtiné de romantisme qui idéalisait la classe ouvrière et auquel je ne croyais plus. « Oui, nous serons très heureux de travailler ensemble, poursuivis-je. — Vous voulez dire, reprit-il, avec un acteur américain — en fait, il avait dit "*gringo*", pas "américain" — et un metteur en scène venu de Hollywood? — Non, répliquai-je, de New York; j'habite dans cette ville. » John vint à la rescousse: « Personne ne pourrait se passionner davantage pour ce sujet que mon ami Kazan. » « Nous avons un script, continuai-je, écrit par John. Il est en anglais. — Vous pensez que je ne peux pas lire l'anglais, dit Figueroa. Je vais le lire ce soir. Je serai très intéressé. Oui, ce soir. » Je le lui donnai, puis il se leva, et John et lui s'embrassèrent comme deux *compadres* — cette scène me rappela ces embrassades entre camarades dans les films russes des années 20. Puis il s'en alla.

Le lendemain matin, il passa un coup de fil à John en lui disant qu'il avait besoin d'un ou deux jours de plus, peut-être du week-end, pour réfléchir. Ce n'était pas si simple — John me répétait ses paroles au fur et à mesure —, en fait, c'était une question très complexe. Il devait être bien certain d'avoir compris nos intentions. Bien sûr, il ferait de son mieux pour nous aider, mais cela posait des problèmes. « Quels problèmes au juste? » demanda John. Puis il écouta son interlocuteur sans rien dire pendant un moment. Et il se mit à glousser. Finalement, il éclata de rire. « Quelle bonne idée! s'exclama-t-il. Pourquoi pas? » Puis il écouta de nouveau sans rien dire et conclut: « Lundi. Nous aurons donc de vos nouvelles lundi. » Puis il raccrocha.

« Qu'y avait-il de si drôle? lui demandai-je. — J'avais oublié comment étaient les Mexicains, répondit-il. — Eh bien, qu'est-ce qu'il a dit? repris-je. — Il m'a dit: "Si vous aviez choisi n'importe quel autre sujet, nous nous mettrions en quatre pour vous aider. Mais Emiliano est le héros de tous les patriotes tournés vers l'avenir, dans ce pays. Imaginez, par exemple, que nous débarquions dans votre Etat d'Illinois avec un acteur et un metteur en scène mexicains pour tourner une vie d'Abraham Lincoln. Quelle serait votre réaction?" C'est là que j'ai dit: "Quelle bonne idée! Pourquoi pas?" et que j'ai éclaté de rire! Bon, eh bien, je crois que tout ce qui nous reste à faire, c'est d'aller boire une bière. J'aime bien leur bière. On pourrait peut-être s'en taper deux, non? — Et comment! » répondis-je.

Nous nous détendîmes, fîmes quelques brasses dans la piscine et bûmes quelques bons coups, surtout John. Il finit par s'endormir sur la pelouse, mais je remâchais un certain nombre de souvenirs: j'avais déjà vécu cette situation. Quand John émergea, je lui demandai: « Est-ce que par hasard le Syndicat des techniciens et des ouvriers du cinéma ne serait pas sous la coupe des communistes dans ce pays? — Tu sais que ça tourne à l'obsession chez toi, me répliqua-t-il. — D'accord, répondis-je, je la boucle. Mais je voudrais quand même que tu saches une chose. J'ai en moi un instinct qui me dit que d'autres gens sont en train de lire notre script à cette minute. Et c'est pour ça qu'il t'a demandé plus de temps. Qu'est-ce que tu dis de ça? » John répondit de son haussement d'épaules très latin. « Je connais la musique », insistai-je.

J'entrepris alors de lui raconter l'histoire d'Albert Maltz. « De 1930 à
1932, j'avais un bon copain à l'Ecole d'art dramatique de Yale ; il s'appelait Albert Maltz. Entraînés par le mouvement de cette période, nous
avions tous deux adhéré au Parti communiste. Je faisais partie du Group
Theatre et lui d'une compagnie encore plus proche du Parti : le Théâtre de
l'Union. Maltz était un type très honorable, très honnête. Je l'appréciais
et je le respectais. Au moment où j'ai quitté le Parti, en février 1935,
j'avais perdu le contact avec lui, au point de l'oublier. Mais en 1946, j'ai
retrouvé sa trace : il avait accompli un acte que je considérais comme
héroïque. Il avait écrit un article dans *New Masses*, le magazine du Parti.
Il y disait en substance que la conception de l'"art révolutionnaire" comme
arme au service de la lutte des classes, qui avait prévalu jusqu'alors, lui
semblait dépassée. Au lieu de servir de point de repère aux écrivains de
gauche, elle les maintenait en réalité dans une véritable "camisole de
force" — c'est l'expression qu'il avait employée, je m'en souviens. C'est ce
que Maltz avait ressenti dans son travail et celui d'autres "camarades".
Puis il avait ajouté un commentaire audacieux, voire téméraire (il était
toujours membre du Parti) : "Je sens qu'il me faut répudier cette idée et la
jeter aux orties." »

John ne voyait toujours pas où je voulais en venir. « D'autres gens sont
en train de lire notre script, crois-moi. Et les conciliabules doivent aller
bon train. — Mais quel est le rapport avec Maltz ? demanda John. — Eh
bien, vois-tu, les déclarations d'Albert dans *Masses* avaient redonné espoir
à beaucoup d'artistes de gauche, repris-je, et bien que je n'appartinsse
plus au Parti à l'époque, je me sentais encore de gauche, et je n'avais rien
lu de plus vrai sous la plume d'un camarade à propos de la littérature. Ce
qu'Albert avait écrit était ressenti comme une sorte de libération par
beaucoup d'écrivains. Je me disais que Maltz et d'autres, réconfortés par
son défi aux caciques du Parti, allaient désormais produire des œuvres
différentes. Mais ce n'est pas du tout ce qui s'est passé. Des responsables
new-yorkais du Parti sont arrivés en Californie dans le but avoué de
rééduquer Maltz et de le remettre au pas. Il s'est tenu beaucoup de débats
idéologiques, de tribunaux irréguliers, pour ainsi dire. On voulait le persuader de se rétracter, puis on l'a exigé de lui. Et il a cédé. Il a effectué sa
palinodie. Ensuite, je crois qu'il a dû aller en Europe, pour un voyage
qu'*ils* lui avaient suggéré, afin de "s'éclaircir les idées." »

— N'y a-t-il donc personne qui lise notre script en Californie, pour
ensuite aller le critiquer devant Zanuck ? demanda John. — C'est sûr,
répondis-je, mais on ne nous force pas à nous plier à leurs desiderata.
Nous ne devons rendre de comptes qu'à Zanuck. — Et tu trouves ça
mieux ? demanda John. — Je préfère ça, oui, pour la simple raison que
Darryl n'est motivé que par une carotte : les profits de la compagnie. — Il
se pourrait bien qu'un beau jour tu regrettes ce choix », répliqua John.

Je continuai sur ma lancée. « J'ai assisté à un autre cas similaire. Celui
de l'écrivain Budd Schulberg et de son roman *What Makes Sammy Run ?*
Ses camarades californiens ont trouvé le livre antisémite, et là encore
beaucoup de réunions se sont tenues en sous-main, en présence de Schulberg. C'est John Howard Lawson qui décochait les flèches lors de cette

attaque en règle. Il a exigé que Budd récrive son livre de manière à y intégrer les changements dont il lui avait donné la liste. Mais Schulberg, à la différence de Maltz, a eu le courage de refuser. Ils exerçaient pourtant de sacrées pressions. Même sa femme et son ami le plus proche s'étaient mis de la partie. Voyant que Budd refusait de céder, cet homme, un copain d'université, ne lui a plus adressé la parole pendant des années. Mais Schulberg a tenu bon et a démissionné du Parti.

« Alors tu vois, repris-je, je suis un vétéran de ces guerres et je suis bien placé pour savoir ce qui se passe aujourd'hui. Si Figueroa a besoin de temps, ce n'est pas pour se faire une opinion — il se l'est forgée immédiatement : "*Gringo*, retourne d'où tu viens !" —, mais pour consulter ses camarades et s'assurer qu'il a effectué une analyse correcte de la situation. "Correcte !" Encore ce mot que je déteste. Je crois que nous n'allons obtenir l'aide de personne, ici. » John haussa les épaules. « Tu te mets dans tous tes états avec ça, répéta-t-il. — Quand ce n'est pas la droite, c'est la gauche, repris-je. Je suis pris entre deux feux ! »

Le lundi, Figueroa passa nous voir, accompagné d'un autre homme — mexicain, bien sûr —, habillé, me sembla-t-il, de façon à ne pas attirer l'attention. On apporta quatre *cervezas* et Gabby prit la parole. Il nous informa que notre script ne pouvait pas être réalisé dans sa forme actuelle et qu'il voulait expliquer à son *compadre* Steinbeck ce qui clochait. Il l'avait étudié avec le plus grand soin ; non, ce n'était pas sans espoir ; oui, il serait ravi de nous aider, mais non, le scénario dans sa forme actuelle... Et tout ce qui s'ensuit. Il n'y avait aucun doute : s'il était tellement sûr de sa position, c'est qu'elle reflétait la position officielle. Je regardai en direction de l'autre homme : il sirotait sa bière en silence. Gabby le regarda à son tour. Il secoua la tête mais ne parla pas. Puis Figueroa répéta qu'il serait ravi de nous aider pour le scénario et entreprit de nous narrer par le menu les divers épisodes du film tels qu'il les voyait, en insistant sur la portée symbolique du personnage de Zapata. C'est à ce moment-là que je cessai d'écouter ses paroles — un mélange d'anglais et d'espagnol, mais John comprenait les deux — pour me concentrer sur le ton de sa voix, qui m'était familier. J'avais déjà entendu la même musique des années auparavant dans le bureau du camarade Jerome, dans la 12e Rue, et de la bouche d'autres membres du Parti, et je savais à quoi m'en tenir. Ils allaient nous dire comment récrire notre histoire pour qu'elle leur convienne. Nous nous heurterions à un mur. Quand Gabby s'arrêta de parler pour reprendre son souffle, je me tournai vers l'homme qu'il avait amené avec lui. « Vous partagez l'opinion du señor Figueroa », lui dis-je. C'était une affirmation de ma part, pas une question. Il me répondit en adoptant la position qui, cela ne faisait aucun doute, avait été décidée à l'avance : « Nous serions fiers que vous fassiez un film au Mexique, señor Kazan. Nous connaissons votre œuvre. Mais à partir de ceci — il désigna le manuscrit, qu'il avait lu, je m'en doutais —, c'est non. »

Je ne m'avançai pas pour serrer la main à Figueroa quand il s'en alla.

Après son départ, nous discutâmes, John et moi. Figueroa avait suggéré que nous procédions à quelques modifications dans le script pour envoyer ensuite la version « corrigée » au censeur officiel du gouvernement. John avait accepté. Il proposait maintenant que nous mettions au point un script dans cette optique précise. Il me dit qu'il ne voulait pas baisser les bras : le fait de tourner au Mexique, dans l'environnement réel, était pour nous essentiel, et il nous fallait tenir bon. John me familiarisa aussi avec un terme magique. Il récita, sur le ton d'une mélopée : « *Mordida! Mordida!* — Qu'est-ce que ça veut dire ? demandai-je. — Ça veut dire que tu ne comprends rien aux Mexicains, alors ne considère jamais leur première attitude comme définitive. Même quand ils sont communistes, ce sont d'abord des Mexicains. — Et le mot que tu as prononcé, là, qu'est-ce que c'est ? — *Mordida!* Bakchich. » Puis il entreprit de m'expliquer que son expérience, quand il avait fait *la Perle*, l'avait convaincu que tout le monde au Mexique, y compris le Président, pouvait être acheté. L'importance de la personne achetée était proportionnelle à la sómme d'or gringo dont on disposait. Fox en avait un paquet, me dit John, et la prochaine étape consisterait à dégoter un producteur mexicain pour travailler avec nous, quelqu'un qui soit familier des arcanes de la hiérarchie et qui sache le prix de chacun et comment répartir l'argent de la Fox. John connaissait l'homme providentiel, un señor Dancigars, qui avait produit *la Perle*. « Je pense que c'est un réfugié allemand, qui possède toute la ruse que les réfugiés doivent acquérir afin de survivre. C'est l'homme qu'il nous faut, un maître de la *mordida*. »

Nous décidâmes donc de préparer un scénario partiellement « corrigé » destiné au marché mexicain, et John écrirait à Dancigars. Nous ne fûmes pas longs à entendre parler de lui. Il serait très honoré de nous aider et même de collaborer avec nous si nous l'y invitions. « S.V.P., envoyez scénario *pronto*. » Ce que nous fîmes, quelques semaines plus tard.

Le 8 janvier 1951, j'envoyai un télégramme de New York à Darryl : « Arrive lundi. Apporterai le scénario original d'Arthur Miller que je veux commencer immédiatement. Vous en aurez la primeur. Meilleurs souvenirs. » Je télégraphiai aussi à Abe Lastfogel : « Arthur Miller et moi-même arriverons lundi par le *Super Chief*. Apporterons script récrit de Miller, prêt à tourner. Je veux le faire immédiatement. Donne la primeur à Zanuck, mais doute qu'il le prenne. S'il refuse, je me lancerai rapidement dans la direction que vous choisirez. C'est un gros coup. Affectueusement. »

Aucun de ces deux télégrammes ne reflétait mes sentiments véritables. Arthur pensait que personne en Californie ne voulait produire son scénario. Je pensais moi-même qu'il avait foiré la fin du script, que celui-ci n'était pas « prêt à tourner » et nécessiterait encore un travail considérable. Mais j'étais décidé à le faire tout de suite et j'étais convaincu que si nous arrivions à monter la production et que si Art et moi pouvions travailler ensemble quelques semaines, nous aurions un scénario du tonnerre. En premier lieu, nous nous rendîmes chez Abe Lastfogel et Lew Wasserman, nos agents. Je notai que les deux hommes me témoignaient une affection beaucoup plus chaleureuse que par le passé. J'en conclus que l'on commençait à entendre parler du *Tramway* et qu'une fois réglés les problèmes de « code » soulevés par un certain Breen Office, le film serait assuré de remporter un vif succès. Ce qui nous mettait en position de force, Art et moi, pour *le Piège*.

La chaleur de l'accueil qui nous avait été réservé réconforta Art. Mais il n'était pas à l'aise, il n'était pas vraiment lui-même. Bien sûr, il ne correspondait jamais vraiment à cette image de lui-même que le monde du spectacle avait épinglée au revers de sa veste, comme ces vêtements de papier qu'on fixe à l'aide de trombones sur les figurines en carton que les enfants découpent. A ce moment-là, la psychanalyse que suivait Art le mettait à cran. Il était égaré et malade. Le pire, c'est qu'il n'arrivait pas à écrire. Il attendait quelque chose sans savoir quoi, un état que j'avais moi-même éprouvé. Que voulait-il ? Ce n'était pas compliqué : appelons ça de l'amusement, une nouvelle expérience, la paix de l'esprit et du cœur, qu'on arrête de le critiquer, être heureux. De sa bouche même, sa vie n'était que conflits, tensions, désirs réprimés, pulsions refrénées, angoisses déroutantes qu'il n'arrivait pas à formuler. « Quel gâchis ! » s'était-il exclamé un jour dans le train. Il parlait de ses amis et des problèmes qui minaient leur existence, mais bien sûr il pensait également à sa propre situation. Surtout, il ne pensait qu'au sexe, sans arrêt. Il avait attendu trop longtemps sa libération sexuelle.

J'avais de la peine pour lui et je décidai que je lui trouverais une petite amie dès que je serais installé. En le voyant dans cet état-là, j'éprouvai aussi de la peine pour son épouse. C'est le terrible destin des épouses, me dis-je en moi-même, que de ne rien pouvoir faire dans une situation comme celle-là. Art était sur le point de faire quelque chose qui sèmerait la zizanie, et Mary ne pouvait qu'attendre et se préparer à prendre des sanctions morales quand l'inévitable se produirait.

Il apparut que j'avais encore des problèmes de censure, d'avant-première et de durée sur le *Tramway*, que je considérais pourtant comme terminé. Quand Charlie Feldman, mon producteur, m'offrit de me loger chez lui, j'acceptai, tout en n'étant pas dupe de sa tactique : son offre ne visait qu'à m'amadouer en vue des discussions à venir. Sa maison était meublée avec goût, comportait une piscine chauffée et la chambre que Charlie m'avait offerte disposait d'une entrée séparée donnant sur la rue.

Durant les semaines qui suivirent, je pus observer mon producteur à loisir, et à travers lui les hommes de cette communauté bien particulière. Charlie s'habillait avec une élégance hors du commun — il achetait une demi-douzaine de cravates de la même couleur ou du même motif, pour être sûr... —, et son physique agréable laissait deviner un caractère doux et soumis ; son corps se lovait à merveille dans les fauteuils et sur les lits, comme conçu à cette seule fin. Il dirigeait une agence en renom, ce qui lui conférait prestige au sein de la communauté et pouvoir sur les jeunes actrices. Il n'en passait pas moins son temps à se plaindre de sa vie amoureuse — si l'on peut employer cette expression à son sujet. « Maintenant, elles me donnent de l'oncle Charlie, ronchonnait-il, en pensant à la manière dont de plus en plus de jeunes femmes s'adressaient à lui. Je leur réponds : "Et moi, alors ?" et elles me rient au nez. Il n'existe plus de

vraies femmes de nos jours. Rien que des collégiennes! » Il passait de
longues heures au téléphone, un petit carnet noir à la main, à essayer tous
les numéros les uns après les autres. Je me souviens d'une scène survenue
un jour en fin d'après-midi dans la « salle de jeux ». Trois hommes réputés
pour leur charme irrésistible, Pat De Cicco, Raoul Hakim et Charlie, dont
toutes les gazettes célébraient les succès féminins, tenaient chacun un
téléphone et un petit carnet noir, appelant fille après fille ; celles qui ne
voulaient ou ne pouvaient pas étaient logées à la même enseigne que
celles qui acceptaient : ils se fichaient d'elles. Quelle que soit la réponse
qu'ils recevaient, ils lançaient sur un ton désabusé : « Pourquoi est-ce que
je me casse la tête de toute façon ? »

Il arrivait souvent à Charlie d'avoir rendez-vous avec de très jolies filles,
la plupart du temps de nouvelles arrivantes dans la communauté. Charlie
leur demandait de venir chez lui avec leur propre voiture, de sorte qu'il
n'ait pas à les raccompagner chez elles ensuite, et ils allaient dîner chez
Romanoff ou Chasen, l'un ou l'autre. Quand ils revenaient, c'était pour
monter dans la chambre de Charlie. Le lendemain matin, j'interrogeais
mon hôte au petit déjeuner : « Alors, comment était-elle, Charlie ? » Sa
réponse tenait en un mot, toujours le même : « Rien, se lamentait-il,
rien ! » Et de hausser les épaules. Je ne savais pas à quoi il était habitué...
Par ailleurs, je ne l'ai jamais entendu s'attribuer une part quelconque de
responsabilité quant au manque d'ardeur sexuelle de ses partenaires.
Cette idée ne lui serait même pas venue à l'esprit. Par contre, l'idée que
mademoiselle Garbo, dont j'admirais le génie, ait pu désirer Charlie
Feldman ne serait-ce qu'une heure me chagrinait au plus haut point.

C'est chez Charlie que j'appris la mort de Johnny Hyde, quelques
semaines auparavant. Charlie me dit que la copine de Johnny était maintenant à prendre, et qu'elle était sensas. Toutes les filles semblaient plus
attirantes à ces hommes avant qu'ils ne couchent avec. Il n'avait pas
encore réussi à la lui mettre entre les jambes, précisa-t-il, mais il y
arriverait : « Ça ne devrait pas poser de problème. » Les hommes qui
entouraient Charlie considéraient Marilyn Monroe comme une gosse qu'ils
pouvaient se repasser et, qui plus est, redevenue libre. Mais apparemment, elle avait été fidèle à Johnny et sa mort l'avait complètement
démolie. La rumeur qui circulait dans la tribu avait reçu confirmation :
personne ne l'avait encore tombée. Elle n'était pas même sortie avec qui
que ce soit, information qui plongeait ces hommes dans la perplexité.
Dans cette communauté, il n'était pas normal d'éprouver un chagrin
durable. Je passais désormais mes nuits seul, et j'en aurais pour quelques
semaines, aussi me demandai-je si je ne devrais pas aller dire un petit
bonjour à cette fille ; moins par lubricité que par curiosité. Le soir où je
l'avais vue, elle était assise à côté de Johnny Hyde, telle une icône glacée.
Pourquoi lui avait-elle été si fidèle ? Que se cachait-il derrière ce masque ?

Un après-midi, je fus convoqué par Darryl ; il avait lu le Piège. Lastfogel, bien sûr, me conduisit au studio. J'avais désormais atteint le rang de
« véritable créateur » et je bénéficiais donc de la protection d'un agent de
premier plan où que j'aille. Zanuck fit dans la brièveté et la franchise ; il
« passait » sur le script de Miller — « pour cause de sujet » — mais était

emballé par *Zapata* et exigeait de savoir quand le script serait terminé. Je lui promis qu'il serait entre ses mains très bientôt, puis je m'en allai avec Lastfogel. Je suggérai à Abe de donner *le Piège* à Warner Brothers ; c'était davantage dans leurs cordes. Il en fut d'accord et me dit qu'il devait s'y rendre maintenant. Voulais-je l'accompagner et dire bonjour à Jack Warner ? Je répondis que j'avais décidé de rendre visite à quelques amis de la Fox.

L'homme à qui je rendis visite était mon ancien monteur, Harmon Jones, qui avait satisfait son ambition : on lui avait donné un film à mettre en scène. Le scénario, *Rendez-moi ma femme*, était signé Paddy Chayevsky, et la distribution comportait Monty Woolley, Jean Peters et David Wayne. Je félicitai Harmon, puis discutai un moment avec lui pendant que l'équipe technique préparait l'éclairage du décor suivant. Quand ils eurent terminé, l'assistant-metteur en scène appela les acteurs, et j'entendis son nom : « Marilyn ! » Puis, sur un ton moins enclin à la patience : « Marilyn ! » Pas de réponse. « Cette fille me rend dingue, dit Harmon. — Qu'est-ce qu'elle a ? demandai-je. — Elle n'arrête pas de pleurer. Bon, d'accord, le type qui l'entretenait est mort, mais il y a trois semaines de ça. Chaque fois que j'ai besoin d'elle, elle est sur le plateau d'à côté, en train de pleurer. Ça lui gonfle les yeux ! »

Ils finirent par la remettre au travail et je regardai la scène : ce n'était certainement pas de la graine de star. Quand Harmon dit : « Elle est bonne ! » et commença à mettre en place le plan suivant, elle disparut de nouveau et je la suivis dans le studio d'enregistrement attenant où je la trouvai dans un coin sombre d'un grand décor vide représentant un bureau. Elle était en train de pleurer ; je l'entendis en approchant. Je lui dis que j'avais été un ami de Johnny, un de ses clients en fait, que je l'aimais beaucoup et que je venais d'apprendre sa mort. Elle ne répondit pas, mais détourna la tête. Je restai assis là, sans rien dire, jusqu'à ce qu'on la rappelle. Puis je la suivis et, après la prise suivante, demandai à Harmon de nous présenter. Je m'étais dit que je sauterais les civilités d'usage, et je l'invitai à dîner. « Je ne dirai pas un mot, promis-je, je me contenterai de rester avec vous, puis je vous raccompagnerai. » Elle refusa, mais cette fois elle me regarda. Je décidai de laisser passer un peu de temps, et me dirigeai vers la cafétéria où j'avais l'habitude de manger avec Bud Lighton. Elle m'y retrouva et s'approcha de moi, l'air triste ; elle me dit : « Merci », et je lui répondis : « Pourquoi ? » Elle secoua la tête, comme sur le point de se remettre à pleurer. Je réitérai alors mon invitation à dîner et elle accepta. J'ai supposé que Jones avait dû lui dire que j'étais un Grand. Plus tard, j'ai découvert qu'en fait, ce qui l'avait fait changer d'avis, c'est que je me sois assis à côté d'elle dans le noir sans parler. Elle me dit que j'avais un visage gentil.

Maintenant, chassez de votre esprit l'image que vous vous faites de cette personne. Quand je l'ai rencontrée, c'était une jeune femme simple et passionnée, qui se rendait à ses cours à vélo, une gamine au cœur honnête que Hollywood a couchée sur le carreau, jambes écartées. Elle avait la peau fine et l'âme avide, avide d'être acceptée par des gens qu'elle pourrait respecter. Comme beaucoup d'autres filles qui avaient connu le même genre d'expérience qu'elle, elle mesurait son amour-propre à l'aune des hommes qu'elle était capable d'attirer. Johnny Hyde lui avait offert, au moins provisoirement, une protection parfaite.

On parle des techniques de la séduction comme s'il s'agissait d'un art. Dans mon cas, elles consistaient à écouter, à m'intéresser, à faire preuve d'une sympathie véritable, et à laisser passer un peu de temps ; c'est-à-dire à être humain et à ne pas forcer les choses. Toutes les jeunes actrices, à cette époque et en cet endroit, étaient considérées comme des proies, destinées à être subjuguées et couvertes par le mâle. Un intérêt sincère, comme celui que j'avais manifesté, produisait des résultats. Je savais écouter, et les histoires qu'elle m'a racontées, sans méchanceté ni regret, m'ont sidéré.

Elle avait épousé Jim, son premier mari, pour ne pas avoir à retourner à l'orphelinat où on l'avait placée lorsque sa famille s'était disloquée. Elle avait alors seize ans. Elle n'aimait rien de ce que « Jim me faisait — sauf quand il m'embrassait ici » (elle avait touché ses seins). Quand il en avait fini, Jim s'endormait, la laissant éveillée et frustrée. Elle se rappelait ces longues promenades qu'elle faisait la nuit le long de la voie ferrée, à Sawtelle, là où ils habitaient. Un amant s'était présenté. Fred était musicien, maigre comme un clou mais habile en amour. Elle avait parfois jusqu'à trois orgasmes d'un coup avec lui. Il était vulgaire, grossier et méprisant avec elle. Il lui disait qu'elle n'était bonne à rien d'autre qu'à baiser. Il trouvait ses vêtements « tartes ». Il lui disait que ses seins étaient trop gros. Il n'aimait pas dormir dans le même lit qu'elle. Il estimait qu'elle ne valait pas la peine qu'on lui parle, qu'elle était idiote et bonne à une seule chose, qu'il ne plaçait pas très haut. Il se vantait de ne jamais avoir à faire de plat aux femmes — elles lui couraient toutes après.

A cette époque-là, m'avait-elle dit, elle était toujours disposée. C'est le mot qu'elle avait utilisé : « disposée ». Souvent, si elle était restée assise, il y avait une petite marque au dos de sa robe quand elle se relevait. « C'était embarrassant. » Alors elle était allée voir un docteur qui lui avait dit : « Vous avez trop de cette chose particulière », et lui avait fait une piqûre, « et maintenant je ne suis plus prête tout le temps. »

Elle avait été remarquée par un important découvreur de talents à Hollywood, Johnny Hyde. A l'époque où il avait rencontré Marilyn, il était « plus vieux que mon père — où qu'il soit ». Johnny lui avait fait la cour pendant un an avant qu'elle n'« aille » avec lui. Il l'avait obtenue uniquement en étant gentil avec elle et en la défendant, en lui parlant à cœur ouvert de sa vie intime et en écoutant les histoires qu'elle lui racontait sur la sienne. Mais surtout, il l'avait eue parce qu'elle sentait qu'il avait vraiment besoin d'elle.

Quand elle avait quitté Fred pour Johnny, Fred était devenu fou furieux, et son attitude avait changé du tout au tout. Il avait supplié Marilyn de l'épouser. Quand elle lui eut dit non, il avait commencé à lui rendre visite la nuit — une fois qu'elle était revenue de chez Johnny —, martelant à sa porte jusqu'à ce qu'elle le laisse entrer. Il insultait alors Johnny devant elle, le traitant de vieux ridé et — avec mépris — d'agent. Mais il se mit à éprouver une douleur si vive que la mère du garçon vint trouver

Marilyn en la suppliant d'épouser son fils. La vieille dame avait bien plu à
Marilyn mais celle-ci n'était pas retournée vers Fred.

Je lui ai demandé si elle était attirée par les hommes qui la maltrai-
taient ; quand Freddie avait cessé d'être odieux avec elle, avait-il du même
coup perdu son pouvoir d'attraction ? Je lui ai demandé si elle respectait
les hommes qui la méprisaient parce que le jugement qu'ils portaient sur
elle correspondait au sien : « Je ne sais pas », m'avait-elle répondu.

Elle m'avait dit que Johnny avait le corps d'un jeune homme mais un
petit pénis. Nonobstant — apparemment —, sa vie tournait autour de ses
conquêtes et de sa connaissance de l'« amour », style Hollywood. Il
s'enorgueillissait par-dessus tout des filles qu'il avait possédées et s'arrangeait toujours pour que tout le monde soit au courant de ses prises les plus
fameuses. Son petit pénis s'érigeait en symbole de son angoisse, et sa vie
entière se passait à essayer de calmer cette angoisse. Il y parvenait quand
il entrait chez Romanoff ou Chasen avec Marilyn à son bras.

La dernière chose qu'il avait demandée à Marilyn avant de mourir, la
dernière chose qu'il voulait entendre de sa bouche, c'était qu'elle l'aimait.
Elle le lui avait dit mais Johnny savait bien qu'elle y mettait un bémol.
Vers la fin de sa vie, il avait atteint un tel degré de désespoir qu'il l'avait
suppliée de l'épouser. Marilyn avait dit non. Plus il la suppliait, moins elle
l'aimait de la façon qu'il aurait souhaitée. Johnny voulait faire l'amour
avec elle tous les soirs. Mais il avait un « problème » cardiaque et avant de
faire l'amour il prenait une pilule. Marilyn savait pourquoi — l'une de ses
artères coronaires était déficiente, ou bouchée.

A mesure qu'il la pressait, de plus en plus frénétiquement, lui disait
qu'elle comptait plus que tout au monde pour lui, elle lui répondait qu'elle
l'aimait vraiment, mais — distinction typique des jeunes filles — qu'elle
n'était pas amoureuse de lui. Elle l'attaquait ainsi là où il était le plus
vulnérable. Mais la preuve qu'elle n'était pas amoureuse de lui était bien
là : elle ne « jouissait » pas. Elle sentait bien qu'il était déçu quand elle ne
répondait pas totalement à ses caresses, et ne voulant pas le blesser encore
plus, elle faisait de son mieux pour « jouir ». Bien sûr, plus elle essayait...
Rien ne se passait. La distinction de petite fille qu'elle avait établie était
exacte. Il avait l'habitude de dire à Marilyn — qui était violente quand elle
faisait l'amour — qu'il avait du mal à se cramponner à elle quand ils
étaient au lit. « Il faut de larges et fortes mains pour ça, disait-il, et
regarde les miennes, comme elles sont petites. » Bien sûr, ceci ne faisait
qu'accroître son anxiété. Inéluctablement, elle s'était mise à l'éviter. Ce
qui le rendait furieux ; mais à ses accès de rage succédaient toujours des
supplications pour qu'elle l'épouse.

Juste avant de mourir, sentant qu'il allait bientôt quitter un monde dans
lequel il n'était pas resté assez longtemps, il l'avait implorée une dernière
fois de l'épouser. Quand elle avait refusé une fois de plus, il lui avait dit
qu'il ne voulait plus la voir. Peut-être avait-il besoin de prendre enfin le
dessus, d'une manière ou d'une autre. Il lui avait dit qu'elle « retomberait
sur le cul comme les autres ». « Tu n'es pas une experte, ma poule, avait-il
dit, alors n'essaie pas de t'en sortir grâce à tes talents de baiseuse.
Crois-moi, je sais de quoi je parle. J'en ai connu, des expertes. » Le

lendemain, elle lui avait téléphoné. Il lui avait demandé brutalement:
« Pourquoi est-ce que tu m'appelles? » Elle avait répondu: « Parce que je
suis malheureuse quand tu souffres, Johnny. » Elle était allée le voir et il
avait fondu. Une fois encore, il l'avait suppliée et il en était arrivé à un
point tel — il sentait qu'il avait déjà tellement perdu la face devant la
communauté à cause des refus qu'elle lui avait adressés — qu'il l'avait
implorée de l'autoriser à dire qu'ils allaient se marier, même si ce n'était
pas la vérité. Elle avait dit non.

Le mépris que de tels hommes éprouvent pour les femmes est absolu!
Marilyn le savait. Johnny appelait toutes les filles soit des coureuses, soit
des allumeuses, soit des filles faciles. Mais la plupart du temps, il les
traitait — y compris Marilyn — de gourdes. Un soir, dans une boîte de
nuit, ils étaient en train de regarder des danseurs noirs, et Johnny avait dit
à Marilyn: « Ton derrière ressemble à celui d'une négresse. » Elle n'avait
pas apprécié, n'avait pas répondu sur le coup, mais elle n'avait pas oublié
non plus. Un jour, c'était le dernier assaut de la maladie pour John et il
avait affiché son mépris pour elle une fois de plus, eh bien, elle lui avait
sorti, tout d'un coup: « Johnny, je ne te l'ai jamais dit, mais j'ai du sang
métis dans les veines. » Elle n'avait pas démordu de ce pauvre mensonge
jusqu'à ce que Johnny, juste Dieu! le croie et l'accepte.

A ce moment-là, il l'aimait plus que jamais. Il n'avait jamais aimé aucune
femme autant qu'elle, disait-il, elle comptait plus pour lui que n'importe quel
être vivant, disait-il encore. Mais quand il était mort, laissant derrière lui une
fortune de 600 000 dollars, elle n'avait pas reçu un *cent*. Quand elle s'était
retrouvée seule de nouveau, l'unique legs de Johnny consistait en six serviettes de bain, six draps et trois taies d'oreiller.

Quand j'avais fait sa connaissance, après la mort de Johnny, elle était
courtisée par Joe Schenck. Il n'était pas entré dans la course aussi vite que
moi — il avait laissé s'écouler un « intervalle décent » — mais il ne fut pas
long à essayer de la voir régulièrement. Mr. Schenck était l'un des
hommes les plus riches et les plus respectés de la communauté de « Hollywood », très estimé notamment pour être allé en prison après avoir tenté
de corrompre un représentant de l'Alliance internationale des employés
de la scène et du spectacle, afin d'empêcher qu'une grève n'éclate dans
l'industrie. Elle m'avait raconté la soirée où Schenck l'avait emmenée
danser puis lui avait demandé de l'épouser. Mr. Schenck était alors âgé de
soixante et onze ans, possédait au moins quinze millions de dollars (ce qui
représentait beaucoup plus d'argent qu'aujourd'hui), et avait fait sa première hémorragie cérébrale. Il dansait drôlement bien pour un vieux,
m'avait-elle dit, et pendant qu'ils tournaient sur la piste, il lui avait
suggéré qu'ils s'envolent tous deux sur-le-champ pour Las Vegas, où il lui
passerait la bague au doigt. « Toutes les nuits, tu serais dans le creux de
mes bras », avait-il promis. Plus tard, il l'avait conduite chez lui et lui avait
fait visiter une grande pièce à la décoration luxueuse, qu'il lui destinait;
elle n'aurait qu'à lever le petit doigt. Mais il s'était comporté en vrai
gentleman avec elle. Puis il lui avait donné un conseil de père à fille:
« Prends garde à ce que les hommes ne te considèrent pas comme un
trophée, ne te laisse pas cracher dessus, ne les laisse pas te traîner dans la

boue. » Il lui avait répété son âge, inlassablement, lui avait dit qu'il n'en avait plus pour longtemps et que sa veuve « ramasserait un bon paquet » de millions. Marilyn avait bien compris où il voulait en venir, mais n'avait pas répondu ; alors Joe Schenck avait joué sa dernière carte : « J'ai soixante et onze ans, avait-il dit. Je sais que mes capacités physiques sont limitées. Mais tu te rendras compte que je suis compréhensif. Si ma femme a besoin d'aller avec d'autres hommes, je comprendrai. Mais à condition que ce ne soit jamais le même deux fois de suite. » L'idée avait déplu à Marilyn, qui était une romantique dans l'âme. L'offre de Joe l'avait beaucoup touchée, mais il fallait se rendre à l'évidence, il ne disposait que de son argent pour essayer de s'acheter un peu de bonheur dans ses derniers instants. Quelques nuits après, elle lui avait donné sa réponse. J'ai repensé à ces femmes qui assistaient à la partie de croquet chez Darryl. Certaines d'entre elles n'auraient peut-être pas résisté à la tentation. Dans cet univers malsain, me semble-t-il, Marilyn était un ange de pureté.

Cette fille avait très peu d'éducation et ne connaissait rien sauf ce que lui avait enseigné sa propre expérience. Et celle-ci était grande ; or, pour un acteur, c'est ce savoir-là qui compte d'abord. Je découvris que tout lui apparaissait comme soit dénué de sens soit complètement lié à son expérience personnelle. Elle ne s'intéressait pas à ce qui était abstrait, formel ou impersonnel, mais s'investissait passionnément dans tout ce qui touchait à sa propre vie. Ce dont elle avait besoin, c'est qu'on reconnaisse ses qualités. Enfant naturelle, abandonnée par ses parents, traitée sans ménagement, méprisée par les hommes qu'elle avait connus avant Johnny, elle voulait par-dessus tout être acceptée par des hommes qu'elle pourrait respecter. Si je la compare à beaucoup de ces épouses que j'ai connues au sein de la communauté hollywoodienne, force m'est de constater que c'était Marilyn la femme honnête, et elles les « gourdes ». Mais une contradiction fatale habitait Marilyn. Elle désirait qu'on reconnaisse sa valeur, et cependant elle respectait les hommes qui la méprisaient, car elle partageait leur jugement sur sa personne.

Quand j'ai commencé à la voir, elle avait un minuscule appartement près de chez son professeur d'art dramatique, qui lui donnait des leçons à crédit. Cet appartement contenait une grande pièce, vide à l'exception d'un piano de concert blanc. Je ne l'ai jamais entendue en jouer, mais ce piano avait pour elle une signification particulière. Quand elle dut déménager dans un endroit où il n'y avait pas assez de place pour lui, elle le mit au garde-meuble, bien protégé. Qui lui avait donné ce piano ? Je n'ai jamais réussi à le savoir. Je la voyais souvent dans la maison de Charlie Feldman ; nous restions ensemble jusqu'aux premières lueurs de l'aube et j'écoutais ses histoires. Parfois elle se mettait à pleurer. Je la consolais. Elle portait en elle une bombe à retardement. Il suffisait d'y mettre le feu et elle explosait. Son amant était aussi son sauveur. A l'aube, matin après matin, j'enfilais une des sorties de bain en tissu éponge de Charlie et je la reconduisais en voiture chez elle. Elle portait souvent du blanc. Je refermais le toit de ma décapotable et nous longions les rues et les boulevards déserts en chantant et en riant, comme deux « petits fous ». Elle m'avait dit que Johnny la renvoyait toujours chez elle en taxi.

Un beau jour, Charlie Feldman organisa une soirée en l'honneur d'Arthur Miller, qui avait remporté le prix Pulitzer et était désormais une célébrité. Art traversait une période noire. La Warner avait refusé *le Piège*, Abe Lastfogel l'avait porté chez Columbia, et nous attendions la décision de Harry Cohn. Nous avions travaillé sur le script, mais nous manquions de cœur à l'ouvrage car rien de concret ne nous motivait. J'avais promis à Marilyn de l'emmener à la soirée de Charlie, mais j'avais aussi pris rendez-vous ce soir-là avec une actrice que Darryl voulait absolument que je prenne pour *Zapata*. Là encore, il s'agissait de curiosité, pas de lubricité : en effet, elle était liée à Howard Hughes et je m'étais souvent demandé comment ses « filles » se comportaient et ce qu'elles pensaient de lui. J'avais donc demandé à Art de me remplacer auprès de Marilyn.

Quand il l'appela pour lui dire qu'il viendrait la chercher, elle lui répondit qu'elle viendrait en taxi et nous rencontrerait, lui et moi, chez Feldman. Art ne souffrirait pas une telle chose ; non, il allait venir la chercher. Encore une fois, elle refusa, lui dit de ne pas s'inquiéter, qu'elle avait l'habitude. Mais Art insista, et la première chose qui impressionna Marilyn chez son futur mari, c'est son refus de la laisser aller à une soirée en taxi. Comme ces pin-up attendent peu de l'existence, pensai-je en moi-même.

Je me rendis donc d'abord à la soirée organisée à l'occasion d'une fin de tournage, celui du film de Harmon Jones, dans lequel la candidate présentée par Darryl avait joué, et je dansai avec elle. Nous fûmes bientôt paf l'un comme l'autre et elle me demanda de la reconduire à sa voiture qui était garée sur l'un des boulevards. Nous nous arrêtâmes devant un bar, le temps d'un autre verre, puis nous reprîmes notre route jusqu'à sa voiture et, arrivés à destination, nous nous rangeâmes juste derrière. Puis nous fîmes connaissance pendant environ une demi-heure. Soudain, elle parut se souvenir de quelque chose et sortit de ma voiture précipitamment avant de s'engouffrer dans la sienne et de démarrer. Je me rendis chez Charlie.

A mon arrivée, je constatai que la détresse avait réuni deux âmes et que l'éclat du désir brillait dans leurs yeux. Je les observai en train de danser. Art était bon danseur. Et elle était heureuse dans ses bras. Non seulement il était beau et grand, un peu à la Lincoln, mais c'était un auteur couronné par le prix Pulitzer. Elle voyait s'envoler d'un coup tous les doutes qu'elle nourrissait sur sa valeur. L'assistance commença à se clairsemer et nous nous assîmes tous trois sur le sofa. Si ma mémoire ne me trompe pas, j'adoptai la seule attitude décente : je déclarai que j'étais fatigué et demandai à Art s'il voulait bien la raccompagner chez elle. Marilyn rayonnait. Je ne sais pas ce qui s'est passé plus tard cette nuit-là, mais Marilyn, sans entrer dans les détails, m'a dit qu'Art avait été timide et qu'elle en avait été ravie après toutes les brutalités qu'elle avait dû subir. Elle m'a dit aussi qu'Art était très malheureux chez lui. En tout cas, il s'était épanoui à son contact.

Pendant les jours qui suivirent, et précédèrent le départ subit d'Art pour New York, Marilyn fut notre « mascotte » et elle assista en spectatrice passionnée à toutes les discussions au sujet du *Piège*. Je la voyais encore le soir de temps en temps, mais elle était folle d'Arthur et ne parlait guère d'autre chose. Il avait aussi le béguin pour elle, et il me sembla que le moment était venu pour moi de m'écarter galamment. Mais je me demandais si Art lui faisait vraiment du plat. Ce n'est pas l'agressivité qui le caractérisait dans ce domaine. Et si le regard de Marilyn s'allumait quand elle parlait de lui, c'est parce qu'elle avait l'impression de vivre un vrai roman d'amour. A la base, nous formions donc un trio, et chacun y trouvait son compte, d'une manière ou d'une autre.

Mr. Harry Cohn, président de la Columbia, était un tyran ; et il tyrannisait ses employés. Il avait donné l'ordre, par exemple, qu'on lui téléphone tous les matins dès que le premier plan de chacune des productions en cours avait été mis en boîte. On le soupçonnait d'avoir placé des micros dans le bureau de ses producteurs pour savoir ce qui s'y tramait. Il avait indiqué à Lastfogel qu'il n'était pas contre l'idée de produire *le Piège*, à condition que « ça ne lui coûte pas les yeux de la tête ». Lors de notre première rencontre, je lui avais demandé ce qu'il pensait du script de Miller. « Brûlez-le ! avait-il répondu. Jetez-le à la poubelle ! » Alors, pourquoi voulait-il le faire ? A cause de ma réputation absurde, parce que je ne serais jamais plus aussi mythique. Il m'avait dit cela dans l'intention de me fusiller. Un autre jour, il m'avait dit : « Tu es un peu comme une pute, tu sais. Tu veux qu'on parie sur ce film, mais toi, tu ne te mouilles pas. » Pour lui faire ravaler son bluff, j'avais offert de tourner le film sans rien toucher d'avance ; j'empocherais juste vingt-cinq pour cent des recettes. Il avait accepté. Mais de toute façon, ce n'était qu'un combat de coqs. Nous savions tous les deux très bien que mon agent ne marcherait jamais dans la combine.

J'étais espiègle et audacieux à l'époque, et Harry m'amusait plus qu'il ne me terrifiait. Un jour, j'ai amené notre « mascotte » dans le bureau de Harry. Elle portait la tenue sévère d'une secrétaire. C'est le jour que Harry avait choisi pour me dire ce qui clochait dans le script d'Art. Je la lui ai présentée comme ma secrétaire personnelle et je lui ai dit que je l'avais amenée avec moi pour qu'elle prenne précisément en note chacune de ses objections. Marilyn était à ce moment-là sous contrat avec le studio de Cohn et gagnait soixante-quinze dollars par semaine pour jouer des petits rôles çà et là. Je voulais prouver à Harry qu'il ne connaissait même pas ses employés. Marilyn s'est assise dans un coin, portant de grosses lunettes à monture d'écaille, son bloc sur les genoux, le crayon en l'air, prête à prendre en note ce que Harry dirait. « Vous avez bien noté cela, miss Bauer ? demandais-je de temps en temps. — Oui, monsieur Kazan », répondait-elle. Cohn ne cessait de la regarder ; quelque chose l'intriguait dans son allure. Pourquoi pensait-il la connaître ? Mais Marilyn réussit son coup et elle ressortit du bureau sans être reconnue. Le lendemain, j'ai demandé à Cohn comment diable il pouvait diriger sa compagnie alors qu'il ne savait même pas qui il avait sous contrat. Il n'a pas manifesté le moindre embarras. De ce jour, nous avons pris l'habitude, Art et moi, d'appeler Marilyn miss Bauer.

Je n'ai pas lâché la bride à Cohn : un jour, j'ai demandé à un ami acteur un peu braque de s'introduire dans le bureau de Jerry Wald à la Columbia et de tirer un coup de pistolet — à blanc. Le studio s'est retrouvé sens dessus dessous. Les flics couraient dans tous les sens ; Jerry s'était réfugié sous son bureau. J'ai été démasqué, mais Harry a eu du mal à se mettre en colère contre moi, et il a même paru m'aimer un peu plus après cette fredaine. Mais le pompon, c'est le jour où il m'a invité un soir dans sa salle de projection personnelle pour voir un film qu'il venait de produire. Je suis arrivé en compagnie d'une jeune femme, une actrice de ma connaissance, qui avait l'allure et le comportement d'une vierge effarouchée. Je l'ai présentée à Harry comme la meilleure amie de ma fille et je lui ai demandé de bien vouloir éviter d'utiliser un langage par trop scabreux en sa présence. Nous nous sommes assis juste devant lui et, une fois que le film a été parti, nous avons commencé à nous peloter et à nous embrasser, de plus en plus violemment, pour finir par rouler au sol. Nous nous sommes relevés, avons présenté nos excuses, mais n'avons pas tardé à repartir de plus belle. Finalement, Harry s'est fichu dans une colère noire et j'ai dû conduire la jeune femme hors de la salle de projection. C'était le bon temps ! Je plaisais tellement à Harry qu'il m'a invité à rester chez lui ; quelque temps après, au moment où je mettais la dernière main à *Sur les quais*, j'ai accepté.

Puis, soudain, on nous fit savoir que nous étions en danger — ainsi que *le Piège* — et qu'on allait nous attaquer. Politiquement. Depuis un certain temps déjà, je m'étais remis à éprouver un sentiment qui remontait à l'époque où j'étais membre du Parti communiste : il se tenait des réunions secrètes à mon sujet auxquelles je n'avais pas été invité. C'est à ce moment-là qu'un nouveau personnage a fait son entrée dans la capitale du cinéma : l'intermédiaire politique ou « collaborateur », dont la spécialité consistait à guider ceux qui connaissaient des difficultés de cet ordre à travers la zone dangereuse et à faire en sorte de les « disculper ». Bien qu'en apparence ils se contentent d'agir en conseillers — c'est du moins ainsi qu'ils se présentaient —, les collaborateurs jouissaient d'un pouvoir mal défini mais réel. Ils devinrent importants, recherchés, courtisés.

Un jour, Harry Cohn nous informa qu'il se mijotait du grabuge autour de notre film et qu'au vu de la gravité de la situation il avait organisé une réunion avec un dénommé Roy Brewer, qui dirigeait l'Alliance internationale des employés de la scène et du spectacle, terme ronflant pour désigner ceux que nous appelions plus simplement des machinistes. Comme il s'agissait d'une réunion importante, Harry en personne y assisterait et participerait à la discussion. Art et moi-même n'eûmes d'autre choix que de répondre à ce qui présentait toutes les apparences d'une assignation. Brewer, le genre musclé qui a pris du ventre, était un vétéran du mouvement ouvrier aussi bien à New York qu'en Californie ; son « Alliance » faisait partie de la Fédération américaine du travail. Cohn prit bien soin de nous faire toucher du doigt l'importance de notre interlocuteur avant la réunion. Brewer bénéficiait du respect, et même de la déférence, des patrons de studio. Harry mit sa suffisance dans sa poche ce jour-là. Il devait jouer un rôle de médiateur.

Roy Brewer arriva à la réunion avec une confiance totale en son pouvoir — dont il avait été investi par ses supérieurs du mouvement ouvrier. Depuis que ce pouvoir avait été remis en cause, il était devenu féroce et ne faisait pas de quartiers pour assurer sa survie, mais on ne s'en serait pas douté à en juger par le ton modeste et apparemment raisonnable employé par Roy. Ce n'étaient ni Miller ni moi qui l'inquiétaient : nous n'étions que des pions. Ce qu'il voulait, c'était convaincre Harry Cohn. Et Cohn, le plus réaliste et le plus coriace des patrons de studio, avait compris que son compte en banque était en péril — ce qui explique pourquoi il se montrait aimable avec Roy. Brewer voulait repartir en m'ayant rabattu le caquet une bonne fois pour toutes, en ayant démontré que Miller était ce qu'il croyait, et avec Cohn dans sa poche !

« Roy trouve que la part du narrateur n'est pas assez importante, nous dit Harry, à Miller et à moi, une fois que nous eûmes pris place autour de la table. Peut-être qu'un carton au début du film arrangerait les choses. » Brewer prit la parole : « Je pense qu'un carton aiderait. » Je donnai mon accord. A tous les coups, les cartons en début de film sont coupés au montage, et si, par extraordinaire, on les garde, personne ne les lit. En ce qui me concernait, Roy pouvait avoir tous les cartons qu'il voulait, aussi longs qu'il voulait.

Il en vint alors aux choses sérieuses. « Est-ce que vous avez une idée pour le fourbi anticommuniste ? » Ni Miller ni moi ne lui répondîmes, cette fois, aussi Brewer continua-t-il. « A titre de suggestion, nous pourrions avoir un reporter du *People's Worker* qui aborderait Marty (le personnage central du *Piège*, un docker) et lui demanderait son soutien, non ? Marty pourrait dire : "Nous n'aimons pas les journaux coco ici." » Brewer s'arrêta, nous regarda, et attendit.

Harry Cohn scrutait l'expression de Miller.

Art répondit que nous essayerions de nous débrouiller pour introduire ça. Brewer fut sensible au manque d'enthousiasme dans la voix de Miller. « Vous ne voulez pas donner l'impression que votre film est un appel en faveur de Bridges, n'est-ce pas ? »

Nous admirions Harry Bridges, président de l'Internationale des dockers.

« Vous devriez montrer de la façon la plus nette possible, reprit Brewer, que Marty ne représente pas les soi-disant progressistes. Le gros problème auquel les syndicats ont à faire face, ce sont les communistes. Les racketteurs représentent une menace bien moins importante pour le monde ouvrier que les communistes. »

Miller offrit de montrer que nous corrigions nos maux de société à la manière américaine, démocratiquement. Cette suggestion n'eut pas l'heur de plaire à Brewer : « Faites venir un type du *People's Worker*, insista-t-il, qui essaie d'accoster Marty et sa bande. Marty pourrait dire — la voix de Brewer se fit murmure : "Non, mon vieux ! Nous ne voulons rien avoir à faire avec un journal coco." Ce serait la meilleure façon de montrer qu'il n'est pas coco, parce qu'un coco dira qu'il n'est pas coco, il mentira, mais il ne désavouera jamais le journal officiel du Parti communiste. C'est très important que vous introduisiez cette scène. » Je regardai Art, dans l'attente de sa réponse. Il resta muet ; il avait l'air de réfléchir.

Puis nous abordâmes des questions moins importantes qui furent vite résolues. Nous nous rendîmes compte que nous essayions de caresser Brewer dans le sens du poil et l'idée nous déplut. Tout à coup, celui-ci enfourcha de nouveau son cheval de bataille : « Vous avez pris une décision au sujet du *People's Worker* ? — Art a dit qu'il bricolerait ça d'une façon ou d'une autre », répondis-je, mettant ainsi un terme à cette discussion jusqu'à ce que j'en parle avec Art. Nous savions tous que nous avions frôlé la confrontation et que nous l'éludions.

L'entretien se poursuivait, à propos de points de détail, la sécurité des dockers, ceci, cela, quand, soudain, Harry Cohn coupa court à toutes ces balivernes en se levant. Il dit qu'il lui fallait retourner à son bureau, puis se tourna vers Brewer et lui demanda : « Quelles sont nos chances, selon vous, Roy ? » Brewer émit une réponse prudente : « Vous courez un certain danger en faisant ce film en ce moment. Cependant, Harry, si vous tenez à le produire, je dirai que nous avons fait ce que nous pouvions pour le rendre acceptable. » Réponse qui ne satisfit absolument pas Harry Cohn ; il attendait que Brewer continue : « Avant que je ne vous donne ma réponse définitive, Harry, je veux en parler avec mon patron (le patron de la Fédération américaine du travail, que nous considérions, Art et moi, comme une organisation ultra-conservatrice), parce que lui, il aura la réponse. » Puis il regarda Miller, avec un air de défi dans la voix et dans son attitude : « Si vous avez l'intention de faire ce film, eh bien, faites-le. » Phrase ouverte à plus d'une interprétation.

En quittant la table des débats, nous ne savions pas, Art et moi, si nous avions obtenu ou non son accord. La réaction de Cohn m'avait laissé perplexe. Quelle scène épouvantable ! Un homme que nous ne connaissions ni d'Ève ni d'Adam, qui ne s'intéressait en rien à la valeur artistique de notre scénario, semblait s'imaginer qu'il détenait le pouvoir de décider si oui ou non nous pouvions aller de l'avant avec notre film. Nous ressentions une telle humiliation que nous ne trouvâmes même pas la force de discuter de la question. Nous nous contentâmes de rapporter les faits tels quels à notre secrétaire, miss Bauer.

Le lendemain, Art quitta la Californie séance tenante et rentra dans l'Est.

Mais la réunion budgétaire fut maintenue à la même date, ce qui signifiait que Harry Cohn et son studio avaient décidé de mettre le projet à exécution. J'élaborai mes positions quant aux coûts — sur quels points lâcher du lest, sur quels autres rester ferme. J'eus recours à une tactique familière aux metteurs en scène dont les films sortent des sentiers battus : mettre la machine en route, inclure une clause d'intéressement dans le contrat des acteurs, construire les décors, rassembler accessoires et costumes, impressionner de la pellicule et mouiller ainsi le studio au maximum. Une fois qu'une somme d'argent significative aurait été investie, Harry pourrait difficilement faire autre chose que pousser des cris de putois. S'il interrompait un tournage entamé depuis plusieurs semaines, il perdrait non seulement de l'argent, mais aussi la face, irréparable outrage. La seule chose à faire, c'était de mettre le film en route.

Entre-temps, Art devait résoudre le problème posé par Roy Brewer. Je m'inquiétais au sujet d'Art. Avant son départ précipité, il n'avait rien laissé filtrer. Qu'avait-il pensé de la réunion ? Je n'en savais rien. Que préparait-il ?

Mais il m'envoya une lettre encourageante, contenant quelques pages de révisions. Il avait réfléchi à notre problème mais n'en disait pas trop long, car le reste de sa lettre était consacré à l'évocation de certains sentiments qu'il éprouvait, même en dormant, de certains rêves pleins de désir. Marilyn lui avait envoyé un télégramme astucieusement rédigé, sans doute par la secrétaire de Harry Cohn, le pressant d'en finir au plus vite avec ses révisions et de revenir. Ce télégramme avait eu dix fois plus d'effet que tout ce que j'aurais pu faire pour le pousser à prendre en main notre problème avec Brewer. Ce n'est qu'à la fin de sa lettre qu'il revenait sur ce sujet : il cherchait un moyen de résoudre la « question rouge ».

Je relus sa lettre, en quête de sous-entendus. Il en avait écrit une partie dans une sorte de code fraternel, me parlant de sa situation familiale, qui empirait, et me disant qu'il se sentait pourtant dans une forme du tonnerre et que de joyeuses pensées l'animaient. Un ton enjoué caractérisait cette lettre, que je n'avais jamais perçu dans aucun des écrits d'Art. Il était redevenu un jeune homme, sous l'emprise d'un premier amour qui lui donnait des ailes — pour le meilleur. Ce n'était plus l'homme gêné aux entournures que j'avais connu. Je revis cette lueur de lascivité dans son regard alors qu'il dansait avec Marilyn dans le salon aux lumières tamisées de Charlie Feldman. Je ne l'avais jamais vue dans ses yeux. J'avais vraiment rendu service à mon ami, un service qu'il n'aurait pas été capable de se rendre à lui-même. Il me demandait encore une fois de m'occuper d'elle pour lui, et voulait également que je lui donne l'adresse de la jeune personne ; il avait besoin de lui écrire.

J'éprouvai un regain d'affection pour Art après avoir lu cette lettre. Je lui étais reconnaissant de continuer à travailler sur les révisions tant attendues, mais surtout j'étais en symbiose avec ses fougueux sentiments. Il était dans le pétrin, le genre de pétrin dans lequel nous devrions tous nous fourrer au moins une ou deux fois dans notre vie. Notre projet me motivait plus que jamais ; il nous liait. Bon sang de bois, nous le ferions ce film, et bien ! Je pouvais maintenant me préparer à la réunion budgétaire avec confiance — et une tactique que je mènerais à bien.

J'ai conservé le dossier à plusieurs feuillets, typique des grands studios, qui avait servi lors de cette réunion. Mais il n'est rempli que partiellement. En effet, la discussion avait pris un tour assez satisfaisant, jusqu'à ce qu'elle soit soudain interrompue par l'irruption d'une secrétaire m'informant que j'avais un appel de New York. Quelqu'un est mort, me dis-je en me dirigeant vers le téléphone. J'avais raison. C'est notre projet qui était mort. Et c'est Art qui était à l'autre bout du fil. Il me dit qu'il ne pouvait pas s'étendre mais qu'il m'écrirait ; il avait décidé d'« abandonner » le Piège. J'étais trop sous le choc pour lui poser la moindre question, et il était trop nerveux pour y répondre. Un immense espoir patiemment bâti s'écroulait. C'était plus qu'une déception. Je me traînai alors vers la salle de réunion, la mort dans l'âme, repris ma place aux côtés du responsable de la production et de son personnel, et leur balançai la nouvelle.

Puis je me rendis au bureau de Harry Cohn, homme que le doute n'étouffait pas. « Je le savais, s'exclama-t-il, Miller est un communiste. » Ce n'était pas mon avis, et je le lui fis savoir. « Alors dis-moi pour quelle raison il a fait ça. Premièrement, il ne peut plus répondre à aucune question. Deuxièmement, il fait en sorte de saboter le message qu'il espérait faire passer dans le film. C'est clair comme de l'eau de roche. » Je n'étais pas d'accord. « Je l'ai su rien qu'à le voir, continua Cohn. Il en fait encore partie. — Et moi, alors? demandai-je. — Toi, tu es juste une pute au grand cœur, comme moi. On trouvera quelque chose d'autre à faire ensemble. »

Ensuite, je fis un saut chez Abe Lastfogel. Il était occupé, aussi me fit-il prendre place à côté de lui dans la voiture qui le conduisait à son prochain rendez-vous. Abe ne montra guère de surprise à l'annonce de la nouvelle. De toute façon, il n'avait jamais eu d'atomes crochus avec Art. « A l'évidence, dit-il, Miller n'a pas assez de cran pour faire face au combat qui s'annonce. » A quoi je rétorquai: « Harry Cohn estime qu'Art n'est guère en position de monter au créneau. — Peut-être pas », répondit-il. Puis il ajouta: « Tirez un trait là-dessus. Quel est votre prochain projet? »

Je ne pouvais m'empêcher de comparer ce qui venait de se passer avec l'épisode mexicain et l'attitude de Figueroa. Art s'était accordé le temps de la réflexion. A quoi tenait cette volte-face? Qui avait-il pu consulter? Mary? Il avait dû en discuter avec Mary. Et quelqu'un d'autre? Peut-être. Mais qui?

Quelque temps après, il se réconcilia avec Mary. Il lui dédia sa pièce suivante.

Je me forçai à continuer de travailler sur le script, en me disant que j'arriverais peut-être encore à persuader Art de changer d'avis et de reprendre le collier. Puis je reçus un télégramme de lui; il se déclarait écœuré, mais vu ce qui se passait dans le pays, il était convaincu que nous ne pourrions rien faire pour nous défendre, et il ajoutait que Roy Brewer avait ordonné une enquête à notre sujet. Art parlait de certains hommes malfaisants qui étaient partis à l'attaque sur ordre de Roy. Il croyait que nous ne pourrions parvenir à aucun compromis décent qui nous protège, nous et le film.

Le Piège était mort et enterré. On me l'avait arraché des mains. Il ne me dérangeait pas de perdre une bataille, mais je n'aimais pas déposer les armes sans avoir combattu. Pourquoi Art l'avait-il accepté? Le ton de son télégramme entrait en contradiction totale avec sa lettre « espiègle ». La perplexité se mêlait en moi à la colère. J'avais laissé tomber *la Rose tatouée* de Tennessee pour faire *le Piège*. Nous n'aurions pas dû nous arrêter en route; nous aurions dû les mettre au défi — Brewer et les autres — de nous stopper s'ils en avaient le pouvoir. Harry Cohn n'avait pas reculé, lui. Pourquoi Miller avait-il rendu les armes sans livrer bataille? Je ne répondis pas à son télégramme; une déprime noire s'était emparée de moi.

Art avait pris sa décision unilatéralement. Il voulait se tirer du guêpier; ça, je pouvais le comprendre. Mais l'histoire du *Piège* ne tournait pas autour d'un communiste. Marty, le personnage principal, est un syndicaliste qui devient militant pour des raisons que nous aurions pu rendre suffisamment claires, Art et moi. Un militant syndicaliste est différent d'un communiste. Il n'y avait rien de dissimulé dans le scénario conçu par Art, et son héros n'avait rien à cacher. Marty ne prenait pas ses ordres de supérieurs quelconques. C'était un gars indépendant et sûr de lui, pas un conspirateur. Il ne voulait rien d'autre que ce que veut tout bon syndicaliste : améliorer les conditions de travail, les siennes comme celles de ses amis syndicalistes. La raison d'être d'un communiste, je le savais fort bien, c'est d'assister à des réunions secrètes, de prendre ses ordres d'en haut, d'obtempérer sans poser de questions et d'opérer en sous-main. Et, au bout du compte, qui trouverait à redire au bon syndicalisme, et même au syndicalisme militant ? Pas grand monde dans ce pays, même à cette époque-là. Oui, décidément, nous aurions dû continuer la lutte pour sauver notre projet.

Que protégeait Art — son scénario ou lui-même ? J'avais encore son télégramme en mémoire. Il avait paniqué — c'est le mot — parce que Roy Brewer avait ordonné une enquête sur notre compte à tous les deux. Selon Art, nous avions le choix entre reporter notre film jusqu'à ce que le calme revienne ou nous exposer à une attaque à laquelle nous ne survivrions pas.

Etait-ce vraiment la seule alternative ?

Art craignait les résultats de l'enquête, mais pourquoi ? Je ne croyais pas qu'il avait été communiste ; il savait que je l'avais été. Cependant, bien que nous soyons très proches, nous n'avions jamais abordé ce sujet. J'avais cessé de m'inquiéter des menaces qui pesaient sur moi. On me traînerait sans doute d'ici peu devant la commission à Washington, mais je m'étais fait à cette idée. Ce que je voulais, par contre, c'était prévenir Darryl. Le mettre au courant des faits me concernant. Cela dit, j'étais persuadé que les patrons des studios en savaient plus long sur moi et d'autres dans ma situation qu'ils ne voulaient bien le dire. Un réseau souterrain leur transmettait tout un tas de renseignements. J'avais résolu que, le moment venu, je dirais que, oui, j'avais adhéré pendant un an et demi. Je ne cacherais rien de ce qui me concernait, je ne me réfugierais pas derrière « le Cinquième[1] », mais en aucun cas je ne donnerais d'autres noms. J'en aurais trop honte. Cette possibilité ne valait même pas la peine que je la prenne en considération.

Pourquoi Art ne pourrait-il pas adopter la même attitude, le cas échéant ? Nous continuerions alors à travailler sur notre projet — là, je faisais sans doute preuve de naïveté. Enfin, peut-être Art avait-il seulement été ébranlé par sa situation conjugale et la détresse qu'elle avait engendrée chez lui ? Mais comment sa passion pour Marilyn avait-elle pu le pousser à de telles extrémités ? (Je n'avais pas été long à oublier Constance et tout ce que j'avais été sur le point d'abandonner pour elle !) Ce n'était tout de même plus un adolescent. Il me fallait attribuer cette attitude à son inexpérience. Enfin quoi, il ne pouvait pas envisager une seconde de l'épouser ! Marilyn était tout le contraire d'une épouse. Cela se voyait comme le nez au milieu de la figure. Même en tenant compte de

1. Le Cinquième Amendement. *(N.d.T.)*

son manque d'expérience, il était assez intelligent pour s'en apercevoir. Son épouse Mary, voilà la femme qu'il lui fallait (Dieu, comme j'étais condescendant!). Il n'allait pas démolir sa vie, divorcer et quitter ses enfants. C'était trop absurde pour que je puisse seulement l'imaginer. Je portais un point de vue européen sur la situation : chaque chose à sa place et chaque place à sa chose. Marilyn était une compagne délicieuse, point. Une compagne délicieuse est une compagne délicieuse, ce n'est pas une épouse.

Maintenant qu'il avait quitté la Californie et que je me retrouvais seul, je me comportais avec miss Bauer comme un concierge en l'absence des locataires. Je savais qu'elle était amoureuse d'Art, quels que soient les sentiments qu'elle pouvait éprouver pour moi par ailleurs. Et les lettres qu'il m'adressait montraient combien il lui était attaché. Il avait besoin de ce qu'elle lui apportait. Mais après ce qui s'était passé avec *le Piège*, elle représentait pour moi une bénédiction. Elle me remontait le moral. Ce n'était pas l'amour fou — de son côté non plus d'ailleurs. Nous étions bons amis. Si Miller revenait, je céderais la place et j'attendrais de voir.

Mon travail sur le *Tramway* me tenait occupé. Une avant-première avait été organisée pour tester le film, en particulier sa longueur. Elle devait se dérouler à Santa Barbara, censée être une communauté supérieure à Los Angeles, point de vue intellect et sensibilité. En me rendant sur place, avec Alex North, notre compositeur, et ma secrétaire baladeuse, j'achetai une bouteille de vodka pour apaiser ma mélancolie. Chacun en prit une lampée, puis une autre ; plus elle buvait, plus Art revenait souvent dans la conversation de Marilyn — et moins elle envisageait la situation avec réalisme. La nuit précédente, elle avait même été jusqu'à me parler de lui pendant que nous étions en train de faire l'amour. Elle gardait la photo d'Art sur une étagère près de son lit, à côté des exemplaires de ses pièces qu'elle possédait. Après, je m'étais relevé et l'avais regardé droit dans les yeux. On aurait dit qu'il venait de remporter le prix Nobel. C'était le grand amour de sa vie, pour elle. L'amour de Miller excusait le passé de Marilyn. Ce qui la touchait, je crois, c'est que Miller se plaigne constamment d'être malheureux chez lui. Une femme comprend cela comme une invitation à s'installer dans la vie d'un homme et à le rendre heureux.

A notre arrivée à Santa Barbara, nous avions bu une sacrée quantité de vodka, et Alex, qui tenait encore moins bien l'alcool que moi, voulut dormir avant le spectacle. Nous garâmes l'auto dans une rue sombre et je lui promis de le réveiller à temps. Puis nous nous installâmes à l'arrière, Marilyn et moi. Elle s'agrippa à moi comme si je représentais toute sa vie — ou peut-être comme si j'étais son seul lien avec une personne qu'elle aimait encore plus mais ne pouvait atteindre. Je ne pensais pas qu'ils se reverraient jamais. Il ne m'était pas venu à l'idée qu'elle pourrait se rendre à New York pour le retrouver.

Puis nous allâmes voir le film, et je reçus un choc : Blanche faisait rire le public. Nous avions un problème. Charlie Feldman appela à l'aide à tous les vents ; l'écho ne lui renvoya qu'un seul nom : Jack Warner. Je pensais avoir trouvé la cause de l'hilarité générale et je dis à Jack de ne pas s'inquiéter, de s'en remettre à moi. Il accepta. Je savais bien que Feldman lui avait parlé et, quand je m'approchai d'eux, Charlie évita mon regard. Je me mis à le mépriser. Dès mon retour aux studios Warner, je me rendis dans ma salle de montage avec David Weisbart, le monteur, et modifiai la scène où le public avait ri. Pour ceux qui se souviendraient du film, c'est la scène où un gamin frappe à la porte de Blanche pour une collecte : elle lui parle d'une façon audacieuse, qui évoque le désir. Ce qui avait causé les rires, c'est la réaction du jeune garçon à ses « avances ». J'éliminai les plans montrant cette réaction, de sorte que le gamin apparaisse presque comme une créature née de l'imagination de Blanche, et j'effectuai aussi deux ou trois autres petites coupes, le tout représentant environ quatre minutes. Je montrai ce que j'avais fait à Charlie ; il trouva que c'était loin de suffire. A ce stade de la production d'un film, l'angoisse d'un producteur n'arrange pas les choses. Charlie voulait que je taillade dans le film, et je l'aurais peut-être saboté si j'avais été obéissant ou si Charlie avait eu la haute main sur moi. Je résolus de ne plus m'occuper de lui et me rendis chez Jack Warner. Je lui dis que je pensais avoir résolu les problèmes et lui demandai de venir voir ce que j'avais fait. Dans la salle de projection, sans Charlie, il déclara aimer les changements.

Voici ce que je lui dis alors : « Jack, je veux votre parole que ce film sortira dans son état actuel. Il dure deux heures quatorze, ce qui n'est pas long pour un film de ce calibre. Je veux retourner à New York pour voir ma famille, et je ne veux pas avoir à m'inquiéter de ce que Charlie pourrait faire derrière mon dos une fois que je serai parti. » Jack répondit : « Le film sortira en salles tel qu'il est maintenant. » J'insistai : « Dites à David — Weisbart, notre monteur, assistait à l'entretien — que personne, y compris Charlie, n'aura l'autorisation d'y toucher pendant mon absence. Dites-le à David. » C'est ce que fit Jack. J'ajoutai alors : « La vérité, c'est que Charlie s'inquiète au sujet du film, ce qui le rend nerveux. Il a déjà paniqué avec *la Ménagerie de verre* et il l'a bousillée. Vous garderez l'œil sur lui en mon absence, n'est-ce pas, Jack ? » Et Jack répondit : « Ne vous en faites pas au sujet de Charlie. Il a misé jusqu'à son dernier *cent* sur ce film, pour acheter les accessoires et tout le bazar, et il panique à mort. C'est pour ça qu'il ne tourne pas bien rond en ce moment. Mais ne vous occupez pas de lui. Rentrez chez vous. Vous en avez déjà fait un succès une fois et je vous fais confiance pour recommencer. » J'en pris acte, d'un « O.K., Jack », puis nous nous serrâmes la main.

J'allai ensuite voir Darryl à la Fox et lui dis que j'en avais terminé avec le *Tramway* et que j'étais prêt à me lancer dans *Zapata*. Il me demanda si j'avais rencontré des problèmes de censure avec le *Tramway*. Je ne savais pas de quoi il voulait parler. Je lui répondis que je ne pensais pas, non. Le Breen Office avait donné son feu vert. La réponse de Darryl m'aurait sans doute inquiété si je n'avais pas eu la parole de Jack Warner. « Le Breen

Office n'est pas un problème, dit-il. C'est nous qui payons ces types. Ils sont là pour nous aider à faire les films, pas pour nous en empêcher. Mais l'Église catholique? Et la Légion pour la décence? » Je répondis que je n'avais jamais entendu parler de ces zozos-là, mais que j'avais la parole de Jack Warner que le film sortirait tel quel en salles. Darryl ne parut pas convaincu. J'insistai: « Jack et moi avons topé là. » Il hocha la tête d'une drôle de façon. Plus tard, je me rappellerais l'expression de son visage à ce moment-là.

Puis Darryl revint à notre film et me fit part des dernières petites choses qu'il souhaitait nous voir faire, John et moi. C'étaient de bonnes idées et je promis qu'aussitôt après avoir passé un moment avec ma famille à New York, je me mettrais à étudier les suggestions de Darryl avec John. Le problème majeur, à mes yeux, c'était le lieu de tournage ; j'espérais que ce serait le Mexique. « C'est de cela que je veux vous parler », dit alors Darryl. Sur ce, il fit entrer trois hommes que j'avais remarqués dans son salon de réception. C'étaient Ray Klune, directeur de production, Jason Joy, une espèce de haut responsable des relations publiques qui travaillait pour Darryl et portait les vêtements les plus élégants du lot, et Lew Schreiber, l'adjoint de Darryl, homme créé par Dieu pour recevoir des ordres. Nous étions réunis pour discuter du destin de *Zapata*.

Klune, le directeur de production qui surpassait tous les autres dans l'industrie, était un homme grand et mince qui personnifiait la maîtrise de soi. Après les salutations d'usage, il nous tendit à chacun un exemplaire de la transcription d'une conversation téléphonique qu'il avait eue récemment avec un dénommé De Fuentes, envoyé à Mexico par Klune avec pour mission d'établir un rapport sur l'attitude du comité de censure national mexicain à l'égard de notre film. De Fuentes s'était entretenu avec le censeur officiel, et cet homme avait affirmé que lui, il connaissait la vérité sur les événements historiques, mais pas John Steinbeck. De Fuentes avait répondu à l'homme : « Nous ne cherchons pas à faire de l'histoire ; nous essayons de faire un film. » Le censeur n'avait pas été convaincu. L'approche employée par John, « *mordida, mordida* », n'avait pas fonctionné non plus.

Puis Klune nous dit: « Passez à la page trois de la transcription, s'il vous plaît, et il lut à haute voix: De Fuentes. Je cite: "Une fois que nous aurons l'accord du censeur national, il nous faudra discuter avec le ministère de la Défense. Ils vont vouloir lire le scénario aussi, ce qui veut dire que quelqu'un d'autre essaiera encore de le modifier." Notez bien ma réponse. » Klune nous la lut d'une voix très posée, afin que nous nous en pénétrions bien. « Mr. Klune. Je cite: "En d'autres termes, vous pensez que même si nous parvenons à satisfaire le comité de censure, il nous faudra procéder à d'autres changements encore pour satisfaire le ministère de la Défense?" Voici la réponse de De Fuentes. Je cite: "Oui. Parce que ce sont deux branches complètement différentes du gouvernement. L'une est politique, l'autre militaire." »

Klune se tourna vers moi. « J'ai alors demandé à De Fuentes, reprit-il, s'il nous faudrait récrire l'histoire pour satisfaire ces gens. "Absolument, m'a répondu De Fuentes. Ils n'objecteraient pas au film s'ils participaient à l'écriture. Un type est venu du ministère de la Défense, a prétendu avoir combattu avec Zapata, et m'a dit: 'Dites à vos gens de nous envoyer Mr. Steinbeck: nous lui donnerons nos idées et il fera une bonne histoire.' Un frère de Zapata est même encore vivant, en fait c'est un demi-frère, et il m'a dit: 'Les Indiens là-bas, ils me connaissent, et je sais comment les prendre. Mais si vous ne m'emmenez pas avec vous, vous allez passer un sale quart d'heure là-bas.'" »

Tout le monde avait les yeux fixés sur moi comme s'il m'incombait de défendre l'idée de faire le film au Mexique — ce qui était le cas, bien sûr. « Je connais ces Indiens, dis-je. Je suis allé là-bas. Ils ne m'inquiètent pas. — Au bas de la page six », reprit Klune. Il tourna les pages et lut: « De Fuentes, je cite. "Les Indiens de cette partie du pays ont la réputation d'être très, très mauvais. Ils peuvent être dangereux. Vous pourriez avoir de gros ennuis là-bas." » Klune me regarda de nouveau. Darryl, qui marchait de long en large en agitant son maillet de polo miniature, s'arrêta et me regarda pour s'assurer que j'avais bien saisi la portée des dernières paroles de Klune. Pas de doute là-dessus. D'abord le Piège, étais-je en train de me dire, et maintenant Zapata. Ça va être une mauvaise année.

« Et Dancigars? » demandai-je, avec l'énergie du désespoir.

Klune se tourna vers Jason Joy, un homme grand, aux cheveux blancs, qui avait l'air d'un candidat à un siège vacant de la Cour suprême. « J'ai en main, dit-il, un rapport de cent sept pages de notre Département d'État, qui prouve qu'Oscar Dancigars est un communiste; en fait, un collaborateur actif. » Il présenta une liasse de feuillets à Darryl. « Donnez-le-lui », dit Darryl en me désignant. Je me disais: Eh bien, je pense que je vais retourner au théâtre. Jason Joy me tendit les cent sept pages. « Je crois le Département d'État sur parole », fis-je.

Puis Klune entreprit la lecture de ce qu'il estimait constituer l'argument massue. « Mr. Klune, je cite: "Señor De Fuentes, je veux vous poser une question très franche. Est-ce que les membres du gouvernement mexicain avec lesquels vous vous êtes entretenus aimeraient voir Zapata présenté comme un homme qui avait des tendances communistes?" De Fuentes. Je cite: "Quelque chose comme ça. Oui." » Klune referma son dossier.

A ce moment-là, Jason Joy nous pria de l'excuser et sortit, mais Klune et Schreiber, les hommes les plus proches de Darryl dans le studio, restèrent. Ils passèrent une demi-heure à essayer de l'influencer pour qu'il abandonne Zapata. Darryl écouta leurs arguments attentivement; même moi, je les trouvai convaincants. De temps en temps, Darryl me regardait en hochant la tête. Quand les hommes qui travaillaient pour lui en eurent terminé, il ne répondit ni ce qu'ils souhaitaient manifestement entendre, ni ce que moi — en dépit de tout — j'espérais encore. Il me parut très doux, très courtois quand il dit: « Merci, les gars », pour les congédier, et très brutal quand il me lança: « Je vous verrai demain, Kazan. » J'avais noté à plusieurs reprises que lorsque Darryl était content de ce que j'avais fait, il m'appelait « Gaydge », et dans le cas contraire: « Kazan ».

J'avais atteint le nadir. Je regagnai mon grand bureau et demandai à n'être dérangé sous aucun prétexte. Je comptais sur ces deux films depuis plus d'un an et demi. Et puis, du jour au lendemain...

Ma secrétaire entra, porteuse d'un message rédigé sur un petit bout de papier : « Mr. Zanuck vous verra demain à midi. » Il a pris sa décision, me dis-je à ce moment-là, il va le balancer. Demain, le couperet !

Je repensai à l'attaque de Klune contre le projet. Il avait été imparable avec cette batterie de faits et de chiffres, au *cent* près ; c'est cela qui m'avait mis dedans. Ça et le climat politique. Klune n'avait rien dit au sujet du climat politique au sud de la Californie, mais tout le monde savait ce qui se passait dans l'industrie. La peur régnait. Personne ne voulait risquer de voir sa position politique mal interprétée. Klune avait assassiné mon film sans même un mot d'excuse, pendant que je restais assis sans bouger. Quant à Darryl, que pouvais-je attendre de lui ? Il dirigeait une affaire, il lui fallait obtenir des profits, ou il ne ferait pas long feu. Voilà pourquoi ils appellent ça l'« industrie ». Le sort en était jeté. Je retournerais au théâtre. Les gauchistes étaient encore en sécurité à New York.

Aux grands maux les grands remèdes. En pénétrant dans le bureau de Darryl, le lendemain, je ne perdis pas une minute. Décidé à parler avant qu'il n'ait pu ouvrir la bouche, je lui dis que je savais que ce film serait difficile pour lui commercialement parlant et que j'étais prêt à offrir de réduire mon salaire de 162 000 dollars à 100 000 dollars (100 000 dollars représentaient encore une somme coquette à New York). Ma proposition ne sembla pas impressionner Darryl, qui affichait une absence de réaction alarmante. Qu'à cela ne tienne, je sautai le pas avec témérité. Je lui révélai qu'en 1934, j'avais adhéré au Parti communiste, où j'étais resté un peu plus d'un an. « Alors je me rends bien compte, lui dis-je, que vous devez vous protéger au maximum par rapport à notre script, car il pourrait bien — ainsi que moi-même — faire l'objet d'attaques orchestrées par certains milieux dont vous connaissez tout. » Il ne répondit rien à cela non plus. J'eus l'impression qu'il savait déjà à quoi s'en tenir à mon sujet. Voici ce qu'il fit : il demanda à Ray Klune et à Molly Mandaville, sa secrétaire, en qui il avait toute confiance, de venir dans son bureau, et il leur posa une question en exigeant une réponse par oui ou par non. « Est-ce que les gens qui travaillent dans ce studio pensent que ce film est pro-communiste ? » demanda-t-il. Klune et Molly répondirent non tous les deux. C'est tout ce que Darryl voulait entendre de la bouche de Klune, mais il demanda à Molly de rester et nous commençâmes à parcourir le script, pour finir par couper environ quatre pages qui auraient risqué de provoquer l'extrême droite — mais rien qui dénature le scénario.

A la fin de notre entretien, comme Darryl ne m'avait toujours pas annoncé sa décision définitive quant au film, je lui demandai : « Est-ce que tout est au point maintenant pour notre film ? » Ce à quoi il répondit : « Oh, j'ai déjà réglé ce problème ! » Le sang me monta à la tête, comme si j'allais avoir une attaque. Je fus pris d'une telle admiration pour ce petit saligaud que j'eus envie de me jeter à son cou et de l'embrasser, mais ce n'était pas le genre de la maison ; je ne pus même pas lui serrer la main. Tout ce que j'arrivai à dire, c'est : « Bien ! » puis : « Je suis à vous. » Il me répondit : « A propos de votre offre concernant une réduction de votre salaire, nous acceptons. Maintenant, ce qu'il faut que vous fassiez, c'est prendre un directeur de production, un directeur artistique et un chauffeur, et parcourir notre frontière avec le Mexique pour trouver un décor que vous puissiez utiliser. — Bien sûr, dis-je, vous avez raison, Darryl ! Merci. A demain. » Et je ressortis avec mon avenir restauré.

En revenant vers mon bureau, voici ce que je me disais : ce n'était pas Harry Cohn, pourtant considéré par tout le monde comme un fils de pute, qui avait retiré ses billes du *Piège*. C'était mon pote Art Miller, et je ne savais toujours pas pour quelle raison. En outre, ce n'est pas Darryl Zanuck qui s'était opposé à *Zapata*. Ce sont les « patriotes » de gauche mexicains. Darryl avait renvoyé dans leur synagogue les riches juifs qui voulaient empêcher le tournage du *Mur invisible*. Il avait envoyé au diable les catholiques qui avaient insisté pour que le personnage principal de ce même film ne soit pas une divorcée. Maintenant, il disait aux Mexicains, à leur censeur officiel, à leur ministre de la Défense, à leurs généraux et à leurs *politicos* de produire leurs propres films et de le laisser faire les siens en paix. Il avait beau savoir que j'avais été communiste et soupçonner à coup sûr que je serais tôt ou tard appelé à témoigner devant la Commission des activités antiaméricaines (les « superpatriotes » de notre communauté avaient dû lui en rebattre les oreilles), il m'avait soutenu. Il m'offrait tout ce dont j'avais besoin pour réaliser le film de John, y compris son soutien personnel, alors que toute personne sensée aurait suivi le conseil de Ray Klune et aurait repris ses billes.

Je savais bien de quel côté de la barrière je me tenais — du côté des hommes d'affaires, des nababs du cinéma, des *gonifs* ; je faisais partie des barbares de cette industrie, vulgaires, grossiers, insensibles, impitoyables. Ce n'est pas à de vieux singes comme nous qu'on apprendrait à faire la grimace. J'avais confiance en eux car j'étais sûr d'une chose : si je pouvais trousser un film excitant qui attire le public, ils marcheraient avec moi, quelle que soit l'intensité de la compétition. S'ils flairaient l'odeur du fric, ils ne céderaient pas devant la censure, du moins pas tout de suite. Ils ne se retireraient pas de la partie sans raison bien précise ; ils n'agiraient pas par-derrière pour me prendre par surprise. J'aimerais cent fois mieux travailler sous leur autorité inflexible, contester leurs jugements au grand jour, que de traiter avec ces hommes qui s'étaient réunis en secret pour faire ramper mon vieil ami Albert Maltz en public et tenter de faire récrire son livre à un homme que je ne connaissais pas encore, Budd Schulberg. J'aimerais mieux avoir affaire à des nababs qu'aux individus de la Légion pour la décence qui, selon la rumeur, conspiraient encore à castrer le film tiré du *Tramway nommé Désir* de mon ami Tennessee Williams.

Voilà ce que je pensais. Bien sûr, j'avais tort. Je découvrirais qu'un cinéaste doit faire face à de nombreuses conspirations dans ce pays — celles de la gauche, celles de la droite, celles des moralisateurs patentés de l'Eglise catholique et celles des hommes qui ont la garde des œufs d'or. Mais à ce moment-là, dans ces circonstances précises, je préférais m'en remettre à Darryl et même à Harry Cohn et Jack Warner. J'apprendrais bien plus tard que deux ans auparavant, Jack Warner avait fait cette confidence étonnante à la H.U.A.C.[1] : « Arthur Miller et Elia Kazan ont

---

1. *House of Un American Activities Comittee.* Commission des activités antiaméricaines. (*N.d.T.*)

travaillé à Broadway, où ils se sont livrés à des activités quelque peu subversives. »

De retour dans mon bureau, pendant que ma secrétaire me versait à boire, j'appelai Steinbeck qui se déclara content et surpris ; il était sûr que Darryl allait laisser tomber notre film. Puis je téléphonai à Molly. Quelques jours auparavant, je lui avais annoncé que *le Piège* était mort. Sa réponse avait été la suivante : « C'était zéro comme script de toute façon. » Mais cette fois-ci, je lui fis part de la bonne nouvelle ; elle ne se tenait plus de joie et se déclara soulagée pour moi ; je la remerciai aussi, car c'est elle qui m'avait poussé à travailler avec John. Elle éclata de rire et me dit de me dépêcher de rentrer. Je me rappelle avoir remarqué combien sa voix était belle. Je ne m'étais jamais aperçu que sa voix était si douce et si agréable. Je lui dis que le film allait être tourné aux États-Unis, probablement à la frontière mexicaine, et que je voulais emmener toute notre famille avec moi ; ce serait une expérience pour les enfants. Elle en fut ravie et me dit qu'elle m'aimait. Je lui répondis la vérité : que je l'aimais aussi.

JE L'AVAIS AFFUBLÉE D'UN SURNOM, « Noble Day ». L'adjectif noble lui convenait à merveille. Quant à Day, c'était l'un de ses deux noms de famille. Elle descendait en effet d'une vieille famille de Nouvelle-Angleterre, les Day. Je ne sais pas si vous avez vu *Mon père et nous*, mais le personnage inflexible qui préside à table est un Day. L'arrière-grand-père de Molly avait été président de l'université de Yale, et il faisait marcher ses étudiants à la baguette. L'autre moitié de l'arbre généalogique paternel était occupé par une succession de Thacher. Ils venaient eux aussi de New Haven, ne connaissaient pas le doute et avaient la réputation de n'en faire qu'à leur tête. Mettez les deux ensemble et vous obtenez Alfred Beaumont Thacher, le père, et Molly, sa fille : du granit. Son grand-père maternel, de pure souche germanique, présidait aux destinées de son troupeau en travaillant sans relâche pour gagner plus d'argent qu'il ne pouvait en dépenser. C'est lui qui a donné un zoo à la ville de Cincinnati. Ce zoo n'a pas bougé, il porte toujours son nom, Erkenbrecher.

Un héritage pesant pour cette jeune fille de bonne famille.

A leur insu, les Day et les Thacher possédaient une devise. Je précise qu'elle est de mon cru : « Il y a une bonne et une mauvaise façon de faire les choses. Et rien entre les deux. » Les Day et les Thacher se flattaient de leur franchise. Rien, d'ailleurs, ne les empêchait de dire ce qu'ils pensaient vu que leurs parents, leurs oncles et leurs cousins avaient la haute main sur la communauté. Ils étaient à la fois juges et autorités civiles. L'opiniâtreté des Erkenbrecher était bien connue. Tout comme les Day et les Thacher, ils étaient raides comme la justice ; on aurait dit qu'ils avaient avalé un balai. C'est ainsi que Molly n'a jamais appris à faire de compromis. Et pourquoi l'aurait-elle dû ? Elle était née avec tous les atouts en main. Tantôt j'enviais sa fermeté, tantôt elle me rendait fou.

Je présume que vous êtes en train de vous livrer à des comparaisons inévitables entre cette famille et la mienne...

A l'évidence, Molly n'aurait pas dû m'épouser. Sa mère le savait bien. Mais cette mésalliance voulait dire beaucoup pour Molly. Elle critiquait un certain nombre de personnes, dont sa propre famille. J'en finirais par éprouver plus d'amour pour sa mère que Molly elle-même. Molly n'avait qu'une idée en tête : briser ses liens avec sa famille et sa tradition. Elia entra en scène et le tour fut joué. Mais elle voulait aussi réduire en miettes la culture dont elle était issue. Elle devint rédactrice en chef adjointe de *New Theatre*, titre derrière lequel se cachait une revue communiste, se mit à enseigner l'écriture théâtrale au Théâtre de l'Union et se rapprocha d'Odets et d'Albert Maltz. Le fait de m'épouser constituait pour elle un acte de défi en direction des gens comme elle.

Je n'aurais pas dû me marier. A vingt-quatre ans, je n'étais pas prêt. Je ne le serais que plus d'un demi-siècle plus tard. Et à ce moment-là, Molly était morte.

Je l'ai épousée parce que je doutais de moi-même — enfin, je suppose que c'était la raison — et qu'elle était sur terre pour me rassurer. Je me suis également marié avec elle parce que je l'aimais. Je l'ai toujours aimée. Encore aujourd'hui. Mais notre vie ensemble était, entre autres choses, impossible. Je ne pouvais même pas décider avec elle de la disposition des meubles dans notre appartement. Il n'y avait qu'une bonne manière de procéder, et Molly la connaissait. J'avais pris une mauvaise habitude. Je disais : « Tu fais pour le mieux, je m'en arrangerai. » Mais l'idée me déplaisait et j'en voulais à Molly. La seule pièce que j'avais insisté pour décorer moi-même, c'était mon bureau. Mais quand nous avons eu assez d'argent pour acheter une maison de campagne, c'est elle qui a dessiné les plans de mon atelier avec un architecte. Sur une échelle grandiose. J'ai alors compris qui elle voulait que je sois. Elle était ambitieuse pour moi ; enfin, je faisais partie de son ambition personnelle.

Mais je ne correspondais pas à l'idée qu'elle aimait à se faire de moi. Je ne suis pas un homme de pouvoir, qui reste assis derrière un bureau, défendu par une paire de secrétaires, ou qui parcourt un couloir, escorté de ses assistants, en distribuant ses ordres comme un dictateur. Non, je ne suis pas fait pour rester enfermé dans un bureau. Molly, elle, avait la bosse du dirigisme. A Vassar, c'est elle qui dirigeait le journal de l'université, avec talent. Elle avait transféré sur moi ses propres appétences, elle voulait que je devienne un « ponte ». Moi, je ne voulais pas avoir à faire la loi sur une équipe d'acteurs ou de techniciens. Et en vieillissant, j'ai de moins en moins aimé les groupes. Chaque fois que le tournage d'un film se terminait, je poussais un soupir de soulagement : je retrouvais ma liberté. Si j'avais eu le choix à ma « grande époque », je crois que j'aurais choisi de disparaître. Comme c'est le cas maintenant. Je me suis volatilisé, me dit-on souvent. Où ça ? En moi-même. Dans ce livre, par exemple.

Alors, pourquoi me suis-je marié ? Et pourquoi avec Molly ? C'est une longue histoire, mais je vais simplifier. Tout, dans mes jeunes années, me portait à croire que j'étais dénué de la moindre qualité. (Détendez-vous, lecteur, je ne vais pas vous demander de me plaindre.) Mon origine étrangère. Mon physique — ou du moins l'idée que je m'en faisais. Les oreillons à quatorze ans, et ce qui en était résulté. L'opinion de mon père à mon sujet et sa déception, les garçons me rejetant, à l'école, les filles avec qui tous les autres « sortaient » et l'indifférence qu'elles éprouvaient à mon égard. A Williams, on ne m'avait pas invité à devenir membre d'une fraternité, à l'École d'art dramatique de Yale, je n'avais montré aucun talent, et dans le Group, je n'avais guère impressionné les metteurs en scène par mes qualités d'acteur au cours de ce premier été peu fructueux.

Dans tous ces domaines, Molly avait entrepris de me rassurer. Elle a été la première à déceler en moi un potentiel artistique. Non seulement elle me soutenait, mais encore elle m'encourageait à aller de l'avant. Elle était sûre que je possédais un talent exceptionnel. Quand il s'est avéré que j'étais assez doué, elle est devenue mon talisman. Elle m'a fait sentir que je pouvais atteindre des sommets dans une profession artistique. Avec son aide, bien sûr! Et pour couronner le tout, elle ne se mettait jamais assez vite au lit avec moi.

Quelle bénédiction, quel miracle! Mais lorsqu'on admet qu'une autre personne que soi-même occupe cette position, on l'investit d'un certain pouvoir sur soi et, naturellement, on le lui reproche. La compassion elle-même est humiliante. Oh, ayez pitié de ce pauvre petit Grec si doux, si honnête, si obéissant, si travailleur (et aux yeux si beaux et si bruns!), lui qui s'exclame: « Aidez-moi! Au secours! », des larmes dans la voix. C'est ce qu'elle avait fait: elle m'avait guidé et m'avait appris ce qui était bien et ce qui ne l'était pas. Mais j'avais commencé à lui en vouloir. Qu'elle était donc sûre d'elle, et de mes aspirations. Qu'elle avait donc souvent raison! J'avais fini par me lasser de discuter avec elle; je la laissais faire à sa manière pour le lui reprocher ensuite. Par ma colère, je me vengeais. C'est le type de revanche que bien des maris prennent sur leur femme.

Chez moi, je disposais donc d'un guide, d'un critique, d'un mentor, d'un conseiller toujours en activité, autant que d'une épouse. C'est un état de choses que j'avais d'abord encouragé, mais dont je n'avais pas imaginé qu'il prendrait de telles proportions. J'ai commencé à ressentir ses suggestions comme des contraintes. « Est-ce que tu vas cesser de me dire quoi faire! » On entendait souvent, dans notre maison, ces mots chargés de colère que je hurlais au visage de Molly. Puis je me suis mis à laisser glisser ses critiques sans rien dire, mais le silence est dangereux; c'est une menace. Elle n'en a pas pris conscience, cependant. Elle a continué sans faillir à faire ce qu'elle considérait comme « bien ».

Elle désirait que nous menions une vie domestique réglée comme du papier à musique. Elle s'était révoltée contre le style de vie de ses parents, mais au bout du compte elle l'avait reproduit dans la façon dont elle voulait organiser notre vie. Dîner à sept heures, servi dans les règles de l'art par un « domestique » à un couple bourgeois aux goûts délicats et à ses quatre enfants élevés dans les mêmes règles de l'art. J'ai constaté que notre fils aîné s'éclipsait avant l'heure du dîner. Lui aussi commençait à prendre la tangente. Molly n'a jamais pu se faire à l'idée qu'un certain désordre est inévitable, voire préférable, dans une existence. Elle voulait une vie dont rien ne viendrait faire dévier le cours. Si elle insistait tant là-dessus, c'était peut-être pour calmer ses propres incertitudes.

Je désirais de plus en plus une vie moins bien ordonnée. Molly s'est mise à craindre ce pour quoi elle n'était pas préparée. Elle a été prise de panique. Mais j'avais encore à peine vécu. Je n'avais fait que travailler. Je désirais ardemment faire l'expérience de ce que je ne connaissais pas encore — c'est-à-dire à peu près tout ! Elle trouvait le réconfort dans tout ce qui touchait au foyer. Elle désirait par exemple que toute l'argenterie soit assortie et porte nos initiales. Mon expérience m'avait appris qu'une relation affective ne peut subsister qu'au prix d'une lente et douce dissolution. La peau de chagrin rétrécit de plus en plus et, un beau jour, il n'y a plus de conflit.

Et pourtant nous nous aimions. Deux paumés se sont accrochés l'un à l'autre et quatre enfants formidables sont nés de cette union. Il y a un peu d'elle dans chacun des quatre, et c'est la meilleure part. Nous sommes restés unis mais nous avons connu les flammes de l'enfer. Et j'étais l'incendiaire. Je voulais tout ce qui était à ma portée et j'y mettais du mien pour l'obtenir. Quand elle réservait son approbation — ou quand j'avais l'impression que c'était le cas, ou que ce pourrait l'être —, je lui en voulais. Au bout d'un moment, son estime même pour moi en est venue à porter atteinte à mon identité. Je refusais les qualités qu'elle louait en moi. La colère déclenchait la vengeance, et celle-ci prenait toujours la forme d'une femme qui m'aimait pour ce que Molly considérait comme mes défauts. Je passais pour parfait aux yeux de la nouvelle arrivante : j'en étais flatté et opposais cette réaction à l'attitude critique de mon épouse. Mais comme je demeurais le même homme, les autres femmes ne tardaient pas à émettre sur mon compte les mêmes réserves que Molly. Pendant un temps, elles hésitaient à exprimer leurs critiques ; ces liaisons comportent toujours une mini-lune de miel. Puis la même relation s'instaurait entre moi et une personne différente.

Tout ceci a l'air malsain ? Oui. Mais ce combat illustrait une vérité dont je suis obligé de tenir compte. On se gausse souvent de la crise que traversent les hommes vers quarante-cinq ans. Moi, j'ai vécu cette crise toute ma vie. Je savais qu'il y avait autre chose dans l'existence et je voulais profiter de tout. Les gens oublient que l'on ne vit qu'une fois ; je l'ai su pour ma part du jour où je suis né. Chaque nouvelle fille m'apportait un parfum d'aventure et m'aidait à parfaire mon éducation. C'était une amie dans le besoin qui m'enrichissait en retour. J'en étais même venu à croire que mes infidélités représentaient un effort de ma part pour continuer avec ma femme, pour « sauver notre mariage ». Autrement, je n'aurais pas pu rester avec elle. Comme je l'ai dit, je n'aurais pas dû me marier. Mais je voulais faire cette expérience-là aussi.

Etait-elle au courant de ces autres relations ? De certaines, oui. Des scènes violentes nous opposaient, et parfois je rompais avec une de mes maîtresses. Ou je le prétendais. Molly a entamé deux fois une procédure de divorce, appelant à la rescousse un avocat « de luxe » qu'elle était allée chercher à Wall Street, dans l'ancienne firme de son père. Puis, sans autre forme de procès, elle avait clos l'affaire. Je crois qu'elle avait fini par m'accepter tel que j'étais — ou plutôt tel que j'étais devenu. Nous admettions nos limites respectives. Elle était sûre d'une chose, du moins je le crois, c'est que je ne la quitterais jamais. Et je ne l'ai jamais fait, jamais. Au rayon des certitudes, c'est sans doute tout ce qu'on peut espérer glaner quand on est deux.

J'avais entrepris de m'expliquer. Suis-je parvenu à mes fins ? J'en doute. Je n'aurais pas dû essayer.

Nos conflits éclataient au grand jour lorsque Molly cédait à l'envie irrésistible d'expliquer aux auteurs dont je mettais en scène les pièces ce qui clochait dans leurs œuvres et de leur proposer les remèdes adéquats. Elle y mettait tout le soin et toute la compréhension requis, en toute honnêteté, mais je sentais bien que ces hommes la fuyaient de plus en plus, lui reprochaient ses conseils et rejetaient ses propositions en leur for intérieur. « Devrait » : voilà le mot dont elle aurait dû se méfier. Elle mourrait à force de « devoir ». Il me fallait sans arrêt répéter aux gens : Molly ne parle que pour elle-même. Mon opinion, c'est moi qui la formule.

Je la revois encore assise à une longue table au côté d'Irwin Shaw, en train de travailler sur *Bury the Dead*. Irwin était encore un enfant à ce moment-là et il éprouvait une admiration de gamin pour elle. Molly aimait à « materner » les auteurs en mon nom — enfin, s'ils l'acceptaient. Mais Irwin ne lui a jamais montré sa pièce suivante. Le talent de Tennessee Williams comportait une part de mystère : comment s'y prenait-il pour être si brillant ? C'est pourquoi elle marchait sur des œufs avec lui. Arthur Miller, par contre, était à sa portée, du moins en apparence. Molly nourrissait Art, lui prêtait une oreille attentive, se disputait avec lui. Art respectait sa franchise et sa sincérité — cela ne devait pas durer. Elle était folle de joie lorsque *Ils étaient tous mes fils* remporta un prix bien mérité, et elle comprit l'envergure de *Mort d'un commis voyageur* à la première lecture. Un jour, Art et moi avions décidé de procéder à une coupe dans cette pièce et Molly avait exprimé son désaccord. A juste titre, comme nous nous en apercevrions lors de la répétition suivante. A la suite de ce succès, Art envoya à Molly un exemplaire de la pièce, qui venait d'être publiée, avec l'inscription : « A Molly, pour l'avoir bel et bien sauvée. »

Quand je revins à la maison après le sabordage du *Piège*, Molly me rapporta plusieurs coups de téléphone frénétiques (c'est le mot qu'elle avait employé) émanant de Miller, au moins trois. Il les avait effectués avant de me contacter en plein milieu de la réunion budgétaire pour m'annoncer qu'il renonçait à notre projet. Elle me confia qu'il avait l'air très inquiet au sujet de notre rencontre avec Roy Brewer. Art lui avait fait part de sa certitude qu'ils empêcheraient *le Piège* d'être tourné. A cette fin, ils le convoqueraient pour lui poser des questions. « Ils me demanderont, avait-il dit à Molly, si j'ai jamais été membre de… » Puis il s'était arrêté net et avait marqué une pause avant de terminer sa phrase. « … membre de la Conférence pour la Paix du Waldorf, avait-il repris, et il me faudra répondre : "Oui, j'en étais", et je serai fini. » Il avait l'air paniqué, selon Molly. Art lui avait expliqué ses réticences et elle était tombée d'accord avec lui qu'il était dangereux de chercher à faire *le Piège* en la circonstance. « Il vaut mieux rester discret », lui avait-elle conseillé. Si le script lui avait plu, elle aurait peut-être exprimé un avis différent.

Molly s'était demandé pourquoi Art avait fait montre d'une telle trouille. Elle voulait en savoir plus sur sa vie familiale et me tannait de questions. Ma bouche resta cousue, même au sujet de Marilyn ; je ne révélai pas à Molly que je les avais présentés l'un à l'autre, qu'il était tombé amoureux d'elle et elle de lui. Je ne désirais pas lever le secret sur cette affaire. Mais Molly le sentait, quelque chose ne tournait pas rond. Elle avait compris avant moi qu'Art et Mary allaient se séparer.

Je revins en Californie un week-end, après avoir reconnu le terrain le long de la frontière entre le Texas et le Mexique, et avoir déterminé les endroits où je désirais tourner. Je n'avais rien de prévu le dimanche — un désastre quand on se trouve à Los Angeles —, aussi fis-je un saut chez Marilyn pour lui dire au revoir, car je m'apprêtais à quitter cette partie du monde pour plusieurs mois. Nous nous étions juré de toujours rester bons amis : ce serment fut rompu quand elle épousa Miller et devint l'animal de compagnie de Lee Strasberg. Elle m'annonça entre autres qu'elle était enceinte, ce qui paraissait la combler. « Ne t'inquiète pas », me dit-elle. Elle devait vouloir dire qu'elle s'était déjà fait avorter et savait à quelle porte frapper. Mais je me fis quand même du souci. En fait, je fus saisi d'une peur panique. Je savais en effet qu'elle désirait ardemment un enfant, et les mères célibataires se multipliaient. Comme tous les autres salauds de mon espèce, je décidai de cesser de la voir, mais ma résolution ne tint pas longtemps.

Une fois encore, cette nuit-là, je regardai la photo publicitaire de Miller que Marilyn avait placée sur l'étagère derrière son lit. Tout à côté se trouvait une pile de lettres bien rangée ; Art lui avait écrit. Elle me dit qu'il était malheureux et me demanda de faire tout mon possible pour l'aider. « Il a besoin d'amis en ce moment », précisa-t-elle. Je me demandai ce qu'il pouvait bien lui avoir écrit. Mon amitié pour lui avait quelque peu tiédi après sa dérobade sur *le Piège*, mais je dis à Marilyn que, bien sûr, je l'aiderais. Sa passion pour lui l'obsédait tellement qu'elle était incapable de parler d'autre chose. Il avait dû être diablement tenté de rester sur place avec elle, et ceci concourait peut-être à expliquer son départ si précipité après la réunion avec Roy Brewer.

Après mon départ, elle m'écrivit des lettres. Signées miss Bauer. L'une d'entre elles m'informait qu'elle avait fait une fausse couche. Dans chacune de ses lettres, elle exprimait son inquiétude au sujet d'Art. « Essaie de lui remonter le moral, disait-elle. Convaincs-le que tout n'est pas désespéré. »

Art avait une vision bien plus claire que moi de ce qui se préparait.

J'avais commencé à rassembler des notes en vue d'un film sur Emiliano Zapata en 1944. C'est le premier de mes films qui soit né d'une idée qui m'attirait — un révolutionnaire mène une guerre sanglante, obtient le pouvoir, puis tourne les talons et s'en va — et dont j'aie pris en charge la conception de A à Z. J'avais effectué trois voyages au Mexique, je connaissais chaque pierre de la province de Morelos, j'y avais consacré des années de recherche et d'étude, suivies d'accès de frustration et de doute. (Qu'est-ce que j'entravais réellement au Mexique et aux Mexicains, hein ?)

Mais je m'y étais accroché pendant sept ans. Le jeu en valait-il la chandelle? Réponse, si vous prenez en compte le nombre d'années et la
somme de travail, et si vous insistez vraiment pour la connaître: Bien sûr
que non. Vous me prenez pour un fou? Mais les jours où le travail avait
été fructueux, cette réponse était: Oui, bien sûr. Rien d'autre ne compte.

Le tournage d'un film dans un endroit lointain constitue à la fois un
refuge et un repos. Vous vous trouvez dans un monde isolé, où tout
gravite autour de vos foucades et de vos souhaits. Vous êtes protégé des
attaques — en l'occurrence, politiques. Vous vous tenez caché; personne
ne peut vous atteindre. En outre, je goûtais le style de vie qui me
convenait le mieux, entouré d'une équipe technique qui me suivait partout
et accomplissait les prouesses dont je rêvais, à l'aide d'un peu de magie et
de beaucoup de bonne volonté. Lorsqu'il leur arrivait de trouver un
serpent à sonnettes lové sous un rocher que je leur avais demandé de
déplacer, ils s'amusaient de la situation et laissaient échapper le reptile.
Au-dessus de nos têtes, des vautours faisaient le guet en tournoyant: ils
attendaient de pouvoir déguster les reliefs de notre déjeuner. De gigantesques tempêtes balayaient la plaine; on les voyait se former, exploser en trombes d'eau et s'évanouir. Le gamin de la ville que j'étais avait
appris que si on a la foi, la pluie n'est pas gênante. Elle n'empêche pas de
travailler. A d'autres moments, le soleil chauffait jusqu'à nous faire passer
la barre des quarante degrés à l'ombre — la bière qui ponctuait la journée
de travail n'en était que plus appréciée. Le soir, Molly et mes enfants
m'attendaient dans les chambres à air conditionné du motel de McAllen,
petite ville civilisée du Texas. Nous dînions à la mexicaine, chatouillant
notre palais à coups de piments. Je m'étais anesthésié, je ne m'inquiétais
plus de la menace politique qui pesait sur moi. Là-bas, j'étais en sécurité.

Mon travail sur *Panique dans la rue* portait ses fruits. A La Nouvelle-
Orléans, je m'étais raconté que je tournais un film muet. Maintenant,
j'étais capable de combiner la technique psychologique que j'avais em-
pruntée au théâtre et des images précises et vivantes. J'utilisais beaucoup
plus de plans d'ensemble, je n'improvisais pas les décors cette fois, j'étudiais avec soin les photos contenues dans les six volumes du livre d'Archivo Casasola, *Historia Gráfica de la Revolución*, et m'efforçais de leur
donner vie. Rien ne me réjouissait plus que de parvenir à créer une image
qui racontait l'histoire sans le secours des mots. J'étais en train de devenir
cinéaste. Sur le tournage de ce film, je m'étais mis à regarder de nouveau
vers l'avenir, avec un espoir et une confiance en moi restaurés. Et deux
acteurs magnifiques m'apportaient leur aide: Marlon Brando et Tony
Quinn.

Marlon faisait mes délices. Dans le *Tramway*, il avait interprété un
personnage qui lui ressemblait comme un frère, mais dans *Viva Zapata!*, il
jouait un rôle de composition. Il incarnait un paysan, un homme venu
d'un autre monde. Je ne sais pas comment il s'y est pris, mais il a réussi;
ses dons dépassent l'entendement. C'était bien plus qu'une affaire de
maquillage et de costumes — qui n'avaient pas présenté de difficultés, si
l'on excepte les chicaneries de Zanuck sur la moustache de Zapata.
(Fallait-il qu'elle soit recourbée vers le haut ou vers le bas? Était-elle trop

longue ? Trop courte ?) Je donnai quelques conseils : « Un paysan ne révèle pas ce qu'il pense. Il lui arrive des choses mais il ne montre aucune réaction. Il sait que s'il trahit certaines réactions, on le décrétera "mauvais" et il risquera alors la mort. » Et ainsi de suite. Mais personne ne peut se targuer d'influer totalement sur le jeu de Brando ; on libère son instinct et on le pousse dans la bonne direction, c'est tout. Je lui ai dit quel but nous cherchions à atteindre et, avant même que je n'aie développé mes idées, il a hoché la tête et s'en est allé. Il avait pigé, savait quoi faire et avait, comme d'habitude, une longueur d'avance sur moi. A cette époque-là, son talent démarrait au quart de tour.

Il était simple pour Brando de comprendre que la relation de Zapata avec les femmes était différente de ce que les hommes de notre société ressentent — ou sont censés ressentir — à leur égard. « Ne te laisse pas abuser par toute cette merde, dans le script, sur la façon dont il aime sa femme, lui dis-je. Il n'a pas besoin d'une femme en particulier. Les femmes sont faites pour qu'on s'en serve, qu'on les mette en cloque et qu'on les quitte. Les hommes qui combattaient pour la révolution les laissaient derrière eux constamment pendant des mois. La femme qu'il courtise, Josefa, est une bourgeoise ; elle représente peut-être un désir secret chez lui. C'est peut-être un idéal. Ce ne sont pas les autres femmes qui manquent pour satisfaire ses besoins les plus simples. Ne confonds pas ça avec de l'amour, dans le sens où nous utilisons ce mot. Ceux qu'il aime, ce sont ses *compadres*. Ils sont prêts à mourir pour lui, et il ferait n'importe quoi pour eux. » Je lui disais en fait de ne pas interpréter les scènes avec sa femme en feignant cette expression de stupeur devant le grand amour romantique tant prisée des acteurs américains. Pour ces paysans, dis-je à Marlon, la baise n'est pas une bien grande affaire ; c'en est devenu une pour nous autres en Amérique. Mais le type d'amour romantique que nous connaissons chez nous (s'il y entre du romantisme, on peut appeler ça de l'amour) est le produit de notre petite-bourgeoisie. Ce qui soucie vraiment Zapata, ce sont les problèmes sociaux.

Marlon n'avait aucune difficulté à le comprendre. Ce style de vie le caractérisait. J'ai eu l'occasion de voir plusieurs femmes blanches (il préférait les femmes de couleur) lui faire savoir qu'elles étaient intéressées et disponibles. Je l'ai rarement vu répondre à leurs avances. Peut-être sa réaction tenait-elle à sa discrétion ou à sa timidité, mais c'est avec les hommes qu'il entretenait les relations les plus chaleureuses. Ce que j'ai décrit du mode de vie du paysan Zapata s'appliquait tout autant à Marlon. L'un comme l'autre ne se satisfaisaient pas de simples « idylles » : ils éprouvaient des besoins plus profonds.

Quand je vis que Marlon avait trouvé en lui les ressources nécessaires à l'interprétation de son personnage, je lui lâchai la bride. Il m'arrivait de ne pas ouvrir la bouche pendant le tournage de certaines scènes. Si vous donnez trop d'indications à un acteur comme Brando, vous courez le risque de lui faire perdre le fil de son inspiration, qu'il a trouvé d'instinct, et par conséquent de saboter la scène. Au contact de cet homme, j'ai appris que lorsqu'un metteur en scène a affaire à un acteur doué d'un véritable talent, il doit savoir quand s'arrêter de parler. Le metteur en

scène doit commencer par évaluer ce qu'un acteur de talent peut accomplir de lui-même. Parfois — souvent, avec Brando — c'est bien mieux
que tout ce qu'on pourrait lui indiquer. Avec lui, j'ai aussi appris à essayer
de capturer sa réaction instinctive à chaque scène, son « premier jet » en
quelque sorte : et je filmais les « répétitions ». Si vous n'obtenez pas ce
que vous désirez, commencez à faire de la direction d'acteurs — mais pas
avant. Et surtout ne cherchez pas à vous faire valoir ni à jouer les grands
réalisateurs. Parfois, la meilleure technique, pour le metteur en scène,
consiste à déchiffrer le visage d'un acteur et, au moment où il aperçoit
l'expression juste, se contenter de hocher la tête. Quelques mots, un
geste, un sourire suffisent. Puis il attend le miracle. Avec Marlon, il se
produisait souvent.

Je suis sûr que Marlon a beaucoup acquis au contact de Tony Quinn. Il
a fallu du temps, mais une véritable amitié est née, nourrie par une
compétition intense entre les deux hommes. Qui était le plus *macho* ? Je
n'ai rien fait pour les départager. Marlon s'était aguerri à l'équitation,
mais Quinn imposait sa domination sur les chevaux, tel un *caballero*. Il
soumettait l'animal à sa volonté. Il ne se dandinait pas sur sa selle en
espérant que le cheval lui pardonnerait de l'avoir éloigné de sa chère
mangeoire. L'animal que montait Quinn le respectait. Tony s'en assurait,
croyez-moi ! Le cheval était peut-être *macho,* mais Tony l'était encore
davantage. Je crois que Marlon s'en était aperçu et qu'il admirait ce
comportement.

Tony était à moitié mexicain, et les Mexicains, même ceux qui ne le
sont qu'à moitié, forment un peuple soupçonneux et jaloux. Il m'a dit un
jour : « Espèce de fils de pute, pourquoi tu donnes plus de conseils à
Brando qu'à moi ? — Mais je lui parle à peine, ai-je répondu. — Mais
non, tu lui parles tout le temps, a repris Tony de plus belle. Tu ne me
parles pas à moi ! » Je savais qu'il me fallait m'imposer immédiatement ;
nous n'étions qu'au début du tournage et Tony devait savoir qui était le
patron. « Tony, lui ai-je dit, tu racontes des conneries ! Et tu peux te les
foutre au cul ! » Son visage a blêmi, et il s'est déchaîné ; j'ai craint le pire.
Pendant toute une journée, il n'a pas desserré les dents. Je lui ai dit alors :
« Tony, tu ne t'es pas encore rendu compte que je parlais à peine à
Marlon ? — Je me rends compte, a répondu Tony, mais c'est toujours ton
chouchou. — Je n'ai pas de chouchous, Tony, et je vous estime tous deux
énormément. » Mais rien n'y a fait : il est demeuré maussade et moi
inquiet.

Je suis allé voir Marlon, je lui ai dit que Tony m'en voulait et je lui ai
expliqué pourquoi. Puis je lui ai demandé d'essayer d'arranger les choses.
Il l'a fait. Il a fraternisé avec Quinn et ils ont commencé à traîner
ensemble et à aller se baigner dans le fleuve après le travail. Je les
attendais comme une mère inquiète, l'œil rivé à la pendule, craignant
qu'ils ne se tordent la cheville sur quelque branchage dissimulé sous l'eau.
Je ne pouvais m'endormir en paix qu'après les avoir entendus rentrer au
bercail. Une amitié profonde ne tarda pas à les unir, et je leur offris la
mienne.

Le « truc » de mise en scène le plus mémorable de ce film a été suggéré par Tony. Il s'agit de la scène où il veut rassembler les gens pour délivrer son frère, que la police emmène en prison. Tony prend deux cailloux et se met à les cogner l'un contre l'autre. Puis, d'autres se mettent à l'imiter et bientôt tous ceux qui se trouvent autour font de même. Tony avait entendu parler de ce « téléphone arabe » pendant son enfance mexicaine. Tout le monde accourt, se regroupe et, ensemble, ils sauvent leur chef. C'était une scène typique du pays de Zapata.

Pendant notre séjour à Roma, au Texas, je me suis pris d'une grande affection pour les Mexicains qui s'étaient installés là, et j'ai fini par oublier le censeur officiel et le ministère de la Défense de leur pays. J'en ai employé beaucoup dans le film, en particulier des femmes. En apprenant à connaître ces *muchachas*, je me suis rendu compte qu'elles ressemblaient à ces photos de paysannes grecques que j'avais vues, et l'idée m'est venue de tourner un film en Grèce. Je les comparais aux femmes qui entourent le corps du Christ dans les tableaux de Giotto. Dans la scène du film que je préfère, aucune de mes deux stars ne figure. Elle est située vers la fin, sur la place du village, par une journée torride, le soleil à son zénith. On distingue à peine les femmes, car elles sont assises contre les bâtiments qui entourent la place, dans une bande d'ombre. De plus, elles portent des vêtements noirs. Un groupe de cavaliers arrive et ils larguent le cadavre de Zapata, assassiné, sur le couvercle d'une citerne en plein milieu de la place. La citerne est vide et le corps retombe avec un bruit lourd et sourd. Ce son fait bien sentir le poids du corps et il évoque toute la puissance qui en émanait. Les cavaliers repartent. Les femmes ne bougent pas, presque invisibles dans l'ombre ténébreuse. On a l'impression qu'elles ont déjà vu bien des cadavres, ceux de leurs meilleurs hommes. Elles ont la tête pleine de souvenirs de ces héros morts qui ont payé de leur vie leurs protestations contre des conditions injustes. Lentement, les femmes sortent de l'ombre et se dirigent vers le corps de leur héros. Elle le lavent et arrangent ses vêtements, comme s'il s'agissait du corps de leur Seigneur. J'ai gardé la caméra à une distance respectueuse. Comme la scène n'est pas complètement explicite, le spectateur est libre d'imaginer ce qu'il veut. Si je la mentionne ici, c'est que je m'étais enfin débarrassé des techniques du théâtre à cette occasion, pour devenir un cinéaste.

Molly a été très heureuse tout le temps qu'a duré le tournage, malgré la chaleur qui l'obligeait à rester presque toute la journée dans la chambre du motel, avec l'air conditionné. Je rentrais tous les soirs, j'avais besoin d'elle, et nous étions ensemble. Mais les enfants s'ennuyaient un peu, parce qu'il faisait trop chaud pour qu'ils puissent sortir jouer dehors.

Molly eut pour moi une attention merveilleuse. Zanuck m'envoyait un télégramme presque tous les jours. Au début, ce n'étaient qu'éloges admiratifs, mais peu à peu j'ai commencé à y déceler des allusions au retard que je prenais, et bientôt les allusions se sont transformées en récriminations, et Zanuck n'y allait pas avec le dos de la cuillère. Soudain, plus de télégrammes. Quel soulagement de ne plus avoir à subir ses remontrances après une longue journée sous un soleil brûlant ! Mais quand j'ai eu terminé le tournage en extérieurs, Molly m'a tendu une liasse de feuilles de papier jaune : les télégrammes que Darryl avait continué d'envoyer. Elle les avait interceptés pour que je ne m'inquiète pas.

Loin de ce qu'on a coutume d'appeler la civilisation, je n'avais rien
entendu au sujet de la chasse à l'homme entreprise par les communistes et
j'ignorais tout de ce qui m'attendrait à mon retour. Aucun signe non plus
de la part de Jack Warner ou de Charlie Feldman à propos de ce qui
retardait la sortie d'*Un tramway nommé Désir*. Une fois mises en boîte les
scènes en extérieurs, je repris le chemin de la Californie pour tourner les
dernières scènes au ranch de la Fox à Malibu. C'est dans mon bureau, le
matin de mon arrivée, que j'appris la mort de Joe Bromberg.

On a dit que la Commission des activités antiaméricaines (la HUAC)
avait tué Joe. C'est sûr, les pressions dont il avait fait l'objet avaient hâté
sa fin. J'avais également appris, à mon retour en Californie, la mort d'une
excellente actrice, Mady Christians. Après avoir été rejetée à plusieurs
reprises « pour des raisons mystérieuses », elle avait succombé à une
hémorragie cérébrale. La machine était donc lancée. Une menace terrible
planait dans l'air et se rapprochait, comme avant un orage lorsque le ciel
s'assombrit, que les nuages passent du gris au noir et que les éclairs
trouent l'épaisse couverture de pénombre sans que l'on puisse prévoir où
ils vont frapper. J'avais hâte de rentrer à New York au lieu de m'éterniser
en Californie. Qu'il en soit ainsi, me disais-je ; je ne peux rien y faire, de
toute façon. J'étais conforté dans cette attitude par ma détermination à
dire toute la vérité sur mon compte mais sans jamais nommer aucun de
mes vieux amis.

C'est à ce moment-là que je devais prendre conscience de la similitude
entre l'Église catholique et le Parti communiste, notamment dans la nature « souterraine » de leur manière d'opérer. Je venais de rentrer en
Californie et je prenais mon premier repas au restaurant de la Fox, assis à
côté de Jason Joy, qui assurait la liaison entre Darryl et le Breen Office.
C'est en compagnie de cet homme, l'un des lieutenants de Joe Breen, et
au cours de ce déjeuner, que j'ai eu vent pour la première fois des
difficultés rencontrées par le *Tramway*, selon la prédiction de Darryl, avec
la Légion pour la décence, le bureau de censure de l'Église catholique. Le
directeur des ventes de la Warner à New York, qui avait réservé le Radio
City Hall pour l'exploitation du film, avait téléphoné, complètement affo-
lé, à Jack Warner, en demandant qu'on envoie quelqu'un d'urgence dans
l'Est pour discuter avec les gens de la Légion. Warner avait ensuite pris
l'avis du propre bureau de censure de l'industrie et, en temps et en heure,
Jack Vizzard, l'un des meilleurs représentants de Breen, avait été dépêché
à New York. Je connaissais bien Vizzard car j'avais eu affaire à lui pour
un autre film.

Je voulais effectuer une déclaration officielle à ce sujet, aussi pris-je ma
plus belle plume pour exposer mes inquiétudes à Jack Warner. « Si je me
souviens bien, écrivis-je, Vizzard a reçu une formation de prêtre : il est
certainement le plus conservateur et le plus prude des employés de Joe
Breen. De plus, la personne qui nous représente auprès de la Légion pour
la décence devrait être un supporter vigoureux de notre film. Or, lors
d'une conversation que j'ai eue avec lui, Vizzard a qualifié le *Tramway* de

"sordide et morbide". En conséquence, il me semble qu'il n'est pas la personne la mieux à même de le défendre. »

Ma première réaction avait été de me précipiter à New York pour aller défendre mon film moi-même, mais il n'en était pas question car je devais encore tourner les dernières scènes de *Zapata*. Non sans anxiété, je cherchai à en savoir davantage. Feldman se trouvait à New York et je parvins à le joindre au téléphone. Il me dit que oui, la menace d'une classification « C » planait sur le film, mais que leurs objections n'étaient pas bien graves et qu'il allait se débrouiller. Ce n'était guère rassurant. Quelques jours plus tard, j'entendis à la radio que la réservation du Radio City Hall avait été annulée. A l'évidence, c'était à cause d'une menace de classification « C » — « Condamné » — émise par la Légion pour la décence. On ne me communiqua aucune de ces informations. Il me fallut, pour en savoir davantage, briser le silence institutionnalisé qui régnait à tous les échelons de la Warner.

Le compositeur de la musique de *Zapata* était Alex North, qui avait composé celle du *Tramway*. Il avait tissé des liens d'amitié avec le monteur, David Weisbart, et vivait chez lui. Il vint me trouver pour me révéler que David, accompagné de sa femme, Gladys, pour que je ne trouve pas le voyage suspect, avait été envoyé à New York par Jack Warner, et que les dernières instructions que David avait reçues de la firme tenaient en ces mots : « Et surtout, ne dites pas à Kazan que vous allez à New York. » « Ils sont au Sherry », me précisa Alex North.

J'appelai immédiatement Weisbart à New York. Il me répondit que sa présence là-bas n'avait rien à voir avec le *Tramway*. Bien sûr, il mentait. Puis il ajouta : « Bien que la situation puisse changer. » Il s'emmêla quelque peu les pinceaux et finit par lâcher que rien ne s'était passé jusque-là, mais que la situation pouvait évoluer… et ainsi de suite. J'en étais gêné pour lui. Je savais que je le forçais à me mentir. J'en voulais à Warner d'avoir placé cet homme honnête, quoique faible, dans cette position. La conversation se poursuivit, pleine de sous-entendus et de réponses fuyantes ; à l'évidence, David avait reçu l'ordre de ne rien me dire. Espérait-il me faire avaler qu'il ne savait pas ce qu'il foutait à New York ?

J'appelai de nouveau Feldman. Il me dit que toute l'affaire lui donnait la nausée et qu'il s'en allait pour l'Europe, se débarrassant ainsi du bébé dans le giron de Jack Warner. Je tentai de joindre Warner au téléphone, sans succès, mais je pus discuter avec son bras droit, Steve Trilling. J'avais toujours trouvé Steve honnête dans une position où il s'avère pratiquement impossible de l'être. Il me confessa que la Légion avait visionné le film et s'apprêtait à le condamner. Quels changements désiraient-ils ? Steve ne spécifia pas, se contentant de citer Charlie Feldman, selon lequel « il n'y avait pas de quoi s'inquiéter ». Je lui fis savoir que j'étais furieux de constater que tout ceci s'était tramé derrière mon dos, que s'il fallait effectuer des changements, il y avait de quoi s'inquiéter, et que je ne voulais pas que la Légion touche à mon film. J'ajoutai qu'on aurait dû me prévenir séance tenante, et que ce qui paraissait mineur à Jack et à Charlie ne nous paraîtrait peut-être pas si mineur, à moi ou à Williams.

Peut-être en réponse à ma colère, il me confessa finalement que la Légion avait demandé à visionner le film de nouveau, que c'était grave, et il me révéla leur objectif: « Nous devons faire croire au public que Stella et Stanley ne seront plus jamais heureux ensemble. » Ce qui allait à l'encontre des intentions de Tennessee et de son objectif de « fidélité ».

Je perdis patience. Comme j'avais terminé le tournage de *Zapata*, je demandai à Darryl l'autorisation de me rendre à New York pour voir si je pouvais empêcher ce désastre. Je lui redis que Warner m'avait promis que le film sortirait à New York dans l'état où je l'avais laissé et que nous avions topé là. Darryl me répondit d'un petit sourire narquois. Je lui promis de revenir aussi vite que possible. Mon absence ne gênerait pas Darryl, qui préférait le montage à toute autre étape de la fabrication d'un film — surtout quand le metteur en scène n'était pas là. Je laissai mon *Zapata* entre ses mains.

A New York, je me rendis directement à l'hôtel Sherry Netherland, où séjournait David, et j'exigeai qu'il me dise ce qui s'était passé. Il me répondit avec la plus grande confusion que des coupes avaient déjà été opérées dans le film, sur ordre de Jack Warner et en accord avec la liste établie par Martin Quigley. Quigley publiait un certain nombre de revues professionnelles de l'industrie. C'était un catholique, un « Chevalier de l'Église », et un ami personnel et fier de l'être du cardinal Spellman de New York. Je savais que Quigley avait rédigé le code adopté pour l'industrie par le Breen Office, qui était, présumai-je, une agence non confessionnelle au service de l'industrie dans son ensemble. C'est pourquoi Jack Warner avait appelé Quigley à la rescousse pour qu'il suggère les aménagements nécessaires, afin d'éviter au *Tramway* d'être classé « C ». Je demandai à voir le film tel que Quigley l'avait « aménagé ». David me dit qu'il faudrait quelques jours pour que le film soit prêt à m'être projeté. En d'autres termes, Jack Warner lui avait demandé de faire traîner.

Je demandai une entrevue à Quigley. C'était un homme corpulent au visage mafflu, dont le teint indiquait une fréquentation excessive des salles de conférences. Il resta debout pour parler, bras ballants, les doigts croisés à hauteur de l'abdomen. Il jouissait d'une pleine confiance en sa position et en son pouvoir, et n'avait donc aucune raison particulière de s'angoisser. Il me confessa fièrement qu'il avait déjeuné avec le cardinal Spellman, dont l'estime l'honorait. Le *Tramway* avait-il constitué l'un de leurs sujets de conversation, par hasard? Aurait-il pu en être autrement? Je dis à Quigley que son rôle dans la controverse autour de mon film ne devait pas être très confortable à tenir, car tout se passait en sous-main et tenait, en vérité, de la conspiration. Il convint de la justesse de ma première critique, mais dénia la seconde. Il me dit ensuite qu'il avait agi à l'invitation de la Warner, qui s'était retrouvée avec sur les bras un film bien parti pour recevoir la classification « Condamné » par la Légion pour la décence et — il insista sur ce point — être mutilé, ou se voir refuser un visa d'exploitation par divers comités de censure opérant en toute légalité dans les différents États de l'Union. « J'ai cherché, continua-t-il, à limiter au maximum les modifications nécessaires pour éviter les conséquences hautement indésirables que je vous ai signalées, et à aménager les changements proposés de façon qu'ils nuisent le moins possible à l'intégrité artistique du film. » Puis il prononça des paroles qui me choquèrent profondément. « A partir de là (ce qu'il avait dit), vous comprenez bien que vous n'êtes vraiment pas en position de me demander quoi que ce soit. Je me suis contenté d'émettre une recommandation honnête et prudente. » Très ingénieux, me suis-je dit.

Je répondis que je jugerais sur pièces — et j'y parvins. Il y avait une dizaine de coupures, qui visaient à changer l'histoire de Stella, la sœur de Blanche et l'épouse de Stanley, de sorte que ce soit désormais — je cite encore Quigley — « celle d'une fille respectable qui est attirée par son mari comme il sied à une fille "respectable" ». Il y avait à l'origine un gros plan magnifique — je parle de l'interprétation de Kim Hunter, pas de ma mise en scène — qui la montrait en train de descendre l'escalier vers son mari qui vient de lui lancer un appel désespéré pour qu'elle revienne. Ce gros plan avait été écourté ainsi que l'accompagnement musical d'Alex North. Ce plan et cette musique avaient été jugés trop « sensuels ». En coupant certaines répliques, on avait fait du mal au film, mais ce qui me faisait mal, à moi, c'est l'arrogance de ces méthodes, et ceci : les gens de l'Église n'éprouvaient pas la moindre gêne. Il n'y avait rien que je puisse faire. A qui appartenait le film ? A la Warner Brothers. C'est l'argent qui avait le dernier mot.

Mais je ne pouvais pas rester sans rien faire. Je demandai une autre entrevue à Quigley. « Ne pensez-vous pas, Mr. Quigley, dis-je, qu'on aurait dû me consulter dans toute cette affaire ? » Mais je connaissais d'avance sa réponse : « Croyez-vous vraiment que dans la situation où nous nous trouvons, une telle démarche aurait aidé ? » La vérité, c'était — il me fallait l'admettre — que mon film m'avait été enlevé, en secret, habilement, sans éclats de voix. Je découvris que je n'avais aucun droit. J'avais été éliminé. Soudain aimable, Quigley me conjura d'être indulgent envers la « position compliquée de votre ami David Weisbart. Ses supérieurs lui ont enjoint de conserver le silence le plus strict. Il a souvent exprimé son estime pour votre personne et son ardente admiration pour votre talent professionnel. Sa contribution à l'aspect technique du travail qu'il semblait nécessaire d'accomplir s'est révélée soigneuse et habile. » Et ainsi de suite. Quigley cherchait à faire la paix.

Je ne me laisserais pas embobiner. Je dis que la dissimulation avec laquelle toute cette affaire avait été maquillée me déplaisait, tout comme les coupures, qui revenaient à la superposition d'un code moral sur un autre, celui de l'auteur et de moi-même. « De quel droit cherchez-vous à faire appliquer une position éthique qui est celle de votre Église à toute la population de ce pays ? » lui demandai-je. Sa réponse me stupéfia ; elle m'est toujours restée comme l'expression de l'orgueil qu'éprouvent les puissants : « La liberté d'expression garantie par la Constitution américaine ne fonctionne pas que dans un sens. J'ai tout autant le droit de dire que les considérations morales l'emportent sur les conditions artistiques, que vous avez celui de le nier. — Mais de quels critères moraux vous réclamez-vous ? » demandai-je. Il me répondit : « Je me réfère aux principes de moralité qui prévalent depuis bien longtemps dans le monde occidental, et qui sont fondés sur les Dix Commandements — rien, vous le voyez, que je puisse me targuer d'avoir inventé ou imaginé. »

La confiance absolue que respirait cet homme me sidéra. Il ne nourrissait aucun doute par rapport à ce qu'il avait fait. Il pensait avoir sauvé le *Tramway* pour la Warner Brothers. Il me confia qu'à l'origine, le père Masterson, le prêtre qui marchait à la tête de la Légion, avait déclaré que la tâche de Quigley était impossible, et que lorsque celui-ci lui avait montré ce qu'il avait fait, le prêtre avait ordonné d'autres coupures. Quigley se vantait d'avoir convaincu le père Masterson de renoncer à de telles exigences. Pendant tout ce temps, en coulisses, le bruit courait d'une possible action des Anciens Combattants catholiques, de même que celui d'un boycottage des cinémas qui projetteraient le film mais aussi de tous les produits Warner Brothers.

Quigley se gargarisait de cette expression : « la prééminence de l'ordre moral sur les considérations artistiques ». Quand je lui eus dit que Williams avait sa propre conception de la moralité, et que lui et son film représentaient des exemples d'art au service d'une moralité personnelle ferme, Quigley m'adressa un léger sourire. Je me rendis compte qu'il avait de la peine pour moi.

En désespoir de cause, je demandai deux choses à Jack Warner — qui jouait maintenant les victimes de la hiérarchie catholique. Je suggérai d'abord que deux films soient projetés à New York. Puisque la population catholique de ce pays s'élevait à vingt pour cent, le film « corrigé » par Quigley et la Légion devrait être projeté dans un cinéma dont la taille serait équivalente à vingt pour cent de celle des grandes « usines à fauteuils », et le film tel que je l'avais laissé, conforme aux vœux de l'auteur, serait projeté dans un grand cinéma, dont l'entrée serait interdite aux catholiques par leur Église. Je suggérai même que des prêtres soient postés dans le hall pour noter le nom des paroissiens qui défiaient l'interdiction prononcée par l'Église. Bien sûr, cette suggestion fut écartée et qualifiée de ridicule et d'anticommerciale — comme je m'y attendais.

J'émis alors une autre suggestion, et je ne voyais pas pour quel motif la Warner ou la Légion pour la décence refuseraient d'y satisfaire. Comme le film devait être envoyé au festival de Venise, je demandai que la version qui y serait projetée soit celle que nous avions conçue, Williams et moi. Mais on m'opposa encore un refus. On me répondit que si le film était montré quelque part, ne serait-ce qu'une seule fois, il écoperait immédiatement d'un « Condamné ». L'Église voulait que ses valeurs morales soient celles du monde entier.

Voilà, pensai-je alors, où s'arrêtait mon pouvoir. J'étais victime d'une conspiration hostile. Je ne vois pas quel autre nom lui donner. Je ne disposais d'aucun recours sauf à donner un coup de projecteur sur l'affaire — je me souvenais de notre lutte au sein de la Guilde des réalisateurs. Sentant peut-être qu'il était dans le domaine des choses possibles que je me fasse entendre, Warner m'envoya un message par l'intermédiaire de Steve Trilling. Je cite : « Dis à Kazan de ne pas se montrer vindicatif. » Eh bien, je le serais, vindicatif, puisque c'était comme ça. On m'entendrait. J'élèverais la voix. Je rendrais l'affaire publique — comme Joe Mankiewicz, sur une plus petite échelle, l'avait fait. Au moins, j'en tirerais quelque satisfaction. Ce silence qu'on m'imposait m'étouffait. Mais ce que j'avais le plus de mal à tolérer, c'était la gentillesse et l'amitié dont faisaient montre à mon égard ceux mêmes qui mutilaient mon film.

J'annonçai à Darryl que j'allais écrire un article dans le *New York Times* et révéler tout ce qui s'était passé, pour que les amoureux du cinéma sachent ce qui se tramait derrière leur dos. Darryl haussa les épaules. « Cela vous aidera peut-être, répondit-il, mais ces gens ne changent pas. Vous ne pouvez pas les persuader de changer. Et si ce ne sont pas eux, quelqu'un d'autre prendra la relève. » Il ne m'encouragea pas.

Je crois que c'est Darryl qui révéla à Charlie Feldman, de retour d'Europe, ce que j'avais l'intention de faire. Charlie attendit la sortie du film et m'envoya le télégramme suivant, autoportrait parfait : « Cher Gadg, au vu de la presse formidable sur le *Tramway* et de la certitude de chacun que tu remporteras l'oscar, je crois sincèrement que tu te fais du mal en publiant déclaration concernant remontage, etc. Mais en tout cas, je te demande comme faveur personnelle de ne pas prononcer d'autres critiques, car elles ne font tort qu'au prestige du film, vu que public pensera qu'il va voir version mutilée et s'abstiendra probablement. Rappelle-toi que tous ceux qui ont vu le film y compris les critiques l'adorent tel quel et ont insisté sur ses qualités artistiques. En dernier ressort, je répète, tu te fais du mal et, bien sûr, tu me fais infiniment de mal. Apprécierais que tu y réfléchisses, mais si tu décides autrement, je crois que j'essaierai de comprendre. Toute mon amitié. Charlie. » Charlie était un chic type, non ?

Le critique cinématographique du *New York Times*, Bosley Crowther, catholique qui avait aimé le film et l'avait dit, me demanda mes commentaires. Je lui répondis que je préférais écrire un article pour son journal. J'écrivis donc ce que j'avais à dire et le soumis à Molly pour qu'elle me dise ce qu'elle en pensait. « Ça te dérange, demanda-t-elle, si je le retouche un peu ? — Bien sûr que non », mentis-je. Mais elle était fière que j'aie décidé de parler à haute voix. Elle me montra sa version révisée ; j'admis qu'elle était meilleure. L'édition du dimanche du *Times* la publia, et tout le monde en parla. J'avais vraiment braqué les projecteurs sur l'affaire. J'étais content de moi.

Mais je ne m'étais pas rendu compte des implications contenues dans ces événements. La Légion pour la décence avait agi avec une audace et une franchise inhabituelles. Ce que tout cela signifiait — et je ne m'en aperçus pas sur le coup —, c'est que la puissance et l'assurance de la droite dans le monde du spectacle allaient croissant. Jack Warner avait mouillé son pantalon devant l'Église. Ils auraient pu couler son affaire. Après que Charlie Feldman eut lu mon article dans le *Times*, il m'envoya un autre télégramme, d'une longueur tout aussi excessive, pour me conseiller d'accepter de bonne grâce ce qui s'était passé, vu que Jack Warner était puissant et pourrait se retourner contre moi. Je passai outre à l'avertissement de Feldman. Quand je rencontrai Jack de nouveau, il fut aussi amical que d'habitude. Je compris que les insultes n'atteignent pas ces gens : ils ne se soucient pas de moralité ; il n'y a que leur affaire qui compte. Le *Tramway* rapporta un bon paquet — c'est tout ce que Jack voulait savoir à mon sujet. Peu après, Jack et moi conclûmes un accord, qui m'était très favorable, pour produire un autre film dans son studio. Et voilà tout.

J'étais content que Molly approuve ce que j'avais fait. Je n'aurais pas pu supporter une autre marque de désapprobation de sa part. Nous ne menions pas une vie domestique régulière ; je ne rentrais pas à la maison chaque après-midi, aussi se mettait-elle dans tous ses états et m'attaquait-elle pour une raison ou pour une autre, peu importe. Les nuits étaient plus insupportables encore que les journées ; notre chambre à coucher me faisait l'effet d'une prison. La colère de Molly à mon endroit contrastait avec son sens inné de l'équité, qui l'empêchait de dire tout ce qu'elle avait sur le cœur. Un silence tendu régnait. Bien sûr, je ne pouvais m'en prendre qu'à moi-même. C'est du moins ce que je me disais. Mais j'en avais par-dessus la tête de nos désaccords et je voulais donner à ma vie un tour différent, fondé sur l'insouciance, la détente, le plaisir, la jouissance, bref une vie menée au petit bonheur la chance, sans responsabilités.

Mort de fatigue, je constituais une cible facile pour la dépression. Ces accusations silencieuses fondant sur moi de toutes parts, étaient-elles réelles ou imaginaires ? Une nuit, je fis un cauchemar : on procédait à de nouvelles coupes dans le *Tramway* derrière mon dos et je me battais pour sauver mon film. J'entendis quelqu'un pousser des cris rauques dans mon sommeil ; c'était moi. J'eus soudain le souffle coupé, puis je cessai complètement de respirer. Je compris comment on pouvait mourir dans son sommeil d'un malaise cardiaque. Au matin, je n'avais qu'une envie, c'était de laisser la place à d'autres sur le champ de bataille. Mais bien sûr, il s'agissait de mes propres combats et personne ne s'y intéressait à part moi. De plus, il me fallait rester là où j'étais et me préparer pour la confrontation politique que je sentais pointer à l'horizon.

L'article que Molly avait remanié pour le *New York Times* faisait à nouveau de moi un héros culturel, mais ce texte ne me plaisait qu'à moitié. Il était modéré, raisonnable et sensé, à l'encontre de mes sentiments. J'avais fait ce film, j'y avais travaillé comme un fou, suant sang et eau, et tout ça pour être contraint de le soumettre à la volonté d'une bande de conspirateurs fiers d'eux-mêmes, conduits par le pape Glouton Ier, domicilié dans la 50e Rue, et par tous ceux qui suivaient ses conseils pour obtenir son approbation — on l'appelait à juste titre la « Pouvoir-Centrale ». Je n'avais aucun moyen de me défendre et je n'avais pas même l'opportunité de résister. J'étais sûr d'une chose, cependant : il existait une grande et puissante organisation qui agissait et poursuivait ses objectifs en secret, et ce Léviathan m'avait vaincu. En dépit de mon article dans le *Times*, j'avais été humilié. Et ce n'était pas fini.

Une atmosphère de dissolution s'installait dans mon entourage. D'origine mystérieuse, des attaques visaient à la fois la vie professionnelle et les relations personnelles de nombre de mes amis : des amitiés se rompaient, des mariages se brisaient. Le chaos menaçait ; toutes sortes de connexions entre les hommes se fracturaient. Je me rappelais combien de ces liens s'étaient nourris de nobles espoirs, maintenant profanés.

Au moment de mes rencontres avec Quigley, j'avais eu une longue conversation avec Art Miller. Lui et Mary se séparaient. Que de douleur de chaque côté ! Pendant des mois, il avait supplié Mary de le reprendre, mais elle n'avait pu se résoudre à pardonner à son mari. Sa confiance en la valeur de leur union semblait avoir été entamée sans espoir de retour. Elle n'avait pas cru un seul mot de ce que lui avait dit Art. Il avait fait tout son possible, selon ses dires, pour sauver leur mariage, mais sa femme adoptait une attitude amère et vindicative. Aucune chaleur humaine, aucune générosité n'animait plus leur foyer. Et elle ne levait pas le petit doigt pour lui faire plaisir ou accueillir décemment ses amis. Élevée selon les principes de la religion catholique, elle avait renoncé à cette foi, puis viré à gauche, et enfin s'était entichée de psychanalyse. Encore un exemple du caractère indélébile de la notion de péché que l'éducation catholique insinue dans ses sujets, une fois que leur genou a touché terre. Art devait subir son châtiment — et pourtant je crois que Mary se sentait elle aussi responsable de leur échec. Il était évident désormais qu'une autre femme emmènerait Art.

Marilyn m'avait écrit de temps en temps à l'Actors Studio, me racontant combien sa vie était terne depuis que nous avions quitté la Californie, et se lançant ensuite dans des déclarations d'amour passionnées et persistantes pour Art. A mon grand étonnement, elle était en train de devenir une star et on se l'arrachait. Un jour, elle m'informa dans une de ses lettres qu'elle arrivait à New York ; Art, disait-elle, avait prévu de la rencontrer. Elle ajoutait qu'elle espérait que je ferais au moins un saut à son hôtel pour lui dire bonjour et lui souhaiter bonne chance dans sa quête. Elle arriva effectivement et je fis un saut à son hôtel pour bavarder un peu avec elle. Je la trouvai sous l'emprise obsédante de sa passion pour Miller : elle se précipita chez le coiffeur de l'hôtel afin de pouvoir dire à Art de monter dès qu'il arriverait. Elle n'avait pas encore eu de ses nouvelles et j'éprouvais le sentiment déplaisant qu'il allait lui poser un lapin. Je lui dis que je l'appellerais plus tard, ce que je fis à la fin de l'après-midi. Sa voix exprimait une grande désolation. Art avait appelé, me dit-elle, et avait annulé leur rendez-vous à grand regret. Elle me supplia de venir la voir pour la consoler, j'acceptai. Ses cheveux, que le coiffeur avait attachés avec soin, étaient en bataille. Humiliée, elle s'était acharnée sur eux. Le lendemain, elle retourna en Californie.

Je savais combien elle avait été blessée car j'avais pu apprécier l'ampleur de ses espérances le matin même. Mais en dépit de l'injustice dont elle était victime, mes sentiments me portaient vers Art. Il n'y a rien de plus douloureux que de démolir un foyer où vivent vos enfants. J'avais vu des déménageurs emporter notre propre mobilier. J'étais bien placé pour comprendre l'attitude d'Art.

Pendant que j'étais occupé à tourner des films, Lee s'était approprié l'Actors Studio. Il possédait un *home* artistique désormais, et celui-ci ne tarda pas à devenir son quartier général. Pas plus que les autres il n'était payé pour son travail. Il dépendait pour sa subsistance de ses cours privés, dont la réputation allait croissant. Non seulement ils lui assuraient une vie confortable mais ils lui apportaient autre chose : l'adulation dont il avait soif, et un pouvoir unique. Lee supervisait les admissions à l'Actors Studio que l'on considérait désormais, en grande partie grâce à mes films, comme un vivier de stars. On pensait généralement qu'un acteur pouvait passer directement du Studio au plateau d'un de mes films.

L'heure de gloire avait sonné pour Lee. Tous les mardis et les vendredis, à onze heures du matin, il pénétrait dans la salle où une foule d'acteurs l'attendait avec impatience. Il s'asseyait au premier rang devant l'espace scénique, sa femme, Paula, à son côté. Une secrétaire lui tendait une carte, et Lee annonçait le titre de la scène qui allait être interprétée et le nom des acteurs. Il arborait une expression solennelle ; l'intensité qui émanait de lui faisait sentir à chacun l'importance de notre profession. Une fois la scène jouée, Lee interrogeait les interprètes. « Qu'avez-vous essayé de faire ? » Cette question lançait une discussion technique. Il avait été indiqué aux acteurs quels étaient leurs problèmes spécifiques et ils avaient travaillé pour essayer de les régler. Nous venions d'assister à un exercice technique, pas à un divertissement. Ayant pris connaissance des intentions exprimées par les acteurs, Lee se tournait vers ceux qui se trouvaient derrière lui et demandait : « Eh bien, qu'en dites-vous ? »

Hésitation générale ; on offrait son opinion avec crainte. Et si Lee n'était pas d'accord ? Et s'il le prenait mal ? Personne n'ignorait l'incandescence de son tempérament. Parfois, on se risquait à répondre d'une voix tremblante. Il n'était pas rare d'entendre un acteur commencer par : « Comme vous l'avez dit la dernière fois, Lee... » ou par : « Comme vous le dites toujours, Lee... » Suivait une observation dont l'élève avait tout lieu de croire que Lee l'approuverait. Je ne suis pas certain que Lee appréciait cet aplatissement général, mais il ne fit jamais rien pour y remédier.

Après avoir écouté ce que « les gens » avaient à dire, Lee leur tournait le dos, et on branchait le micro placé à côté de lui. Les blocs-notes s'ouvraient et les jeunes acteurs et actrices se préparaient à faire la même chose que moi un quart de siècle auparavant : prendre en note la moindre parole de Lee. Chacun de ses commentaires sur l'un ou l'autre aspect de notre art était conservé pour la postérité. C'était un père dévoué, sévère, tout autant qu'une mère affectueuse qui assumait la responsabilité quasi totale du bien-être de sa famille. C'était aussi un chef de tribu, à la tête d'un mouvement qui allait changer toute l'approche de l'interprétation dans notre théâtre. L'intimité de ses cours les apparentait à une réunion de famille, mais il aurait tout aussi bien pu s'y tramer une cabale. Je n'ai vu nulle part dispenser autant d'honneur à quelqu'un. Tout le monde l'adorait à ce moment-là. Y compris moi.

En réponse à son besoin de trouver une activité quelconque qui lui inspirerait du respect et dont elle tirerait un enseignement, je fis admettre Marilyn aux cours de Lee, en tant qu'observatrice.

Tous mes amis se débattaient désormais dans la tourmente, politique et personnelle. Je n'avais pas vu la plupart d'entre eux depuis des mois. Quand je les retrouvai, de grands changements étaient intervenus, signe, croyais-je, de la montée de la droite. Elle allait faire régner la terreur sur notre petit monde, de cette manière qui n'appartient qu'à elle. Mon vieil ami Kermit Bloomgarden me prit un jour à part et, sur un ton sinistre, me glissa ce conseil dans le creux de l'oreille : « Tu ferais mieux de revenir au théâtre maintenant et de rester sur la côte Est. » Il ne m'en dit pas davantage. En savait-il plus que moi sur ce qui se préparait ? S'exprimait-il d'instinct ? Kermit était en train de se fabriquer en toute hâte, avec l'aide de son attaché de presse, une image de marque en béton. Le protégerait-elle ?

Quelques mois auparavant, Julie Garfield avait témoigné, comme j'avais l'intention de le faire, sans donner de noms, défiant ainsi la commission. Tout aussitôt, une cohorte d'amis « qui lui voulaient du bien », au nombre desquels on comptait ses agents et tous ceux qui avaient misé sur le bon déroulement de sa carrière, s'étaient pressés autour de lui pour l'informer que s'il maintenait sa position, il pouvait dire adieu à sa carrière au cinéma. Déjà, les patrons de studio craignaient de l'employer, et bientôt une star se retrouverait au chômage. Quand je vis Julie, j'eus l'impression qu'il était plutôt gêné aux entournures et commençait à se demander ce qui comptait le plus dans sa vie. Il avait demandé conseil à un avocat, Louis Nizer, et j'avais dans l'idée que ses sentiments évoluaient doucement vers une position plus « raisonnable ». Sa femme, Roberta, s'en doutait et manifestait sa désapprobation. Julie me confia qu'il se sentait mal à l'aise dans sa propre maison, et que son salon était toujours plein de gens qui le méprisaient — des amis de sa femme. Il ajouta qu'il ne se sentait pas le bienvenu quand il rentrait chez lui. Il n'avait encore rien fait ouvertement, mais la gauche était en alerte et n'avait pas perdu de temps pour le condamner.

Un soir, nous reçûmes Mr. et Mrs. Fredric March à dîner, et l'alcool délia la langue de Florence. Elle nous raconta que Freddie se comportait bien mal à son égard — Molly me regarda. Elle ajouta qu'elle était constamment obligée de rappeler Freddie à l'ordre, politiquement parlant. « Comme c'est dur d'être la mère de quelqu'un de votre âge ! » s'exclama-t-elle. Freddie ne disait mot. Tous deux avaient subi les assauts d'un bulletin spécialisé dans la vigilance politique, *Contre-Attaque*, qui était envoyé aux patrons des studios. Pendant six mois, nous dit-elle, les appels pour Freddie avaient été si rares qu'une seule main aurait suffi pour les dénombrer, et encore, sans utiliser tous les doigts. Ils décidèrent de porter plainte contre le bulletin. Mais son mari, maintenait Florence, n'était pas resté loyal durant la crise. « Il était prêt à prendre n'importe quoi. » L'affaire se régla finalement en dehors du tribunal ; l'une des clauses stipulait que les March devraient signer une déclaration anticommuniste dans *Contre-Attaque*. Ce qui revenait à une humiliation publique. Ils le firent, mais en dépit de leur blanchiment, la tache ne s'effaça pas, et une longue période devait s'écouler avant que Freddie ne retrouve du travail.

L'avilissement qu'ils avaient dû subir érigea une barrière d'amertume entre les deux époux.

Je passai également une soirée avec Clifford Odets, qui préparait sa déclaration devant la commission. Elle serait provocante. A un moment où il aurait eu besoin d'être soutenu chez lui, il était en train de rompre avec sa femme, Betty. Il me raconta leur histoire depuis le début... les aventures de sa femme. Il avait été forcé de jouer un rôle de mère auprès de ses enfants. Complètement bouleversé, il ne pouvait plus écrire. Et pendant ce temps-là, ses fonds s'amenuisaient. Je m'étais dit que le désespoir le pousserait peut-être à reprendre la plume, mais il n'en fut rien.

A l'Actors Studio, un message m'attendait : pourrais-je passer un coup de fil à Lillian Hellman ? Elle me raconta combien elle avait apprécié sa visite sur mon plateau (celui de *Panique dans la rue*) et combien elle aimerait m'avoir à dîner un de ces soirs. La dame venait de Louisiane, sa spécialité était donc la soupe au gombo. Elle s'était mise sur son trente et un en mon honneur, mais elle ne portait pas de robe du soir, plutôt un genre de peignoir avec fermeture à glissière sur le devant. On ne peut pas dire que cette tenue l'avantageait. Elle m'informa que la cuisinière était de sortie pour la nuit. Elle avait fait la soupe au gombo elle-même et l'avait réussie à merveille ; il y avait pléthore de pain imbibé de beurre et d'ail pour « saucer », et du vin rouge capiteux pour arroser le festin. Je me faisais l'effet d'être une jeune fille coincée par un vieux monsieur très riche, impatient de recevoir la récompense qu'elle était en mesure de lui fournir... en remerciement du bon repas dégusté au préalable. Je redécouvris sa toux chronique de fumeuse, une toux rauque qui déchirait l'air, comme son esprit caustique, toujours le même. Elle se moqua des lâches qui s'étaient déjà mis à table devant la H.U.A.C. ou ne tarderaient pas à le faire, et m'invita à rire de concert avec elle. Ce que je fis, pendant un moment. Puis elle railla des gens que j'aimais bien et je me rendis compte que son attitude de prédilection consistait à se moquer du monde. Elle se gaussait de tous ceux dont elle parlait et je finis par me lasser de ses saillies. En dépit de tout, je pouvais sentir chez elle une certaine nervosité, un désir de se trouver des alliés. Son rire même était forcé. Ce qu'elle espérait voir se produire entre nous l'aurait rassurée, je suppose. Mais au lieu de cela, je lui dis qu'il me fallait me lever de bonne heure pour superviser une répétition, la remerciai pour sa soupe délicieuse et pris congé. J'avais dû lui parler sur un ton un peu sec car elle prit soudain l'air offensé. Les besoins qui n'avaient pas été satisfaits cette nuit-là le furent par la suite grâce aux bons offices de Jed Harris. Si quelqu'un pouvait clouer le bec à Lillian, c'était lui : il ne savait ouvrir la bouche que pour critiquer les autres. Ces deux-là ont dû se livrer à un véritable concours de dérision.

Je n'avais reçu qu'une seule lettre de Tennessee Williams, dans laquelle il m'adressait une requête désespérée. J'étais devenu un de ses intimes et il me demandait, sous le sceau du secret, si je pouvais trouver le moyen de faire inséminer artificiellement une dame de ses amies. Il ne me révélait

pas le nom de celle-ci, mais j'imagine qu'en la circonstance, cela n'avait
pas d'importance. La raison en était que Tennessee, toujours avec Frank
Merlo, et très heureux de cette situation qui promettait de durer, voulait
une descendance. Il n'était pas sûr de parvenir à l'excitation physique
nécessaire pour pénétrer une femme, non parce qu'il était impuissant mais
à cause de ce blocage mal défini qui l'avait handicapé toute sa vie. Il avait
eu une liaison avec une fille, m'avait-il dit un jour, avant de commencer à
fréquenter des hommes ; cette liaison était demeurée unique. Par voie de
conséquence, il n'était pas sûr de pouvoir concevoir son enfant. Je lui
répondis que je me renseignerais, mais comme il ne m'en reparlait plus, je
finis par oublier. Il mourut sans enfants.

Puisque je ne travaillais pas, j'aurais dû avoir tout loisir de méditer,
mais j'en étais incapable. Tout m'angoissait : l'avenir, le passé, mon mariage, ma personnalité, mon travail et le destin de mes amis, qui préfigu-
rait le mien à n'en pas douter. On me convoquerait bientôt devant la
H.U.A.C., j'en étais sûr. J'étais sûr aussi qu'à la suite de mon article dans
le *New York Times*, le cardinal Spellman pèserait de tout son poids contre
moi. Je soupçonnais alors — j'en suis convaincu aujourd'hui — que
l'Église (ou tout du moins ses instances les plus hautes) marchait main
dans la main avec McCarthy. Et Spellman a soutenu McCarthy, même
après que celui-ci fut tombé en disgrâce. Je ne peux pas mieux décrire
l'agitation autour d'*Un tramway nommé Désir* qu'en parlant de conspiration bien organisée.

Je me sentais encore en sécurité à New York et au théâtre. J'avais
convaincu Tennessee que nous pourrions étendre sa courte pièce *Ten
Blocks on the Camino Real* aux dimensions d'une soirée entière et je me
préparais à monter la pièce avec des acteurs du Studio et mon ami Anna
Sokolow, qui s'inspirerait de l'artiste primitif mexicain Posada pour sa
chorégraphie. J'installai mes quartiers dans l'immeuble occupé par le
Studio et engageai une secrétaire, Mae Reis. Tennessee monta à New
York et nous commençâmes à sélectionner les acteurs.

Un jour, en début d'après-midi, Mae Reis m'informa qu'un « Noir »
voulait me voir. A cet instant, je me dirigeais vers l'endroit où avaient lieu
les répétitions pour auditionner Lili Darvas. Tennessee m'avait précédé,
aussi étais-je pressé. « Pour un rôle ? demandai-je. — Je ne crois pas »,
répondit Mae.

C'était un Noir de belle allure au visage aimable et au sourire bien
élevé. « Vous voulez me voir ? » demandai-je. Il se leva et me dit : « Pouvons-nous aller quelque part ? » Je ne compris pas bien, mais je fis quelques pas en direction de la porte, pour lui faire sentir que j'étais pressé. Il
me montra alors sa carte, que je ne pris pas la peine de lire, puis il sortit
d'une enveloppe une feuille rose pliée en quatre et me la tendit. « Cette
réunion aura lieu dans le plus grand secret, dit-il en baissant la voix. Si
vous n'en parlez à personne, nous n'en parlerons à personne. Nous attendons de vous que vous soyez un témoin coopératif. » Je dis : « Merci »
(pourquoi, je n'en sais rien), saisis la citation à comparaître, et me hâtai

vers la salle ou miss Darvas allait tenter sa chance pour le rôle de
Marguerite Gautier. Je ne repensai plus à l'assignation de tout l'après-
midi. Je ne me sentis pas nerveux une fois notre travail terminé. C'est fou,
pensai-je, comme une vie peut basculer d'un coup, presque par hasard.
On m'avait « convoqué » ; c'était fini. Je pris un verre avec Williams — un
double Martini pour lui, un *old-fashioned* pour moi — et nous discutâmes
de nos problèmes de distribution.

Mais cette nuit-là, je ne trouvai pas le sommeil.

En 1934 — j'étais alors un membre loyal et énergique du Parti — je rencontrais beaucoup de « camarades responsables » pendant mes heures de loisir. Celui de tous que je préférais, c'était Andy Overgaard, un Suédois ou un Norvégien, je ne sais trop. Nous l'aimions tellement, au Group, que durant l'été 35, nous l'avions invité à notre camp de répétitions dans les Catskills. Il avait accepté avec plaisir et s'était montré un invité très agréable, tout aussi intéressé par notre travail théâtral que nous par son expérience dans le « mouvement ». Ce que j'admirais le plus chez Andy, c'était son indépendance d'esprit. Il n'y avait rien de secret chez lui. Il déclarait avec franchise qu'il appartenait au Parti, quel que soit son auditoire, fier de ce qu'il était, et bien décidé à donner son avis sur tout. Je montrais Andy en exemple aux autres membres de notre cellule. Pourquoi ne pouvions-nous pas tous admettre avec autant de franchise que nous étions membres du Parti? L'attitude d'Andy offrait un contraste salutaire avec le comportement cachottier des autres camarades et la timidité qui s'emparait parfois de moi. Ne vaudrait-il pas mieux que nous admettions notre identité et nos idéaux? J'avais déclaré antiaméricaine l'action furtive, à la dérobée. Lorsque le Parti offrait pour devise à la nation: « Le Communisme Est l'Américanisme du XXe Siècle », je pensais, en mon for intérieur: s'ils veulent dire Andy, alors je suis d'accord.

A dix heures trente, le matin du 14 janvier 1952, j'arrivai une demi-heure en avance dans les locaux de la Commission des activités anti-américaines à Washington. J'avais déterminé ce que j'allais dire: j'avais été membre pendant un an et demi; j'avais démissionné, écœuré; le projet nourri par le Parti de prendre en main la direction du Group Theatre avait échoué; nous n'avions jamais vraiment exercé aucune influence sur le cours de notre théâtre. Je savais qu'ils me demanderaient de donner le nom des autres membres de notre « cellule » et que je refuserais.

A l'heure exacte, l'avocat de la commission, Frank Tavenner, entra et me conduisit dans une salle d'attente. J'y restai seul pendant quinze minutes, à l'issue desquelles Raphael Nixon, le directeur de recherches de la commission, me demanda de l'accompagner dans son bureau. Le bruit de marteaux piqueurs montait de l'extérieur et nous dûmes élever la voix pendant une partie de notre conversation. Nixon me parut bienveillant et détendu. A un moment, il laissa entendre que la commission s'intéressait principalement à John Garfield, mais je ne saisis pas la perche. Sa désinvolture avait sans doute accru ma nervosité car, soudain, je laissai échapper sans y avoir été incité que j'avais été membre pendant un an et demi avant d'expliquer dans quelles circonstances j'étais parti. Je fus soulagé de m'être libéré de ce poids.

Il ne me répondit pas comme je m'y attendais, n'essaya pas de me persuader d'en dire plus. Notre conversation tourna au « bavardage ». Il semblait très désireux de me convaincre que la commission ne cherchait pas à détruire qui que ce soit. Les membres de la commission étaient particulièrement sensibles à certaines critiques selon lesquelles ils pratiquaient la calomnie et ruinaient des vies. Une assignation, selon Nixon, n'était rien de plus qu'une invitation à prendre position ; aucun opprobre n'était encouru. Au cours de cette conversation « à bâtons rompus », il m'interrogea sur Clifford Odets. En était-il ? Je répondis conformément à mon engagement, en signifiant à Nixon que je me montrerais aussi coopératif que possible en ce qui concernait ma personne, mais que je ne discuterais pas des autres. Il ne montra aucune réaction particulière, mais à la fin de notre entretien il me conseilla, toujours avec la même extrême bienveillance, de reconsidérer mon refus de donner des noms à la commission. Il me passa trois brochures sorties de l'Imprimerie du Gouvernement, à lire pendant l'heure du déjeuner : les témoignages de Budd Schulberg, Eddie Dmytryk et Richard Collins, qui avaient été tous trois « coopératifs ». Il m'indiqua un endroit où je pourrais manger un repas décent et me demanda de revenir à deux heures, moment où se tiendrait une « séance à huis clos » de la commission. Il m'assura que tout ce que je dirais à cette occasion demeurerait confidentiel.

Assis devant une entrecôte minute à l'hôtel Congressional, je parcourus les brochures mais sans parvenir à me concentrer sur elles. Je ne pouvais m'empêcher de repenser à ma conversation avec Nixon. Comme j'avais été nerveux ! Voilà pourquoi je n'avais pas arrêté de laisser échapper ce qu'on ne m'avait pas demandé de dire.

A deux heures moins le quart, je réapparus, encore en avance, toujours nerveux. Raphael Nixon arriva sans se presser, et je pénétrai à sa suite dans la salle d'audience. Rehaussé par rapport au niveau du sol, un rectangle comportant deux ouvertures me dominait ; des chaises étaient disposées sur son pourtour. En bas, il y avait deux autres chaises placées à chaque extrémité d'une longue table. Quatre des huit membres de la commission entrèrent et s'assirent au-dessus de moi. On me les présenta. Je ne me rappelle que deux noms, Velde de l'Illinois et Kearney de New York ; j'ai de bonnes raisons de me souvenir d'eux. Nixon, qui allait m'interroger, prit place à un bout de la longue table et moi à l'autre. Les membres de la commission me regardaient de haut. Un metteur en scène n'aurait pas pu imaginer décor plus humiliant pour un suppliant.

Nixon répéta qu'il s'agissait d'une « séance à huis clos » et que mes déclarations demeureraient confidentielles. Puis il entama son interrogatoire. Durant ce qui suivit, divers membres de la commission sortirent à plusieurs reprises, pour revenir un moment plus tard : ils paraissaient courir plusieurs lièvres à la fois, et apparemment ce n'est pas moi qu'ils étaient le plus pressés d'attraper — ce qui ne me dérangeait pas. Peut-être l'interrogatoire se terminerait-il rapidement.

D'abord, date de naissance, nationalité, obtenue comment ? Ensuite, éducation, laquelle et où ? Questions suivantes au sujet du Group Theatre. Était-ce une organisation « paravent », ainsi qu'en avait décidé la Commission Tenney ? Le Group, répondis-je, ne servait pas de façade, et ses trois directeurs n'étaient pas membres du Parti. (Mais Bon Dieu, pourquoi leur avais-je servi ça sur un plateau ? Il ne me l'avaient pas demandé.) Nixon voulut savoir si j'avais été membre moi-même. Puis : « Qui vous a recruté ? » Je refusai de répondre. Nixon continua sans ciller : « Et Garfield ? » (Alors voilà ce qu'ils cherchaient, créer le scandale autour de célébrités !) Je répondis de bon gré qu'à ma connaissance il ne l'était pas. « Et Odets ? » (Une autre célébrité. Oui, décidément, ce qu'ils voulaient, c'était taper très fort pour justifier leur existence.) Je dis que je ne répondrais à aucune question concernant Odets. (Mais mon refus de répondre au sujet de Clifford, comme à celui de Garfield, ne suggérait-il pas qu'il était membre du Parti ?) Connaissais-je les risques que j'encourais en refusant de répondre (Nixon, d'une voix feutrée) ? « Oui », répondis-je. Silence. La fosse dans laquelle je me trouvais semblait s'enfoncer dans le sol. J'ajoutai que je ne demandai à bénéficier d'aucune immunité. L'un des membres quitta la salle.

Nixon feuilletait maintenant une pile de cartes en énumérant des noms d'organisations auxquelles j'avais appartenu ou que j'avais soutenues publiquement. Je cessai d'écouter quand je l'entendis mentionner le magazine *New Theatre*. Une querelle que j'avais eue avec Molly la nuit précédente m'était revenue en mémoire. J'avais exprimé ma colère devant le fait qu'on me traîne à Washington pour apporter des réponses dont j'étais persuadé qu'ils les connaissaient déjà. « Tout ce qu'ils veulent, c'est me donner en spectacle », m'étais-je exclamé, et mon épouse scrupuleuse et entêtée, qui n'admirait pourtant ni la tactique employée par la commission ni ses membres, s'écria (elle n'en était pas à une contradiction près) : « Je ne peux pas dire que j'approuve leur manière de procéder, mais il est du devoir de ce Congrès d'ordonner une enquête sur les menées du Parti et sur ses objectifs, et de demander à des gens comme toi ce qu'ils savent. J'espère que tu vas leur dire la vérité. »

Nixon poursuivait sa lecture des noms d'organisations auxquelles j'avais été lié d'une façon ou d'une autre. Je reconnus avoir eu des contacts avec certaines d'entre elles ; quant aux autres, je ne m'en souvenais plus. Personne ne semblait intéressé ; ils connaissaient la chanson. Puis, sans crier gare, après trente-cinq minutes sur le même mode, Nixon rangea ses cartes, et je m'apprêtai à me lever de ma chaise.

Mais Bernard Kearney, de New York, demanda la parole. Il m'enjoignit de donner à la commission le nom d'autres membres du Parti au sein du Group Theatre. Je répondis que je ne le ferais pas, et que même s'il prétendait que la commission ne cherchait pas délibérément à faire du tort aux gens, il n'en était pas moins vrai que toute personne que je dénoncerais verrait sa carrière menacée, et qu'aucun de ceux dont on savait qu'ils avaient été convoqués par la commission et n'avaient pas coopéré pleinement ne se verrait plus offrir de travail à la télé, à la radio ou au cinéma. Kearney me mit au défi de nommer un réalisateur qui avait témoigné et fait acte de reniement de son plein gré, et perdu ensuite son emploi — ce qui n'avait rien à voir avec la question qui m'occupait. Je dis que si Jack Warner savait que j'avais été convoqué dans cette salle et que j'avais refusé d'identifier ceux qui avaient adhéré avec moi, il annulerait tout contrat signé avec moi. Kearney ne répondit rien mais, vu son expression hostile, il m'avait placé dans une autre catégorie, envers laquelle il n'éprouvait aucune patience. J'en vins à la conclusion suivante : ces types présidaient à un rituel dégradant, dans lequel l'acte de dénoncer comptait plus que la dénonciation elle-même. J'étais sûr qu'ils connaissaient tous les noms qu'ils demandaient !

Nixon bavarda gentiment avec moi après que la commission eut quitté la salle d'audience. Une fois encore, je signifiai ma bonne volonté : je serais ravi de les aider dans toute la mesure du possible, mais je ne dénoncerais pas de vieux amis. Il me dit qu'il comprenait, puis m'aida à remplir le formulaire concernant mes frais de déplacement et mes indemnités journalières. Il me confia qu'à l'issue de notre entretien du matin, il avait parlé aux membres, et que plusieurs d'entre eux s'étaient prononcés pour qu'on ne m'ennuie pas davantage ; d'autres, cependant, avaient craint de s'attirer des critiques si la commission fermait les yeux. Pourquoi tant d'indulgence à l'égard de Kazan ? De cette manière, ils pourraient toujours dire qu'ils m'avaient interrogé sous serment. En d'autres termes, on allait me convoquer de nouveau.

Retour de Washington, j'allai voir notre médecin de famille. Je lui fis part de plusieurs symptômes : j'éprouvais des douleurs dans la région du cœur, des tremblements dans les mains, notamment dans les pouces, je me levais épuisé et, pour la première fois de ma vie, je n'arrêtais pas de me réveiller la nuit. Autre chose m'inquiétait davantage encore : j'avais souvent l'impression d'être sur le point de me désintégrer. « Physiquement ? » demanda-t-il. Non. Alors comment ? Eh bien, par exemple, je me surprenais à me hâter quand ce n'était pas nécessaire et à accomplir la plupart de mes activités quotidiennes avec frénésie. Le docteur ricana, m'affirma que j'allais très bien pour autant qu'il sache, mais me donna des comprimés au fer pour la forme ; autrement, il attribua mes symptômes à des facteurs psychologiques, qui n'étaient pas de son ressort.

Je me tournai vers mon psychanalyste. Bela connaissait les causes de ma tension nerveuse. Comme il conseillait et ma femme et moi, il savait que notre mariage ne tenait qu'à un fil. Si elle apprenait que je continuais à la tromper, notre union serait brisée. Bela aurait le devoir de lui conseiller de se sauver elle-même en me quittant.

Je lui décrivis ce qui s'était passé à Washington. Je lui déclarai ma certitude, forgée d'après l'expression décelée sur le visage de Kearney, que je serais rappelé pour une séance publique. Bela me demanda ce que je ferais à ce moment-là. Quand je lui eus répondu, il me lança : « Cette attitude ne vous cataloguerait-elle pas parmi les indésirables aux yeux de l'industrie cinématographique ? — Probablement, répondis-je. — Est-ce que ce ne serait pas une perte terrible pour vous ? » Je répondis que j'y réfléchirais sérieusement. Mais j'avais décidé que je pourrais m'en sortir sans le cinéma. Il me restait le théâtre et j'avais justement une pièce à mettre en scène. Et puis j'avais de l'argent de côté. « Je peux encaisser le coup », déclarai-je. « Je me demande, dit-il, si vos compagnons feraient la même chose pour vous s'il leur fallait mettre leur carrière en danger pour vous protéger. » Ce qu'il pensait était évident. Il me revint à l'esprit que Bela était un réfugié de... Je ne lui avais jamais demandé d'où, mais à en juger par son accent, ce devait être de quelque part à l'est de Vienne. « Là n'est pas la question », répondis-je, et je changeai de sujet.

Je lui dis que depuis peu, j'avais une perception oppressante de mes limites. J'avais vu *Viva Zapata !* et j'avais été déçu. Encore un « presque » ; il me faudrait mieux faire. J'avais considéré mon œuvre, et j'avais trouvé qu'elle souffrait de la comparaison avec celle des auteurs que j'avais servis. Peut-être n'étais-je bon qu'à servir, et pas à créer. Tôt ou tard, il me faudrait bien trouver le moyen de mettre en forme mes propres histoires et les thèmes qui me tenaient à cœur, de donner enfin à mes émotions l'expression qu'elles méritaient. « Si seulement je pouvais écrire, dis-je. — Mais vous êtes cinéaste », répondit Bela.

J'allai bien faire un tour dans notre maison du Connecticut, mais impossible de me détendre. Je remâchais mon expérience à Washington. Quand je m'étais assis dans ce cul-de-basse-fosse pour y être jugé, je m'étais senti humilié. J'avais été scandalisé par la vanité de ces hommes qui me regardaient de haut. Ils avaient l'air d'apprécier leur pouvoir, et je crois bien qu'il se glissait une once de sadisme dans leur jouissance à me commander. Kearney et les autres exploitaient au maximum la situation, car la publicité dont les gratifiait cette position d'enquêteurs donnerait aussi un coup d'accélérateur à leur carrière politique — et ce au prix de la vie et de l'avenir professionnel de leurs victimes. Je leur vouai une rancune sans rémission possible.

En même temps, quand j'y réfléchissais, j'étais d'accord avec Molly. J'étais convaincu qu'il était du devoir du gouvernement d'enquêter sur le mouvement communiste dans notre pays. Je ne pouvais tout de même pas faire comme si mes « vieux » camarades n'existaient pas et ne poursuivaient pas un programme politique actif. C'était vraiment de la couillonnade, de dire que le P.C. n'était rien qu'un parti politique comme les autres, tels les républicains ou les démocrates, et je ne pouvais pas les suivre là-dessus. Je savais très bien ce que c'était : une conspiration à l'échelle mondiale, organisée dans les moindres détails. Cette conviction me séparait de beaucoup de mes vieux amis.

J'étais donc aux prises avec un dilemme, partagé entre deux sentiments, penchant d'un côté, puis de l'autre ; j'étais étranglé, et cela ne faisait que commencer. Je ne voulais pas coopérer avec ce comité. Mais d'un autre côté, je ne voulais pas défendre le Parti en restant silencieux sur certains points cruciaux de cette enquête.

C'est à ce moment-là qu'Arthur Miller est arrivé chez nous avec un livre. « Tout est là-dedans, nous a-t-il dit, en le brandissant, chaque scène. » Ce livre s'intitulait *le Diable dans le Massachusetts*, de Marion Starkey, et la pièce que Miller voyait dedans deviendrait *les Sorcières de Salem*. Il était très excité devant les perspectives offertes par ce livre et m'a pressé de le lire séance tenante. Il allait de soi — Miller le nierait pourtant devant la H.U.A.C. — qu'il voulait que je mette en scène. Nous formions une équipe parfaite. Je ne pouvais pas le lire immédiatement, mais Molly, une « millerophile » de la première heure, s'en est emparée et, sans même prendre le temps de dire ouf, elle s'est mise à critiquer le parallèle qu'Art établissait avec les procès ordonnés contre les sorcières dans le Massachusetts. « Ce qui se passe ici et maintenant ne peut pas se comparer avec les procès de sorcières à cette époque, s'est-elle exclamée à mon intention et, dès qu'elle en a eu l'occasion, à celle de Miller. Ces sorcières n'existaient pas. Les communistes si. Ici, et partout dans le monde. C'est un parallèle fallacieux. La chasse aux sorcières ! Cette expression laisse entendre qu'il n'y a pas de communistes au gouvernement, ni au sein des grands syndicats, dans la presse, ou dans les arts, et qu'aucun d'entre eux n'envoie d'argent à la 12e Rue depuis Hollywood. Aucun de ceux qui ont démissionné du Parti n'utilise cette expression. Ils sont plus avisés. » Molly voulait qu'Art renonce à écrire cette pièce. Ce qui n'a pas contribué à la faire apprécier davantage de Miller. Dans un sens, Miller admirait ma femme, mais pas autant qu'elle l'irritait. Il y avait désormais une faille entre eux, d'ordre politique.

Molly savait de quoi elle parlait ; elle avait elle-même mené sa guerre de tranchées. Elle était rédactrice en chef adjointe du magazine *New Theatre* lorsque celui-ci avait publié *En attendant Lefty* et la pièce d'Irwin Shaw *Bury the Dead*, à côté de plusieurs articles critiques de grande qualité. Grâce à l'aide indéfectible de Molly, Herb Klein, le rédacteur en chef, avait fait grimper le tirage jusqu'à 35 000 exemplaires par mois et survivait sans ressources publicitaires ou presque. Mais la « Fraction » du Parti à l'intérieur du magazine entama une série de rencontres avec V. J. Jerome, leur « commissaire du peuple » en matière de politique, d'où il ressortit, de l'avis général, que la revue était trop « libérale ». Jack Lawson fut dépêché avec une délégation du Parti pour « s'asseoir » avec Herb Klein. Pourquoi publier des extraits de *Panique*, d'Archibald MacLeish, demanda Lawson, d'un ton péremptoire ? Archie, en effet, était « à la botte de Wall Street » et travaillait pour le magazine *Fortune*. Les membres de la Fraction s'étaient opposés à la présence de Molly parmi le personnel de Herb et ils exigeaient désormais qu'elle soit remplacée. Herb tint bon.

Sur ces entrefaites, on eut recours à V.J. Jerome pour trouver une solution. Il suggéra que le magazine ne paraisse pas pendant un mois ou deux, le temps pour le Parti de le « réévaluer ». C'était une tactique classique du Parti : la mort en sursis. Herb répliqua que si la revue fermait ses portes, elle ne tiendrait pas plus de trois mois à sa réouverture. Mais de très hautes pressions alourdissaient l'atmosphère et, au grand dam de

Herb et de Molly, *New Theatre* dut bel et bien suspendre sa parution pour cause de « réévaluation ». Herb s'en alla pour la Russie, où il rencontra de nouveau des difficultés après avoir déclaré que Meyerhold était le meilleur metteur en scène qu'il lui ait été donné d'admirer là-bas. Manque de chance, le Parti d'U.R.S.S. se préparait à « mettre un terme » à Meyerhold. C'était un metteur en scène dont j'avais étudié et admiré l'œuvre. Ils l'ont effectivement achevé — je veux dire qu'ils l'ont éliminé, tué corps et âme —, ce qui a fait redoubler ma colère contre le Parti.

De retour pour relancer le magazine, Herb fut de nouveau confronté à Jack Lawson. La patience de Herb commençait à donner des signes de fatigue. Selon lui, un homme qui touchait un salaire à quatre chiffres par semaine (Jack Lawson, à Hollywood) était mal placé pour lui donner des leçons. Herb ne gagnait en effet que quinze malheureux dollars par semaine. Mais la critique émanant des membres de la Fraction alla s'intensifiant. Ils se mirent à intimider Herb et à le menacer. Selon eux, il donnait l'impression de refuser leur aide pour distribuer le magazine. C'était une menace déguisée car ils contrôlaient la majorité des kiosques où cette publication était vendue. Ils finirent par obtenir ce qu'ils voulaient. Herb démissionna et partit pour l'Espagne. Molly fit de même mais rentra à la maison pour me raconter l'histoire par le menu et confirmer tout ce que je soupçonnais déjà quant au rôle du Parti dans le domaine des arts. Et le magazine ? Il rouvrit ses portes mais disparut après deux numéros.

Je pensais que Molly avait raison dans sa discussion avec Miller. Tout ceci a l'air bien puéril maintenant : tout le monde sait que les sorcières n'existent pas ; par contre, je savais très bien que les camarades, si. En ce sens, la brillante idée d'Art me semblait contestable ; quant à ses déclarations par la suite, à savoir qu'il ne fallait pas chercher de « signification contemporaine » à sa pièce, elles m'ont paru malhonnêtes.

Plus prudent — et plus tortueux — que Molly, je me contentai d'attendre de voir ce que Miller ferait de la pièce quand il se mettrait effectivement à l'écrire. Il voulait que je la mette en scène et nous étions très proches l'un de l'autre. Le lien protéiforme qui nous unissait tenait bon.

Le 16 février 1952, la H.U.A.C. fit la une des journaux en exigeant que le Congrès vote une loi qui sanctionne l'espionnage contre les États-Unis, en temps de paix comme en temps de guerre, de la peine de mort ou de la prison à vie. Avec la même vigueur, elle accusait l'industrie cinématographique de ne pas faire davantage, et ce avec « une fermeté suffisante, pour éliminer les communistes » ; elle désignait également Hollywood comme le repaire des « plus grands pourvoyeurs de fonds des communistes », avec des contributions s'élevant à un million de dollars, versées par des gens du spectacle qui avaient adhéré à des groupes paravents. Comme Hollywood vit des faveurs du grand public, qui achète les places de cinéma, le fait qu'une source si haut placée aille crier sur les toits une telle accusation sema la panique parmi les dirigeants de l'industrie.

Je reçus un appel de Spyros Skouras, le président de la Twentieth Century Fox, me demandant de venir bavarder avec lui dans son bureau. Spyros avait deux frères, et tous les trois avaient réussi à parvenir en Amérique en étant partis d'un petit village du Péloponnèse. Aventuriers pleins d'énergie, ils avaient immigré à Saint Louis où, après un certain temps, ils avaient trouvé le moyen d'entrer dans les milieux du cinéma par la petite porte, puis avaient grimpé les échelons pour finalement atteindre, tous trois, des positions où ils exerçaient pouvoir et influence.

Au fond d'eux-mêmes, cependant, ils restaient de nouveaux arrivants en Amérique, et ils nourrissaient les mêmes incertitudes que tous les autres immigrés. Qu'une crise se produise, et leur sentiment d'insécurité reprenait le dessus. Comme la plupart des immigrés de l'époque, ils se défendaient en agitant leur patriotisme comme un étendard.

De ce point de vue, je ne crois pas être différent d'eux.

Spyros venait de visionner la copie définitive de *Viva Zapata!* et en avait conçu une certaine inquiétude. C'est lui qui avait la responsabilité de montrer le film et de le vendre, mais il ne l'aimait pas. Il prévoyait une grande résistance au film, dans la conjoncture du moment, voire un boycottage. Le fait que je sois grec le tourmentait particulièrement. Il pensait qu'il incombait aux immigrés grecs de la première génération de rester « plus propres » que les autres. « Nous aimons ce pays plus que les Américains », me dit-il. En accord avec ce principe, il avait préparé une lettre de moi à la Twentieth Century Fox, qu'il voulait que je signe. Elle couperait court, espérait-il, aux critiques hostiles qui seraient très probablement adressées au film et à son réalisateur, et présenterait en fait des excuses par anticipation. Selon ses exhortations, je devrais ensuite aller révéler et expliquer mon « engagement » passé et, comme preuve de ma bonne volonté, accorder à sa compagnie le droit de me laisser tomber si l'étalage public de mon passé causait des difficultés pour la sortie du film. Il avait à plusieurs reprises, sur un ton affectueux, demandé des nouvelles de ma femme, qu'il avait appelée « chère Mary » en grec, et de mes « enfants merveilleux », qu'il n'avait jamais vus.

Je refusai de signer la lettre. Skouras poursuivit comme si de rien n'était. Il me rappela tout ce que la Fox avait fait pour moi, m'assura que j'étais un « génie » lorsque je tournais des films tels que *le Lys de Brooklyn*, sans résonance politique, et me pressa de lui faire part de tous mes problèmes, qu'ils soient personnels, conjugaux ou financiers. Ces mots pleins de générosité jaillissaient de sa bouche comme l'eau d'une gargouille. L'instant d'après, il suggéra que j'aille à Washington — il irait avec moi, oui, ce serait un privilège ! — rencontrer J. Edgar Hoover et son bras droit au-dessus de tout soupçon, Louis Nichols. « Il est grec aussi, dit Spyros. Un bon garçon ! J'arrange tout, t'en fais pas. Nous allons l'après-midi, nous faisons un bon dîner à l'Occidental, et lendemain matin tu feras les démarches nécessaires pour te blanchir.

— Ils me demanderont de nommer mes vieux amis dans le Parti, dis-je. Je ne le ferai pas. »

Apparemment, ces propos n'éveillèrent guère plus de réaction chez Skouras, qui embraya sans se démonter sur nos vacances à Washington.

« En second lieu, je ne me sens pas coupable », dis-je. Je n'aurais su dire s'il m'avait entendu car l'instant d'après il me poussa à me présenter spontanément devant la H.U.A.C. pour y apporter un témoignage remanié. Mais ce n'était pas encore assez. Il me faudrait tourner sur-le-champ un autre film, nettement anticommuniste. « J'ai le livre qu'il te faut, ajouta-t-il. Ne t'en fais pas. » Je répondis que *Viva Zapata!* était anticommuniste ; c'était le message politique de l'histoire. Cependant, il n'avait pas eu cette impression en voyant le film. Il secoua la tête d'un air affligé ; au moment où il s'apprêtait à reprendre la parole, nous fûmes interrompus par un appel téléphonique sollicitant son attention directoriale. « Je t'enverrai le livre que tu dois tourner maintenant, me lança-t-il en se hâtant hors de la pièce, ne t'en fais pas. »

J'attendis cinq minutes qu'il revienne, en regardant ce qui traînait sur son bureau, pour passer le temps. J'y trouvai un exemplaire des pages artistiques du *Times* à paraître le dimanche suivant ; elles contenaient une critique favorable de *Viva Zapata!*, signée Bosley Crowther. Je la mis en évidence sur le bureau de Spyros, avant de m'en aller.

A la fin de l'après-midi, Skouras me fit parvenir *I Led Three Lives*, de Herbert Philbrick. Je le feuilletai. Puis j'envoyai un mot à Spyros, en faisant référence à l'article du *New York Times* dominical, dont j'espérais qu'il l'avait lu. « Bosley Crowther a saisi le message politique du film, écrivis-je. Le but des communistes, c'est d'obtenir le pouvoir, puis de s'en servir. L'histoire nous enseigne que jamais un communiste ne l'a abandonné après l'avoir conquis. Mais c'est précisément ce que fait Zapata. Je vous suggère d'envoyer un exemplaire de l'article de Crowther à quiconque s'élève contre le thème du film — par exemple, vos amis de Washington. »

Je n'obtins aucune réponse de Spyros, mais j'appris que le film avait effectué un bon démarrage au Rivoli Theatre, puis s'était effondré — ce qui ne manquerait pas de renforcer les doutes de mon Grec de patron sur la position politique du film. Je résolus d'appeler Zanuck pour qu'il me mette au parfum. Il me demanda si Skouras avait mentionné certaine lettre. Je répondis que oui. Darryl me dit alors que son opinion sur moi ne changerait pas, que je signe ou non cette lettre. A l'évidence, il considérait Skouras comme un crétin doublé d'un empoté.

Une pièce que j'avais mise en scène pour Irene Selznick, *Flight into Egypt*, reçut des critiques mitigées à l'issue de la première ; « mitigé », en langage théâtral, veut dire échec. Je vivais dans la crainte, n'évoquant mon dilemme secret devant personne à l'exception de Molly, et je n'étais pas parvenu à me concentrer sur mon travail, ce qui se voyait. Le lendemain de la première, je pris la fuite. Tennessee Williams m'attendait en Californie. Nous nous étions laissé avoir par Charlie Feldman et les responsables de la promotion, attachés de presse et autres attachés commerciaux de Warner Brothers. Ils souhaitaient notre présence dans l'Ouest, convaincus — du moins le prétendaient-ils — que le *Tramway* remporterait un maximum d'oscars. « C'est du tout cuit ! » avait affirmé

Feldman au téléphone, avec la voix excédée d'un homme qui essaie de se convaincre lui-même de ce qu'il veut faire avaler à autrui. Il avait vu un sondage plaçant nos quatre acteurs loin devant leurs rivaux et le film au coude à coude avec un autre, mais en passe de le vaincre. Ce serait la première fois dans l'histoire de Hollywood, m'avait affirmé Charlie, que les quatre oscars de l'interprétation iraient au même film.

Mais j'avais d'autres problèmes, qui se rappelleraient à ma mémoire cinq minutes après ma descente du train à Pasadena. Le chauffeur de la voiture que Charlie avait envoyée pour me chercher me tendit un exemplaire du *Hollywood Reporter* de ce matin-là ; le gros titre de la page des échos était le suivant : « Elia Kazan, cité à comparaître devant la Commission des activités antiaméricaines, a confessé avoir été un rouge mais a refusé de fournir aucune information supplémentaire sur ses vieux copains de l'époque du Group Theatre, parmi lesquels John Garfield. » Comment s'étaient-ils procuré cette information ? Mon entretien à Washington s'était déroulé « à huis clos », sous le sceau de la confidence. Mais c'est bien de cela qu'on parlait, les projecteurs étaient braqués dessus, plus moyen d'esquiver. La presse allait me traquer. Et quelle ironie splendide en perspective ! Il me faudrait m'asseoir dans l'auditorium du Chinese Theatre, bien en évidence devant les caméras, attendant d'applaudir les acteurs, mes amis, quand ils emporteraient leurs statuettes, pendant qu'au même moment ma carrière cinématographique s'envolerait dans la fumée de coupures de presse incendiaires.

Quand j'arrivai à l'hôtel Bel Air, où Williams m'attendait, on m'informa qu'il me fallait rappeler trois personnes, toutes à New York. Molly, Abe Lastfogel et Bill Fitelson, mon avocat, avaient tous téléphoné pour me signaler que George Sokolsky, dans sa chronique sur les affaires publiques du *New York Journal-American*, s'apprêtait à imprimer des révélations sur mon passé. Sokolsky, me disait-on, avait reçu les minutes de mon entretien « à huis clos » avec la Commission des activités antiaméricaines par l'un de ses membres, Richard Kearney de New York. C'est ce qu'on appelle le sceau du secret.

Mes correspondants dans l'Est voulaient me dire que j'étais menacé de dénonciation publique, qu'on organiserait mon procès par publicité interposée. Ils se faisaient un sang d'encre. Moi, par contre, je n'aspirais qu'à m'étendre sur l'herbe haute et à laisser le monde aller son chemin sans moi. Sokolsky s'était autoproclamé fléau de la gauche et s'en tirait plutôt bien. Les jugements qu'il prononçait en public à ce sujet revenaient à un appel à l'action, et nombre d'associations patriotiques étaient prêtes à enfourcher ce cheval de bataille.

Je résolus de faire semblant de ne rien voir jusqu'à ce que l'on me force à y prêter attention. Juste histoire de parler avec quelqu'un, je passai un coup de fil à Marilyn. Elle vivait dans un autre monde, à l'intérieur duquel je préférais moi-même me réfugier pour le moment. J'avais perdu le contact avec elle, mais dès ses premières paroles, je la retrouvai comme si je l'avais quittée la veille. « J'ai une nouvelle sensationnelle... oh, attends juste que je te dise ! me confia-t-elle. — Dis-moi ! Dis-moi ! m'exclamai-je, désireux de me changer les idées. — Je ne peux pas au téléphone,

répondit-elle. Mais je dîne avec lui et dès que je pourrai m'en aller, je
viendrai à ton hôtel et je te raconterai tout. Quel est le numéro de ta
chambre ? »

Que diable fait Art dans ces parages ? me dis-je.

Puis je me mis à somnoler et le calme m'enveloppa. J'étais seul, détendu, comme si une trêve avait été déclarée au règne de mes émotions. Un
répit de quelques heures. L'hôtel Bel Air est situé dans une sorte de
cuvette humide, ce que les poètes romantiques d'antan auraient appelé un
« vallon ». Tout autour des bungalows éparpillés çà et là, on trouve des
arbres géants : des eucalyptus aux senteurs sucrées, mais aussi d'autres
arbres qu'on ne trouve pas dans l'Est, des chênes verts qui gardent leur
feuillage tout l'hiver, et d'autres encore, d'une variété tropicale, dont les
feuilles ont l'air faites de cuir vert. La nuit, cette cuvette ruisselle de rosée
et l'air est frais ; je pouvais entendre la brise dans les arbres. Elle apportait
avec elle des rêves de bonheur trop rapides, des réminiscences de mes
premières années avec Molly, de notre amour sans réserve, sans inquiétude quant à l'avenir. Je me mis à rêver de ces jours et de ces nuits de
bonheur dans la campagne, quand mon unique problème était de préserver ce que j'avais, de continuer à travailler et à aimer.

Mais quelque chose s'était produit et je ne savais pas quoi. Comment
tout était-il devenu si compliqué entre nous ? Qu'est-ce qui avait changé ?
D'abord, vingt ans s'étaient écoulés depuis notre rencontre et nous étions
devenus deux personnes différentes. Nous serions-nous mariés si nous
nous étions rencontrés maintenant, tels que nous sommes aujourd'hui ? Je
me réveillai et jetai un coup d'œil sur le réveil. Une heure et demie du
matin. Je sortis de mon lit pour aller faire un tour dehors, nu. Mon corps
s'était imprégné de la fraîcheur ambiante ; il avait comme rajeuni. Elle ne
viendra pas, me dis-je. Tant mieux. Mais en regagnant ma chambre, je ne
fermai pas la porte à clé, au cas où. J'avais l'habitude de ses horaires
excentriques.

Elle était en train de se glisser dans mon lit, ce qui me réveilla. Tout
excitée et très heureuse, elle m'annonça ses fiançailles. « Je vais me
marier, ajouta-t-elle. Je me suis décidée ce soir. — Drôle de moment pour
me le dire, rouspétai-je. Il est trois heures et demie du matin. — Je voulais
te le dire en premier, dit-elle, parce que maintenant je ne te reverrai plus.
— C'est du sérieux cette fois, on dirait. — Oui, il a fait tout le chemin
depuis San Francisco pour dîner avec moi, et on ne l'a même pas encore
fait ! » Elle avait l'air étonnée. « Qui ? demandai-je. De qui parles-tu ?
— De Joe, répondit-elle. Il veut m'épouser et je l'aime vraiment bien. Il
n'est pas comme ces gens du cinéma. Il a de la dignité. » Puis elle continua
à me parler de Joe DiMaggio, et je me rendis compte qu'elle l'aimait
beaucoup. Cela me réchauffa le cœur de voir quelqu'un d'aussi heureux et
d'aussi optimiste. Nous fîmes l'amour ; félicitations et adieu.

Puis le jour se leva et mes inquiétudes me reprirent. Zanuck m'avait
invité à déjeuner dans la salle à manger des producteurs de la Fox. Une
vingtaine d'hommes étaient présents, tous en tenue de sport voyante,
comme il sied au pays du soleil. Zanuck présidait à table et, en tant
qu'invité d'honneur ce jour-là, j'étais assis à sa droite dans mes vêtements

new-yorkais. L'article du *Reporter* fut le premier sujet de discussion mais personne ne paraissait vraiment intéressé, aussi les autres en vinrent-ils à leurs problèmes personnels, plus immédiats, et s'échangèrent-ils les potins du jour et les dernières plaisanteries. Après le déjeuner, Darryl m'emmena dans son bureau et me dit que lorsqu'il avait lu l'article du *Reporter*, il avait appelé Wilkerson, le directeur du journal, pour protester. Wilkerson lui avait répondu qu'il avait obtenu les minutes de mon audition « secrète » des mains du représentant Harold Velde de l'Illinois, qui avait révélé à Wilkerson qu'on allait bientôt me convoquer à une audition publique, où mon témoignage ne serait plus confidentiel. Wilkerson avait également informé Darryl que Sokolsky allait me consacrer une de ses chroniques. Sur ce, Darryl avait appelé Skouras, et Spyros avait stoppé, ou tout au moins retardé la parution de l'article de Sokolsky.

Darryl m'enjoignit alors de « donner les noms, pour l'amour de Dieu. Pour qui donc veux-tu aller en prison ? Tu vas y croupir pendant qu'un autre, c'est couru d'avance, va les donner, ces noms. Qui essaies-tu de sauver ? » Il ajouta qu'il pourrait comprendre si j'essayais de sauver quelqu'un, Garfield par exemple, du parjure. Je lui répondis qu'il n'en était rien, que j'avais la certitude que Julie Garfield avait dit la vérité. Ce à quoi Darryl rétorqua : « On ne sait jamais avec ça. » Et il ajouta qu'il avait acquis une bonne expérience à Washington pendant la guerre, et que « l'idée là-bas, ce n'est pas de respecter la morale, mais de gagner ». Je n'avais rien à répondre à cela, et Darryl avait d'autres questions à régler, aussi m'en allai-je.

Bud Lighton, homme que je respectais, avait pris part au déjeuner mais n'avait pas ouvert la bouche. Je me rendis à son bureau pour discuter avec lui. En homme sûr de son fait, il fut bref. « Vous n'avez rien d'autre à faire, me dit-il. Laisseriez-vous quelqu'un aller en prison à votre place ? Si eux le feraient, eh bien, qu'ils aillent au diable. — Mais les gens qu'ils veulent que je dénonce étaient de bons amis, répliquai-je. — Je me fiche de savoir s'ils étaient vos amis ou non ; vous n'avez plus le choix maintenant. » C'était tout ce qu'il avait à dire et ce fait indéniable ne souffrirait pas ma contradiction.

Cette nuit-là, à la cérémonie de remise des oscars, *Un Américain à Paris* l'emporta sur le *Tramway*, George Stevens sur moi et Bogart sur Brando. Mes trois autres acteurs remportèrent chacun un oscar et je m'en réjouis pour eux. Je pensais que le *Tramway* méritait le titre de classique, qu'il a obtenu avec le temps, et qu'il aurait dû gagner. Je me suis demandé si j'avais perdu des votes, surtout du côté des gens de droite, à cause de ce que De Mille savait, de ce qui s'était passé lors de l'assemblée convoquée par Mankiewicz, et des ragots sur mes opinions politiques qui avaient suivi. Aujourd'hui, je ne crois plus que ce fut le cas.

Je décidai de regagner l'Est le lendemain pour braver l'orage. Il n'y avait pas lieu de m'éterniser. J'étais persuadé que je ne remettrais plus les pieds dans cette ville ni dans cette industrie.

Ma mère a passé les dix dernières années de sa vie complètement sourde. Comme j'étais son fils aîné, il m'incombait de maintenir son appareil auditif en état de marche. Elle aimait mon bavardage, les « dernières nouvelles » que je lui rapportais, et chaque fois que je la branchais sur son passé, sa famille, sa jeunesse, son mariage, notre venue dans ce pays et nos premières années ici, j'étais fasciné et j'en redemandais. Elle suivait chacune de mes entreprises du début à la fin. Elle avait soixante-cinq ans, moi quarante-trois ; pourtant, à partir de ce moment-là, nous sommes devenus plus proches l'un de l'autre que nous ne l'avions jamais été. Elle a vécu en partie à travers moi, pendant ces dernières années.

Mais je m'étais rendu compte que tout le monde n'avait pas le privilège d'obtenir toute son attention. Quand une personne qui s'était avérée ennuyeuse persistait à lui raconter des salades ou des méchancetés, je voyais les doigts de ma mère se glisser sous ses vêtements, à hauteur de la poitrine, là où se trouvait le minuscule boîtier de contrôle de son appareil auditif. Cette tactique et l'adresse de ma mère en étaient venues à me fasciner, et j'ai souvent regretté de ne pas disposer de ce petit boîtier sous ma chemise.

Puis, soudain — c'était à l'époque qui m'occupe pour l'instant —, je pris conscience du fait que je disposais moi-même d'un instrument de ce genre, en mon for intérieur, qu'il s'y trouvait depuis des années et qu'il était toujours en état de marche. Par exemple, les membres du Parti n'étaient pas censés prêter une oreille respectueuse à certaines opinions. Mon petit instrument les empêchait automatiquement de frapper mes tympans et les chassait de mon esprit. Mais désormais, j'étais forcé de considérer certains problèmes et de prendre position à leur sujet. Des souvenirs que j'avais chassés de ma mémoire revenaient attirer mon attention. Je revis la scène sur la pelouse de l'hôtel Marik à Cuernavaca, lorsque Figueroa et l'homme dont on ne m'avait pas donné le nom nous avaient expliqué, à John Steinbeck et à moi, comment récrire notre script sur Zapata. Je ressentais encore une colère vivace au souvenir de ce qui s'était passé et de l'arrogance tranquille affichée par cet homme du Parti. Je repensai également à Budd Schulberg et à son *What Makes Sammy Run?*, ainsi qu'à la reculade de mon vieil ami Albert Maltz dans *New Masses*. La police littéraire du Parti les avait tous deux malmenés : Budd avait tenu bon mais pas Albert. Je ne pouvais effacer de ma mémoire la voix de V. J. Jerome et le ton qu'il avait employé pour nous faire part des instructions du Parti concernant la cellule du Group : le ton de l'autorité absolue. Je l'entendais encore faire appel à notre docilité, la mienne comme celle des autres. Et pas de questions. Une autre voix résonnait dans ma tête : celle de l'Homme de Detroit, arrogante, péremptoire, quand il m'avait humilié devant mes « camarades » dans l'appartement de Lee Strasberg, au-dessus de la pâtisserie Sutter. J'avais encore dans les narines l'odeur de sauce au chocolat sucrée et de cannelle qui montait d'en bas. Je n'avais pas oublié le silence des autres membres, ni leur impassibilité, et encore moins leur vote-sanction à mon endroit.

En effet, si je désirais vraiment combattre l'influence du P.C. dans le monde des arts, ne devais-je pas tout écouter ? Et quand je n'étais pas d'accord avec un programme que le Parti appliquait en secret, n'était-il pas de mon devoir de forcer le silence au lieu de le tolérer en jouant les libéraux à l'indifférence bienveillante ? J'avais laissé les types du Parti s'en tirer sans une égratignure et pourtant je détestais leurs agissements plus que tout au monde. Je ne m'étais pas autorisé à mettre leurs affirmations en doute, à poser des questions et à exprimer mon désaccord avec conviction. J'avais cent bonnes raisons de penser que le Parti devait être délogé de ses nombreuses cachettes et ses menées examinées au grand jour, mais je n'avais jamais rien dit car je ne voulais pas être accusé de pratiquer la « chasse aux rouges ». Je savais que des « camarades » travaillaient en secret tout autour de nous, et je me demandais s'il ne faudrait pas les faire sortir de force au grand jour.

De force ? Oui, il faudrait aller jusque-là.

Je n'avais jamais osé me laisser aller à de telles pensées auparavant. C'était peut-être le pire dans cette histoire : j'avais censuré mes pensées. Et ma curiosité. Par exemple, je bénéficiais des services d'un avocat énergique et dévoué, l'homme que j'ai déjà mentionné, Bill Fitelson, qui nous avait rendu, à moi et à ma famille, de nombreux services. Je me fiais presque toujours aux recommandations de Bill pour les questions professionnelles. Mais la politique ? C'était une autre affaire. Il s'impliquait avec intensité dans le corps à corps politique du moment ; il fut par ailleurs la première personne de ma connaissance à se revendiquer à la fois de gauche et antistalinien. On le qualifiait de trotskiste. Je ne savais pas ce que cela voulait dire, mais la manière dont mes amis en parlaient confirma mes doutes de néophyte en la matière : c'était une opinion que je ne voulais pas avoir. Elle impliquait soit un virage à gauche par rapport à un parti de gauche, soit un virage à droite, et qu'il s'agisse de l'un ou de l'autre, elle était, d'une certaine manière, équivoque, et tout bon radical se devait de la rejeter. Bill était — je le comprends aujourd'hui — un antistalinien avant la lettre. Je ne m'intéressais pas aux factions politiques de la gauche. Pour autant que j'y aie réfléchi, je me situais parmi les purs et durs un peu simples d'esprit. La raison pour laquelle j'avais démissionné du Parti ne touchait pas à la ligne politique mais à la détermination qu'il exprimait à contrôler les artistes en agissant en sous-main.

Quand Bill parlait de Sidney Hook, cet homme qui combinait des convictions progressistes et des prises de position antistaliniennes, je cessais d'écouter. Quand il affirmait que Staline était un criminel de la taille de Hitler, mon appareil auditif imaginaire s'éteignait. Bill m'avait fait cadeau d'un abonnement à son magazine favori. Quand j'avais lu : « Personne ne peut prétendre être un libéral s'il n'est pas d'abord anticommuniste », j'avais jeté cette feuille de chou à terre. Mais à mon retour de ce dernier voyage au sud de la Californie, voyage malheureux s'il en fut, je ne désirais certes plus débrancher mon petit appareil acoustique. Je serais tout ouïe, à l'affût de tout article, et j'utiliserais ma cervelle, pour changer. Pour la première fois, je comprenais ce qu'ils voulaient dire, ces hommes que Bill Fitelson voulait me convaincre d'écouter, et je fis une découverte épouvantable : bien que j'eusse été « sur la touche » pendant dix-sept ans, mes opinions sur les sujets essentiels étaient demeurées « correctes », les mêmes que défendaient et approuvaient mes « camarades ». J'avais pensé ce que j'étais censé penser. Je m'étais interdit le doute.

Une autre découverte me choqua. J'avais persuadé quiconque s'en inquiétait de ma fidélité aux valeurs du « progrès » ; j'étais resté un homme qui, dans l'urgence du moment, défendrait avec loyauté tous ceux qui « pensaient bien » contre les attaques de la Commission des activités antiaméricaines — en dépit de ma sympathie limitée envers le programme du Parti ou ses défenseurs depuis dix-sept ans.

Si vous me demandez si je croyais que les idéaux sociaux des « progressistes » dans le monde des arts étaient influencés par ceux du Parti, ma réponse est oui. Si vous me demandez si je croyais que quiconque se défendait en se réfugiant derrière le Cinquième Amendement — un droit tout à fait constitutionnel, j'en conviens — était communiste, il me faut confesser que oui ; je le croyais. Sinon, pourquoi aurait-il eu recours au Cinquième ? Je les connaissais tous trop bien et depuis trop longtemps, j'avais méprisé leurs déguisements, et j'avais souvent trouvé hypocrites leurs prises de position en public. Ce qui ne veut pas dire que je ne partageais pas certaines de leurs objections face à ce qui se passait dans le monde. Mais jamais je ne partagerais leur goût du secret, leurs tactiques ou leurs buts.

Alors pourquoi, si je trouvais leurs positions publiques trompeuses, avais-je moi-même joué les libéraux de gauche pendant si longtemps ? Je suis bien embarrassé de confesser que j'avais adopté cette attitude sans raison véritable. Seulement parce que, dans cette position, j'étais « dans le coup ». Dans quel coup ? Je veux bien être pendu si je le savais. « Du bon côté. » Pourquoi m'étais-je efforcé si intensément et pendant si longtemps de rester en bons termes avec mes vieux camarades dont je ne partageais plus aucun des idéaux ? Réponse : j'essayais d'être bien vu de tous les côtés, d'être aimé de tous, de gagner les faveurs de la gauche, de la droite et du centre, tout comme j'étais parvenu à obtenir celles de Broadway et de Hollywood, et à concilier succès commercial et renom artistique. Mes différents visages m'avaient apporté la réussite. Mes vieux amis du Parti n'auraient pas dû m'apprécier. Pourtant, c'était le cas. J'aurais dû me les aliéner depuis longtemps. Mais je n'en avais rien fait. Je n'aimais pas leurs idéaux, mais j'avais réussi à masquer mes sentiments véritables.

C'est à ce moment-là que je me suis autorisé certaines questions que j'avais étouffées jusqu'alors. Commençons par la base de départ, comme on dit au base-ball : comment avais-je pu nier que nous nous comportions tels des conspirateurs au sein du Group Theatre, quand, dans cette organisation familiale très unie, l'un au moins de ses trois directeurs, Cheryl Crawford, une amie très proche, ignorait qu'une cellule du Parti se réunissait chaque mardi soir après le spectacle dans la loge de Joe Bromberg ? Était-elle idiote ou étions-nous malins ?

N'avais-je pas joué moi-même les conspirateurs durant les réunions du Syndicat des acteurs ? Et ces conciliabules préalables, ces subtiles tactiques pendant les séances et cette répartition soigneuse de nos « camarades » dans la salle de réunion, calculée pour faire croire que nous étions une majorité alors que c'était loin d'être le cas ?

Si une telle chose s'était produite au sein de notre microsociété, comment aurait-elle pu épargner le Département d'État ou le ministère des Affaires étrangères — hypothèse que j'avais rejetée à maintes reprises? Ceux qui le contestaient étaient-ils des ignorants ou des menteurs?

Étais-je vraiment un gauchiste? L'avais-je jamais été? Désirais-je vraiment changer le système de la société dans laquelle je vivais? En apparence, c'est l'idéal que j'avais défendu pendant un temps. Quelle connerie! Tout ce que j'avais acquis de valeur, je l'avais obtenu grâce à ce système. Après avoir passé dix-sept ans à regarder l'Union soviétique virer au pouvoir impérialiste, désirais-je que la même chose se produise ici? Ne m'étais-je pas trop longtemps attaché à une loyauté devenue caduque?

Ce que j'avais défendu jusqu'alors par mon silence ne s'apparentait-il pas à une conspiration au service d'un pays étranger? N'avais-je pas observé mes « camarades » chanceler, de revirement politique en revirement politique, en accord avec des instructions qui n'avaient pas été rédigées dans ce pays?

Le fond du problème correspondait-il vraiment à la description qu'en donnaient les « camarades »: le droit de penser ce qu'on veut et de dire ce qu'on croit? Ou bien s'agissait-il d'accomplir des « actes », de prêter serment et d'établir des programmes en secret?

Et d'abord, pourquoi ne nous dénoncions-nous pas tous mutuellement, les membres du Group? La situation n'en serait-elle pas clarifiée, si chacun admettait tout ce qu'on lui reprochait? Si nous acceptions enfin d'évoquer notre adhésion, la question du communisme à l'intérieur du Group n'en serait-elle pas ramenée à ses justes proportions? Pourquoi personne n'avait-il émis cette suggestion?

Je savais très bien pourquoi. Discipline de Parti.

Pourquoi mes vieux amis « progressistes » si compatissants faisaient-ils « de l'obstruction » — s'ils étaient effectivement progressistes, compatissants et mes amis? Réponse: ils protégeaient le Parti. Croyais-je en ces nobles motifs qui les animaient, soi-disant? Ne protégeaient-ils pas eux-mêmes, comme je l'avais fait pendant tant d'années, leur passé? Pourquoi, sinon pour cette raison, ne sortaient-ils pas de l'ombre pour faire ce que je commençais à envisager de faire moi-même?

Tu ne peux pas donner de noms à cette commission! me disais-je. Mais pourquoi devrais-je être le seul à rester en plan? Je n'avais eu de nouvelles d'aucun autre des membres de notre cellule, bien qu'ils sachent tous ce qui s'était passé. Une certaine paranoïa se développait en moi. Acculé et irrité, je voulais briser le secret, dénoncer tout le monde, et pas seulement ceux de notre cellule mais tous ceux dont je savais, qu'à un moment ou à un autre, ils « en » avaient été.

J'irais les dénicher où qu'ils se terrent, à commencer par ceux qui avaient donné du fil à retordre à Molly au magazine *New Theatre*, et ceux qui avaient continué après ma démission en 1935 et avaient fait leur pelote en ondulant au gré des changements de cap politiques, ceux enfin qui étaient encore fidèles au Parti. J'étais leur ennemi, tous autant qu'ils étaient. Ceux que je voulais surtout frapper, c'était l'élite du Parti; je voulais les traîner dans la boue avec moi. Je savais qu'ils n'apportaient rien de bon au pays.

Pourquoi m'avait-il fallu si longtemps pour seulement considérer la possibilité de révéler au pays — c'est bien de cela qu'il s'agissait — tout ce que je savais ? Était-ce à cause de l'interdit moral qui frappait la « dénonciation » ? On n'était pas tenu de le respecter si l'on était du bon côté. Bela n'avait-il pas raison sur un point : si la situation était renversée, les « camarades » ne se protégeraient-ils pas eux-mêmes par tous les moyens ? Y compris en me dénonçant ?

Seul désormais dans New York, sans occupation et souffrant d'errer sans direction — *Camino Real* avait été repoussé à une date ultérieure —, je me mis à mesurer le poids et la valeur de ce que j'allais abandonner, ma carrière au cinéma, à laquelle j'allais renoncer pour une cause que je ne soutenais pas. Cela paraissait insensé. Qu'étais-je donc, sinon un cinéaste ?

Lecteur, je ne recherche pas votre approbation. Je ne vous ai raconté que certaines des pensées qui m'animaient avant ma « chute ». Mais si vous vous attendez à des excuses à ce stade parce que j'allais donner des noms à la commission, vous vous êtes trompé à mon sujet. L'acte « horrible et immoral » que j'allais accomplir serait à mettre au compte de ma vraie personnalité. Pendant les dix-sept années qui avaient précédé, j'avais fait semblant. Ceux qui vous doivent une explication (mais ne vous attendez pas non plus à des excuses) sont ceux qui, année après année, ont refusé de jeter le blâme sur les Soviétiques malgré tous leurs crimes.

Je cite : « Il y a beaucoup de péchés commis (par le communisme stalinien) que j'ai niés à tort pendant longtemps. » C'est la palinodie exprimée par Lillian Hellman en 1976. Trop peu, trop tard : j'ai douté de sa sincérité.

J'étais à la dérive. Aussi décidai-je de consulter certains de mes amis dont j'étais sûr qu'ils avaient pris le « bon parti » et désireraient donc m'empêcher de mal agir.

J'ai pris en note ce qui suit au début du printemps 1952, avant de témoigner de façon « coopérative ». Ce texte fait partie d'un journal intime :

> Une conversation avec Art Miller, dans les bois derrière chez moi. J'ai mentionné que Skouras avait laissé entendre que je ne pourrais plus travailler pour le cinéma si je ne dénonçais pas les autres gauchistes du Group, puis j'ai dit à Art que je m'étais préparé à une période sans activités cinématographiques ni argent, que j'étais prêt à affronter cette épreuve si le jeu en valait la chandelle. Mais qu'une telle décision ne me satisfaisait pas. Que j'avais dit (en moi-même) à plusieurs reprises : Pourquoi diable est-ce que je renonce à tout cela ? Pour défendre un secret que je n'approuve pas et des gens qui ont déjà été dénoncés ou le seront bientôt par quelqu'un d'autre ? J'ai dit que je haïssais les communistes depuis des années et que je ne trouvais pas normal de sacrifier ma carrière pour les défendre. Que je la sacrifierais si cela servait une cause que je respectais, mais pas pour ça.

Art m'a répondu que ce serait un désastre personnel pour lui si l'on me « finissait » au cinéma. Il espérait qu'une telle chose ne se produirait pas. Il se rendait compte que j'en serais affecté. Après tout, il pourrait écrire en prison, alors que moi je ne pourrais pas faire de films à moins d'être financé et de bénéficier d'une organisation quelconque. J'ai dit que je n'envisageais pas cette solution pour sauver ma carrière. Mais comme c'était ce qui allait se passer, je ne pouvais pas prétendre le contraire. La seule considération à prendre en compte était la suivante : allais-je me sacrifier pour un idéal auquel je croyais ? J'étais révolté par le goût du secret des communistes, je l'avais combattu quand j'étais membre du Parti. J'ai alors expliqué à Art comment l'on m'avait poussé à démissionner.

Art et moi n'avions jamais abordé la question du communisme. C'était autant sa faute que la mienne et vice versa. Mais c'était surtout que personne ne demandait à ses amis s'ils étaient communistes à ce moment-là. Art ne s'était jamais proposé de me le dire. Il savait que j'étais anticommuniste mais je m'étais toujours gardé de « bouffer du rouge ». Art a embrayé sur la situation politique. Il était contre le plan Marshall (j'étais pour : il a sauvé la Grèce) et contre ce que nous faisions en Corée. Il m'a dit que j'étais naïf. Nous avons parlé pendant trois quarts d'heure. Il semblait inquiet. En revenant à la maison, juste avant que nous n'arrivions en vue des autres, il s'est arrêté et a passé le bras autour de moi de sa manière maladroite — son flanc contre le mien — et il a dit : « Ne t'inquiète pas de ce que je penserai. Quoi que tu fasses, tu as mon accord. Parce que je sais que ton cœur est au bon endroit. » Cette vérité ressemblait au titre d'une chanson pop. Mais il ne faisait pas de doute qu'Art le pensait et qu'il avait tenu à me le dire avant que nous ne nous séparions. Ce que nous fîmes affectueusement.

Quelques mois plus tard, je sortais de l'immeuble du Victoria Theatre, où se trouvaient mon bureau et celui de Kermit Bloomgarden, quand je tombai sur Art et Kermit qui y pénétraient. Ils me virent mais ne me saluèrent ni en parole ni par geste. Je devais retravailler avec Art dix ans plus tard, mais je ne lui ai jamais pardonné cet affront.

J'ai demandé à Lillian Hellman de me retrouver à l'Oak Room. J'ai tout mis sur la table. Je lui ai dit que je ne pourrais plus travailler dans le cinéma si je ne déballais pas tout ce que je savais. Puis je lui ai confié, comme à Miller, que je m'étais préparé à l'idée de ne plus tourner. Le choc serait rude, mais j'y survivrais. Mais alors que Art, quand nous avions discuté, avait montré de la compréhension, ses propres inquiétudes et sa douleur, Lillian est demeurée silencieuse, tel un serpent lové sur lui-même. Je n'ai compris que plus tard combien elle se sentait menacée de la même façon. Elle n'a rien dit pour me dissuader de me lancer dans cette entreprise. En sortant du Plaza, je me sentais honteux et confus. Quel imbécile j'avais été ! A quoi m'étais-je donc attendu de sa part ? Je crois aujourd'hui qu'elle souhaitait me voir devenir le « méchant » que je suis devenu. Il était plus facile pour Lillian de comprendre la vie quand elle pouvait haïr quelqu'un, tout comme il lui était plus facile de construire ses pièces quand elle devait clouer un « voyou » au pilori. Les problèmes s'en trouvaient simplifiés. Plus tard, j'ai entendu sa réaction à mon sujet, la vieille rengaine : Il a liquidé son stock ! Il l'a fait pour l'argent ! Mais ce n'était pas la raison. Au bout du compte, quand j'ai fait ce que j'ai fait, c'était pour de bonnes raisons qui n'appartenaient qu'à moi, et après avoir longuement réfléchi à mes diverses expériences. J'ai fait ce que j'ai fait parce que c'était la plus tolérable des deux réponses à une alternative douloureuse, et j'irais même jusqu'à dire désastreuse, dont ni l'un ni l'autre versant ne me satisfaisait. Voilà ce que j'appelle une décision difficile : que l'on choisisse l'une ou l'autre solution, on est perdant.

Après coup, elle était si contente de son témoignage devant la commission, et surtout de la réaction qu'il avait suscitée, qu'elle en a fait un dossier de presse qu'elle donna aux journalistes. Sur une table, près de sa porte d'entrée, bien en évidence pour ses visiteurs, elle a placé un registre contenant des lettres de félicitations et la transcription des messages téléphoniques.

Lillian a passé les quinze dernières années de sa vie à se canoniser.

Je n'avais toujours pas décidé de l'attitude à adopter. Je me dirigeais vers une coopération avec la commission, mais de tous les gens que je dénoncerais peut-être, celui pour lequel j'éprouvais le plus d'inquiétude et d'affection était Clifford. Je ne pouvais sûrement pas le dénoncer — si je choisissais cette option — sans sa permission. J'avais résolu, après lui avoir demandé de dîner avec moi, que s'il défendait toujours ma position de « gauchiste loyal », je ne le dénoncerais pas. Ni lui ni personne d'autre.

Nous dînâmes au restaurant favori de Clifford, Le Homard, dans une rue qui donnait sur Broadway. L'atmosphère était dépourvue de chichis, les fruits de mer frais et les serveurs familiers. Puis nous remontâmes lentement Broadway à pied. Je confiai à Clifford que j'hésitais entre deux attitudes mais penchais de plus en plus vers l'une d'elles : révéler à la commission tout ce que je savais des activités du Parti au sein du Group. Oui, je dénoncerais les autres membres de la cellule, tous les sept, et lui aussi. Mais je précisai que s'il n'était pas d'accord pour que je le dénonce, je refuserais, comme tant d'autres, de coopérer avec la commission. Je laisserais tomber le cinéma et travaillerais uniquement au théâtre ; je m'y étais préparé. J'ajoutai : « Mais nous savons bien, toi comme moi, ce qu'est vraiment le Parti. Je te revois encore vantant les mérites du pacte Staline-Hitler à Frances Farmer, mais c'était il y a bien longtemps, n'est-ce pas ? Tu ne le ferais plus aujourd'hui, n'est-ce pas ? Tu ne le vanterais pas ? Je n'éprouve aucun respect pour le goût du secret entretenu par le Parti et je ne me gênerai pas pour le briser ; je n'éprouve aucun respect non plus pour son programme. Mais je respecte la vérité et l'effet qu'elle produirait si elle éclatait au grand jour. Je crois que nous devrions tous nous dénoncer les uns les autres et raconter la vérité sur ce qui se passait. Ainsi, tout cela serait ramené à sa véritable échelle et nous serions soulagés d'un poids. Mais tu es l'un de mes meilleurs amis et je n'y songerais même pas sans ta permission. »

Il demeurait silencieux. Il avait bien sûr beaucoup réfléchi à la question. A ma grande surprise, je découvris qu'il attendait de moi ce que j'attendais de lui : la permission de dénoncer l'autre. Il s'avéra que nous partagions la même position, et quand ce fut son tour, il fit comme moi : il donna des noms.

Hélas, ce qui m'était possible blessa Clifford mortellement. Il ne fut plus jamais le même après avoir témoigné. Il avait perdu son identité du même coup. Ce n'était plus le héros rebelle, le prophète intrépide d'un nouveau monde. Sa voix s'en trouva étouffée. Le ton vibrant, les éclats passionnés avaient disparu. Ce qui finit par me donner ma force avait épuisé les siennes. Je comprends aujourd'hui que mon attitude sur cette question l'avait fortement influencé. J'aurais préféré le contraire. Je crois qu'il aurait dû rester provocant, qu'il aurait dû préserver son identité si précieuse, et survivre en accord avec la face la plus positive de sa personnalité. Il connut une première mort avant sa vraie mort.

Quand je fis part à Molly de la réaction de Clifford, je lui demandai aussi, enfin, conseil. « J'ai demandé leur avis à tous les habitants de Manhattan, lui dis-je. Maintenant c'est ton tour. » Elle ne me répondit pas comme je m'y étais attendu, mais déclara : « Je veux que tu fasses ce dont tu seras satisfait au bout du compte. » Elle n'en dit pas plus. Mais plus tard dans la nuit, elle n'arrivait pas à s'endormir, et elle ajouta : « Je ne me fais pas de souci pour toi ; tu survivras, quoi qu'il arrive. Mais je m'inquiète pour Clifford. »

Deux ou trois ans plus tard, New York n'avait pas résolu ses problèmes, et Clifford, à court d'argent, retourna à Hollywood, où il y avait du travail de réécriture sur les scénarios des autres. Entre-temps, j'avais survécu au mépris d'une grande partie des intellectuels de gauche new-yorkais, m'étais bien débrouillé au théâtre et encore mieux au cinéma. Après la tapageuse première new-yorkaise d'*A l'est d'Éden* et la parution d'excellentes critiques, Cliff m'envoya un télégramme : « Hourra pour les articles sur *A l'est d'Eden*. Mon cœur s'est empli de bonheur et de fierté, tout comme si j'obtenais enfin quelques bonnes critiques moi-même. Ce doit être de l'amitié. Il n'y en a pas beaucoup d'autres pour qui je me réjouis en ma quarante-huitième année. Mais je confesse une petite pointe de jalousie. Je suis là, à Hollywood, j'essaie de donner vie à un bloc de béton, et une seule phrase me console, à savoir : "Au moins tu n'auras pas à mettre ça en scène !" »

C'est alors que j'ai compris quelle erreur terrible Clifford avait commise en témoignant de la sorte. J'ai vu quels ravages la H.U.A.C. avait causés chez cet homme que j'aimais, et j'ai regretté d'avoir influencé le cours de ces événements. Mais à ce moment-là — c'était deux ans après —, je n'éprouvais plus aucun regret quant à mes propres actes.

Après notre discussion ce soir-là, dont j'avais retiré que Clifford avait la même opinion que moi, je rentrai chez moi à pied, en longeant les rues sombres. Je me sentais comme un paria dans ma ville, et je savais que ma décision était prise.

Il me restait une corvée. J'appelai Paula Strasberg et demandai à la voir. L'après-midi suivant, elle, Lee et moi étions assis un verre de thé à la main. Bien sûr, c'était l'opinion de Lee qui m'inquiétait, pas celle de Paula — c'était pourtant elle que j'allais dénoncer. Je vidai mon sac et déclarai que j'avais décidé de le faire. C'était la première fois que je le disais.

Il ne fallut pas longtemps à Lee pour me donner une réponse: il s'exprima avant Paula, en disant: « Tu n'as pas le choix.

— Qu'est-ce que tu ferais à ma place? demandai-je.

— Personne ne sait ce qu'il ferait, répondit Lee, avant d'y être impliqué. »

Je me tournai alors vers Paula et lui posai la même question. Elle répondit qu'elle ne pouvait pas faire elle-même ce que je disais m'apprêter à faire, mais « je ne t'en voudrai pas si tu me dénonces ».

Nous bûmes notre thé, et voilà tout. Je rentrai chez moi avec l'impression d'être le dépositaire d'un secret dangereux. Je racontai à Molly ce qui s'était passé et je lui dis que j'allais écrire toute l'histoire, dans les moindres détails, en donnant le nom des huit autres membres au sein du Group. Et c'est ce que je fis, je révélai toute la vérité. Puis je demandai à comparaître de nouveau devant la commission et on me donna rendez-vous. Je me rendis à Washington et remis ma déclaration.

Des amis troublés m'ont demandé pourquoi je n'avais pas choisi « l'option décente »: tout dire à mon sujet sans dénoncer ceux du Group. Mais ce n'était pas ce que je voulais. Peut-être les ex-communistes sont-ils implacables dans leur lutte contre le Parti. Je pensais que cette commission, que tout le monde méprisait — je nourrissais moi-même de nombreux griefs contre elle —, avait une mission justifiée. Je voulais aider à briser le sceau du secret.

Une tempête de colère s'abattit sur moi; mes amis proches éprouvèrent une déception profonde. Molly trouva que l'on me vilipendait injustement. Elle insista pour que j'écrive une déclaration expliquant mon attitude au public. Je répondis que ce n'était pas ma façon de procéder, que je pensais ne devoir d'explication à personne, et que mon action parlait pour elle-même; il ne me semblait pas non plus que je devais partager mon expérience avec qui que ce soit, ami ou ennemi. Elle persista et me demanda si elle pouvait écrire quelque chose en mon nom, juste pour que je lui donne mon avis. Je lui dis que oui, bien sûr, pourquoi pas.

Elle alla s'enfermer dans son bureau et j'entendis la machine à écrire, puis des pages arrachées avec impatience, le chariot ramené à sa position de départ, puis de nouveau le bruit de la frappe. Ce n'était pas facile, ce qu'elle essayait de faire, et elle ne s'arrêta même pas pour manger. Quand elle ressortit, c'était déjà la fin de l'après-midi et elle avait une seule et unique page à me faire lire. Elle y décrivait les circonstances et les débats qui m'avaient amené à témoigner, ce qu'elle considérait comme les nécessités sociales, quelles avaient été mes intentions, et elle finissait en donnant au lecteur une assurance à laquelle je ne m'attendais pas, à savoir qu'en dépit de ce que tout le monde pensait peut-être et que certains disaient déjà, je ferais le même genre de films et de pièces que j'avais toujours faits, avec les mêmes thèmes et en adoptant le même point de vue.

Ce qu'elle avait écrit me parut vrai et équitable. Elle m'observa pendant que je lisais et je vis combien ce texte — et moi-même — était important pour elle. Nous achetâmes un espace dans le *New York Times* et le publiâmes comme encart publicitaire. Mais personne ne changea d'avis sur mon compte après l'avoir lu. Au lieu de la compréhension attendue, il ne m'apporta que mépris et durcit encore l'antagonisme. Je devins bientôt la cible d'une campagne bien organisée dénonçant mon action comme honteuse. Elle devait continuer pendant des mois et, dans certains milieux, elle est toujours d'actualité.

J'y répondis comme lorsque j'étais enfant : en prenant mes distances. Je me repliai. Silencieux. Jamais aussi ferme que Molly, je voyais toujours deux facettes à chaque problème et à chaque jugement porté. Ainsi, dans le fruit de ma conviction, le ver du doute s'insinua-t-il. J'étais toujours persuadé d'avoir agi correctement, avec sincérité et après une réflexion soigneuse, mais il y avait une certaine indécence — je le ressentais de cette façon, avec honte — dans ce que j'avais fait, et mes motivations n'étaient pas tout à fait nettes. Ce que j'avais fait était correct, mais était-ce moral ? Quels soucis égoïstes étaient dissimulés derrière les belles paroles, jusqu'à quel point mon amour du cinéma, que je m'étais efforcé de ne pas prendre en ligne de compte, avait-il joué un rôle dans ma décision ? Je me sentais irrésolu, tour à tour humilié et plein de ressentiment envers ceux qui me critiquaient. C'est pourquoi je suis resté si longtemps réservé et silencieux. Mon refuge était toujours le même : mon travail, dans lequel je noyais les sentiments désagréables.

Personne de ceux qui ont agi comme moi, quelles qu'aient été leurs raisons, n'est sorti indemne de cette épreuve. Moi non plus. Il y a trente-cinq ans de cela, et je suis encore là à m'inquiéter. Je savais ce qu'il m'en coûterait. Ai-je honte de ce que j'ai fait ? Un ami qui avait lu le manuscrit de ce livre m'a récemment demandé si j'avais rencontré les autres membres que je m'apprêtais à dénoncer, comme j'avais rencontré Clifford et Paula et Lee Strasberg, et je lui ai répondu que non. Pendant un instant, je l'ai regretté. Mais le regretter aujourd'hui, après toutes ces années, n'a pas de sens. La vérité, c'est qu'au bout d'un an j'avais cessé de me sentir coupable ou même embarrassé de ce que j'avais fait ; cela tient à une série d'événements qui se sont produits l'année suivante et que je vais maintenant aborder.

LA COMMISSION DES ACTIVITÉS ANTIAMÉRICAINES ne craignait pas la publicité. Elle s'empressa de communiquer ma déclaration au *New York Times* le lendemain et, soudain, celle-ci se retrouva à la une du plus grand journal du monde. Je commençai à la lire mais ne pus continuer. Je me sentais gêné et honteux. Cette déclaration ne reflétait pas mes véritables sentiments, qui n'étaient pas aussi tranchés mais au contraire confus et contradictoires. Voici un extrait de mon journal, rédigé le lendemain : « Suis resté à la maison toute la journée. Terriblement déprimé. Impossible de penser à autre chose. Je sais que j'ai accompli quelque chose de mal. Toujours convaincu que le pire aurait été de prendre la décision inverse. Je passe mon temps à chercher des justifications à mon acte. Une seule chose jusqu'à présent pour laquelle j'ai éprouvé une telle honte et un complexe de culpabilité aussi grand : la façon dont j'ai quitté Constance. Ce que j'ai fait me paraît maintenant tout aussi sournois, car rien dans ma conduite passée ne le laissait prévoir. Je n'ai pas osé aller à l'Actors Studio ni nulle part ailleurs. Molly n'arrête pas de me regarder. Pourquoi ? »

Je restai également à la maison le jour suivant. Puis je pris la décision de reprendre mon train-train quotidien et je me rendis à pied à l'Actors Studio. Nous étions situés en haut d'un building de Broadway. Mon bureau s'y trouvait, ainsi que ma secrétaire, Mae Reis. A mon arrivée, elle m'attendait. Elle m'annonça de sa petite voix bien élevée qu'elle ne pouvait plus travailler pour moi. Je ne lui demandai pas pourquoi — je pouvais le voir sur son visage —, mais elle me le dit, avec calme et sans prendre de gants. Je suis sûr qu'elle pensait accomplir un acte héroïque. Ce fut un choc. Mae me donna le courrier et s'en alla. Elle travaillerait bientôt pour Mike Nichols. Et répondrait à des questions me concernant.

Je décidai de faire un tour dans les locaux. Des acteurs attendaient un cours. Me regardait-on d'un drôle d'air, ou étais-je victime de mon imagination ? Je retournai m'enfermer dans mon bureau, ramassai le courrier, et me rendis compte que j'étais angoissé à l'idée de l'ouvrir. J'écoutai le murmure des acteurs à l'extérieur ; cette classe en comptait peut-être trente. Personne ne vint me voir. J'avais toujours été leur héros.

Je me rappelai alors qu'en descendant la Septième Avenue pour rejoindre notre building, un acteur que je m'apprêtais à saluer avait soudain traversé la rue pour m'éviter. Sur le coup, cela ne m'avait pas frappé, vu qu'il était entré dans un tabac et avait dû y pénétrer pour acheter des cigarettes. Cet acteur s'appelait Curt Conway et avait assisté à mon cours d'interprétation au Théâtre de l'Action des années auparavant. Était-il encore l'un des *leurs*? Je me retins de poser cette question. Je me retins aussi d'imaginer que j'étais rejeté. Je pensais avoir surmonté cette crainte. Mais je savais bien que Curt m'avait évité.

Le cours avait débuté. Je pouvais maintenant quitter l'endroit sans rencontrer personne. Je retournai chez moi.

Si j'avais entretenu aucuns doutes sur la réaction du monde du spectacle à mon témoignage, ils furent vite apaisés. Je reçus deux lettres, toutes deux manuscrites.

Cher Gadg, je t'ai vu aujourd'hui pour la première fois depuis ton témoignage devant la Commission antiaméricaine. Je pense que tu ne vas pas tarder à comprendre que la majorité des gens au Studio ont été dégoûtés et choqués par ta déposition, et qu'ils étaient convaincus que tu ne remettrais pas les pieds là-bas avant longtemps.

Peut-être t'es-tu imaginé que le fait de mentionner certains des noms qui l'avaient déjà été ne ferait de mal à personne, mais pas plus tard qu'hier Art Smith a été rayé de la distribution sur deux pièces du programme d'été de Mr. Paul Crabtree parce que son nom figurait sur ta déclaration. Tu as ouvert la porte à la Commission anti-américaine ici même à Broadway. Tu as claqué la porte au nez d'innocents dont le seul tort est de penser différemment de toi. Le Dr. Frank Kingdom a parlé dans le *N.Y. Post* de la mort de Joe Bromberg et de celle de miss Christians — « Si l'Amérique est deve-nu un pays où des gens sincères et honnêtes peuvent être traqués jusqu'à ce que mort s'ensuive à cause de rumeurs politiques, alors ce n'est plus l'Amérique de Franklin [suivi de trois mots que je n'ai pu déchiffrer]. Tout Américain qui aide d'une manière quelconque à soumettre un autre Américain à la torture pour cause de désaccord politique n'est pas un véritable Américain. »

Je ne peux pas signer de mon nom car tu as tout pouvoir écono-mique sur nous autres qui ne sommes qu'acteurs — mais je veux que tu saches que beaucoup, beaucoup de gens, au Studio et à Broadway, pensent de cette façon.

Et cette autre lettre, dont je ne pense pas qu'elle émanait d'un acteur :

Elia. Honte à toi ! Je continuerai à te saluer lors de nos rencontres professionnelles, mais sur la base d'une courtoisie de pure forme. Si personne ne dément ton refus de rendre un hommage public à J. E. B. [Bromberg] et de dénoncer ces politiciens pourris qui ont hâté son effondrement, je perdrai un jour mon calme et je te châtierai en public, de préférence lors d'un dîner.

Je n'ai jamais été d'accord avec les idées soi-disant progressistes que tu as exprimées ; mais mon respect pour ton opinion vole en éclats devant ta lâcheté face au maccarthysme, que moi-même qui suis conservateur je ne peux pas encaisser.

Tu as plus d'argent et tu es plus célèbre que tu n'en as besoin. Sers-toi de ces atouts pour raviver ta promesse prononcée un jour avec conviction de discréditer la revolver-kultur de ta profession empoisonnée.

Cette lettre n'était pas non plus signée.

Je pensais que les choses allaient se tasser, mais elles tournèrent à la foire d'empoigne et j'étais la pomme de discorde. Il y eut de nombreux coups de téléphone, « non signés » et haineux. Je changeai de numéro. Quand je recommençai à fréquenter les gens, je découvris que j'étais un « Judas », un « mouchard » et un « lâcheur » notoire. J'étais devenu la bête noire des « progressistes » ; ils avaient attendu de moi que je sois le plus ardent défenseur de leur position avec la même ferveur qu'ils mettaient désormais à me cataloguer comme le plus perfide des traîtres. D'autres qui avaient agi comme moi, sans doute parce qu'on attendait moins d'eux, ne furent pas autant attaqués — les Burl Ives, Jerry Robbins ou même Budd Schulberg. Ce qui rendait les gens particulièrement furieux contre moi, c'est que j'avais acheté un espace dans le *New York Times* pour y publier une déclaration (rédigée par Molly) qui poussait ceux qui se trouvaient dans la même position que moi à m'imiter. Bientôt j'entendis parler de meetings organisés par le Parti communiste (appelés par tous les « Bien-Pensants ») pour concentrer les attaques sur moi. J'étais devenu l'homme à abattre.

Comme j'avais passé la plupart de ma jeunesse sous une chape de désapprobation — réelle ou imaginaire —, cette situation n'était pas nouvelle pour moi. Mon statut d'immigrant et d'outsider m'avait préparé à l'« encaisser ». J'étais l'accusé dans un gigantesque procès public, devant des juges non identifiés, dont le verdict, déterminé à l'avance, était bien connu. Je ne comprenais pas la gravité de ma culpabilité — ma raison me disait que j'avais bien agi —, mais j'avais en fait franchi une ligne de démarcation fondamentale et irrécusable au-delà de laquelle l'erreur humaine et le péché n'étaient plus pardonnables.

Le courrier de mes ennemis me parvenait avec les factures, chaque jour. L'un d'entre eux fit référence au *Mouchard*, de Jack Ford ; sur une carte postale affranchie à tarif réduit, il avait écrit : « Félicitations, frère Mouchard. Bien sincèrement, Gyppo Nolan. » Une autre lettre faisait allusion à *En attendant Lefty*, d'Odets, et citait mon discours au moment où je venais de faire irruption sur scène pour identifier un mouchard : « Ce fils de pute est mon propre salaud de frère ! » On me le renvoyait maintenant à la figure. Le *Daily Worker* fit preuve d'imagination : « On imagine bien le président de la H.U.A.C. passant le bras autour de Kazan et lui disant : "C'est le moment le plus important de votre vie !" En fait, c'est le moment le plus bas de la vie de Kazan, il le hantera sa vie entière. » A un autre endroit, ce journal prédisait que j'allais perdre ma virilité. J'avais effectivement entendu parler de ce qui était arrivé à l'un de mes collègues réalisateurs, Bob Rossen, qui avait confessé que pendant un an, après avoir témoigné de façon coopérative, il avait été incapable d'obtenir une érection satisfaisante. Nombreux étaient ceux qui affirmaient que j'allais perdre le peu de talent que j'avais et que la qualité de mon œuvre allait s'en ressentir.

Je reçus une longue lettre assez lugubre d'un metteur en scène vieillissant, Leo Hurwitz, qui avait été membre du comité directeur de Frontier Films en même temps que moi. Il concluait par ce qui sonnait comme des condoléances : « Je ne t'envie pas tes moments de sommeil ou de repos car ils sont peut-être l'occasion pour toi de repenser à des gens ou à des événements du passé. » Je lui répondis : « Cher Leo, ta lettre est la troisième réaction hostile reçue au courrier (aujourd'hui). Elle avait quelque chose de plus que les deux autres. Elle était signée. Tu n'es pas un homme stupide, alors pourquoi ne fais-tu pas un petit test ? Pendant une demi-heure, laisse ouvertes les portes de ton esprit. Réfléchis : peut-être pensais-je ce que j'ai dit. Peut-être souhaitais-je que les faits soient connus de tout le monde et dire qu'il est du *devoir* de tout citoyen dans une démocratie de respecter les organes de son gouvernement. Toute crise constitue une épreuve, Leo, et c'est bien de crise qu'il s'agit pour moi. Mais je dors bien. Je dors comme un loir. Et toi, comment ça va ? »

Cette lettre exprimait plus de confiance en moi que je ne pouvais en revendiquer. Je ne dormais pas bien.

S'il y a une chose qui me faisait de la peine, c'est le nombre de mensonges qui étaient proférés au sujet de mon acte et la proportion qu'ils prenaient. Le plus éhonté de tous fut prononcé par Tony Kraber, acteur avec qui j'avais joué au début des années 30. Quand Kraber alla témoigner, Tavenner, l'avocat de la commission, lui demanda : « Une partie quelconque du témoignage de Mr. Kazan était-elle erronée ? » Tony, esquivant la question, répondit : « S'agit-il du Kazan qui a signé un contrat de 500 000 dollars le lendemain du jour où il avait donné des noms à cette commission ? » Ce mensonge me surprit, par son audace ; c'était la technique du « mensonge énorme » employée par Hitler, qui flattait les préjugés éveillés au préalable. Tony, avec qui je jouais au tennis, renchérit sur son mensonge. « Vendriez-vous votre frère, demanda-t-il, pour 500 000 dollars ? » Cet épisode m'apprit avec quelle ténacité un mensonge peut persister et être cru. Quant à m'appeler son frère, alors là, c'était le comble ! J'avais été son « frère » de 1933 à 1935. Après quoi, j'avais quitté le Parti, et de ce moment-là, nos rapports étaient devenus moins « fraternels ». Après 1937 et la réorganisation du Group en une nouvelle compagnie dont il ne faisait pas partie, je ne l'avais plus du tout revu. Pendant les années de guerre, j'imagine qu'il aurait soutenu le pacte Hitler-Staline. Pendant la période de la guerre de Corée, je n'aurais certainement pas pu être son « frère ». Quant à son renvoi de C.B.S., qu'il me suffise de dire que j'étais alors persuadé, et le demeure aujourd'hui, que les communistes ne devraient pas occuper de positions de contrôle dans les communications. Son témoignage raviva ma fierté car j'avais toujours exprimé l'exacte vérité alors qu'on m'attaquait à coups de mensonges fabriqués de toutes pièces.

Murray Kempton a jeté le discrédit sur sa profession. « On raconte dans les milieux du théâtre, écrivit-il quelque temps après mon témoignage, que lorsqu'il [Miller] a eu fini *Vu du pont*, sa nouvelle pièce sur les docks, il l'a envoyée à Elia Kazan. On rapporte que Kazan l'aurait renvoyée avec un commentaire enthousiaste, assurant qu'il en serait le metteur en scène ; et Miller aurait répondu qu'il avait envoyé la pièce à Kazan parce qu'il voulait lui montrer ce qu'il pensait de ceux qui dénonçaient d'anciens communistes. » Tout ceci était faux. N'est-il pas déshonorant pour un journaliste de colporter des ragots de cette manière ? « ... on rapporte... aurait renvoyée... aurait répondu... » Kempton ne s'était pas donné la peine de vérifier les faits auprès de Miller ; un simple coup de téléphone aurait suffi. Il s'est attiré le mépris de Miller dans une lettre qu'Art a envoyée au *New York Post*.

The Nation ne fut pas en reste, qui mentit en disant que je l'avais fait pour sauver un contrat juteux avec la Fox. La vérité, c'est que Darryl m'avait convoqué à son bureau pour m'expliquer que, vu la controverse qui entourait ma personne, il ne pouvait pas me verser mon salaire ni aucune autre indemnité pour le dernier film figurant sur mon contrat.

J'étais devenu la cible des opportunistes qui cherchaient à faire leur promotion à mes dépens, et la proie facile de tous les sales petits cons satisfaits d'eux-mêmes qui peuplaient New York et Hollywood. Je méprisais tout particulièrement les riches « libéraux » du sud de la Californie qui n'avaient jamais vécu sans serviteurs, n'avaient jamais eu affaire à la loi sauf pour leur divorce, et n'avaient jamais aperçu la vie des rues qu'à travers les glaces d'une voiture de luxe.

Les réactions favorables ne me remontèrent pas le moral pour autant. Le *World Telegram*, journal du soir, fit mon éloge dans un éditorial. J'en fus embarrassé car je savais que ce journal prônait une droite musclée et il m'avait toujours déplu. Le seul commentateur que j'aie respecté, parmi ceux qui me soutenaient en public, fut Arthur Schlesinger. « Après avoir interrogé sa conscience, écrivit-il, Kazan a publié une explication sous forme d'encart publicitaire dans un journal ; à moi qui suis si perverti, ce document m'a semblé raisonnable et digne. Mais pour *The Nation*, le témoignage de Kazan, dans sa totalité, semble devoir être voué aux gémonies ; comme l'a suggéré *The Nation*, *le Mouchard* avait déjà été filmé et nul n'était besoin pour Kazan d'en donner une nouvelle version. Mais si Kazan avait été un ex-nazi ou même un ex-membre du Klan et avait raconté la même histoire, la réaction de *The Nation* n'aurait-elle pas été tout à fait différente ? »

J'accordais une valeur toute particulière aux lettres de vieux amis dont je savais qu'ils avaient désapprouvé ma décision mais tenaient quand même à me signaler qu'ils demeuraient mes amis loyaux.

Karl Malden, pour me réconforter, me donna deux places pour la première de *The Desperate Hours*, pièce dont il interprétait le rôle principal. Il donna aussi des places à son ami l'acteur Sam Jaffe, en espérant qu'il emmènerait Mrs. Malden voir le spectacle. Mais quand Karl eut dit à Sam que celui-ci serait assis dans la même rangée que moi, Sam refusa d'y aller.

Joe Mankiewicz a rapporté la conversation suivante avec Marlon Brando, lors des répétitions de *Jules César* à la M.G.M. Ils venaient d'apprendre la nouvelle de mon témoignage et les yeux de Marlon s'emplirent de larmes. « Qu'est-ce que je vais faire quand je le reverrai ? demanda Marlon. Je lui mettrai mon poing sur la figure car j'adorais cet homme. » Joe lui répondit : « La prochaine fois que tu le verras, prends-le dans tes bras. C'est ton ami. Il a fait ce qu'il devait faire. Ne te range pas du côté de tous ces fous. »

Clifford avait discuté avec Marlon, avant qu'Odets ne témoigne. « C'est une chose terrible, ce que Gadg a fait à Washington, avait dit Marlon, je ne travaillerai plus avec lui. Mais il m'apporte beaucoup. Peut-être que je retravaillerai avec lui deux ou trois fois. Au moins une fois. » Et c'est ce qui s'est passé. Je ne m'étais pas aliéné Marlon au point qu'il refuse de tourner *Sur les quais*.

J'étais souvent gêné du soutien dont me gratifiaient ceux qui étaient « de mon côté ». Parmi eux, le chroniqueur George Sokolsky. Il m'avait téléphoné dans la foulée de mon témoignage car il désirait des informations sur Frank Silvera, acteur avec lequel j'avais travaillé sur *Viva Zapata!* : « J'ai discuté avec les gens de la Côte et le nom de Frank Silvera a été mentionné. C'est l'un des meneurs, pas de doute. Qu'est-ce que vous savez de lui ? » J'avais répondu à Sokolsky que je n'étais pas d'accord pour lui fournir ce genre de renseignements ; je ne le ferais que pour le gouvernement. « Une liste noire, avais-je poursuivi, n'aidera en rien à détourner les professionnels du théâtre de l'influence des staliniens. Elle aura l'effet inverse. » Sokolsky m'avait répondu : « O.K. Chacun est libre. » Je ne suis pas sûr qu'il ne s'était pas glissé l'ombre d'une menace dans sa réponse. Ou étais-je en train de devenir paranoïaque ?

Je fus réconforté par un mot que m'envoya Budd Schulberg ; son expérience rejoignait la mienne. « Une personne qui connaît mes difficultés, disait-il, comme elle ne peut pas faire plaisir à tous ses vieux amis, doit chercher à se satisfaire elle-même. »

Bela cita Nietzsche : « Ce qui ne vous tue pas vous rend fort. »

Je n'avais entendu aucune réaction de la part de l'homme que je respectais le plus au théâtre : Harold Clurman. D'Art Miller non plus.

Un jour, on m'a dit que Harold avait juré qu'il ne retravaillerait jamais avec moi. Je n'en avais rien cru, jusqu'au jour où il m'a ignoré dans la rue. Il l'a fait avec moins de brio, toutefois, que Bloomgarden. (Le visage de Kermit s'était empourpré ; il devait mourir d'hypertension artérielle.) Harold s'en était tiré en prenant l'air préoccupé au moment où il m'avait croisé — expression qui ne différait guère de son attitude habituelle. Mais la moralité de Harold n'était pas aussi rigide qu'il se plaisait à le prétendre et quelques années plus tard, quand ce fut à son avantage, il travailla avec moi sans hésiter. Il n'était plus alors, bien que je ressente toujours de l'affection pour lui, l'homme que je respectais le plus au théâtre.

J'en viens à Miller. J'ai entendu raconter que lui aussi disait que je l'avais fait pour de l'argent. De prime abord, notre conversation à la campagne en mémoire, je ne l'avais pas cru. Puis j'ai pris connaissance de sa condamnation publique par voie de presse. Le gros titre du *Post*: LA GIFLE DE KAZAN AUX ROUGES LUI COÛTE LA PIÈCE DE MILLER. Suivi de: « ... depuis lors, Mr. Miller a exprimé devant des proches de Broadway sa désapprobation sans appel de cette prise de position et a coupé les ponts avec son partenaire théâtral. » Cela aurait été gentil de sa part si, à ce moment-là, tout en exprimant la désapprobation sans appel qu'il ressentait, Art avait reconnu des liens d'amitié passés — ou même m'avait écrit quelques mots, ne serait-ce que pour me condamner. Mais il n'en a rien fait, pas un seul mot. La seule réaction de sa part m'est parvenue par l'intermédiaire d'Arthur Kennedy, qui jouait le rôle principal dans *les Sorcières de Salem*. Kennedy m'a rapporté que lors de la soirée qui avait suivi la première de la pièce, Art avait levé son verre et, sur un ton vindicatif, avait lancé: « Je bois à la santé de Gadg! » Voilà comment nous nous séparâmes. J'apprécierais la compagnie d'Art dans le futur — c'est un excellent conteur —, et je serais même amené à mettre en scène une autre de ses pièces, mais je ne ressentirais plus un véritable sentiment d'amitié à son égard. Ni lui, j'imagine, envers moi.

De plus en plus souvent, je croyais déceler rancune et méchanceté où il n'y en avait pas; j'interprétais de travers certaines prises de position. Un regard suffisait, une voix qui baissait de registre, une conversation qui s'interrompait à mon apparition. J'avais pris l'habitude d'ouvrir fébrilement les journaux aux pages des échos et des éditoriaux, afin de voir si j'étais encore la proie de commentaires hostiles. Lorsque je croisais quelqu'un dans la rue, je scrutais sa physionomie dans un but unique: savoir s'il était pour ou contre moi. Je me mis à snober les gens, à parer aux attaques avant qu'elles ne me frappent. Je mettais tout le monde dans le même sac, amis et ennemis, personne n'y coupait — attitude stupide, je le savais bien. Mais je ne pouvais pas m'en empêcher: j'étais sur le gril de la société, en train de frire dans mon jus.

Il y avait aussi des jours où j'aurais voulu qu'on me pardonne, où je regrettais mes années d'innocence, cette époque harmonieuse depuis longtemps révolue. En d'autres occasions, il m'arrivait de faire du tapage et de chercher la bagarre. Je me sentais m'endurcir. Je goûtais ma mise à l'écart, je n'avais pas le choix. Si j'étais un loup, eh bien, je serais un loup solitaire, je ne m'associerais pas à une meute. Après y avoir réfléchi, j'ai acquis à l'époque — et j'ai bien peur de ne pas avoir changé d'avis depuis — la conviction que le mieux, c'est d'être aimé par les uns et détesté par les autres. Pour un artiste, c'est un type de relation plus fiable avec le public. Comment tout le monde pourrait-il l'apprécier? J'en conclus qu'il doit être bien difficile de parler vrai devant un public unanime.

La peine qui me pesait le plus concernait mes enfants: je savais qu'il leur faudrait, dans les années à venir, porter le fardeau de ma « dénonciation » avec honte. Cette inquiétude ne s'est jamais apaisée.

En 1934, quand j'étais « au Parti », nous avions contribué à la création d'un mouvement de gauche au sein d'un syndicat d'acteurs très conservateur. Nos objectifs principaux étaient d'assurer aux acteurs sous contrat un salaire couvrant la période des répétitions et de raccourcir le délai dont disposait le producteur pour remplacer sans indemnités un acteur qui avait entamé ces répétitions. Jusqu'alors, il pouvait arriver qu'un acteur répète sans salaire pendant quatre semaines, assure les premières représentations de la pièce, et se retrouve sans même assez d'argent pour payer son taxi si cette pièce ne fonctionnait pas après quelques semaines ou seulement quelques jours. Le Syndicat des acteurs de l'époque était une organisation rigide et bornée, présidée par un acteur très correct mais un peu dépassé, j'ai nommé Frank Gilmore.

Je travaillais à la réforme du Syndicat avec un type épatant, Phil Loeb. Harcelé par les anticommunistes, il devait se suicider quelques années après. Notre cause était tellement juste qu'aujourd'hui, avec le recul, j'ai peine à croire qu'il ait pu se trouver des membres pour battre en brèche nos propositions. Et pourtant la bataille a été rude. Il nous a fallu obtenir la majorité lors d'un vote qui s'était tenu à l'occasion de l'assemblée générale annuelle du Syndicat. Nous avions mis au point une tactique ingénieuse : en éparpillant nos forces (à l'évidence une minorité) aux quatre coins de la salle de bal de l'hôtel Astor, où l'assemblée avait lieu, nous avons donné l'impression d'être beaucoup plus nombreux ; ainsi, lorsque la motion de réforme a été soumise, des voix se sont élevées de toutes parts pour la soutenir. Nous avions également déterminé à l'avance ce que chacun dirait, afin qu'une vague en faveur de la motion grossisse jusqu'au moment du vote, mais sans qu'on entende deux fois le même argument.

Autre tactique employée : nous avions attendu la fin de la réunion, où les « questions nouvelles » étaient soulevées, à l'appel de la « présidence ». A ce moment-là, en effet, les acteurs sous contrat, plus aisés et donc plus conservateurs, avaient quitté la place pour prendre un repas rapide avant de se hâter vers leur loge où ils se maquilleraient pour la représentation du soir. Avant que cet exode n'ait lieu, nous n'avions rien laissé filtrer de nos visées. Mais une fois la salle de bal désertée par une bonne moitié de ses occupants, nous sommes entrés en action. Il ne restait plus que les anciens ; et nous, les jeunes turcs, en embuscade. A un signal donné, l'un d'entre nous s'est levé d'un bond et a proposé notre motion ; il lisait un texte rédigé avec soin. Très vite, un autre s'est dressé pour lui prêter « voix forte » et bientôt une véritable tempête s'est déchaînée, soufflant sur toute la salle. On a écouté nos exigences et on y a satisfait. Les acteurs avaient obtenu un droit fondamental : un salaire pour les répétitions.

Je vous demande maintenant d'effectuer un saut dans le temps d'une vingtaine d'années : nous nous trouvons désormais quelques mois après mon témoignage. Je reçois alors cette lettre d'un acteur que je n'avais pas l'heur de connaître :

Je ne sais pas si vous êtes au courant de ce qui s'est passé lors de l'assemblée générale annuelle du Syndicat. Alors que toutes les affaires courantes avaient été réglées et que nombre de membres avaient quitté la salle, un peloton de membres « gauchisants » en a profité pour se manifester. Ils avaient attendu que l'appel des questions nouvelles soit prononcé et un certain Michael Lewin s'est emparé du micro et a lu le texte d'une motion préparée à l'avance. Cette motion vous attaquait pour votre franchise devant la H.U.A.C. et demandait que vous soyez blâmé pour cette attitude et exclu du Syndicat des acteurs.

A ce moment-là, un vieil acteur, David Perkins, s'est levé en s'exclamant : « Je proteste ! Je proteste ! » Il s'est avancé vers l'estrade et a arraché le micro des mains de Lewin. Mr. Perkins a déclaré que vous aviez admis avec franchise avoir été roulé, que vous étiez un Américain loyal et qu'en tant que tel vous aviez eu raison de donner toutes les informations dont vous disposiez à la Commission. Il a ensuite proposé que l'assemblée soit ajournée, ce qui a remporté les suffrages de l'auditoire. Le vote a donné quinze voix de majorité à la motion d'ajournement.

A la fin de la réunion, Mr. Perkins m'a confié qu'il ne vous connaissait pas mais croyait au principe d'équité. Il a ajouté qu'il avait été récompensé au-delà de ses espérances lorsque Margalo Gilmore s'était approchée de lui à la levée de séance, l'avait embrassé et lui avait dit combien son père, Frank Gilmore, aurait été fier de lui.

Je n'ai guère goûté l'ironie. Je connaissais Michael Lewin, celui qui avait proposé la motion, et je reconnaissais bien là les tactiques de prise de contrôle d'une assemblée : je crois bien que nous les avons inventées nous-mêmes. J'étais content qu'un vieux de la vieille prenne mon parti mais cet épisode m'a laissé un goût amer ; le Syndicat des acteurs est le premier auquel j'aie adhéré.

Mais je ne connaissais pas encore toute l'ampleur de la campagne lancée contre moi. Le jour de mon quarante-troisième anniversaire, l'article suivant parut dans le *Herald Tribune* de New York. Son titre était : LES ROUGES DANS LA CLANDESTINITÉ, et le sous-titre : « Le Parti Prépare une Liste Noire d'Anticommunistes dans les Milieux Culturels. » Puis on pouvait lire : « Le Parti communiste prépare une liste noire de ses ennemis. Lors d'une assemblée secrète qui s'est tenue à New York la semaine dernière, les suppôts rouges de la subversion dans les milieux "culturels" ont donné des instructions pour que les écrivains, les acteurs, les auteurs dramatiques et les pécheurs qui ont offensé le Parti soient placés sur une liste noire. Une première liste de ces victimes de l'ire communiste a été constituée, assortie de la promesse qu'elle serait mise à jour à intervalles réguliers. Une liste d'"actions" à entreprendre contre l'ennemi a également été remise aux camarades. On leur a dit d'exercer des pressions subtiles sur les éditeurs, les agences de publicité et autres viviers de talents. On leur a également donné l'ordre de démarrer des rumeurs et des campagnes diffamatoires insidieuses contre leurs ennemis, en les accusant de dégradation morale, d'avilissement personnel, de débauche de leurs qualités intellectuelles et d'antisémitisme, et en laissant entendre que l'anticommuniste figurant sur cette liste noire n'a jamais eu aucun talent ou qu'il a perdu le peu de talent qu'il possédait. Il fallait utiliser l'arme de critiques défavorables. Parmi ceux qui figurent sur la liste noire provisoire pour avoir causé du tort au "mouvement progressiste", on trouve... » Et mon nom y figurait.

Une attaque tout aussi venimeuse fut lancée par une autre source, le « bulletin » *Contre-Attaque*, envoyé par ses éditeurs à tous les producteurs dans le monde du spectacle. Peu après mon témoignage, voici ce qui apparut dans ses colonnes :

Kazan a un contrat de deux millions de dollars avec la 20th Century Fox (un « mensonge énorme » encore plus énorme que celui de Tony Kraber !). Les contacts souterrains avec le P.C. qu'on lui a prêtés ont été révélés dans plusieurs publications, y compris dans ce bulletin, depuis qu'il a comparu pour la première fois. Il aurait ajouté à la publicité défavorable faite à Hollywood et à la 20th Century Fox quand son témoignage a été rendu public s'il avait continué à refuser de coopérer. Peut-être ses employeurs auraient-ils dû se débarrasser de lui — pour ensuite se retrouver avec sur les bras un procès lancé par Kazan pour encaisser la portion énorme de son salaire non encore versée.

Quelle est l'importance des pressions exercées sur Kazan pour le faire changer d'avis ? Et du fait de ces pressions, jusqu'à quel point son revirement est-il sincère ?

La déclaration de Kazan arrive bien tard. Et en dépit de sa « haine persistante » du communisme depuis 1936, il a aidé certains communistes et n'a jamais adhéré à aucune association spécifiquement formée pour combattre le communisme.

Quelle attitude devriez-vous adopter au sujet de Kazan ? Dans son cas, on peut peser le pour et le contre. Vous ne pouvez pas lire ses pensées comme dans un livre ouvert mais il est facile de juger les hommes en fonction de leurs ACTIONS et de ceux avec lesquels ils s'ASSOCIENT. Kazan doit montrer sans ambiguïté quelle est sa position avec autre chose que des mots. Jusque-là, qui peut être sûr ? Amicalement, CONTRE-ATTAQUE.

Contre-Attaque avait été lancé par trois hommes ; l'un d'entre eux avait quitté le bulletin une fois le succès de celui-ci acquis. Il revendit ses actions et empocha une plus-value rondelette. Il se trouvait désormais dans la meilleure position possible pour se lancer dans une nouvelle activité, celle qui consistait à blanchir ceux-là mêmes qu'il avait traînés dans la boue. Il ouvrit donc un « service de blanchiment » qu'il proposa un peu partout dans l'industrie. Son premier engagement, en tant qu'employé de la Columbia, consista à blanchir Judy Holliday, une fille qu'il avait diffamée.

Contre-Attaque n'avait pas entièrement tort. Pendant des semaines, à la suite de mon témoignage, j'avais connu la culpabilité et parfois le regret. Quant à la liste noire du P.C., je n'avais pas oublié la scène avec Clifford dans la rue. Molly non plus. Certaines des attaques les plus malveillantes étaient dirigées contre elle. Au début, je les lui avais montrées, mais je m'étais rendu compte qu'elles lui faisaient mal et j'avais arrêté. Chaque fois que je restais dehors la nuit ou que je rentrais avec quelques minutes de retard à la maison, je la retrouvais morte d'inquiétude. Elle était convaincue qu'ils se vengeraient sur moi ou sur les enfants. Nos quatre gamins constituaient une cible parfaite. Molly décida que nous ne les laisserions jamais seuls dans la maison le soir. Je lui répondis que les types au sujet desquels elle s'inquiétait étaient des beaux parleurs, pas des combattants. C'étaient les règles du débat qu'il me fallait apprendre, pas celles du karaté. Elle ne trouva pas ça drôle. Molly était à cran du fait que je devais bientôt partir en Bavière effectuer des repérages pour un nouveau film ; elle ne voulait pas rester à la maison avec les enfants sans protection : j'engageai donc un jeune homme pour vivre avec eux pendant mon absence. Il avait l'expérience d'un chat de gouttière et savait se servir de ses poings ; Molly avait confiance en lui. Il s'écoulerait de longs mois avant qu'elle ne vive de nouveau sans peur. Elle savait que la plupart de mes « camarades » rejetaient ma faute sur elle.

Darryl avait essayé de m'aider. Il m'avait dit que l'on ne croyait pas mon témoignage sincère et que j'étais sûr d'être attaqué de nouveau à moins que... « A moins que quoi ? » avais-je demandé. Il avait alors suggéré que je tourne un film, *Man on a Tightrope*, au sujet d'un petit cirque minable qui s'était échappé, artistes, animaux et *tutti quanti*, en franchissant la frontière bien gardée entre la Tchécoslovaquie communiste et l'Autriche libre. J'avais lu le scénario ; il était signé Robert Sherwood, dont j'admirais le *Roosevelt et Hopkins*, mais ce travail-ci n'était pas digne de lui. « Pourquoi ? » s'était exclamé Darryl. « Parce que c'est mal écrit, les personnages sont tout blancs ou tout noirs, c'est du boulot de propagande typique, et je ne le ferais que pour faire plaisir à une bande de bouffeurs de rouges qui veulent me faire la peau. — Ce n'est pas de la propagande, avait répondu Darryl. C'est une histoire vraie. Ça s'est passé exactement de cette façon-là. Vous n'avez pas lu les coupures de presse que je vous ai envoyées ? — Je ne parle pas allemand, avais-je répondu. — Il y avait des illustrations ! » Il s'était mis à hurler. « Vous pouvez déchiffrer des images, n'est-ce pas ? — Vous ne trouvez pas ça dégradant, avais-je repris, de s'aplatir devant *Contre-Attaque*, George Sokolsky, Victor Lasky, et toute la clique... — Il n'y a pas qu'eux, avait interrompu Darryl. Beaucoup d'autres gens se posent encore des questions sur votre véritable position. » Puis il avait craché le morceau : « Y compris moi. — Je m'en fiche, avais-je répondu. Je ne ramperai pas davantage. — C'est signé Bob Sherwood ! avait hurlé Darryl. Il a écrit *les Plus Belles Années de notre vie*, nom de Dieu ! Il a gagné tous les putains d'oscars ! » Il était sur le point de jeter l'éponge. « On s'en fout de l'écriture, avait-il repris en moulinant des bras et en marchant de long en large. C'est l'action qui compte. On peut en tirer un film extraordinaire. Allez réfléchir quelque part. Donnez-moi votre réponse demain, oui ou non. On se bouscule au portillon pour vous remplacer. »

Seul, je m'étais posé la même question que Darryl. Pourquoi avais-je rejeté ce scénario d'une manière si absolue ? Mon rideau de fer intérieur me bloquait-il encore et m'empêchait-il de dire quoi que ce soit de défavorable au sujet de l'Union soviétique? Il me fallait en avoir le cœur net. Le lendemain, j'avais demandé à Darryl de me laisser aller en Bavière pour rencontrer cette troupe de cirque qui s'était fait la belle en jouant à saute-frontière, et discuter avec ces gens. Si je découvrais que ce que j'avais lu dans le script de Sherwood reflétait bien la vérité et non une propagande gonflée, je ferais le film. Darryl m'avait donné son accord. Puis il avait manœuvré avec habileté: il avait convaincu Bob Sherwood de m'accompagner. Bob avait besoin de détails géographiques et techniques pour mettre la dernière main à son travail. C'est du moins ce que Darryl m'avait dit. Je suppose qu'il se figurait que je n'oserais pas dire non à Robert.

Des quartiers entiers de Munich étaient encore sous les décombres, certains proches du cœur de la ville. La nuit, l'éclairage des rues était incertain. Les gens se croisaient sans se regarder. La méfiance engendrée par les années de guerre était visible. Bob n'était pas encore arrivé, aussi parcourus-je les rues en solitaire. On m'a souvent dit que j'avais l'air juif, et pas mal des Bavarois que j'ai croisés devaient être nazis et penser: Comment celui-là s'en est-il tiré? Ou bien étais-je paranoïaque? Je touchai le fond. J'y restai pendant trois jours, démoralisé dans cette ville en ruine.

Puis Bob me rejoignit et nous nous rendîmes au Cirkus Brumbach. Ils étaient fidèles à l'image que les journaux en avaient donnée — un groupe d'hommes appauvris, gagnant leur croûte en perpétuant une tradition. Leur histoire correspondait à ce que Bob avait décrit dans son script: ils avaient bien franchi la frontière illégalement, ils avaient bien risqué leur vie. Je n'avais pas affaire à un scénario déficient, mais à un événement historique. Je ne pus arriver qu'à une seule conclusion: il me fallait faire ce film pour me convaincre — et non pas les autres — que je n'avais pas peur de révéler la vérité sur les communistes ou qui que ce soit d'autre, que j'étais encore capable de juger sur pièces, par moi-même, en liberté, que je n'étais plus membre du Parti dans ma tête.

Bob fut décevant. Je l'aimais beaucoup en tant qu'homme, mais il avait d'autres chats à fouetter que de se mettre à récrire son texte. J'avais l'impression que son mariage battait de l'aile. Je commençais à comprendre ce que Darryl avait voulu dire: les mots ne comptaient guère cette fois-ci; c'est l'action qui primait. Bob plia bagage et je continuai à observer le cirque, mais comme je ne parlais pas un mot d'allemand, c'était en tant qu'étranger, de l'extérieur. Une semaine plus tard, je m'envolai pour le sud de la Californie, via le pôle. J'y constituai l'essentiel de la distribution, le reste à New York, puis je repartis pour l'Europe, seul.

Nous installâmes les bureaux de la production à Munich. Darryl avait nommé un « producteur associé » sur ce film, Gerd Oswald. C'était un type à la détente intellectuelle rapide, capable d'expliquer ce que je voulais, pour peu que je le sache moi-même, à l'équipe allemande que nous finissions de réunir. Le « producteur », Bobby Jacks, brillait par son absence ; elle se poursuivrait tout au long du tournage. Personnage affable, c'était le gendre de Darryl.

Ce devait être le premier film produit par une grande compagnie américaine avec une équipe technique entièrement constituée d'Allemands, décision que j'avais approuvée avec enthousiasme mais qui ne laisserait pas de créer des difficultés. Notre première tâche : engager un cameraman. Après avoir visionné plusieurs films et discuté avec différentes personnes, je découvris que je n'avais guère de points de comparaison. C'est donc Gerd qui prit la décision finale, m'assurant que nous avions choisi le meilleur. D'ordinaire, ma conversation préalable avec le cameraman, auquel j'expliquais mon optique et le choix de mes objectifs, était futile à l'extrême. Celui-là hochait la tête puis regardait Gerd, qui répondait dans leur langue. Je baissai vite les bras, dépité. Je m'en allai rencontrer les responsables de chaque unité — menuiserie, éclairages, accessoires, costumes —, mais comme nous ne pouvions pas discuter, je ne pus me faire aucune impression à leur sujet et vice versa. La plupart semblaient tout juste sortis de la Wehrmacht.

Notre première décision positive, à Gerd et à moi, fut d'utiliser la véritable troupe de cirque qui était passée en Autriche libre, et non pas un *ersatz*. Ce choix correspondait à mon style. De ce moment, en effet, il devint nécessaire pour moi d'apprendre à connaître cette troupe dans les moindres détails, et c'est là que résidait mon talent. Le Cirkus Brumbach était loin d'être une piste aux étoiles, c'était plutôt une attraction de second ordre. Pour chaque numéro, il y avait un équipement et des artistes spécifiques, mais les accessoires comme les hommes avaient beaucoup servi. Cependant, après quelque temps, j'ai fini par m'attacher à eux. Je me fis rapidement un copain, le nain qui jouait dans les scènes de comédie. Il brisa la glace en m'invitant à boire un cognac avec lui. Puis ce fut ma tournée, puis de nouveau la sienne. « *Zwei Freund, zwei Cognac !* » commandait le nain au garçon ; ce devint notre cri de ralliement. Il m'arrivait à la ceinture, mais il compensait par son tour de taille. Intrépide, c'était un survivant qui savait esquiver et se cacher, mais aussi, lorsqu'il était acculé, se battre comme un beau diable. Grâce à lui, je pus bénéficier de la camaraderie des autres, dans le monde du cirque, et il se tint à mes côtés tous les jours qui suivirent. A travers lui, j'en vins à comprendre que les gens du cirque auraient été des *outsiders* dans n'importe quelle société — de vrais phénomènes de foire, c'est le cas de le dire — et que je devais appartenir à la même race tant nous nous entendions bien. Cette identité me convenait à merveille cette année-là, et je pris mes quartiers dans le cirque. J'y passais tout mon temps, traînant à droite et à gauche, jour après jour, et ils finirent par m'accepter parmi eux.

Puis les acteurs commencèrent à arriver et, petit à petit, j'en vins à la conclusion qu'eux aussi étaient des phénomènes de foire. Tous avaient un comportement plus ou moins excentrique. Pour les seconds rôles, j'avais réuni une troupe formidable de seconds violons. J'ai l'air de les calomnier mais je ne veux surtout pas insulter ces vaillants professionnels. Il n'existe en effet que fort peu de premiers violons parmi les acteurs et je n'ai connu qu'un génie dans ma vie. Etre un professionnel de second ordre n'a rien de déshonorant. En dessous, on trouve les acteurs de troisième catégorie, les acteurs incompétents, et les charlatans. Mes acteurs étaient enthousiastes et ils « en voulaient », c'est pourquoi nous passerions un bon moment ensemble. J'étais ravi de ne pas avoir à supporter les caprices de superstars exilées sur un lieu de tournage bien moins confortable que ce dont elles avaient l'habitude aux États-Unis. Seuls avec moi dans un pays étranger, ils me considérèrent vite comme leur père.

Freddie March était le plus chaleureux et le plus sincère des hommes. Mais je crois que le fait de figurer sur la liste noire pendant tous ces mois sombres lui avait porté un coup au moral. Son rôle dans le film — et notre amitié — lui redonna courage. En préambule, il réitéra la mise en garde qu'il m'avait adressée avant les répétitions de la Peau de nos dents : « Fais attention à moi. J'en fais toujours trop. » Très peu d'acteurs sont aussi francs au sujet de leurs défauts.

Nous dégustions un schnaps ensemble, le nain à côté de moi, et Freddie me racontait ses dernières plaisanteries salaces — il n'était jamais en manque. Lorsque nous retournâmes à Munich pour les scènes d'intérieur, il se transforma en petit garçon ; il s'amusait. Il vivait avec moi dans le magnifique hôtel Vier Jahreszeiten et eut maille à partir avec une femme de chambre, tant et si bien que je dus me rendre en pleine nuit au commissariat de police pour intercéder en sa faveur. Il avait reçu des menaces de la part du mari de cette femme de chambre, homme déraisonnable qui cherchait à devenir célèbre en assassinant une star de cinéma. Freddie n'était qu'un gamin incapable de résister à la tentation de laisser traîner ses mains partout.

Quand son épouse vint lui rendre visite, il changea de personnalité du tout au tout. L'une des femmes de notre groupe, fieffée idiote, tint à prévenir Florence qu'elle était arrivée juste à temps. Mais Mrs. March avait l'habitude des « bêtises » de son Mr. March. Elle n'en était pas ravie mais elle n'était pas non plus tout à fait ignorante à leur sujet. Dans ce foyer, c'est Florence qui portait la culotte, côté intellect. Le pauvre Freddie, sur sa liste noire, n'était pas plus communiste que mon chat, alors que Florence était une libérale plutôt rigide qui croyait de son devoir de remettre au pas quiconque ne pensait pas bien, et soutenait des organisations qui méritaient, selon elle, de voir figurer le nom des March sur l'en-tête de leur papier à lettres. Elle pensait droit et entraînait Freddie dans son sillage. Il s'effectua en lui un changement miraculeux quand elle retourna aux États-Unis.

Les autres membres de la distribution étaient tout aussi « tordus ». Gloria Grahame, qui interprétait l'épouse infidèle de Freddie, était une sirène qui avait nagé quelques heures de trop, décidée à donner un nouveau souffle à sa carrière. Elle était arrivée avec une tonne de bagages, et l'une de ses valises était suffisamment lourde pour qu'on se brise les reins à la porter. Je lui demandai ce qu'elle contenait et elle me confia qu'il s'agissait d'haltères et de tout un équipement de gymnastique. Les seins de Gloria n'étaient pas assez développés à son goût; elle était déterminée à en tirer tous les avantages professionnels possibles et avait donc décidé d'exercer ses pectoraux.

Terry Moore, qui interprétait le rôle de la fille de Freddie, ne manquait pas de punch non plus et avait tenu à bien faire comprendre dès son arrivée qu'elle était la maîtresse (plus tard, elle prétendrait en être la femme) de Howard Hughes. Ce ploutocrate accessoirement « génie » de la science, dont les usines avaient contribué de manière si exceptionnelle à notre effort de guerre, avait dessiné les plans du grand hydravion « Spruce Goose », engin en contre-plaqué nanti de six moteurs, et payait le loyer et les factures de Terry afin qu'elle soit à sa disposition en toute cir-constance. Il faisait de même pour plusieurs autres jeunes femmes qu'il avait mises à gauche dans diverses chambres d'hôtel et appartements, de sorte qu'il dispose toujours d'un choix large et varié. Préoccupé au plus haut point par la fidélité de Terry — anxiété qu'elle avait probablement veillé à susciter: c'est toujours une bonne tactique pour les maîtresses —, Hughes avait réquisitionné la mère de Terry pour qu'elle l'accompagne en Allemagne, et lui avait ordonné de surveiller tous les faits et gestes de Terry. Je n'exagère pas. Afin de parfaire ce contrôle à distance, il appelait Terry chaque soir depuis la Californie. Comment s'y prenait-il pour ob-tenir la liaison avec Bad Tolz et l'obscure pension de famille où elle séjournait? Je n'ai jamais réussi à percer ce mystère. Personne d'autre que lui n'y arrivait; je n'ai moi-même pas reçu un seul coup de téléphone, fût-ce de Zanuck. Quand je demandais à Terry ce que Hughes avait de si urgent à lui dire, elle chuchotait: « Il me fait le cri d'amour de l'alliga-tor. » Bien sûr, vous n'en croyez rien et j'étais moi-même très sceptique, jusqu'à cette nuit où j'entendis Terry lui répondre en imitant le cri — plus subtil, faut-il le préciser — de la femelle alligator.

Cette relation m'intriguait et je fis des avances à Terry, plus par curiosi-té que par concupiscence. Une nuit, je réussis à entrer dans son lit, mais je découvris que sa mère s'y glissait en même temps que moi, de l'autre côté. C'en fut terminé de mes recherches dans le domaine de cette relation fascinante, mais je pus continuer à goûter la compagnie de la demoiselle. « Dites-moi », me demanda-t-elle un beau jour en désignant une colline, « est-ce que c'est une Alpe ou une montagne? » Terry n'avait pas froid aux yeux; lorsque nous en arrivâmes à la scène où elle devait nager à travers des rapides au son de *la Moldau*, elle insista pour tout faire elle-même, les plans d'ensemble comme les gros plans. Toute autre actrice aurait exigé une doublure. J'admirais cette fille, y compris ses imitations d'alligator. Bien des années après, elle intenterait un procès pour obtenir la part du gâteau du grand homme qui lui revenait, et je fus ravi qu'elle en obtienne une bonne tranche.

Adolphe Menjou, qui figurait sur la liste noire établie par la gauche, alors que Freddie figurait sur celle établie par la droite, était un « pro » impeccable qui arrivait chaque matin sur le plateau prêt à tourner, plein d'enthousiasme et on ne peut plus « démocratique ». C'est Darryl qui l'avait suggéré et j'avais opposé une résistance; mais il apparut bientôt que Menjou ne représentait pas plus une menace fasciste que Freddie n'était communiste, et comme j'avais raffermi la position de Freddie dans la profession, je décidai d'en faire autant pour Menjou. Je lui avais confié son rôle non sans humour : il devait interpréter un membre de la police secrète soviétique et s'en tira à merveille. La gauche et la droite se rejoignaient.

Je devais découvrir que j'étais moi-même un second violon — la plupart du temps. Dans notre métier, les louanges extravagantes ne sont pas difficiles à accumuler. Je n'ai été vraiment bon qu'en de rares occasions. Pour ce qui est de ce film, j'atteignis à peine le niveau d'un second violon car, comme Darryl s'en était douté, je n'avais pas la moindre idée de la façon dont on dirige un film d'action. Je ne connaissais que les techniques de mise en scène qui s'appliquent aux œuvres psychologiques, style gros plans de personnages qui s'adressent des regards significatifs et des sermons interminables. Il me faudrait plusieurs années pour tirer parti des leçons que je croyais avoir acquises sur *Viva Zapata !* et *Panique dans la rue*, et malgré cela je ne deviendrais jamais un autre Jack Ford. Je me souviens d'une photo prise sur le tournage de *Man on a Tightrope*. Gerd Oswald et notre cameraman marchent sur une route de campagne, côte à côte. Gerd montre quelque chose du doigt, devant eux, et le cameraman écoute attentivement les instructions qui lui sont données avec autorité en allemand. Quelques mètres derrière, vous apercevez le metteur en scène du film, dans un état de stupéfaction avancé ; il a vraiment l'air « hors du coup » et content de l'être. La vérité, la voici : bien que mon nom ait éclaboussé toutes les affiches publicitaires et les bandes-annonces, Gerd Oswald a davantage contribué à la mise en scène de ce film que moi. Mon souci principal consistait à m'efforcer d'empêcher Freddie d'en faire trop et à conférer un semblant de vraisemblance, si j'ose dire, aux scènes intimes. Avec le recul, elles m'apparaissent comme les pires du film.

Voici comment j'en vins à respecter — et à aimer — mon équipe technique : quelques jours avant le début du tournage, le cameraman que nous avions choisi prit la poudre d'escampette. Comme nous n'avions pas pu discuter ensemble, je n'avais pas la moindre lumière sur ce qui pouvait bien le tourmenter. Gerd me confia que l'homme souffrait de « certains problèmes personnels » — ce qui ne m'éclaira pas davantage — et ne fut pas long à trouver un remplaçant. Au premier jour du tournage, je découvris ce qui s'était passé dans la tête de notre cameraman. Il avait fallu longtemps pour que notre caravane, constituée des camions de la production et des roulottes du cirque, parvienne à l'endroit que Gerd et moi avions sélectionné pour servir de toile de fond au plan d'ouverture. Gerd commençait à perdre patience et poussait les hommes quand, tout d'un coup, les activités cessèrent. Tout le monde était réuni autour d'une petite radio, à écouter une annonce. C'était en allemand mais je compris qu'il s'agissait d'une liste de noms, prononcée d'une façon qui me rappelait les émissions de Radio Leipzig, la station officielle d'Allemagne de l'Est, et je pris cela comme un avertissement. Cette liste de noms était en fait un appel et s'adressait à notre équipe technique : on leur ordonnait de quitter notre plateau. Puis ce fut au tour des membres du cirque d'entendre l'appel de leur nom, assorti de menaces de vengeance exemplaire s'ils continuaient à travailler pour moi. Gerd me dit que les membres de la troupe, ainsi que certains techniciens, avaient de la famille en Allemagne de l'Est. Mais quand l'émission fut terminée, tout le monde retourna au travail ; ils ne tinrent pas compte de l'avertissement, ils ne répondirent pas à la menace. Gerd m'expliqua alors ce qui était arrivé à notre premier cameraman. Il nous avait abandonnés car il possédait une propriété en Allemagne de l'Est et pouvait être sûr qu'elle lui serait confisquée s'il travaillait pour nous. Son remplaçant possédait lui aussi une propriété en Allemagne de l'Est. Ravi de travailler pour nous, il avait mis une croix sur sa maison.

Cet incident m'amena à changer d'attitude vis-à-vis de notre équipe technique. C'étaient peut-être, eux aussi, des seconds violons ; nos techniciens hollywoodiens étaient certes plus compétents. Mais mes Allemands à moi étaient ressortis vivants des épreuves que leur avait infligées une guerre désastreuse et c'étaient des durs. L'un d'entre eux avait passé la frontière sous le capot d'une auto ; il m'avait montré les traces de brûlures sur son corps. Un autre avait vécu longtemps près de la frontière et m'avait raconté qu'il entendait sauter les mines la nuit. Des lapins ? Des hommes ?

Dans ces collines bavaroises, notre lieu de travail, le temps n'était jamais clément et l'état des routes ne cessait d'empirer sous l'effet de pluies diluviennes. Les « culottes de gendarme » nous prenaient toujours par surprise et elles disparaissaient tout aussi vite. Quand il ne pleuvait pas, nous étions enveloppés dans un épais manteau de brouillard. Aux endroits où nous les rangions, les camions qui transportaient notre matériel avaient en général de la boue jusqu'aux essieux. Ce n'étaient pas non plus des véhicules de première jeunesse mais nous n'étions jamais en retard. La solution consistait pour l'équipe technique à se lever avant l'aube et à mettre en route tout ce qui devait rouler. Je n'avais jamais vu de techniciens au cuir aussi dur ; en comparaison, nos techniciens de plateau hollywoodiens paraissaient fragiles et gâtés. Ces Allemands avaient des manières rudes et cherchaient la bagarre. Parfois, l'atmosphère se chargeait d'électricité et l'orage menaçait. Mais quelques mots cassants de la part de Gerd ou d'un de leurs chefs, et la querelle s'apaisait. Ils levaient bien le coude, mais moi aussi ; tous, nous avions besoin de nous réchauffer les boyaux dans le froid du petit matin, et les journées étaient longues et fatigantes. J'en vins à éprouver de l'admiration pour mes hommes — oui, ils étaient devenus « mes hommes ». Ils exécutaient tout ce qu'on leur demandait, faisaient la nique aux restrictions syndicales, ne rechignaient jamais à la tâche et ne regardaient pas leur montre. Je ne pouvais m'empêcher de les comparer aux techniciens avec lesquels j'avais travaillé en Californie : ceux-là venaient au studio dans des tires de luxe, respectaient à la lettre les règlements syndicaux et ne faisaient jamais d'heures supplémentaires.

Quelques semaines après le début du tournage, une espèce de miracle se produisit : je me rendis compte que j'étais complètement détendu. J'aimais me lever le matin avec l'équipe technique, quand il faisait encore noir, je goûtais le climat rigoureux, j'éprouvais de la fierté à me montrer résistant. Je voulais être aussi coriace que les techniciens et décidai de m'y efforcer. Au lieu de chercher à m'abriter au chaud, je restais dehors exposé aux intempéries avec eux, le nain à mes côtés, pendant qu'ils préparaient le plan suivant. J'appris combien il est important, pour le moral d'une équipe technique, de voir le metteur en scène rester avec elle, quel que soit le temps. S'ils pouvaient le supporter, je le pouvais aussi. C'est le meilleur moyen de gagner des techniciens à sa cause. Mais si je le faisais, c'était surtout pour moi-même. Je me rendis compte que j'étais moins sensible au froid, à l'humidité et à l'inconfort. L'épreuve me rendit la santé. Mes maux de tête disparurent. Je cessai d'attraper des rhumes. Mes paupières s'arrêtèrent de cligner. Je me réjouissais de voir ces hommes se chamailler et se disputer. Je commençai à comprendre un peu d'allemand. Et je crois qu'ils appréciaient ma présence continuelle à leurs côtés. Je voulais être comme eux — bien que beaucoup soient d'anciens nazis. Bientôt, nous n'eûmes plus besoin de mots pour communiquer. Grâce à cet échange de bons sentiments, *Man on a Tightrope* devint pour moi un moment de bonheur.

Quand je demandai à ces hommes de me parler de l'Est, dont beaucoup étaient issus, ils ne mâchèrent pas leurs mots. Beaucoup avaient de la famille là-bas. Ils avaient accepté cette perte ; c'était devenu chacun pour soi. Le courage dans le travail, la joie et la résignation de ces gens vaincus qui reconstruisaient leur vie et leur ville, Munich, avec cette énergie extraordinaire me délivrèrent de toute tentation de m'apitoyer sur mon sort. Et quel soulagement d'être libéré du poids des grandes questions, de n'être confronté qu'à la plus simple — comment survivre — et d'apprécier la camaraderie bourrue de mon équipe technique ! J'accepterais ce qu'ils avaient accepté : je tournerais la page et ne rechercherais plus ni soutien ni amitié auprès de ceux qui m'en faisaient naguère le don. De retour au pays, je regarderais tout le monde en face et ferais front, comme eux.

L'exemple de ce cirque fugitif m'enseigna une autre leçon. Ces gens avaient continué d'exercer leur métier sans se poser de questions. Bien que la radio communiste officielle les menaçât sans arrêt de s'en prendre à leurs propriétés ou à leurs proches, ils continuaient comme si de rien n'était. Mes questions sur leur position quant au dilemme qui m'avait déchiré leur parurent du dernier ridicule. Comment pouvait-on poser de telles questions ? Le régime communiste avait été si laid et dur qu'il les avait contraints à risquer leur vie pour y échapper. Comment pouvais-je hésiter sur la position à prendre ? Mes doutes les firent rire.

Lorsque le tournage en extérieurs fut terminé, je retournai à Munich. J'eus alors l'opportunité d'en connaître un peu plus sur les gens « ordinaires » qui peuplaient ce pays à cette époque-là. Ce sont les femmes qui m'en apprirent le plus en matière de survie et de courage. Les rencontrer ne posait pas de difficulté. En effet, j'étais un metteur en scène de cinéma américain et, pour une actrice, Hollywood demeurait la destination de rêve entre toutes.

J'observai tout de suite que les jeunes femmes de Bavière s'étaient aguerries aux techniques nécessaires à la prise en charge de leurs besoins et de leur avenir. A cette époque-là, en effet, le pays comptait bien moins d'hommes que de femmes ; c'était juste avant que l'Allemagne de l'Ouest n'entame sa marche vers la prospérité, dans l'immédiat après-guerre. Sous leurs attitudes romantiques de rigueur, ces filles se devaient de garder la tête froide et l'âpreté chevillée au corps. Elles offraient un contraste absolu, au physique comme au moral, avec nos jeunes femmes des classes moyennes sous l'ère Eisenhower. Ces *Fraülein,* comme leurs hommes, mettaient tout en œuvre pour survivre en ces temps difficiles et obtenir ce dont elles avaient besoin.

L'une d'entre elles, qui avait manifesté le désir de faire ma connaissance, offrit de m'emmener à l'opéra. La soirée fut des plus agréables. Je ne fus pas surpris de constater qu'elle en savait beaucoup plus que moi sur Wagner. Elle me reconduisit ensuite chez moi dans sa vieille VW. Elle ne s'arrêta pas devant mon hôtel pour m'y déposer mais alla se garer dans une rue latérale plongée dans l'obscurité. Elle entreprit alors de me montrer comment le siège sur lequel j'étais assis pouvait se transformer avec à-propos en nid d'amour. Nous nous livrâmes alors au rituel d'adieu. A la suite de quoi elle me raconta son histoire. Elle avait été mariée deux fois. Ses deux maris étaient soldats ; l'un avait été tué en France au début des hostilités, l'autre en Russie à la fin de la guerre. Chacun lui avait donné un enfant.

Une autre de ces jeunes femmes, actrice de son état, fit tout le voyage depuis Vienne pour me voir. C'était une fille exquise, à la peau d'une blancheur parfaite. Sa conversation tournait surtout autour de son fiancé, étudiant en médecine plus jeune qu'elle, dont elle payait les études à partir du salaire qu'elle touchait au Burgtheater. C'était une amante audacieuse, ce qui ne laissa pas de m'étonner vu qu'elle jouait les ingénues dans des opérettes viennoises : des vestales d'un type particulier, dotées du charme surnaturel des princesses de contes de fées, qui gazouillaient leurs mots d'amour. Mais bien qu'elle personnifiât les innocentes à la scène, elle était à la recherche d'elle-même... et d'un mari. L'opérette viennoise n'offrait guère de perspectives d'avenir, aussi prit-elle prétexte de notre rencontre pour m'écrire de temps à autre durant les vingt années qui suivirent, en me demandant s'il n'y avait pas un petit rôle pour elle, n'importe lequel, dans l'un de mes films. Je n'ai jamais eu l'occasion de lui rendre ce service.

J'éprouvais de l'admiration pour ces femmes. Une fois leur curiosité et leurs désirs initiaux satisfaits, notre conversation prenait un tour beaucoup plus intéressant que je ne m'y serais attendu. Elles m'ont fait comprendre que nous autres Américains n'avions jamais été confrontés aux rigueurs d'une guerre, que nous n'avions aucune idée de ce qu'elle pouvait coûter. Nous avions toujours été en mesure de préserver notre confort et notre sécurité de petits-bourgeois. Ces femmes, par contre, me faisaient le récit poignant des expériences vécues par leurs parents durant la guerre. Lorsqu'elles me racontaient les privations qu'elles avaient endurées, la peur qui les tenaillait, j'avais pitié d'elles. Elles avaient toutes dû s'assurer un futur et elles s'y étaient prises du mieux qu'elles pouvaient.

Cette période de luxure a revêtu une grande importance à mes yeux. Je me souvenais en effet de Bob Rossen et de sa carence. J'étais déterminé à

ce que la bataille qui avait suivi mon témoignage, la perte de certains amis
et la culpabilité que je ne ressentais plus n'aient pas les mêmes conséquences sur ma personne. « Crève, fripouille ! » m'avaient lancé certains
de mes vieux amis. « Va-t'en sous terre, tu n'as jamais eu aucun talent de
toute façon », avaient clamé leurs têtes de file en matière d'idéologie.
Cette expérience de luxure constituait un élément de réponse de ma part.

Quand le tournage en Bavière fut terminé, on m'informa que l'équipe
technique allait me faire un cadeau lors de la soirée d'adieux. Ils étaient
tous présents ce soir-là, dans leurs plus beaux habits, le coude levé bien
haut, tout comme moi et Freddie. (Florence avait regagné leur « Ferme de
la Luciole » dans le Connecticut, aussi Freddie avait-il repris ses « mauvaises » habitudes.) Adolphe Menjou fit un discours que l'équipe applaudit, plus sans doute pour sa surprenante tentative de parler allemand que
pour les sentiments qu'il avait exprimés. Puis l'un des techniciens, qui
semblait sorti d'un dessin de George Grosz, annonça le cadeau réservé à
Herr Kazan. Huit musiciens firent leur entrée en habit de concert, avec
leur instrument à cordes. Ils s'assirent en demi-cercle sur les chaises
installées par mes techniciens et jouèrent *Eine Kleine Nachtmusik* de
Mozart. C'était le cadeau de l'équipe technique à mon intention. Je fus
sidéré. Je fis de mon mieux pour prononcer un discours, mais il n'était pas
à la hauteur de ce moment extraordinaire. J'en pris quelques-uns dans mes
bras, serrai la main de tout le monde, et j'allai même jusqu'à en embrasser
certains, puis je m'en retournai à mon hôtel, débordant d'affection et
d'admiration. Le lendemain, j'appris qu'une rixe avait éclaté après mon
départ : l'un des techniciens avait planté un couteau dans le ventre d'un
autre. Ils portaient tous de longs couteaux pliants et cette bagarre menaçait depuis un moment. Mais cet incident ne vint pas ternir mon souvenir
de la soirée.

Je ne pardonne pas facilement. Je n'attends pas de mes ennemis qu'ils
me pardonnent et je ne les excuse pas non plus. Qu'ils aillent au diable
avec leur suite. Je n'ai pas oublié ces acteurs qui s'étaient unis contre moi
mais — nombre d'entre eux — me demandaient quand même encore mon
aide. Je n'ai pas oublié ces journaleux qui voulaient me pendre — ou me
crucifier — et, jour après jour, me couvraient d'opprobre dans leurs
articles.

Quand je revins à New York, je me rendis compte qu'une alchimie
mystérieuse m'avait rendu possesseur d'une énergie nouvelle qui allait me
propulser à travers dix années de travail acharné. Je tournerais neuf films,
dont je serais plus ou moins à l'origine, et je monterais six pièces qu'un
théâtre souffreteux accueillerait avec gratitude.

Pour l'œil non averti, j'étais devenu une personne différente, silencieux
mais aussi, dans une certaine mesure, inquiétant. Je m'enorgueillissais de
pouvoir cacher mes sentiments hostiles devant qui que ce soit. Je travaillais plus dur que tout le monde, ne demandais jamais ni pitié ni compré-

hension, ne me laissais jamais aller à exprimer ce que je ressentais, je n'étais qu'un moteur humain silencieux transportant son fardeau. Personne ne comprenait ce qui pouvait bien me pousser à faire tant d'efforts. Mais je gardais une apparence impénétrable. Seules quelques personnes observatrices comprenaient ce que je voulais dire par mon comportement : « Vous ne pouvez pas me blesser ; vous n'avez pas enfoncé ma défense ; je peux vous battre sur tous les terrains, quelles que soient les règles que vous établissez, car je ne suis peut-être pas plus intelligent ni plus talentueux que vous, mais je ne me fatigue jamais ; vous si. Il vous faudra aussi admettre qu'en dépit de tout ce que vous pensez, mon œuvre est meilleure que la vôtre. »

Rien de tout cela ne m'apparaissait clairement. En effet, je ne le comprenais pas ; je ne faisais que le porter en moi. Aucune plainte ne montait de l'intérieur, aucun hurlement de colère, aucun gémissement. Je me flattais de garder la maîtrise de moi-même, de rester silencieux et d'accepter ma punition sans broncher.

De retour dans la grande ville, je pris la décision de couper les ponts avec certains amis, ceux qui m'avaient apporté un soutien, disons, flottant. Je me murerais dans la solitude au sein d'un environnement étranger pour moi — un environnement où je n'étais pas aimé de tout le monde — et je ne dirais plus rien. Je ne chercherais pas à relancer des amitiés détruites ou à être « accepté » de nouveau par des gens disposés à l'« indulgence » envers mes fautes. J'avais subi une défaite, certes, mais à seule fin d'émerger renforcé de l'épreuve. A l'instar de mon cirque, j'avais survécu à toutes les menaces, formulées au grand jour ou implicites, et je continuais mon chemin. Le secret, c'était de résister en dépit des « intempéries » et de ne plus s'attendre à profiter du confort que procure une « position » ou à recevoir flatteries constantes et belles promesses de camarades hypocrites. Je serais ce qu'il me fallait être — plus coriace que mes ennemis — et je redoublerais de travail.

Les seuls films bons et originaux que j'aie faits datent d'après mon témoignage. Ceux qui les ont précédés témoignaient d'un bon professionnalisme, ce qui ne constituait pas une louange suffisante pour un homme aussi avide d'atteindre à la perfection que moi. Les films qui sont venus après le 1er avril 1952 étaient personnels, ils sortaient de moi, alimentés par ce que je viens de décrire. Ce sont des films que je respecte encore aujourd'hui.

C'est aussi à ce moment-là qu'est apparue sur ma figure cette expression de colère, ce trait de mon visage qui a poussé chacune de mes trois épouses à me demander à l'envi : « Est-ce que tu es en colère ? » « Est-ce que tu es furieux contre moi ? — Non, c'est juste mon visage. » Mais maintenant vous connaissez la vérité. C'est ce qui s'est passé à l'époque que je viens de décrire et la manière dont j'ai réagi — ce silence qui m'étranglait — qui ont transformé mon visage.

Le lendemain de mon retour à New York, je me rends à l'Actors Studio, et voici ce que je pense : *Conseil à certains vieux amis : méfiez-vous.* Quand vous me croisez dans la rue, que je vous salue et que vous continuez votre chemin sans me répondre, si après un moment vous vous retournez pour vous apercevoir que j'ai un sourire aux lèvres, ce n'est pas un sourire ordinaire. C'est un sourire différent, pas « gentil », non, mais un sourire qui signifie que je suis content de moi. Je pense : Ah ! Encore un faux frère de moins.

Je rentre dans mon bureau, ce matin-là, et je laisse la porte ouverte. Tennessee arrive et nous nous mettons une fois de plus à interviewer des acteurs pour sa nouvelle pièce, *Camino Real*. Un membre de la distribution qui se réjouit de mon retour et se trouve quelque peu surpris de me voir en si belle forme me demande : « Qu'est-ce qui vous donne cet air si jeune ? » Je lui réponds : « Mes ennemis. »

.

JUSTE APRÈS avoir terminé d'écrire ce que vous venez de lire, j'ai été victime d'un zona, affection douloureuse et mal comprise qui touche le système nerveux. Mon épouse, fine mouche, a mis le doigt sur la cause du mal: « Tu as dû en baver sur ce chapitre. » Je n'ai pu qu'en rire, car lorsque Jack Ford avait quitté le plateau de *l'Héritage de la chair* en prétextant un zona, je m'étais bien fichu de lui. La douleur a fait de moi un converti. Quelque tension intérieure s'était-elle réveillée pour me faire souffrir — peu importe sous quelle forme? Les docteurs ne m'ont apporté aucune aide. L'un d'entre eux m'a assuré que ce serait l'affaire de quelques semaines, tandis qu'un autre m'a annoncé que je souffrirais pour le restant de mes jours. « Tu ferais bien de te dépêcher de finir ce livre », me suis-je dit.

Avant de partir en Bavière pour tourner *Tightrope*, ayant perdu le contact avec Miller, je pris conscience d'un trou dans ma vie professionnelle. Molly m'incita à écrire à Budd Schulberg, en lui suggérant que nous nous rencontrions avant mon départ des États-Unis. Il me répondit à sa manière généreuse, m'invitant à lui rendre visite à New Hope, en Pennsylvanie, et à y passer la nuit de sorte que nous puissions avoir une longue conversation.

En vertu des théories selon lesquelles la détresse se plaît en compagnie et l'homme qui lutte doit se faire des alliés, Molly et moi descendîmes passer le week-end chez Budd et sa femme, Vicki. Nous ne fûmes pas longs à découvrir que nous avions vécu le même genre d'expériences, lui au sud de la Californie, moi sur la côte Est. Avec *What Makes Sammy Run?*, il avait connu le même sort que moi lorsque les « camarades leaders » du Parti avaient tenté d'influencer les destinées du Group Theatre. L'épisode que je lui décrivis, mettant en scène l'Homme de Detroit, correspondait à ce que les camarades Jack Lawson et V. J. Jerome lui avaient fait subir à cause de son roman. Il avait refusé qu'on le discipline, avait été discrédité par le Parti et avait quitté ses rangs non sans se rebeller. A la suite de quoi Budd avait témoigné comme moi et avait essuyé les avanies de ses vieux compagnons, encore comme moi. Son ami le plus proche avait cessé de lui adresser la parole, tout comme Miller m'avait fui. Les « progressistes » nous avaient inclus tous deux sur leur liste noire. Au fil de la conversation, ce premier soir passé à New Hope, un courant de sympathie passa entre nous. Nous devînmes des frères.

A une différence près, toutefois. Depuis que l'armée l'avait renvoyé dans ses foyers, Budd avait vécu à la campagne, en Pennsylvanie. Là-bas, les gens étaient soit indifférents aux débats qui avaient bouleversé notre vie, soit d'accord avec la position de Budd. Moi, je vivais à New York, où mon bureau était resté dans le même immeuble qu'avant mon témoignage, et je rencontrais chaque jour dans l'ascenseur ou sur le trottoir des gens qui m'avaient critiqué et se sentaient obligés de déverser leur fiel à mes pieds. J'étais le chef spirituel de l'Actors Studio, l'homme qui en avait déterminé les politiques essentielles, et l'on m'avait bien fait sentir la condamnation des acteurs ou à tout le moins la déception que je leur avais inspirée, ce qui me faisait encore plus mal. J'avais aussi été sélectionné comme cible numéro un de « tous les bien-pensants » et je faisais l'objet d'attaques fréquentes de la part des chroniqueurs libéraux dans des journaux que je lisais chaque jour. Jusqu'alors, j'avais mis mon point d'honneur à ne jamais répondre à aucune de ces attaques, en me disant que c'était le seul moyen pour moi d'obtenir un semblant de paix. Bien sûr, j'avais obtenu le résultat inverse : elles avaient redoublé de fréquence et devenaient de plus en plus venimeuses. Budd avait la vie plus facile que moi.

Nous découvrîmes avec surprise que nos projets coïncidaient. J'avais déclaré après mon témoignage que je continuerais à faire le même genre de films qu'avant. Je proposai à Budd de faire un film avec lui. Il me répondit avec enthousiasme. Je suggérai comme point de départ l'affaire des Six de Trenton, de jeunes Noirs pris dans les mailles d'une erreur judiciaire. Il avait entendu parler de cette histoire. Puis je lui parlai de mon expérience sur *le Piège* et de ce qui s'était passé lors de la réunion sur le budget à la Columbia. Il me révéla alors que quelques années auparavant il avait acquis les droits de la série *Crime sur les quais*, qui avait valu le prix Pulitzer à Malcolm Johnson, et qu'il avait rédigé un scénario à partir de ce document. Ce scénario n'avait pas été tourné. Il le retrouva pour moi et, allongé par terre, je me mis à dévorer ces pages.

Le script de Budd était intitulé *The Bottom of the River*, et il démarrait par une scène de dragage : on cherchait le cadavre d'un leader docker de la base, qui avait été assassiné. C'était du boulot solide, fort, mais comme on dit dans notre *business*, il fallait travailler dessus.

Plusieurs mois après, de retour de Bavière, un changement essentiel s'était produit en moi. Je n'étais plus sur la défensive mais déterminé à reconquérir mon amour-propre et à faire fi des cabales organisées par ces vieux amis devenus des ennemis. A mon atterrissage à New York, la première personne que j'allai voir fut Budd, bien que Molly m'ait fait parvenir à Munich la nouvelle et très belle pièce de Bob Anderson *Thé et Sympathie*, qu'il voulait que je mette en scène, coup de chance en vérité, et bien que j'aie depuis longtemps accepté de monter le *Camino Real* de

Tennessee, très beau poème dramatique que je pouvais mettre en scène immédiatement et qui m'attirait : le projet de film avec Budd au sujet des docks répondait en effet à un besoin plus profond. C'était ma réponse à la dégelée que j'avais reçue. J'étais revenu de Bavière rempli d'un sentiment négatif au possible : je voulais me venger. Je rendrais la monnaie de leur pièce à ceux qui m'avaient accusé d'avoir perdu le peu de talent dont je disposais et avaient prédit que je ne tournerais plus rien d'audacieux et de noble mais seulement des œuvres conventionnelles et prudentes. J'étais plus déterminé que jamais à faire un film sur le port de New York et sur ce qui s'y passait, pour montrer à tous, y compris moi, que je n'avais pas renié mes convictions et que je n'accepterais plus d'être insulté ou persécuté. J'étais également déterminé à montrer à mes anciens « camarades », ceux qui m'avaient attaqué si violemment, qu'il existait une gauche anticommuniste et que les vrais progressistes, c'étaient nous et pas eux. J'étais revenu pour me battre.

Budd ne se tenait plus de joie à l'idée de travailler sur les quais et voulait m'emmener de l'autre côté du fleuve et me faire visiter la scène. Il avait presque vécu à Hoboken, avait parcouru à pied les rues de ce quartier, s'était fait des amis parmi les dockers, avait traîné dans leurs bars, bu autant qu'eux, accumulé des connaissances détaillées sur leurs logements, leurs familles, leur jargon, leur humour et sur la façon dont ceux qui avaient défié les racketteurs répondaient aux menaces qui pesaient sur leur vie. Il me raconta en détail leur lutte contre leur syndicat corrompu, m'apprit qui étaient les ennemis des dockers, me parla du chapardage et des pots-de-vin, de ceux à qui revenait le gâteau, et des liens secrets avec des hommes politiques. Il avait découvert une mine d'or dramatique et, passionné davantage encore que je ne l'espérais par son travail sur notre histoire, il avait écrit un synopsis qu'il me soumit. C'était un excellent début, je lui fis mes commentaires, il répondit à mes critiques. Il voulut alors que j'aille passer quelque temps avec lui à Hoboken. J'en avais très envie, mais je n'avais pas fini le montage de *Tightrope* : je lui dis qu'il me faudrait encore passer deux ou trois mois en Californie mais que je me plongerais dans notre scénario avec lui dès que j'en aurais terminé. Ce que Budd m'avait offert à mon retour de Bavière m'avait réconforté au-delà de toute espérance.

Après avoir vu Budd, je rencontrai Bob Anderson, qui était aussi devenu un ami très cher, pour discuter de *Thé et Sympathie*. Je trouvais cette pièce très belle et parfaitement construite, mais je sentais qu'il fallait la monter et distribuer les rôles avec la plus extrême délicatesse. Je dis à Bob que je m'étais engagé à mettre en scène *Camino Real*, de Tennessee, dès mon retour à New York, et que s'il était pressé de voir monter sa pièce, il devrait peut-être chercher ailleurs. « Que penses-tu de Harold Clurman ? » demandai-je — en la circonstance, c'était un acte de générosité plutôt malicieux ! Bob préféra attendre.

Ensuite, j'allai voir Cheryl Crawford pour mettre en route la production de *Camino Real*. J'avais décidé que la distribution ne serait composée que de membres de l'Actors Studio ; j'offrirais les rôles aux acteurs que je voulais, les forçant ainsi à exprimer ce qu'ils pensaient de moi. Durant les interviews, je fus direct — quel soulagement! —, prêt à me montrer belliqueux si nécessaire. Autrement, amical dans les limites du cadre professionnel. Personne ne refusa mon offre. Mais je ne me faisais pas d'illusions. Je savais que l'influence d'un metteur en scène joue à plein quand il dispose d'une pièce qui intéresse les acteurs et de commanditaires pour la faire tourner. J'avais les deux.

Puis je m'envolai pour l'Ouest. Avant de quitter Munich, j'avais écrit à Darryl pour lui demander si je pouvais rester à New York quelques semaines pour voir ma famille et mettre en route mes projets avant de venir dans l'Ouest effectuer le montage de mon film. Darryl m'avait accordé cette faveur de bonne grâce. « Il doit vraiment aimer mon film », avais-je dit à Molly.

Voici maintenant comment on est informé de sa chute dans un grand studio hollywoodien.

A mon atterrissage à l'aéroport de Los Angeles, il n'y avait pas de voiture du studio ni de chauffeur pour m'attendre, bien que mon agent ait prévenu la Fox de mon arrivée. Je louai une auto et me rendis directement à l'entrée des voitures de la Fox. Le policier de faction me donna cette information: « Vous êtes dans le bâtiment des anciens auteurs maintenant. » Le moins qu'on puisse dire, c'est que le nom est mal approprié. Ce à quoi il faisait référence était un vieux bâtiment où la Fox installait de jeunes auteurs dont on n'était pas certain qu'ils y feraient de vieux os.

Je passai devant le majestueux immeuble de la Direction, où mon bureau avait été situé depuis *le Mur invisible*. Le studio semblait dépourvu de l'enthousiasme qui y régnait dans les bons jours — ou bien était-ce une impression personnelle? Je passai entre les grandes salles d'enregistrement où j'avais tourné tant de scènes; elles semblaient inutilisées désormais. Puis je tournai pour m'engager dans une espèce de cuvette. Mon bâtiment se trouvait là, structure informe en brique rouge au bord de l'effondrement, entourée d'eucalyptus malingres. J'eus quelque difficulté à trouver mon bureau. Mon nom n'était pas sur la porte. Je devais partager mon bureau. La salle de réception comprenait deux bureaux et deux secrétaires, commères oisives. La mienne me fit savoir qu'elle était là « en intérim, pour boucher un trou pendant une semaine ». Puis elle ajouta: « Il y a une lettre de Mr. Zanuck sur votre bureau. » Ma pièce, petite et sans soleil, donnait directement sur la pente de la colline en surplomb. Sur mon bureau se trouvait une enveloppe, qui contenait une lettre de deux pages:

Cher Gadg, j'ai demandé à Dorothy de travailler tout le week-end pour effectuer les dernières modifications que j'ai apportées au montage de *Tightrope*. Nous serons en mesure de vous projeter le film mardi soir et j'ai demandé à Dorothy de ne rien vous dire à l'avance car je préfère que vous voyiez le film sans idées préconçues au sujet de mon « cisaillage ». Vous serez furieux à cause de certaines choses que j'ai faites mais vous serez ravi des autres. Dans chaque cas, je m'efforcerai de vous expliquer, une fois que vous aurez vu le film, pourquoi nous avons procédé à certaines des modifications plus ou moins radicales. Je pense que nous tenons un film merveilleux mais qu'il avait besoin d'un montage profondément repensé.

J'avais cru que c'était moi, et non Darryl, qui effectuerais le montage, et que c'était la raison pour laquelle j'étais venu en Californie. Sa lettre finissait ainsi : « Virginia a vu le film et l'a trouvé épatant. Même chose pour Darrylin. Elles ont pleuré toutes les deux et m'ont dit que le *suspense* était sensationnel. Même le Français, Jacques, a fondu en larmes. »

L'éloge ultime que pouvait décerner Darryl à un film, c'était : « Virginia a pleuré. » Virginia était Mrs. Zanuck et Darrylin l'une de leurs deux filles. Quant à Jacques, c'était le Français que Darryl avait engagé pour l'accompagner partout et parler français, langue qui lui serait utile sous peu quand il se mettrait à prendre toute une série de maîtresses hexagonales. Jacques faisait désormais partie des habitués de la salle de projection, de même que le Turc, masseur de son état, Sam, qui régnait sur le restaurant du studio, et divers metteurs en scène qui ne répugnaient pas à jouer au croquet des nuits entières. Ils aimaient ce que Darryl aimait. Jacques avait même appris à pleurer.

Quelle est la première chose qu'un « grand » metteur en scène fait quand il est scandalisé de la façon dont il a été traité par le directeur de production ? Tout juste : il appelle son agent. Ce qui s'est passé alors illustre très bien le rôle des grands agents à l'époque. Ils servent de médiateurs. Ils apaisent les tensions. Ils font durer, reportent les échéances des paiements, font en sorte que leurs dix pour cent continuent de leur être versés. Abe avait une grande confiance dans les pouvoirs réparateurs du temps. Il me dit comment répondre à Darryl : « Reçu votre lettre. Impatient de voir le film avec vous mardi soir. » Rien d'autre. Pas de blessant « Comment osez-vous ! ». Abe m'apaisa, et pendant une journée je l'acceptai. Bien sûr, Abe était en train de me rouler, en douceur, comme un père avec son fils inquiet.

Il m'invita à dîner avec sa femme, Frances, chez Chasen, où une atmosphère de succès et de complaisance imbibe l'air et où une ambiance amicale aussi lénifiante que de la musique enregistrée berce les hôtes. Mes griefs me parurent soudain futiles devant une salade César réussie à la perfection. Ensuite, Abe me conduisit à mon hôtel dans sa longue limousine noire et, au moment de nous séparer, me dit : « Au sujet de Darryl. Rappelez-vous quand vous avez eu besoin d'un ami ; il n'y a pas si longtemps, vous vous souvenez ? Darryl vous a soutenu alors, n'est-ce pas ? Vous êtes liés par cette amitié. N'oubliez pas ça. »

Je passai la journée du lendemain à remâcher cette remarque. C'était vrai, mais après une nuit de sommeil je voyais les choses sous un jour différent. Abe n'était-il pas en train de me dire que je me retrouvais dans une position plus faible à cause de mon témoignage ? Que je n'étais pas très bien placé pour protester, quelle que soit mon opinion quant à ce que Zanuck avait fait de mon film ? Je parcourus de nouveau la lettre de Darryl, en essayant cette fois de lire entre les lignes. Il ne me consultait pas ; il me disait ce qu'il en était, point final. Pas d'alternative. Il était poli avec moi, mais il ne lui était pas nécessaire de l'être. Je devais avaler ce qu'il me servait. La crise consécutive à mon témoignage m'avait transformé en invalide contractuel.

Je décidai donc de ne pas me lamenter — ni devant Abe ni devant personne —, mais d'enregistrer ma leçon. C'est à ce moment-là que j'ai décidé de ne plus me soucier de l'amitié et de toute cette boue, pour me colleter avec les réalités : Darryl possédait le négatif. Il avait décidé que *Tightrope* serait un échec commercial. Sur ce point, il s'avéra qu'il avait eu raison. Il s'était imaginé qu'il pourrait le « sauver » comme il avait « sauvé » d'autres films, en jonglant avec le travail d'un metteur en scène. Sur ce point, il s'avéra qu'il avait eu tort.

Je visionnai le film avec lui et découvris que dans sa tentative de le « sauver », il avait foulé aux pieds mes intentions et celles de Bob Sherwood. En plus, je ne pouvais guère défendre l'écriture de Bob ou mon propre travail dans les « scènes personnelles » : mots et images étaient d'une grande pauvreté. Peut-être le film méritait-il d'être « sauvé » par Darryl. Eût-il transformé le film en succès commercial, je ne voulais pas travailler de cette façon. Mais Darryl l'avait réduit à un mélodrame conventionnel avec des scènes d'action, compact, avec ses méchants et son héros tourmenté, plus l'inévitable ingrédient romantique. Seuls les costumes et les accessoires étaient différents. Il avait estimé que le film était raté et s'était efforcé de faire rentrer la Fox dans ses frais. Ainsi donc, « Virginia a pleuré » ! La Fox s'en est-elle mouchée pour autant dans des billets de banque ?

J'avais maintenant atteint le fond de l'abîme dans ma profession. Ce film serait vu dans le monde entier par les financiers du cinéma, mais n'était pas représentatif de mon talent. Il me serait difficile de trouver de l'argent pour mes films à venir. Je dis à Darryl que je n'aimais pas ce qu'il avait fait. Il me répondit qu'il n'avait pas eu d'autre choix vu ce que je lui avais donné. La confiance en soi de celui qui possède imprégnait tout son discours. Mais je sentais aussi percer un sentiment inverse, fait de la déception qu'il éprouvait devant ma réaction et même d'une petite pointe d'angoisse à l'idée que je pourrais avoir raison : peut-être le film était-il quand même un navet, malgré les retouches qu'il y avait effectuées. Cette appréhension, j'en suis convaincu, ne dura guère. Toute une escorte de fidèles du studio viendraient voir le film le lendemain et rassureraient Darryl sur la qualité exceptionnelle de cette œuvre. J'admis devant lui que je ne disposais d'aucun pouvoir en la matière, et que je retournerais donc dans l'Est *illico*. Il ne fit rien pour me retenir. Je quittai la Californie le lendemain.

Non sans ironie, quand le film sortit à New York, il reçut une très bonne presse. Elle prouva que Darryl avait eu raison. Mais personne n'acheta de billets pour aller le voir. Je tombai en disgrâce.

J'avais considéré Darryl comme un ami mais il m'avait écrasé sans merci. Qu'est-ce que je m'imaginais donc — qu'un capitaine de l'industrie, par simple amitié, autoriserait l'exploitation d'un film sous une forme dont il était persuadé qu'elle ferait perdre de l'argent à sa compagnie ? Comme j'étais naïf ! Il devait lui aussi respecter la ligne établie par la compagnie. Les patrons, les siens comme les miens, sont vos amis tant que vous leur rapportez ; le reste n'est que littérature. Je jurai, mais un peu tard, qu'on ne m'y prendrait plus.

Il y eut une autre ironie. J'avais entendu, au cours de cette visite en Californie, quelques allusions à mon « image politique controversée ». Ces insinuations avaient affaibli ma position au studio. Avaient-elles été prononcées dans ce dessein ? J'y réfléchis et parvins à la conclusion que si *Tightrope* avait été un succès commercial, j'aurais été moins sujet à la controverse politique. Tel quel, un échec, les gens penseraient que je ne l'avais fait que pour obtenir l'approbation des supporters de McCarthy. Il y avait suffisamment de vérité dans cette affirmation pour que j'en ressente de la honte.

Une certaine honte. Mais pas tant que ça. Cette époque était révolue ; il s'agissait d'un autre homme. A New York, Budd m'attendait. Ainsi que Bob Anderson. Et Tennessee Williams. Qui pouvait se vanter de telles perspectives ? Darryl, la Fox et mon image politique controversée pouvaient aller se faire voir ailleurs. Un jour nouveau se levait. J'en avais fini de travailler pour les autres. Désormais, je travaillerais au service de mon amour-propre. Et New York l'audacieuse, la redoutable, la querelleuse, l'acide, l'amère, la rude New York, la ville où j'habitais, m'attendait.

Je n'oublierai jamais Budd Schulberg dans les rues de Hoboken et dans les bars du coté des docks. Et je n'oublierai pas non plus « Brownie ». Budd effectuait des recherches, mais pas de la même façon que moi. Il s'immergeait dans son sujet comme il l'aurait fait pour une bonne cause ; il était devenu partisan des rebelles au sein d'un syndicat pourri. Au moment où j'arrivai sur les quais, les dockers que nous rencontrâmes et avec lesquels nous discutâmes avaient déjà accepté Budd comme le défenseur de leur position. Ces hommes qui s'en remettaient à leurs muscles soupçonnaient tout étranger et avaient une tendance prononcée à loucher vers ceux qui répandaient une odeur d'argent — à leurs yeux, tout privilège ne pouvait s'acquérir qu'au prix de la corruption —, avaient confiance en Budd et lui parlaient sans retenue. Le plus coriace d'entre tous s'appelait Arthur Brown, « Brownie ». Il était devenu le compagnon de tous les instants de Budd, un certificat d'acceptation ambulant, que tous ses amis pouvaient apercevoir.

Budd était issu de la bourgeoisie aisée, avait été élevé dans un « manoir » californien baigné de soleil, où des serviteurs subvenaient à ses moindres besoins et où il bénéficiait de tous les luxes domestiques, au point qu'il les considérait comme des dus. Son père, B. P. Schulberg, était directeur de production chez Paramount, et Budd était le prince de ce royaume. Brownie, quant à lui, était le type même de l'homme aux mains rugueuses et au visage tanné qui parcourait la rive ouest de l'Hudson avec autour du cou des crochets destinés aux cargaisons, des outils professionnels et des armes pour se défendre. A Hoboken, ces hommes étaient soit irlandais soit italiens, catholiques, et beaucoup d'entre eux antisémites depuis le berceau. Comment Budd s'y était-il pris pour se faire accepter par cet homme, et pour gagner son affection ?

Brownie, avec son mètre soixante-cinq, était un combattant effrayant et défaiait le « milieu », dont les représentants pullulaient sur la bordure du fleuve comme autant de mouches sur une carcasse pourrissante. « Révolté » au bagout impressionnant, il avait été un jour brutalisé par des voyous jusqu'à en perdre connaissance, puis ceux-ci l'avaient jeté dans l'eau glacée de l'hiver et l'y avaient laissé pour mort. Je ne sais trop comment, il avait réussi à se sortir de l'eau froide et dégoûtante de North River pour renaître à la vie — peut-être le froid l'avait-il ranimé à temps —, et ses meurtriers l'avaient retrouvé dans les rues le lendemain, tout aussi provocant.

Les plus sérieux et les plus concernés parmi les groupes de dockers qui travaillaient sur les quais avaient lu ce que Budd écrivait au sujet de leurs luttes, en particulier ce qu'il avait écrit dans *Commonweal*, le magazine libéral catholique. Surpris de connaître l'auteur de ces articles, ils avaient exprimé à Budd leur gratitude pour avoir rendu hommage au « prêtre des docks », le père John Corridan, qui s'était donné pour mission de soutenir les éléments favorables à la réforme au sein du syndicat corrompu. J'en viendrais à aimer et à admirer le père John autant que Budd, et à lui faire autant confiance que les dockers. Mais mon ami Schulberg établissait le contact avec les hommes qui travaillaient sur les docks d'une façon plus simple. Pour commencer, il « savait boire », ce qui n'était pas mon cas. Un verre me grise, deux verres m'endorment. Budd pouvait s'accouder à un zinc et tenir la dragée haute à la crème de Hoboken, verre après verre, toute la nuit. Il les appelait ses « poivrots créatifs ». Il s'en jetait quelques-uns derrière la cravate, puis remettait ça, ce qui chauffait le moteur. Ses inhibitions prenaient ensuite le large et il arrêtait de bégayer. Les boissons fortes l'amenaient à exprimer sa solidarité profonde envers ces dockers soupçonneux, soupe au lait. Ils lui parlaient à cœur ouvert, car ils sentaient bien qu'il était vraiment contrarié par la moindre péripétie douloureuse de leur existence. J'enviais à Budd sa capacité d'emmagasiner les détails et sa mémoire remarquable. Il se souvenait ensuite de discours entiers et de chaque vêtement que portaient ses sujets. Il avait pénétré tous les recoins de cet autre monde fait d'épreuves et de corruption.

Budd faisait aussi autorité dans le sport favori des dockers : la boxe. Les piliers de comptoir étaient fascinés par les tuyaux que Budd leur servait sur un plateau. Il avait même un jour possédé des « actions » sur un boxeur et avait des histoires surprenantes à raconter à son sujet. Les hommes s'agglutinaient autour de Budd pour écouter ce qu'il avait à dire, de plus en plus près, de moins en moins sur leurs gardes ; ils le respectaient tous pour ce qu'il savait et ce qu'il était, un écrivain qui partageait leur existence sans réserve. Avec le temps, je m'intégrerais moi aussi au groupe et ils m'accepteraient.

Je garderais toujours en mémoire que c'était la seule manière de préparer un scénario — non pas observer à distance en griffonnant des notes, mais s'intégrer au groupe de gens auxquels on s'intéresse et extraire la quintessence de ce lieu et de ce moment pour en faire sa cause. Ma première impression avait été que Budd travaillait avec astuce, comme un journaliste qui effectuait une enquête, mais je m'étais rendu compte ensuite que son intérêt n'était pas tactique mais authentique et passionné. Il considérait les tragédies sordides et l'humour grotesque de l'endroit à travers le prisme de sa compassion pour les victimes et de son dévouement pour les justes, comme tous les grands auteurs. Budd avait dépassé le stade de la simple préparation d'un scénario. Il s'était fait le champion d'une cause, celle de l'humanité qui peuplait ce débarcadère. Ce fut pour moi une grande leçon, que je ne devais jamais oublier.

Ainsi, lorsque Budd m'annonça qu'il était prêt à s'asseoir et à rédiger un scénario, je sus qu'il disait vrai et que ce qu'il produirait serait à la hauteur de notre sujet. Je pris alors mes distances par rapport à Hoboken ; l'heure était venue de monter *Camino Real*.

Je passai d'un film dont le sujet avait une envergure illimitée, puisqu'il s'agissait d'un panorama de la souffrance humaine, à une pièce qui pénétrait dans la zone la plus intime de toutes : l'âme d'un artiste. *Camino Real* est aussi intime qu'un cauchemar. Aucun auteur, excepté Eugene O'Neill dans ses dernières pièces, n'a jamais été aussi personnel que Tennessee Williams. Ses œuvres théâtrales complètes peuvent être lues comme une autobiographie massive, et bien plus véridique que le livre qu'il a intitulé *Mémoires*. Les pièces, pour peu qu'on use de discernement, se révèlent plus nues que les confessions les plus intimes. Elles traitent — et cette pièce-ci peut-être encore plus que les autres — des grandes peurs de l'auteur, la méfiance et la trahison : méfiance face à sa propre destinée et aux autres hommes, trahison dont il était certain qu'elle viendrait un jour, des autres hommes, même ceux dont il était proche, mais aussi, à cause de son anarchie et de sa vitesse cataclysmique, du temps lui-même.

Déjà mondialement célèbre en 1953, Tennessee vivait comme un fugitif devant la justice, changeant sans arrêt d'environnement, toujours en mouvement. Il parcourait tout un archipel d'îlots culturels qui lui étaient sympathiques, des endroits où il sentait peut-être, pendant un temps, qu'il était libre, que personne ne l'observait et qu'il pouvait être lui-même — Londres, Paris, Rome, la Sicile, l'Afrique du Nord, Key West. Peu de gens savaient où le trouver. Leurs messages ne lui parvenaient souvent qu'après son départ pour une « destination inconnue ». Je faisais partie des privilégiés ; nous étions en contact constant par lettres. Les centres de civilisation qu'il trouvait agréable étaient, bien sûr, ceux dont la population lui ressemblait : des artistes, des romantiques, des gens un peu fêlés, des laissés-pour-compte, ceux qui étaient rejetés par la société respectable. Il s'installait dans ces nids d'outsiders pour se sentir à l'aise. Mais il n'y restait jamais longtemps ; il repartait bientôt. « D'habitude, je travaille mieux, expliquait-il, quand je viens d'arriver dans un nouvel endroit. »

Williams, homosexuel avant l'apparition du mouvement *gay*, et donc dépourvu du soutien de celui-ci, représentait l'outsider absolu. La présence de son nom et souvent de sa photo à la une des journaux sur le lieu de chacun de ses nouveaux campements ne suffisait pas à apaiser la douleur que lui causait sa conviction de n'être ni aimé ni désiré en cet endroit, mais d'être méprisé pour ses préférences sexuelles. La célébrité et l'argent n'apportaient pas de solution à son problème. Il s'attendait quand même à être trahi par la société et, à un niveau personnel, par ses amis les plus proches, puis, en vieillissant, par ses amants. Mais surtout, et c'était le plus douloureux pour lui, par son « public ».

Sur ce point, il n'avait pas tort. Les dernières années de sa vie ont été criblées d'échecs publics, un désastre succédant à un autre. Mais il n'a jamais cessé d'écrire — et de tendre le menton pour qu'on le mette K.-O.

Est-il vraiment mystérieux que lui et moi, bien différents en apparence, soyons restés si liés ? L'année précédant celle où j'avais mis en scène *Camino Real*, j'avais accompli l'acte qui m'avait aliéné la compagnie et le respect de mes pairs. Le gros ponte était devenu un outsider. Williams l'a toujours été. Nous nous sentions tous deux vulnérables aux attaques d'un monde impitoyable, méfiants envers notre succès, soupçonneux de ceux qui étaient bien en cour, anticipant les rebuffades, prêts à ne pas être reçus comme nous le méritions. L'ami le plus loyal et le plus compréhensif que j'aie eu durant ces mois ténébreux a été Tennessee Williams.

Nous avions un autre point commun. A l'époque où nous avons monté *Camino Real*, Tennessee vivait avec Frank Merlo. Ils vivaient comme des gens mariés et appréciaient la sécurité que procure ce mode de vie. Tennessee décrivait les satisfactions qu'il en tirait, mais il y mettait un bémol. « Le cœur devrait avoir un port d'attache mais devrait aussi pouvoir prendre le large de temps en temps. Je doute que rien ne m'ait apporté plus, en tant qu'écrivain, que ces nombreuses années de solitude, de dérive, de rencontres soudaines et intenses, les unes après les autres, chacune laissant son empreinte neuve et fraîche sur moi. Grâce à Dieu, Frank le comprend et je peux encore le faire de temps en temps. »

J'étais de retour à New York, après mon entretien avec Zanuck, au cours duquel j'avais été projeté au fond de la fosse la plus ténébreuse de Hollywood, où les indésirables attendent de pouvoir retravailler. Je comprenais la pièce de Tennessee, *Camino Real* : j'en étais le héros malheureux.

Camino Real est une pièce imparfaite mais très belle, c'est une lettre d'amour à ceux que Williams aimait le plus : les romantiques, ces innocents devenus les victimes de notre civilisation d'affaires. Le personnage central, Kilroy, est un jeune Américain moyen sans domicile fixe qui, au gré de son errance sur terre, est parvenu à l'endroit mystérieux, celui dont on ne revient pas, où la mort l'attend. A cet endroit, attendant la fin eux aussi, se trouvent les ambitieux que Tennessee chérissait, tous « sur le retour » : Casanova, Don Quichotte, Marguerite, la dame aux Camélias, le baron de Charlus. Ils sont tous promis à la damnation, mais Kilroy possède une qualité que les autres ont perdue : il sait encore lutter pour se relever quand il a été jeté à terre.

Le mot préféré de l'un des romantiques de Tennessee est « frère ». Williams l'appelle le mot défendu sur le Camino Real ; si on l'utilise à cet endroit, on encourt une punition. Williams s'adressait parfois à moi dans ses lettres sous le terme de « Fratello Mio ». Mais, pour le commun des mortels, quand il était dans un de ses moments de cafard, voici ce que disait Williams : « Qu'est-ce qu'un frère pour eux, sinon quelqu'un qu'il faut surpasser, tromper, à qui il faut mentir, qu'il ne faut pas montrer à sa juste valeur. Mon frère, c'est ce qu'on dit à l'homme avec la femme duquel on couche. » Dans une réplique de *Camino Real*, il est allé plus loin : « Nous devons nous méfier les uns des autres, c'est la seule défense que nous ayons contre la trahison. » Me fallait-il apprendre à me méfier des producteurs de films, par exemple ? Ou alors continuerais-je, tel Kilroy, à être trompé, battu et malmené ? La pièce de Tennessee décrivait à merveille ma condition périlleuse et incertaine du moment : j'étais le Kilroy de Zanuck, malmené et rejeté en dépit des lettres cordiales qu'il envoyait à son « Cher Gadg ». Je venais d'être mis K.O., envoyé au tapis, et Darryl s'était mis à compter jusqu'à dix. Je devais agir comme Kilroy — et Williams : relever le gant, reprendre le combat.

L'artiste a sa solution ; Tennessee en a administré la preuve. C'était sa façon de remonter la pente. Dans une lettre que m'avait écrite Williams se trouvait cette phrase : « Durant les cinq dernières années, j'ai été hanté par une peur qui m'a contraint à travailler comme quelqu'un qui fuirait une maison en feu. » Un jour que je lui demandais quel était le sujet de sa pièce, il me répondit : « C'est l'histoire de la vie de chacun de nous après une jeunesse passée à faire la bringue. Le temps passe vite, gamin, il nous trahit comme nous nous trahissons les uns les autres. Le travail, c'est tout ce qui compte ! » Puis il continua : « D'un côté, il y a la terreur et le mystère, de l'autre l'honneur et la tendresse. » Une fois, d'humeur primesautière, il décrivit la pièce comme « un éloge, en dépit de tout le reste, du courage persistant de l'âme humaine ». Je n'ai pas trouvé que cette description convenait à la pièce, mais elle convenait bien à l'auteur.

Ces mots, sa force de caractère produisirent leur effet sur moi. C'était un homme moins bien loti que moi par bien des aspects, destiné à demeurer plus longtemps encore un outsider dans la société où il était né et où il avait été élevé. Mais il avait persévéré et continué de croire aux vertus de l'âme humaine. J'admirais cet homme ; notre amitié m'aida à remonter la pente moi aussi. Après la première, voici ce que je lui écrivis : « Te dire ce que notre amitié a représenté pour moi est impossible. Au plus profond de moi, j'ai une dette envers toi : notre travail ensemble, cette expérience extraordinaire. Je me sens guéri maintenant que cette production est achevée. Et j'ai repris ma place. Ce que nous avons fait ensemble m'a donné l'impression que je me retrouvais au premier plan. »

Eh bien, oui, enfin presque.

Il vaut mieux ne pas porter de regard rétrospectif sur son œuvre et surtout, dans mon cas précis, ne pas relire les pièces qu'on a mises en scène. La semaine dernière, par exemple, j'ai relu cette pièce et je me suis bien rendu compte que je n'avais fait qu'effleurer son potentiel. Je voulais réaliser une production qui évoque l'univers fantasque et bizarre de l'artiste primitif mexicain Posada.

J'avais rédigé, à l'intention du décorateur que nous avions choisi, une longue note qui expliquait ce que j'espérais obtenir en matière de décor. Je ne l'ai pas obtenu. Ce que j'ai eu à la place, une composition réaliste, lugubre, était lourdingue... pour résumer. Et par trop réel. Les événements fantastiques qui survenaient dans ces décors avaient l'air bien benêts. J'aurais dû commander un autre décor, mais non. Je m'étais trahi en acceptant d'en démordre. J'avais enterré mon intention originelle — et, je le crois, correcte — dans les palabres. Et la bonne entente. Ce décorateur était un ami.

Un jeune metteur en scène, sur le point d'entamer son premier film à Hollywood, a un jour demandé conseil au vétéran William Wyler. Willy a répondu : « Résistez à la tentation d'être sympathique. »

L'autre erreur concernait la distribution — et tenait à la même cause. Ce qui avait encouragé Williams à récrire et à développer sa courte pièce d'origine, c'est le travail que j'avais effectué à l'Actors Studio avec trois de nos acteurs : nous avions expérimenté sur le grotesque du rituel comique lorsque la virginité de la fille du bohémien est restaurée, alors que la pleine lune monte au firmament. Williams était satisfait du résultat, et je constituai la distribution avec nos acteurs. Ils répondirent avec générosité, courage, loyauté, abnégation et tout le talent dont ils disposaient. Mais je compris en relisant la pièce que beaucoup d'entre eux, des gens qui m'étaient chers et possédaient de nombreuses qualités, n'étaient pas pour autant — à l'exception d'Eli Wallach — à la hauteur de leur rôle. Ils avaient été formés à une technique plus réaliste. Tout comme moi.

Je « forçais » la distribution de *Camino Real* et dénaturais mes propres exigences pour me convaincre que la pièce devait être interprétée par des membres de l'Actors Studio ; c'était une imposture artistique. Je finis par constituer une compagnie d'acteurs parmi mes favoris, assemblés à la petite semaine ; venant du Studio, ils avaient joué dans plusieurs de mes films et de mes pièces. Mais ces productions exploitaient une veine réaliste et je n'avais pas suivi au sens strict la règle qui voulait que chaque rôle soit attribué à un membre.

Je crois que si j'avais tant insisté pour que ce soit le cas sur *Camino Real*, ce n'était guère pour des raisons artistiques. En fait, je désirais redevenir le héros des acteurs de cette organisation, faire la preuve de mon courage et de ma loyauté inébranlable envers eux, et me montrer à la hauteur d'un idéal auquel j'avais apporté mon soutien sans relâche et au nom duquel je leur avais demandé le leur. En démontrant que je disposais du pouvoir de forcer le destin en notre faveur, je reprendrais possession de l'Actors Studio. En langage plus direct, je voulais être aimé. Un dessein indigne que j'accomplirais aux dépens de la pièce de Williams.

Un metteur en scène dit oui plusieurs fois à une production. Si tout va bien et que la chance est avec lui, un événement viendra peut-être sceller son engagement, irrévocable. La négociation d'un contrat, le rituel d'apposition de son nom à l'endroit où les avocats ont dessiné leurs petites croix, les poignées de main et les serments d'allégeance effectués à l'auteur, les démonstrations de confiance en soi et de joie anticipée à l'endroit des acteurs — toutes ces figures imposées ne suffisent pas. Ce que le metteur en scène espère, c'est le moment, plus tard, où un déclic va se produire, qui le rendra maître de l'embarcation, qui l'amènera à faire sienne l'histoire qu'il s'apprête à porter à l'écran ou à monter sur une

scène. C'est alors qu'il est engagé. Cet engagement est définitif, total. Et
c'est le moment le plus important dans la préparation d'une production.
J'ai souvent fait l'expérience d'un tel moment, et souvent je l'ai attendu,
pour être déçu quand il n'arrivait pas. Quelque chose manquait au travail.
Quand cet engagement définitif se produisait, c'est que, dans une certaine
mesure, sous des déguisements divers, j'étais le sujet de la pièce et que le
spectacle qui allait se dérouler devant le public mettrait en scène un
moment critique de ma propre vie. C'est ce qui s'est passé durant la
préparation de *Sur les quais*. Voici dans quelles circonstances.

Après que j'eus terminé de monter *Camino Real*, je vécus une période
d'attente que nous avions prévue, Bob Anderson et moi, avant de nous
attaquer à la mise en scène de sa pièce *Thé et Sympathie*. A ce moment-là,
l'idée de retourner à Hoboken et d'y passer quelques heures avec Budd
me séduisit. C'est alors qu'on nous raconta la légende de Tony Mike.
Tony Mike deVincenzo avait possédé son propre débarcadère, dont il était
le patron. Ses amis et ses proches avaient fait partie, certains y appartenaient encore, du « milieu » exploitant les dockers. Non seulement Tony
avait vu la corruption et entendu parler des extorsions de fonds, mais il en
avait probablement bénéficié à un moment ou à un autre. Un beau jour, il
ne le supporta plus. Il commença à se sentir victime, et non plus bénéfi-
ciaire. Il recevait des menaces quand il ne se pliait pas aux instructions des
patrons du *racket*. Il leur en voulait de le malmener au moins autant qu'il
méprisait leur malhonnêteté. Il se mit à regimber et changea de camp. Le
racket qu'il acceptait comme une part inévitable de la vie sur les docks
menaça sa famille. Il allait perdre son boulot de patron de débarcadère.
Le milieu l'inscrivit sur sa liste noire. Le mieux qu'il put trouver, c'est un
poste de surveillant du système d'égouts de Hoboken, à 3 500 dollars par
an. Il démissionna et en fut réduit à vendre des journaux dans un kiosque.
Il s'habillait encore en chef du personnel sur les docks, portant son feutre
à bord recourbé muni d'un bouton-pression et son pardessus, mais il
gagnait sa vie de façon humiliante.

Puis ce fut le grand saut, qui dut surprendre Tony Mike lui-même.
Quand il fut cité à comparaître devant la Commission criminelle des docks
au sujet de la corruption qu'il avait pu observer et de son organisation —
qui « récoltait » et combien ? —, Tony Mike révéla toute la vérité comme
personne n'avait osé le faire auparavant. Il donna des noms. En faisant
cela, il brisa la loi du silence qui règne chez les voyous : si tu tiens à la vie,
ferme-la. On le traita de lâcheur, de mouchard et d'indicateur. Il fut
victime d'ostracisme, puis de menaces. Des amis qu'il connaissait depuis
des années ne lui adressèrent plus la parole. En plus de cet isolement et de
cet opprobre, qui étaient devenus son lot quotidien, lui et sa famille
recevaient des menaces. Tous les habitants de Hoboken étaient convaincus qu'ils liraient un matin dans le journal que Tony Mike avait « disparu » et, quelques jours plus tard, que le corps de Tony avait été repêché
des profondeurs du fleuve à l'aide d'une drague. C'était le scénario classique pour les mouchards, les dénonciateurs, les indicateurs en milieu
ouvrier.

Budd avait du nez : il chercha à obtenir l'amitié de deVincenzo. Quand

Tony Mike nous invita à dîner chez lui, nous sautâmes sur l'occasion. On nous servit un repas italien lourd et relevé : *pasta*, poivrons, sauces gorgées de viande et vin rouge. Tony Mike nous parla de ses expériences. Si tu veux vivre, l'avait prévenu le milieu, ne parle pas. Il avait parlé. Il était encore vivant, mais il savait que le dernier homme à avoir étalé au grand jour les exactions du milieu sur les docks avait été trouvé mort dans une carrière à chaux. Il nous avait dit, je m'en souviens très bien, qu'il en était arrivé à un stade où, craignant pour sa sécurité et celle de sa famille, il avait décidé de se munir d'un pistolet ; quand il nous avait vus exprimer des soupçons — peut-être en rajoutait-il un peu, non ? —, il avait fouillé dans ses vêtements et en avait extrait un petit revolver qu'il avait posé sur la table et laissé là jusqu'à la fin du repas.

Je doute que Budd ait été aussi affecté que moi à un niveau personnel par l'histoire de Tony Mike. Sa réaction à la perte de certains de ses amis n'avait pas été aussi amère que la mienne ; il n'avait pas été blackboulé aussi fréquemment et avec autant de méchanceté que je l'avais été dans le quartier connu sous le nom de Broadway. Je crois que Budd regardait notre histoire de docks avec une objectivité plus grande, objectivité dont je lui étais reconnaissant d'ailleurs. Mais je ne pouvais pas m'empêcher d'établir un parallèle entre l'histoire de Tony Mike et la mienne, et ce parallèle est à l'origine de la colère implacable qui imprègne les scènes que j'ai filmées et le travail que j'ai effectué avec les acteurs. Quand Brando, à la fin, hurle à l'adresse de Lee Cobb, le patron du milieu : « Je suis content de ce que j'ai fait — tu m'entends ? —, content de ce que j'ai fait ! », c'est moi qui clame, avec le même emportement, que je suis content d'avoir témoigné comme je l'ai fait. J'avais été snobé par mes amis jour après jour pendant des mois dans les lieux que je hantais depuis toujours avec d'autres gens du spectacle, et je ne l'avais pas oublié ; je ne pardonnerais pas à ces hommes, certains de très vieux amis, leurs rebuffades. Ainsi, la scène du film où Brando retourne sur les docks pour « rentrer dans le rang » et retrouver du travail, et qu'il est rejeté par les hommes qu'il avait côtoyés jour après jour, eh bien, c'est aussi mon histoire, racontée au monde entier. Quand les critiques écrivent que j'ai porté mon histoire et mes sentiments à l'écran, pour justifier mon mouchardage, ils ont donc raison. Le mérite de ces scènes tient au transfert d'émotion qui s'est établi entre ma propre expérience et ce qui apparaît sur l'écran.

En mangeant le dîner relevé de Tony Mike, à base de tomate et d'ail, en écoutant de sa bouche le récit des épreuves que lui et sa femme avaient dû supporter, en regardant le visage de ses enfants puis le revolver sur la table, je repensai aux craintes de Molly et aux mesures que j'avais dû prendre pour la protéger en mon absence. Cette soirée passée chez Tony Mike fut le moment déterminant qui devait décider de mon engagement total dans le film ; c'est l'instant où je me rendis compte, c'est tout le mystère de l'art, que je préparais un film sur moi-même. C'est là que j'ai puisé toute la détermination dont j'aurais besoin pour endurer découragements et refus, pour ne jamais baisser les bras, quand tant de gens voulaient tuer le film dans l'œuf, et pour ne pas flancher, pas sur ce film, même quand notre producteur refusa de nous soutenir financièrement comme il aurait dû le faire. Car j'aurais alors perdu pied moi-même.

Les causes du succès méritent d'être étudiées. Je ne crois pas que la pièce de Bob Anderson puisse être montée d'une manière plus satisfaisante que la nôtre. Mais le succès n'est pas tombé du ciel ; il nous a fallu effectuer des choix. C'est seulement une fois la charpente édifiée que tout nous a paru simple. Une seule faute grave peut hypothéquer l'ensemble de la production d'une pièce. Je suis convaincu que tous les choix opérés par Bob et moi-même avaient été judicieux. Une fois ce virage négocié, nous oubliâmes vite combien ces choix avaient été délicats. Le résultat final s'inscrivait en droite ligne de ceux-ci et ils nous apparurent alors comme inévitables. Ils ne l'étaient pas.

Ce qui avait compté en premier lieu, c'est une profession de foi à laquelle s'étaient tenus Bob, sa femme Phyllis et, tout aussi importante en l'occurrence, Molly. Je n'y étais moi-même pour rien. Molly avait surveillé les pièces de Bob du moment où il s'était mis à écrire pour le théâtre. Celle-ci était un cri du cœur et offre une construction parfaite. Molly s'en était aperçue la première.

Comme j'étais pris par *Camino Real*, les répétitions de cette pièce durent être reportées jusqu'à l'automne. Ce délai nous donna l'occasion de parcourir le script de multiples fois et d'étudier chaque page et chaque réplique à la loupe, en discutant de leurs mérites divers. Une compréhension totale s'établit entre l'auteur et le metteur en scène. Dans les répétitions qui suivirent, nous ne fûmes jamais en désaccord sur les fins, Bob et moi, et rarement sur les moyens. Oui, ce délai fut notre grande chance.

Les productions théâtrales, à Broadway, se jouent sur un coup de dés, ce que je déteste. Mais je reconnais un mérite à cette approche : dans les situations désespérées, chacun doit y mettre du sien pour redresser la barre. Rien ni personne n'est négligeable, insignifiant. C'est tout ou rien durant cette période de frénésie qui frôle l'hystérie. La production de la pièce la plus simple prend des allures de lutte à mort et permet à chacun de donner ce qu'il a de meilleur.

En préparant notre script pour la production, nous découvrîmes deux problèmes fondamentaux. Certain metteur en scène de cinéma célèbre, lorsqu'un réalisateur débutant lui demandait conseil, répondait : « Travaillez sur les poids lourds. » Nous, nous en avions deux : le père du garçon soupçonné de tendances homosexuelles (dans un lycée privé) et le mari de la femme qui choisit de montrer la compassion qui sauvera le garçon. Le père s'est montré si insensible au problème et à la douleur de son fils que le jeune homme en est venu à douter de lui-même et à s'isoler. Le mari, quant à lui, comprend si mal ce que sa femme attend de lui, il est si *macho,* si conventionnel, met tant d'obstination à être vieux jeu, que sa femme ne rêve plus que d'une chose : un peu de chaleur humaine. Résultat ? Il devient vraisemblable que le besoin du garçon excite cette femme au plus haut point et qu'elle y réponde sans retenue. Les deux hommes étaient des personnages que Bob et moi n'aurions sans doute pas beaucoup appréciés dans la vie. Mais le public devait croire en eux et non pas les rejeter en tant que personnes ; de plus, notre personnage féminin avait bel et bien épousé son mari et avait donc dû le trouver attirant et digne de son affection. Le défaut dans la cuirasse du père, ce n'est pas qu'il souhaite du mal à son fils mais plutôt qu'il manque de perspicacité et de compréhension à son égard. Là encore, nous devions une fière chandelle aux délais de mise en œuvre de notre production. Ces deux personnages avaient gagné à la réécriture soigneuse effectuée par Bob avant les répétitions. Dans les deux cas, les modifications qu'il avait apportées ont joué un rôle crucial dans notre succès. Nous avions décidé, en fin de compte, de montrer que le mari essayait de sauver son mariage avec les moyens du bord — sans succès. Quant au père, il rendait visite à son fils pour s'efforcer de comprendre le garçon — sans succès non plus. C'est l'effort de ces deux hommes pour dépasser leurs limites qui était salutaire. C'est lui qui les rendait crédibles et sympathiques malgré leurs « erreurs ». Sans cette correction, la pièce aurait peut-être paru mécanique et mélodramatique.

Quand nous commençâmes à travailler sur cette production, je décidai que le spectacle serait monté à petite échelle, Bob Anderson étant un miniaturiste. La pièce n'avait rien d'une symphonie (comme *Mort d'un commis voyageur*) ou d'un concerto (comme *Un tramway nommé Désir*) mais tenait plutôt du quatuor à cordes. A l'inverse des autres pièces que j'avais dirigées, je résolus de ne pas alourdir celle-ci avec les procédés dramatiques maladroits qui me caractérisaient. Je mettrais un bémol à mon *ego* professionnel, je restreindrais ma tendance à l'action physique violente et aux jeux de scène musclés et sans équivoque. Aucune voix ne s'élèverait, je n'autoriserais aucun cri. Les ficelles de la production seraient aussi minces que possible, l'action toujours sous contrôle et discrète. Tout ne serait qu'inflexions hésitantes et gestes suggérés. En fin de compte, j'éprouverais une grande fierté devant la délicatesse de cette production. C'était une nouveauté pour moi, un progrès. La pièce et la mise en scène regorgeaient de bonté et de tendresse, tout comme Bob lui-même.

La scène la plus forte montrait une jeune mariée ravissante et un jeune homme de dix-sept ans, encore adolescent, assis tout près l'un de l'autre dans une petite pièce éclairée par le soleil couchant. Le *finale* était « un gros plan » ; celui des doigts fins de cette femme douce se posant sur les boutons de son chemisier rose pendant que les lumières s'éteignaient progressivement. Nous devions deviner ce qui suivait. C'est à ce moment-là qu'elle disait : « Dans plusieurs années... quand tu parleras de cet instant... et tu n'y manqueras pas... sois gentil. »

La série de scènes intimes — à deux ou trois personnages — qui amenait ce *climax* avait déterminé l'échelle de la production. Après l'échec du décor de *Camino Real*, j'étais résolu à ne pas me faire prier pour dire ce dont j'avais besoin. Je dessinai un plan de base pour notre décorateur, Jo Mielziner, en indiquant exactement ce que je souhaitais, avec les dimensions de chacun des murs, pour être bien sûr qu'il me donne quelque chose d'aussi intime que possible : je savais que c'était nécessaire.

Je croyais désormais dur comme fer qu'il était de la responsabilité du metteur en scène de fournir à son décorateur un plan précis du décor qu'il souhaitait, dimensions et échelle de l'ensemble comprises. Je voulais un décor qui permette des « gros plans » et Jo le comprit. Il me remercia de mon aide. Il accepta mon plan de base et entreprit d'élever un décor magnifique. Il s'occupa aussi de l'éclairage, en rendant les lumières chaleureuses et évocatrices des diverses phases émotionnelles de l'action. Le résultat constituait un triomphe pour Jo.

L'actrice principale du spectacle était Deborah Kerr, et elle m'avait été suggérée par Bob Anderson, qui avait travaillé avec elle sur une adaptation télévisée et l'avait trouvée délicieuse. J'avais contesté le choix, aussi avions-nous pris en considération beaucoup d'autres actrices. Mais Bob en revenait sans arrêt à Deborah. Anderson n'était pas aussi convaincu par mon refus qu'il l'aurait dû ; en effet, je n'avais jamais rencontré la dame en question. Je confesse un préjugé, que je nourris encore aujourd'hui : je n'aime pas travailler au théâtre avec des stars de cinéma. On est sûr qu'elles attraperont mal à la gorge au bout d'une semaine de répétitions, qu'il faudra faire venir un docteur qui insistera pour qu'elles rentrent chez elles et se mettent au lit — et c'est au lit qu'il faudra poursuivre les répétitions : c'est-à-dire que votre star sera au lit pendant que vous serez assis sur une chaise à son chevet, en vous efforçant de maîtriser votre colère.

Bob me persuada de rencontrer Deborah en Californie, où elle était en tournage. Ce que je fis, et notre problème fut résolu. En rentrant, je concédai à Bob qu'il avait eu raison et moi tort, que Deborah était parfaite, qu'il fallait l'engager. Avec le recul, je me demande si, sans Deborah, la pièce aurait rencontré un succès si fracassant. Nous obtiendrions par la suite les services d'une autre star de cinéma très célèbre : la presse lui réserva un accueil plutôt favorable mais avec elle la pièce semblait médiocre et un peu sordide. Cette actrice, excellente dans bien des films, ne possédait pas la délicatesse immaculée de Deborah, et je n'avais aucun moyen de la lui insuffler. Quoi que fasse Deborah — en la circonstance, tromper son mari pour les beaux yeux d'un étudiant à problèmes —, il était impossible d'attribuer à ses actes d'autres raisons que les plus décentes et les plus honorables. Elle réunissait tout ce qu'il y a de bon chez les femmes : la gentillesse, la compréhension, la sensibilité, la sagesse, la douceur, le respect d'autrui, l'obligeance, la drôlerie, le soutien dans l'épreuve — et une grande intelligence. Je parle de Deborah elle-même autant que de Deborah dans le rôle. On ne pouvait s'empêcher de tomber amoureux d'elle. Moi comme le public, au premier regard. Bob avait écrit la pièce ; elle prit en charge sa production.

Nous connûmes cependant une petite crise avec Deborah, qu'il me faut rapporter ici. Nous en sommes au troisième jour des répétitions et notre régisseur appelle les acteurs. Personne n'émerge de la loge de Deborah. Je demande au régisseur s'il a une idée de l'endroit où elle peut se trouver et il m'informe alors, ou plutôt me chuchote, que miss Kerr ne veut pas faire son entrée en scène. J'attends encore un peu, puis je me dirige vers sa loge. Je me rends compte tout de suite qu'elle est pétrifiée de peur. Ma ruse d'Anatolien, comme on l'a nommée, se met en route au quart de tour. Je lui confie que je n'ai moi-même pas tellement la tête au travail et qu'un après-midi de repos ne ferait de mal à personne. J'ajoute que je m'inquiète à cause de Bob : sa confiance en la pièce semble chanceler. Accepterait-elle de prendre un verre avec nous ?

Bien calé au fond d'un bar, je ne fais aucune mention du refus de Deborah d'entrer en scène. Je me conduis comme si mon problème était Bob et seulement Bob. Devant Deborah, je m'efforce de rassurer Bob de toutes les façons possibles et je lui réaffirme ma conviction qu'il a écrit une pièce merveilleuse, conçue avec finesse, profondément humaine, drôle et triste en même temps. Je ne marchande pas mes éloges, j'en rajoute même. Puis nous retournons au théâtre et je lance la répétition. Je n'ai plus jamais eu de problème avec elle.

A quel moment nous sommes-nous rendu compte que nous tenions un énorme succès ? Pendant la dernière scène, l'instant où la main de Deborah se place sur le bouton du haut de son chemisier. Lors de nos premières représentations en tournée, cette scène avait suscité des gloussements. Ce qui nous avait terriblement inquiétés. Nous procédâmes à quelques modifications dans l'éclairage pour faire baisser les lumières plus tôt, et je dirigeai les acteurs de sorte qu'ils interprètent la scène avec le plus de douceur possible tout en restant audibles. Ces dispositions aidèrent, mais une certaine agitation régnait encore dans le public ; parfois, un gloussement retentissait, suivi d'un *shshsh* ! Les acteurs s'inquiétaient, en dépit de tout ce que je pouvais leur dire, et cela commençait à se voir. Nous tînmes bon, Bob et moi. Après tout, cette fin convenait à la pièce et il nous fallait la faire fonctionner d'une façon ou d'une autre. Nous n'y étions pour rien quand cela se produisit ; les journaux s'en étaient chargés. Nous commençâmes à recevoir des critiques favorables et notre public lisait avant d'acheter ses billets qu'il allait assister à un grand succès. Les gloussements cessèrent. Comme par miracle. A la place, il régnait un silence profond. Ce qui est le plus satisfaisant au théâtre, au moment du *climax* d'une pièce sérieuse, ce ne sont pas les applaudissements mais ce silence à la fois respectueux et intimidé qui se manifeste quand le public est ému. Il n'y a rien de plus éloquent ni de plus réconfortant. Une fois cela obtenu, je sus que nous étions partis pour durer.

Un dernier épisode pour conclure — il y est encore question de ma ruse anatolienne. Après avoir joué la pièce pendant neuf mois et avant de partir en tournée, j'assistai à une représentation à la demande de l'auteur ; ce que nous nous apprêtions à envoyer dans d'autres villes devait être aussi bon que possible. En regardant le spectacle, je me rendis compte qu'il y avait un hic. Les acteurs n'avaient pas leurs pareils dans l'abnégation et la sincérité — Dieu, qu'ils avaient travaillé dur ! — mais la pièce avait pris un tour rigide, « professionnel », mécanique. Les acteurs savaient quels moments déclenchaient des réactions, rires ou larmes, et ils les préparaient. Je réunis la troupe le lendemain après-midi et je mis de nouveau en scène le premier acte : chaque scène, chaque mouvement. Je les fis travailler dur et je vis qu'ils faisaient de leur mieux pour me donner satisfaction, bien que je leur demande exactement le contraire de ce qu'ils avaient fait pendant des mois. Ils voulaient me faire plaisir, malgré leur étonnement devant ce que je tentais. Deborah prit la parole : « Est-ce que vous attendez de nous que nous introduisions tout ceci dès ce soir ? — Non, répondis-je. Faites-le juste comme vous l'avez toujours fait. » Et je m'en allai. Le sourire aux lèvres. On m'a dit que la représentation, ce soir-là, avait été la meilleure depuis des mois.

C'est avec cette pièce que j'ai touché du doigt un principe fondamental : il ne faut pas essayer de réduire la signification d'une pièce à un thème didactique. C'est ce que nous faisions toujours au Group ; c'était l'essence même de notre travail de metteurs en scène. Nous donnions un cours au public dans chacune de nos pièces. Clifford Odets trouvait nécessaire, au troisième acte, de saisir le public à bras-le-corps et de le secouer comme un prunier en hurlant : « Ne comprenez-vous donc pas ce que tout cela signifie ? Non ? Eh bien, je m'en vais vous le dire. » Et il y allait franco. Je préférais désormais orienter mon effort dans une autre direction : raconter une histoire qui soit aussi humaine, et donc aussi ambivalente et irrésolue que la vie elle-même, de sorte que le public quitte le théâtre en s'interrogeant : « Je me demande bien ce que tout ça veut dire. » C'est bien ce que nous éprouvons face à la vie, n'est-ce pas ? Ou bien lorsque nous lisons un grand roman. Vous ne pouvez ramener ni l'une ni l'autre à un sermon, à une devise ou à un slogan. La vie est un puzzle qui nous amène en général à nous demander : « Comment les autres s'en sortent-ils ? », et encore : « S'ils ont tous les deux raison, alors qui a raison ? », et enfin : « Dieu Tout-Puissant, pourquoi la vie est-elle si terrifiante ? » Au théâtre, mieux vaut s'étonner que reconnaître. Même Brecht, dans ses soi-disant pièces d'apprentissage, préservait un élément de doute irrésolu. Le public devrait se poser des questions au sujet d'une pièce bien longtemps après avoir quitté le théâtre. Lorsqu'une œuvre en vaut la peine et que la représentation est de qualité, un spectateur y repensera pendant des jours. Mais si vous lui servez tout sur un plateau, il n'en fera rien. C'est d'ailleurs ce qui se produit quand vous venez de vivre une expérience dramatique : elle vous perturbe longtemps. Vous vous efforcez d'en élucider les causes.

J'ai compris grâce à cette pièce qu'il ne fallait pas insister sur le thème, mais au contraire passer son temps à le contredire. Il ne faut pas contraindre par force le spectateur à être d'accord avec ce qu'un personnage déclare au sujet de ce thème. Lorsqu'on le renvoie chez lui, le public doit s'émerveiller de la richesse et de la complexité de la vie, de son mystère et de ses contradictions, qui défient l'entendement. Un thème qui peut être ramassé en une seule phrase trahit inévitablement une simplification de la vie — et l'inanité de celui-ci. Ne me dites jamais que votre pièce traite de la responsabilité, de la loyauté ou de la vérité. Dites-moi qu'elle traite de l'humanité.

Cette production m'apporta beaucoup plus qu'un succès public. Je me fis deux amis : Deborah et Bob. J'avais bien besoin de deux bons amis en ce printemps 1953. Le télégramme que m'envoya Deborah au soir de la première était rédigé en ces termes : « Puissiez-vous toujours vous souvenir de Deborah. » Je m'en suis souvenu. Et Bob est resté l'un de mes amis intimes.

A l'issue de cette production, j'avais retrouvé ma place dans la profession et j'avais fait le plein de super; mon énergie était revenue. Je brûlais d'envie de retourner sur le champ de bataille où, un an auparavant, j'avais été humilié. Vers le milieu de l'hiver, Budd m'avait donné son premier jet d'un scénario sur les docks, intitulé *The Golden Warriors*. Je le persuadai d'envoyer le script à Darryl Zanuck. J'assurai Budd qu'il ne pourrait pas résister à ce type de sujet. Budd en était moins sûr. Ayant grandi dans le monde du cinéma, où l'on irait jusqu'à trahir son propre frère, l'auteur de *What Makes Sammy Run?* semblait se méfier de tout le monde dans la colonie. « Mais Darryl a fait *les Raisins de la colère* », lui rétorquai-je. Il me fallut alors me convaincre moi-même de la valeur de cet argument.

Quatre semaines s'écoulèrent avant que nous ne recevions une réponse de Californie. Je m'étais dit que Darryl devait se trouver en Europe, ou bien est-ce l'explication que j'avais fournie à Budd? Je défendais toujours Darryl devant lui. Le 4 février, voici ce qui nous fut répondu: « Je me suis débattu avec le problème posé par l'histoire sur les docks, car elle implique une décision de première importance pour la compagnie. » (Les affaires avaient été mauvaises pour la Fox. Ils espéraient que le Cinéma-Scope les sauverait.) Il continuait: « J'aime énormément le matériau de base, comme je vous l'ai dit quand vous m'avez envoyé le synopsis (nous lui avions envoyé auparavant un résumé de l'histoire long de trente-cinq pages), mais la question du soutien des ouvriers continue de m'inquiéter. (Il voulait que nous obtenions l'appui de George Meany, le président de la Fédération américaine du travail.) Nous ne devons surtout pas arriver avec nos gros sabots et glisser sur une peau de banane. Autrement, nous sommes sûrs de courir à la catastrophe. Nous devons nous accrocher à l'histoire personnelle et laisser le film parler de lui-même pour ce qui est de la thèse. (Par histoire personnelle, il entendait la même chose que pour *le Mur invisible*: l'histoire d'amour.) Je suis certain que le film dans sa globalité, par ce qu'il montre et non par des mots, révélera la corruption qui règne sur les docks. Nous n'avons pas besoin de prêcher. Je suis convaincu que le mal qui ronge les docks devrait apparaître en toile de fond, comme dans *l'Héritage de la chair*, et que l'histoire personnelle doit prédominer. Ça ne sert à rien de faire un film merveilleux comme *Zapata*, que personne ne va voir sinon l'*intelligentsia*. Je vous recommande, à Budd et à vous, de venir passer un ou deux jours ici la semaine prochaine. Je crois que je peux proposer quelques contributions valables, qui empêcheront la fille de ressembler à un détective amateur décidé à redresser les torts du monde entier. C'est une entreprise importante et si nous voulons aller de l'avant avec courage, nous devons être sûrs que nous nous comprenons. »

Je répondis que si je n'étais pas en pleine répétition sur une pièce difficile, je prendrais l'avion, même pour un entretien de quelques heures. « Autrement, je crois que le mieux, ajoutai-je, c'est que Budd vienne seul aussitôt que cela vous sera possible à tous les deux. Il parlera pour nous deux et ce dont vous conviendrez aura mon assentiment. »

Darryl accepta cette suggestion et Budd se rendit dans l'Ouest pour s'entretenir à deux reprises avec lui. Le résultat de ces rencontres fut positif, si j'en crois Darryl : « La dernière fois que je l'ai vu, il [Budd] m'a serré la main et m'a dit qu'indépendamment du résultat final, il avait reçu une aide précieuse et que le fait de travailler avec moi avait représenté une expérience unique et enthousiasmante. » Budd ne se souvient pas d'avoir prononcé de telles paroles — mais il était effectivement revenu satisfait, en disant qu'il était parvenu à un accord de base avec Darryl. Pendant que je montais *Thé et Sympathie*, Budd rédigea une nouvelle mouture et, en avril, quand la pièce débuta sa carrière, je me rendis de nouveau à Hoboken et me remis à travailler avec lui. Fin avril, nous expédiâmes notre scénario définitif à Darryl et attendîmes sa réaction.

De nouveau, quatre semaines s'écoulèrent ; Budd commençait à perdre patience et nourrissait plus que de vagues soupçons. J'étais moi-même inquiet. Budd pensait que nous devrions à ce stade bénéficier d'une garantie contractuelle de la Fox ; nous avions travaillé jusqu'à maintenant « pour du beurre ». Est-ce que c'était oui ou non, étions-nous engagés ou pas ? Je suggérai que nous rencontrions Spyros Skouras, le président de la Twentieth Century Fox, et que nous le lui demandions. Skouras était d'humeur exubérante. Il nous invita à déjeuner — tous les Grecs estiment qu'une visite mérite un repas. Nous décidâmes de prendre un verre, du fromage et des olives. J'en vins alors à ce qui m'amenait : nous n'avions pas eu de réponse de Darryl et nous étions là pour savoir si oui ou non la Fox allait produire notre film, parce que si Darryl refusait, nous nous tournerions vers quelqu'un d'autre. Cette dernière précision relevait du plus pur bluff. J'étais persuadé que Darryl, l'homme avec lequel j'avais si souvent travaillé et que je connaissais si bien, ne « passerait » pas sur ce film. Spyros le confirma avec fougue. Avec toute la vigueur dont il était capable, il nous assura que la Fox était bien décidée à faire ce film. J'étais convaincu qu'il pensait ce qu'il disait. Nous nous serrâmes la main, Budd et Spyros, Spyros et moi. Puis, comme on nous présentait un plateau de fromages et d'olives, nous trinquâmes à notre association, un verre d'ouzo à la main.

Budd était satisfait, moi aussi. C'est pourquoi, lorsque Darryl nous invita à venir le rencontrer ensemble pour discuter du script, nous n'hésitâmes pas. S'il avait eu dans l'idée de refuser notre film, il nous l'aurait fait savoir sans traîner, par télégramme. La conversation qu'il désirait ne pourrait porter que sur la distribution, la production, les lieux de tournage, l'équipe technique. Nous étions trop avancés. Reculer à ce stade paraissait tout bonnement inconcevable.

Juste avant que nous ne quittions New York, un incident avait ravivé mon appétit de vengeance. Alors que je travaillais sur *Thé et Sympathie*, Molly voyait de temps à autre notre ancienne camarade de classe de Yale, Phyllis Anderson, la femme de Bob. Phyllis avait révélé à Molly que John Wharton, l'avocat distingué des gens de théâtre, à qui Art Miller faisait confiance pour ses contrats, avait dit à Kay Brown, la collègue de Phyllis au M.C.A., la chose suivante : « Gadg va laisser tomber ce film sur les docks, n'est-ce pas ? » Et lorsque Kay lui avait demandé pourquoi, Wharton avait répondu : « Parce que s'il continue, il n'obtiendra plus jamais aucune pièce d'Art Miller. » Selon toute vraisemblance, Wharton l'avait dit à Kay Brown pour qu'elle le dise à Phyllis pour que celle-ci le dise à Molly et que je sois informé que si j'espérais encore les pièces d'Art, il serait plus sage pour moi d'abandonner mon film. J'en suis venu à apprécier la compagnie de Wharton, mais pas cette saison-là. C'était le plus chic de tous les avocats et cette menace était d'un chic à couper le souffle. Je me suis souvent demandé si Art était au courant de ces manigances.

Le 25 mai, protégés par mon agent, Abe Lastfogel, nous pénétrâmes dans le bureau de Zanuck, et il nous fit asseoir devant lui. Cette fois, il n'arpentait plus la pièce de long en large en agitant son maillet de polo. Il se tenait bien calé sur son siège et nous mit au parfum sans attendre : « Je ne vais pas faire ce film, dit-il. Il ne me plaît pas. En vérité, rien ne plaît dedans. » Puis il s'arrêta et nous regarda. Il avait sauté le pas comme il le désirait et il n'avait rien à ajouter qui puisse modifier son refus sans appel — pourtant il ajouta quelque chose.

Nous étions en état de choc, Budd et moi, sonnés ; nous n'échangeâmes même pas un regard. Enfin, je pris la parole : « Vous voulez dire, Darryl, que rien ne vous plaît dans ce film ? Rien du tout ? — C'est exactement ce que le public n'a pas envie de voir en ce moment, dit Darryl. Qui se soucie des dockers ? » Il nous parla de ses difficultés sur notre script, de sa tentative infructueuse d'en renforcer l'impact dramatique. « J'ai même essayé de faire de Terry (notre héros, le rôle que Brando devait interpréter) un membre du F.B.I., dit-il, mais ça n'a pas marché. » Puis il nous dit combien les affaires allaient mal et que la Fox allait se consacrer au CinémaScope, et que celui-ci sauverait la compagnie. Ne s'apercevait-il donc pas que nous n'écoutions pas, que nous n'en avions rien à cirer, de son CinémaScope et du destin de sa compagnie ? Non, il ne s'en apercevait pas. Soudain, il se mit à parler de ses plans pour *Prince Vaillant*, film qui s'inspirerait d'une bande dessinée — un sujet parfait pour le CinémaScope, résuma-t-il.

Je me levai. J'avais eu mon content de ces fadaises. J'étais bouleversé à un point tel que je ne saurais le décrire. Je lançai un regard en direction de mon agent et « protecteur », Abe Lastfogel. Il n'avait pas ouvert la bouche, pas une seule fois. Devenu paranoïaque, j'étais convaincu qu'il se réjouissait de voir que Darryl avait assassiné notre projet. Mon cœur battait la chamade ; il me fallait quitter les lieux.

Darryl était en train de dire qu'il estimait que la Fox devait à Budd de l'argent pour son travail — il avait travaillé dur et longuement ; Zanuck le reconnaissait —, mais il estimait que la compagnie ne me devait rien à moi : « Parce que vous êtes riche. » Première nouvelle. Voici l'homme, pensai-je alors, qui m'a supplié de me précipiter à Hollywood et de reprendre, dans les vingt-quatre heures, *l'Héritage de la chair*, pour faire une faveur à un ami. L'amitié fonctionnait à sens unique pour Mr. Zanuck ! A l'évidence, il estimait qu'il pouvait me traiter sans ménagement, selon son bon plaisir, et s'en tirer. Je me demande comment j'avais pu me former une autre opinion de lui. Encore une fois, je me tournai vers Abe Lastfogel. Il demeura silencieux.

« Je vais avec Abe », dis-je à Budd en sortant du bureau. Budd ne me disait rien. Je savais ce qu'il ressentait. Une fois dehors, chacun partit de son côté, lui vers la voiture que la Fox nous avait prêtée, moi avec Lastfogel. Abe me conduisit jusqu'à sa Cadillac ; le chauffeur, en nous voyant arriver, ouvrit toute grande la porte. Nous prîmes place à bord et le véhicule démarra. « Eh bien, dit Abe, qu'est-ce que vous allez faire maintenant ? » Cette question me terrassa, et je me souviens encore du ton sur lequel il l'avait posée. A l'évidence, il considérait que notre film sur les docks était mort et enterré. Il n'avait pas levé le petit doigt pour me protéger, protester contre le rejet sommaire par Zanuck du projet auquel nous avions travaillé pendant des mois, ou réclamer le dédommagement qui m'était dû pour le temps et le travail que j'y avais investi. N'est-ce pas le rôle d'un agent ?

« Je m'en vais faire ce film, répondis-je, même si je dois le tourner en seize millimètres avec le producteur le plus minable de Hollywood. Qui sont les frères King ? » Abe me regarda comme si j'étais devenu fou. Puis il m'invita à dîner avec Frances. « Il faut que je parle à Budd, répondis-je, laissez-moi au Beverly Hills Hotel. »

Budd était furieux. Contre moi. Il pensait que je l'avais attiré dans un piège et que tout son travail n'avait mené à rien. « Je t'avais bien dit qu'il ne valait rien », clama-t-il. Je n'avais rien à lui répondre. Cette fois-là, je ne dis pas : « Il a fait *les Raisins de la colère*, n'est-ce pas ? » « Pourquoi nous avoir fait faire tout ce chemin pour ça ? » reprit Budd.

Nous nous versâmes un verre ou deux — nous profitions toujours de l'hospitalité de la Twentieth Century Fox — puis nous restâmes là à nous regarder en chiens de faïence. Nous n'avions pas grand-chose à dire mais nous avions encore en mémoire la poignée de main de Spyros Skouras. Aujourd'hui, des années après, je crois possible qu'il ait existé un conflit entre les deux hommes, dans les coulisses. Darryl en avait peut-être voulu à Spyros de nous avoir assuré que le film se ferait. C'était la prérogative de Darryl — dire oui ou non. Alors il avait dit non. Spyros pouvait remballer son ouzo, ses olives et sa *feta*. Darryl ne s'était pas contenté de nous humilier, il avait aussi remis à sa place Spyros, qu'il considérait comme un empoté doublé d'un m'as-tu-vu.

Puis un phénomène étrange se produisit. Nous recommençâmes à parler de notre script. Il nous plaisait toujours. Un certain espoir naquit de nouveau en nous. Je passai un coup de fil à Lastfogel pour lui dire que Budd et moi en avions discuté et que nous étions absolument déterminés à faire ce film, que je n'accepterais aucune offre avant qu'il ne soit terminé et que je voulais qu'il en envoie un exemplaire à chacun des grands studios. Il me répondit qu'il en avait déjà glissé un chez Harry Cohn, le président de la Columbia, et que celui-ci n'avait pas encore répondu. Apparemment, Abe avait pris cette initiative avant même notre meeting chez Zanuck. S'était-il douté que Darryl retirerait ses billes ? « Envoyez-le aux autres, insistai-je. C'est un film dans le style Warner Brothers ; il leur plaira à tous les coups. »

Ce ne fut pas le cas ; le lendemain, en fin d'après-midi, nous avions notre réponse. Abe me confia que la Warner avait jeté un coup d'œil dessus — ils étaient impatients de le lire —, mais qu'après lecture, ils avaient « passé ». Le surlendemain, la Paramount et la M.G.M. avaient vu le script — ou se l'étaient fait décrire par Lastfogel : je ne peux pas imaginer, en effet, qu'ils l'aient lu si rapidement. Ils passèrent aussi. D'une manière ou d'une autre, tous les studios nous opposèrent une fin de non-recevoir. La Columbia à deux reprises. Nous étions fichus, apparemment — sans espoir de retour. Pourtant, nous continuions à effectuer quelques petites révisions sur le script. Nous ne pouvions pas nous arrêter : c'était comme le réflexe d'un animal mort qui continue à s'agiter et à se tordre. Je me rappelle que nous avions pris avec nous une machine à écrire de la Fox ainsi qu'une pile épaisse de feuilles de papier bleu ; le sol de notre suite, au Beverly Hills Hotel, était jonché de boules de papier bleu froissé.

En fin d'après-midi, je me rendis au bureau de Lastfogel. Il me rappela sur un ton conciliant que *Zapata* avait été un échec, que même *Panique dans la rue* avait été un échec, et que — Zanuck l'en avait informé — *Man on a Tightrope* était en passe de devenir le film qui récolterait le moins de recettes de toute l'histoire de la Twentieth Century Fox. « Je pense, continua Abe, que vous devriez prendre ce que Darryl vous offrira, peu importe le sujet. Vous avez besoin d'un succès. Je regrette que vous n'ayez pas accepté *Anna et le roi de Siam*, mais puisque vous l'avez refusé, voyons ce qu'il peut vous proposer. — Je m'en vais faire ce film », répétai-je. Puis nous nous regardâmes dans les yeux et il me répéta lui aussi que tous les studios avaient refusé ce film et — il le sous-entendait sans le dire — ne voulaient pas entendre parler de moi. « Je vous conseille d'abandonner ce projet de film sur les docks, dit Abe, et de ne plus gaspiller votre énergie à y penser. »

Je ramenai à l'hôtel une des secrétaires de chez William Morris. Budd et moi avions besoin de compagnie, car nos échanges verbaux étaient plutôt tendus. Quand Budd se met à boire, une face hargneuse de son caractère apparaît ; on dirait qu'il cherche la bagarre. Puisque nous étions encore les invités de la Fox — Abe m'avait informé que nous pouvions profiter un jour de plus de ce privilège —, nous avions commandé un super-repas pour trois, avec des boissons en quantité, et nous n'avions pas verrouillé la porte pour faciliter le service. Nous faisions tous deux du gringue à la secrétaire de chez William Morris, plus parce qu'il n'y avait rien d'autre à faire que par désir. Nous ne tardâmes pas à entrer en compétition pour obtenir ses faveurs.

Dans la chambre qui faisait face à la nôtre se déroulait une scène animée de la vie mondaine. Debout dans l'encoignure de la porte se tenait George Stevens, l'un des grands réalisateurs de l'industrie, en train de dire au revoir à l'homme qu'il était venu voir, S. P. Eagle, que je reconnus sans peine, car à l'époque où tout le monde courtisait le metteur en scène du film *le Mur invisible*, qui avait reçu tant d'oscars, j'avais été invité chez lui à plusieurs reprises.

Nous avions tous les deux le ventre plein, Budd et moi. L'alcool nous avait réconciliés et nous ne pensions plus qu'à nous amuser. Sam était un bon compagnon de jeux. Je le saluai d'une voix de stentor, à travers le couloir, et il vint nous rendre visite. Nous racontâmes notre histoire à Sam — et de fil en aiguille nous en arrivâmes à vanter la qualité de notre script. Sam répondit qu'il aimerait bien tout savoir de notre sujet — l'histoire elle-même — , et Budd dit qu'il serait ravi de la lui raconter. Ils prirent rendez-vous pour le lendemain matin, quand Budd serait de nouveau sobre et Sam sérieux. C'est alors que se produisit le miracle. Budd traversa le couloir sans attendre après avoir bu son café, Sam resta au lit — les couvertures tirées jusqu'en haut — et écouta Budd lui raconter notre histoire. Nous n'attendions rien ; tout simplement, nous ne savions pas quoi faire d'autre.

Je me souviens que Budd revint à notre suite au moment où je prenais mon petit déjeuner avec la secrétaire de chez William Morris, et qu'il s'exclama, avec ébahissement — je ne reverrais plus jamais une telle expression sur son visage —: « Ça lui plaît ! » S. P. Eagle aimait notre histoire. « Il dit qu'il veut le faire », ajouta Budd. La chance s'était retournée en notre faveur.

Et pourquoi pas d'ailleurs ? S. P. Eagle était arrivé à Hollywood avec un échec aussi cuisant que mon *Man on a Tightrope*. Il s'agissait d'un pot-pourri d'extraits de films musicaux intitulé *Melba*. Comme on dit, ça ne « faisait rien » au *box-office*. Il avait besoin d'un autre projet, ne serait-ce que pour l'exploiter jusqu'à la corde pour un salaire de producteur. Cette fois-ci, je savais mieux que Budd quelle était la réputation de Sam : celle d'un bouffon. Il avait fait — ou plutôt John Huston avait été convaincu de faire pour lui — un film de qualité qui avait eu du succès : *The African Queen*. Mais malgré cela, les gens ricanaient quand ils prononçaient le nom de S. P. Eagle. Lastfogel ricana aussi ; puis il me mit en garde : « Faites attention à lui ! Il fait des coups imprévisibles, comme vous n'en avez jamais vu. — Avons-nous le choix ? rétorquai-je. — Je vous ai dit quel choix vous pouviez faire », conclut Abe, m'enjoignant de nouveau de tirer un trait sur *les Quais*.

Un trait de la personnalité de Mr. S. P. Eagle nous impressionna : il voulait se mettre au travail sans attendre. Il avait réservé une place sur un vol pour New York, où il avait ses quartiers à l'hôtel St. Regis (je ne suis pas sûr que Sam disposait d'un bureau à l'époque), et il voulait que nous rentrions avec lui. C'était comme une bénédiction ; le Beverly Hills Hotel, en effet, demandait à ce que notre suite soit libérée et le service en chambre allait nous être supprimé. Mais nous étions bel et bien munis de notre billet de retour pour New York. Nous pliâmes donc bagage et rentrâmes à la maison.

Une semaine plus tard, le département chargé de la publicité à la Twentieth Century Fox plaça ce communiqué entre les mains de la presse nationale, y compris le *New York Times* : « La Twentieth Century Fox a abandonné le projet *Waterfront*, qui devait être dirigé par Elia Kazan sur un script de Budd Schulberg qui traitait de l'influence des gangsters sur les quais de New York et du New Jersey. Le projet a été rayé de la liste des tournages de juillet la semaine dernière par Darryl Zanuck, chef de production du studio, parce qu'il ne croit pas qu'il puisse être adapté aux dimensions de l'écran large impliqué par la technique du CinémaScope, à laquelle la Fox destine la totalité de sa production. En avril dernier, le studio avait annoncé qu'il ferait une entorse à sa nouvelle politique pour produire ce film. »

Cette annonce était-elle indispensable ? Elle ne nous aiderait certainement pas dans nos efforts communs avec Sam pour trouver le financement nécessaire. Zanuck le savait-il ? Essayait-il de tuer notre projet ? Sinon, pourquoi avait-il autorisé ce communiqué ? Je ne pouvais m'empêcher d'imaginer la satisfaction que ce pétard procurerait à certaines personnes, John Wharton par exemple.

Voici donc comment se terminèrent mes relations avec Darryl Francis Zanuck. Je ne remis plus jamais les pieds dans son bureau.

NOUS NOUS TROUVIONS maintenant dans une contrée mythique, le pays de S. P. Eagle, l'homme que nous appelions Sam. J'ai fait deux films avec lui, et je ne parle pas de nos innombrables conversations, dîners et voyages, dont un sur son yacht, mais je ne peux pourtant rien vous raconter de son passé. Entre autres, comment il avait échappé aux fours. Est-ce Sam ou Otto Preminger qui a passé la frontière dans le coffre d'une automobile? Une fois libre, comment Sam a-t-il pu trouver de l'argent pour vivre? On dirait un jour de lui que s'il était lâché nu comme un ver et sans un radis au cœur d'une capitale, on le retrouverait le lendemain matin vêtu à la dernière mode et vivant comme un prince dans un hôtel « grand luxe ». Et pourtant, j'avais remarqué, sur son bureau du St. Regis, deux épaisses liasses de chèques American Express. Cette précaution laissait entendre qu'il était toujours prêt à prendre ses cliques et ses claques sans laisser d'adresse.

Toutes sortes d'histoires circulaient sur les chicaneries et les fourberies auxquelles il se livrait. Je n'ai jamais su faire la part des choses: que croire? Que mettre en doute? Mais je n'ai jamais non plus été convaincu qu'il était important d'avoir des certitudes à son sujet. Il suffisait de le prendre comme un personnage mythologique. Il possédait à n'en pas douter l'énergie du désespoir. Par exemple, comment ce petit juif rondouillard s'était-il assuré la collaboration du roi Husayn, ou de quiconque gouvernait la Jordanie à l'époque, pour permettre à David Lean de tourner les scènes magnifiques de son *Lawrence d'Arabie* dans le désert du Jebel Tubeiq, en bordure de l'Arabie Saoudite? Les juifs y étaient-ils accueillis à bras ouverts? Non? Sam si. Avant cela, il avait rendu possible pour John Huston un tournage le long du Ruiki au Congo belge, et il avait aussi réussi à obtenir de l'eau potable et de la nourriture mangeable pour ses hôtes — acteurs et équipe technique —, et à maintenir leur moral relativement haut. Les techniciens anglais qu'il avait emmenés là-bas attrapèrent toutes sortes de maladies, de la malaria à la courante africaine, mais Sam demeura en parfaite santé et conserva sa vigueur tout au long du tournage, mena le film à bien et en fit même un succès.

C'est à ce moment-là que j'ai rencontré Sam pour la première fois, quand il préparait *The African Queen* et, pour des raisons on ne peut plus pratiques, cherchait à s'assurer les faveurs de John Huston. Sam organisait des soirées gigantesques et très raffinées pour John et sa compagne du moment, Olivia De Havilland, et il invitait tous ceux qu'ils désiraient voir ainsi que tous ceux qui risquaient de se révéler utiles à Sam dans le futur. Tout ce que faisait Sam était dicté par une tactique. J'étais « auréolé » d'un oscar et de quelques succès à l'époque, aussi avais-je été invité. Peu de temps après la sortie de *Sur les quais*, le *Los Angeles Times* parla des recettes colossales encaissées par Sam, recettes qui, selon le journal, allaient lui permettre de reprendre possession de sa propriété à Beverly Hills, que les inspecteurs des impôts avaient saisie. Ces gens des impôts s'étaient fait des illusions s'ils s'étaient imaginé que leur décision allait abattre le moral de Sam, mettre un frein à sa vie mondaine ou l'empêcher d'organiser des fêtes.

Il faisait des pieds et des mains pour être dans les bonnes grâces des metteurs en scène et des auteurs en renom, mais il finirait mille fois plus riche que nous tous. A l'époque où j'étais la coqueluche de Hollywood, il avait fait mettre à ma disposition une chambre à l'étage de sa maison pour que je puisse quand même profiter, les après-midi où je n'avais nulle autre part où aller, des contacts sociaux qui s'établissaient parfois soudainement à la faveur d'un coup de chance. J'appréciais cette attention et je lui étais redevable de ses faveurs ; en fait, nous sommes restés en bons termes, S. P. et moi, jusqu'à ce que je me mette à travailler pour lui. Je découvris alors sa face cachée et je devais successivement éprouver l'envie de le tuer et celle de l'embrasser. Je me suis souvent demandé s'il valait la peine et les ennuis qu'il m'a occasionnés. Pour *Sur les quais*, la réponse est oui !

Sam était de loin le négociateur le plus habile qu'il m'ait été donné de rencontrer. A toutes les étapes de la négociation sur ce film et le second que je devais faire pour lui, il l'emporta sur moi — et sur mes avocats. Comme tout bon négociateur, Sam gardait tout secret. Je ne savais jamais ce qu'il pouvait bien être en train de trafiquer avec *Sur les quais*, bien que je possède vingt-cinq pour cent du film. Il était en train de discuter les termes d'un marché quelconque avec un tiers, mais je ne savais pas de quel marché il s'agissait ni avec qui il discutait. Apparemment, c'était avec les Artistes Associés, et Sinatra était dans le coup. Sam m'avait dit que je pourrais être amené à bavarder avec Frank.

C'était l'un des mots préférés de Sam : bavarder. Il ne réclamait jamais de réunion de travail ; il suggérait plutôt que nous « bavardions un peu ». Son vocabulaire même était désarmant — c'est-à-dire piégé. J'étais tour à tour sur mes gardes et plein d'admiration pour son savoir-faire, son insistance à choisir les mets les plus fins dans les restaurants les plus *in*. Sam ne se satisfaisait que de la meilleure qualité. Je m'extasiais devant sa science des relations humaines : par exemple, il donnait toujours un bon pourboire aux maîtres d'hôtel. J'en viendrais à me rendre compte qu'il n'agissait jamais gratuitement. Je m'étais méfié : Ne le laisse pas te rouler ! Mais il ne s'en priva pas. Il s'en donna même à cœur joie. Mentir, pour Sam, ne nécessitait pas plus d'effort que dire la vérité. Je l'étudiais, intrigué comme un enfant.

Un jour, Sam arriva en me disant qu'il avait « arrangé le coup » avec
Sinatra et que j'aurais peut-être à le rencontrer pour les costumes. Je
savais — et je le crois encore — que j'aurais pu faire le film avec Frank et
qu'il aurait été très bien dans le rôle. Je discutai donc avec lui. Nous
savions tous les deux ce que le personnage devrait porter. Frank avait
grandi dans Hoboken, où j'allais tourner le film, et il parlait un hoboke-
nais parfait. Ce ne serait pas difficile de travailler avec lui.

En moins de temps qu'il n'en faut pour le dire, j'appris que Sam avait
entamé des discussions avec Marlon Brando et avec son ami Leo Jaffe à la
Columbia. Mais ces conciliabules étaient tenus secrets et ni moi ni Budd
ne savions au juste ce qu'il fabriquait. Sans doute Sam nous prenait-il,
Budd et moi, pour des enfants en matière de négociations ; dans mon cas,
le temps lui a donné raison. Je n'étais qu'un innocent doublé d'un imbécile, en comparaison de Sam. Il pouvait renifler une victime potentielle au
premier abord, et il éprouvait pour elle l'affection d'un prédateur envers
sa proie. Ne vous méprenez pas : Sam était charmant. Il charmait son
monde en même temps qu'il le roulait dans la farine.

Quand Sam me demanda s'il me plairait de faire le film avec Brando, je
lui répondis que c'était impossible car j'avais déjà rencontré Frank Sinatra
et discuté de son costume avec lui. Bien sûr, cette considération morale
n'entrait pas en ligne de compte pour Sam. Il continua comme si j'avais
apporté une réponse affirmative à sa question sur Brando. Il me révéla
que Marlon ne voulait pas travailler avec moi à cause de mon témoignage
devant la H.U.A.C. Je me rebiffai et déclarai que je ne voulais pas de ce
fils de pute dans le film, qu'il ne convenait pas au rôle de toute façon et
que j'étais satisfait de Frank. De nouveau, Sam poursuivit comme s'il ne
m'avait pas entendu. Il ne considérait pas comme très importantes ces
chamailleries politiques, mais s'il cherchait à séduire quelque écrivain
gauchiste il n'hésiterait pas à me critiquer vertement pour mieux servir sa
cause. Il avait probablement répondu à Marlon Brando qu'il trouvait
regrettable lui aussi ma prise de position, mais qu'après tout j'étais un bon
metteur en scène, Terry était un rôle intéressant et « laissez-moi en parler
à votre agent ». Aussitôt dit, aussitôt fait.

Je n'en continuai pas moins à réfléchir à la manière dont je dirigerais
Frank dans ce rôle, à repérer des lieux de tournage et à élaborer ma mise
en scène, cependant que Sam poursuivait lui aussi son chemin sans dévier
de son objectif. Il voyait son futur film avec les yeux de Chimène. Budd
Schulberg croit savoir pourquoi Sam insistait tellement pour balancer
Frank et acquérir Marlon : avec Frank, il n'obtiendrait que 500 000 dollars
pour faire le film, mais il en aurait le double avec Brando. Frank n'était
pas encore une grande star. Brando avait tourné dans le *Tramway*. Sam
pourrait brasser plus d'argent.

S. P. Eagle m'informa alors que Brando et lui avaient bavardé et que
Brando ferait le film, malgré mon témoignage, s'il pouvait être libre à
quatre heures tous les après-midi pour se rendre chez son analyste, de
l'autre côté du fleuve. Il s'agissait de mon vieil ami Bela ; je lui avais mis
Brando sur les bras et c'est sans doute lui qui l'avait convaincu d'accepter
ce film. Bela avait toujours été tenté par le « show-biz » — et par de

nouveaux clients. A peu près un an auparavant, je n'avais pas encore témoigné, Brando m'avait confié qu'il avait besoin d'une aide psychologique et je lui avais recommandé Bela. Maintenant ils semblaient copains comme cochons. Bela devait vraiment marcher sur une corde raide ! Mais il était expert en la matière. Brando, quant à lui, ne souffrait que de problèmes de conscience. Il les résoudrait en me serinant tout au long du tournage que s'il avait accepté de retravailler avec moi, c'était pour la seule et unique raison qu'il pourrait poursuivre sa psychanalyse à New York.

Je dois le confesser : je me suis comporté en parfait salaud. Sam avait embobiné Marlon pour qu'il accepte de tourner le film et je l'ai laissé accomplir le sale boulot sans rien dire. Je ne l'aurais pas fait moi-même, mais j'étais bien content qu'il s'en charge ; c'était ce que je voulais, au fond. J'ai regardé ailleurs quand S. P. Eagle a informé l'agent de Sinatra, William Morris, que Frank était hors du coup. Je suis resté muet car j'avais beau aimer Frank et être sûr de pouvoir faire le film avec lui, j'ai toujours préféré Brando à qui que ce soit d'autre.

Sam disposait d'une bonne excuse pour justifier sa volte-face auprès de William Morris : Frank et Lastfogel avaient demandé que Frank soit libéré à une date précise car il s'était engagé à donner un concert ce jour-là. Sam avait dit que nous ne pouvions pas le garantir — il avait « découvert » ce problème au moment opportun. J'ai alors assisté à une rencontre entre Sam et Abe. Je n'aurais jamais cru que deux hommes si courts sur pattes et si empâtés pussent pousser de tels cris d'orfraie. Lastfogel a piqué l'Aigle au vif sans faire de quartier. Il l'a affublé de plusieurs noms d'oiseaux, dont la plupart collaient bien au personnage. Je comptais les points. Lastfogel n'avait pas pipé mot quand Zanuck avait retiré ses billes de notre film, et je restais de marbre à mon tour. Je n'avais besoin ni de l'un ni de l'autre ce jour-là. Je savais que Lastfogel luttait pour garder son client — qui irait peut-être voir ailleurs (crainte ô combien justifiée...) s'il perdait ce film parce que Abe avait tardé à conclure un contrat en béton. A écouter Abe et ses avanies, Sam s'est empourpré : il suait, soufflait, battait des ailes. Enragé. J'ai bien cru qu'il allait nous faire une crise cardiaque. Lastfogel l'insultait comme seul un homme sûr de son bon droit peut se le permettre. Mais je le connaissais bien — et j'avais gardé en mémoire la scène dans le bureau de Zanuck —, si bien que j'avais un doute : désirait-il vraiment que Frank joue dans ce film ? Frank en avait émis le vœu mais, à l'évidence, Lastfogel ne prisait guère notre scénario et il n'avait pas caché son soulagement lorsque Darryl nous avait lâchés, le script et moi ; Abe espérait que j'embrasserais des horizons plus lucratifs. En la circonstance, tout ce qu'il lui restait à faire, c'était de mettre toute la gomme pour ne pas perdre un client rentable : on peut dire qu'il s'en donnait à cœur joie, c'était du grand art — mais il a quand même dû dire adieu à son client. Je crois que Sinatra était le plus honnête de tous, dans ce grand cirque. Moi, je ne l'ai pas été. Certes, l'attitude de Lastfogel me déplaisait et je ne lui faisais pas confiance — il n'avait pas combattu pour moi avec la même ardeur dans le bureau de Zanuck, c'est le moins qu'on puisse dire —, mais je ne suis pas pour autant ressorti de là en déclarant :

« Je suis très content avec Frank et je trouve écœurant ce que Sam est en train de faire. »

La rouerie de Sam était plus honnête, cependant, que ma propre attitude : le silence. J'aurais accepté n'importe quoi pour obtenir l'acteur que je désirais. J'ai bien écrit à Sinatra, en lui disant combien j'étais désolé et quel bon interprète du rôle il aurait été. Il s'écoula des mois avant que je ne reçoive sa réponse : « Si je vous disais que je n'ai pas été blessé, je vous mentirais. Cependant, le temps a passé, et en relisant votre lettre, j'en suis venu à la conclusion que je ne pouvais pas faire grand-chose sinon renouer des liens d'amitié avec vous. J'espère que tout va bien. » Frank m'avait laissé m'en tirer à bon compte.

Si *Sur les quais* a connu un tel succès, c'est pour quatre raisons. L'une d'entre elles s'appelait Marlon Brando. Je ne connais pas d'acteur qui ait mis plus de talent dans son interprétation au cours de toute l'histoire du cinéma américain. Le film a également bénéficié de l'abnégation, de la ténacité et du talent de Budd. Il n'a jamais fait machine arrière. J'ai moi-même été solide et efficace dans les rues et j'ai tenu malgré les difficultés. Et puis il y a eu Sam. Après que le rôle principal eut été attribué, le processus de réécriture débuta et c'est à ce stade que Sam prouva sa valeur.

Je ne peux toujours pas m'expliquer comment ou pourquoi Sam en savait autant sur la construction d'un scénario. Mais il possédait un réel instinct pour raconter une histoire ; il savait que son déroulement devait être implacable, que la tension ne devait jamais se relâcher et que tout devait être organisé en fonction de la fin. Peut-être était-ce naturel pour un homme qui avait passé une bonne partie de sa jeunesse à fuir d'un endroit où il était opprimé à un autre. Le mouvement avait présidé à la vie de Sam. Continue d'avancer pour survivre — c'est une loi qui s'applique plutôt bien à l'écriture d'un scénario. Il s'y ajoutait une certaine opiniâtreté : nous ne croyions jamais avoir résolu un problème avant d'avoir effectivement appliqué la solution.

Sam aimait à utiliser une expression qui ulcérait Budd : « Il faudrait aérer encore un peu », disait-il au moment où Budd était convaincu que le travail sur le script était terminé et que nous étions prêts à tourner. Une nuit, dans la maison de Budd à la campagne, sa femme Vicki se réveilla et aperçut de la lumière dans la salle de bains : Budd était en train de se raser. A trois heures et demie du matin. Elle demanda à Budd pourquoi diable il se rasait à cette heure. « Je file à New York, répondit Budd. — Pourquoi donc ? — Pour tuer Sam Spiegel. » Et il se rendit effectivement à New York, mais ne tua pas Sam. Si les sbires de Hitler n'y étaient pas parvenus, comment l'aurait-il pu, lui, qui n'écoutait que sa raison et sa générosité ? Nous continuâmes donc à travailler, semaine après semaine, et le script continua de s'améliorer — se dégraissant et se resserrant de plus en plus jusqu'à aboutir à une version très proche de celle que nous avons tournée, et que je considère comme un scénario modèle, une œuvre presque parfaite. L'exigence exaspérante de Sam porta ses fruits, tout comme ses combines avec Brando et Sinatra. Un beau jour, nous fûmes prêts à tourner. Une date fut fixée. Nous étions satisfaits tous les trois.

Mais pas Molly. Ma puritaine de femme s'était braquée contre Sam dès leur première rencontre. « Comment peux-tu encaisser ce type-là ? s'était-elle exclamée. Je n'en voudrais pour rien au monde à la maison. » J'avais répondu que Sam me plaisait bien, enfin assez ; qu'il était plutôt malin — mais en évitant de m'avancer trop car il valait toujours mieux se ménager une porte de sortie lorsqu'on misait sur Sam. Un jour — des années plus tard —, il me téléphone pour me dire qu'il veut venir à l'appartement pour bavarder avec moi. Molly ne peut que lui être agréable, il n'y a pas d'échappatoire. Il se fait annoncer d'en bas, et pas plus de dix minutes après, il a déjà le bras passé autour de la taille de Molly et elle rit à gorge déployée de ses commentaires spirituels. Il a réussi à la charmer. Même elle !

Mais quand je lui fis lire le script, le *Sur les quais* DÉFINITIF, elle me dit que ça n'allait pas. « Pour l'amour de Dieu, ne le fais pas, m'implora-t-elle, le script n'est pas prêt. » Je lui répondis qu'il était on ne peut plus prêt pour la bonne raison que nous commencions à tourner dans trois jours. Un point c'est tout. A mon insu, Molly téléphona à Sam pour le supplier de m'empêcher de plonger. Je ne sais pas ce que Sam lui répondit, car la machine était déjà lancée — équipe technique engagée, premier lieu de tournage fixé, équipement loué, cameraman le doigt sur la manivelle — et il n'y avait pas moyen de retarder la mise en route de la production. Mais Molly ne lâcha pas prise et se battit bec et ongles jusqu'à ce que Sam, excédé, lui dise que les dés étaient jetés. Point final. C'est alors que Sam nous révéla, à Budd et moi, ce que Molly avait fait.

J'avais l'habitude de ce type d'ingérence à la maison. Je savais bien, même si cela m'irritait au plus haut point, qu'elle se fondait toujours sur le meilleur des motifs possible — mon bien-être tel qu'elle l'interprétait —, mais il s'y glissait aussi une arrogance tranquille. Il faudrait du temps à Budd pour lui pardonner. Molly était une sacrée bonne femme et l'épouse la plus loyale qui existe. Elle était persuadée que Sam m'avait fait croire à tort que le script était prêt. Si la cause lui semblait juste, elle était prête à braver mon courroux. Les causes qu'elle défendait surpassaient en effet son désir de me plaire. Budd, quant à lui, prit son action comme une ingérence inexcusable dans nos affaires. Il en fut scandalisé. Nous en avions tous deux soupé de voir les autres remâcher notre script. Après tout, nous avions travaillé dur et longtemps — d'abord seuls, puis avec Zanuck, puis de nouveau seuls et enfin avec S. P. Eagle. Nous piaffions dans notre box et nous ne voulions qu'une chose : cesser les palabres de bureau et aller en découdre sur le terrain où nous avions imaginé que notre histoire prendrait place. Nous avions eu notre content de discussions entre quatre yeux, même si c'étaient les nôtres, à Budd et à moi. Le seul œil que je voulais regarder, désormais, c'était l'oculaire de la caméra. Debout à côté de mon cameraman et de mon équipe technique, entouré des acteurs que j'avais choisis, dont beaucoup étaient des amis, je serais en position d'exercer mon pouvoir et mon autorité. Je prendrais non seulement la relève des critiques mais aussi celle de mon producteur. Je n'avais pas plus de patience que Budd lorsqu'il s'agissait d'écouter le catalogue de tout ce qui clochait dans notre script. Nous avions eu tous deux notre ration de « Il faudrait aérer encore un peu ». Moteur !

Notre première journée de tournage se déroulait sur les toits. De là-haut, la caméra pouvait embrasser toute la ville de Hoboken qui descendait vers l'Hudson ainsi que la rive opposée, où s'étendait New York. C'était un jour brumeux, et l'alignement des gratte-ciel new-yorkais, au loin, était plongé dans la grisaille. J'étais très déçu. Mais ce qui nous était apparu comme de la malchance ce matin-là donna finalement une coloration plus véridique au film ; les fameux gratte-ciel de New York restent perdus dans la grisaille, indistincts, tout au long du film — tout le contraire d'une carte postale. Cet effet crée une atmosphère qui convient bien au film, et je n'avais pas été assez malin pour m'en rendre compte sur-le-champ. Après un certain temps, j'en pris conscience et, en vertu je suppose du vieux principe selon lequel la chance finit toujours par tourner du bon côté, chaque fois que nous orientions nos caméras vers l'est, le ciel était gris et menaçant, juste comme nous le voulions.

Mais ce matin-là, j'étais d'humeur querelleuse. Grimpé sur les toits avant tout le monde, excepté mon assistant et futur ami Charlie Maguire, je fixais l'horizon grisâtre avec une seule pensée en tête : Combien de temps la malchance va-t-elle encore me poursuivre sur ce putain de film ? Les jours les plus froids, les plus gris et les plus courts n'allaient pas tarder à venir, et nous étions là perchés sur ce toit à la con. J'avais compté établir un contraste entre les gratte-ciel et les dégradations du quartier des docks — mais on l'apercevait à peine, ce putain d'horizon. Je sentis de nouveau la rage monter en moi. Je savais, ce matin-là, que je luttais pour ma survie professionnelle. Mais avec le recul, je me dis que si j'avais été équilibré, de bonne humeur, agréable, amical, de bonne compagnie, convenable, compréhensif, charitable et que j'avais fait montre d'autres vertus tout aussi excellentes, je ne suis pas sûr que j'aurais survécu au froid et aux épreuves que nous réservait notre séjour sur les rives glacées de l'Hudson. Ma colère m'a réchauffé. Ce n'est pas joli, joli, mais cette rage m'a permis de vaincre des obstacles insurmontables. On n'éprouve ce genre de colère qu'une fois dans sa vie ; mon sang n'a jamais plus bouilli de la sorte.

Je ne pensais pas du bien de mon équipe technique. Le cameraman, Boris Kaufman, que j'admirerais par la suite, me sembla au premier abord trop mou pour la tâche qui nous attendait et l'endroit où il nous faudrait la remplir. Quant au reste des techniciens trop peu nombreux, rassemblés au petit bonheur la chance, ils avaient déjà l'air mal à l'aise sur ce lieu de tournage, timorés. Je ne savais pas pourquoi, mais j'étais en colère.

Je compris enfin. Charlie Maguire m'informa que notre producteur faisait des économies de bouts de chandelles. Nous étions censés travailler sur trois toits contigus, et le directeur de la production avait obtenu que nous puissions nous installer sur deux des toits, mais pas sur celui situé entre les deux, les propriétaires ayant demandé trop d'argent. Lorsque nous voudrions passer d'un toit à l'autre, il nous faudrait descendre les escaliers de l'immeuble au sommet duquel nous nous trouvions, gagner l'autre cage d'escalier par la rue et remonter sur le troisième toit. Cette règle ne s'appliquerait pas seulement à la transhumance humaine mais aussi à celle de l'équipement. Ainsi en avait décrété la direction ; bien sûr, ce que nous récupérions financièrement d'un côté était gaspillé de l'autre. Cette journée de travail fut plus longue et j'impressionnai moins de pellicule.

Notre pire ennemi était le froid. Les techniciens avaient allumé un feu dans de grandes barriques métalliques ; ils y fourraient tout le bois qu'ils pouvaient arracher çà et là, et les flammes s'élevaient avec vigueur des tonneaux dont les bords métalliques étaient chauffés à blanc. J'avais appris sur le tournage de *Man on a Tightrope* que l'équipe technique garde un meilleur moral et travaille mieux si le metteur en scène reste dehors avec eux et montre l'exemple. Mon assistant, Charlie, un grand bonhomme, respecta le vieux principe des premiers assistants : se procurer deux morceaux de ficelle de trois mètres chacun, attacher l'un d'eux à la caméra, l'autre au metteur en scène, et garder les deux bouts restants dans les mains. Je n'ai jamais eu à chercher Charlie et réciproquement. Et nous ne sommes jamais rentrés nous mettre à l'abri quand il faisait mauvais.

Les acteurs, c'est bien compréhensible, restaient à l'hôtel — le Grand, c'était son nom (et il ne le méritait certes pas) — et on les appelait, juste avant les répétitions de chaque prise : ils sortaient alors pour affronter le vent glacé qui balayait l'Hudson. Ils souffraient davantage du froid que Charlie, Boris Kaufman ou moi car nous nous y étions habitués. La morsure du vent sur le visage des comédiens les faisait ressembler à des gens, non pas à des acteurs — à des êtres qui habitaient vraiment Hoboken et souffraient du froid parce qu'ils n'avaient pas d'alternative. Dans certaines scènes, on pouvait voir leur souffle quand ils parlaient, d'où une crédibilité parfaite. Il était parfois difficile de faire sortir Brando dans le froid. Je me rappelle être allé le chercher moi-même au Grand Hôtel. Mais quand il se mettait au travail, il était fabuleux : prompt, bourré de talent, plein de surprises qui amélioraient les scènes, un artiste merveilleux.

Malgré le froid, le vent et la neige, personne ne tomba malade. Je suppose que tout le monde s'était habitué au temps, mais je crois surtout qu'ils avaient foi en ce que nous faisions. Nous étions confrontés à des problèmes concrets. Les gangsters traînaient dans les parages, observant nos faits et gestes, et peut-être existait-il un réel danger. J'avais décidé que je serais plus détendu et que je travaillerais mieux si j'avais un garde du corps à mes côtés. C'était un type bien qui s'appelait Joe Marotta, le frère du chef de la police. Joe portait un pistolet et ne s'est jamais éloigné de plus de deux mètres de moi pendant toute la durée du tournage. Un jour, une poignée de voyous me plaquèrent contre un mur et, tout en me maintenant dans cette position, se mirent à m'admonester sous prétexte que je donnais une mauvaise image des gens de Hoboken — ils ne manquaient pas de sens civique. Mais Joe avança et ils reculèrent. Je disposais aussi de mes boxeurs, qui interprétaient des membres du milieu : Tony Galento, alias « Deux Tonnes », Abe Simon et Tami Mauriello, poids lourds, et un poids moyen nommé Roger Donohue, qui avait tué un homme sur le ring (mais il était cultivé et parlait d'une voix douce). Je gardais ces garçons le plus près possible de moi et m'efforçai de me mettre bien avec eux. Les faire jouer à peu près correctement, par contre, c'était une autre paire de manches. Un jour, au cours d'une scène très tendue, Tami Mauriello se trouvait près de la caméra, bien en vue ; mais son visage n'était jamais fixe et ses yeux se promenaient à droite et à gauche, il donnait ainsi l'impression d'être indifférent. Je n'y tins plus. Je dis au cameraman de se tenir prêt, la main sur la « manivelle », à mettre en route le moteur de la caméra, puis je me rendis auprès de Tami et lui assenai soudain une gifle de toutes mes forces avec la paume bien ouverte. Tout en criant « Moteur ! », je revins d'un bond me poster derrière la caméra, en sûreté, près de Charlie et de Joe. Tami fut O.K. dans cette scène.

Charlie Maguire, lui, faillit avoir de vrais embêtements. Nous nous étions arrangés avec les dockers pour qu'ils servent de figurants dans le film, et c'est l'une des raisons pour lesquelles le film sonne juste. Ils recevraient le même salaire que les dockers, avec une garantie de quatre heures minimum, et seraient payés le lendemain à midi. Un jour, nous en avions utilisé tout un groupe, et le lendemain, à midi, l'argent n'était pas arrivé. Charlie mettait au point une scène d'arrière-plan sur un débarcadère quand deux énormes gorilles, mesurant plus d'un mètre quatre-vingts et gonflés de muscle et d'arrogance, s'approchèrent de lui, l'empoignèrent et le tinrent suspendu ainsi au-dessus de l'eau. « Où est ton argent ? » demandèrent-ils. Charlie répondit : « Il va arriver. » Puis ils le plaquèrent contre un mur et reprirent : « On ne voit pas la paie. Où est l'argent ? » Juste à ce moment-là, Spiegel arriva dans sa limousine avec son caissier. Ils s'étaient arrêtés en route pour prendre un café. Les gorilles suivirent Charlie jusqu'à la table où se trouvait l'argent pour s'assurer qu'il allait être distribué.

Voilà comment s'est déroulé le tournage. Nous étions en situation de crise, jamais sûrs de qui se trouvait dans la foule, en train d'épier. Boris Kaufman et Charlie Maguire ressentaient la menace qui planait, mais ils se conduisirent d'une façon admirable. Ils savaient que les circonstances difficiles dans lesquelles nous tournions le film lui donneraient la coloration dont il avait besoin. Cependant, Charlie supportait mieux le froid et les malfrats que les caprices de notre producteur. Sam téléphonait au domicile de Charlie, parfois à deux heures du matin, la plupart du temps il appelait du « 21 », ou d'un autre endroit in. Selon Charlie il essayait d'impressionner la galerie par son ton autoritaire. (Les jeunes amies de Sam étaient toujours des gamines — de dix-neuf, vingt ou vingt et un ans — et il en fallait peu pour les impressionner.) Sam gueulait contre Charlie, en exigeant de savoir pourquoi il avait « laissé Kazan effectuer neuf prises de la scène numéro 84 ». Et pourquoi Charlie avait-il laissé Kazan en tirer trois ? C'était le premier film important de Charlie, mais il apprenait vite ; il répondait : « Bon, eh bien, si vous ne voulez pas qu'il procède de cette façon, appelez-le, vous pourrez le lui dire vous-même. »

Au bout d'un certain temps, Sam trouva le courage de m'appeler à la maison, mais Molly ne l'a jamais laissé me réveiller ; elle se fichait de ce type comme d'une guigne. Le lendemain, je racontai à Charlie comment Molly s'était comportée et il ne fallut pas longtemps à Jessie, son épouse, pour adopter la même attitude. L'Aigle se mit à glatir, mais nos femmes protégèrent notre nid. Une nuit cependant, le système de sécurité de Jessie Maguire fut pris en défaut et Sam parvint à s'infiltrer : il tint la jambe à Charlie pendant quarante-cinq minutes, sur un ton pressant, frénétique, et le supplia de faire de son mieux pour respecter le calendrier. « Faites en sorte que Kazan ne dépasse pas le temps de tournage, hurlait-il, je me fiche de savoir comment. Vous avez carte blanche. Engueulez-le ! Insultez-le. Vous vous excuserez plus tard. »

Sam ne venait presque jamais à Hoboken. Quand c'était le cas, il arrivait toujours en limousine et accompagné d'une fille. Il portait un manteau en poil de chameau ocre et des chaussures de luxe en alligator, qui avaient l'air, c'est le moins qu'on puisse dire, déplacées en ces lieux. La fille restait dans la voiture pendant que Sam trottinait çà et là au gré des flaques, gémissant auprès de qui voulait bien l'écouter, la plupart du temps Charlie et Boris, puis s'en retournait à New York. J'étais dans un tel état de nerfs qu'il m'évitait. Sa visite la plus fameuse eut lieu un soir vers la fin du tournage. Nous filmions une scène dans laquelle un camion essaie de renverser Marlon et Eva Marie Saint dans une ruelle, et il s'était mis à neiger. Boris demanda à notre équipe technique de suspendre une bâche au-dessus de cette ruelle car nous avions tourné une partie de la scène la nuit précédente, avant qu'il ne neige, et les deux morceaux n'auraient pas collé. Dieu, qu'il faisait froid cette nuit-là, et la neige n'aidait pas ; toute l'équipe était épuisée après une journée longue et pénible.

C'est cette fois-là que notre producteur décida de débarquer vers une heure du matin pour remonter le moral de ses troupes — non pas en les complimentant mais en leur passant un savon assorti de menaces. Il faisait un froid de canard, et la neige à moitié fondue alourdissait la bâche tendue au-dessus de la ruelle, qui menaçait de s'effondrer. L'équipe venait de monter la couverture de toile, et l'un des hommes était tombé de l'échelle et s'était cassé la jambe ; il avait fallu le conduire à l'hôpital. L'équipe avait fait une pause et, pour échapper au froid polaire, s'était réfugiée, le temps de se réchauffer, dans une petite usine qui donnait dans la ruelle. Et mon Sam se ramène, à peine sorti du Stork Club, avec son manteau en poil de chameau et ses chaussures en alligator à cent vingt-cinq dollars — Charlie Maguire s'en souvient encore. Tout le monde s'apprêtait à ressortir pour finir le travail quand Sam se lance dans un de ses discours scandalisés : « Vous me tuez, dit-il, vous m'assassinez avec votre incompétence et votre paresse. »

Un petit accessoiriste, Eddie Barr, qui travaillait dans ce métier depuis des lustres, se lève alors et lance : « Espèce d'enculé de juif ! » Barr était juif lui-même et il pouvait se le permettre. « Espèce d'enculé de juif, si ce n'était pas pour Charlie Maguire et le petit gars dehors — moi —, nous serions tous au lit. Personne n'a envie d'être ici, ce soir. Nous travaillons au prix de notre sang. Nous n'avons pas besoin de cet argent-là. Maintenant, tu ferais mieux de bouger ton cul si tu veux que nous fassions ce film. » Sam s'en alla sans demander son reste.

La scène la plus célèbre du film, vue et revue à la télé jusqu'à la nausée, mais sans que jamais l'interprétation de Brando et Steiger ne cesse de me fasciner, est celle du taxi. C'est l'exemple parfait de la manière dont ce film a été fabriqué à partir d'une série d'accidents et d'infortunes qui ont tourné à notre avantage. Quand nous nous étions mis au travail ce matin-là, tout allait de travers. A l'origine, j'avais prévu de tourner cette scène dans un vrai taxi, perdu dans la circulation. J'ai eu de la chance de ne pas y arriver, car je n'aurais jamais obtenu de telles performances d'acteurs. Mon idée s'était révélée trop problématique et trop coûteuse pour Sam, aussi nous avait-il procuré une vieille carcasse de taxi délabrée, qu'il avait installée dans un petit studio vétuste. J'avais demandé à disposer d'une projection en transparence de la circulation qu'on apercevrait à travers la vitre arrière. A notre arrivée au studio ce matin-là, Boris et moi avions découvert que Sam, pour économiser une grosse ardoise, n'avait pas fourni l'équipement nécessaire pour la transparence. Boris était contrarié ; moi aussi. Il ne restait pas beaucoup de temps avant le départ de Brando à quatre heures pour filmer la scène, aussi Boris avait-il résolu le problème de la façon la plus simple possible : il avait installé un petit store vénitien devant la vitre arrière du taxi et ne filmerait que l'intérieur de l'habitacle pour qu'on ne voie pas les vitres placées sur les côtés, à l'exception d'un coin qu'il éclairerait d'une lumière intermittente pour suggérer la circulation. Certains techniciens avaient agité la carcasse pour simuler le mouvement, et ce truc avait fait la rue Michel. Cette solution nous avait paru grossière et primitive, mais nous avions sauvé la face. Le public regarde les acteurs, pas le taxi ni la circulation à l'extérieur.

On m'a couvert de louanges pour cette scène, mais la vérité, c'est que je n'ai rien fait. Le temps que nous mettions le décor au point, Boris et moi, la matinée s'était écoulée et Brando devait s'en aller à quatre heures ; nous ne pouvions rien faire d'autre que mettre les acteurs en place — qui se mettrait à gauche, qui à droite ? Était-ce important ? — et les filmer. A ce moment du tournage, Brando comme Steiger connaissaient la scène — ils en savaient bien plus que moi —, aussi ne leur avais-je donné aucune instruction. Ils avaient eu tout le temps d'y réfléchir. Parfois, un metteur en scène doit savoir se placer en retrait. Si les personnages évoluent dans le sens désiré, le fait d'expliquer leur caractère, leurs motivations et ainsi de suite, risque de pousser les acteurs à essayer de vous satisfaire plutôt que de jouer correctement. Il est possible de gâcher une scène en voulant être perfectionniste — c'est-à-dire en la ramenant un peu trop. Dans ce cas précis, la scène avait été construite bien avant. Je le savais et je fus assez malin, ou trop préoccupé par les problèmes techniques, pour ne pas en rajouter.

Quand Brando s'en alla, je n'avais pas encore tourné le gros plan de Steiger. Ce que je fis en lisant moi-même les répliques de Marlon hors champ. Rod était agacé, à juste titre ; je crois bien qu'il ne m'a jamais pardonné d'avoir sacrifié sa « part » de la scène. Il m'a dit que je traitais Marlon avec plus d'égards que lui. Il avait raison, mais la scène n'en avait pas souffert. Rod y était excellent. Ce qui s'était passé avait blessé son amour-propre mais n'avait pas entamé son talent. Si Steiger a jamais interprété une autre scène mieux que celle-ci, il ne m'a pas été donné de la voir.

L'élément extraordinaire dans cette scène comme dans tout le film, c'était Brando, et le contraste entre l'apparence de petit dur de son personnage et la délicatesse et la douceur extrême de son comportement. Quel autre acteur, quand son frère dégaine un pistolet pour le forcer à faire quelque chose de méprisable, aurait posé sa main sur le canon et fait pivoter l'arme avec la douceur d'une caresse ? Qui d'autre aurait pu dire « Oh, Charlie ! » sur ce ton de reproche si affectueux et si mélancolique, qui suggère la peine immense qu'il ressent ? Ce n'est pas moi qui ai dirigé cette scène ; Marlon m'a montré comment elle devait être interprétée. Je n'aurais jamais pu lui donner de meilleures indications. Cette délicatesse surprenante apparaît à un autre moment du film : il découvre son frère mort, suspendu à un crochet de boucherie dans une ruelle. Quand il aperçoit le cadavre, Brando ne le touche pas. Il s'en approche, pose sa main contre le mur et s'appuie dessus. Il ne regarde pas le cadavre, mais on sait très bien ce qu'il ressent.

Mes scènes préférées sont celles entre Marlon et Eva Marie Saint. On m'a complimenté sur l'une d'elles : pendant qu'ils marchent, Edie fait tomber son gant. Terry le ramasse et, au lieu de le lui rendre alors qu'elle tend la main, il l'enfile lui-même. Encore une fois ce n'est pas moi qui ai donné cette indication ; c'est une idée de Brando. Plus tard, dans le bar, quand Edie commence à interroger Terry sur la mort de son frère, la profondeur de la culpabilité et de la tendresse qui apparaissent sur le visage de Marlon Brando est bouleversante. Il m'offrait tout le temps ces petits miracles. Le plus souvent, il était meilleur que moi, et je ne pouvais que lui en être reconnaissant. Et le demeurer.

Nous achevâmes donc le film dans le froid, qui nous avait paralysés plus d'une fois, et les difficultés de toutes sortes, qui avaient souvent tourné à notre avantage. Nous avions moins le sentiment d'avoir terminé le film que d'y avoir survécu. Mais le froid et le danger — les membres du milieu qui nous regardaient travailler — avaient agi comme des stimulants. Même l'espionnage. Marlon soupçonnait que le chauffeur qui lui avait été attribué par Sam pour le conduire à New York rapportait toutes ses conversations, avec moi par exemple, les jours où il ne se rendait pas chez Bela. Un an plus tard, je recevrais une lettre de Darryl Zanuck, très amer d'avoir laissé échapper le film et désireux que j'en fasse un autre pour lui ; voici ce qu'il disait : « Quand je vous verrai en tête à tête, je vous ferai part de ce que mes avocats new-yorkais m'ont raconté au sujet d'une déclaration sous serment recueillie de la bouche d'un chauffeur qui avait surpris une conversation entre Marlon et vous. J'ai été, à l'époque, très troublé, et comme cette déclaration avait été "spontanée", il m'a bien fallu accepter le fait qu'elle devait être au moins à moitié vraie. »

Puis le tournage se termina et tout le matériel fut rangé, sauf celui de la salle de montage où je travaillais avec Gene Milford. Ni lui, ni Sam, ni moi ne soupçonnions que ce film deviendrait un classique. En fait, Sam

*49. Jimmy Dean et son scooter,
sur le tournage d'A l'est d'Éden).*

48. Avec Tennessee Williams.

50. Tournage de Sur les quais.

51. *Je dirige les figur(*
Brownie est en bas
à gauche,
Charlie Maguire
à ma gauche.

52. *Ray Massey*
et Jimmy Dean,
à droite
(A l'est d'Éden).

53. *Marlon Brando et Eva Marie Saint (*Sur les quais*).*

54. *Stellio, mon cousin, et son épouse Vili.*

55. *« Big Daddy »* (*Burl Ives dans* la Chatte sur un toit brûlant).

56. Pas un
chef-d'œuvre,
mais
original.

57. Andy Griffith
et Patricia Neal
(tournage d'Un hom
dans la foule).

58. Les anciens
et les dignitaires
de Kayseri
m'accueillent.
P.S.
Je ne sais pas
jouer de la
guitare turque.

59. *Warren Beatty*
et Natalie Wood
(tournage de
la Fièvre dans le sang*).*

Lee

60. *Tournage du* Fleuve sauvage *:*
    a) Lee Remick
    b) Monty Clift
    c) Jo Van Fleet.

Monty

61. *Le petit maire de Kayseri*
me fait visiter sa ville.

Jo

62. *Warren et Barbara*
(la Fièvre dans le sang).

63. *Lors de la première du* Crâne d'œuf,
de Molly Kazan.

64. *Au début des années soixante.*

*65. Jo Mielziner (à droite)
nous montre son décor,
à Bob Whitehead (à gauche)
et à moi.*

66.

67. Tournage d'America America.

68. *Avec Arthur Miller.*

69. *Première réunion de la troupe du Théâtre de Répertoire.*

70. Molly

71. Lee et Paula Strasberg.

72. Jason Robards et Barbara Loden dans Après la chute.

73. Lee Strasberg à l'Actors Studio.

74. En safari.

75. *Avec Barbara.*

76. *Barbara Loden et notre fils Leo.*

77. *Conférence de presse en Italie à la sortie de l'Arrangement.*

78. *Tournage des* Visiteurs.

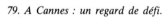
79. *A Cannes : un regard de défi.*

*80. Avec Kirk Douglas
sur le tournage de l'Arrangement.*

81. Barbara Loden.

*82. Nicholson,
De Niro et Russell
(le Dernier Nabab).*

*83. Sam Spiegel,
Jeanne Moreau et moi
(tournage du
Dernier Nabab).*

84. *Dans mon bureau.*

85. *Lors d'une soirée organisée
par des journalistes à Istanbul.*

86. *Nick Ray.*

87. Le clan, cet été-là ; Nick et Chris ; Maya et Zoe ; Amanda et Eileen ;
les quatre frères ; Willy, Amanda,
Zoe et tous mes enfants : Chris, Nick, Judy, Leo et Katie

88. *Harold Clurman.*

89. *Avec Steinbeck.*

90. *Avec Frances, ma troisième femme.*

s'inquiétait car il pensait que le film serait un échec au *box-office* et qu'il affaiblirait encore sa position dans l'industrie. Avide d'ajouter un autre nom célèbre sur la bande-annonce, Sam invita Leonard Bernstein à voir notre premier montage. La durée était la bonne, mais dans le détail, on notait des maladresses et un certain déséquilibre. C'était aussi la première fois que Marlon voyait le film ; il s'était assis juste devant moi pendant la projection. A peine terminés le dernier plan et le « fondu au noir » final, Marlon se leva et, sans même tourner la tête vers moi, quitta la salle. Pas un mot, pas même un au revoir. Cependant, j'ai une dette envers Brando : je sais ce que mon film aurait été sans lui.

Sam discutait avec Lenny Bernstein et son air de s'excuser fit monter ma colère. Il était si humble, si pétri de doutes au sujet du film que je devins furieux et je hurlai : « C'est un film formidable ! » C'était la pre- mière fois que j'en prenais conscience. Bernstein fut d'accord. Nous avions trouvé un compositeur.

Je ne sais si c'était par réaction aux flatteries dont Sam avait inondé Bernstein sans avoir l'air d'y toucher, mais je me tournai soudain vers lui et, sans raison particulière, lui lançai : « Sam, vous avez enfin réussi à faire un bon film. Alors, pourquoi ne pas jeter ce S. P. Eagle hypocrite aux orties et vous présenter comme Sam Spiegel. Ce serait plus honnête. » Il ne tarda pas à se ranger à cette suggestion.

Il était souvent gêné par ma grossièreté et mon hostilité à son endroit. A juste titre. Mais je lui ai toujours accordé mon estime car personne n'avait accepté de produire ce film sauf lui, et il n'avait pas rendu les armes devant notre inertie, à Budd et à moi : il avait persévéré jusqu'à ce que le découpage soit parfait. Sans Sam, je crois que nous courions à l'échec. Avec Zanuck, c'était le fiasco assuré. Voilà pourquoi, en dépit de tout, je ne lui en ai jamais vraiment voulu. J'imagine qu'il devait penser à peu près la même chose à mon sujet.

Une fois la bande-son terminée et le film dans sa forme définitive, Sam me demanda de l'emporter dans l'Ouest et de le montrer au président de la compagnie qui l'avait financé, Harry Cohn, de la Columbia. Harry disposait d'une salle de projection dans le sous-sol de son manoir près du Beverly Hills Hotel. J'étais censé rester assis à côté de lui pendant qu'il visionnerait le film et prendre en note ses réserves et ses suggestions. C'était une formalité, bien sûr ; le film était terminé. Harry ne posa qu'une question au début de la projection : « Ça a coûté combien ? » Je lui répondis : « Moins de 900 000 dollars. » Il hocha la tête et fit signe au projectionniste. Il y avait une fille assise à côté de lui, bien sûr : c'est la coutume avec ces gens-là. Ils avaient bu quelques verres en haut et s'étaient probablement aussi adonnés à d'autres plaisirs car, au tiers du film, j'entendis une sonorité familière et, en me tournant, je m'aperçus que Harry ronflait. La fille resta éveillée jusqu'au bout et le film lui plut.

Quand la rumeur fonctionne bien, c'est comme une traînée de poudre. Je ne sais pas comment ceux qui achètent les billets sont au courant. C'est comme un animal qui renifle l'odeur du sang. Les articles de presse ne sont pas parus qu'une longue file s'allonge devant les caisses. Ils ne peuvent pas expliquer pourquoi ils sont là, alors ce n'est pas la peine de le leur demander. Ce matin d'avril 1954, le jour de la sortie du film, il y avait dès neuf heures une queue de trois cents personnes devant l'Astor Theatre, aujourd'hui remplacé par un hôtel de passe, avant même que la caisse ne soit ouverte. Je me rendis dans le bas de la ville pour voir de mes propres yeux la file d'attente. Qu'est-ce qui les avait fait venir ? La plupart d'entre eux étaient des hommes, des « durs », une clientèle peu encline à se précipiter au cinéma. Un petit malin a suggéré que si les trois cents personnes présentes le matin de la première avaient été embarquées et emmenées au commissariat de police, le taux de criminalité se serait effondré. C'est une exagération ridicule. Nous n'avions pas attiré que des criminels. Alors quelle est la réponse ? Oui, le scénario est fort et bien mené, il y a de la violence et une histoire d'amour, sans oublier quelques éclats de rire, et il est certain que tout le monde aime voir l'opprimé l'emporter sur les truands — mais trois cents personnes devant les caisses avant qu'elles ne soient ouvertes ? Qu'avaient-elles flairé ?

A mon avis, c'était le thème : un homme qui a péché se rachète. L'acte de rédemption de Terry brise le tabou par excellence qui remonte à l'enfance : ne dénonce pas tes amis. N'appelle pas la police ! Notre héros est un « mouchard » ou, pour les intellectuels, un dénonciateur. Mais notre public ne semblait pas gêné et prenait le parti de Terry contre les « méchants » qu'il balançait. Budd avait mis le doigt sur une aspiration profonde des hommes : la possibilité pour le pécheur de se racheter et d'échapper à la damnation. L'Église catholique ne promet-elle pas la rédemption ? Et n'assure-t-elle pas qu'un homme peut inverser le cours de son destin en accomplissant un acte de générosité, et trouver ensuite le salut ? Si certains films ont tant de succès, cela tient parfois à des raisons comme celle-ci, qui prennent le public aux tripes. Ces films reflètent une quête fondamentale chez les gens. Oui, c'est bien cela, la possibilité pour un homme, quel que soit son péché, de trouver la rédemption — surtout si son confesseur n'est autre qu'une jeune femme compatissante. Elle est mieux qu'un prêtre mais elle fait le même boulot. Voilà pourquoi Budd avait eu raison d'insister, d'instinct, pour que l'histoire d'amour prédomine. C'est dans ces moments d'une tendresse inouïe que Marlon obtenait le soutien du public. Existe-t-il autant de gens qui aient mal agi et attendent pardon et rédemption ? De nombreuses personnes m'ont dit avoir vu le film une dizaine de fois ; lorsqu'il passe à la télé, ils ne le ratent jamais. Apparemment, il apporte plus qu'un simple divertissement. Un point sensible a été touché. Et ses répercussions outrepassent de beaucoup tout ce que Budd et moi avions conçu et imaginé. Nous ne savions pas ce que nous tenions entre les mains ni ce que nous avions fait. Mais essayez donc de répéter un succès : vous êtes sûr de courir à la catastrophe.

Cette file d'attente à l'Astor Theatre, le matin de la sortie du film, me propulsa de nouveau au sommet. C'est la file qui faisait l'événement, pas les critiques. Les types qui rédigeaient les comptes rendus auraient dû se

faire poètes pour donner la mesure de notre succès. J'avais atteint le
pinacle et j'avais connu le fond de l'abîme. Je savais le chemin par cœur,
le nom de toutes les stations ; j'avais été jusqu'au terminus, dans les deux
sens. Je savais où je me trouvais alors : au sommet ; et je savais aussi
pourquoi. Les « critiques » étaient bonnes, mais c'est surtout l'affluence
des offres qui me situait parmi les réalisateurs *in*. Selon Abe Lastfogel, je
pouvais de nouveau envisager n'importe quel projet de film. Ce pauvre
vieux Darryl se mit à m'inonder de ses regrets en tentant de se justifier. Je
cite : « L'avènement du CinémaScope et lui seul est responsable de ma
décision finale contre l'acquisition du film. » Ah, ouais ? Il avait laissé un
oscar lui glisser entre les doigts et tout le monde le savait. En vérité Darryl
avait eu raison. S'il avait produit le film, *Sur les quais* aurait été un navet.
Je refusai ses avances et me tournai vers la Warner avec *A l'est d'Éden*, le
roman de mon ami John Steinbeck. Jack Warner me promit ce que Darryl
ne pouvait pas m'offrir : le contrôle sur le montage définitif, le *final cut*. Si
vous obtenez l'approbation de l'organisme de censure de l'industrie et que
vous « bouclez » le film en respectant à peu près le budget initial, personne ne peut vous dire comment le monter ni à quel moment insérer les
plages musicales. Le *final cut* constitue la récompense d'un metteur en
scène à succès.

Brando fut ravi de recevoir l'oscar qu'il méritait ; il n'envoya pas de
jeune Indienne sur scène pour le recevoir à sa place, comme il le ferait
plus tard. Budd et moi acceptâmes nos trophées à New York, ce qui
n'était que justice. En parcourant à nouveau de vieux journaux, j'ai trouvé
une photo de nous au moment où nous recevions les honneurs. Mon
visage arborait une expression dont je ne suis pas fier. Mais vous compren-
drez que cette nuit-là, je goûtais ma vengeance et m'en délectais. *Sur les
quais* racontait ma propre histoire ; j'avais dit au monde ce que je pensais
et j'avais envoyé mes détracteurs se faire foutre. Le film s'adressait également à Art Miller et à John Wharton. Avec le temps, j'en viendrais à leur
pardonner à tous deux — mais pas cette année-là.

Pendant que j'écrivais le chapitre que vous venez de lire, j'ai été
invité à une soirée dans le *loft* de Sam Spiegel sur Park Avenue, et j'ai
accepté. Tous les cerveaux du monde du spectacle étaient au rendez-vous,
et Sam a été fidèle à sa réputation d'hôte hors pair. Il a fait en sorte que
tout le monde se sente bien, y compris moi. Mais je me suis senti coupable. J'ai été choqué de voir combien j'étais hypocrite : à peine avais-je
écrit ces pages sur lui, en effet, que je m'étais précipité à sa soirée, l'avais
pris dans mes bras lorsqu'il m'avait accueilli et m'étais régalé des flatteries
qu'il avait adressées à ma jolie femme (« Sitôt vue, jamais oubliée »). Et
pourtant, tout ce que j'ai écrit sur sa conduite pendant la production de
Sur les quais est l'exacte vérité — en fait, c'est même en dessous de la
vérité.

Alors, que faut-il faire ? La vie s'écoule avec harmonie tandis que la
vérité est recouverte par le temps qui passe, la bonne chère et le bavardage entre amis. La vérité, c'est que je n'ai pas pu m'empêcher de réagir

avec plaisir à l'invitation de Sam, ni résister à la tentation de lui témoigner mon amitié. J'aime bien Sam. L'autre versant de cette vérité, c'est que je ne peux oublier la manière indigne dont il s'est comporté à l'occasion des deux films que nous avons faits ensemble.

Quelques mois plus tard, je me rendis à un symposium organisé par la Guilde des auteurs dramatiques. Il était consacré à *Mort d'un commis voyageur*. A côté de moi se trouvaient Art Miller et une grande dame, l'actrice Milly Dunnock. Je saluai Art cordialement, il fit de même, et nous dîmes du bien l'un de l'autre devant l'assemblée présente. J'ignore ce qu'il avait pensé de mon discours ; pour ma part, j'avais trouvé Art moins pompeux qu'en d'autres occasions. (Et voilà, c'est reparti !) Mais un témoin de cette soirée nous aurait pris pour les plus vieux amis du monde. Et nous l'étions, et le sommes restés : c'est ce qui m'étonne. Je me suis posé des questions à son sujet et il m'a irrité ; de son côté, il a sans doute éprouvé dégoût et colère à mon égard. Mais nous nous saluons toujours comme il sied à deux camarades de campagne, puis nous nous séparons sur un : « Il faut qu'on se revoie bientôt », ce que, bien sûr, nous ne faisons pas. Mais j'aime bien Miller. Pour être honnête, il ne me dérangerait pas de me retrouver avec lui sur une île déserte.

Question : Suis-je l'homme aux deux visages ? La réponse ne peut être que : « Certainement, quelquefois. » J'ai pris l'habitude de m'en tirer, comme la plupart d'entre vous, en masquant mes sentiments négatifs envers les gens. Mais si je devais revivre certains moments de ma vie où j'ai ressenti un pincement au cœur coupable face à un ami, je ne suis pas sûr que je saurais adopter une autre attitude. Et je m'interroge : n'en ai-je donc pas assez de refouler des souvenirs qui me gênent *moi ?* La discrétion ne représente-t-elle pas au fond qu'un pis-aller ? Si je décide de raconter ma vie, il me faut écrire ce que je ressens à propos de Sam, d'Art et des acteurs avec lesquels j'ai travaillé.

C'est surtout avec les acteurs qu'un metteur en scène doit avoir deux visages. Elles sont là, ces pauvres créatures frémissantes, les quinquets implorants, qui n'attendent qu'une bonne parole de votre part pour rentrer à la maison en se disant qu'elles vont décrocher la lune. Votre approbation est leur seule nourriture. Elles tressaillent à la seule pensée que vous pourriez les critiquer. La beauté mais aussi le côté terrible du métier d'acteur, c'est que l'on s'y expose en totalité. Il faut en tenir compte lorsqu'on dirige des comédiens. On n'observe pas seulement leurs émotions, leur technique et leur intelligence d'un œil critique, mais aussi leurs jambes, leurs seins, leur maintien, leur double menton et le reste. C'est leur être dans son entier qui est scruté à la loupe, qui attend vos éloges, votre considération et votre aide. Parfois un petit baiser en dit plus long à une actrice que bien des paroles ; il lui donne confiance en elle, pour le plus grand bien de son interprétation. Comment éprouver autre chose que de la gratitude pour des créatures si vulnérables et si exposées ?

L'acteur est le seul artiste qui ne peut pas juger son propre travail, même dans un film. C'est pourquoi le metteur en scène a tendance à dire ce qui lui permettra d'obtenir le résultat qu'il désire. Il peut même se révéler nécessaire d'émettre un commentaire négatif, ou un doute — sans insister. Il ne faut pas détruire l'acteur. Peut-être suffit-il de quitter la répétition sans dire un mot, pour insinuer un soupçon de doute en lui. De ne complimenter que son partenaire dans une scène donnée. Cela peut marcher. De toute façon, c'est une tactique. C'est comme ce que vous dites à votre femme lorsqu'elle vous demande pour la centième fois : « Est-ce que tu m'aimes encore ? Est-ce que tu n'aurais plus envie de moi ? » (Equivalent anglais : « Tes sentiments à mon égard fraîchiraient-ils ? ») Peut-être remettez-vous en question le monde entier ce jour-là, vous et votre mariage compris, mais pourquoi l'embêter avec vos doutes existentiels ? Si vous dites : « J'aimerais être mort aujourd'hui ! » vous pouvez être sûr qu'elle le prendra comme une accusation à son endroit. « Je ne le rends pas heureux, se dira-t-elle, je crois bien que je n'y arriverai jamais. » Alors elle canera, et vous n'aurez pas un seul repas potable pendant trois jours.

Oui, je crois que tous les metteurs en scène sont un peu hypocrites, de même que tous les écrivains sont des espions. Observez un de ces petits saligauds au beau milieu d'une conversation : vous remarquerez que tout d'un coup, il change de longueur d'onde. Vous êtes en train de lui parler et vous vous apercevez qu'il ne vous suit plus, qu'il n'échange plus avec vous de points de vue spontanés, libres. Il s'est mis en retrait ; il écoute et enregistre toutes vos paroles, pour les utiliser plus tard. Soudain, vous entendez le couinement du petit magnétophone naturel qui s'est enclenché à l'intérieur de son crâne. Selon toute probabilité, ce que vous venez de dire correspondait à une scène qu'il écrit à ce moment-là. C'est ce que j'entends par espionner. Il vous encouragera même peut-être à poursuivre, bien qu'il soit en désaccord total avec vous et meure d'envie de vous contredire. J'ai vu nombre d'écrivains rester assis tranquilles lors d'une soirée, à écouter une discussion dont je sais qu'elle les offensait, mais sans répliquer, contrer ou exposer ce qu'ils ressentaient. Plus tard, ils rapportent cette conversation à leur « base de départ », comme on dit au base-ball : j'ai nommé leur calepin.

Je ne connais pas la réponse. Seulement le résultat, à savoir que tous ceux qui se sentiront blessés, mis à nu ou déshonorés par ce que j'ai écrit sur eux, ou sur elles, seront furieux. Mais que peuvent-ils faire ? Me mettre leur poing sur la figure ? Je suis trop petit et trop vieux pour qu'on s'en prenne à moi de cette façon. Est-ce que je regrette d'avoir sali la mémoire d'hommes dont je viens de dire que je les aimais ? Un peu, oui, autrement, je n'écrirais pas ces lignes, n'est-ce pas ? Mais je suis surtout content d'avoir assez de pouvoir, de temps et de mémoire pour dire la vérité sur ma vie. C'est ce que signifie pour moi cette expérience. On ne fait pas d'omelette sans casser des œufs. Je ne vois pas pourquoi j'aurais vécu tout ce que j'ai vécu, si ce n'était pour avoir le privilège de le raconter à ma façon. On s'est plaint pendant des années de mon silence face à des provocations intolérables. Maintenant, je prends la parole. Je dois admettre que cela me fait du bien.

JE M'APPRÊTE MAINTENANT à écrire sur cette période de ma vie où je me suis trouvé pris entre deux feux. Plusieurs tendances contradictoires m'enserraient comme un étau et me tiraient à hue et à dia. Pour vous donner un exemple, je voulais devenir un producteur-metteur en scène indépendant, libre de suivre mon chemin sans restrictions ni contraintes, mais je désirais aussi la puissance, les moyens techniques et le prestige d'un grand studio. En raison du succès colossal de *Sur les quais*, ce vœu semblait pouvoir être exaucé. Je voulais aussi écrire mes propres scénarios, tout en me reposant sur les trouvailles et le talent d'écrivains meilleurs que moi, dont je reconnaissais la valeur. Je voulais raconter ma propre histoire et celle de ma famille mais je voulais aussi porter un regard socio-historique sur la période durant laquelle j'avais vécu. Je mourais d'envie de trouver ma place parmi le gratin du monde du spectacle mais je voulais aussi mener une vie sereine, prendre le temps de la réflexion. Je voulais de l'argent, beaucoup, mais je ne voulais surtout pas devoir acquérir cet argent au prix de travaux pénibles. Je voulais être un bourgeois avec appartement en ville, maison de campagne, cuisinière, gouvernante et deux voitures, sans oublier des vacances d'hiver régulières aux Caraïbes. Bien sûr, je voulais aussi modérer mes dépenses de façon à ne jamais me sentir obligé de tourner un film ou de monter une pièce qui ne m'enthousiasmerait pas. Je voulais faire partie d'une bande de durs, de gens de la rue, comme ceux que j'avais appris à connaître à Hoboken, continuer d'être ce bon vieux « Gadg ». Je voulais être un gauchiste, un radical, à coup sûr un socialiste — au moins —, mais je voulais aussi être un démocrate, bien campé au milieu de l'Amérique profonde, loyal envers les Etats-Unis. Je voulais mener une vie irrégulière, allant d'un endroit à l'autre de la terre au gré de mes impulsions, suivant mes propres horaires. Mais je voulais aussi être à la tête d'une famille nucléaire, patriarche anatolien enraciné et respecté de tous, avec une maisonnée réglée comme du papier à musique, des draps propres tous les trois jours, de lourdes serviettes « turques », des napperons en lin et un bon dîner servi chaque soir à sept heures. J'adorais Molly, mon épouse intelligente, immaculée, tout à fait honnête et digne de confiance ; mais je recherchais aussi l'aventure et l'occasion d'être, une fois de temps en temps, irresponsable et incontrôlé. En un mot, je voulais tout. Mais comment m'y suis-je pris pour donner quelque unité à ces contradictions ? Réponse : je n'y suis pas parvenu. Je n'en ai pas été capable. A la place, j'ai succombé à toutes les tentations, et lorsqu'elles entraient en conflit les unes avec les autres, j'y satisfaisais à tour de rôle, mais sans réserve. J'oscillais de l'une à l'autre, irrésolu.

Un terrible drame personnel se profilait à mon horizon. Il allait créer en moi une terreur dont je mettrais des années à me débarrasser. Chacune des deux voies entre lesquelles j'hésitais avait son égérie, une femme qui en personnifiait les vertus et les tentations, et chacune me pressait de la suivre. Elles ne se sont jamais vraiment rencontrées, ces deux femmes, elles ne se sont jamais étudiées l'une l'autre en gros plan, mais elles se sont battues bec et ongles pour que je leur prête serment d'allégeance, jusqu'à la victoire inévitable de l'une d'entre elles. Mais la gagnante n'a rien obtenu d'autre qu'un homme qui regrettait ce qu'il avait abandonné, qui ne cherchait qu'à retrouver ce qui lui manquait. C'était une partie à qui perd gagne. La bataille s'est terminée de façon tragique pour l'une comme pour l'autre. Moi seul ai survécu.

N'en avez-vous pas assez d'entendre ces gens qui pressent le citron de l'industrie du film et de la télévision et se plaignent de leur manque de liberté artistique ? Ne connaissent-ils pas les règles du jeu ? L'argent est magique ; c'est pourtant simple. Quand *Sur les quais* s'est mis à remplir les cinémas, mon « statut d'artiste », comme on dit, a changé du jour au lendemain, comme par miracle. J'aurais pu faire repeindre de n'importe quelle couleur mes bureaux au studio Warner de Burbank.

Voici comment l'accord sur *A l'est d'Éden* a été conclu. Je me suis rendu seul au bureau de Jack Warner — c'est-à-dire sans Lastfogel —, je me suis assis, j'ai ri à deux ou trois blagues de Jack, qui sentaient le réchauffé, et je lui ai dit que je voulais faire un film à partir du nouveau roman de John Steinbeck. Il ne l'avait pas lu, ne s'est pas proposé de le lire, n'a pas demandé de quoi il s'agissait, ni quels acteurs j'allais choisir. Ce qu'il voulait savoir c'est : « Combien ça va coûter ? — Environ un million six, ai-je répondu. — C'est d'accord », a-t-il tranché. Je doute que Warner ait jamais lu notre scénario ; il pariait sur ses intuitions. J'étais son intuition cette année-là. J'ai ajouté que, comme il s'agissait d'un film sur des jeunes gens, j'utiliserais peut-être des « nouveaux venus ». Il s'est levé. « Venez déjeuner avec moi, a-t-il dit. Et prenez qui vous voulez. » J'avais les mains libres.

Je savais, grâce à mes origines anatoliennes, que cette bienfaisance n'aurait qu'un temps. Elle durerait aussi longtemps que je ferais rentrer de l'argent dans les caisses. Quelques années plus tard, après deux fiascos de suite au *box-office*, on me retirerait le *final cut*. Après un autre effort infructueux, je n'obtiendrais plus de soutien du tout.

Paul Osborn, qui rédigeait le scénario, m'avait conseillé de jeter un coup d'œil sur le jeune homme qui interprétait un petit rôle d'Arabe dans une pièce qui se jouait au John Golden Theatre. Je ne fus pas impressionné par James Dean — je m'étais remis à penser à Brando —, mais pour faire plaisir à Paul, je convoquai Jimmy dans les bureaux de la Warner à New York. Quand je pénétrai dans les lieux, il était avachi à l'extrémité d'un sofa en cuir dans la salle d'attente, masse informe de jambes tordues et de jeans en loques qui exprimait son ressentiment pour on ne sait trop quelle raison. Cette expression sur son visage me déplut, aussi le fis-je attendre. Je voulais voir comment il réagirait. Il était battu sur son propre terrain car lorsque je l'appelai dans mon bureau, il avait abandonné son attitude belliqueuse. Nous essayâmes de discuter, mais il n'était pas doué pour la conversation. Nous étions là à nous regarder en chiens de faïence, quand il me demanda si je voulais faire un tour à l'arrière de sa moto ; je ne goûtai guère la balade. Il faisait de l'épate — genre gamin venu de la campagne pas impressionné par la circulation dans la grande ville. De retour dans mon bureau, je téléphonai à Paul pour lui dire que le gamin était Cal tout craché ; pas la peine de chercher plus longtemps ou de lui faire passer une audition. J'envoyai Dean chez Steinbeck, qui habitait près de chez moi, dans la 72e Rue. John trouva que Dean était un petit morveux. Je lui répondis que ce n'était pas la question ; n'était-il pas Cal ? John répondit qu'il n'y avait pas de doute là-dessus, et l'affaire fut conclue.

Je m'étais mis à étudier Dean, aussi décidai-je de l'emmener en Californie et de lui faire effectuer des essais maquillés. On me dorlotait, et je profitai de la longue limousine noire dont je disposais à New York pour passer prendre Dean chez lui et l'emmener à l'aéroport. Il se terrait dans un quartier obscur, et il sortit — vous n'allez pas me croire — avec deux paquets enveloppés dans du papier et attachés avec des ficelles. Il avait l'air d'un immigrant, assis à l'arrière de cette limousine de luxe. Il me dit qu'il n'avait jamais pris l'avion de sa vie. Dans le ciel, il resta le nez collé au hublot, observant les beautés qui s'étalaient sous ses yeux. Le service des transports de la Warner avait demandé à la cousine californienne de la limousine de venir m'attendre à l'aéroport. Quand Jimmy demanda si nous pouvions nous arrêter, sur la route de la ville, à l'endroit où travaillait son père, une sorte de technicien de laboratoire, je fus aux anges. Dean se rua à l'intérieur d'un de ces bâtiments d'apparence très provisoire qui bordent les routes nationales dans cette région, et il en ressortit avec un homme qu'il me présenta comme son père. Cet homme n'avait aucun signe particulier et ne produisait aucune impression. Il ne se distinguait en rien, point final. A l'évidence, leurs rapports étaient extrêmement tendus, et il n'y entrait guère d'amitié. Je sentis que le père n'aimait pas son fils. Ils se tenaient l'un à côté de l'autre mais bientôt la conversation tomba au point mort, et nous reprîmes notre route.

Je crois que cette entrevue avait abattu Dean. Je me rendis compte que l'histoire du film était la sienne — et, en un certain sens, la mienne. Mon père avait l'habitude de se plaindre auprès de son assistant dans l'échoppe des Tapis d'Orient George Kazan et Cie à mon sujet : « Ce garçon jamais un homme, disait-il. Qu'est-ce que je vais faire de lui ? » Le père de Jimmy ne semblait pas non plus fonder de grandes espérances sur l'avenir de son fils.

Quand je tournai les essais — c'était la première fois qu'il se trouvait devant une caméra de cinéma, mais il avait fait de la télé —, il ne manifesta aucune nervosité. L'expérience eut l'air de lui plaire. L'équipe technique — le metteur en scène observe toujours sa réaction devant les nouveaux venus — ne fut guère impressionnée. Ils pensèrent que Jimmy était la doublure, que la vraie star n'était pas encore arrivée. Quand ils surent que c'était lui, ils se dirent que je devais être tombé sur la tête. Warner avait dû voir les tests de Jimmy, mais il n'avait rien dit. Je ne sais pas ce qu'il en avait pensé ; il avait l'habitude d'Errol Flynn, de Jimmy Cagney et de Gary Cooper. Et voilà que ce gamin tordu et remuant arrivait de New York et pointait son nez. Mais ma baguette magique n'avait pas perdu ses pouvoirs ; Warner ne pipa mot. Je pouvais continuer à mener ma barque selon mon bon plaisir.

La réaction des nouveaux venus au succès m'a toujours fasciné. Je la guette et ne m'attends pas à ce qu'elle soit honorable. Deux ou trois semaines avant la fin prévue du tournage, la rumeur commençait à circuler que le gamin sur le plateau d'*A l'est d'Éden* allait décrocher la timbale. Jimmy entendit la nouvelle lui aussi et la première chose que je remarquai, c'est sa grossièreté à l'égard de notre petit costumier. J'y mis un terme sans tarder. Puis il commença à se plaindre : il ne pouvait pas tourner certaine scène, perché sur un toit incliné à l'extérieur d'une fenêtre située au deuxième étage. Il avait raison ; il ne s'en tira pas très bien. Mais c'était une scène importante, aussi l'emmenai-je, avec Julie Harris — le « ressort sentimental » —, dans un restaurant italien pour le soûler au chianti. Ce qui fit l'affaire — c'est une technique que j'ai utilisée à l'occasion pour remplacer la méthode Stanislavski.

Ray Massey, ce vieux de la vieille qui avait interprété Lincoln suffisamment de fois pour demander une licence et jouait maintenant le père de Jimmy, vit venir le coup : Jimmy ne tarderait pas à pourrir sur pied. C'est simple, il ne pouvait pas supporter la vue de ce gosse, appréhendait chaque journée de travail avec lui. « On ne sait jamais ce qu'il va dire ou faire ! se plaignait Ray. Faites-lui dire ses répliques comme elles sont écrites. » Jimmy savait bien que Ray le méprisait, et il lui rendait la pareille en gardant toujours l'air renfrogné. Je n'essayai pas d'adoucir cet antagonisme ; au contraire, je l'aggravai. J'ai honte de dire — enfin non, je n'ai pas honte : tout est bon pour mettre en scène un film — que je ne cachais ni à Jimmy ni à Ray ce qu'ils pensaient l'un de l'autre. A l'écran, il était évident qu'ils se détestaient, et c'est exactement ce que je voulais. Les acteurs devraient être en mesure de raconter l'histoire sans le secours des mots ; ces deux-là y parvinrent. Ce problème persista jusqu'à la fin et jusqu'à la fin j'en tirai parti.

La première chose que Jimmy s'acheta avec cet argent tombé du ciel, ce fut un alezan. Il avait été élevé dans une ferme de l'Indiana et avait toujours voulu posséder un cheval, et l'alezan est le plus beau de tous les animaux. Au début, je m'arrangeai pour qu'il puisse garder la bête dans l'enceinte du studio, mais le corral était loin de notre salle de tournage et Jimmy avait l'habitude de partir soudain en courant pour aller nourrir, étriller ou admirer son magnifique animal. Je dus exiler le cheval dans une ferme de San Fernando Valley. Jimmy s'acheta alors une moto et je dus lui expliquer que je ne voulais pas risquer un accident et qu'il ne pouvait pas conduire une moto avant la fin du tournage. Jimmy acheta ensuite une caméra très coûteuse qu'il exhibait à tout bout de champ. Il impressionnait rouleau après rouleau et les faisait développer par le labo du studio. Je n'étais pas très content, et quand je lui ordonnai de ne plus l'apporter sur le plateau pendant le tournage, il bouda pendant une journée.

Je remarquai à une ou deux reprises qu'il était arrivé en retard au studio, l'air vanné ; quelles qu'aient été ses activités la nuit précédente, elles l'avaient épuisé. Bon, me dis-je, n'est-il pas naturel pour un gamin de son âge de tirer un coup une fois de temps en temps ? Cependant, cela nuisait à la qualité de son jeu. Que faisait-il la nuit — est-ce qu'il buvait, se battait ? Je ne savais pas. Je me mis à craindre qu'il ne lui arrive quelque chose de fâcheux qui me retarderait dans mon travail ou diminuerait ses capacités, aussi pris-je mes quartiers dans l'une de ces grandes loges de stars du studio et installai-je Jimmy dans celle d'en face. Ma porte d'entrée donnait sur la sienne, et je pouvais entendre ce qui se passait dans sa piaule à travers les murs. Ce qui se passait, c'était Pier Angeli. Mais à l'évidence Dean avait des problèmes ; à leurs ébats se mêlaient souvent des débats. Houleux. Je fus ravi quand elle eut mis le grappin sur Vic Damone. A partir de ce moment-là, j'eus enfin le Jimmy que je voulais : seul et malheureux. Tout ce qu'il avait, c'était sa caméra. Le narcissisme prit la relève. Il se tenait devant le miroir de sa loge et prenait, film après film, des gros plans de son visage, avec seulement une infime variation d'expression. Il me montrait les putains de contacts et me demandait lequel je préférais. A mes yeux, c'était toujours la même image, mais je ne disais rien. En guise de *hobby*, c'était toujours mieux que sa vaine dévotion pour Pier Angeli, aussi je l'encourageai.

Brando était le héros de Dean ; tout le monde était au courant, car chaque fois qu'il parlait de Marlon, il se mettait à chuchoter comme s'il venait de pénétrer dans une cathédrale. J'invitai Marlon à venir faire un tour sur le plateau pour goûter au culte du héros. Marlon accepta et fut charmant avec Jimmy, si éperdu d'adoration qu'il avait l'air tout ratatiné, tordu de douleur. On les a comparés, mais ils étaient différents. Marlon, bien formé par Stella Adler, possédait une technique excellente. Il était compétent dans tous les domaines de l'art de l'interprétation, y compris la caractérisation et le maquillage. C'était aussi un imitateur de grand talent. Dean n'avait aucune technique à proprement parler. Quand il essaie de jouer un homme plus âgé dans *Géant*, il a l'air d'un débutant, ce qu'il était. Sur mon film, soit Jimmy réussissait la scène du premier coup, sans directives d'aucune sorte — ce qui arrivait quatre-vingt-quinze pour cent du temps —, soit il était incapable de la jouer. Il me fallait alors user de moyens extravagants — le chianti, par exemple.

Je ne m'attendais pas du tout à son succès. Lors de l'avant-première dans la région de Los Angeles, à l'instant où il apparut sur l'écran, des centaines de filles se mirent à hurler. Elles l'attendaient, apparemment — comment était-ce possible, et pourquoi ? Mystère. La réaction du deuxième balcon me rappela celle que nous avions obtenue avec *En attendant Lefty* lors de la première représentation — les chutes du Niagara. Ce sale gamin devint une légende du jour au lendemain, qui gagna en intensité à chaque projection. Quand mon ami Nick Ray le choisit pour *la Fureur de vivre*, il ne fit qu'accroître la fascination exercée par Dean sur la jeune génération de notre pays. Mais je n'approuvais pas cette légende. A la base, on trouvait l'idée que les parents étaient des imbéciles sans cœur, qui ne comprenaient ni n'appréciaient leurs enfants, et n'étaient pas capables de les aider. Ils représentaient l'ennemi. Je n'aimais pas la façon dont Nick Ray avait montré les parents dans *la Fureur de vivre*, mais j'y avais moi-même contribué par mon traitement du personnage interprété par Ray Massey dans mon film. Par contraste avec leurs parents, tous les jeunes apparaissaient comme sensibles et pleins de « grandeur d'âme ». C'était loin de la vérité à mes yeux. Je trouvais que Dean, « Cal », et le gamin qu'il jouait dans le film de Nick Ray s'apitoyaient sur eux-mêmes, se donnaient en spectacle et n'étaient bons à rien. La légende Dean commença à me taper sur les nerfs, surtout quand toutes ces lettres arrivèrent, me remerciant de ce que j'avais fait pour lui et me demandant de parrainer un réseau national de fans-clubs. Je ne répondis pas.

Je crois que Jimmy ne se serait pas sorti d'*A l'est d'Éden* sans cet ange descendu sur notre plateau. L'ange s'appelait Julie Harris, et elle était la bonté incarnée envers Dean, gentille, patiente et compréhensive quoi qu'il advienne. Elle ajustait son interprétation à tous les caprices de la nouvelle coqueluche. Warner m'avait fait savoir dès le début, après avoir vu le premier test en costumes, qu'il regrettait que je n'aie pas choisi une fille plus jolie ; malgré ce commentaire, je dois dire que je trouvais Julie ravissante. Et elle sentait ce qu'il y avait de plus chaleureux et de plus émouvant dans chaque scène. Elle possédait la voix la plus touchante que j'aie jamais entendue sortir de la bouche d'une actrice ; elle faisait passer tendresse et humour en même temps. Elle a aidé Jimmy plus que je n'ai pu le faire avec n'importe laquelle de mes explications. Je n'ai jamais été aussi triste à la fin d'un tournage, au moment où les participants se séparent, que lorsque j'ai vu cette jeune femme pour la dernière fois.

En 1955, l'Actors Studio organisa une représentation de bienfaisance d'*A l'est d'Éden* au Victoria Theatre. L'événement bénéficia d'un énorme battage publicitaire ; la crème de notre théâtre et du cinéma new-yorkais était présente. John Steinbeck s'y rendit avec moi, l'un comme l'autre accompagnés de notre femme. Marilyn et Marlon firent une apparition publicitaire ensemble. Nos actrices servirent d'ouvreuses. Les hommes politiques sentirent qu'ils gagneraient à être présents. Avec le montant des recettes, nous fîmes l'acquisition d'une vieille église au 432, 44e Rue Ouest, qui devint notre résidence permanente. Lee y fut enchâssé.

Avant même que le Group Theatre ne voie le jour, Lee avait noté que les acteurs s'aplatissaient devant sa rhétorique et l'intensité de son émotion. Plus les acteurs étaient naïfs et doutaient d'eux-mêmes, plus le pouvoir de Lee sur eux était absolu. Plus les acteurs étaient célèbres et plus ils avaient de succès, plus le goût du pouvoir de Lee lui montait à la tête. Il trouva sa victime-adepte parfaite avec Marilyn, qui assistait à ses leçons en observatrice.

Marilyn avait épousé Joe DiMaggio en 1954, ce qui l'avait rendue encore plus célèbre, puis en avait divorcé et, en 1956, s'était remariée avec Arthur Miller. En matière de sexe, la persévérance l'emporte. Nous avons tous vu les photographies d'Art et de sa jeune épouse radieuse avec, à côté d'eux, les parents d'Art. Marilyn possédait enfin tout ce qu'elle avait toujours voulu, y compris des beaux-parents. Elle étudia consciencieusement la cuisine familiale de Mrs. Miller. Chaque fois qu'on voyait Art et Marilyn, ils étaient dans les bras l'un de l'autre. Leur mariage semblait les transporter de joie. Art lui donnait à voir son futur à travers des lunettes roses : elle deviendrait une actrice d'élite, qui ferait du travail sérieux. Il lui promit d'écrire un film pour elle et il finit par le faire ; il s'intitulait *The Misfits*. Mais avant cela, j'avais commencé à entendre parler de conflits, très durs. Miller en ressortirait blessé lui aussi. Marilyn cherchait le réconfort dans sa drogue : Lee Strasberg. Exit Art.

Lee ne tarda pas à la prendre sous sa coupe, lui consacrant une attention spéciale, lui offrant leçons particulières et encouragements vibrants. On peut dire sans exagérer qu'il l'avait capturée. Quand il lui disait qu'elle possédait une « puissance tragique réelle », elle le croyait, car elle en avait besoin. Il devint la preuve vivante de la valeur de Marilyn, l'encouragea à viser des objectifs que ses dons ne lui permettaient pas d'atteindre. C'était une comédienne pétillante et pleine de charme — elle possédait un talent tout à fait respectable —, mais Lee la persuada qu'elle pouvait interpréter des rôles plus profonds. Il suggéra Eugene O'Neill et *Anna Christie*. Il travailla en privé avec elle sur les grandes scènes de Lady Macbeth, l'assurant qu'un jour (si elle continuait à travailler avec lui) elle pourrait tenir ce rôle. Elle ne tarda pas à être envoûtée ; il la rassurait sur sa valeur, ce qu'elle désirait le plus au monde. Il se rendit indispensable, la montant contre toutes les autres autorités ou influences — les autres professeurs, les autres metteurs en scène ; et même son mari. Marilyn représentait pour Lee la possibilité de frapper un grand coup, et il représentait pour elle le moyen d'accéder au statut dont elle rêvait. Ce devint une question de vanité : pas celle de Marilyn. Celle de Lee.

Je n'en avais pas conscience à ce moment-là, mais il se passait en moi quelque chose de grave : par mon comportement je commençais à me couper des auteurs dramatiques, à me brouiller avec eux. J'avais travaillé dur pour obtenir ces auteurs, des hommes de valeur que chaque producteur et chaque metteur en scène voulait, et je les perdais. Au début, c'était juste une certaine impatience, mais celle-ci tourna à la rancœur, une rancœur que j'avais étouffée pendant des années ; en fait jusqu'à aujourd'hui.

Un après-midi, au début des répétitions de *la Chatte sur un toit brûlant*, Tennessee Williams, qui sortait d'un lunch où il s'était offert une bouteille de vin blanc bien frais, s'aventura dans le théâtre où je faisais répéter sa pièce, et s'installa au milieu de l'orchestre. Sur scène, Barbara Bel Geddes et Ben Gazzara travaillaient sur le premier acte. Soudain, qu'est-ce que j'entends ? Mon auteur qui s'exclame : « Plus de mélodie dans ta voix, Barbara ; les filles du Sud ont plus de mélodie dans la ... » Je lui coupai le sifflet. Je ne me mis pas en colère contre lui car je savais combien il était angoissé. Il n'avait pas voulu de Barbara dans le rôle de la Chatte. Je la lui avais plus ou moins imposée. Ce n'était pas le genre d'actrice qu'il aimait ; c'était le genre d'actrice que moi, j'aimais. Je l'avais connue jeune et rondouillarde, et j'avais une théorie — que vous êtes libre de rejeter — selon laquelle une fille ronde pendant ses années d'enfance et le début de son adolescence, si elle mincit par la suite, garde une incertitude quant à la séduction qu'elle exerce sur les hommes ; il en résulte un appétit sexuel aiguisé, intensifié par l'angoisse constante qu'elle éprouve à sentir qu'elle n'est pas attirante. Souriez si ça vous amuse, mais c'est l'impression que j'avais et j'ai appliqué cette théorie à miss Bel Geddes. Je savais combien une relation sexuelle concluante comptait pour cette jeune femme, et je savais qu'elle ressemblait en bien des points à Maggie la Chatte. Je m'en suis remis à ce que je savais de sa nature et de la vie qu'elle menait, et je l'ai engagée.

En général, un acteur ou une actrice doit aller puiser son rôle dans l'accumulation d'événements qui constitue son passé. Son expérience de la vie est le matériau même du metteur en scène. Un acteur a beau posséder toutes les techniques que ses professeurs lui ont enseignées — moments d'intimité, improvisation, substitutions, mémoire associative, etc. —, il a beau avoir des heures de pratique derrière lui, s'il n'a pas en lui ce précieux matériau que le metteur en scène recherche, celui-ci ne pourra pas le faire sortir. C'est pourquoi il est si important pour un directeur d'acteurs d'avoir une connaissance intime des comédiens qu'il engage. Si l'acteur « en a », le metteur en scène a une chance de le traduire à l'écran ou sur scène. Sinon, il peut mettre une croix dessus. Une lecture vous apprend très peu de chose. Elle peut même se révéler trompeuse.

Je savais que Tennessee Williams, cet après-midi-là, était imbibé, et que la meilleure chose à faire pour moi serait de lui pardonner son comportement perturbateur. Mais il me fallait empêcher que ce type de débordement ne se répète pendant mes répétitions et faire savoir aux acteurs que je les protégerais en cas de récidive. J'allai donc m'asseoir à côté de Tennessee et lui glissai dans le creux de l'oreille que s'il recommençait, je démissionnerais. Les acteurs regardaient ; ils ne pouvaient pas entendre, mais ils savaient ce que j'étais en train de dire. Tennessee me répondit avec chaleur, en disant qu'il me comprenait très bien. Après quelques minutes, il quitta le théâtre sans faire de bruit et n'y remit pas les pieds ce jour-là ni le lendemain. Quand il revint, je suppose qu'il avait décidé de garder ses réactions pour lui. Il alla jusqu'à dire à Barbara qu'elle avait fait des progrès.

Il se produisit un épisode semblable à propos de Burl Ives dans le rôle de Big Daddy. « Burl Ives ? avait demandé Tennessee quand je le lui avais suggéré pour ce rôle. C'est un chanteur. Tu crois vraiment qu'il peut porter ce rôle sur ses épaules ? — Certes, c'est un chanteur, avais-je répondu, mais c'est aussi un vrai "bouseux", et pour ce qui est du chant, je m'en vais le faire s'avancer jusqu'au bord de l'avant-scène avant qu'il n'entame ce long monologue ininterrompu dont tu l'as gratifié, et je lui ferai regarder le public droit dans les yeux comme s'il s'agissait d'un concert. » Je m'étais rendu compte que Williams n'était pas chaud pour ma suggestion. Elle le laissait perplexe. Mais à cette époque-là, j'étais connu pour avoir des talents de magicien avec les acteurs, aussi avait-il modéré sa réaction — enfin, il avait essayé. « Mais c'est une pièce réaliste, avait-il protesté. — Tu veux dire, avais-je contre-attaqué, que dans le delta du Mississippi les vieux planteurs de coton parlent avec cette éloquence si longtemps sans s'interrompre? — Oui, avait-il répondu. Qui oserait les interrompre? — Attends de voir ce que ça donne, avais-je insisté, et tu me diras ce que tu en penses. » J'avais donc choisi d'aller à contre-courant, car je savais que la seule façon dont Burl pourrait jouer ce rôle, c'était face au public, sans chichis. C'est comme cela qu'il avait pris confiance en lui, au fil des concerts, c'était le style d'interprétation qu'il prisait le plus — moi aussi, d'ailleurs.

Ce qui m'amène au décor: il ne plaisait pas non plus à Tennessee, mais j'étais résolu à obtenir ce que je voulais. Jo Mielziner et moi avions la même lecture de la pièce. Selon nous, son grand mérite résidait dans sa rhétorique brillante et sa théâtralité. Si nous devions la monter de manière réaliste, il me faudrait mettre au point un procédé de mise en scène pour que le vieux prononce ces grands discours du second acte face au public et que l'on croie qu'il s'agit d'une journée ordinaire dans la famille Pollitt. C'était demander au public d'excuser la grandeur de la langue de l'auteur. Pour Jo et moi, il ne s'agissait pas d'un jour comme les autres dans la vie d'une famille de planteurs de coton. Nous avions affaire au plus beau théâtre, celui qu'il nous intéressait d'encourager, le théâtre théâtral: on n'y faisait plus semblant de jouer devant une salle vide mais, au contraire, on demandait à un acteur aussi prestigieux que Burl Ives de prendre en compte à tout moment la présence de ce public et même d'établir un contact visuel avec des individus. Je demandai à Jo de construire le décor selon mes vœux: il serait constitué d'une grande plate-forme triangulaire inclinée vers le public, qui n'aurait pour tout mobilier qu'un lit ornementé. Cela permettrait de se concentrer sur l'essentiel dans la pièce et rendrait impossible toute autre interprétation que la mienne.

Williams se gargarisait du mot « beau », qu'il mettait à toutes les sauces. Je préférais le mot « théâtral ». Il aimait la poésie dans le théâtre ; il savait ce qu'il avait écrit et la manière dont il voulait le voir mis en scène. Je pris des libertés avec son œuvre, cédant en cela à mes propres goûts et à mes tendances prépondérantes. Mais je n'ai pas manqué de faire ressortir la « mélodie » de la voix de Barbara ; j'avais dans l'oreille les intonations d'anxiété, d'angoisse et de solitude qui devaient selon moi émaner de la voix de Maggie.

Jo me fournit le décor que j'avais demandé. Tennessee avait donné son accord, il était prêt à dire amen sur tout dans la mesure où j'étais le metteur en scène qu'il voulait. Maintenant le décor était planté, trop tard pour le changer, et sur ce décor il n'y avait qu'une seule façon de se comporter: on appelle ça « y aller franco ». Le cher Tennessee devrait s'y faire, que ça lui plaise ou non.

Mais ces complications n'étaient que la toile de fond de nos divergences sur le troisième acte. A mon sens, Big Daddy ne pouvait pas être exclu de ce dernier acte. Il fallait que le public sache à quoi s'en tenir à son sujet quand le rideau tomberait. Je trouvais aussi que c'était de très loin le plus faible des trois — le premier et le second, brillants, égalaient les meilleures créations de Tennessee. J'avais suggéré que Big Daddy refasse surface à ce moment-là, et je ne cherchais en rien à rendre la pièce plus commerciale. Tennessee m'avait répondu qu'il y songerait, et quelques jours après il m'avait apporté une courte scène dans laquelle Big Daddy apparaissait pour raconter une histoire cochonne. Ce n'était pas le chef-d'œuvre de son auteur mais c'était mieux que rien. Je lui avais demandé s'il voulait que je m'en serve ou non et il avait répondu par l'affirmative, aussi avais-je donné mes directives à Burl et aux autres, et avais-je introduit la scène.

Je vis tout de suite que Tennessee n'était pas sûr d'aimer ce morceau — je n'étais pas sûr moi-même qu'il lui plaisait. Je lui demandai s'il était bien certain de vouloir le maintenir ; une fois encore, il me répondit par l'affirmative. Dix jours avant la première new-yorkaise, je remis cette scène sur le tapis. Je dis à Tennessee que je pouvais voir qu'il n'était pas très content du troisième acte et j'en parlai avec lui. Il n'était pas sûr qu'il faille réintroduire Big Daddy. Il me répondit : « Laisse comme c'est. » Ce que je fis. Puis la première eut lieu et la pièce fut presque aussi bien accueillie que le *Tramway*. Tennessee le méritait.

Quelques mois plus tard, le texte de la pièce fut publié, et il comportait deux troisièmes actes, plus une explication de l'auteur. Il avait publié le troisième acte qu'il disait préférer à celui que je l'avais poussé à écrire. Je passais pour le bandit qui avait corrompu un « pur artiste ». J'en voulus à Tennessee d'avoir appelé « mon » troisième acte — que je n'avais ni rédigé, ni conçu, ni corrigé — le troisième acte « commercial ». Je n'avais pas agi dans cet esprit. C'est Williams qui voulait un succès commercial, désespérément. Tout ce qu'il aurait eu à dire, c'est : « Remets-le dans sa forme initiale », et je l'aurais fait. De plus, amitié et admiration mises à part, la Guilde des auteurs dramatiques m'aurait contraint à restaurer l'original. Ses griefs imprimés me blessèrent, même si je prenais la mesure de son anxiété. J'avais noté qu'il était souvent entouré de flagorneurs qui n'avaient pas manqué de jeter de l'huile sur le feu en le montant contre ce soi-disant corrupteur venu de Broadway abîmer le génie poétique de Tennessee. Mais je décidai d'essuyer cet affront sans réagir ; sa pièce, sa réputation et sa vie étaient en jeu. De plus, j'aimais profondément cet homme et mon affection pour lui ne se démentirait jamais.

Deux ou trois ans plus tard, nous connûmes un incident semblable, Williams et moi, sur *Doux Oiseau de jeunesse*. La pièce souffrait d'une faiblesse évidente : le deuxième acte n'avait presque rien à voir avec ce qui s'était passé dans le premier, et présentait toute une galerie de nouveaux personnages, à peine mentionnés jusqu'alors mais qui prenaient soudain en main le cours de la pièce. Je résolus de renforcer le second acte et de le « faire passer » au moyen d'un procédé technique ; je demandai à Jo Mielziner d'installer un grand écran de télé au fond du décor ; j'y projetterais l'image de Boss Finlay en train de parler, en même temps que le public le verrait s'exprimer en chair et en os sur le devant de la scène. Ce qui suggérait non seulement que tout le monde l'écoutait dans la région mais aussi qu'il jouissait d'un pouvoir énorme dans la communauté et que les menaces de violence qu'il proférait à l'égard du personnage interprété par Paul Newman représentaient un danger. Je ne suis pas sûr que ma conception de cette production formait un tout cohérent, et Tennessee s'en inquiétait, mais j'aimais bien le tour de force technique, comme tous les metteurs en scène, et quand la pièce fut jouée en public, la combine de l'énorme écran de télévision marcha du tonnerre et atteignit son but.

Cependant, elle avait requis un décor encore moins réaliste que celui de *la Chatte sur un toit brûlant* et j'avais encore eu le sentiment de violer un auteur ; il y avait de nouveau un gouffre entre nous : je me tenais sur un bord, satisfait, et il se tenait sur l'autre, mécontent. J'étais toutefois déterminé à n'en faire qu'à ma tête et à produire la pièce comme je la voyais. J'eus de nouveau de la chance qu'elle remporte un vif succès, car autrement Williams et son agent, Audrey Wood, m'auraient rendu responsable de l'échec.

Dans ce cas aussi, nous nous heurtâmes à un problème de distribution. Dans les pièces et les films que Williams écrirait après l'époque de notre collaboration, il disposerait de grandes stars comme Tallulah Bankhead, Elizabeth Taylor et Richard Burton. Mais pour *Doux Oiseau de jeunesse*, je misai de nouveau sur les qualités intérieures que possédait, je le savais, Geraldine Page, actrice que j'admirais. A la première lecture de la pièce par les acteurs, tout mon dispositif s'écroula. Tennessee quitta les lieux avant la fin. Gerry Page se hâta de retourner à sa loge. Des mesures extrêmes s'imposaient — par exemple la forcer à « cabotiner » pendant quelques répétitions. Mais j'étais sûr de pouvoir compter sur son talent et sur son courage, et que très bientôt elle donnerait une interprétation fabuleuse du rôle. Je n'aurais qu'à lui tenir la main pendant quelques jours, puis à l'aiguillonner.

Après avoir apaisé les craintes de Gerry cet après-midi-là, j'allai voir Williams. Il connaissait la valeur de Gerry — elle avait joué dans *Été et fumée* un rôle magnifiquement écrit et s'en était tirée avec brio. Mais sa lecture craintive et hésitante ce premier jour avait convaincu Tennessee qu'elle ne possédait pas la bravoure nécessaire et que cette fois j'avais tort. En fait, il doutait de sa pièce. Il voulait la retirer. Je crois que seule la foi un peu mystique qu'il avait en moi le persuada d'aller de l'avant. Nous engageâmes Gerry et elle porta la pièce sur ses épaules ; quant à mon truc avec l'écran de télé, il maintenait l'intérêt dans les scènes où Gerry n'était pas présente. Je dis tout cela à propos de Williams avec la plus grande compréhension, car sa panique était semblable à celle qui m'empêchait d'assister aux premières de mes films. Moi aussi, je me cachais en attendant que quelqu'un vienne m'assurer que tout s'était bien passé. Ce devait être pire pour un auteur qui avait placé le destin de sa pièce entre les mains d'un metteur en scène trop sûr de lui et déterminé à laisser sa propre empreinte sur l'œuvre !

Après avoir lu ces lignes, vous devez vous dire que j'étais bien arrogant à cette époque-là et vous avez raison : c'est à ce moment-là que j'ai acquis cette réputation. Peut-être ce besoin de m'affirmer à tout prix constituait-il une revanche sur toutes les raclées que j'avais reçues au cours des années précédentes. Quelle qu'en soit l'origine, mon désir de me les « approprier » m'a aidé à dominer ces pièces. Mais bien que toutes deux aient rencontré un vif succès, je lisais et j'entendais dire çà et là que je détournais quelque peu les intentions uniques de l'auteur et que je noyais sa sensibilité sous la crudité de mes effets. Je me rappelle avoir mal digéré ces critiques et m'être placé sur la défensive. J'étais persuadé d'avoir eu raison de prendre les pièces en main : elles avaient besoin de ce que je leur avais apporté. Mais je me rends compte aujourd'hui que mes détracteurs avaient en partie raison : je déformais les œuvres originales. Et ma frustration m'avait rendu irritable. Je désirais enfin prendre la parole moi-même. C'est là qu'est née, j'imagine, ma résolution de ne plus me forcer à me mettre dans la peau de quelqu'un d'autre, mais plutôt de chercher mes propres sujets et de trouver ma propre voix, même si elle devait résonner moins fort que celle de Tennessee.

Je n'en avais fait qu'à ma tête avec *A l'est d'Éden* de John, acceptant à bras ouverts la suggestion émise par Paul Osborn de jeter au panier les deux premiers tiers du livre — et de ne raconter que l'histoire des deux fils d'Adam Trask. Ainsi, je pourrais établir un parallèle avec mon père, sa préférence pour mon frère cadet et pour « douce Abie », sa déception à mon sujet, jamais surmontée (du moins le croyais-je). J'avais considéré *A l'est d'Éden* comme faisant partie de mon autobiographie, et je n'en ai jamais éprouvé de regret. Le film a touché les gens de la façon que j'avais espérée, mais aussi — c'est du moins ce qu'il a dit — comme John l'avait souhaité. Il a attiré beaucoup de spectateurs dans tout le pays, a reçu un oscar, et *la Chatte sur un toit brûlant*, sur les planches au même moment, a remporté le prix Pulitzer.

Mais en dépit de ces succès, je me sentais coupé du monde du théâtre et du cinéma, ainsi que du pays qui m'hébergeait depuis quarante ans. Les vacances que je pris avec ma femme en 1955 avaient deux buts : le repos et la recherche d'une nouvelle direction.

Pendant des années je m'étais dit qu'il y aurait peut-être un film intéressant à faire, par moi, sur l'histoire de mon oncle Avraam Elia Kazanjioglou, connu dans le commerce des tapis sous le nom de A. E. (« Joe ») Kazan, qui était venu dans ce pays à l'âge de vingt ans, avait amassé quelques dollars et arrangé la traversée de son frère, mon père, puis, les uns après les autres, du reste de la famille — sa sœur, ses demi-frères, enfin sa belle-mère Evanthia, ma favorite du lot. Quand j'avais cinq ou six ans, mes parents me laissaient parfois chez cette vieille femme lorsqu'ils allaient rendre visite à quelqu'un ou partaient en voyage hors de la ville. Grecque anatolienne issue d'un milieu qu'on pourrait qualifier de paysan, elle ne parlait pas le grec, seulement le turc, la langue de l'oppresseur. Même sa bible était rédigée en turc. Elle me prenait avec elle dans son lit et me racontait la vie en Turquie et notre fuite en Amérique. Je n'avais jamais oublié les histoires de cette vieille dame.

J'avais discuté de cette idée de film avec ma femme, dont je respectais l'opinion sur ces questions. Molly trouva la suggestion intéressante et me conseilla de trouver un bon scénariste : il écrirait cette histoire pour moi. Quand je lui eus glissé que je caressais aussi l'idée de l'écrire moi-même, elle me répondit ce que nombre de mes bons amis m'ont répété depuis : « Tu es un bon metteur en scène. Pourquoi diable te mêles-tu d'écrire ? »

Mais qui saurait mieux que moi décrire l'arrivée de mon oncle dans ce pays ? Dans les mains d'un autre, cette histoire perdrait de sa saveur. J'avais grandi dans cet environnement, je me rappelais tout ce que j'y avais vu, entendu, senti et goûté, la façon dont se comportaient les hommes de la famille — j'entends encore leur voix quand ils se disputaient — et les femmes, pleines d'aplomb dans la cuisine, sur leurs gardes dans la rue. Je connaissais les idiomes de ce peuple, le rythme de leur élocution, leurs habitudes quotidiennes, leurs craintes et leurs aspirations, leur nourriture et leurs boissons. Je devais écrire ce scénario moi-même.

Il fallait que je me rende là-bas. J'avais quitté la Turquie à quatre ans, n'y étais retourné qu'à douze ans, et ne me souvenais de rien si ce n'est de l'hôtel des Étrangers sur la plus grande des îles Princes, ainsi que de la douceur et de la chaleur de l'eau dans laquelle nous nous baignions. J'avais désormais un but : étudier le pays et sa population, pénétrer au cœur de cet endroit et suivre l'itinéraire de mon oncle, depuis Kayseri dans l'intérieur du pays jusqu'à Istanbul, où il avait embarqué à bord du *Kaiser Wilhelm*, direction l'Amérique. J'étais parti en quête de matériau pour mon film : scénario, repérages, personnages, thème.

J'ai conservé beaucoup de souvenirs de ce voyage. Il en est un, cependant, qui se détache : ma rencontre avec mon cousin Stellio Yeremia, et ma prise de conscience que cet homme, presque exactement de mon âge, était celui que j'aurais été si je n'avais pas été emmené en Amérique par mon père. Je découvris la personnalité dont je m'étais défaussé.

Molly et moi quittâmes le port de New York à bord du *Cristoforo Columbo* ; nos enfants nous regardèrent partir depuis le quai. Nous passâmes une semaine à nous prélasser en mer, sous le soleil estival, doublâmes Gibraltar, puis traversâmes la Méditerranée jusqu'à Naples, où nous embarquâmes sur un autre navire faisant cap sur Le Pirée, le port d'Athènes. Là, nous fûmes assaillis par les journalistes. Ils n'en crurent pas leurs oreilles en constatant qu'un Grec parti pour les États-Unis où il avait réussi parlait encore couramment sa langue maternelle. Nous visitâmes l'imposante Delphes, l'exquise Nauplie, Marathon et sa mer, puis, rassasiés et impatients — car mon voyage avait un but précis —, nous gagnâmes par la compagnie aérienne turque (« Des Routes A Travers Le Ciel ») le pays où j'avais vu le jour. Là-bas, des membres de ma famille que je n'avais pas rencontrés depuis quarante ans, qui avaient le même teint, le même nez, les mêmes yeux, les mêmes manières et les mêmes souvenirs que moi, nous prirent dans leurs bras et nous embrassèrent.

Molly et moi avions tous les deux besoin de sommeil, mais le lendemain matin, j'attrapai des fourmis dans les jambes tellement j'étais pressé d'aller me promener dans les rues d'Istanbul. Pendant que Molly se reposait dans le parc Oteli, j'allai me balader à l'aventure, sans direction ni but. Toutes les choses que je voyais réveillaient des souvenirs dont j'ignorais que je les avais en tête, un peu comme un long bâton qui remue la boue au fond d'une mare. Je me sentais à la fois chez moi et craintif, en proie à une peur diffuse qui m'accompagnerait tout au long de ce voyage en Turquie. A l'heure convenue, je me rendis au Taksim, le grand carrefour populeux du haut de la ville, théâtre depuis notre visite de nombreuses manifestations et d'épisodes très violents. Je devais y rencontrer Stellio, mon copain de jeu quand nous avions trois ou quatre ans. Pendant les deux semaines que j'ai passées dans ce pays, nous sommes restés constamment en compagnie l'un de l'autre.

La première chose qui m'ait frappé en le voyant arriver, c'est sa démarche très rapide : il filait, ou plutôt il ondulait en rasant les murs des bâtiments qui bordaient les rues, aussi loin que possible du bord du trottoir. Dans les jours qui suivirent, je découvris que Stellio se hâtait de la sorte même quand il n'avait pas de raison de le faire. Il me rappelait ces petits rongeurs, proies faciles pour les prédateurs, qui sortent de leur trou, se carapatent à toute vitesse en quête de ce qu'ils peuvent dénicher en guise de nourriture, puis reviennent dare-dare s'engouffrer dans leur trou.

Il avait apporté les journaux du matin mais il préféra que nous les regardions dans la chambre d'hôtel où Molly nous attendait. Nous jetâmes un coup d'œil sur les photos prises à l'aéroport, et Stellio entreprit de traduire le turc dans son anglais scolaire. Les interviews étaient amicales. On me présentait comme la célébrité d'Anatolie qui niait être arménien, comme le gamin du coin de la rue qui était parti en Amérique et en était revenu riche et célèbre. On ne mentionnait nulle part mon origine grecque. Cette publicité ne laissa pas d'inquiéter Stellio. Il estimait qu'il aurait mieux valu que je ne dise rien. « Ne leur fais pas confiance ici, dit-il. Demain, tu verras, ils écriront mal sur toi. » Il me dit aussi ce que mon père aimait à répéter : « Quand ils te demandent quelque chose, c'est mieux de dire que tu sais rien. Ne leur donne pas quoi te critiquer. »

Je mis un peu Stellio au courant de la raison de ma visite, je lui dis que je voulais aller à l'endroit où mon père était né et où la famille de ma mère avait vécu pendant plusieurs générations avant de quitter l'intérieur pour Istanbul. Viendrait-il avec nous ? Cela prendrait une semaine, peut-être. « Il le faut, répondit-il. Je dois faire attention, qu'il ne vous arrive rien. » Puis il nous emmena déjeuner dans le meilleur restaurant de la ville, où nous dégustâmes des mets riches et lourds. Un estomac protubérant n'est pas un handicap dans cette culture, c'est même plutôt un signe d'aisance matérielle. Tout le monde fait une petite sieste après le repas de midi — ils ont le ventre tellement plein qu'ils n'ont pas d'autre choix, d'ailleurs. Molly trouva que c'était une bonne idée, mais je préférai aller visiter la ville.

Istanbul exsudait la crasse à l'époque, mais la ville est bâtie sur l'un des sites les plus beaux du monde. Au cœur de la cité se trouve le pont de Galata, où se bousculent riches et pauvres, puissants et misérables, hommes et bêtes. A mes yeux, c'était comme une grande voie de passage démocratique. Mais Stellio fut prompt à corriger cette première impression : en Turquie, me dit-il, il n'y avait ni démocratie ni égalité, ou alors seulement au sommet — parmi les hommes politiques en place, les officiers supérieurs, une poignée de riches marchands —, ou à la base — mais il y régnait une autre forme d'égalité, parmi les pauvres sans espoir et les vagabonds qui feraient n'importe quoi, vendraient n'importe quoi pour rester en vie. Entre les deux, me dit Stellio, une grande masse de Turcs se débattaient entre peur et incertitude.

A ces mots, Molly fit quelque chose qui ne laissa pas de me surprendre : elle m'embrassa sur la joue — pourquoi, je n'en ai pas la moindre idée. Peut-être tout bêtement parce que j'avais pris conscience de cette situation et qu'elle s'en réjouissait.

Nous traversâmes le pont de Galata où se trouvait le marché de gros, et là nous vîmes les *hamals*, bêtes de somme humaines. Leur fardeau, quand il était léger, pouvait atteindre un mètre quatre-vingts de hauteur, mais souvent les *hamals* portaient des charges trop lourdes pour pouvoir les hisser seuls sur leurs épaules. Ils progressaient penchés en avant, d'un petit trot rapide, comme les ânes tout aussi chargés qui marchaient à leurs côtés. Leur visage était de marbre, leurs yeux étaient comme morts. Ils n'attendaient rien de bon de leurs congénères. Certains avaient apparemment atteint la soixantaine — comment pouvait-on survivre si longtemps à une telle besogne ? Il y avait aussi des jeunes parmi eux — ne pouvaient-ils donc pas trouver un meilleur emploi ? Apparemment non. Ces créatures n'étaient ni amicales ni hostiles — guère différentes, là encore, des ânes. Elles émettaient de petits cris pour dégager la voie devant elles, peu désireuses de freiner la course en avant de leurs corps surchargés. Mais ces cris ne paraissaient pas sortir d'une gorge humaine. Ces gens occupaient la position la plus basse de cette société. De l'humanité tout entière.

Sans le savoir, je venais de trouver le héros de mon film *America America*.

Quelques jours plus tard, Molly, Stellio et moi nous trouvions sur la route d'Ankara, la capitale, direction l'est. Nous traversâmes de vastes plaines, le plateau anatolien, où les femmes, « à quatre pattes », travaillaient aux champs, et aussi des villages où les hommes étaient agglutinés autour de tables installées à l'extérieur des cafés. Lorsqu'ils nous apercevaient, ils stoppaient leurs activités, qu'ils aient été en train de se chamailler ou de jouer au backgammon. « Pourquoi ne sont-ils pas là-bas à travailler avec les femmes ? demanda Molly. Qu'est-ce qu'ils font assis ? — Ils sont en train de résoudre nos problèmes politiques », répondit Stellio. Je trouvai sa réponse amusante, pas Molly. « Cette terre a l'air très riche, reprit-elle, ce pourrait être leur Iowa, si les hommes se donnaient la peine de travailler. »

Un peu plus tard, je demandai à Stellio : « Raconte à Molly ce qui s'est passé à ta boutique. » Dans son petit magasin, Stellio fournissait des cotonnades en gros aux petits marchands de l'intérieur. Il m'avait parlé des récentes émeutes qui avaient eu lieu dans le marché de gros du coton et dont il croyait qu'elles avaient été subventionnées par le gouvernement. « Ils ont fait venir plusieurs centaines de criminels de l'intérieur du pays, leur ont donné une bonne dose de *raki*, celui qui ne coûte pas cher, une bouteille chacun, les ont embarqués sur le bateau pour Istanbul et leur ont dit : "Allez-y, la ville est à vous. Prenez ce que vous voulez, pourvu que ce soit grec ou arménien."

— Est-ce qu'ils sont entrés dans votre boutique ? demanda Molly.

— Non, répondit Stellio. Ma boutique, ils ne touchent pas. » Puis il nous raconta comment les choses s'étaient passées. Il avait un voisin qui habitait dans le même centre de vente de coton en gros, un marchand turc mais un ami quand même. Cet homme savait ce qu'ignorait Stellio, c'est-à-dire qu'une émeute organisée se préparait, avertissement rituel donné aux minorités dans cette société pour qu'elles restent à leur place et se satisfassent de leur sort. Les criminels prenaient régulièrement ces petites vacances dans cette ville, nous assura Stellio.

« Où se trouvaient les autorités ? » demanda Molly. En bonne Yankee respectueuse de la loi, elle était indignée.

« Les autorités ? s'exclama Stellio. Ce sont elles qui achètent le *raki*. Toutes les boutiques grecques du centre d'Istanbul seraient touchées, m'avait dit mon ami. Ils auraient assez de *raki* pour tenir trois jours, et assez de nourriture : des agneaux à égorger et à faire rôtir le soir, des troupeaux entiers. Alors mon ami, il est venu me voir un jour et il a mis un petit signe sur ma porte, où personne ne le remarquerait à moins de le chercher, une espèce de croissant. "Qu'est-ce que c'est ?" demandai-je. Il m'a dit : "Laissez-le." Ce que j'ai fait. Les troubles ont duré trois jours et je suis resté à la maison, en barricadant nos fenêtres comme nous le faisions quand nous habitions dans l'intérieur et qu'il y avait de l'agitation. Quand le calme est revenu, je suis allé faire un tour dans la ville. Toutes les boutiques grecques avaient eu leurs vitres brisées, des articles en coton jonchaient les rues, partout, dans la boue ou dans les flaques d'eau, et les ânes avaient déposé leurs petits cadeaux dessus. Toute cette richesse — il faut travailler si dur pour gagner de l'argent ici —, tout était fichu. Terminé ! Pas de doute que beaucoup d'affaires en coton étaient aussi parties vers l'intérieur du pays pour mettre sur les *golos* de leurs femmes — pardonnez l'expression, Molly —, ici. » Il se tapa sur les fesses. « Ce soir-là, continua Stellio, j'ai invité mon ami à dîner. »

Molly s'efforçait de plaisanter. « Ce voyage est-il absolument nécessaire ? me demanda-t-elle. — C'est pourquoi j'ai dit à Elia, reprit Stellio, le moins possible dans les journaux là où nous allons. » Il se tourna vers moi. « Quand nous arrivons là-bas, ne fais pas le grand héros américain, qui critique tout aux journalistes. Moins tu en dis, mieux c'est. » Puis il s'adressa à Molly : « Dites-lui de faire attention. — Pourquoi vivez-vous ici ? » interrogea Molly. Elle était scandalisée par la situation. « C'est pas facile de s'en aller, répondit Stellio. Surtout si vous avez un peu d'argent. Vous ne pouvez pas le faire sortir du pays. »

Je scrutais le visage de mon cousin. Aucune ride ne le creusait. Bien qu'il vécût dans une inquiétude de tous les instants — le déplacement le plus court pouvait se révéler dangereux, ce qui explique pourquoi il cavalait toujours dans les rues —, il parvenait à demeurer affable. Il s'en tirait en étant aussi agréable à ses ennemis qu'à ses amis. C'était l'homme le plus circonspect que j'aie jamais rencontré, toujours tiré à quatre épingles. Cette attitude était née d'une vie passée à craindre les conséquences funestes de tout comportement sortant de l'ordinaire. Il avait toujours vécu sous l'œil d'une autorité qu'il savait hostile. C'était la peur qui régissait son existence. Je me comparai à lui : après tout, je n'étais pas si différent. Par exemple, je suis ponctuel jusqu'à la névrose — en fait, je suis toujours en avance aux rendez-vous. Pourquoi, me direz-vous ? Eh bien, parce que je ne veux prêter le flanc à aucune critique. Je m'étais reconnu en Stellio.

La première chose qui m'ait impressionné à Ankara, c'est la poussière de charbon en suspension dans l'air, comme une sorte de brouillard noir, et le fait que même les bâtiments gouvernementaux étaient sales. Une audience avait été fixée pour nous avec le grand homme politique de l'époque, Celal Bayar, le dernier des hommes forts de Mustafa Kemal. Quand nous pénétrâmes dans son bureau, je fus choqué de voir Stellio avancer de biais vers Bayar, s'agenouiller devant lui et lui baiser la main. C'était un geste oriental, que le vieux sembla accepter comme un dû. Je ne suivis pas le mouvement ; grâce à mon père, j'en étais dispensé. Plus tard, Molly demanda à Stellio : « Pourquoi avez-vous baisé la main de Bayar ? Il n'y a pas prêté attention. — Si je ne l'avais pas fait, les choses auraient été différentes. » Pendant que nous discutions, je notai que les couloirs sur lesquels ouvraient les deux portes étaient pleins de policiers en civil, des balèzes avec cette expression de confiance en soi particulière qu'affichent les membres de la police secrète. Bayar parlait d'un ton parfaitement assuré ; il se prélassait dans son fauteuil en m'étudiant et je sentis encore la peur monter en moi. Tout ce cérémonial me mettait mal à l'aise. Mais pas Molly. C'est elle qui posa les questions les plus intelligentes. Je m'efforçai de ne rien dire qui puisse être pris pour de la provocation. Je fus soulagé de quitter ce bureau et l'immeuble qui l'abritait.

Les gens du théâtre et les intellectuels locaux avaient organisé un dîner en mon honneur. Les rues que nous dûmes traverser en voiture pour nous rendre à cette soirée étaient très sombres, et je ressentis encore cette impression irrationnelle de courir un danger. Les invités ressemblaient davantage aux membres d'une cabale qu'à des personnes conviées à un pince-fesses dans la bonne société. Faisions-nous quelque chose de mal en nous réunissant pour manger ? Les boissons fortes détendirent l'atmosphère. Ils posèrent des questions sur New York et Hollywood — c'était toute l'Amérique pour eux —, sur les pièces que j'avais montées et sur leurs auteurs. J'étais un objet d'émerveillement. Comment en étais-je sorti ? Comment m'étais-je débrouillé pour travailler dans un théâtre libre dans la société la plus riche du monde ? Ils considéraient le transfert de ma famille à New York comme un miracle, et j'éprouvais envers mon père des sentiments inconnus auparavant : de la gratitude, par exemple. C'est Molly qui répondit à la plupart des questions concernant le théâtre et Hollywood.

De retour à l'hôtel, en sécurité, je fermai les fenêtres avant de me coucher. Le lendemain matin, la poussière de charbon s'était accumulée sur leur rebord comme de la neige noire. Je jetai un coup d'œil à l'extérieur pour me rendre compte que l'hôtel était entouré d'usines qui brûlaient de la houille grasse. Molly souffrait de la suie en suspension dans l'air et fut prise d'une quinte de toux. Rien de ce qu'elle avait vu en Turquie ne lui avait plu, et elle avait envie de retourner à New York. Je la convainquis de rester, étant donné que nous avions fait tout ce chemin pour voir l'endroit dont mes deux familles étaient originaires. « L'année prochaine, l'hôtel Hilton sera fini à Istanbul, dit Stellio. Vous profiterez mieux, Molly. » Mais plus tard, en privé, il m'encouragea à « renvoyer » Molly qui trouvait ce pays malsain, qui se méfiait de la nourriture et détestait les toilettes.

Juste un mot au sujet de ces toilettes. Ce sont les premières que j'aie jamais utilisées, et elles consistent en un petit réduit avec un sol de pierre, parfois de marbre, percé d'un trou d'environ quinze centimètres de diamètre. Il y a une poignée sur chacun des murs de cette cabane et l'on s'y tient pendant le déroulement des opérations. Le serviteur en poste doit aller y jeter un seau d'eau une fois de temps en temps. Ce qui ne résout en rien le problème posé par l'odeur pestilentielle qui ne manque pas de s'élever de l'accumulation de matière en profondeur. Au contraire, il l'aggrave même pendant quelques instants. Ces lieux ne sont pas plus pratiques d'accès pour les hommes que pour les femmes, car dans cette région — et avant votre époque, lecteur — elles étaient vêtues de robes ou de jupes qui touchaient le sol, et ne portaient pas toujours de sous-vêtements. Elles restaient donc debout ou s'accroupissaient, les jambes écartées, en se tenant aux poignées. Mais l'homme, pour assurer l'une de ses fonctions, devait laisser tomber son pantalon sur le sol de pierre, qui était toujours humide et insalubre. Pour une jeune Américaine élevée dans une famille de la bourgeoisie aisée de South Orange, New Jersey, et diplômée de Vassar College, cette installation paraissait révoltante.

Molly, sa toux s'étant aggravée, décida de rentrer à la maison, et je n'essayai pas de l'en dissuader.

Le lendemain, Stellio et moi nous rendîmes dans l'Est, à travers champs par des routes de gravier, et le vent de la plaine était pur. Quatre heures après, nous arrivions dans notre auto sur la place centrale de Kayseri, la ville où mon père était né et avait grandi. C'était un vaste espace à moitié pavé, bordé d'un côté par le *vilayet* (le bureau et la résidence du gouverneur de la province), d'un autre par une mosquée brun foncé munie de ses étroits minarets, d'un autre encore par le bâtiment des Postes et télécommunications et enfin par un hôtel de quatre étages, dont la façade de béton avait été noircie par les années. Nous avions remonté le temps d'un demi-siècle depuis notre départ d'Istanbul. Quelques rares automobiles dépassaient lentement des charrettes tirées par des chevaux. Il y avait des ânes dans tous les coins, portant des fardeaux qui paraissaient bien trop lourds pour eux. A la devanture d'une boutique, deux de ces bêtes, soulagées de leur charge, se reposaient, leur lourd pénis pendant bas. Accroupis contre le mur d'un bâtiment, la tête enturbannée, des *hamals*

attendaient qu'on les appelle, comme des chauffeurs de taxi en stationnement. Les femmes, entièrement couvertes à l'exception des yeux, marchaient en se hâtant, regardant droit devant elle. Un couple — l'homme
précédant sa femme de quelques pas — passa près de nous, avec chacun
sur la tête un grand plateau métallique. « *Baklava* », nous annonça notre
chauffeur. Aucune confiserie, aucune pâtisserie n'est trop sucrée pour un
Turc, observa Stellio. Le sucre est censé ajouter à la puissance sexuelle de
l'homme. Des melons à vendre s'empilaient sur une charrette stationnée
devant le *vilayet*. Une nuée de mouches vrombissait autour des fruits trop
mûrs qui s'étaient écrasés sur le sol. A l'arrière d'une charrette découverte, deux hommes vendaient des morceaux de glace grossièrement
découpés. Les gamins se disputaient les copeaux.

Notre auto s'arrêta devant le *vilayet*, et nous en descendîmes. Des
mendiants envahissaient les escaliers du bâtiment ; certains tendirent la
main. Escortés jusqu'à un passage gardé par des hommes en armes, on
nous fit entrer dans la salle de réception du gouverneur de la province. Au
moment où nous pénétrions dans son bureau, il fit irruption par une autre
porte au bout du couloir. Il nous attendait : c'était un petit homme,
presque nain, il avait une jambe plus courte que l'autre et marchait avec
une canne mais d'un pas rapide. « Osman Kavundju », se présenta-t-il.
Kavundju veut dire « planteur de melons », ce qui avait dû être le métier
d'un de ses ancêtres. Je sentis une énergie rayonnante se dégager de cet
homme et succombai bientôt au charme de sa cordialité. Au moment où
Kavundju s'asseyait derrière son bureau, Stellio se précipita pour lui
baiser la main. Kavundju Effendi ne fut pas impressionné ; il n'avait
d'yeux que pour son invité américain. Je lui rendis son sourire.

La première question que l'on pose au visiteur, en Turquie, concerne
ses préférences en matière de café — sucré, pas trop, sans sucre. Kavundju ordonna à l'un de ses assistants de nous servir, immédiatement ! Peu
importe que les choses aillent lentement en Turquie, tout ordre, tout
acquiescement est assorti du mot « immédiatement ». Ce qui n'affecte en
rien la lenteur des événements. Pendant la dernière guerre mondiale, nos
correspondants avaient donné à Ankara le surnom de « Yavashington »,
yavash signifiant en turc « lent ».

En attendant — il faut toujours briser le silence — le *wali* fit circuler
une petite soucoupe contenant des clous de girofle, pour rafraîchir notre
palais après notre long voyage et toute cette poussière avalée. Puis il
regagna sa grande chaise officielle, sorte de trône à l'échelle de sa province. Je notai que ses pieds ne touchaient pas le sol. Derrière ce petit
homme tordu était accrochée une immense photographie en couleurs :
celle du héros national, Mustafa Kemal, dans une pose martiale ; ce
général avait mis en déroute l'armée des envahisseurs grecs en 1922,
rendant ainsi la Turquie entièrement turque pour la première fois de son
histoire.

Kavundju brisa le silence. Il déclara qu'il allait me faire visiter sa ville ;
ce serait un grand honneur pour lui. Et pendant les trois jours qui suivirent, c'est ce qu'il fit, avec une énergie et un enthousiasme qui me
rappelèrent La Guardia, le maire de New York. Il ne me montra ni parcs,

ni monuments, ni bibliothèques, ni écoles, mais les nouvelles usines de sucre, de textile et de tapis (où l'on nous offrit de minuscules sets de table en cadeau). Sa fierté était contagieuse. Il me plut. Je n'avais pas peur en sa compagnie. Bientôt, je l'appelais Osman, et il m'appelait Elia.

Le lendemain, je demandai à visiter les endroits moins impressionnants, en particulier la partie de la ville qui constituait autrefois le quartier grec où la famille de mon père avait vécu. J'y vis de longs alignements de murs aveugles, donnant sur les rues. Nous entrâmes dans l'une de ces demeures. Elle comportait une grande cour, seule source de lumière. Quatre personnes dormaient dans une seule chambre. Il ne restait plus de Grecs à Kayseri, me dit Osman ; ils avaient quitté la ville à la fin de la guerre de 1922. « Ils ont déménagé de gré ou de force ? » demandai-je. Il fit un petit geste de la main, à l'orientale : il faut accepter les mouvements de l'histoire sans poser de questions. J'imaginai mon père, ses parents, sa demi-sœur et ses demi-frères vivant dans une de ces rues sans visage, et ce qu'ils devaient ressentir, minoritaires et sans pouvoir. Quel instinct avait prévenu mon oncle et mon père qu'il était temps de s'en aller, qu'il vaudrait mieux se décider, au moment où ils l'avaient fait ? Osman était amical, affectueux même, mais quand je songeai au passé, je me sentis coupable de l'aimer.

Le lendemain, je demandai qu'on m'emmène dans la ville voisine de Germeer, dont était originaire la famille de ma mère. Elle était distante d'environ quinze kilomètres et située au pied d'une falaise imposante. Nous nous y rendîmes comme partout, que ce soit à pied ou en voiture : en procession. Des deux côtés de la rue principale, pavée, s'élevaient des maisons en mauvais état mais qui avaient dû être belles, mieux construites et mieux aménagées que celles que nous avions vues à Kayseri. Elles avaient appartenu à des Grecs, hommes aisés, dont la plupart tenaient boutique à Kayseri. Quand le transfert de population de 1922 avait eu lieu, les Turcs s'étaient approprié les maisons désertées et les avaient laissées se détériorer. Des ornements gravés dans la pierre encadraient les portes d'entrée et les fenêtres supérieures étaient ombragées par des « voiles de harem », faits de petites bandes de bois finement ciselées. La famille de ma mère était plus riche que celle de mon père.

Les habitants n'avaient pas la moindre idée de qui j'étais mais, pour faire honneur à un étranger, surtout accompagné du gouverneur de la province, les femmes sortaient des maisons en offrant des galettes de pain, toutes chaudes sorties du four. Elles ne semblaient pas effrayées, mais quand elles s'apercevaient que je les regardais, elles relevaient vite un coin de leur voile pour couvrir leur visage.

Une petite place, autrefois entourée de maisons tombées depuis en ruine, surplombait cette rue. Des morceaux de murs indiquaient le tracé des pièces. Osman posa des questions sur la famille de ma mère, les Shishmanoglou, aux vieux qui nous avaient suivis. Personne n'était sûr de l'endroit où se trouvait leur maison. « Oui, oui, ici, bien sûr, dit l'un de ces patriarches, c'était l'une de celles-ci, certainement. » Un autre ancien avança : « Non, non, c'était juste là, en face de l'endroit où vous êtes. — Nous la trouverons, promit Osman. Quand vous reviendrez, vous pourrez embrasser le seuil. »

« Tu vas vraiment revenir ? » me chuchota Stellio en grec.

Nous parvînmes à une place où s'entassaient les ruines de l'église orthodoxe : seul subsistait un pan de mur recouvert de plâtre, sur lequel on devinait les traces de tableaux religieux. Pendant que j'inspectais ces vestiges, de vieux Turcs m'assurèrent qu'ils regrettaient beaucoup les Grecs : les deux races s'entendaient très bien, ajoutèrent-ils. Au vu de l'état délabré de l'endroit — rien n'avait été entretenu —, je compris combien, en effet, on regrettait les Grecs. Alors que nous redescendions, d'autres ancêtres me confièrent combien ils admiraient les Grecs qui avaient vécu dans le village pour leur « astuce ». « Un Grec, devait me déclarer l'un de ces patriarches, peut gagner de l'argent sans même travailler. Il passe la journée à jouer au jacquet et, quand le soleil se couche, il s'est enrichi. Nous, nous travaillons toute la journée et nous gagnons à peine de quoi nourrir notre famille. » Ce qu'il jalousait, c'était le talent des marchands grecs pour acheter puis revendre avec un profit. Jusqu'à quel point ne se mêlait-il pas de la haine à cette jalousie ? Le fait est que le père de mon père n'était pas riche, loin de là. Il se contentait de « travailler sans travailler ». « Les Turcs se servent de leur dos, disait mon père, Nous autres Grecs, nous utilisons notre cerveau. »

Pour ma dernière nuit sur place, on donna un banquet d'adieu en mon honneur, dans un bosquet ; des lanternes avaient été accrochées aux arbres. Ce bosquet plongé dans la pénombre me paraissait bien mystérieux. Il avait dû être bien plus sombre du temps de mon père. Cependant, pour la première fois je n'éprouvais aucune crainte. Je savais désormais que ces gens étaient mes amis. Osman et moi présidions à la longue table, côte à côte. J'apercevais de nombreux visages, qui observaient la scène à travers les branchages et les buissons. « Nous vivons à la merci des Turcs », me racontait mon père. Mais ce n'était pas l'impression que j'éprouvais à ce moment précis. Nous portâmes des toasts émus à notre désir mutuel de voir régner l'harmonie entre nos deux peuples. Nous nous jurâmes une amitié éternelle, Osman et moi. J'avais de la peine pour Stellio, qui restait tendu et sur ses gardes. Il me freina une fois encore : « Ne leur fais pas confiance — même quand ils sourient. » Mais j'embrassai Osman avant de le quitter. Il m'appela « mon frère en Amérique » et me donna encore un autre cadeau : un tapis — celui-là, précisa-t-il, pour les pieds de ma femme quand elle sort du lit. Je promis de revenir bientôt.

J'avais bien des raisons de me réjouir. J'avais enfin trouvé le matériau dont je rêvais, authentique ! Sur le chemin d'Istanbul, je pris une décision. Je ferais un film qui raconterait le voyage de mon oncle depuis Kayseri jusqu'en Amérique. A mesure que nous roulions vers Istanbul, je pris des notes sur cette région, j'emmagasinai des détails sur les villages que nous traversions, ainsi que sur leurs habitants, leur mode de vie, leurs habits, leur personnalité. Je pris des photos. En d'autres termes, je me mis au travail.

A Istanbul, je passai deux jours à suivre les *hamals* de commission en commission dans le quartier des quais. Je mangeais la même nourriture qu'eux, j'attrapais au vol tout ce que je pouvais comprendre de leurs conversations. Beaucoup venaient de l'intérieur. On comptait des Kurdes parmi eux, qui parlaient une autre langue. Je prenais des notes en secret, afin que ni les *hamals* ni les dockers ne se sentent espionnés. Ils me faisaient peur : c'était bon signe, je le savais bien. Le héros d'une œuvre dramatique doit toujours susciter ce respect qui naît de la peur.

Chaque fois que j'avais besoin de me détendre ou de me reposer, je me rendais à la boutique de Stellio ou je le rencontrais pour déjeuner dans un restaurant au bord de l'eau. Il me parlait de mon père à l'égard duquel il éprouvait une admiration particulière parce qu'il avait réussi à emmener notre famille hors de Turquie. « C'était un homme astucieux », me disait Stellio. Mes cousins semblaient avoir l'habitude d'utiliser le mot « astucieux » quand ils voulaient dire « intelligent ». Le Grec anatolien, en effet, est célèbre pour sa ruse. Mon père avait été assez astucieux pour emmener sa famille en Amérique avant que toute la région ne soit plongée dans une guerre terrible. Son astuce avait assuré la sécurité de ses enfants. « Tu as une grande dette pour lui, dit Stellio. Tu devrais lui baiser les pieds quand tu le verras la prochaine fois. »

Un dîner d'adieu fut organisé pour moi chez Stellio, où je rencontrerais mes autres cousins ainsi que la femme de Stellio et leurs enfants. Nous prîmes place autour d'une table regorgeant de nourritures savoureuses. Ils m'inspectèrent tous du regard et j'en fis autant. C'étaient d'excellentes personnes, bien éduquées, discrètes et gentilles. Je notai que si mon père avait fait régner la terreur chez nous et avait mené sa femme et ses quatre enfants à la baguette en les menaçant de son tempérament explosif, c'était la femme de Stellio, Vili, qui portait la culotte : elle présidait à table, coupa la viande (une prérogative masculine), servit la nourriture et domina la conversation. L'attitude de Stellio ne pouvait être qualifiée que de conciliante. Il voulait que tout se passe bien, que tout le monde m'apprécie et que certains doutes et inquiétudes — je ne savais pas exactement lesquels — soient gardés sous silence. Je notai également que les deux fils de Stellio ne le respectaient pas comme il sied à des enfants grecs et je sentis qu'il en était blessé. J'avais vu juste : quelques années plus tard, il dit à un ami qu'il n'était pas sûr que ses fils assisteraient à son enterrement. Le vin me rendit querelleur. Peut-être éprouvais-je un ressentiment de Grec devant cette femme qui faisait la loi chez elle. Sur un ton assuré et exubérant, je décrivis les événements marquants de notre séjour à Kayseri, j'évoquai les sentiments amicaux de tout le monde à mon égard et à celui de Stellio, et notre sympathie pour Kavundju, je dis combien j'admirais Osman et ce qu'il accomplissait à Kayseri. « J'aimerais que vous voyiez ce qui se passe là-bas maintenant, lançai-je, les nouveaux bâtiments et les nouvelles usines, l'atmosphère de progrès. » Je leur parlai des vieillards à Germeer qui s'étaient plaints à maintes reprises du départ des Grecs qu'ils regrettaient, je leur confiai combien tout le monde s'était montré généreux envers moi ; ils m'avaient accepté comme l'un des leurs. J'émis la suggestion que peut-être les tensions et les haines passées pourraient enfin être oubliées. Quoi qu'en pensent les militaires à la tête de ce pays, le peuple turc était généreux et prêt, j'en suis sûr, à ouvrir une ère d'amitié nouvelle avec les Grecs. Je leur fis part de ma décision de faire un film, que je tournerais entièrement en Turquie, en prenant les figurants sur place ; mon objectif, au-delà de la réalisation d'un film divertissant, serait de contribuer à établir de meilleures relations entre les Grecs et les Turcs. Cela devait arriver, conclus-je.

Mes paroles furent mal accueillies. Vili, je l'avais remarqué, fulminait contre moi. Le vin lui délia aussi la langue et je reçus bientôt un « rapport de l'intérieur ». Quand elle commença à parler, elle détourna les yeux de ma personne pour les porter sur son mari. Elle semblait s'exprimer d'abord à son intention. Le condamnait-elle pour ce que j'avais dit ?

« C'est facile pour vous, Elia, dit-elle en regardant son mari, d'aller où bon vous semble, de dire ce que vous voulez et d'être si courageux, puis de venir ici et de nous dire quoi penser des Turcs quand nous avons vécu toute notre vie sous leur coupe. Vous venez nous dire que les Turcs sont amicaux, gentils et généreux ; que ce ne sont pas de mauvaises gens et ainsi de suite. » Puis elle s'adressa directement à son mari. « Oui, c'est facile pour lui d'employer des grands mots et de jouer les héros. Mais dis-moi, Stellio, tu n'as pas un passeport américain dans la poche, toi, n'est-ce pas ? » Elle se tourna ensuite vers moi. « Quand il était plus jeune, mon cher mari, il faisait des grandes phrases, lui aussi. Alors je lui ai dit : Sois hardi à la maison, mais tais-toi dans la rue. Tu as une femme et deux enfants maintenant, et tu ne risques pas ta peau mais la nôtre. Il a continué à faire le brave jusqu'au jour où ils sont entrés dans sa boutique pour la première fois et qu'ils ont tout jeté dans la boue dehors, et que sans un de ses amis, ils auraient recommencé. Il vous a raconté ?

— Oui, répondis-je, il m'a dit qu'il avait un ami, un Turc, qui avait dessiné un croissant sur sa porte, ce qui l'avait sauvé et prouve qu'il y a quelques bons Turcs et que nous ne devons pas les considérer comme des ennemis pour toujours...

— Il *avait* un ami ! interrompit Vili. Oh, non ! Il s'est *fait* un ami. Mon mari est très malin. Vous a-t-il raconté toute l'histoire ? »

Stellio la coupa dans son élan : « Je lui ai raconté, Vili. »

Mais elle continua comme si de rien n'était. « Vous a-t-il dit combien de ses bons clients il a envoyés chez ce Turc ? Vous a-t-il dit que lorsque je faisais du pain, il me disait : "Fais-en pour lui aussi", et que je le faisais ? Vous a-t-il dit combien de fois nous avons dû raccourcir nos vacances sur l'île et lui prêter notre maison là-bas pour qu'il y vienne avec ses familles ? Hé oui, cet homme avait deux femmes. Et que Stellio payait toujours pour le repas quand nous déjeunions ensemble et que...

— Vili, assez, interrompit Stellio.

— Oh, oui, mon mari est très malin ! Il savait quoi faire. Mais vous pensez que ce mode de vie est un bon exemple pour ses fils ? Leur enseigne-t-il la force ? Nous faudra-t-il être si malins toute notre vie pour survivre ici ?

— Vili, Vili, *shshsh*, dit Stellio.

— Je me fiche de ton *shshsh*, dit-elle en se détournant complètement de moi. Je ne veux pas qu'il vienne ici te raconter combien ils sont gentils et humains quand la vérité, c'est que ce sont des animaux, qui ont goûté à notre sang plusieurs fois et qui en veulent plus, comme des bêtes. (Elle se tourna de nouveau vers moi.) Vous a-t-il dit que nous avions passé trois jours et trois nuits enfermés, avec les volets clos, à écouter ces bêtes sauvages en liberté dans les rues, que nous avons vu les flammes près de nous et entendu les cris des gens dont ils pillaient les maisons, et que le lendemain, bien que tout soit calme, nous n'avons pas osé partir pour aller chercher du pain, de la viande ou du lait pour les garçons ? Nous savons que ça va recommencer et nous savons que c'est ce que veut le gouvernement : il donne de l'argent pour l'ouzo qu'ils boivent, alors ne venez pas me parler de votre gouverneur de Kayseri qui donne des banquets pour vous, le célèbre Américain avec son nom dans les journaux. Ce n'est pas un innocent, votre Kavundju Effendi. C'est pas vrai, Stellio ? Hein ? Dis ! »

Stellio ne répondit rien, et personne d'autre ne prit la parole. Alors Vili se tourna vers moi ; elle était plus calme mais sa voix exprimait aussi plus de haine qu'avant : « Elia, nous vivons bien ici, maintenant. Il a un bon commerce, et nous avons assez d'argent pour manger et pour presque tout ce dont nous avons besoin ; pas de voyages en Amérique, mais un mois sur l'île, et nous avons notre âne là-bas aussi. Nos garçons vont dans une bonne école et sont bien habillés, alors... Laissez-nous tranquilles ! Ce n'est pas l'Amérique ici, et nous ne sommes pas des Américains. Souvenez-vous-en. Nous ne pouvons pas nous offrir le luxe de la colère ! Nous vivons comme nous le devons et... et je suis satisfaite comme ça. Laissez-le donc *tranquille* ! Je suis satisfaite. Pardonnez-moi. »

Elle se leva et quitta la pièce, en claquant la porte.

On se sépara peu après. Les garçons allèrent dans leur chambre faire leurs devoirs et Vili ne reparut pas. Nous passâmes quelques instants ensemble, Stellio et moi. Il me demanda d'excuser sa femme. « Elle est bonne, cette femme, dit-il, et elle s'occupe bien de la maison pour moi. Elle a eu quelques frayeurs dans la rue, et pour te dire la vérité, bien que je regrette qu'elle ait dit ce qu'elle a dit, je suis d'accord avec. C'est notre situation ici. Au moins pour l'instant. »

Puis il farfouilla dans sa poche et en tira un petit paquet bien enveloppé qu'il me donna. « Quelques bijoux et quelques livres anglaises. » Il chuchotait à présent — dans sa propre maison ! « J'ai une sœur à Athènes, tu sais. Quand tu iras là-bas, donne-lui ça. Ils n'ouvriront pas tes bagages, pas les tiens. Peut-être tu ferais mieux de le mettre dans ta poche. Son adresse est écrite ici, tu vois ? Elle sait quoi faire avec. »

En marchant vers mon hôtel, je m'interrogeai : Stellio prévoyait-il de s'échapper d'ici. Pensait-il repartir de zéro à Athènes ? Et si c'était le cas, y parviendrait-il ? J'en doutais. Je repensai à mon père, qui avait effectué le voyage en Amérique, y avait recommencé à zéro, et avait réussi. Mais n'était-il pas d'une autre trempe que Stellio ? Si, sans doute. Le fait de comprendre Stellio m'avait rapproché de mon père. Je l'appréciais davantage, car j'avais vu à quoi il avait échappé et j'avais tâté de la réalité — loin du roman. Pour la première fois de ma vie, j'éprouvais du respect pour mon père et pour ce qu'il avait fait.

En retraversant l'Océan pour regagner les États-Unis, je pris des notes,

j'établis un journal de notre séjour dans l'intérieur du pays, où je mentionnai Stellio et Vili, et Osman Kavundju, pour qui j'éprouvais une grande
tendresse. Je couchai sur le papier tout ce que j'avais vu et entendu avant
d'oublier. Je savais que je m'en servirais un jour : que je répondrais à
« l'appel » intérieur qui me commandait de parler au nom de mon père,
de mon oncle et des gens à la table desquels je m'étais assis ce soir-là.

De retour à la maison, je pétais le feu. J'avais décidé que je n'attendrais
plus que les auteurs m'envoient leurs pièces ou que les producteurs me
proposent des films à mettre en scène. Je serais à l'origine de projets
personnels. J'avais aussi résolu de prendre une part active à l'organisation
de chacun de mes projets et, à moyen terme, à leur écriture. Ce qui
m'épargnerait l'humiliation d'attendre le bon vouloir des auteurs et des
producteurs. Je commençai par élaborer un scénario à partir de trois
pièces en un acte de Tennessee Williams. J'avais retenu la suggestion de
Budd : tirer un film de la nouvelle de Tennessee, *Your Arkansas Traveller* ; nous nous étions mis d'accord pour nous atteler aux travaux de
recherche et pour mettre au point sur un pied d'égalité forme, structure et
personnages. Je serais alors en mesure de rédiger un scénario moi-même,
aussi convainquis-je la Fox d'acheter un roman sur une vieille dame fière
qui allait être expulsée de chez elle par la Tennessee Valley Authority en
application du programme d'inondation des vallées pour produire dans la
région de l'électricité à bon marché. Je ferais ces trois films l'un après
l'autre.
    Plus facile à dire qu'à faire.

BABY DOLL a été un enchantement du début à la fin. Jamais je n'ai éprouvé autant de joie à tourner un film. J'ai même aimé l'attaque lancée contre lui par Francis Cardinal Spellman.

L'histoire est simpliste et ne doit pas être prise trop au sérieux. Un entrepreneur à la petite semaine (Eli Wallach) s'impose dans une communauté du Sud profond et installe une égreneuse de coton plus moderne. Une nuit, l'égreneuse prend feu. Eli soupçonne un incendie criminel. Il a dans l'idée que l'homme qu'il a dépossédé de son gagne-pain (Karl Malden) en est l'auteur. Pour en avoir le cœur net, il se rend chez Karl, qui vit dans un vieux manoir délabré, et commence à poser des questions à sa femme (Carroll Baker). C'est une enfant de dix-neuf ans qui dort encore dans son berceau. Eli découvre que le mariage, arrangé par le père de la jeune fille sur son lit de mort pour la protéger, n'a pas été consommé. Carroll, comme elle le rappelle régulièrement à son mari impatient, n'est pas prête pour le mariage. Elle l'est en réalité — mais pas pour lui. Sur ces entrefaites, elle balance que son mari a bien fait brûler l'égreneuse. La revanche d'Eli va consister à s'efforcer de séduire la fille. Le film ne montre jamais s'il y parvient. En attendant le retour de Karl, Eli fait un somme dans le berceau de Baby Doll. Lorsque le mari arrive, après une journée de dur labeur passée à égrener le coton d'Eli dans sa propre égreneuse, il trouve l'entrepreneur qui l'attend. Eli insinue qu'il s'est envoyé Carroll. C'est sa revanche.

Quand je proposai ce film à Tennessee Williams, il déclina mon offre. Qu'importe, je mis mon projet à exécution, élaborai un script et le lui fis parvenir. Il me donna un *go* peu enthousiaste. Il travaillait à une — ou deux — autres pièces ; Williams ne mettait jamais tous ses œufs dans le même panier. Il me promit de réfléchir à *Baby Doll* mais il ne s'y donna qu'à moitié. Il m'envoyait une page ou deux, griffonnées sur le papier à lettres de l'hôtel où il se trouvait à ce moment-là, avec la mention : « A insérer quelque part. » Parfois, ces notes éparses m'aidaient ; souvent, elles ne m'apportaient rien.

Son intérêt se manifesta après avoir vu à l'Actors Studio, où je l'avais traîné, une scène du script que j'avais ficelé. Elle était interprétée par une jeune actrice à qui je mourais d'envie de confier le rôle principal. Dans la pièce en un acte de Tennessee qui s'intitule *27 Wagons Full of Cotton*, Baby Doll Meighan est une bonne grosse fille. Je n'apprécie pas les jambes épaisses chez une femme, et je voulais Carroll Baker, qui venait d'entrer au Studio, pour ce rôle. A peine la scène avait-elle débuté que Williams l'interrompit. « C'est tout à fait ça, corna-t-il. C'est elle ! » Il prit Carroll dans ses bras. Je saisis ce moment d'enthousiasme enflammé au vol et lui fis promettre de venir dans le Sud avec moi, pour travailler sur le script. Petit détail, nous n'avions pas de fin.

« Mais il me faut une piscine », avait-il dit ; c'était sa façon de consentir. Je pris l'avion pour Greenville, dans le Mississippi, où nous allions être logés, et découvris que la ville disposait d'une seule piscine vide. Notre directeur de production, Charlie Maguire de nouveau, impressionna les autorités municipales en insistant sur l'honneur que Williams ferait à cette communauté en lui rendant visite. Ils remirent la piscine en état. Williams descendit dans le Sud, essaya la piscine et parut satisfait. Puis il m'annonça qu'il retournait à New York. Pour quelle raison ? Il n'aimait pas la façon dont les gens le regardaient dans la rue. Bien sûr, c'était imaginaire, mais je ne parvins pas à l'en convaincre ; il devait avoir d'autres raisons de s'en aller et avait besoin de cette justification. Je lui rappelai que nous n'avions toujours pas de fin. Il me répondit qu'il m'enverrait quelque chose et tint parole. Son « quelque chose » contenait cette réplique magnifique qui clôt le film, quand Carroll dit à Milly Dunnock, après avoir constaté que les deux hommes ont disparu : « Nous n'avons plus qu'à attendre de voir si on va se souvenir de nous ou bien nous oublier. »

Je n'avais plus d'auteur, mais je m'en fichais. J'étais ce que je voulais être, à la source de toute la production. J'avais mon équipe technique new-yorkaise, tous de vieux amis. Mes acteurs venaient du Studio et se mêleraient aux figurants locaux. Le grand cameraman Boris Kaufman travaillait de nouveau avec moi ; nous décidâmes de donner au film une lumière qui jouerait sur la superposition de blancs pâles. Les gens du cru se montrèrent d'abord soupçonneux mais leur générosité ne tarda pas à prendre le dessus. La ville de Benoit semblait sortie tout droit d'une pièce de Tchekhov. Ses citoyens chaleureux et curieux avaient le don de mettre leur âme à nu. Je fis venir ma famille et tout le monde les adopta, s'occupa de les distraire et les invita à manger. Nos enfants se virent prêter des poneys. Pendant une dizaine d'années, ils m'ont envoyé des cadeaux de Noël, la plupart du temps des noix de pécan cueillies sur leurs arbres.

Mais cette culture possédait aussi un autre versant. Un week-end, je fus invité à une partie de chasse. Quelque trente animaux furent abattus puis pendus à une longue rangée de crochets, la tête en bas, un filet de sang coulant de leur gueule. Je regardai ensuite un chien dépecer un animal et un homme, armé d'un arc et de flèches, estropier puis tuer son trophée. Je n'ai plus jamais mangé de venaison. Un autre jour, un Noir qui avait eu maille à partir avec des gens du coin fit appel à nous. Nous dûmes le cacher dans l'une de nos caravanes pendant deux nuits et un jour, puis l'emmener en voiture hors de la région.

Nous avions fait un joli film. Beaucoup de gens ont dit qu'il ressemblait aux films européens, que c'était un lointain cousin des œuvres de Pagnol, metteur en scène que j'admirais. Je ne pensais pas que *Baby Doll* était un chef-d'œuvre, mais c'était original.

Il fallut que le cardinal Spellman s'en mêle pour que le film devienne célèbre. Ce pauvre vieux fou, qui revenait de Corée, où il avait présidé à la messe de Noël pour les petits gars, monta au pupitre de la cathédrale St. Pat pour raconter son expérience et dire combien nos soldats avaient le sens du sacrifice, puis lança, je cite : « Et qu'est-ce que j'ai trouvé en rentrant au pays ? *Baby Doll !* » Il continua : « L'angoisse s'est emparée de moi à l'idée que ce film était sur le point d'être projeté dans tout le pays. Son thème révoltant est un défi méprisant lancé à la loi de la nature. » Et ainsi de suite. Il interdit aux catholiques de voir le film, « sous peine de péché ». Il clama qu'il était du devoir patriotique de chacun — oui, il prononça bien le mot patriotique ! — de boycotter ce film.

Toutes ces salades de la part d'une éminence grise — oui... il buvait — doublée d'un magouilleur fini, qui frayait avec des hommes politiques, des promoteurs, des spéculateurs en immobilier ; une brute qui se dissimulait derrière des manières patelines et que les catholiques appelaient « le Sammy Glick de l'Eglise catholique », tant ils avaient honte de lui. Mais il était puissant, pour ça oui. Je n'allais pas tarder à m'en apercevoir, d'ailleurs. Bien que le *New York Post*, à l'époque quotidien libéral, nous ait soutenus, Williams et moi, dans des éditoriaux fougueux, aucun autre journal de notre ville ne publia même une brève au sujet de l'éclat absurde de Spellman.

Un soupçon me traversa soudain l'esprit : cette outre gonflée d'eau bénite n'avait pas vu le film qu'il condamnait. J'appelai un journaliste ami, du conservateur *Herald Tribune* de New York, et lui suggérai de passer un coup de fil à la « Pouvoir-Centrale » (la résidence du cardinal, sur la 5e Rue et Madison Avenue) et de demander à brûle-pourpoint si Spellman avait vu *Baby Doll*. Mon ami s'exécuta et reçut une réponse évasive. Finalement, le *Herald Tribune* confirma que le vieux prêtre n'avait pas vu le film. Un jour s'écoula avant que Spellman ne présente sa défense. « Est-il besoin de contracter une maladie pour en connaître les symptômes ? » Il s'était appuyé, soi-disant, sur des personnes dont il respectait le jugement en la matière. Voulait-il parler de Martin Quigley ?

Williams se chargea de s'exprimer pour notre partie, égalant l'éloquence sirupeuse du cardinal. « Je ne peux pas croire, dit-il, qu'une branche aussi ancienne et aussi auguste de la foi chrétienne ne possède pas un cœur et un esprit plus larges que ceux qui s'érigent en censeurs d'un moyen d'expression qui non seulement s'adresse à toutes les classes et à toutes les parties de notre pays, mais encore étend son influence dans le monde entier. »

Le cardinal ne manifesta aucune honte ; il ne leva pas son interdiction contre le film. Dans de nombreux cinémas, des prêtres, debout dans le hall d'entrée, calepin en main, notaient le nom des paroissiens qui défiaient leur chef spirituel. On lisait à droite et à gauche que le film battait tous les records au *box-office*. Ce n'était pas vrai ; l'attaque du cardinal nous avait atteints. Il y aurait une bonne semaine, puis ce fut la dégringolade. Je n'ai pas touché un *cent*.

On fit toute une salade des scènes sexuelles dans *Baby Doll*. En France, des historiens du cinéma inclurent dans leurs ouvrages sur l'érotisme des photos du film. Aujourd'hui, ces photos ont l'air bien inoffensives. Si d'aventure vous revoyez le film, vous apprécierez une comédie plutôt amusante et vous vous demanderez à quoi rimait cette mascarade. J'ai gardé une affection considérable pour *Baby Doll*. Mais Dieu que les critiques ont été pompeux à son sujet !

On me rapporta de nouveaux développements dans l'affaire Strasberg-Monroe. Lee avait persuadé Marilyn d'exiger que Paula Strasberg soit présente (à 2 500 dollars par semaine) sur le plateau de tous ses films pour l'aider dans son interprétation. Paula s'installait juste derrière le metteur en scène, et après chaque prise, lorsque Marilyn regardait dans sa direction, elle hochait la tête ou la secouait latéralement. Si elle secouait la tête, Marilyn exigeait que la scène soit tournée de nouveau. Le soir, on se réunissait pour préparer le travail du lendemain ; le metteur en scène du film n'était pas présent. Lee ne voyait-il pas combien cette pratique était insultante ? Je ne comprenais pas pourquoi des réalisateurs estimés et indépendants toléraient la présence derrière eux de Paula jouant au séma-phore. Se plaindre après coup manquait de dignité ; ils auraient dû l'ex-pulser de leur plateau dès le premier jour de tournage.

Pourquoi ne le faisaient-ils pas ? Il n'est pas facile de manier une actrice hypnotisée. Quand ils protestaient, Marilyn utilisait ses armes féminines. Elle arrivait en retard. Ou elle ne venait pas du tout. Malade ! Pendant un jour ou deux. Ou plus longtemps. Cela dépendait. De quoi ? Du temps qu'il faudrait au metteur en scène pour comprendre qui tenait les rênes du pouvoir. C'est une arme très efficace, qui attaque le point le plus vulné-rable de l'organisme d'un producteur : son budget.

On appelait Lee d'urgence. Il n'était jamais très loin ; c'était un rôle qu'il assumait volontiers. Quelle gloire, vous rendez-vous compte ! Imagi-nez que la plus grande star de ce public adoré dépende de vos conseils et que votre ascendant sur elle dépasse celui du metteur en scène pour lequel elle travaille... Désormais, Lee avait la haute main sur des producteurs semblables à ceux qui, vingt ans auparavant, l'avaient engagé pour donner la réplique à des acteurs lors de séances de tests, puis l'avaient renvoyé. Lui-même metteur en scène raté, il dirigeait désormais des réalisateurs de premier plan. Il assistait à une conférence, aussi solennel qu'une chouette. Une solution finissait par être trouvée grâce à ses bons offices. Il promet-tait d'en discuter avec Marilyn. Le lendemain, elle se présentait pleine d'entrain, à peu près à l'heure. Paula lui filant le train. Faire ça à un homme comme George Cukor, auteur de chefs-d'œuvre de pure comédie, revenait à un outrage public. Lee était-il conscient du fait que ces pra-tiques humiliaient les metteurs en scène ? S'en souciait-il ? Je n'aurais su le dire.

Mais rien ne se passa comme ils l'avaient espéré. Paula se rendit en Angleterre car Marilyn faisait un film pour Olivier. Larry nourrit un mépris profond pour Paula. Bientôt les choses se mirent à mal tourner

pour Marilyn et elle avait souvent besoin de se faire remonter le moral à
son réveil. Elle se mit à boire. Peut-être sentait-elle se creuser le gouffre
entre ses capacités et les réussites qui lui avaient été promises. Et il y avait
d'autres raisons, j'en suis sûr ; d'ordre personnel. Billy Wilder, metteur en
scène de premier ordre, avait dit d'elle : « Elle commençait à boire à onze
heures du matin. Elle et Miller s'envoyaient des assiettes à travers la
figure sur le plateau. J'ai enfin trouvé quelqu'un qui la déteste plus que
moi. » Que diable Miller et Paula Strasberg venaient-ils foutre sur le
plateau de Wilder ? S'il y avait quelqu'un à Hollywood qui n'avait pas
besoin qu'on l'aide à écrire une scène ou à diriger un acteur, c'était bien
Billy Wilder.

UN HOMME DANS LA FOULE était en avance sur son temps ; Budd Schulberg, son auteur, avait anticipé Ronald Reagan.

Le film bénéficia d'une bonne presse et d'une critique extraordinairement favorable :

> Quand deux mouchards devant la Commission antiaméricaine conspirent pour produire l'un des plus beaux films progressistes qu'il nous ait été donné de voir depuis des années, une simplification excessive de leurs motivations ne suffit pas à expliquer ce phénomène. Ni Budd Schulberg, qui a écrit le scénario, ni Elia Kazan, qui l'a mis en scène, n'ont hésité à trahir leurs convictions mutuelles devant la Commission parlementaire en charge de la chasse aux sorcières. Mais ils ont sûrement appris quelque chose durant leurs années au sein du mouvement progressiste et les spectateurs en seront les bénéficiaires. *Un homme dans la foule* est un document coup de poing sur l'industrie télévisuelle et sur la façon dont un gratteur de guitare débarqué de sa campagne peut être transformé jusqu'à devenir une menace nationale. Ce film aidera le public des salles de cinéma à comprendre de quelle manière l'opinion publique est manipulée aux États-Unis et dans quel but. Est-ce une certaine nostalgie envers leur passé progressiste ou une conscience coupable (ou les deux) qui a poussé Schulberg et Kazan à nous donner ce film ? Peu importe, nous devons leur être reconnaissants de ce qu'ils ont accompli.

Cette critique parut dans *People's World*, l'organe du Parti communiste sur la côte Ouest. *Contre-Attaque*, le bulletin militant de la droite, tomba à bras raccourcis sur son auteur.

> *Contre-Attaque* estime que même un film de fiction doit faire quelques concessions à la réalité, ou à la vérité. Si l'auteur projette une image effrayante d'un possible futur, alors c'est une autre affaire. Mais ce n'est pas le cas ici. L'utilisation de termes et d'incidents

contemporains indique clairement que le propos des auteurs est de refléter la période actuelle. C'est de la propagande partisane. Mais nous doutons qu'elle soit le fait d'un reliquat du passé communiste de Budd Schulberg et d'Elia Kazan. C'est exactement ce que ces deux messieurs écriraient et penseraient aujourd'hui s'ils n'avaient jamais été proches du Parti communiste. Le credo du libéralisme commercial se fonde sur ce genre de fourbi. Mais il commence à paraître étrange car il s'est maintenant complètement coupé de la réalité. Le partisan du libéralisme commercial doit continuer à exalter le conformisme et le contrôle de la pensée car il n'a rien d'autre à se mettre sous la dent. Quelques symboles et une poignée de slogans, c'est tout ce dont il a jamais disposé en fait d'espérance et d'idéal. Cependant, le libéralisme commercial fait aujourd'hui la loi dans le domaine de la communication, et c'est le cas depuis un bon moment. Tous ces efforts visent à réduire un spectre en poussière — le spectre théorique de la prise du pouvoir aux États-Unis par les isolationnistes, les réactionnaires et les anticommunistes qui enverraient alors tous les électeurs ayant voté pour Henry Wallace dans un camp de concentration. Ce sont des balivernes, mais des balivernes très profitables, et messieurs Schulberg et Kazan sont passés maîtres dans l'art de les trousser.

Bien que j'aie trouvé ces deux critiques stupides, j'ai pensé que la description par *Contre-Attaque* des « partisans du libéralisme commercial » collait bien à certains de mes vieux amis.

Le P.C. ne m'a jamais lâché. Pendant le voyage que nous avions effectué ensemble, Molly et moi, où que je sois interviewé, les questions portaient d'abord sur les films que j'avais faits et les acteurs avec lesquels j'avais travaillé, puis un gus qui était resté silencieux jusque-là, assis au fond de la salle, sortait comme un diable de sa boîte et contestait mon témoignage devant la H.U.A.C. D'autres dans la pièce ne tardaient pas à se joindre à lui. Un tel incident se produisit à Paris mais avec une certaine élégance et une pointe de cynisme. A Athènes, en revanche, le quotidien communiste, *Avghi*, salua notre arrivée par une attaque toutes voiles dehors. Je dois dire, au risque de passer pour paranoïaque, que toutes ces questions et tous ces commentaires, même dans leur formulation, me paraissaient très semblables. Je me disais qu'ils devaient émaner de la même source.

Je répondais par le silence. Je savais que j'étais la cible officielle d'une campagne bien orchestrée qui avait canalisé la colère des gauchistes de tous les pays et leur avait fourni leurs répliques. J'étais au fait de leurs techniques et beaucoup des leurs ne m'étaient pas inconnus. Je suivais donc mon petit bonhomme de chemin, sans m'inquiéter de perdre des amis, et j'attendais que le vent tourne. Se glissait-il de la culpabilité dans mon silence, comme beaucoup de mes détracteurs l'ont soutenu ? Oui, au début ; un peu. Mais mû par la conviction croissante que j'avais bien agi, j'étais prêt à faire front désormais, et je ne m'en priverais pas.

J'étais fier d'*Un homme dans la foule* et je le suis toujours. Bien sûr, il y entre de l'exagération — comme dans toute satire — pour faciliter la démonstration. Mais jusqu'aux tout derniers instants, quand la satire est désamorcée, le film est réussi et très distrayant. Budd et moi formions une équipe parfaite, et j'avais tout dirigé de A à Z. J'effectuai les recherches avec Budd et je l'avais aidé à élaborer la structure de l'histoire. J'étais coauteur du scénario bien que je n'aie pas écrit un mot de dialogue. Contrairement à ce qui s'était passé pendant le tournage de *Sur les quais*, où Budd s'était rarement trouvé près de la caméra, j'avais insisté pour que cette fois-ci il soit à mes côtés chaque jour. L'idée m'avait paru séduisante, mais il s'était avéré à l'usage qu'il se trouvait parfois trop près de moi et je m'étais surpris à essayer de lui faire plaisir à lui, plutôt qu'à moi. Ma mise en scène ne réserve que peu de surprises, peut-être pour cette raison, mais Budd avait compensé cet inconvénient par de nombreuses suggestions excellentes. Nous en étions ressortis meilleurs amis. C'est notre foi envers notre thème qui nous poussait en avant, cette prémonition du pouvoir que la télévision exercerait sur la vie politique de la nation. « Écoutez ce que dit le candidat, conseillions-nous, ne cédez pas à son charme ou à sa personnalité rassurante. Ne vous fiez pas à l'étiquette mais à ce qu'il y a dans la boîte. » J'ai toujours regretté le « prêche » de l'écrivain « libéral » à la fin ; ce qu'il dit est certainement déjà contenu dans ce qui a précédé. Mais je n'avais pas de meilleure idée et j'étais sûr que Walter Matthau nous sauverait la mise.

Le film raconte une histoire apparente, et une intrigue secondaire, dont le fil se déroule simultanément et se cache, pour ainsi dire, derrière la première. Cette intrigue « cachée » est intimement liée à la vie senti-mentale de l'auteur et à celle du metteur en scène. Elle présente les femmes comme la conscience des hommes. On peut raconter le film de cette façon : une jeune femme intelligente et idéaliste, qui vient de Sarah Lawrence College et veut faire carrière à la radio, tombe sur une personne qu'elle considère comme une « découverte ». Il s'agit d'un jeune cam-pagnard qui a autant de bon sens qu'un cheval de trait mais possède un don de conteur. L'intelligence de ce garçon, c'est de ne pas tolérer le mensonge. Croyant avoir découvert une personnalité dotée d'un potentiel de générosité hors pair, elle l'aide à acquérir la prééminence qu'il mérite. Mais petit à petit, elle tombe amoureuse de lui, de son potentiel autant que de sa personne. Il devient son porte-parole. Puis elle se rend compte qu'il est en train de mal tourner et tente de le faire redevenir celui qu'elle aime. Mais il a atteint le point de non-retour, et elle s'aperçoit que le succès de cet homme a eu raison de son honnêteté. Comme elle l'a créé de toutes pièces, elle est responsable de ce qu'il est devenu, un être corrompu doté d'une influence néfaste. Et elle le tue, au sens figuré.

Cette histoire, comme vous pouvez en juger, n'a pas grand-chose à voir avec la vie politique américaine ni même avec les coulisses de l'industrie télévisuelle. Elle touche à des questions à la fois plus fondamentales et plus intimes. Elle raconte ce qui se passe à l'intérieur d'une femme et de sa conscience. Elle s'articule autour de choix effectués par Budd, lors de sa réflexion sur le « facteur humain » de cette fable. Il a choisi la source d'inspiration qui convenait : sa propre vie. Mais cet autre versant de l'histoire s'applique tout autant à moi. On peut lire dans ce film une autobiographie à deux voix.

Budd et moi avons choisi pour compagnes de vie des femmes dotées d'une personnalité influente. Il est souvent arrivé à Budd d'être séduit par une femme qui représentait, au moins pour un temps, le « droit » chemin pour « la meilleure » existence possible. Il a aussi eu besoin — mais là je m'avance un peu — d'une personne contre qui pécher, comme un garçon sur la mauvaise voie que la dame réprimanderait alors, ferait se sentir coupable et redresserait. Je crois même qu'il goûtait sa culpabilité — tant qu'on le reprenait ensuite. C'était surtout le cas avec sa troisième femme, Geraldine Brooks Schulberg, forte personnalité. Elle organisait la vie de Budd et il lui en était reconnaissant. Elle correspondait assez à ce que représente Pat Neal dans *Un homme dans la foule* — cette droiture, ce souci d'encourager les meilleurs côtés de son mari, ses aspirations les plus exigeantes. Budd avait été confronté à la tentation, plus d'une fois. Ces passades ont certes ébranlé son mariage, mais elles ne l'ont pas brisé. Devant sa femme — et en lui-même — il a dû les mettre au compte d'une espèce de goût du jeu... bien masculin.

Si le drame intime de notre film rappelait certains épisodes de la vie de Budd, il sonnait aussi familièrement à mes oreilles. Pendant des années, je m'étais accroché à Molly car elle représentait mon talisman de succès et la mesure de mon mérite. Elle incarnait ce symbole rassurant : le cœur même de l'Amérique, que ma famille était venue trouver ici, m'avait accepté. C'est pourquoi nous n'avons jamais divorcé ; nous ne l'aurions ni pu ni voulu. Derrière mes fanfaronnades se cachait une personne incertaine de sa vraie valeur. Si une femme au monde personnifiait l'Amérique conventionnelle, convenable et traditionnelle, c'était Molly Day, descendante des Thacher de New Haven. J'avais beau m'amouracher d'autres femmes, je les voyais toutes comme des passades sans conséquence. Elles rendaient Molly encore plus importante à mes yeux, et non l'inverse. J'étais sûr, tout comme Molly, que je finirais tôt ou tard par « rentrer dans le droit chemin ». Certitude qui ne se vérifia qu'à moitié.

Et elle ? Pourquoi moi ? Parce que j'étais sa création — tout comme Lonesome Rhodes était la création de Marcia dans notre film. De ce point de vue, *Un homme dans la foule* est on ne peut plus véridique.

Le but du solitaire consiste à mettre de l'ordre dans un paquet de cartes à jouer en désordre. Année après année, tout en planifiant le travail créatif qu'elle espérait entreprendre — l'écriture de pièces de théâtre —, Molly s'est assise par terre dans son bureau, la porte fermée et un jeu de cartes disposé devant elle ; aucun son ne sortait de la pièce. Puis j'entendais la machine à écrire s'activer et je savais qu'elle venait d'avoir une idée. Puis de nouveau le silence, de nouveau le solitaire, un autre intervalle, de nouveaux caractères frappés. La pièce progressait. Finalement, au printemps 1957, Molly acheva son œuvre. Elle s'intitulait *le Crâne d'œuf* et, comme le solitaire, constituait une tentative par l'auteur de créer de l'ordre à partir du chaos — c'est-à-dire à partir d'une civilisation, la nôtre, que Molly trouvait incorrectement ordonnée. Molly la bienfaitrice s'était érigée en porte-parole de la Vérité.

Un ami proche, Karl Malden, accepta de jouer le rôle principal, emblématique des libéraux que Molly considérait comme des simples d'esprit. Un autre ami proche, Hume Cronyn, donna son accord pour diriger la pièce. Il avait autant d'énergie que Molly et partageait son point de vue. La pièce fut jouée à l'essai à Cleveland, et Molly, notre fille aînée Judy et moi-même décidâmes de transformer notre voyage là-bas en vacances familiales. Ce fut une excursion des plus agréables. Loyaux et déterminés, nous allâmes soutenir Molly pour son baptême du feu public. Elle avait enfin atteint son but : concevoir une pièce qui bénéficierait d'une production professionnelle et présenter son point de vue sur une question morale majeure. La pièce, représentée au Hannah Theatre, reçut des critiques respectables : qui n'aurait pas respecté une personne aussi honnête, convenable et juste ? La production fut emmenée à New York. Là encore, elle attira une attention respectueuse, mais New York l'intempérante n'eut pas la patience de recevoir une leçon. La pièce resta sur les planches pendant neuf représentations.

L'œuvre de Molly souffrait d'un défaut rédhibitoire au théâtre, mais si ancré dans sa personnalité qu'elle n'avait pas pu le corriger. A aucun moment de cette soirée il n'était suggéré que les deux parties pouvaient avoir raison en même temps. Seule Molly, l'auteur, avait raison. Au théâtre, l'ordre, la clarté et la bonté ne suffisent pas ; le fait d'être correct ne constitue pas non plus une vertu suffisante. Le public veut qu'on l'ébranle et qu'on le maintienne dans le doute pendant un certain temps. C'est tout le plaisir. Molly, qui n'entretenait que des opinions absolues, ne vivait aucun conflit intérieur ; elle ne pouvait donc créer de conflits qu'à l'intérieur du périmètre qu'elle avait déterminé. Le public sentait qu'elle connaissait la solution à tout ce qui se passait sur scène et qu'elle la révélerait au moment où elle le choisirait. Ce qui constituait la seule faute impardonnable en dramaturgie : une conclusion téléphonée. Les conflits manquaient d'authenticité car ils n'existaient pas à l'intérieur de l'auteur, et n'étaient donc pas ressentis comme authentiques par elle. Son public, de bonne composition et bien disposé, aurait peut-être approuvé ses « positions », mais la confrontation qu'elle orchestrait — et qui avait tout du débat d'école ou du combat de boxe truqué — le laissait indifférent. Au théâtre, il faut laisser le chaos sourdre des profondeurs de la scène. Le public doit rester dans l'incertitude quant au dénouement. Alors seulement la résolution du conflit présente-t-elle un intérêt dramatique.

L'expérience — et l'échec — de sa production eurent deux effets sur moi. D'abord, j'éprouvai de la compassion et une certaine peine pour cette femme généreuse qui avait lutté si dur et si longtemps pour écrire cette pièce. Elle s'en remettait à son bon sens et n'envisageait pas qu'on puisse contester sa position sur le radicalisme de gauche dans une démocratie. Mais l'esprit critique de Molly avait étouffé ses impulsions créatrices.

Ensuite, je sentis en moi une rupture. Malgré la pitié que j'éprouvais pour Molly, elle me devint étrangère. A l'avenir, je lui en voudrais d'essayer de me « redresser », d'instiller de l'« ordre » dans ma vie et dans mes pensées. Ses positions, selon moi, étaient moralisatrices, c'étaient celles de quelqu'un qui n'accepte pas de se remettre en question. Ce n'était pas une attitude qui convenait à l'artiste. Je préférais le chaos ; en vérité, je le recherchais.

Pour la première fois, je pris conscience de notre différence d'âge — elle avait toujours été plus vieille que moi, bien sûr, mais elle me semblait désormais beaucoup, beaucoup plus âgée. Son point de vue était comme calcifié, elle refusait la quête, l'approfondissement. Je devins petit à petit convaincu qu'un artiste doit avoir le cœur d'un anarchiste et doit subir plusieurs influences à la fois. Il me fallait être ouvert à l'inattendu. Je me languissais d'autres voix, qui manifesteraient de la compréhension pour ce que je ressentais — quelle que soit leur origine. Toutes portes et fenêtres grandes ouvertes, toutes échappatoires bouclées.

J'en étais arrivé à ce stade de ma vie — j'avais quarante-huit ans, l'âge critique — où je me posais la question suivante : N'y a-t-il rien d'autre que cela ? Dois-je me satisfaire de ce que j'ai maintenant ? J'entrepris de faire voler en éclats le carcan qui m'étouffait et de remplacer le prévisible par l'imprévu. Je me mis à courtiser le chaos. J'étais plus déterminé que jamais à me concentrer sur mes propres projets et à élaborer mes propres scripts. Pour accomplir ce programme, je me trouvai une alliée. Lorsque vous désirez très fort entendre quelque chose, vous ne tardez pas à trouver quelqu'un pour vous le dire. Pendant la dernière étape de la préparation d'*Un homme dans la foule*, j'avais rencontré une jeune actrice qui, bien des années plus tard, deviendrait ma seconde femme. Elle me séduisit immédiatement. Au début, notre liaison ne fut rien qu'une partie de jambes en l'air. Et ce n'était pas ma seule liaison à ce moment-là. Ni l'un ni l'autre ne nous attendions que cette relation survive à notre passion physique passagère. Mais je n'avais jamais rencontré une fille semblable à celle-là, qui révèle avec une telle franchise ce que l'on garde généralement pour soi. Conçue dans un champ de marguerites, Barbara Loden était née anticonformiste. Elle ne respectait aucune des frontières que s'imposait la classe moyenne, ces murs qui formaient le périmètre à l'intérieur duquel vivait Molly. Roulette qui ne s'arrêtait jamais de tourner, Barbara me maintenait dans l'expectative : quand et où s'arrêterait-elle ? La vie avec Molly, pour continuer dans la même ligne, ressemblait à la salle des coffres d'une banque.

Je fus impressionné de constater que ma réputation ne faisait ni chaud ni froid à Barbara ; elle n'avait pas été emportée par cette avalanche d'absurdités au sujet de la magique « Kazan touch ». Bien sûr, cette indifférence envers mon éminence professionnelle ne fit que renforcer mes doutes quant à la valeur de mon travail. Mais notre relation m'éclaira sur bien des points, moi qui avais entamé la rédaction d'un scénario sur les rapports d'une fille de la campagne et d'un intellectuel venu de la grande ville. (Je ne perdais pas mon temps, même au lit.) Barbara était fringante avec les hommes, intrépide dans la rue, doutait de tous les principes éthiques et connaissait tous les trucs qu'une fille de la campagne ne doit pas ignorer. Elle remettait en état un petit appartement en ruine, vêtue d'un bleu de travail. Munie de son marteau, d'une scie et d'un pied-de-biche, elle passait de longues heures à travailler avec un vieux charpentier non syndiqué nommé George, pour que les enfants qu'elle désirait tant aient un toit sur la tête quand ils viendraient au monde.

Il y avait en elle quelque chose d'inconvenant et je me prenais au sérieux, aussi la cachais-je. Je louais une chambre d'hôtel, arrivais le premier, me glissais dans le lit, éteignais la lumière et laissais la porte entrouverte. Elle arrivait dans son bleu de travail. Je repartais avant elle car il me fallait toujours me hâter vers des répétitions ou une « importante conférence ». Elle retournait travailler chez elle. Nous parlions à peine, mais je commençais à m'habituer à l'avoir près de moi.

Pendant ce temps-là, je séchais sur mon scénario concernant la T.V.A., que j'avais décidé d'écrire moi-même. L'art du scénario était plus complexe que je ne l'avais imaginé. J'avais écrit trois versions différentes et aucune ne me satisfaisait. Tout prêt à admettre que j'avais besoin d'aide, je me tournai vers mon ami Paul Osborn, qui avait écrit le scénario d'*A l'est d'Éden*. Il ne se montra guère enthousiaste devant ma proposition ni devant le matériau de base que je lui apportai. Comme tant d'auteurs dramatiques qui ont l'habitude d'adapter le travail d'autres hommes, il voulait se consacrer à sa propre œuvre. Je lui répondis que j'attendrais. Peut-être cet argument fit-il mouche. J'avais déjà passé tellement de temps sur cette histoire que je pouvais bien attendre encore un peu qu'il s'y mette. Je pensais que j'apprendrais beaucoup sur les raisons de mon échec quand je récupérerais mon travail.

A cette époque-là, je ne tolérais pas l'inactivité. Il fallait toujours que je fasse quelque chose, ou bien je me mettais à broyer du noir. Je prenais de plus en plus de risques aussi bien avec Barbara qu'avec les autres, de sorte que l'on commença à remarquer mes escapades. Il me fallait canaliser mon énergie inutilisée dans une activité stable. J'entrepris donc la production d'une nouvelle pièce que Molly m'avait recommandée, *The Dark at the Top of the Stairs*, de William Inge. Je ne peux pas dire que cette œuvre m'emballait. J'acceptai en partie pour faire plaisir à Molly, c'est-à-dire, en langage clair, pour lui donner à croire que nous étions toujours aussi proches dans ce domaine essentiel et qu'elle pouvait continuer à me guider car, comme par le passé, je respectais totalement son jugement. Cette reconnaissance professionnelle était essentielle à ses yeux. C'était notre lien le plus fort à ce moment-là, et j'étais déterminé à l'entretenir. Nous étions désormais davantage des partenaires que des époux.

Pour le plaisir, je montrai la pièce d'Inge à Barbara. Je pensais qu'il y aurait peut-être un rôle pour elle dedans, mais n'en dis rien ; je préférais attendre de voir sa réaction. Je ne fus pas surpris quand elle m'annonça qu'elle trouvait la pièce ennuyeuse ; c'était aussi mon avis. Cependant, je prendrais une leçon en montant cette pièce : le travail de Bill — dans ses autres œuvres et dans le film que je ferais avec lui deux ou trois ans plus tard — semblait à première vue traiter de l'Amérique profonde de façon conventionnelle, sans rien ajouter de nouveau à ce qui avait déjà été vu et dit auparavant. Mais tout d'un coup, à la surprise du public autant qu'à la mienne, il débouchait sur des scènes poignantes — ce n'était pas un coup de tonnerre, mais une perception très fine et une grande tendresse, les dons spécifiques d'Inge. Et il y régnait toujours une terreur tranquille —

dont Bill avait fait l'expérience. Ses œuvres, de plus, permettaient aux acteurs de se dépasser, dans des moments d'intensité où leurs dons s'épanouissaient. Non pas à cause des mots que l'auteur avait placés dans leur bouche, mais à cause d'émotions souterraines que Bill avait ressenties en écrivant les scènes en question. Si Barbara qualifiait la pièce de « trop contenue », Molly, plus sage, avait bien vu que le départ conventionnel et attendu produisait, au fur et à mesure du déroulement de la pièce, des moments d'une intensité surprenante. Molly l'avait prédit à propos de *The Dark at the Top of the Stairs*. Les pièces de théâtre ne sont pas destinées à être lues, disait-elle, mais à être jouées.

Avec *The dark at the Top of the Stairs*, Bill obtint son quatrième triomphe d'affilée. Nous avions rodé la pièce à Philadelphie, et la réaction du public avait été « mitigée » — c'est-à-dire décevante. Le lendemain matin, Bill avait joué la fille de l'air. J'avais besoin de lui pour effectuer des retouches, mais elles étaient surtout de mon ressort et de celui des acteurs. Deux jours plus tard, Bill réapparut, s'excusant à peine. Je ne dis rien ; personne ne dit rien, d'ailleurs. Nous n'en avions pas besoin. Depuis des années, Bill se pardonnait ses écarts et continuait comme si de rien n'était : il avait acquis une certaine expérience en la matière. Nous nous remîmes au travail ensemble. Lors de sa première new-yorkaise, la pièce reçut les acclamations qu'elle méritait.

Pendant toute cette période, mon affection pour Bill n'avait cessé de croître. Et je crois qu'elle était réciproque. A New York, je me mis à le rencontrer de plus en plus souvent et j'appréciai sa générosité calme, si différente de la vie émotionnelle survoltée d'autres auteurs avec lesquels j'avais travaillé. Les coups de téléphone qu'il m'adressait, sous leur apparence anodine, trahissaient une recherche ardente de compagnie — un repas, une promenade, une conversation à bâtons rompus. Il me fallut un certain temps avant de prendre conscience du désespoir qui habitait cet homme. Il me semblait que son passé renfermait un mystère ; peut-être avait-il été psychiquement meurtri à un moment ou à un autre. Je découvris qu'il avait été soigné à l'institut Austen Riggs de Stockbridge, dans le Massachusetts. Je notai que son appartement new-yorkais était situé au deuxième étage, juste un étage au-dessus de la cour en béton de l'immeuble, et qu'il ne donnait sur rien d'autre que cette cour. Un jour, je lui demandai pourquoi il n'échangeait pas cet appartement contre un autre, avec une vue attrayante, bien au-dessus de la crasse et du bruit. Nous étions déjà bons amis à ce moment-là et il me répondit avec franchise : de cette hauteur, me dit-il, il ne serait jamais tenté de se suicider, si déprimé soit-il. Des années plus tard, cette conversation me reviendrait en mémoire.

Bill, comme Montgomery Clift, devint très attaché à Molly. Tous deux, si fragiles sexuellement, appréciaient ses qualités maternelles. Bill, plus tard dans sa vie, habiterait avec sa sœur. Il n'établit jamais de liens sentimentaux durables et il passa tristement les années qui firent suite à sa jeunesse vigoureuse. Ce n'est pas surprenant, ses meilleures pièces prenaient pour sujet de petits événements confinés à l'intérieur du cocon familial et ne s'ouvraient jamais sur l'extérieur. Lui non plus.

En parcourant ces divers épisodes de ma vie, je me suis efforcé de comprendre mon comportement et de nous l'expliquer, à vous comme à moi. Mais à ce stade de mon récit, je m'aperçois que je ne peux pas justifier la façon dont je vivais. Si explication il y a, elle est hors de ma portée. Du moment où je m'étais rendu compte que *Sur les quais* et *A l'est d'Éden* avaient fait de moi l'un des hommes les plus respectés de ma profession et que je pouvais choisir parmi une palette infinie d'opportunités, je me mis à me comporter d'une manière impossible à décrire, sauf à dire que j'étais deux hommes tour à tour, dans la même enveloppe physique mais avec des besoins différents et deux « âmes » — l'une noire, l'autre « normale ».

Je goûtais ma double vie : en apparence, je courtisais la respectabilité et l'estime générale, mais je cédais d'un jour à l'autre, parfois d'une heure à l'autre, à des désirs irrationnels qui me poussaient à me comporter honteusement. Non, ce n'est pas vrai. Le fait remarquable, c'est que je n'éprouvais pas de honte, que je ne trouvais pas mon comportement extraordinaire ni répréhensible. Ma conscience n'était pas alourdie par le sentiment de commettre un péché mortel. Ce que je faisais, et qui défiait l'entendement, n'avait de ce fait nul besoin d'être justifié. Décidé à ne rien me refuser, je plongeai tête baissée. Sans vergogne.

Je donnais l'impression, à juste titre, d'être un membre policé de notre théâtre promoteur de la culture, et d'être admiré par beaucoup d'intellectuels « progressistes » qui me faisaient don de leur amitié (toujours ? Non, de nouveau). A la maison, après une journée de travail bien remplie, je m'asseyais à la tête de notre table pour prendre part, sûr de mon charme, aux dîners que Molly organisait pour les plus brillants de nos amis. Je dirigeais la conversation avec adresse, parais aux accidents de parcours, graissais les rouages et faisais en sorte que personne ne se sente exclu. Aux côtés de Lee Strasberg et de Cheryl Crawford, je participais à la séance annuelle d'évaluation des jeunes acteurs candidats à l'Actors Studio ; j'y apparaissais comme une autorité en la matière. Mon port sobre impressionnait. Cette position me conférait un grand pouvoir à l'époque. Je me rendais aussi avec une fréquence croissante à des réunions visant à mettre sur pied un théâtre de répertoire au Lincoln Center. On m'invitait partout mais on ne me proposait que les *interviews* dignes de moi. J'y égrenais des commentaires judicieux, répondais aux questions sur un ton docte, dégageais principes et conclusions définitifs et me comportais comme un membre bien établi de l'élite.

En même temps, je menais une vie secrète, que je ne peux mieux décrire qu'en citant un extrait de mon journal intime de cette année-là. L'heure et quart que j'y relate suivait une rencontre avec John D. Rockefeller III et son personnel d'élite tout droit sorti d'une société de tempérance. En ma capacité de « conseiller » appelé à jouer un rôle à long terme dans la création d'un théâtre de répertoire, j'avais prononcé un discours qui avait impressionné les auditeurs assis autour de la longue table des débats. Je m'étais ensuite excusé de ne pouvoir assister au déjeuner prévu et je m'étais hâté vers le théâtre où se jouait l'une de mes pièces afin d'y exercer ma discipline tranquille mais irrécusable à l'endroit de certaine jeune actrice, notre ingénue, qui avait suscité des plaintes parmi les acteurs principaux de la compagnie. Une autre crise venait s'ajouter à celle-ci : l'une de nos têtes d'affiche venait d'attraper la rougeole. Ce que vous allez lire rentre dans la catégorie « tranche de vie » et pourrait s'intituler : « Le Metteur en scène remet tout le monde en selle. »

Journal : La rougeole! En se hâtant vers le théâtre, le metteur en scène prie Dieu qu'elle ne l'ait pas refilée au reste de la troupe. Il est midi et demi, nous avons une matinée ce jour-là et le régisseur trône au beau milieu de la salle, la place du metteur en scène quelques semaines auparavant, et dirige la répétition de la doublure. Le remplacement est effectif cet après-midi-là. Du premier coup d'œil, le metteur en scène a compris qu'elle est déterminée à préserver son intégrité artistique en évitant d'utiliser ce qu'il y a de meilleur dans l'interprétation de la rougeoleuse. Tout ce qui fonctionnait dans le travail de cette actrice est laissé de côté par la doublure ; elle « met au point sa propre interprétation ». Le régisseur — qui est en fait une dame — montre une apparente gentillesse et feint la patience (mais cache mal un rictus de mépris) ; elle a décidé d'imiter le côté « christique » du metteur en scène : lorsqu'elle consent à ouvrir la bouche, c'est d'une voix doucereuse au possible. Le metteur en scène s'assied à côté d'elle et regarde en direction de la scène. Ce matin encore, il haïssait le théâtre et en avait sa claque de cette pièce. L'assistant régisseur lui apporte un cigare et une tasse de thé. Le metteur en scène déguste le cigare en pensant à autre chose. Il interrompt une fois, juste pour faire savoir à la doublure qu'il est arrivé et qu'il l'observe. Puis il se retire derrière un écran de fumée et attend que ça se passe. Il s'efforce de paraître attentif, ce qui n'est pas une mince affaire. Il est sauvé par le gong ; la répétition est terminée.

Juste à ce moment-là, l'ingénue qu'on lui avait demandé de remettre au pas fait son entrée, en retard et l'air coupable, car la « régisseuse » lui avait demandé de participer à la répétition. Tout le monde sait cependant qu'elle a des problèmes d'ordre personnel ; le jour précédent, elle a joué en larmes le premier acte de cette comédie. Le metteur en scène sait ce que les autres ignorent : elle est en retard pour ses règles et c'est peut-être ce qui l'a troublée.

Le metteur en scène s'avance lentement sur scène, en fixant l'ingénue du regard. Il passe à côté d'elle sans la saluer ; c'est une sorte de réprimande muette. Il tombe alors sur la vedette féminine du spectacle, qui se hâte vers sa loge. Elle donne un baiser rapide au metteur en scène et lui demande si elle peut le voir ; c'est important. Le metteur en scène répond qu'il a quelques remarques à faire à la doublure, mais qu'il viendra ensuite dans sa loge. Puis il prend à part la doublure, qui se lance cet après-midi. « Asseyons-nous ici, dans le fauteuil des amoureux », susurre-t-il. Tout en s'asseyant, elle le regarde, humble et anxieuse. « Est-ce que ça va aller ? s'inquiète-t-elle.

Est-ce que je vais être drôle ? » Le metteur en scène ne peut s'empêcher de penser : bon sang, tu pourrais passer pour amusante si tu
jouais ce putain de rôle comme on te l'a dit. Mais comme elle entre
en scène une heure après, il est trop tard pour ce genre de détails. Il
lui dit qu'elle n'a besoin que d'une chose, lui explique laquelle et
s'empresse de l'oublier lui-même. Mais il a parlé sur un ton chaleureux et la doublure est rassurée. Son œil se mouille, plein de gratitude. Elle le regarde et lui murmure : « Vous êtes si gentil. » Puis elle
l'embrasse et lui dit qu'elle doit se dépêcher d'aller se coiffer. Le
metteur en scène promet qu'il ira la voir plus tard dans sa loge, pour
vérifier sa coiffure et lui souhaiter bonne chance. Elle s'en va en
trottinant, plus heureuse qu'au début de leur conversation. Après
tout, que pourrait-il faire de plus ? Des miracles ?

Il se rend maintenant chez la vedette féminine. Elle déclare vouloir
avoir une longue, longue conversation avec le metteur en scène aussi
tôt que possible. Tout le monde menace toujours le metteur en scène
d'une longue, longue conversation. Vêtue d'une robe de chambre
enfilée avec négligence, elle est en train d'étaler son fond de teint et
semble en proie à une vive inquiétude. La veille, le producteur du
spectacle a confié au metteur en scène que, pour la première fois lors
de cette matinée, il y aurait des places vides. Sa vedette est une bonne
actrice, consciencieuse et sincère, une personne bien sous tous rapports, mais il va y avoir des places vides pour son spectacle triomphal.
Mieux vaudrait quelqu'un de moins bien sous certains rapports. Le
metteur en scène se force à écouter. Elle lui répète qu'elle doit avoir
une longue, longue conversation avec lui. Le metteur en scène est
depuis longtemps parvenu à l'édifiante conclusion que tout ce que les
êtres humains ont à se dire, quelle qu'en soit l'importance, requiert
moins de temps qu'il n'en faut à un œuf à la coque pour séduire ses
mouillettes. Sans doute sa longue, longue conversation peut-elle
prendre place ici et maintenant, en quelques mots. Ah, enfin ! Nous y
voilà. L'ingénue ! Cette salope d'ingénue qui a joué le premier acte en
larmes. La discipline a foutu le camp en même temps que le premier
acte. La « régisseuse » n'en peut mais. Il faut que le metteur en scène
parle à l'ingénue. Il prend son air le plus inquiet. Le comportement
de l'ingénue (cette petite conasse !) est intolérable. Il va lui parler de
ce pas. L'actrice principale enfonce le clou. L'ingénue, s'ingénie-
t-elle, n'a pas arrêté de recevoir des coups de téléphone entre les
actes et même pendant la représentation. Ils l'ont bouleversée et elle
a joué une scène de comédie les larmes aux yeux. Le metteur en
scène trouve-t-il normal, s'enquiert la vedette féminine, que les acteurs reçoivent des coups de téléphone pendant une représentation ?
« Certainement pas », répond-il, courroucé. Il note toutefois que la
vedette féminine dispose elle-même d'un téléphone sur la table de sa
loge. Les « gamins » de la distribution doivent rester debout à côté de
la porte d'entrée de la scène et utiliser le téléphone mural qui se
trouve là. La vedette féminine continue sur le même ton jusqu'à ce
que le metteur en scène craque et lui coupe le sifflet en lui annonçant

qu'il se rend de ce pas dans la loge de l'ingénue et s'en va régler son problème une bonne fois pour toutes. Il n'y a rien de tel que d'étouffer dans l'œuf ce genre d'affaires, explique-t-il à sa vedette comme elle lui prend la main. Il monte dare-dare! Mais d'abord, il doit libérer sa main pour se gratter le cou (qui ne le démange pas le moins du monde) et embrasser sa vedette sur le front. Elle est contente. Il remet toujours tout le monde en selle. C'est son boulot.

A l'étage, les pieds de l'ingénue reposent sur sa table de maquillage. Elle est en train de manger les morceaux de poulet à l'intérieur de son sandwich. Le metteur en scène ferme la porte. « Alors? Toujours rien? demande-t-il. — Pas un signe », répond-elle. Bien sûr, c'est ce qui l'a troublée pendant toute la semaine. Mais, bon sang, le metteur en scène est-il censé régler aussi les flux menstruels? En fait, elle a un problème plus sérieux. Elle lui confie qu'elle a un nouveau petit ami, « mais je ne sais pas si je lui plais vraiment ». Le metteur en scène lui demande si ce nouvel ami lui plaît à elle. Elle répond qu'elle n'est pas sûre. L'annonce par la jeune fille qu'elle a un nouveau petit ami réveille l'intérêt du metteur en scène pour l'ingénue. Il se plaint: il l'a appelée la semaine dernière. Elle répond, d'une voix un peu troublée, qu'elle va s'arranger pour qu'il puisse laisser des messages. Ils se mettent à se caresser; elle est sur ses genoux, il a la main entre les jambes de l'ingénue. Il n'a pas fait mention des griefs de la vedette féminine, dont il avait promis de s'occuper. Il lui dit de relever un peu la jambe. Après un moment de ces jeux, il demande l'heure. Ce n'est pas qu'il s'ennuie, c'est juste qu'il veut savoir qui risque de se trouver dans sa loge à cette heure. Elle suggère qu'il aille voir le type à deux portes de là et lui demande l'heure — ce qui lui donnera un moment, à elle. C'est ce qu'il fait, après s'être nettoyé.

Il trouve le jeune acteur de composition affairé à son maquillage. C'est un gamin, pédé de naissance, qui culpabilise et s'empresse toujours de réaffirmer son sens du devoir. Il raconte au metteur en scène la vie bien réglée qu'il a menée, lui explique combien il a pris soin de sa personne, combien d'heures il a dormi. Le metteur en scène se demande bien ce qui a déclenché cette confession. Le gamin a-t-il passé la nuit à boire et se sent-il obligé de jouer les parangons de vertu? Le gamin doit avoir lu dans ses pensées, car il bredouille: « J'ai pas bu un seul verre depuis trois semaines! » Le metteur en scène sourit et le complimente sur sa bonne mine, justement. Il s'apprête alors à lui demander l'heure quand le second assistant régisseur passe dans le couloir en annonçant qu'il ne reste plus qu'une demi-heure. Le metteur en scène se dit: si je veux me la mettre, c'est maintenant ou jamais, et il quitte la loge du jeune acteur. Il se rend bien compte qu'il a remis le gamin en selle.

Sa main découvre que l'ingénue est maintenant protégée. « C'est un peu tard, non? » lance-t-il. Elle glousse. Mon Dieu, se dit-il, elle trimballe ce putain de truc partout. Toujours prête! Pourquoi pas! Elle passe toujours la nuit avec son nouveau petit ami ou avec son

nouveau petit ami, quelle différence? Il enlève son pantalon. Dès
qu'elle la voit, l'actrice passe à l'action, gourmande. Mais il ne lui faut
pas longtemps. C'est aussi bien, car ils n'ont pas beaucoup de temps,
de toute façon. Le metteur en scène l'allonge sur le sol de la loge : par
terre, il y a un tapis qu'il lui a offert deux mois auparavant. La porte
de la loge pose un problème, toutefois. « La serrure ne marche pas »,
s'inquiète-t-elle. Le metteur en scène place ses bottes (achetées en
Arkansas) contre la porte. Ça fera l'affaire. Elle lui déclare qu'elle
l'aime. Il dit n'est-ce pas merveilleux. Elle oublie ses problèmes. Leur
relation fonctionne bien — sous ce rapport. Le metteur en scène
réfléchit : en bas, la vedette féminine achève de se maquiller. Quelque
part, John D., le banquier baptiste, et son personnel d'élite sont en
train de déjeuner. Il entend l'acteur de la loge voisine approcher et
continuer son chemin. L'ingénue, la bouche ouverte et les yeux fermés, dit : « Oh, mon Dieu! » Puis elle jouit. Il lui applique la main
sur la bouche. Puis il jouit à son tour. Ils restent étendus par terre.
Quelqu'un parcourt le couloir en hâte et s'arrête devant leur porte,
pour parler à la personne qui arrive en sens inverse. « Ça aurait l'air
plutôt bizarre si... dit l'ingénue. — Je ne te le fais pas dire », répond
le metteur en scène. Il se relève. « Tu fais le guet devant la porte »,
dit-il. Le savon est couvert de maquillage, aussi ne s'en sert-il pas. Il
se lave dans de l'eau et se la sèche avec un Kleenex. L'ingénue,
adossée à la porte, ne le quitte pas des yeux. Le metteur en scène
affirme qu'il aime le danger. Elle répond qu'elle aussi. Il déchire un
morceau de Kleenex et l'envoie d'une pichenette en direction du
reflet de l'ingénue dans la glace. Elle rit et l'embrasse avant qu'il ne la
remette en place. Elle tourbillonne en riant et ses jupes se galbent. Le
tout a été très rapide et un peu éprouvant pour leurs nerfs, mais ils
rient tous deux de bon cœur.

Puis, l'air de rien, il entrouvre la porte, pour ne pas donner l'impression qu'elle est verrouillée. Le type de l'autre côté du couloir est
la doublure de la vedette masculine, qui a un faible pour l'ingénue.
Est-ce lui son nouvel amant? se demande le metteur en scène. Mais
maintenant il s'en fiche. Il s'assied face à l'ingénue et lui parle entre
quatre yeux. Il est soudain devenu cassant. Il lui rappelle qu'une loge
n'est pas seulement un endroit pour se maquiller ; c'est aussi le lieu où
l'on se concentre pour la représentation. Il ajoute qu'elle a beau être
contrariée par son problème ou sa journée, il n'en reste pas moins
qu'il est de son devoir d'arriver dans sa loge très tôt, de s'y retirer —
c'est une bonne expression, précise-t-il, s'y retirer — et de reprendre
ses esprits pour le spectacle. Elle devrait se dire : « Pendant les deux
heures à venir, je ne vais penser qu'à ma représentation. » Le metteur
en scène ajoute qu'elle s'en tire bien avec son rôle mais qu'elle
pourrait être meilleure ; un millier de spectateurs ont payé pour la
voir au mieux de sa forme. L'ingénue a l'air très sérieux et un peu
effrayé, ce qui la change de l'expression qu'elle arborait il n'y a pas
cinq minutes. Elle ressemble à une écolière qui vient de se faire
réprimander par un principal pour lequel elle éprouve le plus grand

respect et une certaine crainte. Elle fixe le metteur en scène de ses yeux grands ouverts. Pourquoi, se demande-t-il, les acteurs sont-ils si reconnaissants lorsqu'on beugle contre eux ? Il termine en en rajoutant dans le cassant. Il lui rappelle que c'est du sérieux maintenant, que c'est son premier contrat en tant que professionnelle et qu'elle devrait se comporter comme telle. Quand il s'en va, il voit qu'il a remis l'ingénue en selle, dans tous les sens du terme.

Il s'en va vérifier la coiffure de la doublure féminine, comme promis, lui donne un chaste baiser sur le front, puis traverse la scène, appelle la « régisseuse » et lui demande de prévenir la vedette féminine qu'il a remis l'ingénue en place. « Je suis bien contente que vous soyez passé, s'exclame-t-elle. Vous nous manquez. » Pendant qu'elle parle, le metteur en scène se demande si ses doigts sentent encore. Il lui ordonne de placer une pancarte en son nom, demandant à la troupe de ne plus répondre au téléphone pendant la demi-heure qui précède la répétition ni pendant la représentation. La « régisseuse » suggère respectueusement qu'elle préférerait demander au concierge de ne plus appeler les acteurs au téléphone pendant le spectacle, mais de prendre des messages. Cette suggestion est effectuée avec une déférence parfaite et le metteur en scène l'accepte, ce qui a pour effet de la remettre en selle, elle aussi.

En partant, le metteur en scène donne un dollar au concierge. Au-dehors, les rues grouillent d'amateurs de théâtre. Il se faufile mollement entre les taxis. Il doit rencontrer sa femme et deux de ses enfants devant un autre théâtre, où il les a invités à une matinée, puis il se hâtera vers la réunion au sujet d'un éventuel théâtre de répertoire au Lincoln Center. Il aperçoit soudain l'horloge en haut du cinéma Paramount ; il est deux heures et demie. Il est en retard. Il se met à courir.

Pour mettre un terme à ces escapades insensées et échapper à un mariage somnolent, je pris seul l'avion pour Athènes. C'était aussi ma dernière chance de refuser le Lincoln Center. Mon instinct me mettait en garde : N'accepte pas ; ce n'est pas vraiment ce que tu veux ou dois faire maintenant. Pourtant, j'assistais à toutes les réunions préparatoires. Ma participation au projet était acquise pour tout le monde sauf pour moi. Qu'y avait-il pour me retenir ? Le prestige du poste ? Certes, je n'étais pas insensible à la flatterie. Le fait qu'on s'arrachait mes services publiquement ? L'aventure consistant à s'asseoir devant une longue table et à discuter avec John D. Rockefeller Jr., troisième du nom, et son personnel d'élite ? Ou le fait que je m'étais préparé pendant vingt ans à guider une compagnie d'acteurs à travers le répertoire et qu'il serait dommage de ne pas profiter de cette opportunité ?

Les vraies raisons sont plus simples. Molly me poussait à accepter. Elle aimait beaucoup l'homme qui dirigerait la compagnie avec moi, Bob Whitehead. « Tu n'as pas eu l'habitude de travailler avec quelqu'un d'aussi gentil que Bob », disait-elle. J'aimais bien Bob moi-même mais chaque fois que je m'asseyais à cette table au Lincoln Center, j'avais l'impression d'être entouré d'étrangers. En satisfaisant le vœu de Molly — elle y tenait vraiment beaucoup —, je la rassurerais du même coup : elle verrait, malgré la détérioration croissante de notre relation, que nous étions toujours aussi proches, au moins dans ce domaine essentiel. Cela compenserait, du moins l'espérais-je, ma négligence envers elle, la distance que je prenais par rapport à elle, et ma trahison.

Mais ma voix intérieure ne désarmait pas. Je ne voulais vraiment pas prendre la tête d'un groupe. De plus en plus, je cherchais ma propre voix, ma propre voie. Je savais que le thème de l'immigration des miens dans ce pays me collait à la peau. Aussi décidai-je de tout arrêter, de me retirer, d'échapper à l'influence de Molly pendant un temps, de me reposer des pressions exercées sur moi par le prestige et les flatteries, et d'effectuer un voyage en solitaire, de revenir en arrière, de retourner à mes sources géographiques. J'accomplirais enfin un rêve si longtemps caressé : affréter un treize-mètres activé principalement par le vent et parcourir les îles grecques, celles qui n'avaient pas encore été rattrapées par la civilisation. Je prendrais mon temps, à l'écart. Je m'allongerais sur le pont au soleil et dans le clair de lune, et je verrais si j'arrivais à construire un film autour de l'histoire de ma famille ; mieux encore : une série de films, notre histoire mise en images. Si je prenais mes distances par rapport à tous les événements contemporains et toutes les personnes qui tentaient de me pousser vers le Lincoln Center, si je m'immergeais dans la culture et dans la langue de ma famille avant leur passage à l'Ouest, je trouverais à résoudre mon problème de structure. Rassuré par un projet viable en perspective, je retournerais alors à New York, me retirerais du guêpier dans lequel je m'étais fourré et me consacrerais à moi-même.

A Athènes, je découvris l'embarcation adéquate, le *Stormie Seas*, un caïque de treize mètres, battant pavillon britannique. Son équipage se composait de deux rebelles asociaux, un couple de jeunes mariés — navigateur et capitaine, second et cuisinière. Je leur expliquai le genre d'îles que je voulais voir : pas de problème. Nous quittâmes le chenal du Pirée au moteur, un cinq-chevaux, puis nous coupâmes les gaz et hissâmes les voiles en mettant le cap sur le sud et ces îles des Cyclades que les touristes n'envahissaient pas. Enfin au calme, je commençai à me détendre, et je me posai une question qui m'avait déjà travaillé, mais cette fois pour de bon : Pouvais-je vraiment disparaître de ce monde où j'avais fricoté toute ma vie et devenir quelqu'un d'autre ? Pouvais-je repartir de zéro ? Vous penserez certainement que c'était une question tout à fait ridicule, mais avec le temps — et il en a fallu du temps —, c'est ce que j'ai fait : je me suis volatilisé du monde que j'avais habité pendant toute ma vie d'adulte pour devenir quelqu'un d'autre.

Nous passions d'une île désertée à une autre ; nous escaladions chacune d'entre elles jusqu'à la citadelle, faisions une pause dans la petite chapelle blanchie à la chaux pour y allumer un cierge, puis allions nous asseoir sur la place à l'ombre d'arbres immenses. J'observais les vieux, qui portaient encore des culottes bouffantes et des couteaux à manche recourbé ; les femmes aussi, vêtues de noir des pieds à la tête, ne révélant rien que leurs yeux étincelants, vaquant à leurs occupations ; les ânes enfin, dont la seule activité consistait à laisser ballotter leur long pénis. Nous buvions de l'ouzo, grignotions des olives et du fromage, et observions la vie grecque, qui n'avait pas changé depuis cent ans. J'essayais de me convaincre. Pourquoi diriges-tu des pièces que tu n'aimes pas vraiment ? Pourquoi réalises-tu des films qui ne racontent pas tes propres histoires ? Pourquoi es-tu allé accepter ce poste de conseiller pour la compagnie de répertoire que les Rockefeller et leurs riches amis se proposent de mettre sur pied au Lincoln Center ? Est-ce vraiment toi, est-ce bien ce que tu veux faire ? Prends la tangente. Tout de suite ! Fais ce qui te plaît avant qu'il ne soit trop tard.

Au crépuscule, nous jetions l'ancre dans une crique déserte et la femme du capitaine, blonde potelée issue de la petite bourgeoisie britannique, nous cuisinait un repas potable, que nous faisions couler avec du vin résiné. Je dormais ensuite sur le pont. La mer était belle la nuit, et encore plus au lever du soleil. Je repensais à l'adjectif utilisé par Homère pour décrire l'eau de l'océan : « violette ». J'étais satisfait d'être seul et de n'éprouver aucune contrainte. Au matin, je me mettais à prendre des notes, réminiscences des histoires que ma grand-mère me racontait dans son lit la nuit, quand j'avais cinq ou six ans. La vieille dame déterrait des souvenirs oubliés depuis bien longtemps. C'étaient des histoires simples, modestes, humaines, belles.

Mais comment les relier en un tout cohérent ? Mystère. Je voyais bien ce qu'il me fallait faire. Je retournerais en Turquie — j'abandonnerais ces îles scintillantes —, dont ma famille était originaire, et j'ouvrirais grands mes yeux et mes oreilles, mais pour de bon cette fois-ci, et je jetterais l'ancre dès qu'un endroit me stimulerait. Plus je songeais à l'histoire des générations qui m'avaient précédé dans ma famille, plus elle me semblait complexe. En réalité, je ne savais pas grand-chose de précis à leur sujet. J'étais une sorte de touriste dans l'histoire de ma famille. Je n'avais pas fait l'expérience des événements et des pressions que je me proposais de filmer ou de décrire par des mots. Je n'avais subi ni les persécutions ni la pauvreté, et je n'avais jamais éprouvé cette aspiration désespérée à la liberté que je voulais mettre en images. J'étais un gamin de la petite bourgeoisie américaine, un étranger à ma propre histoire. Je n'étais pas prêt (le serais-je jamais, d'ailleurs ?) à concevoir et à écrire le scénario de mes films. Surtout, je n'avais pas fait l'expérience de ce que je me proposais de décrire.

Un beau jour, comme pour mettre l'accent sur mon échec, un vent d'une force presque égale à celle d'un ouragan surgit soudain du ciel uniformément bleu, le *melteme*, et nous dirigea droit sur les rivages escarpés de l'île de Poros. Notre capitaine réussit tout de même à faire pivoter l'embarcation de façon à venir « accoster » par l'arrière ; il poussa le moteur à fond mais son 5 CV ne pouvait lutter contre la tempête. Le *Stormie Seas* ne tarda pas à venir cogner les rochers et nous eûmes bien de la chance de pouvoir regagner la terre ferme, trempés des pieds à la tête. Le calme régnait sur cette île, il n'y avait pas âme qui vive en vue. Une réparation importante s'imposait, et il fallait remplacer une pièce. Le capitaine dépêcha son second de l'autre côté de l'île, d'où un bateau l'emmènerait au Pirée. Là, elle se procurerait la pièce nécessaire et la lui renverrait. Je partis avec elle. Nous fîmes du stop pour parcourir les trente kilomètres qui nous séparaient de l'autre bout de l'île. La terre était désertique, seul le vent meublait le silence.

A Athènes, le second trouva la pièce que son mari attendait et la lui envoya. Il n'avait pas paru trop affecté à l'idée de rester seul et sa femme ne se bilait pas à son sujet. J'enviais aux Britanniques leur aptitude au bien-être, quelles que soient les circonstances. Je compris que sa vie à bord du *Stormie Seas* l'avait précipitée sur des rochers encore plus escarpés que ceux de la rive est de Poros. Elle était, comme la plupart des épouses, pendant des périodes plus ou moins longues, sur le point de quitter son mari qu'elle soupçonnait d'indifférence envers sa séduction, péché bien plus grave que l'infidélité. Elle ne pensait qu'à une chose : donner un tour radicalement différent à son existence. Dans un hôtel situé en face d'une petite église dont les cloches ne s'arrêteraient jamais de sonner, nous fîmes plus ample connaissance. « Ça me fait du bien de sentir mon cœur battre de nouveau », me confia-t-elle.

Puis je commis une erreur. Je me rendis chez American Express. Trois câbles et un paquet de lettres m'informèrent que je n'avais pas assuré correctement la préparation de la nouvelle production pour laquelle j'avais signé : *J.B.*, d'Archibald MacLeish. Une série de décisions urgentes devaient être prises et seul le metteur en scène pouvait les prendre. A contrecœur, je réservai un billet pour l'Ouest. Le second du capitaine me donna son adresse à Londres avant de me regarder monter dans l'avion. Je m'étais laissé pousser la barbe et j'avais l'air d'un indigène.

J.B. remporta le prix Pulitzer et j'en fus ravi pour Archie MacLeish. Je dois cependant confesser que les mérites de cette pièce m'avaient échappé, mais je n'ai pas d'oreille et la poésie m'agace, même Shakespeare. Quand j'étudie ses monologues ligne par ligne, je vois bien quel génie insurpassable il était. Pourtant, quelle épreuve que de lire certaines de ses pièces *in extenso* ! Je n'arrive pas à me concentrer dessus. Vous pouvez prendre un air méprisant : mais vous y arrivez, vous, à les lire ? A quand remonte la dernière fois où vous avez lu en entier l'une des pièces mineures du grand homme ? Quant à *J.B.*, je ne suis même pas persuadé qu'il s'agisse de poésie. Cela ressemble à de la poésie sur le papier mais ça ne « décolle » pas. En tout cas, je ne l'ai pas mis en scène comme de la poésie. J'ai « monté » *J.B.*, ce qui est différent de « mettre en scène » ; et je l'ai fait avec mon œil, qui n'est pas mauvais, et non pas avec mon oreille. Je ne l'ai lu *in extenso* que deux fois. Ensuite, j'ai laissé les acteurs dire la pièce et je les ai fait bouger, j'ai chorégraphié l'ensemble comme un ballet. Si un monologue excédait trois phrases, je m'ennuyais et faisais bouger quelqu'un d'une façon ou d'une autre. Je laissais la parole aux tableaux scéniques.

J'avais mis au point un excellent décor avec Boris Aronson et il l'avait matérialisé de façon brillante. D'ailleurs, seul ce décor pouvait être qualifié d'artistique dans cette production. J'admirais les acteurs, en particulier Chris Plummer, mais surtout pour leur persévérance et leur foi apparente en ce qu'ils récitaient. Ô Seigneur, il n'y a que la foi qui sauve ! Mais ils ne sont pas venus à bout de mes doutes de mécréant. La Guilde des auteurs dramatiques m'avait imposé la présence de Jimmy Baldwin ; l'idée, c'était qu'il pourrait observer l'évolution de la production et serait mieux à même, ensuite, d'écrire ses propres pièces. Il était resté assis à côté de moi tout le temps, bloc et crayon en main, charmeur. Mais si je montrais mon désintérêt pour le contenu de la pièce et frémissais de dégoût à l'audition de certains vers, Jimmy devenait venimeux. Archie était on ne peut plus chaleureux avec Jimmy ; quant à ce dernier, il s'arrangeait toujours pour éviter de dire à Archie ce qui lui trottait dans la tête. Ils personnifiaient deux cultures différentes : celle de Harvard et celle de Harlem.

Ne méprisez pas mon aversion pour la poésie. Elle appartient au passé, n'est-ce pas ? Aujourd'hui, nous nous exprimons à l'aide d'images, et une photographie bien choisie en dit plus long, plus vite. Nous savons de moins en moins écouter et nous nous méfions des mots : on les a si souvent détournés de leur sens. Nous sommes noyés sous les publicités, les réclames en tout genre, des mensonges la plupart du temps. Mais nous savons qu'une photo prise sur le vif, un instantané, dit la vérité. Vous rappelez-vous Joe McCarthy en train de chuchoter à l'oreille de Roy Cohn ? Prenez n'importe quelle photo de Richard Nixon en train d'essayer de gagner des voix. Quel document vous fournit plus d'informations ? Il n'est besoin d'aucun discours. Dickens et Flaubert ont écrit maintes descriptions de lieux, de costumes, de comportement des personnages, d'attitudes physiques, d'objets, de moyens de transport, de repas, du temps qu'il faisait, et ainsi de suite. Les grands metteurs en scène russes des années 30 — Eisenstein en particulier — nourrissaient une grande admiration pour Dickens parce que ses descriptions détaillées pouvaient, phrase par phrase, plan par plan, être filmées, pour créer une atmosphère ou établir un environnement. Mais soixante ans se sont écoulés et nous avons vu tant d'images dans les journaux, à la télé et dans tous les magazines, de W au *National Geographic*, que les dissertations de Dickens, Flaubert et autres grands romanciers du xixᵉ siècle paraissent aujourd'hui inutiles. Nous comprenons instantanément de quoi il retourne. Quelques mots, un indice, et nous voyons le tableau.

Les murs de mon bureau, à New York, sont tapissés de photos — d'amateur pour la plupart — de ma famille et de mes meilleurs amis. Si l'on m'offrait de les remplacer par autant de Picasso, je refuserais. Les photos des gens qui peuplent ma vie me remplissent de souvenirs et d'émotions. De même que nombre de photos d'actualité. Je les découpe et les conserve. J'appartiens à l'ère de l'image.

Je ne voudrais certes pas laisser entendre que je ne prenais pas au sérieux mes responsabilités vis-à-vis d'Archie. Je travaillais comme une bête de somme. Il n'a jamais su ce que je pensais de sa pièce — enfin, là, j'ai un doute, car sa pièce suivante, en dépit de toutes ses démonstrations d'affection et de gratitude à mon égard, il l'a offerte à un autre metteur en scène. Je pense avoir « fait passer » la pièce, comme on dit. Mais je crois bien que sans l'épisode de Washington, durant le rodage, nous aurions fait un four. Le public avait reçu le spectacle dans l'indifférence. J'avais alors pris Archie à part et je lui avais parlé avec franchise. J'avais traité son œuvre comme une pièce à intrigue dont les défauts de structure rendaient le déroulement incohérent. Nous avions procédé à l'analyse de ce qu'il convenait de modifier et il était resté à travailler bien plus tard que sa santé ne le lui permettait. Lors de la première new-yorkaise, il était au bord de l'épuisement, mais la pièce avait fonctionné et avait reçu les éloges de Mr. Brooks Atkinson, qui l'avait qualifiée de chef-d'œuvre du théâtre, ce qui l'avait aidée à décrocher le prix Pulitzer. En toute sincérité, si nous ne nous étions pas arrêtés pour resserrer les boulons, notre bombe, pourtant mise à feu par une troupe pleine de vitalité, aurait fait l'effet d'un pétard mouillé au public de pisse-froid qui assistait à la première. S'il est vrai que la légende qui sert de point de départ — l'homme moderne identifié à Job — recèle un potentiel indéniable, c'est la dernière partie du travail qui s'est révélée déterminante. Ce que nous avions fait à Washington avait renversé la vapeur.

Je décidai de faire un autre essai. Je me rendis chez un psychanalyste.
Au lieu de m'étendre sur le divan professionnel recouvert d'un plaid oriental, je m'assis face à lui et le regardai droit dans les yeux. Sa posture magistrale me mettait mal à l'aise et j'étais résolu à ne pas me laisser impressionner. Débutant avec arrogance, je lui expliquai pourquoi j'étais là et ce que j'attendais de lui. Je lui confiai que j'avais déjà été analysé précédemment, enfin si l'on veut, que le regretté Dr Bela Mittelmann m'avait réconforté, ce qui n'était pas ce que je voulais ; j'aurais dû selon Bela me satisfaire de ce que j'avais accompli, arrêter de m'inquiéter et payer ses honoraires. Si j'avais voulu être drôle, je n'aurais pas pu tomber plus mal qu'avec le Dr Kelman. Les psychanalystes ne plaisantent pas avec l'argent. Je continuai, en insistant sur le fait que je n'étais pas bien dans ma peau ni satisfait de ce que j'avais accompli. Je venais le consulter parce que j'entendais désormais mener une vie différente et transformer mon travail. Il ne répondit rien, ne me gratifia même pas d'un hochement de tête. Il était capable de me regarder pendant cinquante minutes sans ciller, sans relâcher son attention, sans se sentir obligé de répondre. Je n'avais connu qu'une personne capable de rester sans ciller : Spencer Tracy. « Je veux devenir un autre homme », déclarai-je à un visage de pierre. La fin de la séance arriva et il n'avait pas prononcé un seul mot. Il prit alors la parole : « Bien. Nous allons continuer. » Il me fixa un autre rendez-vous et me regarda quitter son cabinet.

QUAND ILS SURENT qu'un vaste complexe destiné à abriter le New York Philharmonic, le Metropolitan Opera, le New York City Ballet et une compagnie de répertoire était à l'étude, les acteurs du Studio en tirèrent, c'était prévisible, la même conclusion que Lee: on nous reconnaissait de par le monde comme les créateurs d'un nouveau style d'interprétation (cf. les films de Kazan), c'est pourquoi ce théâtre de répertoire nous reviendrait de droit. Les acteurs n'en doutaient pas, Lee non plus.

J'étais le seul à ne pas y croire.

Nous fûmes invités par l'équipe Rockefeller, Cheryl et moi, à prendre part en tant que conseillers à un comité de réflexion, et nous nous rendîmes aux réunions. On nous écouta, on nous remercia et on nous renvoya dans nos foyers. Lee était troublé: pourquoi ne lui avait-on pas demandé de venir?

On me demandait de plus en plus souvent de prendre part aux discussions sur le projet d'immeuble destiné à servir le théâtre. J'assistais à des conversations fascinantes entre Eero Saarinen, l'architecte, et John Rockefeller et son équipe. Eero et John se concentraient sur l'extérieur, tandis que Bob Whitehead et moi-même aidions Jo Mielziner à dessiner la scène. Des années plus tard, la conception de cet intérieur serait battue en brèche par des hommes au sens pratique plus développé, et il serait question de refondre ce que nous avions imaginé. Ce désir émanait bien entendu de la direction: pour des motifs d'ordre financier, elle souhaitait disposer d'un endroit qui puisse être loué à des productions de « Broadway » — ce qui n'avait jamais été notre intention. Nous avions prévu une scène qui non seulement permettrait, mais encore imposerait, par son concept même, des productions faisant appel à l'imagination.

Je me consacrais désormais aux rêves que j'avais faits, étendu sur le pont du *Stormie Seas*. C'étaient ces aspirations-là que je voulais voir se réaliser. Je savais ce que je voulais et ce n'était en rien un poste aussi grandiose que celui du Lincoln Center, mais plutôt quelque chose de petit, intime et égoïste. Comme je l'avais confié au Dr Kelman, je ne voulais plus être Elia Kazan. Je voulais devenir un autre homme, et mener une vie radicalement différente. Le rêve d'un théâtre de répertoire relevait pour moi du passé. Il n'entrait en rien dans mes perspectives d'avenir. C'est du moins ce que je croyais.

Je continuai néanmoins à rencontrer l'équipe Rockefeller et Bob White-head, que j'aimais bien. Pourquoi ne mettais-je pas un terme à cette affaire ? Parce que ma vie entière avait tendu vers cet objectif : un théâtre de répertoire, et l'on m'offrait précisément cette opportunité. Je n'allais tout de même pas la décliner.

Une autre influence, inattendue, entrait en ligne de compte : Art Miller. Il voulait participer à notre effort et avait promis de nous donner ses pièces à produire. Nous nous étions réconciliés par l'intermédiaire de Bob. Je n'aurais pas pu en prendre l'initiative, pas encore. Mais une fois réunis, tout se passa bien entre Art et moi — même si j'étais un peu tendu en sa compagnie car nous n'avions jamais discuté (nous ne le ferions jamais) des raisons de notre « rupture ». C'était l'auteur dramatique le plus proche de moi, et j'étais le metteur en scène qui lui convenait le mieux. J'admirai son effort pour se rapprocher de moi, j'y avais répondu — au grand dam de certains de nos amis respectifs.

Il ne faisait aucun doute aux yeux de Lee que je devais accepter ce poste et l'inclure dans mes projets, à un niveau de responsabilité égal. Mais en y réfléchissant, je n'étais pas si sûr de vouloir m'associer avec Lee pour présider aux destinées d'un théâtre permanent. Il ne peut y avoir qu'un patron ; le mot ne s'accorde pas au pluriel. Cet arrangement avait fonctionné à l'Actors Studio parce que je lui avais « laissé la place ». J'avais découvert, cependant, qu'il était incapable de traiter les problèmes sur un pied d'égalité avec ses partenaires, mais se transformait aussitôt en despote qui ne tolérait aucune contradiction. La dévotion proche de l'idolâtrie dont ses élèves le gratifiaient avait boursouflé son *ego* à un point tel qu'il s'imaginait seul détenteur des solutions à nos problèmes.

En outre, je ne m'en ressentais pas d'avoir un conseiller toujours présent à mes côtés. J'avais déjà Molly. Elle me suffisait amplement.

Je fis pourtant un effort en direction de Lee. « Cher Lee, lui écrivis-je, je veux faire une proposition officielle du Lincoln Center à l'Actors Studio. Comme tu le sais, le petit théâtre, dans notre bâtiment, tournera avec le théâtre plus spacieux situé au-dessus. Bob et moi aimerions que le Studio y monte deux productions par an. L'idée vient de Bob et je suis très enthousiaste. Elle signifie que l'Actors Studio entretiendra un lien réel et vivant avec les activités du Lincoln Center tout en préservant son identité. Je vous enjoins, à toi et à Cheryl, d'accepter cette proposition. »

Ne recevant pas de réponse, je demandai à John Rockefeller de rencontrer Lee et d'écouter ce qu'il avait à dire. Puis je pris un billet pour la Turquie, où je poursuivrais des buts qui m'importaient davantage.

La veille de mon départ, j'avais une séance chez le Dr Kelman. Il se décida enfin à ouvrir la bouche. C'est la première fois que j'entendis parler de la boule.

« Comment êtes-vous au courant de ça ? demandai-je. (J'appuyai à un endroit situé au-dessous de ma cage thoracique, sur la gauche.) Je le sens depuis un an. Quelque chose comme une douleur sourde ou une... une présence. Parfois, elle me fait vraiment mal, et parfois...

— Je ne parle pas de ça, répondit-il. Bien qu'il y ait peut-être un lien de cause à effet. Ce que vous avez en vous, c'est une grosse boule de colère rentrée.

— De quoi?

— De ressentiment et de rage que vous avez étouffés et...

— Mais ma femme me dit que je suis tout le temps en colère.

— C'est plus sûr de la laisser s'en apercevoir. Mais comment se fait-il que vous ne vous soyez jamais mis en colère contre les gens qui ont publiquement essayé de vous tuer?

— Qui donc?

— D'après ce que vous m'avez raconté, certains de vos anciens amis vous en font voir de toutes les couleurs depuis des années et vous leur avez répondu par le silence. Pas un mot de protestation ou de colère, pas même l'affirmation de votre position — qui est correcte, d'ailleurs.

— Je maîtrise mon tempérament.

— Cette maîtrise de vous-même vous causera une vraie boule un jour ou l'autre, à moins que vous...

— Je peux faire face.

— Non, sûrement pas. Mais pourquoi tant d'empressement à pardonner à vos assassins?

— Je ne leur pardonne pas.

— Comment le sauraient-ils? Vous demeurez silencieux. Vous ravalez votre rage. Vous pouvez parler de trahison! La pire des trahisons est la trahison envers soi-même. Et c'est pour elle que vous payez. »

Je restai sans rien dire et, au bout d'un moment, je baissai la tête. Je ne voulais pas qu'il me voie en train de pleurer.

« Repensez-y après votre départ, reprit-il. Vous venez de montrer vos émotions pour la première fois, et pourtant nous avons discuté de votre vie et de votre mort...

— La boule, pourquoi l'appelez-vous comme ça?

— Parce que votre influx vital a été remplacé par cette boule, qu'on ne peut ni activer ni stimuler. On ne peut pas non plus la mettre en colère. C'est comme si un morceau de vous-même était mort, par négligence de votre part. Elle est là, cette boule, au centre de votre être, comme un énorme ganglion de graisse, dépourvu de muscle et de nerf, qui grossit et s'alourdit. Vous avez même honte de me laisser voir que vous pleurez, bien que ce soit le premier signe de vie, d'émotion véritable, que vous ayez manifesté lors de ces séances. »

Je restai muet.

« C'est pourquoi je vous ai déconseillé de partir en voyage maintenant. Ce qui se passe dans cette pièce a plus d'importance. Mais... »

Je restai muet.

« O.K., dit-il en regardant son bracelet-montre. Bon voyage. »

Quelques pensées qui m'ont traversé l'esprit au-dessus de l'Atlantique:

sa photo était parue dans les journaux — pas dans le *Times*, non. Dans les torchons. Elle avait agressé un *casting director* en pleine rue, dans le quartier des théâtres, et l'avait giflé jusqu'au moment où — pour mettre un terme à son châtiment — il avait cessé de nier les propos qui avaient fait sortir Barbara de ses gonds (des calomnies sur sa personnalité et sur son talent), renoncé à s'expliquer et à s'excuser, et choisi, pleutre jusqu'au bout, de calter *fissa*. C'est ce que j'admirais chez cette fille. Elle n'avait pas eu recours à la patience, n'avait pas rédigé de note réprobatrice mais polie sur du papier à lettres à en-tête. Non, elle était allée régler son compte à ce type elle-même. Qu'aurais-je fait, moi? J'aurais digéré l'affront et j'aurais oublié. Barbara n'avait pas de boule, elle. Je ne connaissais personne comme elle. Même Sylvia Miles ne lui arrivait pas à la cheville — cette jeune personne renverserait une assiettée de *linguine* à la sauce tomate sur le crâne de certain gros bonnet, parce qu'il avait attiré l'attention du public sur ses défauts de structure.

J'enviais Barbara; à travers elle, je compris ce que Kelman voulait dire.

Osman Kavundju m'attendait à la gare d'Ankara. Il était maintenant député et il avait changé, mais je ne savais pas dans quelle mesure. Malgré sa canne et son infirmité, je l'avais toujours vu se déplacer d'un pas assuré, la démarche bien balancée. Il y avait ajouté un nouvel élément: il se rengorgeait, avec un air de défi. Il me trimbala jusqu'à l'aéroport dans une vieille Mercedes conduite par un chauffeur. Un avion militaire, un de nos vieux DC-3, nous attendait. Une heure plus tard, nous arrivions à Kayseri. En sortant, j'expliquai à Osman que mon intention était désormais pratique, et non plus sentimentale. Je voulais visiter Germeer, la ville où avait vécu la famille de ma mère, de fond en comble, en particulier toute la partie à flanc de falaise. Il me répondit qu'il avait lu ma lettre et que tout avait été arrangé selon mon souhait.

On m'installa avec célérité, cette fois dans une énorme coopérative sucrière, des quartiers « grand luxe » pour cette région du monde. « Je suis prêt, lançai-je, après avoir jeté mes sacs dans un coin. — Allons-y. » Sur le chemin de Germeer, Osman et le nouveau *wali bey* (monsieur le Maire), qui avait remplacé Osman quand celui-ci avait été promu à Ankara, me firent admirer avec orgueil tous les changements qu'ils avaient accomplis dans cette ville. Quand nous parvînmes au lit asséché de la rivière, la limite de Germeer, c'était déjà la fin de l'après-midi et la lumière commençait à baisser, si bien que je ne remarquai pas la foule qui nous attendait. Tous les hommes valides de Germeer devaient se trouver là. Quand notre jeep arriva à cent mètres de l'endroit où ils se tenaient, ils se mirent à applaudir, et lorsque nous nous arrêtâmes, ils se pressèrent autour de nous. Je me hissai hors de la jeep; quelqu'un me tendit un bouquet de roses, puis les hommes, les uns après les autres, passèrent devant moi en s'accroupissant, presque serviles. Certains me serraient la main d'un geste rapide mais intense, en la tordant vers le bas, d'autres l'embrassaient. Ils me regardaient tous avec admiration. J'étais une créature venue d'un monde supérieur. Mais je ne devais pas oublier que les miens avaient vécu ici même dans la terreur et qu'ils avaient eu bien de la chance d'en réchapper.

Nous commençâmes à marcher, deux ou trois cents personnes, traversâmes le lit de la rivière puis grimpâmes un chemin, qui avait dû être une petite route qui avait dû être une rue. Le nouveau *wali bey*, Osman et moi nous trouvions au cœur de cette procession. Les hommes qui ouvraient la marche houspillaient les enfants pour qu'ils dégagent la voie, giflant ceux qu'ils pouvaient attraper ; on aurait dit qu'ils s'adressaient à des moutons. « *Ayeep ! Ayeep !* » hurlaient-ils, ce qui veut dire « Honte à vous ! Honte à vous ! » Mais les gamins n'y prenaient pas garde. Cela ne les empêchait pas d'essayer encore de se faufiler parmi leurs aînés pour me voir de plus près.

Aucune femme ne prenait part à cette procession, mais je pouvais néanmoins apercevoir, de temps à autre, une *kadin* dans le renfoncement d'une porte d'entrée, debout, le châle remonté sur le visage. Certaines se tenaient sur les toits et d'autres cachées sous les arbres, ou derrière, mais toujours avec le bas du nez, la bouche et le menton recouverts, comme il sied aux *kadin* de bonne famille. Seuls leurs yeux étaient visibles. A leur comportement, on aurait dit qu'elles étaient nues : elles se reculaient dès qu'elles me voyaient les observer, comme si c'était une honte pour elles d'être vues. *Ayeep ! Ayeep !*

Puis tout le monde s'arrêta ; nous avions atteint notre destination. Au beau milieu d'une peupleraie, une table de quarante avait été dressée, couverte de mets aux saveurs relevées. Sur le côté se trouvaient trois musiciens qui s'étaient mis à jouer. J'étais assis à la place d'honneur. Oh, Isaak-pappou, depuis le ciel où tu es assis à la droite de Jésus, regarde en bas et admire ton petit-fils ! Les notables de la ville s'occupaient du service ; ils portaient des costumes en laine et certains étaient coiffés d'un chapeau de feutre. Ils s'inclinaient, se frôlaient, nous observaient, anxieux de nous satisfaire, n'arrêtaient pas de remplir notre assiette à mesure que nous la vidions, sans même que nous ne le demandions. Tout autour de la table, la foule, maintenue en arrière par des policiers et quelques jeunes gens musclés, nous regardait en silence, comme si elle observait un rituel. Tous ces gens manifestaient une curiosité intense mais restaient immobiles, sauf pour envoyer les enfants jouer ailleurs d'une claque.

Plus loin en arrière, dans la pénombre, sous les arbres, comme des biches qui apparaissent tout d'un coup lorsqu'on regarde ailleurs, j'aperçus les femmes. Il y en avait peut-être une trentaine, toutes agglutinées les unes aux autres. Leurs yeux étaient visibles au-dessus de leurs châles remontés jusqu'au visage. A aucun moment elles ne s'approchèrent plus près — seuls les hommes nous servaient —, mais ce sont les femmes qui avaient préparé le repas.

Plus tard, certains des hommes se mirent à danser, en claquant des doigts au rythme de la musique et en balançant leurs hanches, pâles imitations des femmes. Le petit groupe compact de *kadin* finit par se manifester : entre deux murmures, elles laissaient échapper un petit hennissement, mais s'empressaient de se couvrir la bouche dès qu'elles riaient et redevenaient vite silencieuses. Aucune d'elles n'épousait le rythme de la musique. Une telle attitude aurait été *ayeep !*

A notre départ, les applaudissements crépitèrent de nouveau. Je remerciai Osman de cette soirée délicieuse mais je n'en précisai pas moins que je désirais maintenant retourner seul à Germeer, pour prendre des photos, et que je ne voulais plus être suivi ou pressé. Il sourit et me répondit : « Bien sûr, bien sûr, ne vous en faites pas », tout en m'embrassant sur les deux joues. Mais je savais qu'il lui serait difficile de m'autoriser à me rendre seul où que ce soit.

Cette nuit-là, je rêvai de mon père ; il me souriait. Que disait-il ? « Maintenant peut-être que tu sais quelque chose, eh, mon gars ? Quoi ? Alors ça te plaît ici ? » Puis son visage se transformait et ce sont mes propres traits qui apparaissaient : je voyais que j'avais le même sourire que lui, le sourire de l'outsider, plaidant pour qu'on m'accorde sa faveur, rassurant tout le monde : « Je ne suis pas dangereux », m'efforçant de plaire, suppliant : « Ne vous mettez pas en colère contre moi » et : « Je peux faire face ! », masquant ma colère, la ravalant jusqu'au fond de mon estomac, là où s'était formée la boule. Une fois éveillé, le caractère terrible de mon père me revint en mémoire. Sa colère, qui me prenait souvent pour cible, éclatait à la maison mais rarement ailleurs. Je ne l'avais jamais vu non plus s'irriter contre des Américains. Sur place, en Turquie, je pouvais enfin me faire une idée de ce que la vie avait dû être pour les Grecs, et je me posai la question suivante : si j'avais vécu à cet endroit soixante-quinze ans plus tôt, sous la domination des Turcs, aurais-je pu me permettre la colère ? N'était-il pas inévitable que mon père confine ce don à l'intérieur de sa propre maison ? Ne l'aurais-je pas moi-même mis en veilleuse ? Bien sûr que si. Le silence est plus sûr pour l'*outsider*. « Venez donc, je vous paie à déjeuner ! » Je le revois lançant cette invite aux clients américains qui venaient à son magasin et le toisaient de haut. Il leur adressait son sourire de réfugié, toutes dents dehors. Mais que ressentait-il au fond ? Avait-il cette boule à l'intérieur, lui aussi ?

La ville de Germeer est adossée à une falaise d'environ soixante-dix mètres de hauteur. Des grottes avaient été creusées dans cette paroi rocheuse et un petit chemin mène encore aujourd'hui au plateau qui la coiffe. Jadis, Germeer se limitait à cette falaise et à ces grottes. Les gens s'y cachaient par souci de sécurité : pour échapper aux voleurs de grand chemin qui sillonnaient la région. Puis on avait plus ou moins fait le ménage dans les environs, et des habitations s'étaient construites au pied de la falaise — c'est-à-dire à l'endroit où je me trouvais la nuit précédente.

Je sautai du lit aux premières lueurs de l'aube et persuadai quelqu'un de m'emmener en voiture. J'étais seul comme je le souhaitais — et j'escaladai la falaise. En passant devant les grottes, je regardais à l'intérieur. Certaines étaient encore occupées par les pauvres, les déshérités et les vieux. Je ne suis pas très versé dans la religion, mais je fus touché de découvrir, peints sur les murs, des vestiges de la foi éprouvée par mon peuple. On discernait encore des silhouettes effacées par le temps. Avais-je vu des églises aussi ? Oui, car jadis la ville entière tenait dans cette falaise. Je me doutais bien qu'à une époque plus récente, sous le régime de la terreur, les Grecs avaient dû venir se cacher ici pour échapper à leurs oppresseurs. On raconte que les voisins turcs ne faisaient pas de mal aux résidents grecs, mais que des bandes de vagabonds « venus de l'extérieur » avaient exécuté les ordres de leur propre dieu, c'est-à-dire versé le sang. S'ils tuaient un nombre suffisant d'incroyants, ils auraient leur place au paradis et y goûteraient les faveurs d'une houri.

Plus je montais, plus le silence était intense. Ce calme plat et ces grottes, pensai-je, sont à l'image de mon propre silence et de la solitude dans laquelle je me suis réfugié pour être en sécurité. En fait de sécurité, j'avais succombé intérieurement, ce que Kelman avait appelé la boule. Je repensai à ce qu'il m'avait dit et je sentis le goût de la colère, cette colère que j'aurais dû éprouver devant la réaction de certains « amis » à mon témoignage. Je condamnais enfin ceux qui s'étaient détournés sur mon passage dans la rue et m'avaient adressé toutes sortes d'insultes durant ces sombres années. Je commençai à me parler, je brisai le silence, répondant enfin à cet effort collectif pour me dépouiller de mon identité et faire peur à ceux qui voulaient travailler avec moi. Kelman avait raison : je n'avais jamais donné libre cours à cette colère. Mais la boule dont il avait parlé commençait à remuer.

Je bouillais enfin de cette colère qui aurait dû me saisir le jour où j'avais appris que mon ami Harold Clurman racontait à tout le monde qu'il ne travaillerait plus avec moi et ne m'adresserait plus la parole (ce qui ne l'a pas empêché de le faire quand il en a eu besoin) ; elle montait enfin en moi, cette rage avec laquelle j'aurais dû répondre à Kermit Bloomgarden, ce sycophante, cet être vénal et satisfait de lui-même, lorsqu'il m'avait snobé à l'entrée de l'immeuble où se trouvait mon bureau. Il était devenu rouge comme une pivoine ; son cœur pompait sec. Le silence ! Voilà quelle avait été ma réponse. Je m'étais entraîné à demeurer silencieux quelles que soient les provocations dont je faisais l'objet. Le silence est l'attitude la plus sûre pour un réfugié. Tout comme dans ces grottes, tiens. J'avais pénétré à l'intérieur de l'une d'elles : il y régnait un calme parfait. Et comme on s'y sentait en sécurité !

Je comprenais enfin la vraie nature de cette boule. J'avais laissé parler Marlon Brando : il avait clamé sur les toits que s'il travaillait avec moi, c'était pour pouvoir rester à new York et voir son enfoiré d'analyste. Quelle condescendance ! Je ne lui avais pas fait payer cet affront. Et miss Hellman, la personne que Kelman avait mentionnée : elle m'avait poignardé dans le dos. Et pourtant j'avais continué à dire aux gens que je l'aimais bien, tout en sachant pertinemment ce qu'elle était : une menteuse et mon ennemie jurée.

Et tous ces gens à l'Actors Studio, que j'avais créé, géré, défendu et préservé : tous ces moins que rien « en froid » avec moi ! Pas étonnant que la boule grossisse. Ça passera, m'étais-je dit en essayant de penser à autre chose. Les réfugiés le savent bien : mieux vaut ramper jusqu'au fond de sa grotte, où plus un bruit ne filtre de l'extérieur. Dehors, ils joueront du poignard et ils tueront pendant quelques jours, puis ça passera. Mes ancêtres, à la merci du Turc, s'étaient cachés dans ces mêmes grottes et, le calme revenu, étaient redescendus dans la vallée. Voilà ce qu'il faut faire : porter le masque de l'affabilité, attendre la fin des troubles, digérer les insultes, hausser les épaules et darder un sourire conciliant, toujours prêt au bord des lèvres. Un réfugié ne peut se permettre d'avoir sa fierté. Il doit sauver sa peau. Il ne peut donner libre cours à sa colère car il ne dispose pas des armes nécessaires au combat ; et il y a beau temps qu'il a perdu l'habitude d'être courageux.

Je ressortis de la grotte et retrouvai la lumière du soleil. Je m'assis les jambes pendant au-dessus du vide. Des nuées de pigeons replets voletaient aux alentours. Ils se rendaient à tire-d'aile d'un abri à l'autre. En levant les yeux, je compris pourquoi. Deux faucons de belle taille, au plumage brun foncé magnifique, tournoyaient au-dessus de nous en observant le manège des pigeons. C'était leur garde-manger. Dès que les faucons avaient un petit creux, ils n'avaient qu'à plonger et venir se servir. Les pigeons se comportaient comme les réfugiés : ils ne se défendaient pas, faute d'armes. Lourds, enrobés de graisse, leurs mouvements manquaient de prestesse. Et ils avaient perdu, eux aussi, l'habitude d'être courageux.

Selon Kelman, je m'étais entraîné à ne plus rien ressentir. Je n'ignorais pas les conséquences d'une telle attitude. En effet, lorsqu'on s'efforce d'étouffer ses émotions, on finit par ne plus être capable d'en éprouver aucune. Et quand un artiste ne peut plus ressentir, il s'en remet à sa connaissance du métier. Il cesse par là même d'être un artiste pour devenir un technicien. Très peu pour moi ! Je valais mieux que cela. Et de toute façon, je ne cassais rien comme technicien ; mes connaissances dans ce domaine ne m'auraient pas suffi pour m'en tirer. A l'origine de mes réussites, il se trouvait toujours une émotion quelconque. J'avais résolu le problème *J.B.* en faisant appel à la technique mais ma voix propre ne s'était pas exprimée. J'avais monté pièce sur pièce sans vibrer un seul instant, et j'avais ravalé mes sentiments jusqu'à l'étouffement. Mes mains enserraient ma gorge pour assourdir ce hurlement qui aurait exprimé la vraie nature de mes émotions. Il fallait surtout que personne ne l'entende.

Parle maintenant, me dis-je à moi-même, libère tes sentiments véritables avant qu'il ne soit trop tard. Sois toi-même. Prends ta place dans le monde. Tu n'es pas un orphelin cosmique. Tu n'as aucune raison d'être timide. Réagis comme tu le sens. Sois maladroit, cru, vulgaire — mais réagis. Libère ta gorge. Tu peux avoir tout ce que le monde peut offrir, mais ce dont tu as le plus besoin, c'est d'être toi-même. Cesse d'être anonyme. Cet anonymat dont tu croyais qu'il te protégerait de la douleur et de l'humiliation, de la honte et du rejet par les autres, eh bien, il n'a pas tenu ses promesses. Admets d'être rejeté, admets la douleur, admets les déceptions, admets la mesquinerie, la honte, l'outrage, admets tout ce qui arrive, réagis à ta façon, authentique, laisse tomber les calculs, exprime tes émotions. Le meilleur de toi-même, le plus humain aussi, c'est ce que tu as refoulé et caché aux yeux du monde.

Fais un effort. Remue cette boule aussi souvent que tu le peux. Elève la voix. Place-toi dans des situations embarrassantes. Humilie ta femme chérie, aimée, polie, s'il le faut. Ne laisse pas cette boule énorme, inerte, congeler en toi. Mets-la en pièces, réduis-la en miettes pour qu'elle res- sorte de ton système. Saisis toutes les occasions de ressentir quelque chose.

Vous remarquerez que chaque fois — dans le passé — que vous avez été en colère, vous avez aussi éprouvé de la peur. Vous avez le droit de vous mettre en colère. Vous n'avez pas besoin de gagner ce droit. Prenez-le. La colère est salvatrice.

En rentrant chez moi, je fis une halte en Angleterre, pour passer quelques jours dans le Somerset avec mon ami John Steinbeck. Je ne le trouvai pas en forme, sans savoir pourquoi. « Je ne suis pas sûre que nous nous aimions encore », me confia son épouse, Elaine, une femme très sincère. Si elle avait raison, je savais que le responsable en était John.

Il voulait aller à Londres. Nous fîmes du lèche-vitrines dans Bond Street. John était soûl comme un Polonais. Il me révéla d'une voix douce, comme s'il s'agissait d'une nouvelle sans importance, qu'il pensait souvent à se suicider. Il était amer au sujet de ses enfants qu'il trouvait superficiels et égoïstes. « Ils ne sont pas faits pour être mes enfants et je ne suis pas fait pour être leur père. » Son travail ne marchait pas bien, sa vie n'avait pas de sens. Il était chargé à bloc d'une substance explosive : le dégoût de soi-même.

Le lendemain, nous allâmes faire des courses pour de bon. John connaissait le meilleur magasin de chaussures de Londres. J'achetai une paire dont je n'avais pas besoin et des *boots* que je ne porterais jamais. Il choisit un couteau dont il n'avait que faire. Puis il me parla de sa vie quotidienne. Il déjeunait avec, disons, Douglas Fairbanks, Jr., qu'il ne tenait pas vraiment à rencontrer, se rendait à une matinée, écoutant à peine, ne faisant pas d'effort pour établir le contact avec ceux qui l'ac- compagnaient, puis allait prendre le thé, avalant une pile de sandwiches au concombre et au beurre ; prenait un bain, furibond, tanguant dans la baignoire, l'air renfrogné, puis s'en allait dîner avec son éditeur, son agent ou quelque autre personne dont il n'avait que faire, se montrait de mauvaise humeur pendant tout le repas, « cherchant la bagarre » (ses propres mots) ; puis il buvait pour dormir comme sous l'effet d'une drogue. Le sommeil lui était précieux car c'était le seul état dans lequel il éprouvait une paix proche de celle de la mort. Il savait qu'il n'était plus John Steinbeck.

De temps en temps, il se vengeait de ce qui le rongeait sur Elaine, mais elle était capable de se défendre et il était trop correct pour que ce genre d'attitude fonctionne. Je lui dis quelques mots de ma psychanalyse, et il se mit à attaquer avec violence la psychanalyse. Il déclara qu'elle offrait des excuses à l'homme pour ses actions au lieu de l'en rendre responsable.

Puis John s'en prit à moi. Il m'assena que je devais reprendre mes esprits, redevenir moi-même. C'était ça mon problème, me retrouver. Selon lui, j'avais acquis un tas de défauts, dont le pire : je jouais les types sympas ! Il ajouta que j'étais si occupé à me faire aimer et approuver de tout le monde que je m'étais perdu en cours de route ; je ne savais plus qui j'étais ni ce que je voulais. Je m'étais défait de mon identité véritable. Je ne prêtais plus attention à mes propres désirs et je ne me souciais plus d'affirmer haut et clair mes positions. J'étais si rompu à les sacrifier que je n'avais même plus conscience de le faire.

Puis il s'en prit à mon surnom. « Ce putain de nom ne te ressemble pas, lança-t-il. Ce n'est pas toi. Tu n'es pas — ou tu n'étais pas — un petit gadget pratique, amical et adaptable. Tu t'es créé cette personnalité pour ne pas faire d'histoires, être accepté, devenir invisible — un Gadget ! Quel surnom de châtré ! Il conviendrait à tout le monde, sauf à toi ! »

La solution de John tenait en ces mots : « Deviens méchant. Deviens égoïste. Sois toi-même. Découvre qui tu es — c'est ta seule source de créativité. Détermine ce que tu veux et ne t'en laisse pas conter. Creuse ton trou et préserve-le bec et ongles. Et ce putain de surnom ! Jette donc ta modestie au panier. »

Quand il en eut fini avec moi, il se sentait beaucoup mieux, et je le considérai comme un véritable ami.

« Dans la vie de tout homme, a écrit Thomas Mann, il y a des choses qu'il ne révèle à personne d'autre que ses amis. Il y a aussi des choses qu'il ne révèle pas à ses amis, mais, dans le meilleur des cas, à lui-même et sous le sceau du secret. Et enfin il y a des choses qu'un homme hésite à se révéler à lui-même. Tous les gens comme il faut en accumulent une quantité considérable. En vérité, on pourrait dire que plus un homme est comme il faut, plus le nombre de ces choses qu'il porte en lui est élevé. »

Quand j'ai commencé ce livre, je ne savais pas où je devrais m'arrêter dans la mise à nu de ce qui reste en principe masqué. Mais bientôt j'ai oublié que d'autres que mon directeur littéraire allaient lire ce que j'écrivais. Mes seules hésitations sont nées de mon inquiétude face à la réaction de mes enfants, car j'ai peur de perdre leur amour. Mais il y a cette petite consolation : j'ai noté que dans la vie, tout était toujours digéré et oublié plus vite que je ne m'y attendais. Bien sûr, mes enfants se sont posé des questions sur ce qui s'était passé durant certaines périodes de ma vie restées dans l'ombre ; ils auront une surprise désagréable en découvrant mes dons pour la duplicité dans certain domaine. Il leur faudra ajouter ces révélations explicites à ce qu'ils savent déjà de moi. Le bon et le mauvais seront considérés d'un même œil, comme le tissu d'une vie.

L'heure de la soixantaine a sonné, période de remise en question des valeurs morales, de la rupture avec certains amis, de la dissolution de mariages que l'on croyait « parfaits », de l'effondrement et de la mort, voulue ou inévitable, de tant de mes amis, des hommes et des femmes qui n'avaient aucune raison apparente de se tuer, de se soumettre et de flancher. Mais pour moi, ces années, plus que toutes les autres, ont constitué une période de confrontation avec moi-même.

Cet incident a l'air sans importance : un metteur en scène de théâtre reçoit une pièce qu'on lui demande de produire ; il la décline, et l'agent de l'auteur emmène son client ailleurs. C'est ce qui s'est passé en 1960 entre Tennessee et moi à propos de sa comédie *Period of Adjustment*. Mais cet événement, qui aurait dû être pris comme un refus sans conséquence, survint à un moment où Williams se sentait en compétition avec William Inge. Celui-ci venait de connaître quatre succès d'affilée, et je m'apprêtais à tourner un film à partir d'un de ses textes. Tennessee interpréta cet incident comme un rejet, un signe que je préférais travailler avec Inge. Il me fit bien sentir qu'il ne pouvait faire confiance à personne, pas même au metteur en scène à qui il avait offert plusieurs succès extraordinaires.

Il m'avait fallu prendre sur moi pour dire non à Williams. Pourquoi avais-je éprouvé tant de difficultés ? Mes services lui étaient-ils dus ? Avais-je une fois encore le sentiment de trahir bassement un ami ? Pourquoi n'avais-je pas la conscience tranquille ? J'avais manqué d'être aspiré de force dans le tourbillon d'une production qui ne m'intéressait pas. Je m'étais même senti obligé d'aider Williams à trouver un autre metteur en scène, un type bien, « meilleur pour cette pièce que je ne l'aurais été, avec mes gros sabots ». Pourquoi désirais-je tant passer pour un parangon de fidélité dans le milieu du théâtre new-yorkais, surtout maintenant que je m'y sentais de moins en moins attaché ?

J'avais fini par admettre en moi-même que je n'aurais jamais dû me lancer dans l'entreprise du Lincoln Center. Mais je savais bien qu'il me faudrait aller jusqu'au bout ; j'avais entraîné trop de gens dans mon sillage. Si j'avais pu trouver une porte de sortie honorable, je l'aurais ouverte. Et dire que je m'étais promis, à mon retour d'Europe, de ne plus jamais travailler pour, ni avec, quelqu'un d'autre !

Quand j'avais mis en scène les pièces des auteurs que je commençais à présent à éviter, je m'étais comporté comme leur serviteur, et c'était bien normal. Ces pièces avaient été écrites au prix d'une ou deux années de leur vie et couvées par des producteurs anxieux et des agents jaloux. Mais j'en étais arrivé au stade où ils avaient besoin de moi — Tennessee, par exemple, avec cette pièce —, mais où je n'avais plus besoin d'eux. Je n'en avais plus rien à cirer des thèmes des autres ; je me fichais pas mal des problèmes rencontrés par les personnages de *Period of Adjustment*. Quel bonheur d'être libre, malgré le dépit glacé de Tennessee. J'avais éprouvé la même sensation à propos d'autres auteurs, mais cette fois je l'admettais.

Il me fallait également rompre mes amarres cinématographiques. Pas question de retravailler pour Darryl ou Jack Warner. Si John Steinbeck avait perdu l'inspiration, ce n'était pas mon cas. J'étais revenu de mes voyages avec une conviction renforcée : j'avais trouvé ma source d'inspiration. J'avais peut-être moins de talent que les hommes pour lesquels j'avais travaillé, mais peu importe. Désormais, j'en ferais à ma tête.

Je démissionnai — je m'en fis l'annonce à moi-même — du club d'élite des metteurs en scène de Broadway, je tirai ma révérence à l'apogée de mon succès. En refusant la pièce de Williams, je refusais en effet toutes les pièces signées par des auteurs de même stature. J'abdiquais la carrière fructueuse que j'avais bâtie. Mais je me jurai de ne pas regarder en arrière.

Paul Osborn avait finalement donné son accord pour écrire le scénario tiré de mon histoire sur la Tennessee Valley Authority, *le Fleuve sauvage*. Il est difficile pour un auteur en période de chômage de dire non à un ami ; rien n'est plus excitant que de travailler à deux.

En discutant avec lui, je découvris une chose étonnante : j'avais changé de camp. J'avais conçu ce film des années auparavant comme un hommage à l'esprit de F.D.R. ; mon héros devait être un partisan acharné du *New Deal*, engagé dans la tâche difficile de convaincre des paysans « réactionnaires » qu'il était nécessaire, au nom du bien public, qu'ils abandonnent leurs terres et en acceptent d'autres ailleurs. Mais je découvris que mes sympathies allaient désormais à la vieille femme obstinée : elle habitait sur l'île qu'on allait inonder et refusait d'être patriote. Je la soutenais à cent pour cent. Je n'étais pas animé par les seuls lambeaux de mon idéologie libérale, mais par une fibre plus naturelle, plus solide aussi. Le type venu de Washington avait peut-être le droit de la « société » pour lui, mais mon film épouserait le parti de la vieille femme qui veut empêcher la marche du progrès.

Je commençais peut-être à réagir en être humain et non plus en fonction d'une idéologie. Au cours de ma vie, les personnes pour lesquelles j'avais ressenti la dévotion la plus profonde étaient trois vieilles dames assez traditionalistes : ma grand-mère, ma mère et mon professeur Anna B. Shank. J'en avais assez des intellectuels libéraux. Je savais toujours à l'avance ce qu'ils allaient dire, quel que soit le thème de la discussion. Ils ne me plaisaient pas du tout, ces réformateurs que j'avais côtoyés depuis 1933, qu'ils s'intitulent communistes, progressistes, promoteurs du changement ou je ne sais quoi d'autre. J'avais réussi à me convaincre qu'il *fallait bien* que je les aime. J'avais suivi le mouvement, et durant ces années-là il allait dans cette direction.

Ce changement de point de vue du film illustre le pouvoir total d'un metteur en scène sur l'histoire qu'il a choisi de raconter. Par exemple : j'avais engagé Montgomery Clift pour interpréter l'homme de Washington. C'est Spyros Skouras qui me l'avait presque imposé et j'avais résisté à l'influence de ce financier. Puis j'avais vu comment ce personnage pouvait être interprété : un intellectuel de la grande ville, assez peu sûr de lui et pas à sa place dans son emploi au service de la société, qui aurait affaire à des gens plus forts et plus fermes dans leurs convictions que lui. Je connaissais Monty depuis longtemps, je l'avais dirigé seize ans plus tôt dans *la Peau de nos dents*. Je le revoyais encore — c'était bien avant —, gamin peu sûr de lui, recroquevillé aux pieds de Molly, en train de lui confier ses problèmes. Molly avait été pendant un temps sa mère adoptive. La sexualité de Monty était celle d'un enfant attendant que sa mère le prenne dans ses bras.

Il avait été victime d'un terrible accident de voiture un soir en redescendant de la colline de Beverly Hills où habitait Elizabeth Taylor. Il avait bu trop de rosé tiède et deux comprimés de tranquillisant l'avaient assommé. Il avait dérapé, quitté le mince ruban d'asphalte dans l'un des nombreux virages, et avait terminé sa chute sur des piliers de béton. Sa tête avait été cabossée à un point tel que sa propre mère ne l'aurait pas reconnu. Il en était ressorti défiguré, et tout son corps semblait devoir faire un effort à chaque mouvement, même pour se tenir debout. Dans le cadre de mon histoire, il ne serait pas à la hauteur des paysans qu'il devait convaincre de la valeur supérieure de « l'intérêt général », surtout pas physiquement si la violence se mettait de la partie. A l'aide d'images, l'histoire mettrait en scène le conflit du fort contre le faible — inversé. J'acceptai volontiers ce retournement de situation, et je renforçai ce canevas en choisissant le moindre de mes acteurs en fonction de lui.

La vieille dame sur son île qui allait être noyée sous le lac artificiel fut interprétée par l'une des grandes actrices de composition de l'époque, Jo Van Fleet, âgée de trente-sept ans. C'était une femme difficile et attachante, le rêve pour un metteur en scène en quête de performance d'actrice. J'avais travaillé avec Jo sur *Camino Real* et *A l'est d'Éden*, et je connaissais sa force de caractère, ainsi que son ambition : exceller dans son métier. Pleine d'une violence sans retenue, elle mangerait Clift tout cru, et j'étais prêt à la laisser faire. Je n'avais pas de boule à ce sujet. Et quelle professionnelle ! Alors que Clift, endormi et tremblant, avait l'air un peu bancal au début de la journée, Jo faisait irruption dans la salle de maquillage à quatre heures du matin et se donnait cinq heures pour se transformer en matrone indomptable retranchée dans sa maison au bord du fleuve. Même les jours où je lui disais que nous ne nous approcherions pas d'elle avec la caméra, elle passait des heures à appliquer les taches de son d'une vieille femme sur le dos de ses mains. Je lui disais : « Jo, nous n'allons pas filmer vos mains aujourd'hui. Dormez encore une heure. — Ce n'est pas pour la caméra, répondait-elle. C'est pour moi. » Clift avait l'écorce tendre, mais Jo était aussi impressionnante, aussi intraitable que les montagnes omniprésentes dans la région où nous tournions.

Elle constituait la preuve vivante de l'avantage qu'on trouve à employer une actrice de composition beaucoup plus jeune que son personnage. L'émotion exprimée par Jo avait une intensité qui s'estompe généralement avec l'âge. Son maquillage était admirable, il accentuait les marques de la puissance conférée par l'âge à ses traits, plutôt que les stigmates du vieillissement. De toutes les scènes que j'ai tournées, l'une de mes préférées est celle qui clôt ce film, entièrement silencieuse. Jo, qui a été expulsée de son île contre son gré, est assise sous la véranda de la petite maison qui lui a été donnée en ville. Sur ses genoux, on aperçoit un baluchon qui contient ses biens, encore attaché par une ficelle. Dans la petite cour située devant la maison, en train de brouter l'herbe, se trouve sa vache, qu'un Noir fidèle a fait venir de l'île sur un canot à fond plat. Le public n'avait pas besoin de mots pour comprendre que la vieille dame serait morte quelques jours plus tard. Jo l'avait fait passer en silence.

Quant au « ressort sentimental », il était tenu par l'une des plus fines parmi les jeunes actrices de ma connaissance, Lee Remick, alors au sommet de sa force et de sa confiance — mais ce n'avait pas été sans opposition en haut lieu. Durant l'une de mes visites aux studios de la Fox dans le sud de la Californie, j'avais dû souffrir un entretien absurde avec le nouveau directeur de la production, Buddy Adler, au sujet de la distribution. Il voulait absolument que je donne le rôle à Marilyn Monroe. Avait-il seulement lu le scénario? Je connaissais Lee depuis *Un homme dans la foule* : une vraie beauté, une femme exceptionnelle. Je désirais ce contraste entre son assurance et l'insécurité de Monty. Dans leurs scènes d'amour, c'est elle qui dominait, et Monty qui paraissait peu sûr de lui. Il l'était vraiment. Elle interprétait une veuve de guerre qui avait gardé un souvenir reconnaissant de sa relation avec son défunt mari. Elle avait des raisons d'avoir confiance en ses capacités sexuelles et d'être agressive. Ce contraste était si puissant qu'au début j'en nourris une certaine déception. Puis je résolus de faire avec. Dans une scène, Monty, au moment de la séduction, s'écroulait sur le sol. Je le maudis dans ma barbe pour sa mollesse dans cette situation. Puis je décidai de garder la scène telle quelle, par terre et tout au fond de la pièce. Je ne rapprochai pas la caméra. A six ou sept mètres, la scène d'amour paraissait spontanée et torride. Mais c'était encore Lee qui le prenait et non l'inverse. Encore une fois, le hasard de la personnalité des acteurs avait tourné à mon avantage.

J'en étais arrivé à éprouver un profond respect pour les gens de la campagne à cause de mon amitié avec Barbara Loden. « Bouseuse » du fin fond de la Californie du Nord, Barbara avait un côté provocant et dur à la fois — ajouté à sa sensibilité extrême. Elle n'avait peur d'aucun homme — en fait, elle ne craignait que ce qu'elle pourrait, dans un moment de désespoir, se faire à elle-même. Barbara était aussi sauvage que le fleuve au sujet duquel je tournais le film.

Je pensais qu'elle possédait exactement l'esprit que j'essayais de capturer dans mon film, aussi la fis-je venir à Cleveland, dans le Tennessee, où était installé le quartier général de la production. Je lui donnai un petit rôle dans le film — une employée dans le bureau de Monty — pour justifier sa présence. Dès sa première apparition sur le plateau, je vis qu'elle n'avait pas fait le moindre effort, côté maquillage, pour paraître plus jolie. Elle portait des bigoudis, comme à la campagne, et s'était noué un vague foulard sur la tête. Quand elle se tenait à côté de Monty, le contraste que je cherchais à établir, ce renversement du rapport de forces entre lui et les natifs de cette région, sautait aux yeux. L'image elle-même transmettait le message — comme ce devrait toujours être le cas.

Il me fallut aussi faire face au problème au sujet duquel tout le monde m'avait mis en garde: le goût de Monty pour la dive bouteille. Avant d'accepter de lui confier le rôle, je lui avais arraché la promesse solennelle qu'il ne boirait pas un verre de tout le tournage. Il tint parole et survécut à l'inconfort physique et à la tension de certains moments sans le secours de sa bouteille, et ce jusqu'à la fin. Le dernier matin, cependant, il arriva en chancelant sur le plateau, puis s'écroula par terre. Le temps que je m'agenouille près de lui, il s'était endormi. Je lui pardonnai son écart. Je ne pouvais pas lui en demander plus. Je savais bien que j'avais affaire à un homme malade, qui avait bon cœur et n'aurait pas fait de mal à une mouche. J'entends encore ses éclats de rire pathétiques, lorsqu'il était heureux; il les ravalait presque aussitôt. Je savais que chaque matin il avait dû endurer l'humiliation de couvrir par endroits son cuir chevelu dégarni avec du maquillage noir. A mesure que le tournage avait progressé, sa confiance en lui s'était accrue et je crois qu'il est devenu plus facile de travailler avec lui dans les films qui ont suivi. En dépit de tout, je ressentais une grande tendresse pour lui. Ce n'était qu'un gamin.

Le problème le plus délicat que j'avais eu à régler avec Monty, c'était celui de sa répétitrice, jeune femme brune qui avait fait son apparition sur mon plateau dès le premier jour et s'était installée derrière la caméra. Ah, m'étais-je dit, j'ai un cometteur en scène. Je ne pouvais pas surveiller tous les signes qu'elle adressait à mon héros, mais je savais qu'un coup d'œil au mauvais moment aurait pu me causer des ennuis, aussi dis-je à Monty que je ne voulais pas l'avoir dans les jambes et elle disparut.

Une fois que je l'eus exclue du plateau, elle avait continué, j'en suis sûr, à travailler le soir avec Monty. Il arrivait toujours le matin, la démarche mal assurée mais plein de bonne volonté, et c'est peut-être grâce à elle.

Ce film est l'un de mes préférés, à cause de son ambivalence sociale. La phrase célèbre de Jean Renoir : « Tout le monde a ses raisons », s'était vérifiée dans ce cas. Les deux parties avaient raison. Le Fleuve sauvage a été apprécié de certains critiques de cinéma français ; l'un de leurs plus éminents représentants est même allé jusqu'à le placer sur sa liste des vingt meilleurs films de tous les temps — ce qu'il n'est pas. Skouras et son armada de commerciaux furent d'un avis opposé et traitèrent le film d'une manière déplorable, le boutant hors des cinémas avant qu'il n'ait eu le temps de s'imposer et ne le distribuant que chichement à travers le pays. Il ne fut pas montré en Europe, jusqu'au jour où je fis ma grande scène du deux dans le bureau de Spyros et le couvris de honte. J'espère que le négatif repose en sécurité dans l'un des coffres de la Fox. J'ai entendu dire, cependant, qu'il avait été détruit pour laisser la place à des films couronnés de plus de succès. Ce qui n'aurait rien pour me surprendre. C'est l'argent qui établit les règles de ce marché, et de ce point de vue, le film avait été un désastre.

Désormais, la duplicité régnait sur mon existence. Mes efforts pour dissimuler mon infidélité étaient minimes. Je n'éprouvais aucune culpabilité. Le tournage de mon film suivant, la Fièvre dans le sang, fut une véritable fête. Je me laissai aller, indifférent aux risques que j'encourais. Durant chaque pause-déjeuner, je profitais de ma maîtresse dans sa loge. Après avoir tourné les scènes new-yorkaises du jour, on me raccompagnait chez moi dans une voiture de la compagnie, on me déposait sur le seuil de mon immeuble, et je pénétrais au 212, 72ᵉ Rue Est, où Molly entretenait une maison bien rangée. Le dîner était à sept heures ; une bonne le servait. Molly n'aimait guère sa mère, mais le rituel qu'elle avait établi chez nous en l'honneur du dîner suivait en tout point l'exemple maternel. Après le repas, Molly lisait du Mark Twain à nos deux cadets. C'était une vie dépourvue d'excès et peu encline à l'indiscrétion. Je m'étais habitué à cette double vie et je ne trouvais pas qu'elle sortait de l'ordinaire ; en fait, elle me paraissait « normale ». Je gagnais ensuite le premier étage, me glissais dans notre grand lit et, à bout de forces après cette longue journée, je m'endormais.

Ces quelques semaines furent un enchantement, et ce pour deux raisons : je prenais plaisir à mon travail et j'étais en proie à des désirs violents
durant la journée. Mes soirées, en comparaison, étaient régénératrices,
reposantes et sans surprise. J'aimais mon épouse ; en toute sincérité. Le
fait qu'un aspect de notre relation avait disparu ne voulait pas dire que
j'avais envie de la quitter — je ne l'aurais abandonnée pour personne. La
meilleure part — à tout le moins de mon point de vue — était demeurée
intacte. Si je n'étais pas allé à l'école avec des gens dont les principes
puritains leur dictaient un comportement correct en toute circonstance, si
j'avais vécu dans un autre pays à une autre époque, je n'aurais pas remis
en cause mon mode de vie une seule seconde.

J'ai un ami, cinéaste de son état, qui, apprenant un jour que sa femme
avait pris un amant, ne la quitta pas pour autant ; bien au contraire, il la
félicita et acheta une maison aux deux tourtereaux, afin qu'ils puissent s'y
rencontrer en privé. Puis l'enthousiasme des amants retomba et le mari
récupéra son épouse. Ils font de nouveau des films ensemble.

Voici comment le film *la Fièvre dans le sang* a vu le jour. Durant la
production de *The Dark at the Top of the Stairs*, à l'occasion de laquelle
Inge et moi étions devenus amis, j'avais glissé au passage que nous
pourrions peut-être un jour faire un film ensemble et je lui avais demandé
s'il avait une idée de scénario. Il m'avait raconté l'histoire de deux collégiens d'Independence, dans le Kansas, où il avait vécu, et je lui avais
répondu : faisons-le. Il avait rédigé un petit roman à l'eau de rose que
j'avais transformé en un scénario qui lui vaudrait un oscar. Il avait tripatouillé certaines scènes et rajouté du dialogue dans lequel il y avait à boire
et à manger ; les images de l'action diraient l'essentiel. Son histoire contenait l'ingrédient indispensable, une fluidité de narration amenait à une
conclusion pleine de vérité. Bill était un conteur accompli ; c'est un talent
particulier. Mais je savais bien aussi quelle avait été l'ampleur de ma
contribution, et j'en tirai une confiance en moi dont j'avais manqué
jusqu'à présent dans l'écriture. J'étais prêt à me colleter avec ma propre
histoire.

Ce plateau fut la scène d'un autre mariage parfait. Natalie Wood et
Robert Wagner étaient souvent présentés comme le couple le plus fidèle
de Hollywood, et dans leur cas la presse populaire n'avait pas tort. Mais la
fièvre que j'avais fait monter sur le plateau était peut-être montée à la tête
de Natalie ; l'atmosphère était grisante. Elle devait jouer des scènes
d'amour avec Warren Beatty. Les sages de la communauté du cinéma
avaient déclaré que Natalie était finie ; mais elle voyait un avenir excitant
s'ouvrir devant elle, en partie grâce à une association avec Warren Beatty.
La notoriété sexuelle est l'un des pavillons les plus attrayants qu'une star
de cinéma puisse battre. Il était évident, pour Natalie comme pour moi,
que Warren était parti pour atteindre les sommets ; cette perception joua
comme un aphrodisiaque.

Quand Natalie m'avait été suggérée pour la première fois, l'idée ne
m'avait pas emballé. Je ne voulais pas d'une enfant star sur le retour. Mais

lorsque je l'avais vue, j'avais décelé une lueur désespérée dans son regard de « jeune épouse » de bonne famille. Elle reflétait, j'en étais sûr, une frustration secrète. Je commençai à m'intéresser à cette jeune femme — sur le plan professionnel. Mais je le gardai pour moi dans un premier temps. En effet, ses patrons de la Warner Brothers, qui l'avaient sous contrat, faisaient des pieds et des mains pour me convaincre de la prendre. Ils prétendaient qu'aucun rôle ne se présentait pour elle à ce moment-là et que je pourrais l'avoir pour « pas grand-chose ». A l'évidence, ils auraient été ravis de voir quelqu'un d'autre prélever une partie de son salaire et, qui sait, la « remettre en selle » pour le plus grand bénéfice de la compagnie. J'eus alors une conversation plus personnelle avec elle, au calme. Je voulais percer la glace et découvrir quel matériau humain se cachait là, quelle vie intérieure. C'était une petite « nana » qui ne tenait pas en place ; elle me rappelait ces « mauvaises » filles, au collège, qui ressemblaient à des filles « bien ». Ce genre de filles ne voulaient pas entendre parler de moi, elles ne s'intéressaient qu'aux types qui portaient de grosses lettres brodées sur la poitrine, comme Warren Beatty. Elle avait la tête de l'emploi, ma mémoire était là pour me le confirmer. Et la crise professionnelle qu'elle traversait préludait, j'en étais sûr, à un autre bouleversement. Dans sa vie personnelle. Elle me confia alors qu'elle subissait une psychanalyse. C'était le bouquet ! Pauvre R.J., me suis-je dit. J'aimais bien Robert Wagner. C'est encore le cas aujourd'hui.

Je doute que les stars de cinéma éprouvent dans la vie ce qu'elles interprètent à l'écran, l'amour toujours et ainsi de suite. Elles ont beau roucouler des chansons d'amour, je n'ai guère vu ce sentiment persister bien longtemps chez elles — en tout cas, elles ne s'y consacrent jamais avec la même intensité qu'à leur carrière. Il est inévitable, sans doute, que leur carrière soit plus importante à leurs yeux. Pourquoi pas ? Elle l'est, de toute façon. Dans la plupart des cas, l'arrivée d'enfants cause des problèmes infinis : il faut trouver des bonnes d'enfants, des jeunes filles au pair, des *baby-sitters*, des précepteurs et toute une armada de médecins, un pour chaque partie du corps. Il faut ensuite meubler une *nursery*, la faire visiter aux amies et à la presse. Bon, d'accord, un décorateur peut s'en charger. Mais les grandes déclarations d'amour, les envolées inquiètes dont ces parents submergent les malheureux journalistes, c'est de la foutaise. Les couples de stars déchirés par la passion amoureuse peuvent se comparer à des trains qui avancent en parallèle sur leurs rails respectifs pendant un moment, puis bifurquent. Warren ? Tomber amoureuse de Warren Beatty ! Quelle fille peut courir assez vite ? Et pourquoi parler d'« amour » ? Warren — cela m'avait paru évident dès notre première rencontre — voulait gagner sur tous les tableaux, et à sa manière. Encore une fois, pourquoi pas ? Il possédait de l'énergie à revendre, une intelligence acérée et un culot monstre. Je n'ai jamais connu de juif avec autant de *chutzpah*. Il en avait encore plus que moi. En bref, plus éblouissant que lui, tu meurs. Et intrépide avec ça. Plus ce que toutes les femmes révèrent en secret : une confiance absolue en sa puissance sexuelle, confiance si grande qu'il n'avait jamais besoin de faire de la retape, même discrètement.

Tout d'un coup, Natalie et lui devinrent amants. Quand cela s'était-il passé ? Dès que j'avais eu le dos tourné. Je n'en fus pas contrarié : les scènes d'amour y gagnaient en conviction. Mon seul regret concernait R. J., qui en souffrait. Son humiliation sexuelle s'étalait sur la place publique. Homme généreux, toujours correct, il attendit un moment, patiemment, comme le conseillent tous les experts en amour ; puis il se volatilisa. Où ? Peu importe ; là où vont les maris abandonnés. Plus tard, ils se remarièrent et redevinrent le couple parfait.

Le film avançait à un train d'enfer — rien ne pouvait arrêter sa course, comme si les intrigues de coulisses aiguillonnaient tout le monde. J'en avais plein le cul de mon amie Barbara (ce qui ne laissait pas d'être agréable en certaines occasions) : elle interprétait la sœur de Warren Beatty et ne se gênait pas pour jouer les peaux de vache. Warren, il faut dire, était un brin « morveux » — je ne connais pas d'autre mot pour décrire son comportement et mon dictionnaire de synonymes ne vient pas à mon secours —, mais il deviendrait un homme impressionnant. Barbara et lui étaient plus crispés et plus difficiles à apaiser car ils avaient plus de talent. Je goûtais leur compagnie. Le film lui-même fut très facile à réaliser ; les scènes que Bill avaient écrites étaient les plus simples qu'il m'ait jamais été donné de diriger. Les gens se réunissaient, se parlaient, une opinion était formulée, un problème résolu. Puis on se séparait et l'histoire reprenait son cours. C'était le talent de Bill.

Dans une scène de ce film, le personnage interprété par Natalie essaie, par désespoir, de se noyer dans un lac. Quelques jours avant le tournage de cette scène, Natalie m'avait pris à part et m'avait expliqué qu'elle avait une peur bleue de l'eau, surtout si elle était sombre, et qu'elle perdait tous ses moyens quand elle y était plongée. Bien sûr, ma première réaction avait été de penser : Ce sera parfait pour la scène. Mais je l'avais rassurée. Le lendemain, elle m'avait dit qu'elle serait paralysée de peur dans l'eau du petit lac que j'avais repéré, et qu'elle n'était pas sûre de pouvoir jouer la scène. Ne serait-il pas possible d'utiliser un réservoir de studio ? Je l'avais assurée que le lac était très peu profond et qu'elle ne serait jamais bien loin du fond. Elle m'avait répondu que même si elle avait pied, elle serait saisie de panique. Je demandai donc à mon assistant, Charlie Maguire, d'entrer dans l'eau avec elle et de rester juste à la limite du champ de la caméra, pendant qu'elle jouait la scène où elle se débat pour échapper à la mort. Elle ne fut pas entièrement rassurée mais elle joua la scène et s'en tira très bien — puis agrippa Charlie. « Coupez ! » m'exclamai-je alors. Sur la terre ferme, elle continua de trembler de peur puis se mit à éclater d'un rire hystérique, soulagée.

Des années plus tard, je devais me souvenir du problème de Natalie avec cette scène quand je découvrirais dans les journaux les circonstances de sa mort : « L'actrice a peut-être paniqué, raté une marche et glissé dans l'eau en essayant de remonter sur le canot du yacht... Aux environs de minuit, une femme qui était à bord d'un bateau ancré non loin a entendu un cri monter des ténèbres : "Au secours ! Au secours !" »

Le yacht hors duquel elle s'était aventurée dans les eaux sombres s'appelait *The Splendour*[1].

Ce film était typique de Bill Inge : c'était un *soap opera* avec un petit peu de profondeur et d'humanité, et une vision objective de la vie. C'est ce « petit peu » qui donnait à notre film son originalité. Si *le Fleuve sauvage* est un de mes films que certains critiques français admirent, la raison en est, je suppose, que les Français sont le peuple le plus bourgeois qui existe — même les ouvriers sont des bourgeois dans ce pays —, et qu'ils profitent donc de tous ces bienfaits que sont un foyer, une bonne table, un compte en banque. Et l'histoire d'Inge traite du combat le plus simple, celui entre le bien et le mal, et de la disgrâce sociale ; il offre une vision pratique de l'existence et montre ce qu'il convient de choisir en matière de biens matériels et de valeurs familiales. Ce n'est pas le favori de mes films, mais sa dernière bobine est ma préférée entre toutes, car elle est à la fois la plus triste et la plus heureuse. Natalie, qui vient de sortir d'une institution après avoir été déclarée saine d'esprit de nouveau, rend visite à son ancien amant — Warren — dans l'espoir que leur relation prenne un nouveau départ. Elle découvre qu'il s'est marié et mène une vie qui ne correspond guère aux espoirs que le père avait formés au sujet de son fils, avec une femme plutôt ordinaire qui élève leurs premiers enfants.

Ce que j'aime dans cette fin, c'est son ambivalence douce-amère, remplie de tout ce que Bill avait appris à partir de sa propre vie, à savoir qu'il faut accepter un bonheur limité, parce que le bonheur est limité, et qu'espérer la perfection relève de la névrose la plus grave ; il faut accepter la tristesse aussi bien que la joie. Peut-être l'authenticité qui se dégage de ce thème tient-elle au fait que Bill lui-même en était arrivé à viser moins haut, à abandonner le premier rang aux Williams, O'Neill et Miller, et à se contenter d'une honorable deuxième place où — au diable les louanges, au diable leurs prix — son travail constituerait sa seule récompense ; il avait compris qu'il ne trouverait la paix que s'il se fixait des buts à portée du talent dont il disposait et n'espérait pas de miracles.

Serais-je par hasard en train de parler de moi-même ?

1. Nom qui évoque le titre original de *la Fièvre dans le sang* : *Splendour in the Grass*. *(N.d.T.)*

J'AI ACQUIS plusieurs réputations contradictoires au fil des années : hautain et sociable, secret mais ouvert, agréable ou acariâtre, inquiet, indifférent, généreux, mesquin, familier des apparitions impromptues et des disparitions soudaines. S'il y a une réputation dont je me serais bien passé, c'est celle de traître envers ceux qui m'avaient fait confiance. Elle ne m'a pas fait plaisir. Et je la trouve injuste.

Mais elle ne m'a pas été attribuée sans raison. Comme beaucoup d'entre vous, il m'arrive de porter le masque de l'amitié ; j'ai souvent l'air plus amical que je ne le suis en réalité. Mais quand je finis par obtenir ce que je veux, je tombe ce masque et j'apparais tel qu'en moi-même. De temps en temps, je prends tout le monde par surprise ; certains se sentent blessés, insultés, abandonnés ou, tout bêtement, perplexes. Je laisse venir à moi mes petites victimes, je les cajole jusqu'à obtenir leur confiance aveugle. Il faut qu'elles soient sûres que je les apprécie. Mais une fois que nécessité ne fait plus loi, que la production est amorcée et la séduction parachevée, je me dérobe, je deviens froid et distant, et ceux que j'ai attirés dans mes rets ne comprennent pas ce qui s'est passé. Pendant des années, je me suis présenté comme un libéral pur et dur, je me suis rendu populaire en réaffirmant ma conviction chaque fois que c'était nécessaire, mais la vérité c'était — et c'est encore — que, comme la plupart d'entre vous, je suis un bourgeois. Je me plais à désarmer les gens mais, dans les situations critiques, je révèle ma vraie personnalité, celle d'un homme qui n'a dans la vie, comme la majorité des artistes, qu'un seul centre d'intérêt : lui-même. On peut me faire confiance, mais je ne suis au fond qu'un type ordinaire, dont la seule philosophie consiste à essayer de survivre, de se débrouiller et d'exercer sa curiosité, un bonhomme qui n'aime pas être contrarié, ne pardonne jamais une insulte et, en dépit de son sourire toujours au bord des lèvres, passe un temps considérable en colère — ou à tout le moins en donnant l'impression d'être en colère, pour des raisons jamais vraiment claires. Je ne peux donc pas en vouloir aux gens pour ce qu'ils pensent de moi.

Mais j'ai décidé de balayer un peu devant ma porte.

Comme vous avez pu le remarquer, je garde tout. Faites attention à ce que vous m'écrivez ! Parmi les documents redécouverts au cours de mes recherches pour ce livre se trouvait un enregistrement d'une conférence donnée par Lee Strasberg à la fête de fin d'année de l'Actors Studio en juin 1961. Bien que je n'étais pas présent dans la salle ce jour-là, le discours de Lee m'était directement adressé. Lee, qui me connaissait depuis trente ans, ne fit référence à moi que sous l'appellation « Mr. Kazan », rebuffade que je pris comme un compliment, dans la mesure où elle m'élevait au rang social, sinon financier, de John Rockefeller III. Lee déclara que j'avais trahi ses espoirs les plus importants ainsi que ceux des acteurs présents dans la salle en acceptant le poste de metteur en scène et coproducteur du théâtre de répertoire du Lincoln Center, en dépit du fait que lui-même et l'ensemble du personnel du Studio n'avaient pas été invités à participer à cette aventure. Ce jour-là, il s'exprima avec une voix chargée d'émotion contenue, et ce qu'il dit aux acteurs — tous unis contre le monde entier ! — me rappela ses discours au Group Theatre trente ans auparavant et réveilla des sentiments qui sommeillaient en moi depuis longtemps. Il parsema son *speech* de ces expressions tribales qu'il affectionnait — par exemple, il appelait les acteurs « le peuple », comme s'ils traversaient le désert en masse pour fuir l'Egypte — et il entama une de ses tirades avec une phrase que le yogi Berra aurait pu reprendre à son compte : « En premier lieu, il y a deux choses. » Mais la blessure perceptible derrière ses paroles était authentique. La fierté qui la recouvrait la rendait émouvante. Un tonnerre d'applaudissements retentit lorsqu'il déclara que les gens du Lincoln Center avaient commis une faute énorme en ne confiant pas les rênes de la production à l'Actors Studio, et lorsqu'il ajouta, non sans amertume, que je n'avais pas beaucoup insisté pour renverser la vapeur. J'avais laissé tomber le Studio — je cite. J'avais trahi sa confiance. En écoutant l'enregistrement de ce discours vingt-cinq ans après, j'ai compris l'ampleur de sa déception : cet homme n'avait pas obtenu le soutien inconditionnel de celui qu'il avait formé et investi de sa confiance — moi — et avait ensuite été écarté d'un projet visant à mettre sur pied le type de théâtre auquel il avait préparé des acteurs toute sa vie durant. Que ce fût en douceur ne changeait rien à l'affaire. En écoutant son discours, j'ai eu pitié de lui.

Encore un souvenir qui remonte à cette époque : une lettre que j'avais adressée à George Woods, la « personne morale », en quelque sorte, du Théâtre de Répertoire. C'était en outre un homme proche des Rockefeller, qui lui vouaient une confiance absolue. « Cher George, il nous semble qu'une erreur a été commise lorsque l'Ecole (d'interprétation) a été confiée à Juilliard. » Puis j'avais énuméré mes raisons et conclu par : « Nous demandons que l'Ecole d'interprétation soit retirée à Juilliard et donnée au Théâtre de Répertoire. »

C'est dans cette branche d'activité, selon moi, que Lee et notre programme de travail au Studio s'intégreraient le mieux. Mais j'ignorais, en écrivant cette lettre, que le comité de direction du Lincoln Center avait pris la décision de confier les cours d'interprétation à Juilliard depuis longtemps et ne recherchait aucun dirigeant, pour la bonne raison qu'ils avaient déjà engagé Michel Saint-Denis. Celui-ci devait déterminer la nature de la formation dispensée et organiser une école en fonction de son choix. Michel arpentait déjà tout le pays pour se familiariser avec les différentes formations dispensées dans les écoles de théâtre.

George Woods n'a jamais répondu à ma lettre.

Toutefois, même si les Rockefeller avaient tenu compte de ma requête, le poste que je demandais ne correspondait pas au désir ni même à l'attente de Lee. Il se considérait comme la personne la plus qualifiée dans ce pays pour présider aux destinées d'un théâtre de répertoire. Il me considérait comme le meilleur fonctionnaire après lui ; je représentais la source d'énergie capable d'entreprendre le gros œuvre. Voilà comment Lee voyait les choses, et c'est cet espoir déçu qui l'avait amené à prononcer son discours devant les acteurs.

De ce point de vue, Lee avait raison ; je n'avais pas essayé, avec autant d'énergie que je l'aurais pu, d'obtenir pour lui le poste qu'il pensait mériter, mais je ne le trouvais pas qualifié pour assumer les fonctions de metteur en scène et de producteur. Celles de professeur, oui, bien qu'au moins deux autres professeurs de ma connaissance méritent autant d'éloges que lui. Quand Lee avait suggéré que l'Actors Studio devienne la cheville ouvrière du complexe situé au Lincoln Center, il voulait dire que lui et Cheryl assureraient la production ; quant à moi, je serais le Vulcain de ce Jupiter et de cette Junon. Mais il était trop tard pour même envisager cette possibilité. L'homme que le groupe Rockefeller avait sélectionné pour produire et mettre en scène n'était pas moi, mais Robert Whitehead. Je me trouvais là parce que Bob me l'avait demandé. Compte tenu de cette situation, Lee s'attendait sans doute que je démissionne du Théâtre de Répertoire avec perte et fracas en me drapant dans ma dignité morale et artistique. Ainsi, j'aurais eu l'air de lancer un ultimatum aux Rockefeller : vous ne pourrez m'avoir que si vous prenez Lee. C'était une pression que je choisirais de ne pas exercer.

J'avais arrangé pour lui un rendez-vous avec John Rockefeller et quelques-uns de ses lieutenants, afin que Lee puisse leur donner son point de vue directement. Il s'était présenté dans toute la gloire de son orgueil, et avait entrepris d'expliquer à Rockefeller que s'il comptait avoir un théâtre dans son complexe culturel, la première personne qu'il aurait dû consulter était Lee Strasberg, car seul Lee pouvait saisir la complexité des problèmes artistiques soulevés et leur apporter une solution. Monter cinq pièces avec une compagnie de vingt-cinq acteurs relevait selon lui de l'absurde. Ce qui est vrai. Mais qu'offrait-il en guise d'alternative ? Une « compagnie flottante » qui piocherait des acteurs, au gré de ses besoins, dans la réserve que constituait l'Actors Studio. C'était un grand réservoir de talents, selon Lee, et pas besoin de contrats ! « N'allons pas croire qu'à l'extérieur l'herbe est plus verte. »

L'« extérieur » était un terme dont Lee se gargarisait. Dans les années 30, il désignait toute personne qui n'était pas membre du Group Theatre ; plus tard, quiconque n'appartenait pas à l'Actors Studio. Lee aurait l'occasion de tester son concept de « compagnie flottante » quelque temps après.

Je ne sais ce que John Rockefeller avait pensé des affirmations de Lee

— et de leur expression passionnée —, mais il était trop poli pour y
répondre franchement. J'imagine bien Rockefeller mettant un terme à la
réunion d'un sourire bienveillant, avec l'expression d'un missionnaire parmi les indigènes, de sorte que Lee ne comprenne pas tout de suite que
c'en était fini de ses espérances : le Théâtre de Répertoire n'aurait de
place ni pour lui ni pour sa « compagnie flottante » de stars issues de
l'Actors Studio. Ce que Lee considérait comme l'expression de la vérité et
de sa fierté passait pour de l'arrogance auprès du banquier baptiste. Il
avait laissé le discours enflammé de Lee se consumer de lui-même. Le
silence était aussi la réponse de John.

Sans doute le facteur principal de l'inadéquation de Lee au projet
était-il le plus simple : John et sa bande appartenaient à une tribu d'animaux différente de celle de Lee et des siens. Bob Whitehead pourrait
s'entendre avec les huiles du Lincoln Center — pendant un temps —, et je
suis moi-même adaptable, enfin j'en donne l'impression. Mais au bout du
compte, nous n'avons pas réussi à nous couler dans le moule, ni Bob ni
moi. Au moins, Bob s'habillait comme les hommes qui entouraient John,
se comportait comme eux et s'exprimait sur le même ton mesuré et en
apparence modeste. Quant à moi, mes quatre ans à Williams m'avaient
enseigné comment nouer une cravate. Mais Lee fut tout de suite catalogué
comme un homme enclin aux déclarations excessives, ce que les membres
du comité trouvaient choquant et, d'une certaine manière, étranger à leur
monde. C'est cela, ils avaient l'impression de se faire botter le derrière par
un étranger. Lee avait bien perçu leur réaction — mais confusément. Il fut
surpris et choqué, lui aussi, de ne recevoir aucune réponse à l'issue de
cette réunion.

Vous le voyez, Lee avait bien dit la vérité dans le discours enregistré
que j'ai cité plus haut. Je n'ai pas essayé d'obtenir pour lui le poste qu'il
estimait mériter, mais seulement celui qui me semblait lui convenir. Je n'ai
pas non plus démissionné, comme il l'aurait souhaité. Je ne le voyais ni
comme partenaire ni comme producteur, et je n'en voulais ni comme
conseiller ni comme suzerain, fût-il bienveillant. Je ne croyais pas non plus
que Cheryl disposait de l'« artillerie » nécessaire pour riposter à George
Woods. En fait, comme l'avenir le prouverait, le calibre de nos armes, à
Bob et à moi, ne suffirait pas non plus.

La « trahison » fut donc perpétrée et Lee resta en plan. Parce que
j'avais prononcé un jugement réaliste — et je savais qu'il était correct.

Lee nous critiquait sur un point, Bob et moi, et il apparut qu'il avait
raison. Il disait qu'un véritable théâtre doit suivre une seule ligne définie
par ses directeurs artistiques — des buts précis et une thématique de base.
Il dirait plus tard que Bob et moi n'en avions pas et, avec le recul, je crois
qu'il avait vu juste. J'avais achoppé dès le départ sur cette question
délicate. Nous n'avions pas de visage. Quelle serait notre identité ? Pour
l'instant, elle consistait à satisfaire tout le monde. Notre programme ne
reflétait en rien notre personnalité. Résultat, nous oscillions au gré de nos
productions, sans que personne puisse nous situer. Quelle sorte de théâtre
voulions-nous mettre en place ? Nous n'en avions pas la moindre idée, ni
l'un ni l'autre. Nous n'avions aucune conception ferme, claire, définitive.

Le flou artistique présidait à notre travail. Un théâtre, pas plus qu'une personne, ne peut chercher à plaire à tout le monde. Sinon, il verse dans l'inconsistance.

Bob avait commis une grave erreur au tout début de son entrée en fonction, quand il m'avait choisi comme son metteur en scène coproducteur. Non pas parce que j'avais moins de talent que d'autres metteurs en scène disponibles : j'en avais davantage. Mais parce que ma formation s'était limitée au réalisme psychologique du Group Theatre. C'est tout ce que j'avais appris, tout ce que je comprenais vraiment et tout ce qui, jusque-là, m'avait vraiment motivé. J'étais tout à fait compétent pour « réaliser » les œuvres de Miller et d'Inge, de Williams et d'Anderson, et je pouvais même me faire une douce violence et aborder MacLeish. Mais je n'avais pas reçu la formation nécessaire et je ne disposais pas des capacités que les gens du Lincoln Center étaient en droit d'attendre de moi, et que Bob Whitehead espérait lui-même. Mes tentatives de monter une pièce élisabéthaine ou, des années plus tard, d'exprimer ma vision d'une tragédie grecque tournèrent au désastre. Mes goûts ne sont pas très éclectiques, en matière de théâtre, et ma palette de talents n'est guère étendue. Je peux être profond, à l'occasion, mais avec mes limites. Je n'aime que ce que j'aime. Je crois que si Bob m'avait choisi, c'était pour trois raisons : j'avais aidé un certain nombre d'auteurs dramatiques contemporains ; les acteurs appréciaient, en général, de travailler avec moi et répondaient bien aux directives que je leur donnais ; enfin, j'avais à mon actif toute une série de succès. Ces motifs avaient prévalu, car je n'étais pas le plus indiqué pour le poste du Théâtre de Répertoire. Le seul genre où j'excellais, c'était — pour reprendre une expression d'origine russe — le réalisme social. Si j'avais disposé de plus de temps, si j'en avais eu l'opportunité et voulu en faire l'effort, j'aurais sans doute trouvé à élargir mon champ d'action. Mais avec des si... En attendant, le public, les *sponsors* et les acteurs étaient en droit d'exiger du metteur en scène-coproducteur d'un théâtre aux ambitions nationales davantage que je ne pouvais leur offrir. De plus, je n'avais aucun talent d'administrateur. Dans un bureau, j'attrape la migraine.

Pour couronner le tout, les acteurs que j'avais choisis en fonction de mes préférences se prêtaient mal à une grande variété de productions. Certaines de nos actrices les plus talentueuses éprouvaient de grandes difficultés à prononcer un discours de plus de deux phrases ; elles étaient faites pour le cinéma, où le micro du perchiste est à même de capter les murmures. N'importe, je fonçai tête baissée avec Bob, et la distribution d'*Après la chute*, de Miller, fut constituée. Mais en choisissant les acteurs parce qu'ils étaient adaptés à cette œuvre précise, nous limitâmes du même coup immédiatement notre programme au théâtre contemporain. Nous aurions peut-être dû accepter cette restriction — en faire notre « visage » — plutôt que de nous lancer dans des pièces telles que *l'Enfant changé*. En tout état de cause, nous aurions au moins dû nous accorder le temps de former nos acteurs — et moi-même — et ne pas essayer de produire des pièces dans un style autre que le réalisme contemporain sans au préalable renforcer notre compagnie à l'aide d'acteurs d'un genre différent, qui puissent porter ces pièces sur leurs épaules.

Les acteurs britanniques parviennent, semble-t-il, à concilier les deux ; nos acteurs, surtout ceux que j'apprécie, en sont incapables. Lee se plaisait à commenter les scènes de Shakespeare qu'il avait vu interpréter à merveille dans ses classes ; ce que j'avais vu, moi, ne m'avait guère impressionné. En effet, nous n'avons jamais réussi à marier puissance vocale nécessaire, clarté d'élocution, habileté à jongler avec les mots, amour de la langue et techniques prônées par la méthode Stanislavski-Strasberg en matière d'expression des émotions. La seule solution qui me paraissait viable était celle qu'avait adoptée Joe Papp : il articulait son programme autour de pièces américaines contemporaines et, lorsqu'il s'aventurait au-delà de ce domaine, engageait des acteurs qui possédaient les qualifications requises. Mais il n'essayait pas de créer une compagnie permanente ; nous, si. Lorsque je travaillais avec des membres de l'Actors Studio sur des pièces qui bousculaient leurs habitudes, je prenais toute la mesure de leurs limites. Je sais ce que vous allez me dire et je prends les devants : ces limites étaient peut-être autant les miennes que les leurs. Nous avions tous besoin de nous familiariser — moi comme les autres — avec les techniques qui permettent de se créer un « style ».

En tous les cas, le fait que Bob m'ait choisi n'a pas profité au Théâtre de Répertoire. Je n'étais pas l'homme de la situation. On nous critiquerait violemment, Bob et moi, et ni l'un ni l'autre, au bout du compte, n'avons pensé avoir réussi ; mais nous étions tous deux persuadés — et nous le sommes encore — que si l'on nous avait donné du temps et qu'on nous eût encouragés, nous aurions pu découvrir notre identité propre et créer une compagnie théâtrale adéquate. Oui, c'est de temps que nous aurions eu besoin, mais on ne nous donna pas ce genre de liberté de mouvement. Ainsi, le peu que nous avons appris, nous n'avons même pas pu le mettre à profit.

Je viens de passer de courtes vacances à Paris, où un ami m'a suggéré de rendre visite au théâtre de Patrice Chéreau à Nanterre. Cette ville est une communauté-dortoir pour la classe moyenne et se trouve suffisamment près de Paris pour que les amoureux du théâtre fassent le voyage après leur journée de travail. Le bâtiment est de grandes dimensions, assez bas, et ne répond pas à une forme précise. Il contient deux théâtres, plusieurs salles de répétitions, un atelier pour la construction des décors, un autre pour les costumes, et le tout a été assemblé, morceau par morceau, au fur et à mesure des rentrées d'argent. Le toit du bâtiment est plat ; le théâtre, en effet, est dépourvu de cintres du fait qu'il n'a pas été conçu pour que les décors montent et descendent, comme c'est le cas dans les théâtres traditionnels. L'intérieur est spacieux et plaisant, on y trouve un modeste restaurant et une librairie assez bien fournie. On s'y sent détendu, et l'endroit n'est pas prétentieux pour deux sous ; au Lincoln Center, à l'inverse, tout fait prétentieux. Le travail passe en premier à Nanterre. Quand j'ai vu ce théâtre, je me suis dit : « Voilà ce que nous aurions dû avoir. »

Mais le fait est que nous l'avions. L'endroit s'appelait ANTA Washington Square Theatre.

Bob et moi étions entrés en fonctions au moment où le comité Rockefeller venait d'approuver les plans définitifs d'Eero Saarinen pour le théâtre qui devait porter le nom de sa riche patronne, Mrs. Vivian Beaumont, et on nous avait dit qu'il nous faudrait attendre au moins deux ans avant de pouvoir nous y installer. Bob avait pensé que ce délai serait néfaste ; aussi, plutôt que d'attendre le Beaumont, avait-il dessiné les plans d'un théâtre temporaire, financé indépendamment, qu'il avait fait élever à Washington Square, sur un terrain que l'université de New York nous prêtait. Je crois que cette réalisation de Bob constitue la plus belle réussite de nos deux années passées au Lincoln Center. Mais elle nous attira la rancune tenace de George Woods, l'homme fort du comité du Lincoln Center, envers Bob : celui-ci, en effet, avait financé et fait ériger le bâtiment sans tenir compte des objections de Woods.

Le théâtre de Bob consistait en un dôme géodésique planté dans un trou, et l'auditorium incliné descendait en pente douce jusqu'à la scène très aérée. Le toit était soutenu par des tiges d'acier léger, installées à l'avance. Ce bâtiment ne visait qu'à être fonctionnel. Nous n'avions pas l'intention d'utiliser des fermes qu'il faudrait faire monter et descendre pour servir d'arrière-plan à l'action ; au lieu de cela, nous voulions créer un environnement à l'intérieur duquel l'action se déroulerait. Ce théâtre était l'expression parfaite de ce que nous voulions faire dans le haut de la ville au Lincoln Center, et bien sûr nous aurions dû rester et persévérer dans notre entreprise. Et quand ce projet s'était révélé impossible, à cause du programme de construction de l'université de New York, nous aurions dû chercher d'autres locaux du même style, aussi dépourvus de prétention et aussi peu coûteux — mais surtout nous aurions dû le faire dans le même esprit.

Mais non. Tout en préparant la production de la nouvelle pièce d'Art Miller dans notre théâtre du bas de la ville, nous travaillions à la réalisation des plans du Vivian Beaumont Theatre — l'intérieur et les décors.

Nous espérions qu'il y aurait un contraste entre l'extérieur tape-à-l'œil de notre bâtiment et ce qui était proposé à l'intérieur. La scène que nous avions dessinée avec notre décorateur Jo Mielziner répondait à l'exigence que nous nous imposions : présenter un programme de productions plus originales. Nous désirions une scène qui nous pousserait à nous montrer plus audacieux, par sa conception et sa situation par rapport au public. Déterminés à changer nos habitudes de production, nous avions prévu de rendre impossible la représentation d'œuvres traditionnelles.

A Nanterre, j'ai assisté à la représentation d'une pièce de Marivaux, la Fausse Suivante, mise en scène par Patrice Chéreau. Elle était jouée sur un « espace scénique », où les mouvements des acteurs n'étaient pas limités par un décor réaliste. Nous, le public, nous trouvions à cent lieues d'un spectacle de cinéma. Le théâtre était devenu un art différent. Il regagnait sa prééminence et, à côté d'un tel spectacle, quatre-vingt-dix pour cent des films semblaient ennuyeux et banals. Ce type de décor non réaliste, une rampe qui décrivait une courbe majestueuse d'un côté, quelques accessoires de l'autre, permettait aux acteurs de s'exprimer à l'aide de mouvements éloquents, en toute liberté ; ces mouvements naissaient de leurs impulsions. Peut-être le théâtre est-il au mieux de sa forme quand il n'est pas réaliste. Celui des Grecs, de Molière, de Shakespeare, de Vakhtangov, de Meyerhold et de Brecht ne l'a jamais été. A Nanterre, tout ce que le théâtre comporte de joli, d'imaginatif et de surprenant était au rendez-vous. Les scènes étaient dansées autant qu'interprétées. Il n'existait aucune barrière de bois ou de toile pour restreindre la direction d'acteurs, généreuse et expressive. Le ballet et le théâtre se mariaient. Qu'on laisse le réalisme aux films documentaires !

En voyant cette production, je me suis dit que nous aurions dû essayer, Bob et moi, de nous transporter dans un environnement constitué de gens comme nous, notre public naturel ; et que nous aurions dû maintenir notre budget, et en conséquence le prix des billets, au niveau que Chéreau était parvenu à ne pas dépasser à Nanterre. A quelle sorte de théâtre a-t-on affaire quand le prix d'une bonne place s'élève à quarante-cinq ou à cinquante-cinq dollars ? Réponse : à un théâtre réservé à ceux qui se font rembourser leurs notes de frais.

Mais nous continuâmes à planifier le Beaumont et à le regarder s'élever. Quand il fut enfin achevé, ma vie avait pris un cours différent, et Bob avait épuisé presque toute son énergie à se défendre contre les attaques de George Woods. Mon travail de metteur en scène avait été pitoyable et au bout de ces deux ans, on nous jeta dehors, Bob et moi, comme des malpropres. Ce que nous avions organisé avec tant de soin, qui nous avait demandé tant de travail, fut repris par d'autres. Ils ne purent s'empêcher d'ouvrir de grands yeux en voyant ce que nous leur léguions. Aujourd'hui Jo Mielziner est mort, Eero Saarinen est mort, John Rockefeller et George Woods sont morts, et Bob et moi ne nous voyons presque plus. L'histoire de notre bâtiment est symptomatique du Lincoln Center, où l'art est administré par des agents immobiliers et des banquiers, qui exigent non pas un effort dans une nouvelle direction, mais la rentabilité de leurs investissements, et des bénéfices qui ne soient pas noyés sous les coûts de production. Ils n'ont ni patience ni argent à offrir à des gens qui tenteraient de créer un nouveau type de théâtre, et ils ne peuvent pas non plus leur fournir le temps nécessaire à leurs tâtonnements.

L'extérieur du Vivian Beaumont, quand je passe devant aujourd'hui, me rappelle le tombeau d'un empereur japonais.

Vous aurez sans doute noté que je suis obsédé par la mort, en tant que sujet. Je tape ces mots dans ma soixante-dix-huitième année, aussi est-il bien naturel que je m'y intéresse. Trouvez-vous que mon rabâchage sur la question frise la névrose ? Ou qu'il est tout simplement risible ? Je suis d'accord. Sur les deux points. Un vieil ami, aujourd'hui mort, m'a dit un jour : « Chaque matin, j'ouvre le *New York Times* à la rubrique nécrologique pour voir si je suis mort pendant la nuit. » La mort révèle un secret : lorsqu'elle survient, on prend conscience de ses échecs. On se rend compte de ce qui était important.

La manière dont on meurt est peut-être ce qu'il y a de plus caractéristique dans la vie de chacun de nous.

J'ai reçu des nouvelles inquiétantes sur mon compte, les premiers indices de ce qui m'attend, l'érosion de certains pouvoirs ordinaires, en
particulier ma mémoire. Je croise un acteur dans la rue, je sais que je l'ai
dirigé dans une production et je suis incapable de me souvenir de son
nom. Parfois, je me rappelle le nom du personnage qu'il interprétait, mais
pas celui de l'acteur. Ou bien je croise une ancienne maîtresse — là, c'est
humiliant — et je ne sais pas comment l'appeler. Suis-je gagné par l'indifférence à l'automne de ma vie? Je préfère cette explication.

Depuis un certain temps, je souffre sans raison de terribles maux de
tête, inquiétants car je n'en connais pas la cause. Je commence à sentir le
courant d'air froid que déplace le Temps dans sa course. Nonobstant ces
avertissements, j'ai décidé de passer ce qu'il me reste à vivre au bord du
précipice — c'est-à-dire en jouant les casse-cou. Le mot « casse-cou » veut
dire « qui agit sans souci des conséquences ». Je crois qu'il est casse-cou
d'écrire ce livre de cette façon. Mais comme je ne demande ni votre
pardon ni votre compréhension, je ne tenterai ni d'expliquer ni d'excuser
certains aspects de ma conduite que je vais maintenant exposer. Voici
seulement les faits.

J'ai connu plusieurs moments dans ma vie dont je me souviens aujourd'hui comme parfaits. Par exemple, cette nuit de mai 1932 où je me
suis uni avec Molly pour la première fois. C'était dans un champ au bord
d'un lac, sous un clair de lune bancal, et il était près de minuit. Je n'ai
jamais oublié cette nuit ni comment, en quelques minutes, ma vie a
basculé. Autre exemple: pendant les semaines les plus froides de l'hiver,
quand j'ai connu ma femme actuelle, Frances; j'avais l'habitude de me
rendre de ma maison sur la 68ᵉ Rue Est, près du parc, à son appartement
au coin de la 90ᵉ Rue et de Riverside Drive. Le vent glacé qui arrivait de
North River était tranchant comme un couteau, mais je n'en avais que
faire. Au matin, j'empruntais le chemin inverse — il faisait encore plus
froid —, et je me souviens que je me disais, en retournant chez moi après
ces heures passées avec elle: Je suis au paradis! Si le mot « paradis » veut
dire quelque chose, c'est ça.

Mais je ne peux pas dire que j'aie passé un meilleur printemps, de toute
ma vie, que celui de 1960. J'avais loué son appartement de la 65ᵉ Rue à
Budd Schulberg et je m'y rendais tôt le matin pour écrire. Je travaillais sur
le script qui raconterait le voyage de mon oncle depuis Kayseri jusqu'en
Amérique; ce serait la base du film *America America*. Je travaillais toute
la matinée, puis Barbara m'apportait mon déjeuner. Je lui racontais mon
travail, et mes premières fiertés d'homme de plume. Je commençais à
croire que je pourrais peut-être devenir écrivain — au moins scénariste —
car je sentais ce scénario prendre corps. Puis je lui répétais combien je lui
étais reconnaissant des encouragements qu'elle m'avait prodigués quand
j'en avais le plus besoin. Nous faisions l'amour et je piquais généralement
un petit somme ensuite — les Anatoliens le font toujours; après dîner
aussi. Habituellement, lorsque je me réveillais, elle était déjà partie; je me
lavais et me rhabillais comme un bon petit gamin bourgeois. Je redevenais
alors mon autre moi-même.

A trois heures environ, quand les grosses légumes du Lincoln Center étaient revenues de leur « déjeuner de travail », je reprenais mes activités là-bas. Je participais à toutes ces réunions mais n'y étais qu'à moitié présent ; elles n'avaient aucun rapport avec ce qui m'intéressait : mon scénario. Quelque chose en moi n'arrêtait pas de me dire : « Va-t'en sans te retourner », mais j'étais un petit garçon consciencieux et je ne le faisais pas. J'essayais de concilier les deux.

Plus tard, ce printemps-là, cependant que Lee exprimait son aigreur devant ma défection — c'est le terme qu'il avait utilisé — pour le Lincoln Center, et que certains acteurs du Studio m'accusaient de traîtrise, je me suis payé du bon temps, je peux vous le dire. Pas seulement parce que je faisais l'amour à Barbara, mais aussi parce que je commençais à croire que je pourrais un jour réaliser mon rêve le plus cher. Petit à petit, je devenais un artiste indépendant, ce qui voulait dire que je n'attendais plus comme par le passé qu'un auteur dramatique ou un producteur m'offre une pièce ou un film à mettre en scène. Vous saisissez la différence ?

Ce printemps a été le plus heureux de ma vie.

Une fois le scénario achevé, je le montrai à Molly, non sans inquiétude. Elle le trouva bien ! « On pourrait le publier », suggéra-t-elle. J'entends encore sa voix quand elle avait prononcé ces mots. Plusieurs mois plus tard, pendant que j'étais en Grèce et en Turquie, en train de filmer, elle rencontra Sol Stein ; il démarrait sa maison d'édition et le premier livre qu'il publia fut *America America* que lui et Molly, en y faisant quelques ajouts astucieux et en glissant quelques explications, avaient transformé en un livre.

Barbara m'annonça qu'elle était enceinte.

Il y a certaines règles de comportement auxquelles je crois et d'autres non. Barbara était avec moi, dévouée et aimante, depuis longtemps. C'était la seule à m'avoir encouragé dans l'écriture de mon scénario. Elle voulait plus que tout au monde avoir un enfant, elle avait essayé sans succès pendant des années. Elle voulait garder l'enfant qu'elle avait commencé à porter. J'aurais peut-être pu l'en dissuader mais je n'en fis rien. Je ne voyais pas bien de qui c'était l'affaire sinon la nôtre, et je n'ai jamais regretté d'avoir eu cet « enfant de l'amour ». Il a dû endurer des difficultés plus éprouvantes que les enfants ordinaires, mais il est aujourd'hui parti pour devenir un homme exceptionnel.

Certains de mes proches pensaient que Barbara m'avait « pris au piège ». Pour quelle raison ? Un ticket-restaurant ? Et alors ? Ne devais-je donc rien à celle qui m'avait encouragé et m'avait soutenu ? Quel don plus précieux peut-on se faire l'un à l'autre qu'un encouragement, un soutien, au moment où on en a le plus besoin ? Si vous examinez honnêtement votre vie, vous vous apercevrez sans aucun doute que les liens les plus durables sont ceux qui n'ont pas été légalisés. Je n'ai jamais regretté d'avoir dit à Barbara que j'étais d'accord pour qu'elle garde cet enfant si elle le désirait. Me connaissant, vous admettrez qu'elle prenait beaucoup plus de risques que moi. Les difficultés auxquelles nous allions nous heurter, tous les trois, se révéleraient-elles plus délicates que celles rencontrées par les couples mariés ? L'accouchement serait-il plus pénible ? Plus laborieuse l'éducation de cette progéniture ?

Où est la moralité dans cette histoire ? Ne me parlez pas de ça. J'en ai trop vu pour ne pas douter des conventions morales. J'ai conscience de l'hypocrisie générale qui règne dans notre société : un visage, une autre réalité.

J'allai donc jusqu'au bout et optai pour le chaos et le plaisir. J'emmenai Barbara en Turquie. Il me semblait qu'elle avait bien mérité le voyage. Je savais que je serais photographié du moment où je mettrais le pied par terre à l'aéroport d'Istanbul, mais j'étais insensible au risque. Voulais-je faire éclater ma vie, remettre de l'ordre dans mon monde intérieur ? Ne m'inquiétais-je donc pas des conséquences ?

Le voyage débuta comme une comédie. A notre arrivée au *kentron* de Kayseri, où l'on vendait encore, à l'arrière d'une charrette, des blocs de glace prélevés au sommet du mont Argée, un policier nous arrêta, insistant pour nous conduire jusqu'au bureau du nouveau maire. Là, je présentai Barbara comme une amie et une collègue, mais il la prit pour une star de cinéma à cause de ses lunettes noires et du foulard en soie qui recouvrait ses boucles blondes. Ce qu'elle voulait surtout, à ce moment-là, c'étaient des toilettes, mais il nous fallut paraître détendus durant une visite prolongée chez Son Honneur, où nous vîmes défiler plusieurs citoyens éminents ; je n'aurais su dire s'ils avaient été convoqués ou non. A intervalles réguliers, de petites tasses de café bourbeux nous étaient apportées, on faisait passer des pistaches teintes en rouge, et le maire nous présentait une soucoupe en argent contenant des clous de girofle. « Pour l'haleine », précisait-il.

Comme personne ne savait quoi dire, je demandai des nouvelles de mon vieil ami Osman Kavunjdu, l'ancien maire de Kayseri, la personne que j'avais le plus envie de rencontrer. Je n'obtins que des réponses vagues. Osman se trouvait peut-être à Ankara, dit l'un des hommes ; non, plutôt à Istanbul, dit un autre, bien qu'Osman se rende souvent à Izmir, même si sa ville favorite était Antalya, « car ce qu'il préférait, c'étaient les filles ».

Le souvenir de cette super-braguette pleine de vie me fit éclater de rire. J'éprouvais des sentiments fraternels à son égard, et j'étais attaché à lui par des liens étranges.

Quand je m'étais mis à rire, d'autres m'avaient imité, mais pas le maire. Il fit un *cchhutt !* assorti d'un signe de la main pour que l'on change de sujet. Son visage était sévère, même menaçant. Et je me sentis menacé.

Personne ne disait plus rien. Barbara profita de ce silence pour me lancer un regard pressant et, enfreignant les règles de l'hospitalité orientale, je me levai et j'informai le maire, en turc, que Barbara avait besoin d'utiliser les convenances de la salle de bains de notre hôtel. J'avais craint d'ébranler le maire par notre attitude, mais il m'assura qu'il allait nous accompagner et inspecter notre chambre pour être sûr qu'elle était « correcte ». Si tel n'était pas le cas, il nous trouverait un autre logement digne de notre statut.

Nous nous rendîmes alors à l'hôtel dans deux voitures, suivies de deux

autres, contenant des journalistes et des photographes. M'adressant de
nouveau en privé au maire, je lui demandai si, pour des raisons de
convenances personnelles, nous pourrions être dispensés de l'attention
flatteuse que nous portaient les photographes. Je sous-entendis que *guzel*
Barbara (*guzel* veut dire « belle »; il l'avait appelée ainsi à plusieurs
reprises) n'était pas liée à moi légalement, ce qui lui fit comprendre qu'il
devait se comporter en homme du monde. Elle se sentirait beaucoup plus
à l'aise, précisai-je, si l'on ne criait pas sur les toits qu'elle m'accompagnait
durant ce voyage. Le maire stoppa alors notre caravane composée de
quatre véhicules, sauta de la voiture et se hâta jusqu'à celle qui contenait
les photographes. J'entendis monter des cris et vis une foule se rassembler. Ses remontrances furent efficaces et nous reprîmes notre route débarrassés de notre suite. Mais bien sûr, je n'aurais pas pu agir plus
bêtement : je pouvais être certain, désormais, que ce que j'avais voulu
cacher allait faire la une des échos.

Après nous avoir montré notre chambre, au premier étage, le maire
parut vouloir s'attarder, mais *guzel* Barbara déchaussa ses lunettes noires
et déclara que cette chambre, jugée indigne de nous par le maire, la
satisfaisait tout à fait. En conséquence, elle n'aspirait plus qu'à prendre un
bain chaud et à faire un bon somme. Il la regarda, esquissa un sourire
entendu, exprima l'espoir qu'il y avait de l'eau chaude et lui baisa la main.
Je le raccompagnai à sa voiture.

Au moment de nous dire au revoir, il passa son bras autour de moi,
baissa la voix et dit : « Mon grand-père appartenait également à la vieille
école. Il avait aussi deux femmes. »

Était-elle si *guzel* que ça ? C'était il y a bien longtemps et je ne me
souviens plus très bien. Elles ont toutes l'air jolies quand une étincelle
s'allume dans leur regard. Et durant ces années-là, il y avait une étincelle
dans ses yeux quand elle les posait sur moi. La première fois que je l'avais
vue, j'avais été frappé par son audace et son côté hors du commun. Elle
était venue assister à une séance de réenregistrement pour mon film *Un
homme dans la foule*. Je ne savais pas dans quel but elle traînait par là.
C'était moi son but. Je découvrirais que Barbara partait en chasse de la
même façon que les hommes. A Reeves, le studio audio où je terminais le
film, je fus pris d'une envie soudaine à la fin de l'après-midi et je la suivis
dans les toilettes des dames. Tout le monde s'en allait et l'endroit était
vide. Je fis tout pour la convaincre de céder. Elle me répondit qu'aucune
femme respectable ne le fait la première fois qu'elle rencontre un homme
— principe moral estimable — mais de le lui demander quand je la
reverrais. Je promis, et tins parole.

Etait-elle si irrésistible que ça ? Après tout, un metteur en scène de
cinéma ne côtoie que des jeunes filles nubiles. Elles sont toutes dotées
d'un petit nez court légèrement retroussé, de petits seins fermes et d'un
petit cul bien moulé. Mais là n'est pas la question ; c'est un équipement
standard. Ce que *Vogue* et *Harper's Bazaar* décrivent à longueur de page
ne tient pas la distance. La séduction ne dure pas plus de deux semaines.

Il y avait un élément de mystère dans l'attrait que Barbara exerçait sur moi, et c'était une réminiscence du passé : en cette jeune femme se réincarnaient les filles persifleuses auxquelles je servais du punch corsé lors des surprises-parties de Williams College, et dont je rêvais ensuite, avant de les retrouver le lendemain matin étalées par terre, endormies. A cette vision, ma chair me picotait comme si une armée de fourmis s'était emparée de mon corps. Elles s'étaient déjà réincarnées en Constance et le phénomène se reproduisait. Je le reconnaissais à certains signes, à certains signaux, ceux que toutes les filles savent envoyer sans avoir besoin de leçons. Lorsque je l'avais suivie dans les toilettes des dames et qu'elle m'avait lancé : « Pas si vite », j'avais interprété sa réponse comme une promesse — j'avais eu raison. Avec elle, je brisais toutes les règles de la bienséance. Mais j'avais décidé que le pire, c'était de vivre dans le regret.

Mais il y avait quelque chose d'autre en elle, qui éveillait en moi un intérêt plus profond. Je le découvrirais en travaillant avec elle : une intensité unique, son cuir tanné — je parle en termes de caractère —, sa capacité à rebondir après un échec et à essayer de nouveau avec encore plus de détermination, à supporter d'être rejetée, par qui que ce soit. Elle manifestait une certaine dureté — c'est elle qui déterminait les règles du jeu —, mais liée à son honnêteté profonde. Elle me plaisait moins qu'elle ne m'intriguait, mais je l'aimais bien. Oui, elle était agressive avec moi, et son attitude directe me choqua, mais à ce stade de ma vie, je la trouvai honnête et c'est ce qui comptait. Et cette année-là, j'étais d'humeur insouciante.

Une fois acquises la protection du nouveau maire de Kayseri et la jeep qu'il nous avait offerte, nous gagnâmes Germeer, la ville qui était née à flanc de falaise et s'était étendue dans la plaine en contrebas. J'avais mon appareil photo à la main et Barbara tenait bloc-notes et stylo ; elle se révéla une assistante de premier ordre. Une fois ses lunettes de soleil *glamour* rangées au magasin des accessoires et ses cheveux attachés en arrière, elle avait l'air très ordinaire et les gens qui vivaient dans les ruines de la ville natale de ma famille et ne connaissaient rien du *look* hollywoodien ne prêtèrent attention qu'à moi. Barbara prenait en note tout ce que je considérais utile. Elle avait lu le scénario et savait ce que je recherchais. J'étais content de l'avoir amenée avec moi. Elle paraissait s'accommoder de conditions peu hygiéniques (c'est un euphémisme) et s'entendait bien avec les gens de la campagne. Elle trimbalait son fardeau de trois mois sans se plaindre, gravissant les collines d'un pas alerte. J'étais fier d'elle. Sur ce versant de mon existence, elle semblait constituer la compagne parfaite.

Mais au bout de quelques jours, elle fut prise d'un coup de cafard et commença à se réfugier dans le silence. Je laissai passer quelque temps puis je mis les pieds dans le plat. Elle me répondit que nous ferions aussi bien de regarder les choses en face : il était temps pour elle de rentrer à la maison et de se préparer pour cet enfant qui allait venir. Le mieux, selon elle, c'était que nous coupions les ponts et continuions chacun de son côté. Je savais qu'elle avait raison ; nous étions au bout de notre rouleau.

Je me rendis au bureau du maire pour lui dire au revoir. Cette fois, nous étions seuls. « Dites-moi, lui demandai-je après avoir avalé une gorgée de café, ce qui est advenu de mon ami Osman Kavundju ? — Je ne sais ni où il est ni ce qui lui est arrivé », me répondit-il. Puis il se dirigea vers la porte, la referma et, d'une voix moqueuse, me demanda si « ce petit bossu aux jambes tordues » m'avait demandé de l'argent pour s'acheter une automobile. Je répondis que non, qu'il m'avait bien demandé de l'argent mais dans la perspective d'effectuer quelques améliorations dans la ville. « Combien vous avait-il demandé ? voulut savoir le maire. Était-ce une somme de quatre mille dollars ? — Je ne me souviens pas, répondis-je. — Eh bien, certaines personnes s'en souviennent, elles ; et vous aussi peut-être. Parce qu'il s'est acheté une Cadillac et s'est mis à parader partout tel un *agha* sur le siège arrière ; nous l'avons tous vu. »

Je ne pouvais pourtant pas m'empêcher de défendre Osman : je l'aimais beaucoup et je trouvais qu'il avait fait honneur à sa ville. Le maire ne répondit rien. Je fus surpris de l'intensité de ma supplique ; c'était comme si je me défendais moi-même. Sur ces entrefaites, je remerciai le maire pour sa courtoisie et lui annonçai que je reviendrais à Kayseri avec mon équipe pour lui montrer à quoi le film allait ressembler, et il m'assura que je serais le bienvenu. Puis, bien sûr, il commanda un dernier café et me tendit l'assiette en argent sur laquelle se trouvaient les clous de girofle. « Pour l'haleine », précisa-t-il.

A l'aéroport d'Istanbul, je dis adieu à Barbara. Elle s'était affaissée ; notre longue route l'avait fatiguée, et maintenant tout le monde pouvait voir qu'elle était enceinte. Notre acte téméraire avait pris une coloration angoissante, pour elle comme pour moi. Il nous faudrait briser une habitude.

J'avais beaucoup de photos à prendre à Istanbul et il me faudrait aussi parcourir les rues avec un calepin en poche. Mon histoire se déroulait davantage dans les ruelles pourrissantes situées derrière les quais de Galata qu'à Kayseri ; c'est à Istanbul que je devrais montrer la vie de mon héros en tant que *hamal*, bête de somme humaine, et toute la série d'incidents qui conduirait à son départ pour l'Amérique. Je restai donc là-bas une dizaine de jours de plus, à prendre des notes et à photographier tout et tout le monde. Je fis la connaissance de quelques journalistes dissidents, discrets et insaisissables — disons prudents — jusqu'à ce qu'ils s'en soient jeté un ou deux derrière la cravate. Ils se mettaient alors à parler sans retenue. Ils me confièrent entre autres que si je désirais vraiment connaître la Turquie, je devrais les accompagner sur une île toute proche et assister avec eux au grand procès politique d'Adnan Menderes, le Premier ministre qui venait d'être déchu, et du grand ancêtre de la vie politique turque, Celal Bayar. Ils allaient être jugés pour avoir trahi la Constitution — c'est-à-dire avoir cédé à la corruption en poste —, et avec eux les personnages éminents du précédent gouvernement, en fait la totalité d'un parti politique. On était en train de liquider l'opposition. Je décidai de les accompagner ; leurs journaux leur avaient fourni un bateau à moteur.

A notre arrivée, on nous conduisit dans une longue salle, à l'entrée de laquelle des soldats avaient été postés. A l'intérieur se trouvaient des gradins, dix rangées de chaque côté, qui encadraient une longue zone rectangulaire. Cette disposition me rappela un fronton de pelote basque. Entre les gradins, un vide. Et le silence, partout. Les hommes qui allaient être jugés et peut-être condamnés à mort devraient rester debout, me dit-on. En Turquie, la défaite politique ne finit pas consignée dans des mémoires à grand tirage, ni par un confortable exil parisien ou un retour à la terre natale. Non, c'est la potence ou la prison. Je fus sidéré de constater que Celal Bayar allait être jugé : il avait été un proche de Mustafa Kemal paşa et, à ce titre, l'homme le plus respecté de Turquie. La dernière fois que je l'avais vu, mon cousin Stellio était agenouillé devant lui et lui baisait la main.

Des portes s'ouvrirent à un bout de cette salle et les juges firent leur entrée, puis ils prirent place sur une estrade surélevée. Ensuite, les portes situées à l'autre bout de la salle s'ouvrirent à leur tour et les accusés entrèrent, plusieurs centaines d'entre eux, bien gardés. On aurait dit une sorte de cérémonial. Ils s'avancèrent dix par dix, tous vêtus d'un complet, faisant face à leurs juges. Au premier rang se trouvait le Premier ministre déchu, Menderes, et à côté de lui le vieux Bayar, marchant avec difficulté. Menderes avait l'air terrifié, pas Bayar. Juste derrière eux se trouvaient les hommes politiques qui avaient atteint une position éminente dans un gouvernement précédent, dont Osman, mon « planteur de melons », qui m'avait un jour appelé son frère. Il se servait toujours de sa canne mais avait perdu de sa superbe. Il ressemblait aux autres et avait la même pâleur carcérale. J'assistai au procès toute la journée, mais je ne compris guère ce qui s'y disait. Menderes semblait être la cible numéro un. J'avais l'impression qu'une décision avait déjà été prise à son sujet par le parti politique victorieux. Mais je me concentrai sur mon « frère » bossu : je me rappelais avec quelle fierté il m'avait fait visiter sa ville. Et un autre souvenir me revint en mémoire, le souvenir d'une aventure commune.

A la fin du voyage que j'avais effectué seul à Kayseri, quand je m'étais assis les jambes pendantes, au bord de la falaise qui surplombait Germeer, affairé à dissoudre ma boule, j'avais ressenti le besoin de me reposer et de prendre des vacances. J'avais alors confié à Osman que je voulais aller dans le Sud, vers la côte, nager dans la Méditerranée et visiter Antalya. J'avais commencé à réfléchir à des lieux de tournage éventuels pour mon film et j'avais entendu parler de la beauté de cette ville et de tous les plaisirs qu'on y pouvait déguster. Osman avait sauté sur cette occasion de venir avec moi, avait obtenu une voiture et un chauffeur de l'armée, et nous voilà partis. Je notai que l'homme assis derrière le volant avait un revolver à la ceinture et que son voisin tenait un fusil entre les jambes. On m'informa que nous allions devoir traverser des cols infestés de ces bandits qui fondent comme des charognards sur les malheureux qui ne sont pas protégés. Osman aimait qu'on le conduise à vive allure et encourageait le chauffeur à appuyer sur le champignon. « *Koosh ! Koosh ! Koosh !* » clamait-il lorsque la voiture ralentissait. *Koosh* veut dire « oiseau » en turc. La logique de cette langue, d'une grande simplicité, veut que ce mot signifie également « mouche », « hâte » et « précipitation ». Osman n'était satisfait que si le véhicule avançait aussi vite que la route le permettait.

Je me souviens qu'à un moment la voiture s'était arrêtée dans une région sauvage sans aucune raison apparente. Le chauffeur me l'expliqua d'un geste : il pointa son revolver en direction d'un faucon perché sur un poteau non loin de là, puis il tira. « *Koosh! Koosh! Koosh!* » se déchaîna Osman, tandis que le volatile chutait à terre comme un cerf-volant brisé. Un énorme éclat de rire salua l'écrasement du rapace magnifique dans la poussière, où les insectes le dévoreraient. Puis nous reprîmes notre route.

Antalya était un endroit d'une beauté parfaite, dont le port, vu d'en haut, ressemblait à une couronne. Il était encerclé de collines. Au sommet, une multitude d'édifices blancs éblouissaient le regard. Cette nuit-là, je découvrirais que c'était la ville la plus colorée et la plus gaie de toutes celles que j'avais visitées en Turquie. Osman savait où trouver des compagnes pour la soirée : le dîner fut une vraie fête. Quand de jeunes femmes à la moralité ajustable aux circonstances firent leur apparition, les yeux d'Osman se mirent à briller. Oh! comme il a ri cette nuit-là, et gambadé, et fait des cabrioles ; il embrassait les femmes, leur ordonnait ensuite de m'embrasser aussi. Cette nuit-là, il a voué une amitié éternelle à son « frère » américain. A mesure qu'il régalait tout le monde en boissons fortes, la salle ne cessait de se remplir. Il buvait trop, mais l'excès le poussait à chanter des ballades héritées de son père. Les femmes l'adoraient. Du haut de son mètre trente, il vantait sa puissance sexuelle en brandissant sa canne. A l'entendre, les femmes hurlaient de rire. Il nous raconta à tous qu'il avait eu je ne sais plus combien d'amantes en une seule nuit et promit de me trouver de la compagnie. « Prends celle que tu veux, n'importe laquelle », lança-t-il alors à la cantonade. Les femmes relevèrent la tête. Mais je jouai les délicats. Je remerciai mon frère de son offre, mais je ne voulais pas le priver... Il me reconduisit à mon hôtel, sur le seuil duquel tout le monde me prit dans ses bras avec enthousiasme. « Embrassez-le, embrassez-le, ordonna Osman aux filles. C'est un homme riche, il conduit Cadillac. Peut-être qu'il vous emmène en Amérique! » Il m'embrassa lui-même avant de repartir, Dieu sait vers quelle destination.

Le lendemain matin, alors que j'étais assis à une petite table dans la salle à manger de l'hôtel, je reçus une visite. Osman, redevenu sérieux, me parla de sa vie, non sans amertume. Les contraintes attachées à la position de maire, me confia-t-il, ne lui permettaient pas de goûter certains plaisirs de l'existence dont il avait besoin. Il les rassemblait sous le terme *kef* : le plaisir, la joie, l'aventure. A Kayseri, il lui fallait se surveiller en toute circonstance, se conduire « bien », ce qui allait à l'encontre de sa vraie nature. J'avais déjà remarqué ce puritanisme surprenant en Turquie et dans d'autres sociétés autoritaires (tel l'Iran aujourd'hui, par exemple), puritanisme qui nie la gaieté en l'homme et étrangle les femmes, qu'il confine dans un statut de domestiques. La femme, dans le foyer turc type, était une bête de somme. Les hommes avaient tous les avantages. Parfois, elles préféraient se tourner vers la prostitution plutôt que de se marier. Osman, à l'évidence, menait deux vies différentes : le fonctionnaire de Kayseri, sous surveillance constante, se tenait à carreau ; l'homme privé se laissait aller à des explosions salvatrices dans une autre ville où, plusieurs jours durant, il s'adonnait à tous les plaisirs sans inhibition.

Cette alternance de deux modes de vie me rappelait ma propre situation.

Il buvait sec, et l'alcool ne tardait jamais à lui donner des ailes. Pourrais-je, me demanda-t-il un jour — avec force circonlocutions, un *raki* à la main —, en tant que fils du pays et ami éternel de la Turquie, s'il en croyait mes déclarations répétées, et en tant que célébrité et par voie de conséquence homme doté d'une richesse suprême, faire un don à la ville où mon père avait vu le jour et avait été élevé? Il me rappela, le visage tendu, la voix pressante, que j'avais affirmé n'éprouver rien que de l'amitié pour nos deux races. Il utiliserait entre autres l'argent, m'assura-t-il, pour sauver le puits de mon grand-père maternel, à Germeer, et le remettre en état de marche. On y apposerait une plaque, promit-il encore, où figurerait le nom des Shishmanoglou. Il déchira un coin du menu et me demanda d'y inscrire le nom tel que je voulais le voir orthographier. Il avait l'air d'y tenir et semblait sincère quand il mentionna la somme de quatre mille dollars. Je répondis que je n'étais pas si riche qu'il se l'imaginait mais que je ne manquerais pas de verser mon obole au service des causes qu'il avait évoquées. Trois cents dollars feraient-ils l'affaire? Il sembla déçu, hésita un moment, puis accepta les chèques de voyage que je venais de signer. Il partit en hâte, l'air épuisé et un peu déprimé par tous ces plaisirs, loin de son poste de responsabilité. Quand il m'embrassa, je respirai son haleine: fétide. Il ressemblait à un joueur de poker lorsque le jour se lève à l'issue d'une nuit désastreuse. Bien sûr, c'est ce qu'il était — un joueur, qui mettait sa vie en jeu avec l'énergie du désespoir, comme l'avenir le confirmerait.

Mais cinq ans plus tard, à la fin de cette journée passée sur une île de la mer de Marmara, toute lueur de défi avait disparu du visage d'Osman Kavundju, et il avait bien l'air de ce qu'il était: un gibier de potence qui craignait pour sa vie. Après la sortie des juges par un bout de la salle et celle des accusés par les portes situées de l'autre côté, je regagnai mon hôtel, attristé par ce que je venais de voir, et écrivis une longue lettre au journal *Hurriyet* (la Liberté), où je disais qu'Osman m'avait certes demandé de l'argent et que je lui avais donné trois cents dollars. Mais je poursuivais en affirmant ce que je savais désormais être un mensonge : qu'il ne m'avait pas demandé cet argent dans l'intention de s'acheter une voiture mais pour faire réparer une source dans le village où la famille de ma mère s'était installée un jour. J'ajoutais qu'Osman me rappelait notre éminent maire de New York, Fiorello La Guardia, car il éprouvait le même amour pour sa ville et se dévouait avec la même ardeur à ses administrés. La Turquie, concluais-je, devrait être fière de lui.

Je fis lire ma lettre à un journaliste. Elle n'eut pas l'heur de plaire à cet homme, patriote jusqu'au bout des ongles. Selon lui, un étranger ne disposait pas du privilège de critiquer la justice turque ; on le prendrait mal en haut lieu, ce qui retomberait sur Osman. Si je nourrissais quelque espoir de filmer en Turquie, suggéra-t-il, je ferais mieux de rester tranquille. « De plus, ajouta-t-il, justice a été faite. N'est-ce pas? » Je ne répondis rien. « Je sais, reprit-il, vous autres Grecs, vous pensez qu'il n'existe aucune forme de justice à l'est d'Athènes. — Nous avons lu des

articles sur la justice telle qu'elle se pratique à l'est d'Athènes, lui rétorquai-je. Qui vole une miche de pain se voit couper les mains. » Réflexion
qui mit un terme abrupt à notre conversation. En marchant vers mon
hôtel, mes heures heureuses avec Osman me revinrent en mémoire ; il
avait apporté la lumière dans une ville obscure. Je décidai d'envoyer la
lettre. C'était un acte de défi. C'était aussi, de façon détournée, un acte
d'autodéfense.

Cette nuit-là, je reçus au parc Oteli un télégramme m'informant que
mon père était de nouveau à l'hôpital et me pressait de revenir à la
maison. Je quittai Istanbul le lendemain matin.

J'avais craint mon père toute ma vie. Je me souviens du jour où j'ai
cessé d'avoir peur de lui. C'était vers la fin, j'avais pris le train de New
York pour New Rochelle pour rendre visite à mes parents. En descendant
l'avenue en pente qui menait à la vieille maison où j'avais grandi, j'ai vu
mon père assis sous la véranda, le regard perdu dans le vide. Il ne devait
pas sortir ni se rendre à son travail mais il portait un costume, un col
amidonné, une cravate et un chapeau de feutre de banlieusard. Une
cigarette pendait de sa bouche, la cendre était tombée sur les revers de sa
veste. Comme je tournais pour pénétrer dans le jardin et m'engageais
entre les arbustes à feuilles persistantes qu'il avait plantés quarante ans
auparavant, il me vit approcher et fit rapidement passer sa main tremblante du bras de son fauteuil à la poche de son manteau. Papa avait la
maladie de Parkinson, et sa main tremblait de façon incontrôlable. Il ne
voulait pas que je la voie trembler. « C'est mauvais pour les affaires. »

Dans les dernières années de sa vie, ma mère finit par trouver que
l'entretien d'une maison de quatre étages était au-dessus de ses forces, et
elle complota avec l'un de ses fils pour déménager. Mon père lui en
voulut, surtout parce que c'était elle qui avait pris la décision de déménager et pas lui. « Elle ne me parle pas à ce sujet », avait-il dit. Mais ils
vendirent la vieille maison à un prix qu'il trouva bien trop bas, se débar-
rassèrent de la plupart du mobilier et se relogèrent dans un petit appartement en copropriété à Rye. Il lui en voulait au point de ne plus lui
adresser la parole : « Ta mère donne les ordres ici maintenant », me dit-il
avec amertume. Désillusionné et haineux, il se mit à la soupçonner, elle,
une femme de soixante-treize ans, qui n'avait plus la même santé qu'à
vingt, d'infidélité. Il imaginait son amant de l'autre côté de la pièce et me
le montrait du doigt. « Ils attendent minute je regarde pas, disait mon
père, et puis *tak* ! Ils montent là-haut. » Il imaginait qu'il les entendait
faire l'amour dans la chambre du premier. « Je ne peux plus la tenir,
m'avait-il confié un jour. Je n'ai plus que huit cents dollars à la banque
maintenant. »

Il n'a jamais pardonné à ma mère de l'avoir fait déménager. Il restait
assis dans le salon de leur nouvel appartement — deux petites pièces, une
cuisine, une salle de bains —, la main tremblante ; il n'essayait plus de la
cacher. Quand elle lui demandait s'il avait faim, il ne lui répondait rien et
ne faisait aucun commentaire sur ce qu'elle plaçait devant lui. Il mangeait

de moins en moins, semblait être perdu dans des réflexions qui remon-
taient loin dans le passé. Il avait toujours l'air d'être en colère pour une
raison ou pour une autre. Un soir, il avait eu besoin d'aller aux toilettes ; il
avait été mis en garde : chaque fois que c'était nécessaire, elle devait
l'accompagner pour être sûr qu'il ne tombe pas. Il trouvait sa présence
humiliante, aussi s'était-il levé, ce soir-là, pour se diriger seul vers la salle
de bains, ce qu'il avait promis de ne pas faire ; il était tombé par terre et
s'était cassé la hanche. Il avait fallu l'hospitaliser. Ma mère devait défaire
son pantalon et libérer son membre ratatiné pour qu'il puisse uriner ; ce
fut l'humiliation des humiliations. Il n'émit aucune objection quand on lui
proposa de l'emmener dans une maison de retraite.

Il avait un compagnon de chambre, un vieux monsieur juif qui n'était
pas en reste dès qu'il s'agissait de rouspéter. Mon père trouva la vie dans
cet endroit insupportable, et son moral s'aggrava. De retour de Turquie,
je reçus la nouvelle : il avait contracté une pneumonie, qu'on appelle
« l'amie du vieillard » car c'est la façon de mourir la moins douloureuse.
Dès l'instant où je le vis, je sus que la fin était proche, quelques jours tout
au plus. Je restai à son chevet et j'entendis ses dernières paroles. Il les
prononça dans le coma. J'étais resté à côté de son lit tout l'après-midi,
toute la soirée et tard dans la nuit. Il n'y avait rien que personne puisse
faire sinon attendre. Ma mère dormait dans son appartement quand mon
père s'éteignit à trois heures ce matin-là. Le gargouillis au fond de sa
gorge — sa respiration — était devenu irrégulier. Juste avant qu'il ne
cesse, je vis remuer les lèvres de mon père et je me penchai tout près de
lui pour écouter, si je le pouvais, ce qu'il disait. J'entendis : « Pappou !
Pappou ! », le mot grec pour grand-père. Sa voix était faible mais très
claire, compte tenu du fait qu'il ne devait jamais reprendre conscience.
Mon père aimait quand Jennifer, la fille de son cadet, l'appelait « Pappou » ; c'était toujours sur une tonalité affectueuse. Je me dis qu'il avait
dû revivre une visite de cette jeune femme et entendre de nouveau sa
voix. Si c'était le cas, l'émotion qu'il avait ressentie dans les derniers
instants de sa vie exprimait-elle son désir le plus cher et peut-être ce qui
avait le plus de valeur à ses yeux — un peu de tendresse ? Dont il n'avait
jamais eu assez ?

Un soir où je dînais à la cafétéria de l'hôpital et lisais mon *New York
Times*, je tombai sur le verdict qui avait été prononcé par le tribunal. Le
Premier ministre, Adnan Menderes, avait été pendu ; sans autre forme de
procès. Par respect pour le passé, Celal Bayar avait été condamné à la
prison à vie. On rapportait que neuf des autres accusés, tous gouverneurs
de province, avaient été pendus, mais l'article ne donnait pas de noms.
Bien que je sois retourné en Turquie l'année suivante et que j'aie discuté
avec des journalistes, je ne suis pas parvenu à savoir ce qui était arrivé à
Osman. Mais on m'a dit qu'il avait été accusé d'avoir détourné des fonds
publics dans le but de mener une vie dissolue, pour un coût — ils en
avaient la preuve — de quatre mille dollars américains. Où avait-il déniché une telle somme d'argent américain ? Les autorités avaient leur petite

idée sur l'une de ses sources, et elles étaient persuadées que les motifs pour lesquels Osman avait été arrêté étaient justifiés. Selon mes informateurs, on avait procédé à un grand nettoyage de printemps. La Turquie était de nouveau propre.

Ceux qui sont nés en Amérique n'apprécient pas leur pays à sa juste valeur, me suis-je dit en avalant mon dessert de régime. Ici, au moins, il arrive que le châtiment soit adapté au crime. Et un vaurien peut devenir président.

J'ai rêvé plusieurs fois de mon petit ami aux courtes jambes tordues, en train de danser au bout d'une corde : il brandissait encore sa canne.

LE DESTIN D'OSMAN m'avait impressionné. Tel le réprouvé de la légende, je résolus de transgresser ce qui semblait être ma nature et de bien me conduire. Le Théâtre de Répertoire devenait une réalité, et l'on se tournait vers moi de tous côtés : j'étais obligé de servir de « pappou », de montrer l'exemple en matière de morale, de prendre des décisions réfléchies et même de fournir de l'inspiration, tout en cédant à l'appel de la respectabilité.

En même temps, je devais produire mon film : *America America*. Le problème le plus difficile consistait à trouver de l'argent. Mes amis dans le métier semblaient admirer mon script, mais aucune des grandes compagnies ne voulait engager de capitaux sur sa production. J'en ressentis de l'amertume ; je me souvenais de l'argent que mes films avaient rapporté à la Warner, à la Fox et à la Columbia. Au bout du compte, une firme qui débutait — Elliot Hyman et Ray Stark — montra de l'intérêt, et un accord, qui ne m'était pas favorable, fut conclu. Ce qui rendait tout ce processus délicat, c'était ma détermination, par souci de réalisme, à utiliser des acteurs que les gens de l'industrie qualifient d'« inconnus ». Il y avait aussi quelque chose de « pas net » — je cite — dans mon histoire. Skouras, lorsqu'il m'avait dit non, s'était exclamé : « Ce n'est pas du Kazan ! » Pour qui se prenait-il donc ? Je m'étais pourtant dit que lui, ayant immigré dans sa jeunesse, saurait de quoi je parlais. Mais peut-être cette recréation le mettait-elle mal à l'aise...

Je constituai la distribution, mais je n'avais toujours personne en tête pour le rôle principal, celui d'un gamin anatolien qui effectue le voyage de Kayseri à New York. C'était selon moi un beau rôle pour un acteur, mais ce personnage ne se distinguait ni par la noblesse de ses motifs ni par la grandeur de sa vision ; ce n'était pas un héros. Bien au contraire. C'était un gosse ordinaire dont la qualité dominante était une ténacité exceptionnelle. Il se rendait dans l'Ouest, comme tant d'autres avant lui, en faisant de son mieux pour y arriver, pas toujours très honorablement. J'avais à l'esprit l'image de mon oncle, vaurien haut en couleur qui, après avoir prospéré dans ce pays, avait trahi son associé, en l'occurrence mon père. Mais je ne passerais pas le personnage au Monsieur Propre ; je cherchais un furet, pas un lion. Et il devrait posséder la seule qualité qui rachetait ce garçon : sa dévotion inébranlable pour son père et pour sa famille.

Trouver l'acteur qui convient pour le rôle principal est essentiel. De votre choix dépend la production dans son entier. La dynamique maîtresse du personnage, telle qu'elle a été imaginée par le metteur en scène, doit devenir idiosyncrasie chez l'acteur qu'il choisit. Si l'acteur fait semblant, le public s'en apercevra. Il est bon qu'un metteur en scène vive dangereusement avec l'acteur qu'il choisit ; si le metteur en scène craint de se retrouver en face de cet homme ou de cette femme dans la vie, c'est une marque de respect. L'acteur doit aussi posséder une zone impénétrable, un mystère, de sorte que le spectateur se demande à quoi il pense. L'acteur choisi par le metteur en scène doit, pour une de ces raisons ou pour une autre, donner envie au public de le voir, comme dans la vie. Le metteur en scène ne doit pas se lasser de lui au fil d'un long tournage ni le public à l'issue de deux heures de projection. La caméra doit « tomber amoureuse » de lui, le rendre plus intéressant et non pas réduire son impact.

Bref, la quadrature du cercle.

Je cherchai dans tous les coins ; j'effectuai un voyage en Angleterre — infructueux. De France, je ramenai un acteur français en Amérique pour lui faire faire des tests et décidai qu'il était beaucoup trop beau. Les hommes séduisants, en conclus-je, sont dépourvus de la rage du désespoir. Je jetai un coup d'œil en Californie, mais les acteurs que j'auditionnai là-bas sentaient l'eau de rose à plein nez. Bien sûr, je me tournai vers l'Actors Studio, sans plus de chance. Puis je fis ce qui s'imposait : je me rendis à Athènes et, dans le bureau d'un réalisateur, découvris un apprenti en train de balayer pour pouvoir assister au travail de production. Le gamin me plut, ainsi que son allure, mais il ne possédait que peu d'expérience d'acteur et ne parlait pas anglais. Mais je discutai avec lui et fus conquis par les histoires qu'il me raconta. Son père avait combattu du côté des communistes pendant la guerre civile, avait été frappé aux reins par les combattants de droite jusqu'à ce qu'il soit victime d'une hémorragie interne, et s'était vidé de son sang dans les bras de son fils. Quand il me décrivit la mort de son père, en détail, je vis sur le visage de ce garçon ce dont j'avais besoin pour le rôle. Je crois que si j'avais trouvé un De Niro, un Hoffman ou un Pacino, le film aurait peut-être été plus efficace et plus rentable commercialement, mais ce garçon avait un mérite dont les acteurs de meilleure qualité étaient dépourvus : il était authentique. *America America* est mon film préféré, à la fois malgré et à cause de cela.

La performance de ce garçon se compare à celle de l'homme dans *le Voleur de bicyclette* de De Sica. Comme cet acteur amateur, Stathis Giallelis a peut-être souffert de se trouver soudain projeté sur le devant de la scène ; après mon film, il essaya de faire carrière en Amérique mais ne parvint jamais à parler l'anglais sans accent et n'eut pas la patience de s'entraîner. C'était un bon garçon, mais l'expression utilisée par les mères grecques pour parler des fils dont elles sont fières — le coq — lui convenait bien. Seul fils d'une famille qui comptait quatre filles, il avait été pourri de toutes les manières possibles; ses femmes lui avaient fait croire que tout ce qu'il avait à faire pour être obéi, c'était d'ouvrir la bouche. Servi à la tête de la table, nourri, blanchi et soutenu moralement, loué pour les vertus qu'il possédait et celles dont il était dépourvu, il était cette merveille du monde: un mâle. La plupart des hommes grecs ont été trop gâtés par leur mère.

Une tension implicite persistait entre Art Miller et moi, mais aussi un peu de l'affection que nous avions éprouvée l'un pour l'autre. Le problème, c'est que cette discorde ne s'exprimait pas; mais nous étions tous deux déterminés à nous entendre pour la sauvegarde du Théâtre de Répertoire, et c'est ce que nous fîmes, envers et contre tout. Il fallait que je lui sauve la vie pour sauver la mienne.

Nous nous heurtions à un problème subtil, difficile à expliquer. Je lui avais bien dit tout ce que je pensais des scènes qu'il nous lisait au fur et à mesure qu'il écrivait sa nouvelle pièce, mais sur un point essentiel je refusais d'admettre la vérité. Bob Whitehead et moi-même nous trouvions dans une situation désespérée: nous avions besoin que la pièce soit prête à temps; l'échéance approchait. Ainsi, tout en critiquant la pièce d'Art dans le détail, j'omis de mentionner devant lui ce que je pensais de son concept général de fausse confidence, surtout dans la première moitié qui ne me plaisait pas à l'époque et me plaît encore moins aujourd'hui. Je n'aimais pas non plus le personnage central, inspiré, à l'évidence, par Art lui-même. Je le trouvais ennuyeux.

Le premier acte concerne la crise vécue par Art sous la pression de la H.U.A.C. et traite de son attitude ambiguë. L'un des personnages s'inspire de moi et de mon témoignage et, bien qu'il ne corresponde pas à l'idée que je me faisais de moi-même, Art avait dû trouver ce portrait raisonnable, voire généreux, et j'étais prêt à l'accepter: il exprimait sa vision des événements avec le recul. Il avait le droit de donner sa version de ce morceau d'histoire. Cependant, je trouvais que cette mise en scène de soi-même, cette introspection ampoulée et cette complaisance qu'il trahissait dans le personnage de Quentin étaient plutôt lourdingues et ne présentaient guère d'intérêt. Le point de vue de l'historien Art sur Arthur Miller, le héros de la crise maccarthyste, manquait de nerf, d'un point de vue dramatique — et ce n'était que le premier acte.

J'admirais le second acte — celui qui a déplu à tant de gens. Il traite de l'obsession amoureuse qu'éprouvait Art pour Marilyn Monroe. Il a nié, de façon irréfléchie, le fait que la relation décrite dans sa pièce s'inspirait de son histoire personnelle, et que son personnage, Maggie, était Marilyn. Mais il avait mis dans la bouche de Maggie ce que Marilyn pensait de lui, et surtout le mépris qu'elle avait éprouvé à son égard à la fin de leur mariage. Ce personnage sonne juste et évolue, de façon très intéressante d'un point de vue dramatique, de l'adoration au mépris. Art ne se fait pas de cadeau, il déballe tout ce que Marilyn lui avait dit sous l'emprise de la déception et du ressentiment. La conclusion, qui résume la pièce, est par définition ennuyeuse car elle est complaisante et « noble ». Le public devrait avoir la possibilité de se faire une opinion lui-même à propos de ce qui vient de lui être montré, mais Art savait ce qu'il voulait que le public pense et il le lui disait.

Si j'avais été un metteur en scène indépendant, je n'aurais peut-être pas monté cette pièce, mais en producteur responsable, je le fis.

Bob et moi étions en train de constituer notre compagnie, avec pour exigence essentielle de bien choisir les acteurs en fonction de la pièce d'Art. Nous ne tardâmes pas à compléter la distribution féminine à l'exception du rôle central de Maggie. Les hommes ne nous posèrent pas non plus de problème ; certains appartenaient à l'Actors Studio. Aucun de ceux-ci ne déclina notre invitation à rejoindre notre compagnie, malgré le bruit et la fureur qui montaient de ce temple du pharisaïsme, et malgré la tempête activée par Lee depuis le trou du souffleur. Liska March, probablement le membre le plus ancien et le plus dévoué du studio, qui n'était pas actrice mais en charge de l'administration, fut à nos côtés pendant toute cette période. Elle nous décrivait les flammes qui montaient de plus en plus haut à mesure que Lee jetait de l'huile sur le feu.

Quelle ne fut pas alors ma surprise d'entendre dire qu'un Théâtre de l'Actors Studio allait être formé. Le concept qui présiderait à cette compagnie serait celui d'une « troupe flottante », à l'intérieur de laquelle un acteur pourrait en remplacer un autre de manière qu'un flux constant de productions puisse être maintenu grâce à la présence d'une large constellation d'« étoiles » ou... de météorites. Lee et Cheryl avaient envoyé un formulaire d'engagement à tous les membres.

Je reçus l'un de ces formulaires et répondis : « Cher Lee, j'ai réfléchi à ton projet de troupe flottante et je ne peux pas m'y associer. » Je ne donnai pas mes raisons.

Puis il me parut alors que l'attitude la plus saine consistait pour moi à démissionner, non pas en tant que membre mais en tant que metteur en scène, du fait que mes associés de naguère poursuivaient une politique que je désapprouvais. Je n'avais jamais été favorable à l'idée de transformer le Studio en théâtre et j'y avais résisté chaque fois qu'elle s'était présentée. En effet, un studio doit rester un studio, c'est-à-dire un endroit où se livrer à des expériences, travailler à l'abri des tensions, libérer les acteurs des astreintes d'une production commerciale. Faire un théâtre du Studio aurait exigé une refonte totale de ses objectifs, de son organisation et de sa direction. Je n'estimais pas que Lee avait l'étoffe d'un producteur, aussi décidai-je qu'une rupture complète constituerait de loin la meilleure solution pour l'un comme pour l'autre.

Je souhaitais informer directement les acteurs membres de ma décision, aussi leur fis-je parvenir ce télégramme : « A tous : Je n'ai démissionné qu'en tant que metteur en scène. C'était nécessaire. Mais je vous soutiens encore dans tous vos efforts. Je suis sûr que ce que vous accomplirez fera honneur à nos années de travail et à l'enseignement de Lee. » Il était signé : « Le Premier membre. »

Je ne suis pas fier de ce télégramme. Il ne reflète pas ce que j'éprouvais mais ce que j'avais cru « bon » de dire.

Liska March m'a confié que ce télégramme avait été arraché à plusieurs reprises du tableau d'affichage où elle l'avait épinglé mais qu'elle continuait à l'y replacer. Elle m'a également révélé que certains membres regrettaient mon départ, me souhaitaient bonne chance, et que je leur manquais. Je crois que je manquais aussi à Lee — mais je doute qu'il m'ait souhaité bonne chance. La plupart des acteurs le soutenaient et me reprochaient mon départ car ils se sentaient abandonnés, rejetés. Lee ne fit rien pour atténuer leur ressentiment, mais encouragea à la place un culte du héros qui finit par déboucher sur une espèce de terreur à la Khomeyni. L'homme puissant qui joue les martyrs possède une grande force de conviction.

Je résolus alors de consommer cette rupture émotionnelle et artistique. J'écrivis à cette fin un article dans le *New York Times*, qui résumait mes sentiments véritables. « L'Actors Studio, écrivis-je, a apporté une contribution historique au Théâtre américain. Mais ce n'est plus un groupe de jeunes insurgés. C'est devenu une orthodoxie en soi, qui s'enorgueillit de son catalogue de stars. Il mérite les louanges qu'il a reçues. Ma grande déception quant au travail qui s'y effectue provient de ce qu'il s'est toujours arrêté en route, au même point : l'aspect purement psychologique de l'art de l'interprétation. Je me sens tout aussi responsable de cet échec que mes collègues. »

C'était une démission en bonne et due forme. De ce jour, je devins impavide face à la colère de Lee, dont je cessai de me préoccuper. L'interminable guerre civile qui éclata ensuite dans les milieux du théâtre ne se déroula pas à mots couverts mais à coups de gros titres explosifs. Presque tout ce qui se disait, chaque prise de position, se retrouvait dans les journaux à la page des potins. DIVORCE AU STUDIO, annonçait une manchette du *New York Post*, et ensuite : KAZAN OBTIENDRA-T-IL LA GARDE DES ENFANTS ? L'un des titres du *World-Telegram & Sun* l'avait prédit : RAZZIA SUR LE TALENT À PRÉVOIR APRÈS L'ENTRÉE DE KAZAN DANS SES NOUVELLES FONCTIONS. On rapporta des propos de Paul Newman qui aurait déclaré que ma démission du Studio le décevait autant que si sa femme l'avait quitté. « Je reste au Studio », avait-il conclu. Et la tribune théâtrale la plus officielle, celle de Sam Zolotow dans le *New York Times*, traita du schisme dans un article de fond titré : KAZAN ABANDONNE SON POSTE. Nous ne nous étions pas rendu compte de notre importance avant cette explosion d'intérêt. « Aucune rupture depuis celle survenue entre Léon Trotski et Joseph Staline, a écrit un échotier, n'a provoqué autant de rancœur que le départ d'Elia Kazan de l'Actors Studio, pour aller diriger, avec Robert Whitehead, le théâtre du Lincoln Center. »

Encore aujourd'hui, un quart de siècle plus tard, il reste un fond d'amertume, et quand certaines personnes ne trouvent rien d'autre à me reprocher, elles rappellent cette vieille « trahison ».

On raconte une blague un peu bête au sujet de trois « hommes de

Dieu » à qui l'on pose la question fondamentale : « A quel moment
commence la vie ? » Le prêtre catholique répond : « A l'instant où le
sperme se joint à l'ovule dans l'utérus. » Le ministre du culte presbytérien
répond : « A l'instant où la mère sent l'enfant bouger pour la première fois
à l'intérieur de son ventre. » Quant au rabbin, sa réponse est la suivante :
« Quand le dernier enfant quitte la maison. » Ce qui nous arrivait, à Molly
et à moi. Notre fille Katharine était sur le point de s'en aller pour George
School, et nous nous retrouverions seuls ensemble. Nous avions une
servante pour préparer le dîner, faire le lit et le ménage, de sorte que tout
ce que Molly aurait à faire, enfin, ce serait d'écrire. C'est le moment
qu'elle avait attendu toute sa vie d'adulte.

Quand je pensais à tout ce que Molly avait fait pour moi et pour notre
famille d'enfants, je me sentais coupable, et je décidai de la soutenir dans
son combat à venir. Je me débarrassai de ma culpabilité en lui promettant
de lui apporter toute l'aide possible, de rentrer à la maison tous les soirs
pour le dîner et d'y rester ensuite. J'étais content que nous soyons encore
mariés, contents que les hommes anatoliens ne divorcent pas. J'éprouvais
de la gratitude à son égard et je savais qu'il était temps qu'elle soit
récompensée. Elle m'avait donné quatre bons enfants qui, en dehors de ce
qu'ils pouvaient penser par ailleurs, m'adoraient — ce qui n'est pas toujours facile. Elle avait maintenu l'unité de notre famille en dépit de mon
comportement chaotique, m'était demeurée loyale durant des moments
difficiles et s'était efforcée de comprendre une nature aussi différente de la
sienne. Elle avait aménagé toute une série de foyers pour la famille dans
des appartements divers, un peu partout dans la ville. Elle avait aussi
arrangé une maison de campagne pour nous et pour les enfants, et ensuite, sur le même terrain, elle avait fait construire un atelier pour nous
deux, où elle écrirait et où je travaillerais à mes projets. C'était une
construction magnifique, lourde et simple, sans ornement artificiel, parfaitement fonctionnelle ; elle ressemblait à Molly. C'est à l'intérieur que je
tape ces lignes.

Molly avait suivi une psychanalyse, qui avait été douloureuse ; pendant
un temps, j'avais cru qu'elle n'en verrait jamais le bout, mais elle y était
arrivée, et ce dénouement n'avait pas été heureux. Le psychanalyste chez
qui elle s'était rendue plusieurs fois par semaine pendant trois ans, et à qui
elle vouait une grande admiration, lui avait annoncé un jour qu'il ne
croyait pas pouvoir l'aider davantage. Cet abandon brutal l'avait plongée
dans une profonde dépression et me rendit furieux contre l'analyste. Que
pouvait faire Molly sinon se dire que cet homme la considérait comme un
cas désespéré ? Conscient de ce que cela signifiait pour elle, j'avais résolu
de lui offrir le soutien dont cet homme l'avait privée. Ce serait aussi une
manière pour moi de lui verser des dommages et intérêts pour ma
conduite passée.

Le temps était venu pour elle de laisser aux autres le soin de satisfaire
leurs besoins, et de se consacrer à elle-même. Ce qu'elle voulait avant
tout, c'était déménager dans un petit appartement facile à entretenir. Elle
trouva et acheta un appartement au seizième étage du numéro 115 de
Central Park Ouest. Elle entreprit de procéder à des modifications et de

trouver le mobilier de ce qu'elle appelait notre « appartement définitif et parfait ». Elle y croyait dur comme fer, mais je n'imaginais pas, pour ma part, que rien de ce monde puisse être définitif ou parfait, ni que le bonheur et les bonnes intentions survivent à l'épreuve du temps. Cependant, je gardai mes doutes pour moi. J'étais résolu à faire tout mon possible pour que ses efforts soient récompensés.

Je recherchais désormais sa compagnie, me dévouais pour elle sans compter et lui offrais l'admiration qu'elle méritait. De nouveau, je la trouvais belle, distinguée, noble. Des années d'éloignement et de séparation virtuelle furent balayées d'un coup. Je ne voyais plus Barbara ni qui que ce soit d'autre. Les joues de Molly reprirent leurs couleurs et elle s'acheta de nouveaux vêtements, plus frivoles, et changea de coiffure pour adopter un style plus soigné, rafraîchi. Observant ce changement en moi, Molly fut satisfaite et reprit confiance en elle. Nous allions démarrer une nouvelle vie, dans un appartement où nous serions heureux et en sécurité pour toujours.

Quand nous eûmes constitué la totalité de la distribution pour la pièce d'Art, à l'exception du rôle crucial de Maggie, je fus pris d'une inspiration soudaine : Barbara. Je l'avais vue dans sa perruque blonde sur le tournage de *la Fièvre dans le sang*, et j'éprouvais une grande admiration, qui ne s'est jamais démentie, pour ses qualités professionnelles. Je pensais que son registre n'était pas très étendu, mais qu'elle était aussi bonne que n'importe qui d'autre à l'intérieur de ces limites. Son ventre avait alors atteint une taille monumentale, mais il me vint une idée qui résoudrait peut-être notre problème. Non sans mal, je réussis à convaincre Barbara de venir effectuer une lecture pour Art, malgré son état. Je lui dégotai une perruque blonde et fis de mon mieux avec son ventre, m'arrangeant pour qu'elle puisse rester assise avant l'audition. Elle procéda à une lecture brillante du rôle. Elle représentait le bon choix, à l'évidence : elle comprenait le rôle de l'intérieur : elle était Maggie ! Elle plut immédiatement à Art — avec sa perruque à la Marilyn et tout le reste. Plus tard, il devait déclarer qu'elle avait fait du tort à la pièce : à cause d'elle, le public s'était imaginé qu'il avait voulu raconter l'histoire de Marilyn. Qui croyait-il donc abuser ? En tout cas, pour l'heure, il était diablement soulagé de voir résolu notre problème de distribution.

Maintenant, la distribution de la pièce achevée, et selon moi réussie, la construction du théâtre de Washington Square presque achevée, l'appartement « parfait et pour toujours » en cours de réalisation, Molly sur le point de commencer enfin à écrire ses propres pièces de théâtre et le problème de l'Actors Studio résolu — du moins parce que j'y étais indifférent —, je partis pour l'Europe mettre en images mon scénario *America America*. Sur le chemin de la Turquie, où l'équipe technique me retrouverait, nous fîmes escale à Stockholm pour promouvoir *la Fièvre dans le sang*. C'est là-bas que je reçus le télégramme de New York, rédigé selon un code établi à l'avance, m'informant qu'un fils était né.

A Ankara, la capitale de la Turquie, assis devant une table qui aurait facilement supporté le poids d'un petit char d'assaut, Charlie Maguire et moi-même affrontâmes le comité de censure turc, composé de cinq hommes dont deux portaient l'uniforme de l'armée turque ; nous devions obtenir leur permission de filmer sur place. Ils avaient lu le script que je leur avais soumis mais n'étaient pas sûrs de leur opinion sur la question. Personne ne voulait endosser la responsabilité d'avoir laissé passer une scène qui scandaliserait peut-être ses supérieurs. Pour eux, la solution la plus sûre consistait à ne pas nous donner la permission de tourner. Mais ils feraient alors l'objet d'une autre accusation : celle d'avoir laissé passer la chance de faire rentrer un demi-million de dollars américains dans leur pays.

Ils n'arrêtaient pas de jeter des petits coups d'œil en direction de l'un des leurs, l'officier le plus décoré et le seul qui n'avait pas encore ouvert la bouche, bien qu'il se fût raclé la gorge à plusieurs reprises. Il m'avait observé avec attention pendant ma présentation et ne m'avait pas rendu mes sourires. A l'évidence, les autres attendaient qu'il prenne la parole et rende un verdict. Je l'attendais moi-même avec impatience, ce verdict, avec d'autant plus d'anxiété que j'avais coupé deux scènes de leur script en turc, dont je savais pertinemment qu'elles me vaudraient un refus catégorique. Et le silence débride l'imagination.

Il se leva enfin. L'ossature de son visage et le pli de ses yeux évoquaient des origines asiatiques, je ne m'en étais pas aperçu auparavant. Il s'adressa alors d'un ton impérieux au traducteur, qui me dit, sur un ton encore plus impérieux : « Une personne de notre gouvernement sera à vos côtés tous les jours et elle vous dira ce que vous pouvez montrer et ce que vous ne pouvez pas montrer. C'est notre exigence. »

Ça y était ! J'avais obtenu leur permission !

« Ce que nous attendons de vous, c'est un chef-d'œuvre du cinéma qui montrera notre peuple non pas comme il apparaît dans les films américains dégradants, mais comme il est vraiment, honnête et travailleur, avec un grand amour de sa terre et d'Allah.

— Mais c'est mon intention », mentis-je.

Le pacha me décocha un sourire étrange. Homme politique doublé d'un soldat, il appréciait peut-être la ruse. A mon départ, nous nous serrâmes la main à la façon des Américains. « Je suis allé à Pittsburgh, me dit-il en anglais, et à Akron, dans l'Ohio. »

« Alors, nous serons surveillés en permanence », écrivis-je à Molly dès mon retour à l'hôtel, et je lui décrivis tout l'entretien.

Elle m'avait envoyé une lettre troublante. Elle avait décidé d'emménager plus tôt que prévu dans notre nouvel appartement. Ainsi, elle pourrait surveiller les travaux de modification auxquels il serait procédé selon ses instructions. Elle était déterminée à « tout régler » au plus vite, afin de pouvoir attaquer la rédaction de ses pièces de théâtre. Molly nourrissait une passion pour l'ordre, jusque dans les moindres détails de sa vie quotidienne. Elle était semblable en cela à tous les gens qui sentent que le désordre règne dans leur vie intérieure. Pendant que les travaux suivaient leur train, elle avait trouvé le temps d'agiter des idées noires au sujet de notre vie commune, gardant l'œil sur le passé et scrutant l'avenir. « Tu as de quoi être fier de toi, m'écrivait-elle, mais pour ma part je me suis éloignée de mon centre de gravité. Je me retrouve libérée du poids de bien des fardeaux, notre petite dernière partie dans son école, et voilà ma chance. C'est maintenant ou jamais. Il faut que je sois ferme avec moi-même. Et que j'oublie tout ce qui s'est passé entre nous. Je ne crois pas que le mot "faute" signifie grand-chose — ta faute, la mienne. Il est arrivé ce qui devait arriver, compte tenu de nos caractères respectifs. » Elle me parlait de sa solitude. « Cela fait vingt-cinq ans que je n'ai pas eu à m'occuper d'un gamin, et maintenant que tu es parti toi aussi, la maison me paraît bien vide. Mais c'est ce dont j'ai besoin pour l'instant, n'est-ce pas ? Il n'y a plus rien pour me distraire maintenant. Personne à blâmer... » Puis elle s'interrogeait : « Comment allons-nous faire dans notre nouvel appartement ? Tu travailleras, je sais. Et moi ? C'est ce qui m'inquiète. »

Je pris alors conscience que j'étais en grande partie responsable de son problème. Je vis que mes mensonges sur notre vie intime, comme ils avaient fonctionné, l'avaient empêchée de faire face aux conflits qui l'animaient elle-même. Le bouclier derrière lequel je m'étais retranché, et elle avec moi, par force, était si efficace qu'il ne lui avait pas permis de prendre conscience de ses dilemmes personnels. En lui cachant la vérité sur notre situation, je lui avais causé le pire des torts. C'est comme si j'avais empêché la vie de lui arriver.

C'est pourquoi j'éprouvais des doutes quant à son pari. Je n'osais pas imaginer ce qu'elle ressentirait ni comment elle réagirait en cas d'échec. Elle cherchait à prouver sa valeur — pas à moi, ni même au reste du monde ; non, à elle-même. En proie à une terrible inquiétude, je m'éveillais au beau milieu de la nuit, persuadé que le mal était fait, ou en passe de l'être. J'attendais avec angoisse chaque lettre d'Amérique ; je faisais le siège de la réception, où je demandais deux ou trois fois par jour si j'avais du courrier en provenance de chez moi.

Puis, bénédiction, une lettre pleine de gaieté. Elle m'informait qu'une de ses pièces courtes, qui avait été jouée dans un petit théâtre new-yorkais et avait reçu des critiques plus qu'élogieuses, allait être présentée au festival de Spoleto, et qu'elle avait été invitée là-bas par l'organisateur du festival, Gian-Carlo Menotti. Pourrais-je, demandait-elle, la rejoindre, ne serait-ce que pour une journée ? Je savais combien une représentation à Spoleto signifiait pour elle ; ma présence couronnerait cette célébration de son talent. Mais il n'y avait pas moyen, pas durant la période qu'elle m'avait indiquée, pas tant que mon film ne serait pas « mis en boîte ». J'étais soumis à des difficultés et à des exigences chaque jour un peu plus importantes. C'est ce que je lui écrivis, au milieu des félicitations les plus chaleureuses. Le lendemain, je lui écrivis la même lettre.

De l'aéroport d'Istanbul, je me rendis au Hilton, où notre équipe technique était hébergée. Je trouvai tout le monde au bar, en train de se reposer. Je ne les connaissais pas, aussi entamai-je la conversation avec eux ainsi qu'avec mon cameraman, Haskell Wexler. Je notai qu'il ne signait pas les notes de bar de son nom mais de celui de ma compagnie. Il me revint en mémoire qu'il venait d'une riche famille de Chicago. L'expérience m'a appris que ceux qui sont nés riches ont tendance à faire très attention à leur argent et à jeter celui des autres par les fenêtres. C'est ainsi qu'ils parviennent à rester riches.

Ils discutaient de la ville, de sa crasse et de l'allure déplaisante de la population.

Pendant que je buvais un verre tout en devenant de moins en moins aimable, on m'informa que j'avais un coup de fil de New York. C'était mon avocat, Bill Fitelson, qui aimait en rajouter dans le drame humain : « Il retire ses billes ! clama-t-il, en sautant le prologue habituel sur le temps qu'il faisait. — Qui retire ses billes ? demandai-je. — Stark ». C'est Bill qui avait mis au point les termes de mon accord avec Ray Stark et Elliot Hyman, et il venait de m'annoncer leur retrait. « Comment ont-ils pu ? » Pendant qu'il m'expliquait, je pensais à l'équipe technique en train de faire monter la note déjà salée du bar ; le chèque sur lequel nous avions compté pour payer ces consommations et les chambres ne viendrait pas de Stark-Hyman. « Qu'est-ce qu'on va faire ? demandai-je. — Tu fermes ta gueule et tu me laisses agir. » Le ton agressif de Bill était rassurant. « Je te rappelle, conclut-il, dès que je sais quelque chose », et il raccrocha.

En m'éloignant du téléphone, je ne pus résister à l'appel d'une colère bien vaine et rejoignis le bar en maudissant Stark et Hyman. Cependant, je n'avais pas oublié le conseil de Bill — n'avoir l'air de rien — et je commandai un ouzo. Au bout de quelques minutes, j'eus l'opportunité de prendre Charlie Maguire à part et, non sans lui avoir demandé de ne laisser paraître aucune inquiétude, lui fis part de la nouvelle. « Et la note d'hôtel ? répondit-il, laconique. — Règle celle du bar d'abord, lui dis-je. Ainsi, nous n'éveillerons pas les soupçons. — Nous n'avons pas assez pour ça non plus. » Un moment après, je regroupai tous ceux en qui j'avais confiance — Anna Hill Johnstone, Gene Callahan et Charlie — dans ma chambre d'hôtel, et tout le monde fouilla dans ses poches, en versa le contenu sur la table, chèques American Express compris, et nous parvînmes à payer la note du bar.

Le lendemain matin, suivant les instructions de Fitelson et me conduisant comme si de rien n'était, je fis un tour en ville à pied avec Wexler, pour lui montrer ce que j'espérais filmer et avec quels angles. Il n'était d'accord avec rien. Il me dirait quelques semaines plus tard que je n'avais pas d'« œil ». J'avais toujours cru que c'était d'une « oreille » que j'étais dépourvu. Maintenant je semblais ne posséder aucune des deux qualités essentielles pour un metteur en scène.

La relation qui compte le plus sur un tournage est celle qui s'instaure entre un metteur en scène et son cameraman. Je devais découvrir deux aspects de la personnalité de « Pete » Wexler : c'était un homme doué d'un talent considérable, et c'était un emmerdeur fini. Le cas se produit souvent chez les gens de talent, dans le monde du spectacle. J'ai compris très tôt que j'avais commis une erreur en l'engageant. Mais nous étions là, en Turquie, et comment aurais-je pu faire pour changer de cameraman, où aurais-je pu interviewer d'autres candidats, et qu'aurais-je fait de l'équipe technique? Ils étaient venus avec Wexler, ils repartiraient avec Wexler. Je décidai donc de serrer les dents, de considérer Pete comme un *challenge*, dont je pourrais peut-être apprendre quelque chose. Et c'est ce qui se passa. Il me donna ma première expérience de la caméra sur l'épaule. Pete était capable, dans un mouvement coulé, sans saccades, de se baisser et de tourner, de rentrer dans une pièce et d'en sortir telle une petite grue parfaitement maniée, tout en réglant ses changements de focale. C'était un as, je devais l'admettre. Je l'admirais, bien que je m'en veuille du respect que j'éprouvais pour lui.

Plus tard, on me révéla qu'il m'avait reproché mon témoignage anti-communiste. Ce qui expliquait *a posteriori* son attitude à mon égard. Mais dans ce cas, pourquoi diable avait-il accepté de travailler avec moi? Le dernier jour du tournage, je l'accostai en ces termes: « Dis-moi, Pete, maintenant que nous en avons terminé, qu'est-ce que tu as pensé de mon script? — A mon avis, c'est de la merde, répondit-il. — Alors, pourquoi as-tu accepté ce boulot? » Et sa réponse: « Je savais ce qu'un film de Kazan ferait pour ma carrière. » Des années après la sortie du film et la publication de quelques louanges à son sujet, Wexler m'offrit cette palino-die, sans que je lui aie rien demandé: « Maintenant je commence à voir où vous vouliez en venir. » Des excuses prononcées sans conviction ne font que diminuer celui qui les profère.

Mais de toute façon, quel qu'ait été mon sentiment à son sujet, je ne pouvais rien y faire. Et deux jours après m'avoir annoncé ses mauvaises nouvelles, mon avocat vaillant et diligent m'appela de nouveau: il m'avait sauvé. « Warner Brothers! » dit Bill. Je n'en croyais pas mes oreilles: ils avaient refusé le projet quelques mois auparavant. Mais je ne me souciais guère de savoir pourquoi ils avaient changé de position; je ne demandai même pas à connaître les détails du contrat. L'argent était parti pour l'est. Nous pouvions payer notre note d'hôtel, charger les caméras et commen-cer à exposer de la pellicule devant les mosquées, dans les rues, et sur les quais d'Istanbul.

Nous vîmes arriver un petit homme d'une trentaine d'années; rien en lui ne suggérait le censeur, mais c'était lui. Je réveillai ma ruse d'Anato-lien, qui ne dort jamais que d'un œil, et fis placer un tabouret sous l'objectif de la caméra, en lui disant que c'était la place du metteur en scène, car de là il pouvait voir tout ce qui serait sur le film. Il hésita devant cette marque de bienvenue — après tout, c'était ma place, dit-il. Mais j'insistai, et il accepta et s'assit à l'endroit que je lui avais indiqué, le dos bien droit, les genoux bien serrés. Je m'assurai qu'il disposait bien d'un exemplaire du script — la version destinée aux autorités turques — ouvert sur les genoux de sorte qu'il voie à quel endroit du film s'intégrerait chaque plan, et sortis de ma poche le stylo-bille en argent que j'avais apporté d'Amérique. Ce cadeau le combla, et son visage s'éclaira. Je lui expliquai ce que j'étais en train de faire et pourquoi — ce premier jour de tournage ne présentait guère de difficulté, car nous allions filmer quelques plans de mon « petit *gevur* de Kayseri » longeant la grande *camis*, la mosquée de Mahomet. Pendant la pause, je lui fis apporter un panier-repas pour qu'il puisse déjeuner en compagnie de notre acteur principal et s'intégrer au groupe. La nourriture est une grande séductrice.

A la fin de la journée, le petit chien de garde dépêché par Ankara et moi-même nous entendions comme larrons en foire, à tel point que je commençai presque à être gêné de ma rouerie. Je savais qu'il nous faudrait tourner certaines scènes qui révéleraient des aspects moins atti-rants d'Istanbul et de sa société, mais le moment venu, j'en étais sûr, le petit homme serait de mon côté ; enfin, disons plutôt que je serai venu à bout de son sens du devoir.

Le troisième jour, nous nous organisâmes pour tourner la scène dont nous avions le plus besoin, l'une des raisons principales de notre séjour à Istanbul. Un cortège de *hamals* portant une cargaison traversent un quai en file indienne pour charger un navire marchand américain. Ils pro-gressent avec lenteur ; leur fardeau les écrase, tout comme la chaleur qui frise les 35°. Beaucoup d'entre eux sont jeunes et robustes mais la force des autres, épuisés par des années de ce labeur, le dos courbé en per-manence, leur fait défaut. Une foule de badauds les observe, un peu à l'écart, et parmi eux se trouve mon petit *gevur*. Lors de son voyage vers l'ouest, on lui a volé les objets et l'argent que son père lui avait confiés. Ses poches sont vides, mais il a trop honte pour rentrer chez lui et demander de l'aide. Désespéré, il doit trouver un emploi, ou il mourra de faim.

Soudain, l'un des plus vieux *hamals* s'écroule avec son chargement en montant sur le bateau. Un officier le retourne ; l'homme est mort. Les autres *hamals* continuent à charger le bateau en enjambant son corps. Stavros, saisissant sa chance, se précipite vers l'homme à terre, ramasse son fardeau et prend sa place dans le cortège. Il a trouvé un travail — tout en bas de l'échelle sociale.

Ce jour-là, il devait bien y avoir cinq mille personnes en train de nous regarder travailler, qui n'avaient rien à faire ou avaient choisi de ne rien avoir à faire. De temps en temps, une vague de dissipation parcourait la foule, qui me donnait à croire que celle-ci était plus ou moins hostile et pouvait se révéler dangereuse. J'avais encore peur des Turcs et cette crainte ne me quitterait jamais. L'un des journaux du matin avait cité mon nom, en s'offusquant de ma présence en ces lieux ; j'étais venu pour faire honte au peuple turc, proclamait un éditorial. Mon imagination débor-dante avait amplifié les conséquences de cette accusation, d'autant plus qu'elle n'était pas si éloignée de la vérité.

A l'inverse, mon petit censeur, tout à son excitation du moment, redou-blait de vitalité d'heure en heure. Il avait l'air de goûter sa prééminence, assis sous la caméra et allant parfois jusqu'à s'accouder dessus — tel un

« pro ». Il ne m'avait pas échappé qu'il avait transféré son exemplaire du script dans un classeur flambant neuf, qu'il exhibait avec fierté.

C'est à ce moment-là que je remarquai mon cousin Stellio. Loin derrière la foule, il glissait le long des murs comme une ombre, regardant dans notre direction mais ne ralentissant pas sa marche pour nous observer. Je lui fis signe de venir se placer à côté de moi, mais il ne me répondit pas ; au lieu de ça, il déguerpit comme un crabe et disparut de mon champ de vision. Dix minutes plus tard, il passa de nouveau devant nous en sens inverse, de sa démarche précipitée. Je lui fis un signe, et j'étais sûr qu'il m'avait vu car j'étais perché sur une caisse d'électricien derrière la caméra. Mais il disparut de nouveau en ondulant. A l'évidence, il ne tenait pas à être associé avec moi en public, et il n'était guère difficile de comprendre pourquoi. Si le film ne donnait pas satisfaction au gouvernement turc, ce qui ne manquerait pas de se produire une fois incluses les scènes que j'avais cachées à ses censeurs, Stellio préférerait qu'on ignore tout de nos liens. Je mettais sa vie en danger, c'était aussi simple que cela. Dix minutes plus tard, lorsqu'il passa de nouveau en coup de vent, je ne lui fis pas signe ; j'avais compris pourquoi il ne le fallait pas.

En dépit de la chaleur, il était tiré à quatre épingles, vêtu d'un costume trois pièces, avec faux col et cravate. Ce « costume de travail » me donna à réfléchir ; je l'interprétai comme une sorte d'uniforme — ce qu'il était. Ces vêtements le désignaient comme commerçant et *gevur*. Le *gevur* avait pendant longtemps occupé une place traditionnelle dans la société turque. C'était l'homme éduqué et intelligent qui pouvait lire, écrire, faire les comptes et parler plusieurs langues. Sa tenue et son comportement occidentaux le définissaient socialement.

Mon père avait fait partie de cette élite. Ce costume, tout en témoignant de capacités supérieures à celles du Turc indigène qui « travaillait avec son dos », les désignait, lui et les autres Grecs d'Anatolie, comme cibles en cas d'émeutes ; il était donc essentiel pour ces Grecs de se conduire avec circonspection dans les rues, de ne prêter le flanc à aucune critique, de s'effacer et d'être autant que possible invisible. Voilà comment mon cousin agissait et pourquoi il m'avait fait penser à mon père. Sans le courage de mon père — qualité que je ne lui avais jamais attribuée avant ce jour —, je serais maintenant comme mon cousin.

C'est peut-être ce sentiment de gratitude et de réconciliation qui suscita en moi une joie extraordinaire à la fin de cet après-midi-là. Il arrive un moment, au cours du tournage, d'habitude à la fin de la première semaine de travail, où les techniciens remarquent que les tensions qui animaient leur metteur en scène se sont apaisées, qu'il n'est plus à cran et anxieux, mais confiant et même badin ; on sent qu'il goûte à la fois le pouvoir qui lui revient de droit et son travail. Un tel moment se produisit alors — un sursaut d'assurance et une vague de confiance en moi. Ce jour-là, je me suis dit que j'avais tout ce que je voulais, que rien ne pourrait plus m'arrêter, que je tenais quelque chose d'unique, que tout allait fonctionner !

Le lendemain matin, nous installâmes notre caméra au bout d'une ruelle dans un quartier pauvre de la ville. Elle était jonchée de détritus.

Jusqu'à présent, mon censeur n'avait émis aucune objection. Il avait observé le déroulement des opérations avec admiration et déférence, particulièrement sensible aux différences entre ce qui figurait sur le script qu'il avait en main et ce que je filmais. Un étudiant de cinéma avait pris la place du censeur chargé de protéger les ambitions touristiques de son pays. Je le traitais comme un neveu pour lequel j'éprouverais beaucoup d'affection. Ce matin-là, il m'avait apporté des pâtisseries saupoudrées de sucre, qui sortaient du four de sa mère.

J'avais demandé à Haskell de conclure la scène par un panoramique et d'inclure un gros plan de l'énorme pile de détritus et de végétation pourrissante qui se trouvait là. Quand la caméra se mit à pivoter, je m'approchai de mon « neveu » par-derrière et posai ma main sur sa tête. Je ne pensais pas qu'il émettrait la moindre objection, mais je m'étais dit que je lui rendrais la tâche plus facile si je ne le laissais pas voir l'endroit où le plan allait aboutir. Doucement mais fermement, je l'empêchai de tourner la tête. Nous pûmes obtenir le plan que nous voulions ; je fis une plaisanterie ; il éclata de rire. Je l'avais dans la poche !

Nous gagnâmes notre lieu de tournage suivant, un bazar où l'on faisait le commerce des tapis — là encore, l'arrière-plan et l'atmosphère devaient s'intégrer à un montage décrivant les premières impressions de mon petit *gevur* à son arrivée à Istanbul. Il devait se mettre à parler à un moment où le marchandage sur les prix atteignait son point culminant. Quatre hommes se livraient à ce *bazaarlik*, et j'encourageai les acteurs à rendre la scène animée et à multiplier les gestes éloquents du fait qu'elle devait se dérouler dans une langue qu'aucun public occidental ne comprendrait. Le censeur observait avec intérêt, riait, se retournait vers moi, hochait la tête. Il connaissait la musique.

Soudain, un homme d'environ quarante-cinq ans surgit de la foule massée derrière la caméra ; il portait un costume gris qui me rappela les hommes qui se tenaient à l'extérieur du bureau du censeur à Ankara. Je le situai au premier coup d'œil : la police secrète. Cet homme se précipita vers mon petit censeur, en hurlant des menaces assassines. « Pourquoi tout le monde agite les deux mains comme des fous ? Pourquoi huit mains qui s'agitent comme ça ? Le monde va penser que Turquie est asile de fous. Parle ! Dis ! Quoi ? Quoi ? »

Le petit censeur, réduit au silence par la panique, ne trouva rien à dire pour sa défense. Le monde chaleureux et amical dans lequel il venait de s'intégrer s'effondrait. Ce membre de la police secrète nous avait sans doute observés auparavant, ou avait reçu un tuyau l'informant que notre censeur devenait trop amical avec les Américains. Je ne l'ai jamais revu.

Une demi-heure plus tard, ce même policier revint et, pour établir son autorité, rejeta une scène que j'étais en train de tourner autour d'un robinet public. Je lui demandai s'il s'imaginait que le monde entier gobe-rait que les pauvres Turcs du début du siècle avaient l'eau courante chez eux et qu'ils n'avaient pas besoin de faire la queue devant un robinet public pour laver leurs vêtements. J'avais assisté moi-même à ce que je voulais filmer, ajoutai-je ; c'était la vérité. Il exigea un changement. Nous pliâmes bagage et cessâmes le travail.

De retour à ma chambre d'hôtel, je m'étendis de tout mon long sur le lit, selon mon habitude ; Charlie, lui, gardait l'œil clair. J'étais très déprimé. Je trouvais intolérable la perspective d'être sous surveillance. Je commandai un verre — du scotch, pas du *raki*. « Fichons le camp, dit Charlie. — Tu penses qu'il y a des micros dans la pièce ? — Je sais qu'il y a des micros. »   La chambre comportait un petit balcon, je suivis Charlie dehors et refermai la porte. « Je ne voulais pas dire fichons le camp de la chambre, chuchota-t-il, mais de Turquie. » Il me regardait droit dans les yeux. Il avait l'air convaincu. « Comment on va se démerder pour tout trimbaler ? dis-je. Tout notre équipement — la caméra, le matos pour le son, les costumes et la pellicule —, et qu'est-ce qu'on va faire du film déjà exposé ? Je ne veux pas le perdre. On est pris au piège. On n'a pas le choix ; il faut rester et faire avec ce qu'on a. — Tu vas tourner chèvre ici, dit Charlie. Ce type, qui a fait irruption aujourd'hui, je l'avais déjà repéré dans le décor. Ils ont des flics de flics ici. J'ai déjà dû les arroser pour qu'on puisse en arriver là. — Qu'est-ce qu'on ferait du film qu'on a déjà tourné ? demandai-je. — Laisse-moi m'inquiéter de ça, répondit Charlie. — Et toi, laisse-moi réfléchir à tout ça, repris-je. — Oui, mais réfléchis vite, parce que si on met les bouts, on a intérêt à faire *fissa* avant qu'ils pigent la combine. Et ne parle à personne de notre conversation, à personne. Je vais demander conseil à un expert ès Turcs. — Tu connais un Turc ici à qui tu fais confiance ? demandai-je. — Je ne connais personne ici à qui je puisse faire confiance, mais certains hommes accordent une grande valeur au dollar, surtout s'il est déposé pour eux sur un compte en banque en Suisse. Je m'en vais dilapider un peu des pépettes de Warner, et quand je reviendrai, je te dirai si c'est faisable et, le cas échéant, combien ça coûtera. Si tu dépenses assez de dollars, tu peux faire n'importe quoi ici, même faire assassiner le Premier ministre. »

Il me quitta et je réfléchis à tout cela. Ce serait un désastre pour moi si nous devions nous en aller. J'avais devant ma caméra l'épave pourrissante de la civilisation d'où mon héros devait s'échapper et dont mon père m'avait libéré. Je ne trouverais jamais l'équivalent du port, des rues, des mosquées, du visage des gens. Où trouverais-je des figurants comme ceux-là ? Et, autre chose, l'effet que produisait cet endroit sur moi : une source de peur, une source d'inspiration. J'éprouvai chaque jour, en parcourant les rues, cette même force qui poussait mon héros vers l'ouest ; j'étais un étranger qui craignait son environnement. Je pensais comme mon héros : Je dois sortir d'ici vivant.

Le temps que Charlie revienne, ma décision était prise : je resterais et ferais de mon mieux étant donné les circonstances. Mais en fait, Charlie était revenu avec un plan pour transférer notre unité de production d'Istanbul à Athènes. « Ça va prendre un peu de temps pour déménager, me dit Charlie, alors il va falloir attendre. » J'étais contre, jusqu'à ce qu'il me garantisse que le film que nous avions déjà exposé sortirait du pays. Je changeai alors d'avis. Et il se débrouilla très bien. Quelques jours plus tard, en arrivant à Athènes, où notre équipe était déjà partie en repérages et travaillait à de nouveaux décors, Charlie me révéla comment il avait sauvé les scènes que j'avais tournées. Le film exposé avait été rangé dans des boîtes étiquetées « pellicule vierge », avait passé la douane turque et était arrivé en bonne et due forme à Athènes. Sur le film confisqué par le gouvernement turc, du négatif vierge dans des boîtes portant l'étiquette « utilisé », il ne figurait aucune image.

Nous disposerions de cinq ou six jours de repos avant le transfert de l'équipement, de la caméra, du matériel de prise de son et de l'équipe technique. Je saisis cette chance pour aller retrouver Molly à Spoleto.

LE JOURNALISTE, homme grave et grisonnant, posait à Molly des questions qu'on ne lui avait jamais posées auparavant. Soucieux d'étudier la chose théâtrale avec le sérieux qui convenait — il manifestait un intérêt non seulement chaleureux, mais authentique —, il voulait savoir ce qu'elle avait cherché à dire dans cette œuvre. Les commentateurs européens traitent films et pièces de théâtre comme s'ils étaient les dépositaires d'une expression personnelle de l'artiste. A New York, nous classons les premières selon un seul critère: l'œuvre fera de l'argent ou sera un *flop*. Molly répondait à l'homme en pesant ses mots, et sans les plaindre; il notait en retour ses réponses avec soin, sur une feuille de papier quadrillé. Comme elle était heureuse!

Puis l'entretien toucha à sa fin et nous nous retrouvâmes seuls. J'étais ravi de profiter de sa compagnie et de l'écouter parler. Même encore aujourd'hui — et elle est morte depuis vingt-cinq ans —, j'aimerais pouvoir la consulter quand j'ai un problème. C'était un rôle — donner des conseils et dire la vérité — qu'elle avait plaisir à interpréter. Je ne l'avais jamais vue laisser la vérité dans l'ombre, et elle m'aiderait encore ce jour-là.

En effet, plusieurs de mes conseillers et commanditaires avaient tenté de me dissuader de conserver certaine scène de mon film. Selon eux, lorsque mon petit Anatolien arrive enfin à New York, se met à genoux et baise le sol, on avait affaire à un truc théâtral démodé. « Vous n'allez tout de même pas utiliser un effet rebattu, sentimental comme celui-ci, n'est-ce pas? » m'avait demandé l'un d'entre eux, interloqué. Tant et si bien que j'avais fini par décider de l'éliminer. Mon raisonnement tenait en ces termes: Après tout, le film dans son ensemble montre combien il est reconnaissant de poser enfin le pied en Amérique. Pourquoi faut-il que j'enfonce le clou avec ce cliché? Je confiai à Molly que j'avais décidé de couper la scène. Elle m'offrit un visage de marbre pour toute réponse. Puis je lui parlai de mon expérience à Istanbul et de ma prise de conscience tardive de ce que mon père avait fait pour moi. « Aucun de ceux qui sont nés aux États-Unis ne sait vraiment ce que représente l'Amérique, dis-je. — Alors comment peux-tu seulement envisager de faire cette

coupe ? s'indigna-t-elle. N'écoute pas les autres. Tu es allé sur place, tu es
passé par là. Tu n'es qu'un imbécile — elle s'exprimait maintenant avec
violence — si tu t'en remets aux opinions des autres ! (Sauf si ce sont les
tiennes, murmurai-je en mon for intérieur.) C'est un moment d'émotion
authentique dans ton histoire. Des instants comme celui-là sont précieux
et il ne faut pas les minimiser ni en avoir honte. » Notre conversation eut
l'effet escompté. Je savais à quoi m'en tenir.

Je suppose qu'elle avait dû lire amour et solidarité sur mon visage car
elle se mit à parler d'elle-même, et de ce qui l'inquiétait. Elle me confia
qu'il lui arrivait, après avoir réfléchi à un sujet ou à une scène, de penser
soudain à autre chose. Parfois, elle ne pouvait pas se souvenir, le lendemain matin, de ce qu'elle avait écrit la veille. Un élément incontrôlable
semblait perturber sa concentration. « Tu te rappelles ces vieux exercices
pour la concentration que Lee Strasberg donnait à faire ? demandait-elle.
Eh bien, je focalise mon esprit sur un sujet que je veux explorer, mais il ne
reste pas en place. Cela ne m'arrivait jamais avant. Peut-être cela tient-il
au fait que personne n'attend que je remette ma copie. Ou que je dois me
résoudre à jeter mes inquiétudes aux orties et...

— ... et que tu dois ne penser qu'à toi », ajoutai-je.

Une expression enfantine éclaira son visage. « Oui, comme une enfant,
commenta-t-elle. Je prends moi aussi un nouveau départ dans la vie. Une
enfant n'a pas de problèmes de concentration, n'est-ce pas ? Parfois, il
m'arrive même de m'endormir sur mon travail. Tu sais de quoi je parle ?
Non, bien sûr. »

Je lui demandai alors vers quelle destination son esprit s'en allait vaga-
bonder. « Parfois, du côté des enfants. Je me demande comment ils vont
et je me dis que je vais leur écrire ; ou bien je mène une conversation
imaginaire avec eux et j'envisage de leur donner un conseil, à l'un ou à
l'autre. Ça, c'est normal : il est inévitable que je pense à eux. Mais
souvent, par exemple, je me trouve soudain en plein milieu d'une discussion avec un agent de la circulation, ou encore en train de donner des
conseils à un auteur de l'Actors Studio. Mais j'ai bien peur d'être celle qui
a besoin de conseils. Et puis des bêtises. Mes ongles ! Je suis en train
d'écrire et soudain mes ongles m'inquiètent. Je les triture un moment, puis
j'entame une autre partie de solitaire. Comment ai-je pu devenir à ce
point obsédée par le solitaire ? Tu comprends ça, toi ? Je méprise ce jeu,
mais je n'arrête pas d'y jouer. »

Je lui expliquai que, pour la première fois de sa vie, elle devait porter le
poids de chaque journée sur ses épaules et que son puritanisme exigeait
qu'elle fasse mieux chaque lendemain que la veille. A ces mots, elle monta
sur ses grands chevaux : « Je ne suis pas si puritaine, nom de Dieu. — Je
cherchais simplement à te dire, répliquai-je, que je ne connais personne
qui soit doté d'un esprit aussi vif que le tien. Toi et Harold Clurman, vous
êtes les deux meilleurs critiques dramatiques contemporains... — Je ne
veux pas être une critique ! » hurla-t-elle. Je ne l'avais jamais vue en proie
à une telle furie. Je l'avais insultée. Mais j'éclatai de rire — enfin, je fis de
mon mieux —, et nous versai encore un peu de vin rouge, avant de lui
demander de me faire visiter la ville.

Je suis resté trois jours. Je l'ai peut-être aidée, peut-être pas. « Mes pièces sont trop nettes, trop claires, m'a-t-elle dit pendant que nous prenions notre petit déjeuner le dernier jour. Elles sont trop prévisibles. Tu ne trouves pas ? Quelque chose cloche, hein ? Je me demande si j'ai du talent. Toi, tu peux me le dire. Réponds-moi. » Elle ne me quittait pas des yeux. Mais je n'ai pas eu le courage de lui répondre franchement, car je ne savais pas comment elle réagirait. Et je n'étais même pas sûr d'avoir raison. Par contre, je savais bien que si les rôles avaient été renversés, elle m'aurait dit ce qu'elle pensait. Et elle aurait vu juste. Moi, je m'en suis tiré ainsi : « Les spectateurs du festival, comment réagissent-ils à ta pièce ? — Oh, ils s'amusent bien ! Ils ont l'air d'aimer. Ils suivent. Si on veut. C'est ce qui m'inquiète. Ce "si on veut". »

Nous nous sommes envolés ensemble pour Rome. Elle y prendrait l'avion pour les États-Unis, moi pour Athènes. La nuit précédente, j'avais assisté à une représentation de sa pièce couplée avec une œuvre d'Ed Albee. En comparant les deux, n'importe quel idiot aurait vu que Molly était charmante et Ed sans doute un peu moins ; mais il avait mis dans sa pièce la passion et le *punch* dont celle de Molly était dépourvue. Après le spectacle, j'avais vu tout le monde, dans les coulisses et aux alentours — acteurs, machinistes et directeurs confondus —, en adoration devant Molly ; tous avaient célébré sa classe exceptionnelle. Mais ce n'était pas ce qu'elle voulait. A mon départ, en l'embrassant, je lui ai confié n'avoir jamais admiré personne autant qu'elle, excepté ma mère ; mais ce n'était pas non plus ce qu'elle voulait entendre, j'en ai peur. Pendant ces trois jours passés ensemble, nous n'avions pas fait l'amour.

Cette nuit-là, d'Athènes, je lui ai écrit :

Chère Day (son surnom), je veux te dire combien j'ai passé un bon moment avec toi. C'est un peu bêta, après toutes ces années, d'écrire cela. Je me suis toujours dit que ça allait de soi — plus ou moins — en dépit de toutes nos souffrances personnelles et de nos tourments intérieurs. Mais tu as toujours l'air d'en douter. Alors je tiens à te le dire sans ambages : j'ai passé un très bon moment en ta compagnie. J'ai eu plaisir à te faire des cadeaux, à te voir radieuse parce qu'on s'occupait de toi, qu'on te flattait, qu'on t'invitait au restaurant et qu'on t'écoutait. Tu es une belle femme, une femme d'une beauté exceptionnelle, inhabituelle. Tu exprimes à la fois la droiture, la douceur et la bonté. Et tu es l'incarnation de la valeur humaine. A Rome, ton avion vers l'Amérique était garé juste à côté du mien, en partance pour Athènes, et je t'ai regardée marcher en me disant : cette fille n'a pas assez confiance en elle et en ses atouts. Et j'ai aussi songé : C'est ta faute, c'est-à-dire ma faute. Puis je me suis corrigé. Non, ce n'était pas ma faute, et puis si, quand même, et non et si et ainsi de suite. Mais je crois que tout cela, c'est bonnet blanc. Le seul propos de cette lettre, c'est de te dire que tu es une personne d'une beauté exceptionnelle qui ne le sait pas, embarquée sur le même

bateau qu'un être déboussolé, moi, qui le sait (que tu es belle).
Peut-être pourra-t-il arranger les choses. Mais je ne sais pas si personne au monde, je répète, au monde, vaut la peine que tu t'es
donnée pour moi. Mais j'essaie désormais de… au fond, je ne sais pas
trop quoi. Je ne sais pas *toujours*. Peut-être d'essayer de trouver ce
qui s'est emmêlé entre nous et ce que nous pourrions encore devenir
dans le temps qui nous reste.

Elle répondit :

C'est vrai, je me sens faible. Et il est sans doute aussi vrai que si
une personne que j'aimais m'avait soutenue pendant tout ce temps, je
serais peut-être plus solide. Mais voilà : toi (déboussolé), tu m'as
attirée comme un aimant (car je suis tout aussi déboussolée que toi),
et je me demande bien comment tu aurais pu y survivre. Ainsi, tu as
mis le grappin sur une fille très fragile… qui avait toujours l'air sûre
d'elle… sauf à ton sujet.

Elle poursuivait :

Dis-moi. Ecris-moi quand tu auras un moment. Epargne-moi toute
cette merde — « la droiture » ! Ça m'est resté en travers de la gorge.
Mais dis-moi, éprouves-tu encore vraiment de l'affection pour moi ?
Je me sens comme un objet très négligé, très sous-alimenté, qui a
besoin qu'on lui donne du soleil, des vitamines et une raison de vivre.
Alors seulement cet objet pourra-t-il changer — pas trop vite, et un
peu.

Je me suis efforcé d'être fidèle à la vérité dans ce récit de ma vie.
Quelques petites erreurs de dates et de lieux ont dû s'y glisser et je n'ai
peut-être pas toujours rapporté avec une précision infaillible les faits et
gestes de certaines personnes ; c'est inévitable lorsque l'on entreprend de
raconter des événements qui remontent si loin dans le passé. Mais j'ai dit
la vérité pour autant que je la connaisse — à une exception près : dans une
phrase située un peu plus haut. La vérité — je le sais pertinemment, mais
je voulais le garder pour moi —, c'est que je n'avais pas fait l'amour à ma
femme depuis trois ans. Durant les dernières années de sa vie, ce genre de
rapports était exclu entre nous. Dans une civilisation occidentale, avec une
femme « occidentale », j'avais en effet décidé, en grand seigneur, de me
livrer à la même expérience que les mâles orientaux : séparer l'amour et le
sexe. Pour tout le reste, j'étais fidèle à Molly ; je me dévouais corps et âme
pour lui apporter soutien et, quand elle en avait besoin, protection. Je me
comportais en mari attentionné ; je ne pensais qu'à Molly, je me dépensais
pour elle sans compter. Mais sur la fin, c'est l'amitié qui a constitué notre
lien le plus authentique. Était-ce suffisant, pour elle comme pour moi ?
Certainement pas. Ni en Amérique, ni ailleurs.

A Athènes, le travail épuisait chaque jour toutes mes réserves de patience et d'énergie ; ensuite, harassé et surmené par toutes les difficultés que je rencontrais, je ne voulais plus parler à personne, content d'être enfin seul. A certains moments, cependant, je souffrais de la solitude et je pensais à Molly. Je lui avais écrit trois ou quatre fois par semaine, et elle m'avait répondu en me décrivant par le menu sa vie quotidienne, ses troubles psychologiques, mais surtout ses espoirs quant à notre futur. Je me rendis compte que j'avais du mal à évoluer sur le même terrain intellectuel qu'elle ; je ne parvenais même pas à me mettre en colère contre ses prises de position sans nuances et sa rigidité morale. Je lui demandai donc de venir passer quelque temps à Athènes avec moi. Il me fallut déployer tout un arsenal d'arguments pour l'en convaincre, parce qu'elle voulait à toute force superviser la préparation de notre appartement « parfait pour toujours », et aussi — du moins, je le suppose — parce qu'elle entretenait des soupçons quant à ma vie sexuelle à Athènes ; elle craignait, malgré mon habileté, d'en avoir vent une fois sur place. Toutefois, elle finit par donner son accord, comme je l'avais espéré.

Je reçus alors un télégramme : elle était au Doctors Hospital, mais rien de grave. Puis un deuxième, dicté à ma secrétaire : « Ne t'inquiète pas, ce n'est pas grave. Je suis terriblement déçue de ne pas pouvoir venir. » Mon frère Avraam, docteur, m'écrivit : « C'est un diagnostic et une situation thérapeutique bien connus. La phlébite, comme tu dois le savoir maintenant, est une maladie courante — la pleurésie est la seule complication qui y soit associée. » Enfin une lettre de Molly, gribouillée au crayon sur du papier machine : « Jim Leland [notre docteur] en bave des ronds de chapeau avec un caillot de sang invisible et impossible à localiser ! Tout ce que j'avais, c'était une douleur musculaire, comme une luxation, mais Jim a mis en place la cellule de crise et je suis aux ordres : repos ! Je me sens *groggy*, mais c'est plutôt agréable. »

Un flot de lettres suivit — elle prenait de moins en moins d'anti-coagulants —, des lettres pleines d'amour et de désir, ainsi que des nouvelles de l'Actors Studio Theatre récemment formé. Lee Strasberg était venu lui rendre visite avec Paula et lui avait confié qu'il regrettait ma démission, que j'étais irremplaçable. (Mais Gerry Page et son mari, Rip Torn, m'avaient remplacé à la direction de cette nouvelle entreprise ; j'en fus soulagé.) J'avais écrit et téléphoné à Molly en essayant de lui faire sentir combien j'étais désolé de ne pas être là pour la réconforter. Mais la vérité, c'est que tout en m'inquiétant au sujet de la phlébite, j'étais soulagé qu'elle ne vienne pas. En effet, les difficultés s'accumulaient sur notre plateau. A la fin de chaque journée de travail, je me murais dans le silence. Je ne voulais parler ni à Molly ni à personne d'autre. La présence de ma femme, malgré tout son amour et tout son bon sens, aurait été une complication de plus.

Parfois dans le même paquet de lettres, je recevais d'autres missives.

Barbara redoublait de compliments sur notre fils, me tenait au courant du moindre changement dans son apparence — ses yeux tournaient enfin au brun — et me racontait combien tout le monde s'émerveillait devant ce petit garçon si mignon lorsqu'elle le promenait au parc dans son landau. « Il a tout un fan-club, écrivait-elle, et reçoit ses courtisans tous les jours. » Elle l'avait appelé Leo. Alors que Molly, avec sagesse, m'écrivait pour me parler de mes problèmes professionnels et manifester sa solidarité envers chacun de mes amis, Barbara était jalouse de l'attention que j'accordais aux autres, n'entretenait qu'une estime modérée pour mes amis et nourrissait des soupçons à l'égard de ceux qui, selon elle, n'approuvaient pas l'intérêt que je lui portais. Molly me décrivait en long et en large les activités du Théâtre de Répertoire et le dévouement acharné de Bob Whitehead à notre « tente » de Washington Square. Barbara, quant à elle, me racontait qu'elle avait passé un entretien avec Bob et Bobby Lewis, en charge de notre programme de formation — je faisais pression pour qu'elle y soit intégrée — et que Whitehead « m'a embrassée et a flirté avec moi ». Barbara avait souvent cette impression lorsqu'elle rencontrait des hommes ; les encourageait-elle ? Bobby Lewis rendit visite à Molly dans sa chambre d'hôpital et lui raconta des blagues pour la dérider. Barbara méprisait Bobby et son enseignement « superficiel ». « Il fait l'intéressant et cabotine sans arrêt, m'écrivait-elle, et il ne m'aime pas beaucoup. Ça va de soi ! » Molly nourrissait des espérances intenses pour notre théâtre ; Barbara, qui doutait de tout en ce bas monde, n'attendait pas grand-chose de bon de l'entreprise. Les lettres de Molly regorgeaient d'inquiétudes majeures, concernant les intérêts de notre famille et, en même temps, les événements politiques du moment. Celles de Barbara étaient monocordes : il n'y était question que de nos relations sexuelles. Elles lui manquaient, elle avait faim de moi. Ses missives fourmillaient de souvenirs intimes et d'expressions de désir ; elle espérait que je ne l'oublierais pas.

« Nous avons du ragoût d'enfants pour dîner, dit Molly.

— Fantastique. Maintenant je sais que je suis de retour à la maison.

— J'ai aussi acheté un gâteau de figues et j'ai préparé la sauce au beurre et au cognac. Oh, je suis contente que tu sois revenu entier ; je t'ai attendu si longtemps ! Eh bien, les voilà tes grandes fenêtres. Elles ne sont pas magnifiques ?

— Dieu ! Ça en jette ! » Le mur qui s'élevait sur deux étages et donnait sur Central Park avait été remplacé par deux immenses fenêtres hautes de cinq mètres. La lumière, inondant la pièce, m'aveugla.

Elle connaissait la moindre de mes expressions : « Il y aura des rideaux pour atténuer la lumière, dit-elle. Lever de rideau, donc, la semaine prochaine. C'est dur de trouver de bons ouvriers qui veulent travailler, les ouvriers qu'on veut. Attends de voir la vue, de nuit, je ne te dis que ça : la ville entière à tes pieds. Je m'en vais nous faire un *old-fashioned*. »

Sitôt dit, sitôt fait. J'entendis l'ascenseur de l'immeuble à travers les murs. Je revis notre appartement de la 72ᵉ Rue et sa véranda contiguë à la chambre, où je passais mes nuits sous le ciel d'été. Puis je me rendis compte que je cherchais à étouffer mes véritables sentiments. Que mes enfants me pardonnent, mais je n'aimais pas cet endroit. Je détestais ces grandes fenêtres ; elles m'intimidaient. On se serait cru au fond d'une grotte. J'aime les pièces aux éclairages indirects. Et comment allais-je bien pouvoir décompresser avec un film long, mal équilibré et d'une valeur douteuse à monter, un acteur principal comme ci comme ça à faire passer pour une star, un compositeur, Manos Hadjidakis, que je connaissais mal, mais qui se dirigeait vers New York pour composer la partition du film et... et le programme complet de ce foutu Théâtre de Répertoire, avec tout son cortège de questions sans réponse et de choix à effectuer avec Bob ?

Inconsciemment, je m'étais saisi du téléphone. Je le replaçai sur la table de nuit. « Décompresse, nom de Dieu ! » Ainsi débuta la phase finale de notre vie, telle qu'elle l'avait prévue. Je partirais à l'attaque le matin entre neuf et dix heures et elle s'assiérait dans son bureau, sur le tapis suédois, où elle étalerait une réussite. « Pour la concentration », disait-elle. Quand le jeu ne fonctionnait pas, c'est-à-dire les trois quarts du temps, elle redistribuait les cartes. Si, pour une raison ou pour une autre, je rentrais à la maison pendant la journée, j'étais sûr de la trouver par terre, les cartes étalées devant elle. Echec ou réussite, sa seule réaction serait de continuer.

Pour récupérer le temps perdu, j'essayais de rentrer dîner à la maison chaque soir — après tout, elle était restée seule toute la journée. Tout à sa joie de me voir, elle me lançait : « Chéri, tu veux bien me verser un *old-fashioned* ? » Je le faisais de bon gré, puis je m'asseyais à côté d'elle et prenais sa main.

Rien ne lui faisait plus plaisir que de discuter. C'était ce qui lui manquait le plus au sein du foyer ; plus que les attentions d'ordre physique, dont, je suppose, elle devait être frustrée mais qu'elle n'évoquait jamais ; l'échange d'idées, voilà ce qu'elle voulait. Mais j'étais généralement si fatigué quand je rentrais à la maison que je n'avais pas de conversation. Même le matin, après une bonne nuit de sommeil, je ne parlais pas. J'étais trop préoccupé, trop affairé à planifier la journée de travail qui s'annonçait. Elle m'attendait, retardait le dîner pour que nous puissions discuter. Quand je rentrais à la maison, elle était en train de lire une des pièces que Bob et moi envisagions de monter. « Verse-moi un *old-fashioned,* disait-elle, et assieds-toi avec moi. » Mais je ne voulais pas discuter de cela non plus — je veux dire, de la pièce. J'étais bien conscient de la solitude qu'elle ressentait mais j'étais trop fatigué pour entamer une discussion qui tournerait sans doute à la dispute.

Elle souffrait de constater que je la tenais à l'écart de la vie du Théâtre de Répertoire. Mon attitude était en partie justifiée par le fait que si j'agissais différemment, il me faudrait aussi faire appel à la femme de Bob Whitehead, qui, pour être agréable en compagnie, n'en disposait pas moins d'une intelligence moins aiguisée que celle de Molly pour ces questions. « J'ai peine à comprendre pourquoi nous ne pouvons pas discuter de ce qui se passe au Lincoln Center, ou pourquoi nous ne pouvons pas bavarder des pièces que tu projettes de monter. Après tout, tu as bien laissé ce manuscrit sur la table pour que je le lise. A coup sûr, tu veux entendre un commentaire plus profond que "j'aime bien" ou "je n'aime pas", "vas-y" ou "ne te lance pas là-dedans". Cette pièce-ci, par exemple, pose de réels problèmes, et tu devrais m'écouter avant qu'il ne soit trop tard. Miller aussi. Ne crois pas ce que tu lis dans les journaux à son sujet. Art n'est pas si bon. Nous ne voulons pas en faire les frais, n'est-ce pas ? » Mais je n'acceptais jamais de discuter de mes problèmes professionnels et elle sentait que je l'excluais de ce versant de mon existence.

Lorsqu'elle avait des amis à dîner, j'en profitais pour rentrer un peu plus tard, car ils étaient là pour meubler sa soirée. Elle était avide de ce qu'ils lui offraient : la conversation que je lui refusais. Je présentais mes excuses pour mon retard, de peur qu'ils ne le prennent pour de l'indifférence à leur égard, et je m'efforçais de prendre part à la conversation. Mais en ma présence, les questions concernant le Théâtre de Répertoire ne tardaient pas à fuser. Il me fallait apaiser les doutes que les échotiers avaient entretenus au sujet de ce que nous allions faire ou ne pas faire, et nous défendre, Bob et moi, contre les dernières attaques dont nous faisions l'objet, tout en essayant de demeurer équitable et compréhensif. Comme il est facile, me disais-je, de rester assis sur la touche et de tirer à vue sur ceux qui s'exposent. Je m'efforçais d'être modeste et agréable — c'était le mot favori de Molly à ce moment-là : « agréable » —, de refuser l'arrogance, de montrer que mon jugement était équilibré, car on citerait mes propos, c'était couru. Puis je me surprenais au bord de l'assoupissement et, tout en reprenant mes esprits, je leur signifiais, un sourire agréable aux lèvres, mon désir de les voir regagner leur lit afin que je puisse me glisser dans le mien. Il me faudrait me lever de bonne heure, j'avais du pain sur la planche.

Au fil de ces conversations, je prêtais une oreille attentive à la voix de Molly : une voix douce, celle d'une personne cultivée. Elle était plus assurée que les autres — c'est du moins l'impression qu'elle donnait —, certaine d'avoir raison. Cette confiance relevait-elle du simulacre ou dénotait-elle l'incertitude de Molly ? Elle insistait sur chacun de ses arguments, encore et encore, au-delà de toute raison ; à telle enseigne qu'à la fin de la soirée elle était vidée et plus épuisée que tous les autres réunis. J'admirais son aptitude à émettre des commentaires négatifs à l'intention de personnes dont elle savait qu'elles en seraient blessées. Elle leur disait la vérité en douceur, mais sans en atténuer la portée. Le comble, c'est qu'après avoir reçu l'estocade, ses interlocuteurs lui témoignaient un respect accru. Comment réussissait-elle ce prodige ? Elle avait le cœur pur, vous dis-je !

Parfois, si je rentrais à cran ou à bout de patience, je me vengeais sur l'un des invités. Une fois ses visiteurs repartis, Molly me faisait une scène. « Ce n'était pas vraiment drôle, tu sais. — Je sais, répondais-je sur un ton excédé. — Mais tu es fatigué, concédait-elle. Quand vas-tu vraiment décompresser ? » Elle me proposait alors un voyage aux Caraïbes ou une croisière sur un paquebot de luxe. « D'après ce que je me suis laissé dire, certains de ces navires sont très agréables. Ou bien nous pourrions aller à

Londres et rester à l'hôtel. Tu devrais voir certaines de leurs productions.
— J'en parlerai à Bob, répondais-je. Peut-être que nous pourrions
tous... » Là, elle manquait toujours fondre en larmes. « Non! s'exclamait-
elle, non! Pourquoi est-ce que tu me repousses toujours? Je veux aller
quelque part toute seule avec toi. — Oui, bien sûr; dès que j'aurai un
break », répondais-je.

Je savais que nous ne partirions jamais en voyage, pas tant que je serais
si fatigué. Tiens, autre chose aussi dont je me souviens: après le départ de
ses amis, la lassitude prenait possession de son visage, à vue d'œil pour
ainsi dire, mais elle disait quand même: « Restons encore debout un petit
moment pour bavarder, juste toi et moi, pour changer. Nous ne discutons
plus jamais. Je ne vais pas remettre ça avec le Lincoln Center, puisque tu
n'y tiens pas. Parlons de tout et de rien. Des enfants. J'ai reçu une lettre
merveilleuse de Judy hier. Je l'ai laissée sortie pour que tu la lises; est-ce
que tu l'as lue? — Non, répondais-je. — Tu ne connais pas ton bonheur,
reprenait-elle. Quatre enfants merveilleux! » Puis elle me parlait de Judy.
La grande nouvelle, ce jour-là, c'était que notre fille était enceinte et
contente de l'être, mais déterminée à ne pas en avoir plus de deux parce
qu'elle travaillait comme assistante à l'association locale pour la planifica-
tion familiale. Mais bientôt, elle remettait ça: « Comment ça va avec
Bob? Vraiment? C'est un type extraordinaire. Alors sois gentil avec lui.
Mais dis-moi... Parle-moi donc! — Chérie, répondais-je, il faut que je
dorme, tu comprends? »

Parfois, je revenais tard d'une réunion avec Jo Mielziner et Eero Saarinen, avec le comité directeur du Théâtre de Répertoire, ou après avoir
auditionné un acteur que nous envisagions d'engager. Quand j'arrivais à la
maison, elle était endormie sur le lit, la lampe de chevet allumée et un
livre ouvert à côté de la tête. Elle ressemblait à une enfant, innocente et
pure. Je la réveillais juste un tout petit peu, pour pouvoir me glisser entre
les draps. J'entends encore sa voix: « Bonsoir, poussin »; puis elle se
rendormait, un sourire aux lèvres.

America America est désormais, de tous mes films, celui que je préfère.
Mais début 1963, quand je travaillais au montage avec Dede Allen, je
doutais de sa valeur. J'avais besoin d'un coup de pouce de dame la chance
et elle me l'accorda. Manos Hadjidakis vint me rendre visite d'Athènes et
me remonta le moral: d'abord, il m'aida à finir le film — les derniers cinq
pour cent de travail font souvent la différence entre le succès et l'échec —
mais surtout il me témoigna son enthousiasme. Manos était un roi cette
année-là; c'était également un homme excessivement dévoué à sa mère et
qui avait perdu ses quatre dents de devant sans jamais se soucier de les
remplacer. Il était replet — je ne veux pas dire obèse — et, quand les
événements l'exigeaient, se laissait aller à des explosions terribles durant
lesquelles toute sa carcasse tremblait. C'était aussi un génie.

Manos n'était pas seulement un compositeur, c'était un dramaturge, et
il savait localiser l'émotion, la renforcer, juxtaposer plusieurs épisodes de
façon à en accroître l'impact, bien mieux que moi. Il éprouvait une joie

dévastatrice à travailler; c'était facile pour lui, et une fois qu'il avait commencé, il était semblable à tous les autres génies que j'ai connus: il ne pouvait plus s'arrêter. Il avait dû trimer pour réussir. Le génie, c'est dix pour cent d'inspiration et quatre-vingt-dix pour cent de transpiration, entend-on dire parfois. Eh bien, c'est un euphémisme qui ne rend pas justice à l'effort déployé sans relâche. Mais le terme « travail », en soi, ne décrit pas mieux la vie de ces hommes. Ils procèdent à un *black-out* total de tout le reste; l'amour, l'ambition, le plaisir, la famille occupent la seconde place. L'expérience du travail, voilà ce qu'ils attendent de la vie. Ils ne savent pas « décompresser », et il n'est pas sûr qu'ils en éprouvent l'envie.

Les génies sont gonflés d'égoïsme et d'arrogance, c'est une condition nécessaire à leur état. Manos n'échappait pas à la règle. Moi-même, on m'a traité de personnage arrogant, égoïste et nombriliste, bien que je ne sois pas, loin de là, un génie. Mais on m'a adressé ces accusations — c'est bien le mot qui convient, n'est-ce pas? —, et j'y réponds: « Pourquoi pas? » Qu'est-ce qui importe le plus, au fond, qui d'entre nous a le plus de valeur? Que l'homme ordinaire se débrouille et en bave! Une personne de talent qui peut exploiter ce don, voilà ce qu'il y a de plus beau sur terre. Elle apporte la réponse aux vieilles questions qui nous taraudent: qui est l'homme? Pourquoi est-il sur terre? Qu'est-il censé être? Manos ne tolérait aucune intervention extérieure dans la conception de sa musique. Il terrorisait ses musiciens. Encore une fois, pourquoi pas? Toscanini faisait de même. Le résultat final n'en était que meilleur.

Ces hommes qu'on appelle génies ont égayé mon existence — mais je ne les considérais pas comme tels. Tous ceux que j'ai rencontrés et avec lesquels j'ai travaillé — Aaron Copland, Clifford Odets, Tennessee Williams, Harold Clurman, Orson Welles, Marlon Brando — faisaient montre dans leur travail d'une énergie et d'une joie de vivre communicatives. Les génies sont bénis des dieux. Non contents de faire des étincelles, ils éclatent de rire plus souvent qu'à leur tour. La vie, en effet, exauce tous leurs désirs; ils sont bien dans leur peau et exercent l'activité de leur choix. Ils ne doutent pas de leur valeur et ne répondent plus à ceux qui les critiquent.

Tout ce qui précède élude la question essentielle: de tels êtres sont-ils nés avec un don divin ou l'ont-ils acquis? Je ne sais pas. Mais j'ai noté une constante chez ceux qui possèdent ces qualités mystérieuses: très souvent, une blessure leur a été infligée quand ils étaient jeunes: elle les a poussés à redoubler d'efforts et elle a aiguisé leur sensibilité. Le talent, le génie sont la croûte sur cette blessure, ils sont là pour protéger un endroit sensible, par lequel la mort a tenté de s'insinuer. Voilà comment naissent les dons précieux de ces hommes, acquis au prix de leur souffrance. Ce sont eux nos héros, ils ont surmonté les difficultés auxquelles le reste de notre race se soumet en s'apitoyant sur son sort et en se trouvant des excuses. Chaque fois que j'ai eu l'occasion de travailler avec des hommes et des femmes qui avaient réchappé au malheur, j'ai été sensible à leur force de caractère extraordinaire, et je me suis nourri de cette force, qui m'était offerte en cadeau. Pas seulement par Manos; par d'autres compositeurs ou acteurs, aussi. Mais surtout, je l'avoue, par des actrices. Je leur dois mes succès, car je m'en suis remis à leur talent, ce que le reste de l'espèce humaine pouvait m'apporter de plus précieux.

Nous passâmes tout l'été, Bob et moi, à travailler avec Art Miller sur sa nouvelle pièce, qu'il avait intitulée *Après la chute*. Nous nous rendions chez Art, à Roxbury, prenions juste le temps de nous rafraîchir, puis nous nous retirions dans la cabane qui lui servait de bureau : il nous lisait alors ce qu'il avait écrit depuis notre dernière visite. Nous ne manquions jamais de le féliciter et de l'encourager, car il avait travaillé dur. J'admirais son dévouement et je lui en étais reconnaissant. Mon opinion sur cette œuvre, cependant, tenait en ces mots : il faut qu'elle marche. Cette réaction, encourageante pour Art, ne lui rendait pas justice. Je ne lui fus pas d'une grande aide cet été-là, j'en ai peur. Je tenais tellement à ce qu'il termine que mes jugements ne reflétaient pas la vérité. Mais que pouvions-nous faire, sinon l'encourager sans relâche ? Notre théâtre ne tenait qu'à un fil : celui qui nous liait. A ce stade, j'avais rangé toutes mes réserves conscientes au magasin des accessoires. Nous étions trois vieux briscards, déterminés à imprimer au futur un cours qui nous soit favorable. Le destin du Théâtre de Répertoire se jouait dans cette cabane au fond du jardin de Miller, à Roxbury, et nous le savions.

Plus tard, au milieu de la nuit ou à la faveur d'un moment d'inattention dans ma salle de montage, la vérité me sauterait aux yeux : durant mon expérience sur *America America*, surtout au cours des mois passés sur place à le mettre en scène et à prendre des décisions jour après jour, je m'étais senti complètement moi-même, comme jamais auparavant. Durant la fabrication de ce film, toute activité avait été générée par mes directives, et le programme quotidien correspondait à mes souhaits. Voilà ce que je voulais être : la source incontestée de toute activité. Désormais, je ne pourrais plus travailler que de cette façon. J'avais enfin atteint le but poursuivi toute ma vie durant : n'avoir de comptes à rendre qu'à moi-même. Je ne pourrais plus coopérer avec d'autres comme je l'avais fait auparavant ; face aux impératifs du Théâtre de Répertoire, je me sentais menacé, dépassé par des questions et des exigences qui ne m'intéressaient pas vraiment. De plus, il me fallait partager le pouvoir avec d'autres. *America America* m'avait gâté le tempérament. J'avais du mal à me modérer et j'étais vif à m'emporter contre la moindre ingérence dans mon emploi du temps ou mes prérogatives. Je trouvais de plus en plus difficile de maîtriser ces réactions. Je découvris aussi que je ne le souhaitais pas.

Mais j'étais prisonnier d'une situation que j'avais provoquée, aussi refoulais-je mon indignation dans les ténèbres. Je la remettais au lendemain. Je me comportais en bon garçon aux réunions du comité directeur, durant les débats au sujet de la programmation, avec la compagnie d'acteurs que nous avions sélectionnée, et j'étais docile et respectueux avec Art Miller.

Mais la raison principale de mon dévouement à cette cause, c'était Molly. Elle avait investi son âme, rien de moins, dans son espoir de nous voir mener une vie de travail agréable ensemble, côte à côte, dans le foyer

« parfait » qu'elle avait arrangé pour nous. Agréable ! J'en étais venu à détester ce mot. Je ne sais pas pourquoi ; peut-être s'en servait-elle trop souvent. A la fin de l'été, j'eus le pressentiment que ses espoirs ne seraient pas satisfaits. J'avais recommencé à me conduire « mal » ; après avoir passé la journée à me maîtriser, je rentrais à la maison claqué, les nerfs en pelote, et pas du tout agréable. J'étais à cran et je ne tenais pas en place, car la condition implicite de notre vie « parfaite » était que je me comporte en célibataire. Je me doutais bien que cette situation ne durerait pas. J'avais raison.

Je pris mon courage à deux mains et projetai à Molly le premier montage de mon film. Sa réaction fut écrasante. Son réquisitoire était long de cinq pages à interligne simple ; on l'aurait cru émis par la Cour suprême. Il détruisait tout ce que j'avais fait. Elle répétait à l'envi, page après page, que j'avais fichu en l'air un script excellent ; elle le connaissait sur le bout du doigt, car elle en avait fait un livre avec Sol Stein. L'ouvrage avait d'ailleurs reçu des louanges qui m'étaient allées droit au cœur. C'est un fait, elle avait apposé sa marque sur le produit. Mais j'étais si contrarié que je n'avais fait que parcourir cette lettre ; je ne l'ai lue en détail qu'aujourd'hui. Je savais qu'elle lui avait été dictée par une inquiétude sincère et les meilleures intentions du monde, mais je ne pouvais pas tirer parti de ses critiques : j'avais gardé toutes les scènes que j'avais tournées et je n'avais plus de quoi effectuer les changements qu'elle suggérait. Même avec la meilleure volonté du monde. Son esprit critique avait dépassé les bornes pour devenir destructeur. Ma réponse fut des plus hostiles : « J'y réfléchirai. » J'avais toujours admiré la franchise de ses commentaires quand ils s'adressaient à d'autres, mais j'étais devenu leur cible et j'en conçus fureur et désaffection à son égard. Elle ne me laissait pas les oublier, cependant : elle me harcelait — elle avait « tant aimé le livre ». Je me réfugiai dans ma grotte de silence. Je ne lui ai plus jamais montré le film.

Mais je ne pouvais pas m'empêcher de me demander si elle n'avait pas une raison plus profonde de souhaiter l'échec de mon film. Je finis par avoir la bonne idée de le lui demander, et elle eut la bonne idée de me répondre honnêtement.

« Ce film nous a séparés », dit-elle.

Peut-être se vengeait-elle enfin de ma « négligence » à son égard.

LE 24 OCTOBRE, dans une salle située au-dessus d'un restaurant casher, le travail sur la pièce d'Art commença. La compagnie d'acteurs que nous avions sélectionnée était réunie pour la première fois. A ses côtés se trouvaient nos deux régisseurs, Jo Mielziner et Anna Hill Johnstone. Assis à la place des producteurs devant une longue table se trouvaient Bob, Art et Harold Clurman que nous étions toujours en train d'essayer de rallier à notre troupe mais qui hésitait encore. Peut-être s'était-il senti offensé — il pensait sans doute qu'il aurait dû être à ma place pour prononcer les remarques qui saluent traditionnellement le début des répétitions.

J'entamai ma démonstration de façon inattendue. Douze semaines auparavant, j'avais reçu un coup de fil de Californie m'informant que Clifford Odets se mourait d'un cancer, et je m'étais envolé pour l'Ouest avec Harold pour le voir avant qu'il ne s'éteigne. J'avais beaucoup pensé à Cliff dans les semaines qui avaient suivi, et lors de cette première session avec la compagnie, j'expliquai ce que cette mort prématurée avait signifié pour moi :

> La tragédie qui frappe le théâtre en ce moment est la même tragédie à laquelle Clifford Odets a succombé. Je ne partage pas le sentiment exprimé dans certaines nécrologies, à savoir qu'il a raté sa carrière. Clifford a influencé toute une génération d'écrivains et d'auteurs dramatiques — Art Miller, assis parmi nous, Tennessee Williams, qui m'a confié un jour qu'il avait ressenti sa première émotion au théâtre en assistant à une représentation d'*Awake and Sing!* Comme tous les vrais créateurs, il a influencé des hommes qui ne le sauront jamais.
>
> Cliff a passé les dix dernières années de sa vie à écrire des films afin de payer des notes trop élevées pour un homme qui espérait continuer à travailler dans le théâtre. Puis il a cessé de produire des scripts originaux. En se cantonnant dans des travaux de « toilettage », Cliff ne devait pas assumer la responsabilité artistique du film terminé et ne ternissait pas sa réputation. Il ne voulait pas être mentionné au générique ; peut-être avait-il honte.

Il avait cinq pièces toutes prêtes dans ses tiroirs, m'avait-il dit un jour. Il avait prévu de passer encore neuf mois dans le sud de la Californie, puis de revenir à New York et de mettre ces pièces en route. Ce seraient, il m'en avait donné l'assurance, les meilleures qu'il ait jamais écrites. Il m'avait même raconté l'histoire de trois d'entre elles avec force détails, et je crois qu'elles n'auraient pas été mauvaises du tout, car il les avait travaillées en profondeur et avait fait appel à son expérience personnelle. Cliff n'était pas « fini ». Quelque chose clochait, mais son esprit et son talent étaient encore vivaces. Il avait rencontré des difficultés terribles, conjugales et politiques, et il était allé dans l'Ouest pour reprendre le combat qui l'animait.

La dernière fois que je l'ai rencontré hors d'un hôpital, c'était en février dernier. Je n'avais alors que le Lincoln Center à la bouche et je lui ai rappelé des propos qu'il m'avait tenus à plusieurs reprises, à savoir que s'il existait un jour un vrai théâtre, il écrirait pour lui, mais qu'il ne pouvait ni ne voulait écrire pour « Broadway ». Je lui ai dit que nous tentions de satisfaire son attente et que le moment était venu pour lui de les faire, ces pièces, et de nous les donner, parce que nous voulions les produire toutes au Théâtre de Répertoire. Il m'a de nouveau répondu qu'il restait encore neuf mois en Californie, mais pas plus — cette fois-là, c'était pour le *show* de Dick Boone, pas pour un script à remanier —, et que ce boulot terminé, il tirerait sa révérence. Puis il m'a reparlé des cinq pièces sur lesquelles il avait procédé à un dernier toilettage — expression aux connotations bien sinistres en l'occurrence.

Je fis une pause. Mon regard se porta sur Molly. Ses yeux brillaient. Dans les derniers jours de Cliff, elle s'était rapprochée de lui et lui d'elle. Elle connaissait la suite de l'histoire.

Il est mort le 14 août. Mais en ce jour de février, sa peau était celle d'un homme de cinquante ans en bonne santé, comme du velours. Croyait-il vraiment qu'il ne resterait que neuf mois de plus à Hollywood ? Croyait-il que les spectacles télévisés qu'il écrivait pour Dick Boone et le reste résoudraient ses problèmes financiers, qu'il n'y aurait plus de travaux de toilettage, de boulots de charognard, de dialogues à retoucher, de « sauvetages » de dernière minute, croyait-il que toutes ces humiliations allaient s'arrêter et qu'il pourrait revenir sur une scène libre exalter l'âme humaine et laisser libre cours à toute sa flamme ?

Il n'avait pas d'autre choix que de le croire, et c'est ce qu'il faisait.

Je regardai Barbara. Elle étudiait Molly, puis elle s'aperçut que je la regardais et baissa la tête.

Je lui ai dit : « Clifford, ce qui m'effraie, c'est la possibilité que tu n'écrives jamais ces cinq pièces et qu'elles soient retrouvées sous forme de notes dans tes affaires. J'ai peur qu'il ne reste plus beaucoup de temps. Et nous sommes tous logés à la même enseigne. Regarde la vérité en face avant qu'il ne soit trop tard. »

Il l'a mal pris. Il s'est débarrassé de moi. J'ai laissé tomber. Malgré ce que j'avais dit, nous ne savions ni l'un ni l'autre qu'il était déjà si tard. En six mois, cette maladie qui vous ronge l'avait bouffé. La dernière fois que je l'ai vu, il était allongé sur son lit d'hôpital, au sixième étage du Cedars of Lebanon. La journée s'est écoulée avec lenteur ; à un moment, il a levé le poing pour la dernière fois, non sans emphase, comme à son habitude, et il a déclamé ces mots : « Clifford Odets, tu as encore tellement à accomplir ! » Puis il m'a regardé, sournois, et m'a lancé : « Tu sais, je pourrais bien te refaire, Gadg. Il n'est pas dit que je vais mourir. » Il a médité un instant sur cette perspective, puis il a décroché, agitant des pensées mystérieuses. Son esprit vagabondait. Il m'a donné sa main et a regardé autour de lui, comme s'il n'était pas vraiment en cet endroit. Puis, tout d'un coup, il a lancé un regard noir à son infirmière, femme patiente et dévouée, à qui il a déclaré : « Je veux crier, je veux chanter, je veux hurler ! » L'infirmière, qui connaissait la chanson, l'a encouragé : « Allez-y, criez, hurlez, chantez... si ça vous chante ! » Alors il a essayé, je me souviens qu'il a essayé. Mais il n'avait plus la voix de ses vingt ans. C'était un vieux coq salement malade. Alors il ne lui restait plus qu'à rester allongé là, à décocher des regards noirs au monde entier et à ruminer ce qui le tracassait. Incapable de fermer les yeux plus longtemps sur la tragédie qu'il avait vécue, voire qu'il personnifiait, incapable de repousser plus longtemps la pensée de ce qu'il aurait pu être, il m'a fait signe de me pencher plus près et m'a chuchoté — je me rappelle ses mots exacts : « Gadg ! Imagine ! Clifford Odets en train de mourir ! »

Ce que j'essaie de vous dire à travers cette histoire vraie, c'est que la chance dont nous disposons ici aujourd'hui ne nous sera pas offerte de nouveau. Cette série de circonstances et cette somme d'aspirations, alliées à des magouilles de banquiers, à un sens civique exemplaire, au complexe de culpabilité de certains et au désir de plusieurs hommes riches qu'on se souvienne de leur nom après leur mort, tous ces éléments ajoutés les uns aux autres ont produit cette opportunité surprenante pour nous. Elle ne se représentera pas. Pas avant des années ! Alors ne la gâchons pas.

La tragédie du théâtre américain, comme celle de notre vie, d'ailleurs, est celle des occasions manquées. Des forces qu'on a dispersées au lieu de les rassembler. Des talents inutilisés ou exploités à moitié. Du potentiel gaspillé. Nous connaissons tous nos problèmes. Nous ne sommes pas des enfants, nous ne sommes pas des étudiants. Nous savons bien que notre bail ici-bas ne durera pas aussi longtemps que les contributions. C'est pourquoi il est temps de prendre nos responsabilités vis-à-vis de nous-mêmes avant de tirer notre révérence.

L'homme qui, dans les années 40, avait promis d'être le Hamlet du siècle doit encore l'interpréter. L'homme qui aurait pu être le Lear de sa génération joue le shérif dans une série télévisée. Je ne crois pas qu'il soit très doué pour jouer ce rôle. L'homme qui aurait pu devenir le plus grand acteur de toute l'histoire du théâtre américain boude, perché sur une colline dégoûtante à Beverly Hills, ou sur une plage à Tahiti. Que leur est-il arrivé ? Ils ne le savent pas. Ne les regardez pas de haut. Ce ne sont pas des faibles. Ils étaient idéalistes, eux aussi. Maintenant ils sont corrompus, perdus, ou plus malades que le commun des mortels. Ce sont vos frères.

Ce qu'il y a de plus terrible dans notre société, c'est que les gens comme nous maîtrisent rarement leur vie ou leur destin. Nous ne faisons pas ce que nous voulons. Nous faisons ce que nous croyons devoir faire. Ou, pire encore, ce que d'autres veulent que nous fassions ; ce qu'« ils » veulent que nous fassions — quels qu'« ils » soient.

Maintenant, nous allons essayer d'accomplir quelque chose que nous respecterons, pour changer. Ce n'est pas gagné d'avance. Quand on dit : « C'est difficile », ce qu'on veut dire en réalité, c'est : « Il se pourrait bien que ça ne marche pas. » Nous sommes réunis ici pour tenter un accouchement. Tous les accouchements sont difficiles. Regardez la tête d'un bébé. Vous ne vous demandez pas comment elle a fait pour passer ? Comme tout ce qui vaut la peine d'être fait, c'est impossible.

J'ai dîné avec mon agent l'autre soir. Il compte d'autres clients dans cette salle. Après que nous avons commandé, voici comment il a entamé la conversation : « Eh bien, dites-moi, Gadg, qu'est-ce que vous allez faire maintenant ? » Mot pour mot ce qu'il m'avait dit il y a des années, quand nous étions ressortis du bureau de Darryl, à la Fox, le jour où celui-ci m'avait annoncé qu'il retirait ses billes de *Sur les quais*. Je lui ai déjà dit cent fois ce que je fais maintenant, mais on dirait qu'il est victime d'un blocage. Il le prend comme une aberration passagère. Alors je le lui ai répété. Il m'a demandé combien je me faisais ici. Je lui ai répondu que je n'avais encore rien touché, mais que je gagnerais tant par mois une fois que nous aurions démarré. Vous auriez dû voir sa tête ! Il m'a dit : « Eh bien, montez une ou deux pièces et fichez le camp de cette galère. » Il n'a pas précisé ce que je devrais entreprendre à la place.

Si vous envisagez la vie comme un ascenseur qui, à chaque étage, vous offre un contrat plus avantageux que le précédent, alors votre présence en ces lieux est absurde. Ecoutez votre bon sens et ne vous lancez pas dans l'aventure. Les gens qui vous mettent en garde en vous disant que vous tentez un pari impossible ont raison. C'est comme de construire un théâtre pour l'utiliser pendant seulement deux ans ! Ça, c'est l'idée qui a germé dans l'esprit de mon partenaire, un type un peu dérangé.

Je fis un sourire à Bob Whitehead. J'étais fier de lui.

Cependant, au cours d'une vie longue et bien remplie, je n'ai rien trouvé qui en vaille la peine sinon l'impossible. Les historiens du théâtre ont souvent qualifié d'échec le Group Theatre. Mais en vertu de quels critères ? Je viens juste de terminer un film que tout producteur sensé considère comme un ratage. Il figurera sans doute à cette rubrique dans leurs livres de comptes, mais je suis très fier de ce film. Je n'y ai consacré que du temps et je n'en retirerai probablement que du plaisir. Mais que pourrais-je demander de plus important ? Nous sommes ici réunis pour la première fois entre gens de théâtre qui, de mon point de vue, tentent l'impossible. Dans une société dominée par l'argent et le commerce, nous nous embarquons dans cette aventure parce que nous nous reconnaissons dans ses objectifs et parce que nous espérons être exaltés par les défis qu'elle nous lancera. Ne cherchez pas le bon sens ici, ni le sens pratique. Vous ne deviendrez pas riches entre ces murs ; si c'est ce que vous voulez, allez ailleurs. Rappelez-vous seulement qu'aujourd'hui j'ai prononcé le mot « impossible ».

Le lendemain matin, les répétitions débutèrent. Art avait suggéré de lire sa pièce aux acteurs, pour mettre les choses en train. Il s'assit face à eux et, en ouvrant le script, prononça ces mots : « C'est une pièce gaie, la plus gaie de toutes mes pièces. » Puis il se mit à lire d'une voix de rabbin. Art avait fait l'objet de tant de flatteries à cause de *Mort d'un commis voyageur* et de sa réponse devant la H.U.A.C. qu'il devait s'attendre que toute réaction à son œuvre soit favorable. Mais quelques-uns des acteurs, de vieux singes qui savaient faire la grimace, ne répondirent pas à cette pièce comme il l'avait espéré. Ils s'étaient ennuyés, ce qu'Art ne remarqua pas. Moi si, ce qui ne laissa pas de m'inquiéter. Ce n'était pas un bon départ pour une production difficile.

Au bout d'un certain temps, Miller finit par prendre conscience de la déception éprouvée ce jour-là par ses acteurs, et il y apporta la réponse qui convenait. C'est un homme courageux, et il ne fut pas long à comprendre que non seulement il y avait des problèmes, mais encore qu'il lui revenait à lui, et non à moi, d'y remédier. Je lui dis que nous pourrions nous en sortir avec le premier acte et ramener les spectateurs à leur place, mais que notre problème résidait dans l'acte II. J'ajoutai que ce problème était grave, mais qu'il pourrait le résoudre à coup sûr. J'avais de bonnes raisons de le penser.

Bien qu'Arthur l'ait nié et le nie encore — je ne comprends pas pourquoi —, le deuxième acte de cette pièce est centré sur son mariage avec Marilyn. J'avais quelques lumières sur ce qui se passait entre eux à l'époque à cause d'un événement survenu en 1960. Elle tournait alors un film intitulé *le Milliardaire* et avait pour partenaire masculin Yves Montand, acteur français que la Fox essayait de transformer en « vedette internationale ». Cette compagnie échoua dans sa tentative mais lui ne rata pas son coup avec Marilyn. Quand j'avais entendu parler de cette infidélité, consommée au vu et au su de tout le monde, je m'étais demandé, comme tout le monde, si Miller pourrait supporter que lui soit infligée cette punition. Mais l'audace de Marilyn ne m'avait pas surpris. Je savais qu'elle ne reculait devant rien pour obtenir ce qu'elle voulait. Ce défi lancé aux usages ne laisse pas d'étonner, chez les femmes, mais elles sont souvent poussées par une rage du désespoir dont les hommes n'ont pas idée. Art, en comparaison, était un enfant de chœur, et il avait perdu pied. J'avais éprouvé de la peine pour lui.

Trois ans plus tard, je savais que le second acte d'*Après la chute* en disait plus qu'Art ne s'était autorisé à en révéler. S'il partait à la recherche des souvenirs attachés à cette période douloureuse dont j'avais été le lointain témoin, s'il allait jusqu'au bout et disait la vérité sur les frasques de Marilyn et ce qu'il avait ressenti à ce moment-là, nous pourrions obtenir un second acte très fort.

J'avais aussi discuté avec Marilyn, un jour, après leur divorce, et elle m'avait révélé sa colère et son mépris (que j'avais estimé injuste et excessif) envers Art. Elle m'avait fait part de sa révulsion face à la supériorité morale dans laquelle il se drapait, non seulement vis-à-vis d'elle, mais aussi du monde entier ou presque. Je savais qu'entre elle et Miller, il y avait eu des scènes autrement plus corsées que celles dont il avait émaillé sa pièce.

Durant ces premiers jours de répétitions, je n'évoquai rien de tout cela devant Art. Je me contentai de lui dire que le second acte pourrait être bien meilleur et de lui faire réécouter son texte, lu par les acteurs. Je le pressai de rentrer chez lui à Roxbury, pendant que je mettrais en place le premier acte, et de se concentrer sur le second. Il me faudrait au moins une semaine pour réaliser mon objectif, ce qui lui donnait tout le temps de transformer l'acte deux en accord avec mes espérances. J'avais dans l'idée que s'il rentrait chez lui, inquiet de savoir que ses acteurs et son metteur en scène trouvaient le second acte décevant, il irait plonger dans ses souvenirs pour produire quelques scènes d'inspiration intime, audacieuses, dont les temps forts feraient oublier les défauts de la pièce.

Une autre raison renforçait ma conviction que le second acte pouvait frapper un grand coup : Barbara. Je n'avais eu besoin de personne pour m'apercevoir qu'elle était faite pour le rôle. Je connaissais son passé en détail et je connaissais aussi l'histoire personnelle de Marilyn. Elles avaient toutes les deux vécu une période de « flottement » et avaient partagé le même type d'expérience durant l'enfance, ce qui les avait laissées névrosées, souvent désespérées, et incapables de maîtriser leurs passions. A la première lecture de la pièce, il avait sauté aux yeux de tous, même des actrices qui n'avaient pas compris pourquoi je lui avais offert le rôle, qu'elle pourrait y faire des étincelles. Je consultai mon autorité en la matière : Molly avait observé Barbara quand celle-ci avait lu les scènes. « Qu'est-ce que tu penses de ma distribution ? lui demandai-je, en espérant qu'elle dirait un mot de Barbara. — La fille est excellente, dit Molly. Parfaite pour le rôle. Où l'as-tu trouvée ? — Elle suit nos cours de perfectionnement. C'est Bobby Lewis qui m'en a parlé », répondis-je.

C'était vrai et faux à la fois. Bobby avait certes émis un commentaire à propos de Barbara, en ma présence mais aussi devant plusieurs autres personnes. « Elle fait partie du programme de formation parce que c'est la petite amie de Kazan, point final », avait-il dit. Bien sûr, ces paroles m'avaient été rapportées ; il n'aurait pu en être autrement et Bobby le savait. Pas un seul de nos professeurs n'avait donné de bonnes notes à Barbara. Ma vieille amie Anna Sokolow, qui dirigeait les cours de danse, avait prononcé le jugement suivant : « Elle a peut-être du talent en tant qu'actrice, mais ses mouvements sont crispés et elle est trop paresseuse pour chercher à s'améliorer. » Notre professeur de diction estimait quant à lui que la voix de Barbara ne s'était pas améliorée et ne s'améliorerait jamais. Il avait raison ; on n'aurait pu mieux dire... De l'avis général, ses moyens étaient limités et son registre étroit. Tout aussi vrai.

Mais dans le domaine des arts, la variété des talents est un atout surestimé. Barbara ne pouvait peut-être se mouvoir qu'entre un point A et un point B, mais elle en explorait toutes les allées. Elle était dépourvue de tout ce que les autorités britanniques prisent — à juste titre — en matière d'art théâtral. Elle avait une voix criarde, un corps sans grâce particulière, une variété de talents très limitée et moins de cervelle que de ruse. Mais elle regorgeait de passion et, dans un rôle à sa mesure, personne ne pouvait l'égaler. La colère libérait son corps et nourrissait sa voix d'inflexions inattendues. Elle pouvait aller de cette espèce d'innocence dont on se plaisait naguère à auréoler les jeunes filles de quinze ans jusqu'à des accès de rage foudroyants qui terrifiaient Jason Robards, son partenaire.

Le « parfaite pour le rôle » de Molly ne devait pas s'interpréter comme un compliment sans réserve. Coiffée de la perruque qu'elle porterait sur scène, Barbara ressemblait effectivement à Marilyn. Et Molly avait trouvé Marilyn détestable — opinion indépendante de mes relations avec icelle, je m'empresse de le préciser. Elle la considérait comme une névrosée corrompue qui avait humilié Art et lui avait causé un immense chagrin. Aux yeux de Molly, le rôle de Marilyn était celui d'une traîtresse ; partant, j'en conclus que Molly devait reporter cette opinion sur Barbara.

Plus tard, seul avec Barbara, je lui demandai ce qu'elle avait pensé de Molly. « C'est une femme très élégante », répondit-elle, l'air de dire : « Pourquoi perds-tu ton temps avec moi quand tu l'as elle ? » Cette réaction n'était pas rare au sein du Théâtre de Répertoire. Je ne sais pas vraiment ce que les deux femmes avaient pensé l'une de l'autre. Ce que les femmes disent dans ce genre de situation ne correspond pas à ce qu'elles ont dans la tête.

Lorsque Barbara se mit à travailler sur le second acte revu et corrigé, elle suscita le respect de tout le monde. Son interprétation était criante de vérité ; elle s'y mettait à nu, ce qui est rare. Je savais que j'avais rendu possible ce miracle en lui donnant confiance en son talent, en encourageant son audace, en la présentant à Miller et en le suppliant de l'accepter. J'étais content de moi.

J'avais insisté pour que nous disposions d'une période de répétitions plus longue qu'à l'ordinaire ; la pièce l'exigeait. Vers la fin de la quatrième semaine, la nouvelle de ce qui s'était passé à Dallas nous arriva. La répétition s'arrêta net ; les acteurs ne pouvaient plus bouger ; ils refermèrent leurs scripts et restèrent assis à leur place, sciés. Je me rappelle avoir entendu la doublure de Barbara, Faye Dunaway, éclater en sanglots. Elle n'était pas seule à pleurer. Jamais depuis la mort de Roosevelt un coup aussi catastrophique n'avait été porté aux gens du spectacle. Ils avaient cru en ce Président, comme en Roosevelt, non parce qu'il leur était dévoué ou les avait soutenus — je doute en effet que Jack Kennedy ait été grand amateur de théâtre — mais à cause de son « air », de la manière dont il faisait avancer les choses. Un seul regard m'avait suffi pour saisir qu'il était acteur lui aussi et comprenait notre mode de vie, partageait nos valeurs et notre sens moral. C'était l'un d'entre nous. Et il possédait cette qualité traditionnelle du leader : la fougue.

J'avais été invité deux fois à la Maison-Blanche pendant son mandat ; tout près de lui, j'avais observé le moindre de ses gestes. Il m'avait rappelé certaine vedette capable de jouer la comédie légère — *Aventures à deux*, par exemple, à l'opposé de tout ce fatras pesant du Group Theatre.

Un misérable petit figurant exclu et jaloux avait tué notre star.

On ne peut pas dire que Kennedy était un homme d'État ; il incarnait une nouvelle race d'homme politique, fabriqué par les médias, comme Roosevelt, mais avec plus de poids car l'équipement qu'il utilisait était plus sophistiqué. Semblable en cela à toutes les grandes personnalités du spectacle à l'époque, il disposait d'une équipe de rédacteurs rompus à tous les exercices, qu'il s'agisse d'un discours ou d'une plaisanterie. On n'arrivait jamais à savoir ce qui émanait de lui dans ce qu'il disait. Cette technique est devenue la politique d'aujourd'hui. Montrez-leur un peu ! Jack faisait partie d'une lignée qui conduirait à Ronald Reagan. Comme Reagan, il donnait l'impression d'être l'auteur de chacune de ses déclarations. (Comparez-le avec Mondale, dont ce n'était pas le cas.) Kennedy était porté par la vague du futur. « Jack, a dit quelqu'un, émettait de la lumière au lieu de diffuser une onde de chaleur. » Ses rédacteurs vivaient et trouvaient leur source d'inspiration dans cette lumière qu'il répandait autour de lui.

Je rentrai à la maison pour voir comment Molly avait réagi ; Jack Kennedy était son héros. Elle resta toute la journée collée devant le poste de télé, à regarder la tragédie se dérouler en direct, et toute la soirée aussi. Quand elle finit par aller se coucher, je vis qu'elle était furieuse, parce qu'un commentateur avait dit que le pays devrait attendre le jugement de l'histoire pour estimer la valeur du Président. Elle était résolue à contredire cette affirmation. Le matin, en allant prendre mon café, je la trouvai en train d'écrire, concentrée comme jamais. La réussite n'était pas étalée sur le tapis suédois ce matin-là.

Elle écrivait un poème, qui a été lu par un acteur lors d'un requiem donné pour les gens du spectacle à St. Clement's Protestant Episcopal Church. Le public était composé de gens de notre milieu, et parmi eux se trouvait le critique dramatique du *Herald Tribune*, Stuart Little. Il a été très ému et a transmis le poème à son journal. Le texte est passé de main en main. Molly a reçu un coup de téléphone : le poème avait impressionné tout le monde ; pouvaient-ils le publier ? Molly était aux anges. Le lende-

main matin, son œuvre figurait à la une de la seconde section du journal.
A la place d'honneur.

La réponse du public fut extraordinaire. Le *Herald Tribune* procéda à
une réimpression et entreprit de donner un exemplaire du journal à
quiconque se présenterait dans leurs bureaux de la 41e Rue. Le directeur
de la rédaction du *Herald* écrivit à Molly: « Ce journal est fier d'avoir
publié votre poème. Nous tenons à vous saluer pour la chaleur et la
sensibilité qui rayonnent à travers chaque ligne. » Channel 13 diffusa le
poème lors de son hommage à Kennedy. Molly elle-même reçut plusieurs
centaines de demandes concernant ce numéro du journal. « J'espère obtenir une nouvelle livraison, écrivit-elle à Stuart Little, car je n'ai plus un
seul exemplaire et l'on m'en a encore réclamé aujourd'hui. »

Cette note avait été rédigée le 8 décembre, six jours avant sa mort. Elle
connaissait enfin le triomphe qu'elle désirait. Les qualités qui rendaient
ses pièces didactiques convenaient bien à cet exercice: l'hommage d'une
femme à son héros, écrit avec amour, et adouci par la bonté de Molly. Il
décrit Molly autant que Kennedy.

Je crois qu'il nous a d'abord rendu notre fierté.
On se sentait bien avec un Président comme lui;
intelligent, courageux, amusant et beau.

Je l'ai vu un jour passer en voiture dans la Soixante-Douzième
Rue Est, dans une décapotable, sous le soleil d'automne
(comme il passait hier, à Dallas).
Sa crinière châtain clair semblait avoir
encore épaissi comme les animaux qui peuplent nos forêts du
Connecticut voient leur fourrure pousser à l'approche de l'hiver.
Et on aurait dit qu'il trouvait agréable de vivre,
d'être un homme politique,
d'être Président,
d'être un Kennedy,
d'être un homme.

Il a ravivé notre fierté.
C'était bon d'avoir un Président
qui lisait son courrier,
qui lisait les journaux,
qui lisait des livres et jouait au football.
C'était un plaisir et un motif de fierté
de le regarder répondre aux questions de la presse
dans le cliquetis des appareils photo
d'y répondre sans sourciller,
avec enthousiasme.
Il parait, portait une botte, répondait ou esquivait,
et ses mots touchaient la cible comme un coup de feu,
frappant, d'une même réponse,
les partisans de la ségrégation dans un hameau de Louisiane

et un gouvernement d'Asie du Sud-Est.
Il vous faisait sentir qu'il savait
ce qui se passait dans ces deux endroits.
Il ressortait du test avec un « A »
en économie, en science militaire,
    en droit constitutionnel, en agronomie, et
    sur le programme de fusées lunaires,
et trouvait encore le temps d'apprécier miss May Craig.

C'était bon d'avoir un Président
qui faisait bonne impression à Vienne, Paris, Rome, Berlin,
et à la tribune des Nations unies
— et qui allait à Dublin,
déposer une gerbe là où elle ferait le plus de bien,
et gardait pour lui
la satisfaction d'un Irlandais
en route vers le 10, Downing Street
en tant que chef du Gouvernement américain.

Nos enfants ont pleuré quand la nouvelle est tombée.
Ils ont téléphoné et nous
avons téléphoné et nous avons pleuré et
    nous n'avions pas honte de pleurer mais nous avions
    honte de ce qui s'était passé.
La plus jeune ne pouvait pas se souvenir
    d'un autre Président, pas clairement.
Elle a eu l'impression que le monde s'arrêtait.

Nous avons dit: c'est une honte, une terrible honte,
Mais ce pays continuera d'avancer
plus fièrement encore
et avec une notion plus claire de notre identité
et de notre futur grâce à ce que nous portons en germe
parce que nous avons eu un Président comme lui.
Il a ravivé notre fierté.
Nous avons eu de la chance de l'avoir pendant trois ans.

J'étais fier d'elle.

Durant ces dernières semaines, il m'a semblé que nous avions finalement trouvé le moyen de vivre ensemble, d'une façon satisfaisante pour
nous deux. Mon « expérience » paraissait fonctionner: une vie professionnelle stable, une épouse que j'aimais, une maîtresse que je trouvais
stimulante, chacune m'offrant des bienfaits différents. N'était-ce pas la
façon dont beaucoup d'hommes vivaient, bien qu'ils ne l'admettent pas?
Même s'ils cantonnaient ces fantasmes dans leur imagination? Je ne savais
pas quelle autre solution aurait pu me satisfaire, en tout cas pas après ce

que Molly et moi avions vécu. Ou la satisfaire elle. Molly n'exigeait plus ce que je ne pouvais lui donner, et se contentait apparemment de ce qu'elle pouvait obtenir. Elle semblait être enfin parvenue à faire le point sur ses sentiments, à accepter ma nature, mes besoins, différents des siens, tout comme ses attentes différaient des miennes. Je me comportais donc avec prudence et elle était satisfaite.

J'en étais venu à me demander pourquoi les gens font un tel tabac de l'infidélité ; souvent, c'est le seul moyen de sauver un mariage.

Je voyais encore Barbara, mais pas souvent. Nous ne souhaitions ni l'un ni l'autre que notre relation prenne un tour plus sérieux. Je ne lui inspirais ni confiance absolue ni admiration sans réserve. Dans le métier, elle voulait désormais satisfaire ses goûts plutôt que les miens. Nous étions parvenus à un arrangement qui fonctionnait, en apparence. La tension s'apaisait entre nous, notre situation évoluait en douceur vers une routine plaisante. Nous ne pouvions pas nous donner davantage.

Je ne parle que pour moi ; je ne peux qu'émettre des conjectures sur ce que les autres pensaient. C'était un mystère.

Les répétitions avaient repris. Je revenais tard à la maison, chaque après-midi, tout droit depuis Washington Square. Molly m'attendait. « Prépare-moi un *old-fashioned*, veux-tu, chéri ? » J'en versais deux et m'asseyais à côté d'elle pour qu'elle me raconte les événements marquants de la journée, m'apprenne qui avait salué la qualité du poème, qui avait écrit pour l'en remercier. Une de ses amies avait décidé de l'envoyer comme carte de Noël et avait demandé sa permission à Molly, flattée. Le sénateur Jack Javits l'avait lu à ses enfants. Des centaines de lettres pleines de gratitude la remerciaient d'avoir exprimé ce que tant de gens ressentaient. Elle avait traduit l'esprit du moment. Mais les remerciements qui l'avaient le plus touchée émanaient de Bobby Kennedy, qui lui avait gribouillé un mot très chaleureux, de sa main mal assurée. Molly savait qu'elle avait réconforté bien des gens.

« Comment va Art ? me demandait-elle. Est-ce qu'il se tient à carreau ? » Je ne savais jamais de quoi elle voulait parler. J'avais tout oublié de nos différences d'ordre « politique », mais pas Molly. « Art va bien, répondais-je. — Est-ce qu'il a dit quelque chose au sujet de mon poème ? — Non, rien. »

Art allait bien. Il était revenu avec un second acte remanié, fort et authentique. Je n'ai jamais cru, à l'instar de certains, qu'il faisait preuve d'injustice envers Marilyn. J'avais vu combien elle l'avait humilié avec le Français, et j'avais pitié d'Art, pas d'elle. Je savais combien il avait été peu préparé à ce genre de tension. Je n'ignorais pas non plus à quel point elle était en colère et voulait se venger. Son opiniâtreté, son absence de pitié se retrouvaient maintenant dans la pièce. J'admirais Art de parler de leur relation avec autant de franchise et je ne trouvais pas, comme beaucoup de gens dans le milieu du théâtre, qu'il se faisait la part belle. Selon moi, Marilyn apparaissait dans la pièce sous un jour plus favorable que lui. Maggie piquait la curiosité et sonnait vrai. Quentin distillait l'ennui.

Désormais, Barbara possédait bien chaque scène et chaque réplique, elle maîtrisait la portée et la profondeur du rôle, et nous pouvions tous voir qu'en dépit de la platitude du rôle interprété sans conviction par Jason, elle serait superbe et peut-être même inoubliable — si tant est qu'une telle performance soit possible au théâtre ; je veux dire qu'elle allait à l'évidence « porter la pièce sur ses épaules ».

Un matin, je me rends aux répétitions à dix heures moins le quart. Molly se montre affectueuse à mon départ, mais elle est contente de se retrouver seule pour travailler. Elle me dit qu'à cause du poème et de tout le tralala dont on l'entoure — ce qui est exaltant — elle a du mal à se concentrer sur sa pièce. « Je ne suis pas poète ! s'exclame-t-elle, je suis auteur dramatique. » Je la rassure ; oui, elle est auteur dramatique, alors qu'elle se mette au travail et écrive sa pièce. Puis je l'embrasse et je m'en vais.

Son anniversaire est dans deux jours et, en descendant dans le bas de la ville, je lui achète un cadeau : une statuette de céramique en provenance du Pérou, haute d'environ vingt-cinq centimètres et enceinte. Sur la carte qui doit l'accompagner : j'écris : « La patience, sans doute. Affectueusement, décembre 1963. »

Il est sept heures quand je reviens à la maison. Notre bonne, Becky, est assise toute seule dans le silence du salon, sous les immenses fenêtres. La télé n'est pas allumée et pourtant Becky adore la télé. « Mr. Kazan, dit-elle, vous feriez bien de jeter un coup d'œil dans la salle de bains. Ça fait des heures que Mrs. Kazan est dedans. »

Je frappe à la porte. Pas de réponse. J'essaie d'ouvrir. La porte est verrouillée. J'appelle de nouveau. Pas de réponse. « Elle a eu mal à la tête toute la matinée, dit Becky, un mal de chien. » Je martèle la porte. « Molly ! Molly ! » Je décide d'enfoncer la porte.

Molly est par terre, au pied de la cuvette des W.-C., la jupe baissée. Je tourne son visage vers moi, recouvre son corps et tire la chasse d'eau. Ses yeux sont ouverts. Je lui parle ; peut-être qu'elle s'est évanouie. Pas de réponse. Je la porte dans la chambre et l'étends sur le lit. Elle ne réagit pas. Ses yeux ne voient pas, ses oreilles n'entendent pas, aucun réflexe ne fonctionne.

J'appelle Jim Leland, notre médecin de famille, et lui raconte ce qui s'est passé. Il me dit de ne pas la bouger de nouveau, qu'il vient tout de suite, et qu'il va envoyer une ambulance pour elle et lui réserver une chambre à l'hôpital. Avant que l'ambulance n'arrive, Jim est déjà là. Il ne me donne pas de diagnostic précis, mais je vois à son visage qu'il pense que c'est grave. Son silence est le plus éloquent des diagnostics. « Elle a eu très mal à la tête toute la matinée », lui dis-je. Jim hoche la tête comme s'il s'y attendait. « Hémorragie cérébrale », dit-il. Puis il tempère son diagnostic éclair : « Enfin, ça y ressemble. »

Ses yeux demeurent sans expression pendant que nous attendons l'ambulance. Jim lui prend le pouls ; le cœur bat normalement. Mais elle ne donne pas d'autre signe de vie. Je ne cesse de lui murmurer à l'oreille :

« Molly ! Molly ! » Mais elle ne répond pas. Elle n'entend toujours pas, elle ne voit toujours rien. Alors nous restons assis là, désemparés. Jim dit qu'il va partir devant pour l'hôpital, afin de s'assurer que la chambre et le lit sont prêts.

Becky s'en va aussi. Sur le tapis, dans le bureau de Molly, les cartes d'un solitaire sont étalées ; la partie n'est pas achevée.

Les ambulanciers ont l'habitude de ce genre de scènes : elles se produisent en moyenne une fois par jour. Molly fait partie d'une routine. Je me souviendrai du voyage à travers le couloir de notre immeuble. Le personnel regarde cette procession — Molly, les ambulanciers et moi — avec une expression de peur sur le visage. La présence de la mort les effraie, mais ils penseront à autre chose dans un instant ; eux aussi ont déjà vu ça. Nous sommes maintenant dans l'ambulance. Je ne sais pas pourquoi ils conduisent si vite ni pourquoi ils actionnent la sirène si souvent. Est-il besoin d'aller si vite ? Apparemment, on leur a dit que oui.

Jim nous attend à l'hôpital. Aidé d'une infirmière, je place Molly dans le lit. Elle ne bouge pas. Jim me dit de ne pas m'attendre à une guérison. Je lui demande ce que veut dire le mot qu'il utilise : « anévrisme ». Il me répond qu'il s'agit d'un point faible dans la paroi d'un vaisseau sanguin du cerveau, le plus souvent congénital, qui s'affaiblit encore à cause de l'usure produite par le passage répété du sang à cet endroit pendant des années, jusqu'à ce que le vaisseau éclate. Je lui demande : « Qu'est-ce qui le fait éclater ? » Je sens la culpabilité monter en moi. « C'est le sang qui circule, généralement à un endroit incurvé, et finit par user la paroi. Personne ne peut prévoir le moment où il va éclater. Quand ça arrive, c'est souvent comme maintenant, tout d'un coup, et on ne peut rien faire. L'afflux de sang détruit alors le cerveau. Je suis désolé, répond-il. Mais la vérité, c'est que vous ne devriez pas espérer.

— Qu'est-ce qu'on peut faire ?

— Rien », conclut-il.

Au bout d'un moment, il s'en va. Je me retrouve tout seul avec Molly. Je prends sa main. Le pouls bat encore, fort. Personne n'entre dans la pièce. Je m'étends à côté d'elle et la serre dans mes bras. J'attends.

Puis je m'aperçois que ses pieds deviennent froids. J'en prends un dans chaque main, pour les tenir au chaud. Mais sans grand espoir.

Je songe à prévenir les enfants. Je trouve une cabine téléphonique et j'appelle Judy, notre aînée, pour lui révéler ce qui vient de se passer. « Oh, fait-elle, oh ! » Je lui demande d'appeler ses frères et sa sœur. Puis je me précipite vers la chambre de Molly. Je reprends ses pieds. Ils sont plus froids qu'avant. On peut sentir le pouls du côté de la cheville, et il bat encore, mais semble plus faible.

Son visage est beau. Soulagé des tensions de l'existence, il s'est apaisé. Ses rides disparaissent. Elle a l'air d'avoir rajeuni de dix ans.

Il est trois heures du matin. Le pouls vient de s'arrêter. « C'est le cœur qui lâche en dernier », m'avait dit Jim.

L'ennui, quand on est metteur en scène de cinéma, c'est qu'on ne voit pas ses enfants grandir. Et dans les rares moments qu'on passe avec eux, on est sous pression et donc un peu irrationnel sur les bords. Les années passent, comme dans mon cas, sans qu'on puisse nouer avec eux des liens vraiment étroits. Si l'on est en tournage, le matin on essaie de décider où placer la caméra, et le soir on se demande pourquoi on n'a pas filmé la scène sous un autre angle. Le week-end, on travaille avec l'auteur pour perfectionner les scènes de la semaine suivante, ou avec le *casting director* pour parer à une défection soudaine ou attribuer les rôles qui ne le sont pas encore. Puis le tournage s'achève et on vous demande d'assurer la promotion du film dans les grandes villes. Il faut alors traverser une jungle humaine, en égrenant des demi-mensonges avec l'espoir qu'on les croira. Sans parler des demi-mensonges des autres, qu'il faut gober soi-même.

Résultat malheureux, dans mon cas : nous nous aimions beaucoup, mes enfants et moi, mais nous n'avons guère pu nous le prouver. Ajoutez à cela les conséquences de mon éducation : mon père incarnait l'Anatolien modèle et j'ai moi-même pérennisé son attitude autoritaire, comme je croyais devoir le faire en tant que chef de famille. Cette tendance, poussée à l'extrême, m'a fait museler les enfants : il leur fallait assurer les corvées domestiques, soutenir leurs parents et leur obéir en toute circonstance. Vous comprenez pourquoi il s'était installé un gouffre entre mes enfants et moi.

Il a fallu la mort de leur mère pour que les membres de ma famille se réunissent, pour que j'apprécie vraiment les qualités des enfants qu'elle m'avait donnés et abandonne toute velléité de commandement à leur endroit. Une relation merveilleuse s'est établie à ce moment-là et, malgré son développement tardif, elle dure encore aujourd'hui. Ils prennent soin de moi ; et moi d'eux, quand je le peux. Nous sommes devenus, à travers toutes ces petites choses qui consolident une union véritable, une famille.

Notre première action commune, sur un pied d'égalité les uns avec les autres, a été d'organiser un service funèbre pour Molly et de déterminer l'endroit où reposerait son corps. Nous sommes convenus que ce service, ouvert à tous ceux qui voudraient y assister, aurait lieu à St. Clement's Church, où le poème de Molly consacré au Président assassiné avait été lu pour la première fois. Nous avons décidé que je parlerais. Nous avons décidé que j'emmènerais son corps et que je l'enterrerais dans le champ en contrebas de l'atelier dont elle avait dessiné les plans, dans le Connecticut, au calme. Après avoir rédigé ce que j'avais l'intention de dire, je le leur ai fait lire pour qu'ils y apportent leurs commentaires et leurs corrections.

Je ne sais pas comment on annonce ce genre de nouvelles dans le milieu théâtral, mais on dirait qu'elles se répandent comme une traînée de poudre. Quand je suis arrivé à l'église, j'ai vu qu'il n'y avait que des places debout. La messe donnée en la mémoire de Molly avait tourné à la cérémonie officielle. J'ai prononcé un discours bien senti, condensé de regret, d'amour, de nostalgie et d'admiration. Lorsque j'avais réfléchi sur ce que j'allais dire, j'avais revécu une partie de nos années ensemble, et depuis je macérais dans le jus amer de mes regrets. Extrait : « Cette fille immaculée a été abattue sans sommation, sans raison, pour une cause inconnue, elle a vécu vingt heures sans espoir de survie, après quoi son cœur s'est arrêté. Elle n'appartenait à aucune église. Si elle avait une religion, c'était celle de la vérité, qu'elle aurait dite à n'importe quel prix. Elle a élevé quatre bons enfants, elle a aidé plusieurs auteurs dramatiques, qui sont ici aujourd'hui pour en témoigner, et elle m'a soutenu dans toutes mes entreprises depuis trente et un ans. Elle s'est érigé son propre monument. »

Puis : « En fouillant dans les papiers qu'elle a laissés derrière elle, j'ai trouvé cette note : "Nos écrivains s'exclament tous honte à nous, honte à nous ! Ils disent que des cloaques de misère et d'injustice empoisonnent ce pays, qu'on s'y affronte à des zones de désert culturel et à la discrimination raciale. Tout cela est vrai. Mais quel motif de fierté y a-t-il à cela ? Faut-il être fier parce que nous nous indignons de telles défaillances ? Parce que nous faisons des progrès ? Nous nous fixons des objectifs élevés et nous accomplissons beaucoup. Mais oublierions-nous que nous ne sommes qu'humains ? Estimons ce que nous avons fait à sa juste valeur. Continuons à pourfendre nos faiblesses mais cessons de nous accuser de tous les maux. La condition humaine est loin d'être parfaite, mais la honte peut devenir paralysante. Remercions le ciel pour nos exigences élevées et soyons reconnaissants d'avoir si bien fait... pour des humains. Nous vivons dans un sacré pays ; O.K., nous avons des problèmes, mais qu'on me cite un endroit où il fait meilleur vivre !" »

A l'atmosphère qui régnait lors de cette messe, on pouvait sentir qu'une grande héroïne avait été emportée avant son heure. L'expression des gens, pendant que je parlais, me rappelait celle qui s'était figée sur les visages à l'annonce de l'assassinat de Kennedy — mais pour Molly, l'assistance manifestait plus de chaleur. J'ai été surpris de reconnaître certaines personnes dont je savais qu'elles avaient à plusieurs reprises critiqué avec violence les positions de Molly : elles étaient venues lui rendre un hommage sincère. La gauche ne s'était pas gênée pour tirer à boulets rouges sur Molly ; certains de ses représentants l'avaient blâmée pour mon témoignage, l'avaient accusée de m'avoir influencé, jugement injuste et inexact. Tout ce qu'elle m'avait dit, c'est : « Fais ce qui te semble le mieux sur le long terme. » Ce jour-là, tout en parlant, je reconnaissais le visage de certains de ceux qui l'avaient traînée plus bas que terre onze ans auparavant. S'ils ressentaient encore une quelconque hostilité à son égard, elle ne sautait pas aux yeux. L'heure était à la cicatrisation des blessures.

Plus tard, à la maison, nous avons pris le temps de manger, de boire, de raconter des anecdotes, de rire et de renouer des amitiés. Des acteurs sont venus faire un tour après leur spectacle. Nous sommes restés debout toute la nuit, en famille et entre amis, remplis d'amour les uns pour les autres. Voici comment sa vie a pris fin.

Le soir de sa mort, pendant que le corps était préparé pour les funérailles, je me rendis seul à pied au Paris Theatre dans la 58ᵉ Rue. Je m'arrêtai à distance de la foule venue assister à la projection d'*America America*, dont c'était la sortie ce soir-là. Je ne voulais pas être vu ni parler à personne. Une fête avait été organisée puis annulée. En attendant que le public ait pénétré dans le cinéma, je repensai à la réaction de Molly devant ce film ; elle avait été si négative, si hostile que je m'interrogeai de nouveau sur la raison d'une telle intensité. Pourquoi cette violence ? Sur le coup, j'avais été choqué et je lui en avais voulu. Je cherchais maintenant à la comprendre. Ce film nous avait séparés au moment où son dernier enfant partait pour toujours et elle s'était retrouvée toute seule ; j'étais devenu son unique soutien et son compagnon. N'était-ce pas suffisant pour que ce film lui reste en travers de la gorge ? Elle l'avait dit carrément, un soir : « Je hais ce film. »

Je tournai les talons et revins à la maison. Je voulais revivre certains instants de ma vie avec elle. Je fis défiler cette vie dans ma tête depuis le moment où je l'avais vue pour la première fois. J'étais derrière un comptoir, occupé à servir une rangée d'étudiants dans la cafétéria de l'Ecole d'art dramatique de Yale. Je revoyais encore son tailleur, en tweed marengo. Les années se succédaient et plus j'avançais dans ma récapitulation, plus il m'apparaissait évident que les choses n'auraient pas pu tourner différemment. Notre personnalité scelle notre destin. La sienne était bien trempée et la mienne... était ce qu'elle était. On n'y aurait rien pu changer.

Peut-être notre connivence artistique était-elle la seule sur laquelle elle pouvait compter, à défaut de toute passerelle émotionnelle ou physique entre nous. C'est sans doute pourquoi, lorsqu'elle en avait été privée, elle s'était sentie dépossédée et, pire encore, pleine de rancune. Mon film l'avait rendue plus seule que jamais. La colère et la haine que ce film, et moi-même à travers lui, avions fait monter en elle avaient-elles précipité l'éclatement du vaisseau dans son cerveau, de cet anévrisme ?

Je pénétrai dans l'appartement vide. J'y trouvai une pile de télégrammes que je n'avais pas ouverts et du courrier, certaines missives apportées à domicile par leur expéditeur. Je fus étonné, pour ne pas dire ébahi, de constater que tant de gens partageaient ma douleur. Je n'aurais jamais imaginé que les gens étaient si attachés à elle, sinon à moi. On nous avait tant critiqués, tous les deux, à l'époque de mon témoignage que je ne me serais pas attendu à cette avalanche d'affection, d'intérêt et d'estime. Je pense que sa bonté sans mélange avait fini par toucher les gens. On pouvait ne pas être d'accord avec Molly, mais il était impossible de mettre en doute sa sincérité. En apparence, le monde du théâtre dans son entier ressentait la perte de cette femme ; des gens qu'elle n'avait même jamais rencontrés avaient envoyé des télégrammes de condoléances. Que s'était-il passé ?

Le poème avait ouvert Molly à notre monde ; ils la voyaient désormais telle qu'en elle-même. Par l'intermédiaire de ce qu'elle avait écrit, nous avions tous communié au-dessus du corps fracassé de Jack Kennedy. Les télégrammes et les lettres ont eux aussi atteint leur but. Lorsque les enfants ont lu les messages avec moi, notre peine s'est alourdie du poids de la fierté. Cette fierté qui montait en nous est le dernier cadeau qu'elle nous ait fait.

J'emmenai son corps dans notre maison du Connecticut. Je suivis dans ma voiture le long corbillard noir. C'était un jour de décembre exceptionnellement froid. Une fine poudre de neige recouvrait le sol. Je savais exactement où je voulais l'enterrer. Un homme muni d'une pioche attendait mes instructions. Je lui indiquai l'endroit où creuser puis regagnai la maison qu'elle avait construite.

J'y trouvai Karl Malden et Bill Fitelson. J'allumai un petit feu de bois dehors et les invitai à rentrer, tout en précisant que je ne m'y sentais pas encore prêt moi-même. Nous nous serrâmes tous trois autour du feu.

L'homme à la pioche escalada le petit tertre et m'informa qu'il était tombé sur un gros rocher, long d'environ deux mètres, à l'endroit où je lui avais demandé de creuser. « Mettez-le à la verticale, répondis-je, et installez-le derrière la tombe. » Je regardai le corps pour la dernière fois. Elle portait encore sa fine alliance en argent. Je ne la lui ai pas enlevée. Elle est enterrée avec elle. Elle repose là où se trouvait le rocher.

Le lendemain, les quatre enfants, qui n'étaient plus des enfants d'ailleurs, retournèrent à leurs occupations. Je passai la journée dans l'appartement « parfait et pour toujours ». A la fin de l'après-midi, je relevai les longs rideaux et regardai le soleil couchant se refléter sur les immeubles de l'autre côté du parc. Puis la nuit tomba.

Je commençai à entendre des bruits. Et des voix. Au lit, je n'arrivai pas à m'endormir. Le gémissement de l'ascenseur traversait le mur. J'avais peur de l'obscurité. Je ne savais plus très bien où j'en étais ni ce que j'allais faire de ma vie désormais.

Je décidai de reprendre les répétitions. Cela me changerait les idées.

Mais non. Le soir, je revins seul à l'appartement. Toujours hanté. Il y avait beaucoup de courrier. Je décidai de tout lire. J'avais évité de le faire jusqu'alors de peur d'être trop bouleversé. Ce qui ne manqua pas d'arriver. Dans la plupart des messages de condoléances, on m'écrivait que mon film avait dû plaire à Molly. Un journaliste indélicat tint à me faire remarquer une coïncidence : « Quelle ironie superbe ! Le triomphe et la tragédie le même jour ! » Et il y avait un mot de Barbara : « Je suis désolée, je suis désolée, je suis désolée. S'il te plaît, *pardonne-moi* ma stupidité et tout ce qui a pu te contrarier de pire encore. »

La lettre qui m'affecta le plus provenait de l'un des hommes que j'avais dénoncés, Tony Kraber. J'avais été plus proche de lui que des autres, pour une raison très simple : nous avions l'habitude de jouer au tennis et de nous asseoir à la même table, chez l'un ou chez l'autre. Puis je m'étais mis à réaliser des films, à passer du temps en Californie, aussi nous étions-nous perdus de vue. Je n'avais pas entendu parler de lui pendant la décennie 1942-1952 mais, à la suite de mon témoignage, j'avais reçu une carte postale dont je lui avais attribué la paternité. Elle citait la réplique que je prononçais dans *En attendant Lefty* après avoir démasqué l'espion nazi : « Ce fils de pute est mon propre salaud de frère ! » Après cela, plus rien. Le silence. C'est Tony qui, répondant aux questions d'un journaliste, avait déclaré que si j'avais pu signer un contrat d'un demi-million de dollars à Hollywood, c'était à cause de mon témoignage. Pure invention, mais une fois lancée l'accusation, la malveillance aidant, elle s'était répandue. Je n'avais pas répondu à cette calomnie, fidèle à mon habitude.

Voici la teneur de cette lettre :

« Cher Gadget, je ne peux pas m'empêcher de te témoigner ma compassion et ma peine à la mort de Molly. Nous l'avons toujours beaucoup aimée et nous pensions toujours à elle avec affection (à vous deux, si tu peux le croire). C'est dommage qu'une personne aussi bonne ne soit pas à tes côtés pendant les vingt ou trente prochaines années de ta vie. Nous sommes avec toi de tout cœur. Tony. »

Après cette lettre, son mensonge sur mon contrat imaginaire à Hollywood n'avait plus d'importance. Oublié. J'étais surpris qu'il m'ait écrit, qu'il ait rassemblé autant de courage. Ma réponse n'en montrait pas autant.

« Cher Tony, j'ai été très touché par ta manifestation de compassion. Je sais qu'il n'a pas dû être facile pour toi de m'écrire et je n'en ai accordé que plus de valeur à ta lettre. Merci. »

Je n'ai pas pu faire mieux.

Le temps passait mais je ne guérissais pas. J'avais peur de ce foutu appartement. J'entendais des bruits sortis de mon imagination. Je me réveillais au milieu d'un rêve, en criant : « Je ne peux pas la laisser mourir. Je ne peux pas la laisser mourir ! » Puis je me rendormais. Enfin, si on veut. Mais même en plein jour je lui parlais. Parfois elle me manquait, à d'autres moments je lui passais un savon. Je rentrais dans le salon aux plafonds si hauts et je prononçais des paroles insensées : « Molly, où es-tu ? Molly ! Où es-tu, chérie ? Où es-tu partie ? Ou diable es-tu partie ? Nom de Dieu, mais où es-tu partie ? »

Ma vie avait été bouleversée et les circonstances exigeaient que je reparte de zéro. Eh bien, je ne l'avais pas volé. Un instant ! Pourquoi avais-je dit ça ? Dans quelle mesure tout cela était-il ma faute ? Payais-je le prix de ma mauvaise conduite passée ? O.K., je pouvais encaisser ça. Je le méritais.

Puis je m'en voulus de cette soumission. Je le méritais ? Mon œil !

Je résolus de soulager ma conscience. Le lendemain matin, je passai un coup de fil à Jim Leland pour lui dire que je m'en voulais d'avoir créé les tensions à l'origine de la rupture des vaisseaux sanguins dans le cerveau de Molly. Je lui citai un extrait de *The Merck Manual* : « La rupture peut faire suite à un traumatisme, à une manifestation de peur, à un exercice, au coït, à un effort sur la selle ou à toute autre condition qui fait monter la tension. » En d'autres termes, j'étais peut-être à l'origine de sa mort. Peut-être parce qu'il avait remarqué le ton irrationnel de ma conversation, Jim promit de m'envoyer le rapport d'autopsie et de me décrire exactement ce qui s'était passé. Il me parlait très doucement. Il essayait de me calmer.

Je reçus une lettre de lui le lendemain matin :

Je ne peux pas vous communiquer le rapport d'autopsie parce que
le bureau du médecin légiste ne les envoie pas. Si vous le souhaitez, je
peux écrire au Dr Milton Helpern, le médecin légiste en chef, et le lui
demander.

J'appelai Jim pour le remercier de sa lettre, mais il se rendit bien
compte que je n'étais pas satisfait. Sa lettre avait tout expliqué sauf ce qui
m'inquiétait : pourquoi l'anévrisme s'était-il rompu à ce moment précis ?
Peut-être s'était-il rendu compte que je n'étais pas encore convaincu, car il
me promit de demander au médecin légiste en chef de m'écrire.

Deux semaines plus tard, je reçus la lettre suivante du Dr Milton
Helpern :

Cher Mr. Kazan, le Dr James Leland, que je connais personnellement et tiens en grande estime, m'a demandé de vous écrire pour
vous expliquer la nature de la maladie qui avait causé la mort soudaine et inattendue de votre femme, Molly Kazan. Bien que désignés
comme congénitaux, ces anévrismes ne sont pas généralement présents à la naissance mais se développent au cours de la vie des
individus...

Voilà ! Voilà, pensai-je : « se développent au cours de la vie des individus ». On y arrive. Je repris ma lecture.

... se développent au cours de la vie des individus sur la base d'une
faiblesse structurelle de la paroi artérielle à l'endroit où naissent
d'autres vaisseaux et à cause des pulsations répétées du sang à l'intérieur de l'artère. J'espère que cette lettre d'explication au sujet de la
cause de la mort inattendue de votre femme aura clarifié les doutes
que vous pourriez avoir à son sujet. Les causes de la mort sont
parfaitement naturelles.

J'écrivis au Dr Helpern en le remerciant. Jim Leland avait dû lui faire
part de ce qui m'inquiétait, car cette dernière phrase, « les causes de la
mort sont parfaitement naturelles », sonnait comme si elle avait été sugg-
rée par Jim. Toute cette lettre ressemblait à un coup monté avec les
meilleures intentions du monde. Mais Helpern ne m'avait pas dit, parce
qu'il n'en était pas capable, ce que je voulais savoir. Personne ne l'aurait
pu — sauf moi. Et je ne pouvais que me livrer à des conjectures.

JE RÉSOLUS de remonter à la surface. Je louai deux pièces dans une maison divisée en appartements à un ou deux pâtés de maisons du ANTA Washington Square Theatre. Pas de fantômes là-bas, pas de bruits la nuit sinon celui de la circulation lointaine. Je travaillai sur la pièce d'Art du mieux que je pouvais — c'est-à-dire « professionnellement ». Je fis mon boulot. Mais la pièce exigeait plus de son metteur en scène que de l'expertise technique.

Je restais seul aussi souvent que possible, étendu sur mon nouveau lit, dans le bas de la ville, tel un animal terré dans un hallier, ou en balade dans le Village, la nuit. Que voulais-je vraiment faire des années qui me restaient? J'essayais de le tirer au clair. Je pouvais aller n'importe où désormais, vivre où bon me semblerait, faire tout ce que je souhaitais. Je ressentis un choc à cette prise de conscience. Cependant, c'était la première pensée réconfortante qui me soit venue à l'esprit. Barbara me rendait visite de temps à autre mais elle me trouvait inerte et amorphe. « Combien de temps cela va-t-il encore durer? demandait-elle. — Je n'en sais rien, répondais-je. C'est peut-être ma nouvelle identité. »

Le matin, avant la répétition, il m'arrivait de retourner à l'appartement dans le haut de la ville, comme un voleur, pour fouiller dans les papiers de Molly. J'étais effaré de ce que je pouvais y trouver: toute une série de faux départs sur des pièces, de premiers actes avortés — pages 1 à 9; un autre, pages 1 à 12; encore un autre, pages 1 à 8. Sur le haut de son classeur se trouvaient deux jeux de cartes. Que de frustration, que de douleur elles avaient contemplées. Une intelligence si fine, gâchée! Je gardais en mémoire le souvenir de cet effort constant pour réussir, de ces gens qui se perdaient, hésitaient, s'arrêtaient et finissaient par se désintégrer. Allais-je connaître le même destin? J'étais la proie d'une sorte de cancer qui me rongeait et qu'il me faudrait vaincre. J'étais déterminé à ne pas me laisser entraîner sur cette pente. Je me bâtirais une nouvelle vie.

Cette pensée — chercher une nouvelle voie — me revenait sans arrêt, telle une obsession. J'étais impliqué jusqu'au cou dans le Lincoln Center et son Théâtre de Répertoire; sa destinée, le résultat de notre effort, reposait pour une grande part sur mes épaules. Et pourtant, depuis la mort de Molly, dès que je laissais la bride sur le cou à mon imagination, elle m'entraînait vers de nouveaux horizons, vers un changement drastique de mon style de vie. Mes rêveries éveillées me disaient la vérité : il me fallait me débarrasser de cet appartement parfait mais hanté, et aller vivre ailleurs, seul, en paix. Il n'était pas indispensable que ce soit dans ce pays ; pourquoi pas en Grèce ? Je connaissais les gens et je parlais leur langue ; pourquoi pas à Paris, la ville que j'aimais le plus après New York ? Je suis gêné de cette confession, mais en dépit du discours passionné que j'avais prononcé avant la première répétition de la pièce d'Art, eh bien, cinq semaines plus tard, je me fichais éperdument de ce qui pouvait bien se passer au Théâtre de Répertoire ou de ce qui pourrait lui arriver dans le futur. La mort de Molly avait entrebâillé une porte. Ce n'était pas bien, j'aurais dû en avoir honte, mais à l'évidence c'était un cri du cœur, car sinon je n'aurais pas ressenti cet appel avec une telle régularité.

C'est à ce moment-là, enlisé dans la routine du Théâtre de Répertoire — je restais des journées entières sans ouvrir la bouche sauf lorsque mes obligations professionnelles l'exigeaient —, c'est à ce moment-là, donc, que j'ai décidé de démissionner. Je ne le savais pas moi-même, et je ne l'aurais pas admis, car j'aurais eu l'impression d'être déloyal envers tant de gens si dévoués. Je l'aurais nié avec la dernière vigueur si quelqu'un — un psychanalyste, par exemple — l'avait suggéré. C'est durant ces journées toutefois, dans mes moments de silence, que j'ai décidé de devenir un autre homme, d'exercer un autre métier, et de vivre d'une façon différente. Il s'écoulerait un an avant que ce projet ne se concrétise, mais, au cours des semaines qui ont suivi la mort de Molly, mon ancien moi s'est libéré des obligations qu'il refusait.

En réfléchissant à ce chapitre et en parcourant notes éparses et lettres, je suis retombé sur ce mot de Tony Kraber que je mentionne plus haut. Quand je l'avais eu recopié dans ce manuscrit, assorti de ma réponse, j'avais pensé en avoir terminé avec lui. Mais je l'ai relu encore une fois avant de le retourner et de le poser au sommet de la pile de documents rattachés à cette année précise.

Puis, il y a quelques jours de cela, j'ai fait un rêve surprenant. Je rendais visite à Tony dans son appartement, et il y régnait paix et harmonie. Tony était content de me voir et j'étais heureux de me trouver en sa compagnie, mais nous n'en faisions pas tout un fromage. C'était un jour comme les autres. Rien, dans ce rêve, ne rendait étonnants ma présence chez lui et son accueil chaleureux. Nous ne faisions pas allusion au fait que je l'avais dénoncé devant la Commission des activités antiaméricaines. Nous goûtions une harmonie sans histoire, et je me sentais bien.

Son épouse Wilhelmina, que j'appréciais car c'était une brave femme, n'était pas dans la pièce, mais il y avait là un jeune garçon : je supposais que c'était son fils. Il portait des lunettes à monture métallique et avait l'air plutôt fragile. Je ne sais pas si Tony a des enfants, et s'il a un fils je ne sais pas s'il ressemble à la personne que j'ai imaginée ; c'est improbable, parce qu'une telle progéniture aurait maintenant atteint la maturité. Mais

c'est bien d'un gamin frêle et renfermé — blessé, en fait — que j'avais
rêvé. « Où est Willy ? demandais-je soudain. — Elle doit être sortie »,
répondait Tony. Je guettais les traces de rancune dans sa voix mais n'en
décelais aucune, ce qui me soulageait. Mais sa femme, me disais-je alors
dans mon rêve, elle doit toujours m'en vouloir. Et ce garçon, leur fils, il
n'est pas en bonne santé. Sur ces entrefaites, Wilhelmina faisait son
entrée, me saluait avec simplicité et sur un ton amical, puis lançait un
robuste « Au revoir, à tout à l'heure » à son fils et à son mari, puis s'en
allait. Elle m'avait paru cordiale à mon endroit, et j'en étais fou de joie.

Puis je me suis à moitié réveillé et j'ai su tout de suite qu'il faisait nuit
car ma femme dormait à côté de moi. Je l'ai rapprochée de mon corps,
elle a posé la tête sur mon épaule et j'ai pris conscience du caractère
terrible de mon acte : pas l'aspect politique, car c'était sans doute une
attitude correcte à adopter ; enfin, cela n'avait plus d'importance maintenant, que ce soit correct ou non ; seul le côté humain comptait. Je me suis
dit : Tu as encore blessé un être humain, un de tes amis, et sa famille, et
l'« aspect politique », tu peux te le mettre au cul.

Je voulais présenter mes excuses à Tony. « Ce n'est pas nécessaire »,
disait-il. Il avait deviné mes pensées. C'est très généreux de sa part, me
disais-je, tout comme sa lettre. J'avais honte de moi. Je savais que mon
rêve exprimait un regret mêlé d'espoir. Je me fichais bien de la politique
désormais. C'était de l'histoire ancienne. L'« aspect politique », mon œil !
Tony avait menti à mon sujet, la belle affaire ! C'était un être humain,
après tout, et je lui avais fait du mal. J'avais même peut-être fait du tort à
ce fils que j'avais imaginé dans mon rêve, condamné à rester trop jeune.
Non, vraiment, aucune cause politique ne valait qu'on blesse autrui.
Qu'était-il sorti de bon de mon action ? Les traîtres à la nation avaient-ils
été dénoncés ? Le monde s'en portait-il mieux pour autant ? Je m'étais
laissé prendre au jeu de cette lutte d'influences, à ce bras de fer politique
et j'avais abdiqué ma vraie personnalité. J'aurais dû résister aux pressions
et m'abstenir de réagir, malgré toutes mes bonnes raisons. C'est bien
simple, je ne suis pas fait pour la politique, je ne l'ai jamais été. Ah ! si
seulement j'avais été aussi généreux à l'égard de Tony qu'il l'avait été avec
moi !

Quant aux motifs de mon acte, j'étais las de les analyser.

Je me suis ensuite réveillé pour de bon et j'ai pris mon petit déjeuner. Je
savais bien qu'il ne servait à rien d'exhumer le passé.

America America a reçu un accueil mitigé dans les colonnes de nos
journaux. Mais la critique internationale a bien aimé le film. Quant à la
France, il est vite devenu un de ses chouchous. Mais ici — chez moi —
mi-figue, mi-raisin.

Une seule réaction m'inquiétait — celle de ma mère. J'étais anxieux de
savoir ce qu'elle en penserait. Certaines scènes sortaient tout droit de ses
cauchemars de petite fille, et elle les verrait, au lieu d'en lire le récit. Les
mots peuvent faire écran. Elle verrait les « bêtes sauvages » qu'elle craignait plus que tout, fidèles aux souvenirs des Grecs anatoliens qui avaient

vécu en Turquie. Elle aurait peut-être peur qu'ils ne se vengent de moi, à cause du film. Jamais je n'avais été aussi tourmenté par ce qu'elle pourrait penser d'une de mes œuvres. Mais c'était la personne que j'aimais le plus au monde durant ces années-là ; l'âge et la mort récente de son mari l'avaient rendue plus vulnérable. Si je devais la blesser, je regretterais toute ma vie d'avoir fait ce film.

Je procédai donc avec prudence, en l'entourant des mesures de protection nécessaires. Je louai une limousine pour les emmener, elle et une amie, au *building* new-yorkais où les gens de Warner Brothers l'escorteraient jusqu'à la salle de projection. Puis j'attendis. Après m'être assuré qu'elle était revenue à son appartement, je l'appelai. Elle me dit très peu de chose, mais elle avait l'air contente. Je fus libéré et m'en voulus d'avoir été si angoissé. Après tout, l'art prime sur toute autre considération. Si le film lui avait fait de la peine, il aurait bien fallu qu'elle s'en remette.

Mais aujourd'hui, vingt-cinq ans plus tard, la même angoisse m'étreint et je me pose la même question, cette fois au sujet de cette autobiographie. Jusqu'où un écrivain qui utilise sa propre vie comme matériau de base peut-il aller en sachant qu'il pourrait bien embarrasser ou même humilier une personne qui lui est chère ? Je fais référence à ma femme actuelle, Frances. Quand je lui « faisais la cour », elle ne savait pas que j'étais metteur en scène de cinéma. Il ne lui avait pas fallu longtemps pour le découvrir, ainsi que d'autres informations concernant mon « arrière-plan », que des amis inquiets s'étaient empressés de lui fournir. Mais elle lira ce que vous venez de lire et, en dépit de toutes les mises en garde, notre relation jusqu'ici harmonieuse en pâtira peut-être. Je ne sais pas quoi faire. Elle va découvrir l'existence d'un autre moi ; dans ces pages, son mari et le passé de cet homme n'apparaissent guère sous un jour flatteur.

Après avoir tapé l'un de ces chapitres il y a quelques mois, ma secrétaire Eileen m'a prévenu qu'à la sortie du livre, il ne me resterait plus un seul ami. Je ne m'en inquiète pas. Mais j'ai peur de perdre ma famille. Ce que j'ai écrit risque de déplaire à certains de mes enfants. « Il faut vous rappeler que tout ceci s'est passé il y a bien longtemps », leur a dit Eileen. Mais qu'y puis-je ? Je prononce des jugements, je dis ce que je pense, je mets à nu des événements que d'autres autobiographies passeraient sous silence. Rousseau est mon modèle. Pas question d'écrire ce livre autrement. Mais j'ai conscience de prendre un risque terrible. Ma famille, mes enfants, mes petits-enfants, mes amis intimes, comptent plus pour moi que tout au monde.

Excepté ce que j'écris.

J'en viens maintenant au Lincoln Center. On ne peut pas dire que je l'ai ramenée outre mesure au sujet de mon expérience avec Bob Whitehead et Art Miller, ou avec John Rockefeller et son équipe. Muet comme une carpe, je suis resté. Mais j'ai échoué dans cette mission et on m'en a « séparé », on m'aurait sans doute « remercié » si je n'étais pas parti, et je l'ai pris comme une humiliation publique. Bien que je sois resté silencieux sur ces événements, je n'ai rien oublié. Bob, Art et moi avons travaillé comme des forçats, comme des patriotes fanatiques, sans compensation financière, puis on nous a traités comme des moins que rien. Surtout Bob Whitehead. Je n'ai pas oublié ce que j'ai ressenti. J'ai avalé la pilule, mais elle a eu du mal à descendre et elle n'est pas encore digérée. Bob et Art étaient deux hommes exceptionnels ; on ne leur a pas offert le respect qu'ils méritaient et d'ailleurs, en dépit de tous les efforts déployés par le Lincoln Center, on ne les a jamais vraiment remplacés. Ils ont été traités sans ménagements par des hommes qui ne leur arrivaient pas à la cheville. Ils l'ont toléré au nom d'une cause. Bob, dans les années qui ont suivi sa disgrâce, a gardé le silence ; c'est peut-être la seule attitude digne en la circonstance. Mais moi, j'ai décidé de briser ce silence.

Pour commencer, nous étions de grands naïfs. Nous n'avons jamais admis que nous n'étions pas des partenaires, mais des employés en position vulnérable, des vacataires pour ainsi dire. Les employés ne disposent d'aucun pouvoir en cas de conflit. C'est le patron qui commande. Pour qui travaillions-nous ? Pas pour des traîtres, pas pour des bandits, non, mais pour des hommes d'un autre monde, incapables d'assumer les responsabilités que leur avaient conférées les propriétaires des murs et de l'argent. J'en veux pour preuve l'attitude de George Woods, président du comité directeur du Théâtre de Répertoire.

Qui était-il ? C'était le président du collectif directorial de la First Boston Corporation, et il appartenait au comité directeur des sociétés suivantes : Campbell Soup Company, Chase International Investment Corporation, Commonwealth Oil Refining Company, Inc. (Porto Rico), Industrial Credit and Investment Corporation of India (Bombay), Kaiser Steel Corporation, New York Times Company et Pittsburgh Plate Glass Company. Ce chapelet de titres vous convainc-t-il que son expérience le désignait pour présider aux destinées d'un théâtre de répertoire ? Non ? Eh bien, pour vous faire une confidence, je n'en étais pas convaincu non plus. Ah ! encore ceci : il avait été l'ami intime de John Ringling North pendant des années et le directeur, trésorier et conseiller financier du « Plus Grand Chapiteau du Monde ». Vous avez changé d'avis ?

S'il occupait tous ces postes de responsabilité, c'était pour une bonne raison : il incarnait le membre de comité de direction type, l'*hombre* intraitable, revêtu de l'uniforme du directeur de société W.A.S.P., à savoir le costume trois pièces sans couleur définie. Je ne suis pas sûr qu'il portait le même tous les jours, mais je ne donnerais pas ma main à couper qu'il en avait plusieurs. Lui et ses pairs dessinaient, choisissaient puis portaient leurs vêtements de façon à ne pas laisser transparaître le danger qui couvait lorsqu'ils s'asseyaient autour de la table de discussions. Les hommes d'une richesse excessive, comme les Rockefeller, qui entretiennent leur image de mécènes — le « service » constituait leur idéal, l'Association pour l'Asie leur *hobby* —, ont besoin d'hommes tels que George pour procéder aux ajustements et « dégraisser » si besoin est. Grâce à George et à son couperet, ils gardent les mains propres. Cet homme, ses manières, ses actes, son mystère insondable me fascinaient. Il était pourtant en train de nous « assassiner ».

Je ne sais quelles réflexions le succès populaire d'*Après la chute* a inspirées à George. Il est resté coi. Les gens payaient pour voir le spectacle, de l'argent frais rentrait dans les caisses. Il aurait tout de même pu avoir l'air plus content. Mais non. Il attendait, tapi dans l'ombre : il avait choisi sa « proie » et, en connaisseur de la jungle, il était trop malin pour frapper trop tôt. Mais je le voyais venir. Depuis l'histoire du ANTA Washington Square Theatre, une lutte d'influences s'était instaurée. Qui était le patron ? Qui détenait l'autorité ? Les hommes qui avaient l'argent, ou ceux que leur sens du théâtre désignait pour ce poste ? Nous avons commis une erreur. Nous nous sommes imaginé que la compétition était ouverte et que nous avions une chance de l'emporter. C'était oublier notre statut de larbins. Le patron, c'était l'argent. Le succès d'*Après la chute* n'a fait que retarder une issue inévitable.

Quand j'ai vu la réaction des critiques à notre production d'*Après la chute*, les bras m'en sont tombés. Et je n'en suis pas encore remis. En parcourant des coupures de journaux de l'époque, je me suis rendu compte que la pièce, dans l'ensemble, avait été bien reçue. Les critiques qui l'avaient démolie étaient en majorité originaires de campus où ils font leur pelote en écrivant sur d'autres écrivains, en publiant des livres à partir d'autres livres et en mettant des notes aux artistes quand ils n'en mettent pas aux étudiants.

Certains semblaient scandalisés que la pièce traite de l'histoire intime d'une femme dont ils avaient fait, pour des raisons obscures, leur martyre. Ils avaient descendu la pièce au nom d'une certaine Marilyn qu'ils n'avaient jamais rencontrée et n'auraient jamais pu comprendre de toute façon. Selon eux, le portrait que Miller brossait de Marilyn tournait à l'avantage de l'auteur, auquel ils reprochaient de se servir d'elle pour paraître sous un jour favorable. Si vous lisiez la pièce aujourd'hui, je suis persuadé que vous en tireriez la même conclusion que moi : son « héros », Quentin, est fat et un brin pompeux, alors que Marilyn-Maggie, en dépit de l'hystérie de vengeance dont elle fait preuve dans la dernière scène, est un personnage tragique qui appelle notre compassion. Mais elle était soudain devenue une cause, et les têtes pensantes de tous bords prenaient sa défense en attaquant Miller. Norman Mailer a écrit sur elle sans l'avoir même rencontrée — c'est plus facile —, en prenant pour référence les illustrations qui devaient servir à lancer le livre.

Je fus agréablement surpris, et même stupéfait de constater qu'après un premier acte plutôt morne, Art avait réussi à brosser un portrait aussi peu complaisant, aussi puissant, et aussi peu flatteur à son égard, que celui de cette fille désespérée, Marilyn-Maggie. Dans l'ensemble, le public réagit favorablement à ce que certains critiques avaient rejeté. Les gens qui avaient acheté leur billet n'avaient jamais vu une telle pièce, mise en scène de cette façon. Tout le monde, sans exception, applaudit la performance de Barbara.

Après la chute fut suivi d'une production de *Marco Millions*, pièce mineure d'Eugene O'Neill : elle confirma l'opinion de ceux de nos détracteurs selon lesquels nous visions trop bas.

Puis ce fut de nouveau mon tour de mettre en scène une pièce, et je commis à ce moment-là notre première erreur « fatale ». *But for Whom Charlie*, de Sam Behrman, aurait pu être monté à Broadway, que dis-je ? aurait dû y être monté. Cette œuvre avait besoin de stars, de personnalités capables de porter la pièce sur leurs épaules : des « cabotins » férus d'intrigues, qui passaient leur vie sur scène et possédaient toutes les manies et la ruse des gens du spectacle ; pas des gens ordinaires. Cette production révéla mes limites dans la peau d'un metteur en scène qui s'était à l'évidence aventuré en terre inconnue et dans celle de directeur artistique d'un théâtre. Je n'ajoutai rien à la pièce : ni spiritualité, ni charme, ni vivacité, ni espièglerie — rien n'y était inattendu ni délicieux. Elle aurait dû être mise en scène par quelqu'un d'autre.

A la suite de cette production désastreuse, nous fîmes pire encore. Produire *l'Enfant changé* aurait peut-être valu le coup si nous avions disposé d'acteurs capables de lui donner sa véritable dimension et d'un metteur en scène adéquat. Une fois de plus, c'était de ma faute. J'avais choisi cette pièce, j'avais demandé à la mettre en scène. Mais devant la somme de problèmes qu'elle posait, je m'étais révélé inutile. Ignorais-je donc qui j'étais ? Imaginais-je pouvoir m'attaquer à n'importe quoi ? Et pourquoi le voudrais-je ? Désirais-je tant que ça me glisser dans d'autres peaux que la mienne ? A n'en pas douter, mes qualités de metteur en scène n'émergeaient que si le matériau sur lequel je travaillais me touchait de près. Quant à notre public, en quoi cette pièce et notre interprétation pouvaient-elles bien l'intéresser ? En rien. Il n'avait aucune raison de venir. Les critiques qui m'avaient répété sur tous les tons que je n'étais pas fait pour ce poste avaient bien raison.

Bien que j'aie eu recours à toute ma panoplie, que je me sois dépensé sans compter pour cette cause, je n'ai pas vraiment souffert de cet échec retentissant. Mon cœur avait déserté le Théâtre de Répertoire. Après la mort de Molly, j'avais continué par sens du devoir et par loyauté envers Bob et Art. Cette loyauté, toutefois, n'avait pas produit l'effet escompté. J'aurais dû regarder la vérité en face et insister auprès de Bob pour qu'il engage un autre metteur en scène. Je n'avais pas encore retrouvé un équilibre émotionnel suffisant pour travailler correctement. J'avais prévenu Bob de se préparer à mon départ, mais j'avais assorti cette confession d'une promesse : je n'en ferais rien, je n'en parlerais pas tant que la conjoncture serait défavorable pour lui. Il s'imaginait peut-être que je changerais d'avis. Il ne voulait certes pas rester seul pour braver la tempête. Alors, une fois encore, j'ai courbé l'échine et pris ma raclée.

Cet épisode ne manquait pas d'ironie. Amère. Toute ma vie, je m'étais préparé à devenir membre d'une compagnie permanente. Depuis mes débuts au théâtre, j'en avais fait le but de ma vie professionnelle. Mais une fois parvenu au poste pour lequel je m'étais si bien préparé, à force de lectures, d'entraînement et de labeur, j'avais découvert qu'il ne me convenait pas. Je n'aimais pas me retrouver au même endroit tous les jours, avoir affaire aux mêmes problèmes, je ne voulais pas servir de père à une trentaine d'acteurs qui se tournaient vers moi comme vers un guide ou un leader. Certains acteurs me regardaient d'un mauvais œil, Jason Robards par exemple. Je l'avais contraint à un gros effort qui ne l'« amusait » pas ; et puis, le jeu n'en valait pas la chandelle : « trop de travail ». L'essence même d'un théâtre de répertoire — répéter une pièce tout en en donnant une autre chaque soir — ne correspondait pas à l'idée que s'en étaient faite certains acteurs. Je partageais leur déconvenue.

Quant à Barbara Loden, la vie parmi nous contrecarrait ses projets. Elle avait remporté un succès immense dans *Après la chute*, ce qui l'avait comblée ; mais à la suite de ce triomphe, elle avait commencé à me voir comme un obstacle sur la route du vedettariat que son talent méritait. Des amis lui avaient mis dans la tête que je la privais, après son succès dans la pièce de Miller, d'un succès encore plus grand, réservé à d'autres actrices moins talentueuses qu'elle. Barbara m'avait répété ces propos, en y souscrivant à moitié. Elle m'avait testé, avait attendu de voir comment je répondrais. J'avais haussé les épaules.

Elle était parue en Maggie sur la couverture du *Saturday Evening Post*. Cette semaine-là, elle avait été inondée de compliments : tout le monde avait lu l'article. Mais la semaine suivante, une autre personnalité avait fait la couverture, et Barbara avait eu l'impression de gâcher la plus belle chance de sa vie. Le rôle suivant que je lui offris, dans la pièce de Behrman, ne dépassait pas trois répliques. Sam était ravi qu'elle soit du spectacle, même dans ce rôle minuscule. J'avais tenu ma promesse : il voyait l'avantage qu'il pouvait tirer de donner sa pièce au Théâtre de Répertoire. Mais ce rôle n'eut pas l'heur de satisfaire Barbara. Il la diminuait. Elle pensait mériter mieux, elle qui avait attiré de longues files de spectateurs tous les soirs, elle qui avait obtenu un succès indéniable. Mais je refusais de lui donner sa récompense. Elle se sentait prise au piège.

En même temps, à l'instar des autres acteurs de la compagnie, Barbara était une idéaliste. Elle pensait qu'une actrice devrait aspirer à devenir une artiste complète, capable de jouer une multitude de rôles, et à faire partie d'une institution permanente qui présente des pièces « à message ». A tout bout de champ, elle me renvoyait ces idéaux à la figure, en me vantant, comme nous le faisions tous, les vertus des théâtres russes et anglais. Mais on éprouvait moins de fierté à être membre d'une grande compagnie de ce côté-ci de l'Atlantique, en partie parce que nous n'avions pas encore atteint nous-mêmes ce statut, mais surtout à cause de cette fureur bien américaine pour les ascensions fulgurantes et les couronnements soudains. Barbara mourait d'envie de devenir vedette de cinéma, ce qui ne l'empêchait pas de mépriser Hollywood et les films qui s'y produisaient.

Tout en déclarant adhérer sans réserve à l'idéal de notre théâtre, elle était désabusée. En cas d'échec, la véhémence de ses critiques envers notre travail — surtout le mien — n'avait d'égal que la profondeur de sa déception, dont elles étaient d'ailleurs le fruit. « C'est une imposture, se plaignait-elle. Ce n'est pas du tout ce que tu m'avais promis. Je serais beaucoup mieux dans le cinéma. Au moins, ce serait un boulot honnête. — Qu'est-ce que tu attends, rétorquais-je, va-t'en. Bon vent. » Mais elle ne s'en allait pas. « Je suis bien meilleure que beaucoup de ces actrices de cinéma avec qui tu avais l'habitude de coucher, me lança-t-elle un jour. Pourquoi n'aurais-je pas droit aux mêmes avantages qu'elles — une maison convenable, une belle voiture, des serviteurs, le confort et la sécurité ? Je n'obtiendrai jamais rien de tout cela ici, n'est-ce pas ? — Non, répondis-je, pas ce dont tu parles. Pas ici. — Eh bien, dans ce cas, je prends mes cliques et mes claques. » Mais elle ne mettait jamais sa menace à exécution. Jason était un idéaliste, lui aussi, mais sans les contradictions. Ses critiques portaient sur notre incapacité à conférer une éminence souhaitable, et possible, à notre théâtre, mais il le prenait de moins haut. Son problème, c'était qu'il détestait son rôle dans la pièce de Miller et le clamait à tous les vents. Selon ses dires, je ne lui avais fourni aucune aide ; en fait, si l'on en croit *Newsweek*, il avait menacé en public de « tuer Kazan, qui l'avait balancé sur scène dans *Après la chute* sans lui donner la moindre directive ». Il avait émis des commentaires similaires en présence de plusieurs échotiers. Moi, j'avais l'impression qu'il m'en voulait de lui avoir donné trop de directives. Et puis Barbara lui avait volé la vedette, et il le savait bien.

Mais il n'avait pas tout à fait tort. Comme je n'aimais pas ce rôle moi-même, je ne savais pas comment m'y prendre pour le rendre intéressant. Mais d'un autre côté, n'était-ce pas la règle du jeu, au sein d'un théâtre de répertoire, que les acteurs se voient parfois confier des rôles moins gratifiants que ceux dont ils rêvaient ? Un acteur et son metteur en scène devaient tirer le meilleur parti de ce type de rôles, tout en demeurant dévoués à la compagnie quoi qu'il advienne. Mais Jason n'était pas de cet avis. Il se conduisait de façon honteuse. Il regardait en direction du public pendant que d'autres acteurs, plus en arrière ou à côté de lui, interprétaient des scènes auxquelles il était censé réagir. Il râlait ouvertement et jetait des regards noirs à ceux qui se trouvaient devant lui, avec sur le visage une expression qui disait, mieux que bien des paroles : « Non mais est-ce que vous avez déjà entendu une telle merde ? » Puis il alla plus loin encore. Il se mit à rouspéter dans sa barbe à l'intention de ses partenaires, à leur chuchoter des propos sans rapport avec la pièce et à broder sur le dialogue : c'était pour lui une manière d'exprimer son mépris souverain de l'œuvre, de la mise en scène et du théâtre, en bref de ce vaste piège auquel il s'était laissé prendre, à son grand dam. Enfin, il encourageait la sédition en coulisses. Il avait constitué une petite cellule de rebelles, qui avait pour quartier général sa propre loge : tout ce petit monde avait pour philosophie de douter de tout et de désobéir chaque fois que c'était possible. La chose à faire, bien sûr, aurait été de le renvoyer, ce qu'il cherchait. Mais je croyais à tort que personne d'autre dans la compagnie ne pourrait reprendre son rôle. Pourtant, personne n'est irremplaçable. Une fois encore, j'ai accepté mon châtiment. Et puis j'étais célèbre pour mon habileté avec les acteurs, n'est-ce pas ?

L'ironie, c'est que je comprenais l'attitude de Jason. Parfois, je sympathisais même avec lui, en secret. Je voulais me faire la belle, moi aussi, mais je le cachais. J'ai bien dit à Bob, après *l'Enfant changé*, que l'homme idéal, pour mon poste, était Harold Clurman. Harold aimait « paterner » un groupe d'acteurs et régler les problèmes quotidiens ; depuis des années, il devait faire face aux crises de Stella. Les querelles de famille, au sein du théâtre juif, étaient monnaie courante, naturelles, et Harold s'en pourléchait les babines. De plus, il n'avait pas d'ambitions « extérieures », comme moi — c'est-à-dire le cinéma. Ainsi, d'un côté je ressentais la même chose que Jason, mais de l'autre je lui en voulais de son comportement et j'essayais de faire en sorte qu'il ne lui soit pas possible de quitter la compagnie.

Cependant, la situation prenait un tour favorable. Côté hommes, une compagnie solide se dessinait : nous disposions peut-être d'une dizaine d'interprètes de talent, que le cinéma ne démangeait pas et qui savaient ne pouvoir satisfaire leurs aspirations et leur talent qu'à l'intérieur d'une compagnie de répertoire. Ils constituaient un groupe loyal et dévoué ; ils sont demeurés mes amis. Notre production suivante, pièce de valeur, sinon exceptionnelle, signée Miller et mise en scène par Harold Clurman, bénéficia d'une interprétation de qualité grâce à ce groupe d'acteurs. Pour la première fois, nous présentions un ensemble d'acteurs excellents qui se combinaient à merveille. A les regarder, je me dis qu'après tout l'idée d'une compagnie de répertoire dans ce pays tenait debout. Avec du temps et de la patience, elle pourrait fonctionner et trouver sa cohérence en tant qu'unité artistique.

Notre dernière production fut *Tartuffe*, mis en scène par Bill Ball, metteur en scène que nous avions « fait venir » de l'extérieur et qui n'appartenait pas à notre « famille » au départ. C'est Bob qui en avait eu l'idée et l'avait recommandé. C'était un excellent choix et il s'en sortit avec les honneurs. Cette production reçut un bon accueil dans la presse. Elle aurait dû laisser entendre que nous étions ouverts aux critiques, y compris vis-à-vis de nous-mêmes, et déterminés à ajuster notre politique de façon à permettre l'adoption d'un programme plus large.

Ce dont nous avions besoin, nous ne l'avons jamais obtenu : du temps — le temps de découvrir et d'analyser nos erreurs, puis de les corriger en nous débarrassant de certains acteurs pour les remplacer par d'autres mieux adaptés à notre tentative. Ceci, j'en étais sûr, nous pouvions y parvenir. Nous aurions éprouvé plus de difficultés à déterminer un programme de pièces convenable, mais nous avions également beaucoup appris à partir de nos erreurs dans ce domaine. Le plus délicat, toutefois, c'était pour moi d'attaquer de front mes limites personnelles et artistiques ; de déterminer et de définir mon champ d'action. A la lumière de cette constatation, je rédigeai une lettre à l'intention de Bob en lui demandant de la faire lire au comité de direction. J'y suggérais une réorganisation des instances dirigeantes, qui intègre Art et Harold pour toutes les prises de décision. Il faudrait substituer une tétrarchie à notre direction bicéphale. Nous y parvînmes à la fin de notre « mandat », et ce premier pas se révéla positif. Mais nos erreurs initiales et nos limites avaient déjà pris le pas sur ces tentatives et, avant même que nous n'en prenions conscience, il était trop tard pour sauver notre théâtre.

Le désastre de *l'Enfant changé* avait détruit nos défenses, et nous devions désormais résister sur deux fronts : à George Woods et à son comité agrandi d'une part, et aux critiques qui essayaient sans relâche de

nous détruire d'autre part. Personne ne prit acte des adaptations auxquelles nous avions commencé à procéder, ni de la portée de ces changements. On allait nous sacrifier pour nous punir de nos échecs.

C'est alors qu'un nouveau personnage fit son entrée en scène. William
Schuman, choisi pour devenir le nouveau président du Lincoln Center,
était un compositeur célèbre et l'est resté ; il avait écrit neuf symphonies,
le même nombre que Ludwig Van Beethoven. Il était très intelligent,
s'habillait avec élégance et portait beau, mais surtout il donnait le *la* qu'on
attendait de lui : il faisait rimer musique et fric sans fausse note. Il avait
l'esprit vif et savait susciter la confiance. Non sans rappeler un hyp-
notiseur, il pouvait influencer les gens et résoudre les problèmes les plus
épineux. Pendant neuf ans, il avait dirigé l'Ecole de musique Juilliard, où
il avait pu faire montre de ses capacités d'administrateur, ce qui le désignait pour l'emploi. Les huiles du Lincoln Center ne doutaient pas que
Bill Schuman puisse résoudre la crise qui sévissait au Théâtre de Répertoire, et il partageait leur opinion. Il se voyait comme le sauveteur de cette
noble institution.
    George Woods avait assez d'éducation pour lire les périodiques dont les
mouches du coche tiraient à boulets rouges sur Bob et sur moi, mais je ne
sais trop s'il s'en donnait la peine. Ce qu'il lisait par contre, c'étaient les
bilans — un coup d'œil en bas de page suffisait —, et il en tirait des
conclusions toujours suivies d'action.
    Mais l'heure était venue du dernier épisode de notre saga au Théâtre de
Répertoire. Le caractère grotesque des événements qui vont suivre ne
peut être apprécié à sa juste valeur si le lecteur ne garde pas en mémoire
que les hommes impliqués dans cette affaire étaient sortis de nos meilleures universités avec les honneurs, avaient lu tous les *best-sellers,* s'habil-
laient avec goût, s'exprimaient avec conviction sur une grande variété de
sujets, empruntaient le ton modéré de l'homme de bien, se sentaient tout
à fait à l'aise dans les dîners officiels, savaient faire un nœud à leur cravate
noire et escorter une dame à l'opéra puis, tout en finesse, au lit. Ces
hommes constituaient la crème, notre élite. Cependant, lors de cette crise
finale, ils se comportèrent tels des personnages tout droit sortis d'une
farce cinématographique qui tournerait autour d'un complot manigancé
par la C.I.A., et dont tous les rôles — bandits, criminels, conspirateurs,
mais handicapés par une maladresse rédhibitoire — seraient interprétés
par Peter Sellers.

Ce dont le Théâtre de Répertoire avait désormais besoin, selon Bill
Schuman, c'était d'un nouvel administrateur pour remplacer Bob. Il recommandait un candidat : Herman Krawitz, l'un des directeurs adjoints du
Metropolitan Opera.
    Mr. Krawitz était sous contrat avec le Metropolitan Opera ; c'était aussi
l'un des chouchous de l'autocrate irascible qui présidait aux destinées de la
noble institution : Rudolf Bing. Tout le monde savait combien le tempéra-

ment de Bing était prompt à s'enflammer, et savait aussi qu'il faudrait effectuer les manœuvres d'approche en direction de Krawitz à pas de loup.

Bob Whitehead avait travaillé six ans — dont quatre sans être payé — au Lincoln Center. Son seul centre d'intérêt pendant ces années avait été le Théâtre de Répertoire, et il allait bientôt être remplacé. Mais il ne fut pas averti de ce que complotait Schuman. Moi non plus d'ailleurs.

Rudolf Bing, pour qui Krawitz travaillait sous contrat, n'avait été ni informé ni consulté par Schuman.

Les fuites inévitables ne tardèrent pas à se produire. C'est à ce moment-là que le belliqueux seigneur de l'opéra eut vent de ce qui se tramait derrière son dos et, bang, Bing explosa ! « Si nos organisations sœurs sont libres de se tirer dans les pattes, alors nous voilà revenus dans la jungle, proclama-t-il, et je ne veux pas faire partie du Lincoln Center. » Ce sur quoi, homme de parole, il démissionna du comité directeur du Lincoln Center.

John Rockefeller s'en trouva fort marri. Je me suis demandé ce qu'il avait bien pu dire à Schuman.

Tout ce tintamarre ne pouvait avoir échappé aux journaux. Nous apprîmes donc, Bob et moi, tous les détails de ce qui s'était déroulé en coulisses et l'humiliation que nous avaient infligée les banquiers. Bob était furieux et moi dégoûté.

Avions-nous donc oublié à qui nous avions affaire ? Il aurait fallu à ces hommes bien plus de courage et de compréhension qu'ils n'en possédaient pour prendre position à ce moment-là et répondre à nos zoïles : « White-head, Miller et Kazan sont des hommes de qualité et qui plus est loyaux. Ils n'ont pas disposé d'assez de temps pour accomplir la mission d'une difficulté extrême dont nous les avions chargés. Cependant, ils ont déjà entrepris d'ajuster leur politique de manière à ne pas répéter les mêmes erreurs. Nous estimons qu'ils doivent poursuivre leur effort. »

Rien de tel ne fut même envisagé. Woods, j'imagine, se délectait de voir couler le sang de ses proies. Dans ce genre de situation, il y a toujours une victime.

Schuman cherchait à redresser son image publique. Il ne s'était pas gêné pour humilier Bob mais la perspective de subir le choc en retour ne lui agréait pas. C'est pourquoi il envoya quelqu'un d'autre au casse-pipe, en l'occurrence Mike Burke, un « chic type » que j'aurais compté parmi mes amis s'il ne s'était senti obligé, une fois parachuté par George Woods au comité de direction pour faire pencher la balance, de voter contre notre proposition — le ANTA Washington Square Theatre —, que nous avions concrétisée malgré l'opposition de George Woods.

Mike et Bob se rencontrèrent « pendant une semaine ». Je ne peux m'imaginer ce dont ils ont pu parler pendant toute une semaine, car la proposition que Schuman avait formulée par l'intermédiaire de Mike était très simple — et insultante en plus de cela. Sur combien de tons peut-on dire à quelqu'un : « Démissionnez » ? Ils demandaient à Bob de rester jusqu'à la fin de la saison, en sachant pertinemment qu'il serait alors remplacé. Bob « envoya immédiatement sa démission au *New York Times* ».

Art et moi-même lui emboîtâmes le pas. C'est alors que George Woods me prit à part et me demanda si j'accepterais de continuer sans Bob. J'ai entendu dire qu'un autre membre du comité directeur avait posé la même question à Miller (l'auteur des deux pièces qui avaient couvert leurs frais) et avait obtenu la même réponse que George de ma part.

Ainsi tous nos efforts pour monter un théâtre de répertoire au Lincoln Center de New York, nés d'un sursaut d'énergie et d'espoir sans limites, furent-ils réduits en poussière sous le poids du mensonge. Nous étions tombés en disgrâce. Quand le rideau fut retombé, Bill Schuman se mura dans un « silence digne ». Ce qui ne l'empêcha pas de le briser pour faire part au public de griefs étonnants. Il déclara qu'il avait été consterné de voir à quel point le Théâtre de Répertoire était dépourvu d'esprit fraternel.

Malgré la « consternation » éprouvée par Bill dans son digne silence, il fut prompt à nous trouver des remplaçants. Ces hommes, produits d'une chasse aux talents lancée à grand renfort de publicité, s'appelaient Herbert Blau et Jules Irving. Ils avaient été racolés avec insistance par les zoïles de la culture qui s'étaient dépensés sans compter pour nous déloger, Bob et moi.

Un an plus tard, on me rapporta que Blau était sur le départ et on m'offrit de prendre sa place. Mais j'en avais ma claque du Lincoln Center et des hommes qui le dirigeaient. J'avais décidé de suivre mon inclination pour l'écriture et de me lancer dans le roman. Là, au moins, je ne serais pas à la merci d'un comité d'agents immobiliers et de banquiers.

Toute cette histoire eut une conclusion surprenante. J'avais toujours envisagé avec réserve la perspective de travailler au Théâtre de Répertoire — surtout après avoir écrit et produit mon propre film — ou pour tout autre théâtre, d'ailleurs, mais cela ne m'avait pas empêché d'être fou de rage lorsque j'avais été écarté des commandes avec Bob, pour devenir ensuite la cible préférée des critiques pour leurs exercices de tir. Au fil des années que j'avais consacrées au Théâtre de Répertoire, j'avais souvent senti que je ne faisais pas ce que je désirais vraiment. Mais une fois bouté hors de ses locaux, j'étais furieux. J'avais l'échec en horreur, dans quelque domaine que ce soit. Je n'aimais pas perdre la partie et les manipulations auxquelles on avait eu recours pour nous mettre à la porte m'avaient irrité au plus haut point. Je n'avais pas non plus apprécié la façon dont Bob avait été traité et j'estimais qu'Art n'avait pas été apprécié à sa juste valeur. Je savais combien ces hommes étaient doués et combien ils avaient bûché ; je savais aussi que le Lincoln Center ne trouverait jamais leurs pareils.

Quand tout fut terminé, mes amis n'eurent qu'à me regarder pour voir ce que je ressentais et certains pensèrent que j'allais craquer. Résolu à demeurer à l'écart de tout le monde, je me dérobais aux regards. C'est alors que plusieurs acteurs, de vieux amis, inquiets pour ma santé, me rendirent visite pour comprendre ce qui me rongeait et offrir leur aide. Je leur répondis que non merci, je me sentais bien, ce qui eut pour effet de redoubler leurs inquiétudes. Ne savais-je donc pas moi-même que j'avais besoin d'aide ?

Ce qui me « rongeait » me fit définitivement tourner le dos au théâtre. J'avais décidé de ne plus jamais mettre en scène l'œuvre d'un autre, mais plutôt d'écrire mes propres scénarios, comme dans le cas d'*America America*, et de m'essayer au roman.

Avant de ranger ces souvenirs au placard, il me faut dire un mot du Théâtre de l'Actors Studio et de ce qui s'y est passé.

LA VIOLENCE des sentiments éprouvés par Lee lorsqu'il avait appris que je m'étais engagé à travailler pour le Théâtre de Répertoire sans insister pour que lui et l'Actors Studio fassent partie de la compagnie doit être considérée avec indulgence. Pendant plus de dix ans, cet homme s'était dévoué corps et âme pour faire progresser les acteurs. Ensemble, lui et moi, nous avions poussé sur le devant de la scène des artistes d'une autre trempe. Auteurs, producteurs et metteurs en scène considéraient souvent cette nouvelle génération comme le fléau de la profession car, à l'inverse des acteurs « sûrs » — qui faisaient ce qu'on leur disait —, nos acteurs poussaient l'effronterie jusqu'à poser des questions. La phrase : « Il a étudié chez Strasberg » devint rapidement synonyme de malédiction dans certaines officines de Broadway, tout comme : « C'est un des poulains de Kazan » donnait la chair de poule à certains producteurs. Ces deux expressions dénotaient une race d'acteurs aux ambitions curieuses, en quête constante — « On ne sait jamais ce que cet enfant de salaud va inventer ! » —, qui ne se complaisaient jamais dans l'admiration sur commande de vedettes médiocres et ne s'en laissaient pas conter par les metteurs en scène qu'ils estimaient incompétents. On ne pouvait pas les intimider mais on ne pouvait pas non plus les condamner d'emblée, car il leur arrivait d'insuffler de la magie à une scène sans relief ou de sauver une représentation en difficulté. Ce qu'ils « inventaient » était souvent criant de vérité.

Lee avait travaillé sa vie entière dans la perspective du jour où, entouré des acteurs qu'il avait formés, il se retrouverait à la tête d'un théâtre de répertoire. Mais c'est moi qui avais décroché le coquetier avec Bob Whitehead, et j'avais démissionné des instances dirigeantes du Studio. Quand Lee avait promu Rip Torn et Gerry Page à mon poste, il avait expliqué à l'un des membres : « Je les ai introduits au comité pour être sûr que Kazan ne ferait pas main basse sur le Studio. » J'étais bien sûr à cent lieues de nourrir une telle ambition, mais cette réaction était symptomatique de la façon de penser de Lee. Cependant l'idée ne me plaisait guère. C'est pourquoi je décidai alors qu'il me fallait expliquer sans ambages ma position aux acteurs, au lieu de jouer la fille de l'air sans autre forme de procès. J'appris que certains membres du Studio allaient se réunir et je demandai à être du nombre. J'étais sûr que le moindre de mes propos parviendrait aux oreilles de la totalité des membres. Et à celles de Lee.

Soulagé de constater que la cordialité présidait à ce rassemblement, j'expliquai ma position avec calme : le Studio avait été conçu comme un centre de formation et il convenait de préserver son identité comme tel, libre des contraintes qui naîtraient à coup sûr d'une activité de production. Selon moi, il ne fallait pas qu'il s'installe au Lincoln Center ; je n'avais pas voulu donner mon aval à ce projet. Lee et moi divergions sur ce point. Au fur et à mesure, je crus percevoir que les acteurs présents comprenaient mon point de vue ; je pris congé d'eux sur un ton amical.

On me raconta peu après que dès l'instant où j'avais franchi le seuil de l'endroit, un flot de vitupérations avait jailli. « Tout a bien été tant que tu étais là, me rapporta mon informateur, nous avons blagué, et tout ça, mais dès que tu es parti, tout le monde est devenu enragé. Je ne sais pas quelle mouche les a piqués. »

Moi, je savais quelle mouche les avait piqués : Lee et son appétit de vengeance hystérique. Certains d'entre eux s'étaient peut-être sentis rejetés sur un plan professionnel par ma décision, mais l'intensité extraordinaire de leur colère à mon endroit émanait de Lee et non pas d'eux.

Pour raconter l'histoire du Théâtre de l'Actors Studio, je fais un saut à Paris au début des années 80. Par une fin d'après-midi agréable, je me promenais le long du boulevard Saint-Germain, tout à fait à mon aise dans la Ville lumière. Je me suis toujours senti comme un poisson dans l'eau à Paris, car mes films ont toujours été accueillis avec chaleur en France, même ceux que New York avait boudés. Cet été-là, *America America* y avait été projeté dans neuf petits cinémas, c'est-à-dire neuf de plus qu'à New York en cette même période. J'étais donc enjoué et plein de ces rêves qu'on caresse par une chaude soirée d'automne, quand je vois Jimmy Baldwin sortir à toute allure du Café de Flore. Il est plus âgé, pas plus beau garçon que moi, avec pour tout arranger les yeux à fleur de tête, mais toujours aussi adorable. Quelques années avant, je lui avais suggéré d'écrire une pièce au sujet d'un jeune Noir du nom d'Emmett Till qui, après avoir passé quelque temps dans le nord des États-Unis, était revenu dans le Sud avec un esprit d'indépendance qui lui vaudrait des ennuis dans la région. Il avait fini par être lynché et son meurtrier avait été acquitté. J'avais suggéré une structure de base pour cette pièce. Elle avait plu à Jimmy qui s'était mis au travail.

Je désirais vivement, pour le lancement du programme de notre théâtre de répertoire, présenter une pièce sur les Noirs, écrite par un Noir. En effet, l'institution Lincoln Center était blanche comme neige (et l'est demeurée). Nous étions parvenus à un arrangement, Jimmy et moi ; puis j'étais parti en Grèce pour faire mon film. Il ne m'avait pas semblé que je devais tenir la main de Jimmy pendant qu'il écrivait sa pièce sur Emmett Till. Mais pour obtenir d'un écrivain une pièce, c'est comme une histoire d'amour : si vous laissez un vide trop longtemps, quelqu'un va s'y insérer. Ce que fit Rip Torn. Lui et Jimmy sympathisèrent et Rip influença Jimmy pour qu'il donne la pièce au Théâtre de l'Actors Studio. J'étais fou furieux, mais ne demandai aucune explication à Jimmy. Il m'en donna deux, cependant : la première, c'est que j'étais un père pour lui et qu'il voulait être autonome, sans subir mon influence ; la seconde, c'est que le comité directeur du Lincoln Center ne comportait pas de Noirs. C'était précisément pourquoi je lui avais demandé d'écrire la pièce ; quant à la première raison, je n'y pouvais rien. Le fait que Rip m'ait arraché cette pièce constituait un triomphe pour l'esprit d'entreprise du Théâtre de l'Actors Studio et pour Lee ; c'était une douce vengeance. Je ravalai mon ire, décidai de rester l'ami de Jimmy et repris le cours de mes affaires.

Pendant la période où nous avions ramé, le Théâtre de l'Actors Studio avait très bien débuté. D'abord une production vedette de *Strange Interlude* de O'Neill, interprétée par des acteurs éminents et bien reçue, puis *Marathon '33* avec Julie Harris, ensuite une pièce intitulée *Baby Want a Kiss* avec Paul Newman et Joanne Woodward. Ces productions avaient été accueillies cordialement à la fois par les critiques et par le public ; pendant ce temps-là, je me débattais avec *But for Whom Charlie* et *l'Enfant changé*, sifflés par les critiques et refusés par le public. L'idée de Lee s'était révélée plus viable que la nôtre, parce qu'elle permettait de donner au public ce qu'il attendait, des classiques au succès garanti ou de nouvelles pièces faciles à avaler, que des vedettes établies aidaient à faire passer. Lee avait demandé aux acteurs de s'engager à travailler pour sa compagnie quatre mois par an, ce qui leur laissait du temps pour le cinéma et leur permettait de conserver le niveau de vie auquel ils s'étaient habitués. Bob et moi, par contre, avions demandé aux acteurs de signer pour deux ans en échange d'un salaire bien modeste. Lee qualifiait sa troupe de « tournante » ou « flottante », nous appelions la nôtre « compagnie permanente de répertoire ». Son théâtre ne montrait aucune velléité de se tourner vers le répertoire, ce qui soulevait un certain nombre d'interrogations : le répertoire avait-il sa place à Broadway ? était-il justifié ? L'idée avait-elle une valeur quelconque ?

A chaque annonce d'une nouvelle production du Studio, je ne pouvais m'empêcher d'y voir l'expression d'une compétition engagée avec un concurrent : l'Actors Studio se vantait par avance de gagner sa bataille contre le Théâtre de Répertoire du Lincoln Center. A en juger par ce qu'en disaient les critiques dramatiques, ce n'était pas une vue de l'esprit : « une production brillante d'un drame gargantuesque », à propos de *Strange Interlude*, assorti d'un accueil généreux pour miss Harris et les Newman. Lee avait réussi à établir un pont entre l'Actors Studio et Broadway. Son prestige grandissait à mesure que le mien s'effritait. Son idée de compagnie tournante semblait fonctionner. Et au fond, n'était-ce pas une solution plus pratique dans notre culture ? Jamais auparavant on n'avait vu une telle galerie d'acteurs de premier plan rassemblés pour une série de productions. A venir : la pièce de Jimmy et le rêve que Lee avait caressé toute sa vie durant : *les Trois Sœurs* de Tchekhov.

Je me demandais si Bob et moi n'avions pas eu les yeux plus gros que le ventre. Avions-nous choisi de mettre nos œufs dans le mauvais panier ?

Puis sonna l'heure de la production que tout le monde attendait, l'œuvre du maître. Lee avait caressé ce rêve pendant longtemps, et souvent en public, de monter un jour *les Trois Sœurs* de Tchekhov, quand il disposerait d'une distribution à la hauteur de la pièce. Maintenant, il l'avait, cette distribution, toutes des stars ou presque, et très désireuses de travailler avec lui : Geraldine Page, Kim Stanley, Shirley Knight et Barbara Baxley — que demander de plus ? Il suffirait de les soutenir avec un groupe d'hommes sûrs et de leur laisser la bride sur le cou. C'est ce que fit Lee. Et tout se goupilla bien pour lui. Pour couronner l'ensemble, il dédia cette production à Marilyn Monroe.

Il obtint enfin le triomphe personnel tant attendu et bien mérité. Le lendemain matin, il put lire ces mots : « Sous la direction de Lee Strasberg, la production de cette compagnie mérite le nom de "chef-d'œuvre". »

Certains se montrèrent chicaniers, et je dois admettre que je me comptais au nombre de ces *refuzniks* grincheux. Mais à ce moment-là, je me débattais avec *l'Enfant changé*, ce qui rend suspecte ma réaction. Il me faut toutefois exprimer mon indignation. Ce que j'avais vu sur scène m'avait hérissé le poil. Ce soir-là, je quittai le Morosco Theatre les lèvres pincées — et c'est un euphémisme. Je m'épargnai une visite en coulisses. Mais plus de vingt ans ont passé et le temps est venu pour moi de vider mon sac. Vous en ferez ce que vous voudrez.

Une exagération va m'aider à me faire comprendre : je me souviens d'un psychanalyste nommé Wilhelm Reich, qui croyait que l'univers regorgeait d'une énergie d'un type particulier, qui pouvait être captée et emmagasinée, pour le bénéfice d'un individu, dans ce que Reich appelait une boîte à orgone[1] ou un accumulateur. Ce n'était rien d'autre qu'une boîte assez grande pour contenir un corps humain mais pas beaucoup plus, faite de bois et d'armatures métalliques. La personne qui devait être exposée à la force née de l'accumulation d'énergie contenue dans l'univers prenait place à l'intérieur de cette boîte. S'ensuivait une communion entre l'énergie de cette personne et celle des sphères célestes. La combinaison des deux emplissait la boîte à orgone — pour le plus grand bien de la personne. J'espère que je ne me suis pas trompé dans mes explications.

Par contre, je suis sûr de ne pas me tromper quant aux instructions données par Lee et Harold Clurman aux acteurs qu'ils avaient assemblés en 1929 pour constituer un théâtre de « groupe ». Pour simplifier : on demandait à l'acteur de se remémorer les détails d'un événement passé qui avait généré en lui une émotion particulière ; par ce biais, il exhumait l'énergie associée à cette émotion longtemps enfouie et la mettait à contribution dans la scène qu'il s'apprêtait à interpréter. J'ai été le régisseur de Lee en 1934 et 1935 et je me souviens qu'il recommandait ou, pour mieux dire, qu'il commandait que les acteurs de notre compagnie « prennent une minute » avant de faire leur entrée, afin de se remémorer l'événement qui leur permettrait d'atteindre le degré d'émotion adéquat. Alors seulement

---

1. Mot-valise formé à partir d'org(asme) + (horm)one. *(N.d.T.)*

pouvaient-ils interpréter la scène. Cette méthode portait-elle ses fruits ?
Oui. Pour le meilleur et pour le pire. Les acteurs se concentraient davantage — pas sur leurs partenaires, toutefois, mais sur leurs souvenirs. A
l'époque, il m'arrivait de jouer de petits rôles et force m'est d'admettre
que cette préparation générait en moi des vibrations salutaires. En tant
que régisseur, j'étais chargé par Lee d'appeler au rituel « Prenez une
minute ! » au début de chaque scène, et les acteurs se mettaient à l'œuvre
au doigt et à l'œil.

Cette exigence technique venait dans le droit fil des classes dirigées par
Lee dans ces années-là. Les acteurs s'y démenaient pour démontrer à Lee
combien leurs émotions pouvaient être intenses et gagner ainsi son approbation — aux dépens des autres... Je le revois pendant les répétitions,
assis devant la scène comme devant une de ses classes ; il avait tout d'un
juge et rien d'un collaborateur artistique. Mais dans cette position, il était
invulnérable. Sa propre créativité n'était jamais mise sur la sellette. Il
maintenait sa domination — et donc sa sécurité — grâce à cette distance.

Mais il devint de plus en plus évident, au fil des spectacles, que les
acteurs et les actrices évoluaient sur scène comme dans les miasmes d'une
dévotion sans bornes envers eux-mêmes. Si l'on croise dans la rue une
personne qui se comporte de la sorte, on parle de « somnambulisme ». Si
on la voit sur scène, on dit : « C'est une interprétation typique de la
Méthode. » Et elle devint la marque de fabrication du Group Theatre à
ses débuts, du moins dans les pièces que Lee mettait en scène. A n'en pas
douter, nos acteurs se situaient à cent coudées au-dessus des représentants
de ce théâtre désuet contre lequel Lee et Harold s'étaient élevés : ils n'en
faisaient pas « des tonnes » et se gardaient de prendre des poses ou de
gesticuler, attitudes qui passaient jadis pour la manifestation d'une émotion intense. Toute révolution me paraît osciller entre un pôle positif et un
pôle négatif. Nous commencions à ressentir les effets néfastes de ce
courant alternatif.

J'étais opposé, et je n'étais pas le seul, à ce que Lee prônait et je
recherchais des méthodes plus simples et plus « immédiates » de susciter
les émotions, des méthodes qui relèvent moins de l'autohypnose et permettent une interprétation plus conforme à la vie réelle. Nous cherchions
à élaborer des techniques qui ne donnent pas l'impression que les acteurs
se regardaient le nombril, perdus sur leur petit nuage. Pour nous autres
rebelles, la clé, ce n'était pas l'émotion, mais ce que le personnage voulait
accomplir, son objectif dans la scène. Comme dans la vie. Lee, cependant,
se complaisait dans ses méthodes. Il n'ordonnait plus de « prendre une
minute » mais il me semblait que ses acteurs continuaient à jouer pour
eux-mêmes et non avec leurs partenaires.

Je me rappelle avoir songé, en le regardant diriger des scènes d'amour,
qu'elles étaient l'expression de la difficulté d'aimer éprouvée par un
homme inhibé ; en d'autres termes, la défense et l'illustration de l'attitude
de Lee en amour. Il demandait souvent à ses acteurs, dans les scènes de
passion, de regarder dans des directions opposées — c'est-à-dire de se fuir
des yeux. Parfois, il plaçait un pilier ou une porte entre les amants, ce qui
revenait à les séparer. Il arrivait qu'un amant tende la main vers celle de

sa partenaire, mais les visages ne se tournaient pas l'un vers l'autre. Je ne me souviens pas avoir jamais vu chez Lee de confrontation face à face entre deux amants. Ce parti pris correspondait bien sûr à la nature de Lee durant ces années. Il lui était impossible d'exprimer le moindre sentiment d'affection de façon directe et franche ; il ne savait pas faire don de son émotion ni même de son enthousiasme. Je suis sûr qu'il en était capable dans sa vie privée — il avait quatre enfants —, mais sur scène, c'était toujours la même rengaine pénible : « Prenez une minute ! » Je voyais bien sur le visage des acteurs, en pleine scène de passion, qu'ils pensaient moins l'un à l'autre qu'à un moment de leur existence où ils avaient éprouvé l'émotion que Lee attendait d'eux. Ce qui les séparait tout autant qu'un pilier ou une porte.

Mais revenons à nos moutons, en l'occurrence *les Trois Sœurs*. Imaginez une scène remplie de boîtes à orgone tout à leur ferveur, attendant qu'on les charge. Cette fois, elles tirent leur énergie non de l'univers mais d'une source tout aussi inaccessible : leur propre passé, enfoui dans la mémoire de chacun des interprètes. L'ensemble, c'est inévitable, tient du congrès de somnambules, tendance Narcisse. Vous vous dites peut-être que ce recours à la vie intérieure convient bien à Tchekhov ; eh bien, je ne partage pas ce point de vue. Les personnages de Tchekhov ne cherchent-ils pas toujours, au contraire, le contact avec autrui ? J'en ai l'impression, pour ma part. Ils ne constituent pas une assemblée de « boîtes » séparées les unes des autres, mais une communauté d'âmes dont les problèmes sont intimement liés les uns aux autres. De manière indirecte, peut-être, ils cherchent compréhension et compassion mutuelles. Tchekhov avait demandé à Stanislavski, son metteur en scène, d'éviter les effets larmoyants et complaisants. Cette pièce est une comédie, disait-il. Un acteur ne doit pas non plus laisser entendre que son personnage est pathétique ou tragique. Il ne doit pas passer son temps à signifier au public combien il est pitoyable et sa douleur profonde. Dans la vie, si l'on devine qu'une personne se trouve dans une situation tragique, il est intéressant d'observer ses efforts pour masquer sa peine et la contenir. Bien souvent, l'attitude des gens à ce moment-là ne laisse pas de surprendre et révèle certaines caractéristiques de leur personnalité. Quant au public, il est bien assez grand pour ressentir le chagrin et le courage, le sens de l'humour et celui de l'honneur, simultanément. C'est l'essence même de la vie dans les pièces de Tchekhov. Dans la production dont je vous entretiens, il m'avait semblé que certains acteurs se comportaient encore comme pendant un exercice scolaire, en compétition les uns avec les autres pour offrir une « interprétation magnifique » à Lee et gagner ainsi son approbation. C'est malheureux, mais j'en suis venu à éprouver de l'aversion pour l'interprétation de certains de mes acteurs du Studio — même si je les apprécie tous sur un plan personnel. Je préférerais un peu plus d'humour et un peu moins de complaisance, d'apitoiement sur soi-même et de nombrilisme. Je déteste les *strip-tease* émotionnels.

Mais à en juger par les critiques, cette production remporta un vif succès. On multiplia les interviews de Lee, on ne lui posait que des questions dignes d'une célébrité de son acabit. Quand Cheryl Crawford lui fit savoir que leur organisation manquait d'argent, il lui répondit : « Quelque chose va se présenter. » Et quelque chose se présenta effectivement : une offre, par un producteur de télévision, de faire un film des *Trois Sœurs* et de fournir une avance de 50 000 dollars. Les cours privés de Lee s'étaient développés à la mesure de sa réputation et ce revenu lui assurait de quoi vivre. Mais le film télévisé, réalisé à toute vitesse pour réduire les dépenses, comme tant de films tirés de productions théâtrales, ne rencontra pas le succès, parce que ce n'était pas du cinéma. Dans le sillage de cet échec, une subvention de la fondation Ford fut retirée au Studio du jour au lendemain. Et vint le jour où le Théâtre de l'Actors Studio se retrouva sur la paille. Les acteurs cherchèrent du travail ailleurs. Mais Lee tint bon la barre, et de nouveau la chance vint à son secours.

Il reçut une offre de Peter Daubney, producteur anglais qui avait organisé un festival mondial du Théâtre ; celui-ci avait lieu à Londres chaque printemps. Il voulait que le Théâtre de l'Actors Studio y participe. Le théâtre de Lee prendrait place parmi les plus prestigieux du monde. Daubney voulait la pièce de Baldwin, *Des blues pour M. Charlie*, ainsi que celle de Tchekhov. La pièce de Jimmy plairait aux intellectuels de gauche anglais. On s'agitait beaucoup dans la 44e Rue.

Seule Cheryl hésitait. Il faudrait procéder à une refonte de la distribution et à de nouvelles répétitions. Mais Cheryl avait beau considérer ce voyage d'un mauvais œil, Lee savait que tout irait bien. La lumière du prophète brillait dans ses yeux. Il possédait le pouvoir absolu et, à ce moment-là, très peu de patience. Il jurait ses grands dieux qu'il trouverait des remplaçants aussi bons que les originaux et qu'il organiserait de nouvelles répétitions des pièces. Quand Paul Newman, avec sa bonté d'âme singulière, organisa le transport aérien gratuit des acteurs et des décors jusqu'à Londres, Lee le prit comme un encouragement du destin. Il trancha : « On y va ! » Cheryl, muselée, se retrouva vite engagée dans le tourbillon d'activités qui s'ensuivit. En secret, elle ne pouvait s'empêcher de penser qu'une force irrationnelle avait poussé Lee au-delà des océans, mais elle n'avait pas la force de le contredire. Peu de gens y parvenaient, d'ailleurs. Elle était consciente que Lee n'avait pas le choix : il n'aurait pas pu résister à cet appel, poussé qu'il était par une force mystérieuse face à laquelle la raison n'avait pas son mot à dire. A Londres, Lee montrerait enfin au monde entier qu'il m'avait surpassé et prouverait au comité directeur du Lincoln Center, qui ne l'avait pas retenu, qu'il avait fait le mauvais choix. Voilà, je crois, ce qui motivait la rage de vaincre de cet homme. Je ne vois pas d'autres raisons pour justifier cette force démoniaque qui allait le conduire à effectuer tant de choix inconsidérés.

Au soir de la première des *Blues pour M. Charlie*, Jimmy Baldwin attendait, dans le pub le plus proche de l'Aldwych Theatre, le verdict de Londres sur sa pièce. Des messagers lui firent part de la réaction du public. Tout le monde s'était plaint de l'éclairage : la pièce avait été jouée dans une pénombre glauque. La moitié des spectateurs, selon les amis de Jimmy, avaient aimé la pièce, les autres avaient été scandalisés. Des cris de colère s'étaient élevés du balcon. Un groupe d'extrême droite avait scandé : « Retournez en Afrique ! » Les comptes rendus, le lendemain matin, n'auraient pu être pires. « On se disait, écrit le critique du *Times*, que si une compagnie au monde était capable de dépasser la rhétorique de Mr. Baldwin pour atteindre à un noyau d'émotion authentique, c'était l'Actors Studio de New York. Mais rien de tel ne s'est produit hier soir. Quelle n'a pas été notre surprise, en effet, de constater que cette compagnie, loin de travailler la pièce en profondeur, en donnait une version dépourvue de finesse, aux contours grossiers. » Bien sûr, la bataille n'avait pas été perdue à Londres ce soir-là, mais bien avant. Sa valeur avait été hypothéquée à coups de redistribution des rôles, de répétitions chaotiques et de supervision technique déficiente, sinon dès la préparation du script.

Le lendemain, Lee fit une chose que personne ne lui pardonnerait. Devant l'afflux de mauvaises critiques, il organisa une conférence de presse et déclara aux reporters et aux critiques dramatiques qu'ils ne devaient pas juger le Théâtre de l'Actors Studio à partir de la représentation de la pièce de Jimmy, car cette production ne rendait pas justice au travail du Studio. Qu'ils attendent de voir ses *Trois Sœurs*. Cette déclaration effectuée en désespoir de cause revenait à trahir une interprétation, une compagnie et un auteur.

Au soir de la première des *Trois Sœurs*, Jimmy se trouvait de nouveau dans son pub devant un verre, en compagnie de Michael Redgrave et de Groucho Marx. Ils devisaient gaiement lorsqu'une actrice noire qui avait joué dans *Des blues pour M. Charlie* fit irruption dans la place. « Ils l'ont huée, annonça-t-elle à Jimmy. Ils l'ont huée entre les actes et ils l'ont huée à la fin. » Le lendemain matin, les journaux s'en donnèrent à cœur joie : « (...) un metteur en scène capable de ce résultat doit avoir le génie de la destruction. » Dans un autre journal, on pouvait lire : « La soirée la plus triste de la semaine aura été la dernière, marquée par les sifflets qui ont accueilli la version des *Trois Sœurs* par l'Actors Studio. (...) Cette production réussit le prodige a priori irréalisable de rendre Tchekhov ennuyeux. » Penelope Gilliatt, admiratrice de longue date du Studio, écrivit quant à elle : « Quelle tâche lugubre pour le Festival mondial du théâtre que de nous présenter le suicide de l'Actors Studio. »

Paula Strasberg a confié à Sidney Kingsley que lorsque Lee avait lu les critiques, il avait éclaté en sanglots. Son rêve s'était effondré.

Je n'ai jamais entendu Lee dire : « J'ai eu tort ; c'est ma faute. » La seule chose que Lee avait à faire en la circonstance, il en fut incapable : il aurait fallu dire la vérité au sujet de ce qui s'était passé. La compagnie, après tout, avait été réunie au petit bonheur la chance pour cette production, n'avait disposé ni du temps ni de l'espace nécessaire à des répétitions correctes de cette pièce délicate, et la faute en incombait à Lee. Il se serait attiré le respect de tous en admettant la vérité. Mais il ne se laissait jamais aller à accepter la responsabilité de quoi que ce soit, il préférait toujours adopter l'attitude déloyale de l'homme qui n'avait jamais tort. Quel fardeau à porter !

Cette catastrophe eut des conséquences tragiques aux répercussions incalculables. Cheryl et Lee, qui travaillaient ensemble depuis 1928, ne furent plus jamais proches l'un de l'autre. Elle a écrit que cette expérience avait constitué la plus grande déception de toute sa vie professionnelle. En vérité, elle était en partie responsable. Elle n'avait pas tenu tête à Lee. Résultat, l'expédition londonienne dans son ensemble avait été mal conçue et entreprise sur des bases erronées. Pourquoi Cheryl avait-elle fermé les yeux sur le comportement coercitif de Lee ? Pourquoi n'avait-elle pas fait peser son bon sens dans la balance ? Pourquoi s'était-elle soumise au démon qui habitait Strasberg ? Eh bien, parce que Lee n'avait jamais accepté qu'on le contredise ; il avait toujours présenté cette concession comme nécessaire à toute collaboration avec lui. Face à ce fanatique fantasque, pompeux et hystérique, Cheryl avait fait preuve de faiblesse. Elle ne l'avait jamais défié ; elle avait rendu les armes sans combattre.

J'avais éprouvé la même difficulté avec Lee. J'avais sauvé ma peau en m'éloignant de lui.

La désillusion et le ressentiment s'emparèrent des membres du Studio présents à Londres, mais surtout de ceux qui étaient restés à New York. Ces derniers, qui avaient toujours été d'une loyauté à toute épreuve, estimaient qu'ils avaient été mal représentés et que cette production ne méritait pas le label « Théâtre de l'Actors Studio ». Ils avaient été humiliés, et pour de mauvaises raisons. Les interrogations se multipliaient et le doute s'insinuait dans la vieille église de la 44e Rue. Cette production reposait sur la présence de stars ou de quasi-stars, assemblées pour une courte période dans le seul but de satisfaire l'*ego* de Lee. Notre nom, dont ils avaient été si fiers, avait été sali.

On commença à murmurer que Lee ne voyait que par les stars, qu'il leur réservait un traitement de faveur et avait pour elles des attentions qu'il n'accordait pas à des membres qui lui avaient été fidèles pendant des années. La présence de Marilyn Monroe dans ses classes avait ajouté à l'aigreur ambiante. Les membres les plus vieux avaient tout de suite vu que leur leader tenait sous sa coupe cette star de cinéma, fille modeste à l'extrême, tout comme son talent, quelle que soit la qualité de son travail. Et il faisait ses délices du pouvoir qu'il exerçait sur elle. Ils considéraient comme bien malvenu de délirer au sujet de Marilyn et associaient ces égarements à la déconvenue londonienne qui allait suivre. Certains, plus réalistes, se mirent à désigner Lee sous l'appellation de « baiseur de stars ». Ils ne faisaient pas référence à sa vie sexuelle. Non, dans les années qui ont suivi, le terme recouvrait l'implication suivante : Lee était impressionné par tous les acteurs qui avaient remporté un succès au cinéma ou à Broadway, quels que soient le talent, la personnalité, l'expérience ou la technique de l'intéressé. Il avait dit un jour à Ellen Burstyn que seules des célébrités devraient faire partie du comité de direction de l'Actors Studio. Il ne pouvait échapper à nos membres que Lee ne cessait d'ajouter des « noms » à la liste des participants au Studio : ces nouveaux venus n'avaient pas été mis à l'épreuve par nos juges ès talents naguère, le seul moyen d'entrer dans le sérail, mais la presse chantait leurs louanges sur tous les tons et ils avaient le bras long. Lee trahissait ainsi l'esprit originel du Studio, qui avait toujours soudé les membres. « Seul le talent compte ! » fut peu à peu remplacé par des critères d'ordre médiatique. Bientôt, nombre de nos meilleurs talents sentirent le vent tourner et partirent à la dérive.

Après la catastrophe londonienne, Lee changea d'orientation, recommença à donner les cours privés qui lui assuraient une vie confortable, puis épousa une femme pleine de classe et d'énergie qui l'aida à rentabiliser au maximum son talent. Avec l'aide d'un avocat dévoué, et aiguillonné par son épouse ambitieuse, il se lança dans une entreprise de fabrication des stars. L'Institut Lee Strasberg fit son apparition sur les deux côtes. New York, c'est le terrain le plus fertile en talents ; quant à la Californie, c'est un réservoir de stars et d'argent. L'admission, bien sûr, ne dépendait pas seulement du talent. La philosophie de l'Actors Studio avait vécu. Les tarifs d'inscription étaient prohibitifs, mais les acteurs et les actrices qui cherchaient à s'élever à la force du poignet auraient tout accepté ou presque pour réunir la somme exigée par Lee. Il avait fabriqué beaucoup d'étoiles : il pourrait en mettre bien d'autres sur orbite.

Lee devint le professeur d'art dramatique le plus célèbre du monde. Des étudiants venus de toutes parts se pressaient à son huis. Il avait appris une leçon : ce genre d'activité théâtrale ne mettait pas en danger sa réputation, à la différence de la mise en scène. Il appréciait sa prééminence... et sa richesse. Pour le conduire aux locaux new-yorkais de l'Institut, une Mercedes avec chauffeur l'attendait à l'entrée de son immeuble ; sur la plaque minéralogique, on lisait METHOD. Les étudiants de l'Institut portaient des sweat-shirts avec l'inscription ACTEUR DE LEE STRASBERG, ou encore SUPERSTARS LEE STRASBERG, autour de l'image du maître. Dans son appartement, deux « clebs » faisaient les singes. L'un s'appelait Méthode Un et l'autre Méthode Deux. Lee n'aurait pas pu imaginer lui-même le coup des sweat-shirts ni celui des plaques d'immatriculation. D'un autre côté, il ne les avait pas interdits. L'Amérique exploitait enfin le potentiel commercial de la méthode Stanislavski.

On se gaussait de ces débordements grotesques. Mais Lee en avait payé le prix et la vie de cet homme comportait un élément tragique. Je n'ai jamais oublié son visage lorsque, dans les débuts du Group Theatre, il décrivait avec ravissement le travail des metteurs en scène qu'il admirait et espérait égaler un jour. Je n'ai pas oublié non plus tout ce qu'il nous a appris sur l'art de l'interprétation. Il n'avait pas seulement relevé le niveau et encouragé la confiance des acteurs du Studio, mais avait aussi conféré une dignité nouvelle aux acteurs du monde entier. Certains artistes, aussi talentueux soient-ils, lui doivent leur carrière. Dans cette mesure, il a réussi et mérite le respect. L'aspect tragique de sa vie tient aux rêves inaboutis — mais la plupart d'entre nous en ont au creux de l'estomac. L'important, c'est de se demander s'il avait obtenu le genre de succès qu'il voulait. Et la réponse est : non, bien sûr. Au bout du compte, on fait de son mieux et c'est tout.

La dernière fois que j'ai vu Lee, c'était sur un écran de télé. Alexander

Cohen avait imaginé un immense show fort tapageur pour célébrer le centième anniversaire de la Fondation des acteurs ; il s'agissait d'un spectacle style strass et paillettes intitulé *la Nuit des 100 étoiles*. Mais au lieu de cent étoiles, Alex, fidèle à lui-même, en avait invité deux cents. Le contingent final d'environ quarante sommités défila en se pavanant devant la caméra de télévision sur l'air de *Chorus Line*. Le bras gauche de chacune de ces célébrités s'ornait d'une « Rockette », cependant que le bras droit pouvait à loisir ôter le chapeau haut de forme dont elles avaient été munies. Chacun saluait la nation d'un sourire, d'une gaminerie ou d'un geste qui l'avait rendu célèbre. Chacune portait un numéro, qui apparaissait en surimpression à l'écran en même temps que son visage. Le numéro 167 était Milton Berle, le 182 Al Pacino, le 183 Bobby De Niro, le 195 Rocky Graziano et le 196 Lee Strasberg. A 200, la parade était terminée.

Je me suis demandé ce qu'avait bien pu ressentir Lee en ôtant son haut-de-forme devant les téléspectateurs ; à telle enseigne que j'ai visionné la cassette une seconde fois. Alex a eu beau m'assurer que la femme de Lee, Anna, avait présenté ce jour comme l'un des plus heureux de la vie de Lee, je n'en avais pas retiré cette impression. En effet, alors que toutes les autres stars numérotées avaient joué le jeu devant la caméra, Lee avait enlevé son chapeau, comme on le lui avait demandé, mais son visage était demeuré sombre et tendu. Je lui avais aussi trouvé les traits tirés et le teint hâve. Pour moi, Lee avait essayé à la fois de participer aux réjouissances et de garder ses distances. Il devait penser : Je n'approuve pas vraiment tout ceci, mais j'ai décidé, pour des raisons publicitaires, de m'y soumettre. Ou : Je suis ici sans y être.

Il devait mourir dans son sommeil deux jours après. « Ça l'a fatigué », avait déclaré Anna à propos des répétitions de *la Nuit des 100 étoiles*. On peut affirmer sans risque de se tromper que d'autres événements l'avaient fatigué bien davantage auparavant. Que s'était-il passé depuis le temps où Lee était capable d'insuffler à un groupe d'acteurs l'espoir de servir une grande cause ? Au fil des années, défaites, regrets, obstacles insurmontables s'étaient accumulés, et ces rêves avaient réduit comme peau de chagrin, s'étaient estompés puis avaient changé du tout au tout. A la fin, célébrité sortie de la machine à fabriquer des stars, il avait fait risette devant la caméra, un numéro épinglé sur la poitrine. Et il s'était distingué comme « gourou » légendaire pour aspirants comédiens capables de mendier, d'emprunter ou de voler le montant des frais d'inscription pour pouvoir se vanter ensuite d'avoir « étudié avec Lee Strasberg ».

Le dépliant publicitaire pour l'Institut comporte maintenant une photo de Lee dans la pose d'un saint, qui surmonte la légende suivante : « Directeur Artistique à Perpétuité ». Dans les locaux new-yorkais de l'Institut, une salle a été nommée le Théâtre Marilyn Monroe, un attrape-nigaud pour étudiantes. On y trouve également un musée Marilyn Monroe, placé sous la surveillance d'Anna Strasberg.

JE NE COMPRENDS PAS les catholiques. J'ai un ami qui respecte les préceptes de la foi romaine et suit sa femme à St. Pat tous les matins pour assister à la messe avant de se rendre à son travail. Cependant, c'est aussi un réaliste à tous crins qui fait montre d'un cynisme redoutable à propos de bien des événements contemporains. Je ne l'ai jamais entendu exprimer d'avis favorable au sujet du regretté Cardinal Spellman, idiosyncrasie qui me va droit au cœur, et il ne manifeste pas non plus la tolérance bienveillante dont on gratifie trop souvent nos responsables politiques. Il y a peu, apprenant qu'un de mes proches était décédé, il m'a consolé de ces paroles: « Quand Dieu prend, Dieu rend. » Je ne suis pas le moins du monde croyant et je n'attends de cadeau d'aucune source mystérieuse. Néanmoins, un jour de cafard, je me suis laissé aller à penser: Maintenant, il m'est redevable.

Les joueurs ont toujours pullulé dans ma famille, jusqu'à la génération actuelle. L'un de mes fils, diplômé de Harvard, étudie le *Racing Form* chaque matin et classe les participants. Quand il tombe sur un canasson qui lui botte, il téléphone à son *book* et allonge l'oseille. Il n'a pas l'air mécontent lorsqu'il perd et n'exulte en rien quand il gagne. Je crois que sa philosophie de la vie doit ressembler peu ou prou à celle de mon ami catholique. Les joueurs se disent: La chance va tourner. Et je suppose que si mon fils perd, il se dit que les bourrins lui sont « redevables ».

C'est une philosophie réconfortante. On m'a souvent déclaré « mort ». « La réputation de Kazan auprès des critiques a désormais atteint son nadir. » Paroles récentes dont la paternité revient à un érudit d'une grande sagesse. Je prévois que ma défaveur publique va encore s'aggraver à la publication de ce livre. Mais j'appartiens à une race qui ne se laisse pas abattre et nous savons bien que, même sans l'aide des dieux, le temps guérit les blessures. Au pire, l'animal humain finit par ne plus sentir la douleur, ce qui tempère les effets du désastre. Voilà notre foi à nous. Elle tient en ces mots: survis et attends. Après la pluie vient le beau temps.

Bien sûr, ce n'est pas vrai. On ne se remet jamais de la mort d'un proche. Je ne me suis jamais remis de la mort de mon épouse Molly. Si j'ai atteint le « nadir », c'est durant l'année qui a suivi. Mais de façon caracté-

ristique, ce n'est que deux mois après l'avoir enterrée que j'ai touché le
« fond de l'abîme ». Je n'avais pas pris toute la mesure de la situation à
l'hôpital, pendant que je serrais ses pieds en train de refroidir. Il m'a fallu
du temps pour la saisir : ce n'est pas seulement son corps qui était mort,
loin de là. Quelque chose s'était éteint en moi aussi, et rien ne serait plus
jamais pareil.

Je n'en croyais pas mes yeux. Il est probable qu'au-delà de nos différences, de nos différends, notre lien — une association autant qu'un
mariage — était le plus étroit qu'il m'ait été donné de connaître. La honte
et la culpabilité que j'avais éprouvées à cet égard m'avaient amené à me
demander si j'avais contribué ou non à sa mort. Et je ne connaissais
toujours pas la réponse à cette question. C'est pourquoi, tel un animal
blessé, je m'étais terré dans mon trou, le petit appartement situé près de
Washington Square, loué après que sa mort m'eut rendu insupportable
l'idée de vivre dans l'appartement « parfait pour toujours ». La morte
hantait cet endroit. J'y entendais des voix.

Pendant longtemps, donc, je n'ai pas étudié en détail ce qui s'était
passé. Chacun était responsable de la vie de l'autre, bien sûr ; moi de la
sienne, elle de la mienne. J'avais peut-être accru sa tension nerveuse, mais
l'inverse n'était-il pas aussi vrai ? Ou bien avais-je recours à cette pauvre
défense par désespoir ? Je ne pouvais répondre à cette question que par le
silence — qui ne constitue pas une réponse. J'évitais donc de me poser ces
questions. Elles ne feraient qu'accroître ma honte et mon incertitude, et
elles n'avaient pas de réponse. Peu à peu, ce mécanisme de défense dont
nous sommes tous dotés, qui nous permet de survivre, s'est remis en
marche. Pour la première fois de ma vie, je ne passais plus mon temps à
remettre en question le moindre de mes actes. Jusqu'alors, dans le domaine professionnel, j'avais repris à mon compte la maxime « connais-toi
toi-même » et j'exploitais les processus qui gouvernent l'esprit et les sens.
Mais j'étais soudain devenu muet et insensible.

Comment ai-je survécu à cette année 1964 ? En prenant mes distances
par rapport à moi-même et au reste du monde. Seul, sans activité, j'avais
attrapé une autre « maladie » : l'indifférence. Tout instinct combatif
m'avait déserté. Comment ai-je passé l'hiver ? Je ne sais trop, car je n'ai
gardé aucun souvenir postérieur à *l'Enfant changé*. J'ai « fainéanté », si
vous me passez l'expression. Dans mon petit appartement de la 3e Rue, je
me recroquevillais sur mon lit tel un homme frappé d'une maladie peu
douloureuse mais débilitante, qui me donnait tout le temps envie de
dormir mais me réveillait dès que le sommeil s'emparait de moi. Je faisais
de mon mieux pour remplir les dernières obligations qui m'incombaient au
théâtre, puis je revenais ventre à terre dans ma tanière, pour m'y retrancher dans la solitude. J'ai découvert d'autres attraits à cette ville : j'allais
voir un film presque tous les jours, seul, je fréquentais bibliothèques et
musées, je flânais dans le parc et m'arrêtais au zoo à l'heure du repas des
animaux. De temps en temps, Barbara me rendait visite, mais nous avions
perdu de notre entrain. Je me demandais, non sans ironie, si la présence
de Molly était requise pour que cette union « fonctionne ».

La nuit, seul dans mon lit, je ne ressentais plus aucune appétence d'ordre sexuel. En d'autres termes, j'étais mou. Comme toute autre femme à sa place, Barbara a fini par se dire que je n'avais plus envie d'elle. Mais la vérité, qu'elle avait du mal à admettre — quelle autre femme réagirait différemment ? —, c'est que je n'avais envie de personne d'autre. Je n'avais plus ni le désir ni l'énergie de me comporter ainsi que je l'avais fait toute ma vie durant. Quelque chose en moi avait rendu les armes.

Quant à ma vie professionnelle, elle avait atteint son « nadir » et je le savais bien. Mes deux dernières productions au Théâtre de Répertoire, désastreuses, avaient prélevé leur lourd tribut. Je n'étais plus le « clairvoyant ». En ce domaine aussi, j'avais perdu confiance. Quant à mes films, mon préféré, *America America*, une fois toutes les additions et soustractions effectuées, s'était soldé par de l'encre rouge à la dernière ligne du bilan. Je savais qu'il me serait désormais impossible d'obtenir le soutien financier nécessaire au tournage d'une suite de cette histoire — ou même peut-être de tout autre film.

Le seul élément rassurant, dans mon existence, c'était la présence de mon psychanalyste. Le Dr Kelman m'a conseillé de ne pas me laisser abattre par le marasme soudain dans lequel je me trouvais. Homme austère, il ne m'a pas offert sa pitié mais m'a assuré que cette phase de découragement était bien naturelle : la mort d'un proche change toutes les données et il me faudrait des mois pour redevenir « moi-même ». Il ne m'a pas caché que la blessure ouverte par la mort de Molly ne se refermerait jamais, il ne fallait pas y compter. Plus probable, elle serait absorbée par un moi régénéré, différent. Il a tenu à minimiser mon complexe de culpabilité, l'a réduit à ses justes proportions et s'est mis en devoir de restaurer cette confiance en moi que la culpabilité éprouvée à la mort de Molly avait désintégrée.

Puis il m'a annoncé qu'il avait remarqué du nouveau dans le discours que je tenais depuis la mort de Molly avant d'ajouter qu'il avait bon espoir. Selon lui, j'avais passé ma vie à refréner mes véritables sentiments dans la crainte — tant de colère, tant de haine ! — qu'ils me discréditent aux yeux des autorités dont je recherchais la faveur et du public qui venait assister à mes spectacles. Je m'étais arrangé pour mener à bien *Thé et sympathie*, ainsi que les pièces de Williams et Inge, « pauvres petites âmes sensibles », mais que je ne me leurre pas : elles ne correspondaient pas à ma façon de voir les choses. La pitié et l'apitoiement sur soi-même ne sont pas des émotions tragiques et elles n'entraient pas dans ma nature. J'étais devenu si prompt à me présenter comme un type sympa à cent pour cent, docile et compatissant que j'en étais arrivé, avec le temps, à perdre ma vraie voix et même mon visage. J'étais entré dans la peau d'un personnage que j'avais créé de toutes pièces — « Gadget » — car c'était la solution de facilité pour moi. Et elle me rendait acceptable aux yeux de ceux qui me dominaient.

Ensuite, il a déclaré que dans les mois suivant la mort de Molly, j'avais commencé à donner une image plus authentique de moi-même, à dire ce que je pensais vraiment. Cette personnalité naissante n'était pas jolie-jolie, mais « voilà comment vous êtes et comment vous réagissez, et il est bon que vous insistiez enfin pour qu'on y prête attention. Vous vous rendez compte qu'il ne vous intéresse pas vraiment de plaire à tout le monde, ainsi que vous l'avez toujours prétendu ». Les nouveaux « sons » qu'il entendait maintenant sortir de ma bouche étaient différents. A cent lieues de « ces intonations calculées pour plaire aux autres, ces solutions de facilité ». L'apparition récente de grognements de colère correspondait mieux à mon tempérament. La colère, selon lui, constitue un don, un vrai talent. Je l'avais perdu et j'avais entrepris de le récupérer.

Enfin, comme mon ami Steinbeck avant lui, il m'a confié : « Je ne crois pas qu'il vous soit encore possible de mettre en scène les œuvres des autres. » Je devais me consacrer à ce qui se passait en moi : c'était mon meilleur matériau. « C'est à l'intérieur de votre corps que se déroule le plus captivant des drames. Pourquoi ne vous concentrez-vous pas là-dessus ? » J'ai réfléchi à ce conseil et donné raison à Kelman. J'avais trouvé ma motivation.

Des changements que je n'avais pas prévus prenaient place en moi. Je ne savais pas ce qui m'arrivait, mais je ressentais un flot d'émotions nouvelles déferler de toutes parts. Pourquoi ? Pourquoi si brusquement ? Aujourd'hui, avec un recul de plus de vingt-cinq ans, je peux faire une confession douloureuse, voire teintée de honte : la mort de Molly m'avait libéré. Je le sais maintenant, c'est ce qui s'était passé. Je me sentais débarrassé de mes liens. Si j'en avais pris conscience à ce moment-là, je ne l'aurais pas admis. Je ne me serais même pas autorisé à le penser. Avant d'entamer la rédaction de ce livre et de me forcer à essayer de comprendre ce qui s'était passé dans ma vie à cette époque, je n'avais jamais imaginé que la personne dont j'avais été si épris pendant tant d'années, qui m'avait donné quatre enfants auxquels je suis attaché plus qu'à tout autre être humain, pouvait m'avoir ligoté à mon insu. Seule sa mort me rendrait ma liberté. Ainsi, cette mort était pour moi une tragédie et une bénédiction à la fois. Je vais tenter de m'expliquer.

Quand il débarquait dans ce pays après avoir échappé à une terre où les siens vivaient dans la terreur, un jeune immigré qui ne parlait pas la langue de sa terre d'accueil et allait y vivre avec une famille d'étrangers soupçonneux, craintifs et sans position stable au sein de cette société nouvelle, n'était pas long à saisir que, pour survivre dans les rues, à l'école, et être accepté, il lui fallait gagner la faveur des puissants, qu'il s'agisse d'adultes ou de gamins de son âge. J'avais moi-même adopté cette technique : je faisais n'importe quoi pour obtenir la tolérance, l'amitié et la protection des détenteurs de l'autorité dans mon entourage. Je devins vite une personne-enfant puis, c'était inévitable, un adulte toujours prompt, je le confesse avec gêne, à faire ce qu'il fallait pour atteindre son objectif au plus vite. Je m'étais créé un non-moi. Je n'avais pas de personnalité définie. Je l'adaptais aux circonstances. Véritable caméléon, je changeais de couleur au gré des situations, je cédais à n'importe quelle pression, pour autant que je fusse accepté par ceux qui étaient plus forts que moi, et donc en sécurité. Voilà ce dont j'avais essayé de me débarrasser, plusieurs décennies plus tard, au prix d'efforts énormes et d'une peine considérable.

Ce désir de m'en sortir en satisfaisant mes supérieurs — par exemple la classe dominante des Anglo-Saxons —, en laissant paraître des signes d'appréciation et de respect à leur endroit, quels que soient mes sentiments véritables, avait un corollaire incontournable : la rancune.

L'incarnation ultime de l'autorité, la personne qui pouvait toujours me dire si j'avais raison ou tort, c'était, vous l'aurez deviné, ma femme Molly. Son approbation me rassurait sur le bien-fondé de mes choix. Pendant des années, j'ai perdu de vue ce que je voulais moi pour mieux définir ce qu'elle voulait pour moi. Personne « au fait » en toute circonstance, qui ne doutait jamais de ses opinions et ignorait l'hésitation, Molly pouvait être à la fois douce dans son humanité et rigide dans sa moralité. Aujourd'hui, je qualifierais certaines de ses positions d'intolérantes. Vers la fin, je lui répétais souvent : « Tu ferais mieux de plier un peu, ou tu rompras. » Elle n'a jamais appris à plier, et elle a fini par rompre. Durant les années où nous avons été proches, c'est-à-dire au moins les vingt premières de notre mariage, il ne faisait aucun doute à mes yeux que si Molly trouvait une ligne de conduite, une pièce, un ami ou un choix appropriés pour moi, je pouvais y aller les yeux fermés.

Cependant, les années passant, sa rigidité a fini par m'étouffer. Malgré le respect que je pouvais encore éprouver pour ses impératifs moraux, ma véritable personnalité émergeait peu à peu. Mes appétits, mes aspirations exigeaient d'être satisfaits, et beaucoup allaient à l'encontre des principes de Molly. Ces pulsions, faciles à satisfaire grâce au pouvoir que le succès dans ma profession m'avait conféré, se mirent à perturber notre mariage. Après m'être roulé une ou deux fois dans l'herbe plus verte qui poussait en dehors du « périmètre » clôturé à mon intention par Molly, j'y pris goût et ne fus pas long à ne plus pouvoir m'en passer. Mes actes avaient alors de loin dépassé la mesure du tolérable à ses yeux.

Mais je ne voulais toujours pas renoncer à elle. C'est pourquoi je m'aguerris à l'art de la dissimulation. Je parvenais à cacher certains actes — où j'étais allé, quand, pourquoi et avec qui. Je devins expert en la matière, non sans conséquences funestes sur ma personnalité : « Il est retors », « On ne sait jamais à quoi s'en tenir avec lui », et ainsi de suite. Mais ces expériences firent également mon éducation. J'en appris des vertes et des pas mûres sur bon nombre de gens. Dépourvu de sœurs, j'avais été coupé de l'autre sexe. Une fois le cadenas ouvert, je découvris un univers fascinant. Je me fichais bien de savoir si Molly me donnerait ou non sa bénédiction, car après tout la vie qu'elle avait choisie et qu'elle trouvait si « agréable » m'empoisonnait l'existence. Mes infidélités m'ont sauvé la vie.

Pendant des années, j'ai pratiqué la dissimulation, et je trompais une personne d'une intelligence brillante, qui m'avait donné une famille, s'était révélée d'une loyauté à toute épreuve et n'agissait jamais qu'en fonction de mon intérêt. Elle avait pris fait et cause pour moi et se dévouait à moi sans compter. Elle ne disait jamais que la vérité, sa vérité ! Mais même quand elle me ressortait par les yeux avec son esprit étroit, rigide, intolérant, destructif et surtout étriqué quand il s'agissait de saisir la vie à bras-le-corps, même dans ces moments-là, je n'éprouvais que dévotion pour elle.

Et puis elle est morte, et je me suis retrouvé dans une situation que je n'avais jamais connue. Je n'avais plus de comptes à rendre à personne. Je n'avais plus besoin des blancs-seings de Molly pour satisfaire mes caprices. Je me suis retrouvé au sommet d'une montagne d'années, d'où je pouvais contempler sans honte tout ce que j'avais fait ; du haut de cette position stratégique dans le temps et l'espace, j'avais enfin le loisir d'essayer de me comprendre. Fort de cette curiosité nouvelle, je me suis regardé de près et j'ai découvert que je nourrissais un souhait qui hante l'humanité depuis ses débuts, l'espoir qu'en devenant une personne différente je pourrais du même coup repartir de zéro et vivre une autre existence. C'était désormais du domaine du possible. La mort de Molly avait fait sauter tous les verrous. Mon ancienne vie — personnelle, professionnelle et émotionnelle à la fois — était morte avec elle ; j'en avais fini ; elle s'était volatilisée. J'avais jeté le discrédit sur tous ces besoins jadis vitaux, sur lesquels Molly avait acquis la haute main. Mais à mesure que je me dégageais de mes liens et devenais enfin moi-même, je me donnais de nouveaux objectifs et me créais de nouveaux besoins, les miens propres. J'étais libre.

Ce que je viens d'essayer d'expliquer, je ne le comprends que maintenant, vingt-cinq ans après sa mort. A l'époque, je n'en avais pas la moindre idée. Je n'éprouvais qu'une solide détermination à jeter mon bonnet par-dessus les moulins et, si possible, à prendre un nouveau départ, quel qu'il soit.

« Je veux rompre avec Barbara.

— Eh bien, qu'est-ce qui vous en empêche ?

— Je ne sais pas, docteur Kelman. Rien. Tout. Qu'est-ce que vous en pensez ? »

Il me regarda fixement sans rien répondre ; habitude ou technique ? Il me mettait foutrement mal à l'aise, et je soupçonne qu'il le savait.

« Depuis la première de la pièce, repris-je, elle veut à tout prix savoir à quoi s'en tenir avec moi. »

Il me fixait, en attente.

« Docteur Kelman, est-ce que vous m'écoutez ?

— Vous n'avez pas eu un fils ensemble ?

— Si. Mais Barbara ne songe plus qu'à sa carrière maintenant, et je ne peux plus rien faire pour elle dans ce domaine. J'ai mes propres problèmes. » Silence. Il me fixait. « Je n'ai pas entendu ce que vous avez dit.

— Je n'ai rien dit.

— Mais vos lèvres ont remué. » Je m'efforçais de rester calme et d'analyser. « On dirait qu'elle possède un pouvoir extraordinaire sur moi. A quoi tient-il ? Si vous le savez, dites-le-moi : que représente-t-elle ? Ces filles que je n'ai pas eues mais que tous les types du collège qui faisaient du sport se tapaient ? Dites-moi pourquoi je n'ai toujours aimé que les jeunes femmes blondes de cette taille. Qui ressemblent à des gamines de dix-huit ans. Et de préférence un peu garces sur les bords. Pourquoi est-ce que je tombe toujours sur celles-là ?

— De quelle couleur étaient les cheveux de Molly ? »

— Châtain clair. C'était une Anglo — mais pas garce. Plus éduquée que Barbara mais pas plus maligne pour autant. A quoi tient leur pouvoir sur moi ?

— Vous l'avez dit vous-même. Vous avez dit : "Elles rampent." En d'autres termes, vous voulez vous venger. Et Molly, me direz-vous ? Eh bien, vous avez épousé l'ennemi. Ce qui explique peut-être pourquoi vous avez été si méchant avec elle. Ne m'avez-vous pas dit un jour que vous aimiez tout particulièrement séduire les femmes des autres, surtout celles des hommes anglo-saxons, de la grande bourgeoisie, éduqués à l'Université ?

— Mais Barbara n'appartient pas à la grande bourgeoisie, ni même à la petite. Elle est issue d'un milieu ouvrier. Son père et ses frères portent un revolver quand ils vont prendre un verre le soir. C'est une autodidacte — et astucieuse avec ça. Il le fallait bien si elle voulait survivre. Elle dit la même chose que vous, cette garce, à mon sujet : que je suis un handicapé de l'émotion. Ce qu'elle veut dire par là, c'est que je n'exprime pas mes émotions véritables, que je trompe mon monde. N'est-ce pas ce que vous avez dit vous-même ? »

Il me fixait encore, pas le moins du monde impressionné. Puis il haussa les épaules.

« Elle me rend fou, mais je la respecte parce qu'elle ne cache rien. Imaginez, elle m'a fait le catalogue de tous ses petits merdeux de copains, tous ceux qu'elle a eus. Tous ceux qui... vous savez... en détail... chacun d'entre eux !

— Peut-être qu'elle voulait vous mettre mal à l'aise.

— Elle a réussi ! Mais cette fois, elle est allée trop loin. Les choses qu'elle m'a dites sont intimes, ce sont celles que je cache à tout le monde, même à vous. Je l'admire pour ça, mais ça ne me plaît pas. Enfin, de toute façon, je ne veux pas me retrouver enchaîné à une putain d'actrice, pas vrai ? »

Il laissa échapper un gloussement.

« Pourquoi riez-vous ? Je vais rompre avec elle, quoi que vous en disiez. Quand je suis avec elle, je grince des dents la nuit. Je l'admire de m'avoir tout raconté, mais je ne pense plus qu'à ça depuis, avec tous les détails, je n'imaginais pas qu'une personne pouvait faire ça, tout déballer. Moi, je ne le ferais pas. Elle m'a dit qu'elle voulait assainir l'atmosphère entre nous une bonne fois pour toutes, pour que je ne sois pas toujours en train de me poser des questions, rongé par le doute. Alors elle vide son sac, et je suis censé ne plus m'inquiéter. Eh bien, c'est une réussite. Je me sens encore plus mal ! »

Je l'entendis soupirer, signe que nous avions atteint le terme de la séance.

« Encore une minute, s'il vous plaît. Dites-moi. Pourquoi est-ce que je continue à retourner vers elle ? »

On aurait dit que je l'irritais.

« Eh bien, que voulez-vous que je fasse maintenant ? Dites-le-moi ! » Maintenant j'étais en colère, moi aussi. « Que je reste avec elle ?

— Je me fous complètement de ce que vous allez faire. Là n'est pas la question, avec qui vous êtes. Vous n'avez donc rien saisi de ce qui s'est passé ici ? Vu votre nature, vous vous comporterez de la même façon avec la prochaine. Elles ont toutes un passé, vous savez. Qu'est-ce que vous croyez ? Elles sont humaines.

— Dites-moi pourquoi je reste avec elle, insistai-je. Je sais que vous le savez. Dites-le-moi. »

Il se leva, sur le point de quitter la pièce.

« Vous restez avec elle parce qu'elle est comme vous, répondit-il, la victime qui prend quelqu'un d'autre pour victime. Elle rend la monnaie de leur pièce à ceux qui l'ont fait souffrir en leur faisant du mal dès qu'elle en a le pouvoir et l'occasion. Comme vous. Vous vous vengez. Pauvre Molly.

— Foutaises. »

Il resta immobile un instant, puis ajouta : « Pauvre Barbara. » Sur ce, il tourna les talons et quitta la pièce. Je restai assis un moment, épuisé. Puis je me levai pour rentrer à la maison, où j'écrivis une lettre à Barbara pour lui dire que je ne voulais plus la voir. Puis je déchirai cette lettre et résolus de la rencontrer et de lui parler les yeux dans les yeux. J'écrivis ensuite une autre lettre, au Dr Kelman, pour l'informer que je ne reprendrais pas rendez-vous et lui demander de bien vouloir me faire parvenir le montant de ses honoraires.

Pour être franc, je n'avais pas dit toute la vérité à Kelman. Le fait est que je me détachais de Barbara depuis quelques mois déjà, de ma propre initiative, et celles qui avaient pris part à ce processus n'avaient pas toujours été blondes. Pendant que Barbara répétait et jouait au Lincoln Center, occupée tous les après-midi et tous les soirs, je m'étais livré à plusieurs expériences.

Je n'avais pas non plus révélé au Dr Kelman que par une fin d'après-midi de septembre, pendant que Barbara essayait son costume dans *l'En-fant changé*, j'étais allé faire un tour au parc pour tuer le temps et apaiser ma tension nerveuse en regardant une partie de softball. Presque arrivé à l'entrée, j'avais aperçu une fille charmante aux yeux noirs étincelants, une casquette de base-ball enfoncée sur des cheveux châtain foncé. Nous avions regardé le match ensemble, puis je l'avais raccompagnée chez elle et elle m'avait raconté sa vie. Elle profitait encore de cette période bénie dans la vie d'une jolie jeune femme : elle n'est pas encore alourdie par le poids des enfants et des responsabilités, elle ne se soucie pas encore au sujet de la carrière de son mari et ne panique pas à l'idée de voir sa beauté se faner. Celle-ci était une pure hédoniste. J'avais continué à la voir et un beau jour elle m'avait récompensé en m'offrant le sweater favori de son défunt mari, que je porte depuis avec plaisir.

A quoi tout cela m'avait-il mené ? Au moins à saisir qu'il me fallait regarder autour de moi et non pas rester pieds et poings liés ; apprendre de nouvelles leçons, être réceptif aux caprices de la vie. Laisser la porte ouverte aux surprises. « Voir du pays. » J'étais avec Barbara depuis plus de sept ans. On ne me fera pas croire que la nouveauté ne pimente pas le sexe.

En outre, ces épisodes m'avaient éclairé sur un point, et ce sans l'aide d'un psychanalyste : j'avais compris que si je trouvais la femme « qui convenait », j'aurais une chance de vivre enfin sans mentir ; je n'aurais plus besoin de me montrer sournois et évasif, de m'en remettre à des échappatoires truquées ou à des ruses de charlatan. Quel poids en moins ! Je n'aurais plus à faire semblant, à tromper, à dénaturer les faits ou à trahir. Peut-être l'avais-je rencontrée en la personne de la jeune veuve du parc.

J'appelai Barbara pour lui dire que je viendrais la chercher en taxi et que je l'emmènerais dans le bas de la ville. J'étais sur le point de lui faire du mal, mais je n'avais pas d'autre choix.

En chemin, elle embraya sur le sujet dont nous avions discuté la veille, l'enregistrement sonore que la compagnie allait faire d'*Après la chute*. J'étais tombé d'accord avec les producteurs et elle devait toucher moins que Jason Robards pour ses services ; lui était une star établie, elle une débutante. Elle me répondit que, d'accord, elle avait accepté ces conditions au départ, mais tout le monde « s'en mettait plein les poches », alors pourquoi pas elle ? Quand je lui eus fait part de mon refus d'obtempérer, elle se mit à attaquer le Théâtre de Répertoire : il avait déçu ses espoirs, aucun « idéalisme » ne l'animait, la seule chose qui intéressait les gens du Lincoln Center, c'était le fric ; de plus, mes répétitions n'avaient pas été créatives, j'avais « bloqué » les scènes à coups de trucs mécaniques, je n'avais pas travaillé avec les acteurs — et ainsi de suite, jusqu'à ce que la moutarde me monte au nez et que je lui rende la monnaie de sa pièce.

Bien sûr, toute cette scène m'avait mis dans l'état d'esprit adéquat pour lui faire part de la décision que j'avais prise. Quand elle s'aperçut qu'elle m'avait mis en colère, elle passa son bras autour de mon cou et, dès que nous fûmes arrivés dans la chambre, elle enleva tous ses vêtements. Nous avions pris l'habitude de faire l'amour immédiatement, que nous soyons prêts ou non, dès que nous étions seuls derrière une porte close. Nous nous mîmes donc à l'œuvre. Je suppose que l'expérience lui avait enseigné que j'étais plus malléable après coup. Cette fois, ce ne fut pas tout à fait le cas. Nous fîmes l'amour et les résultats furent convenables, mais il y avait de l'électricité dans l'air, et nous le savions tous les deux. Je voulais m'étendre immobile sur le lit et la tenir dans mes bras, cependant je notai que cette position ne lui plaisait plus autant qu'avant et, bien que sa tête reposait sur le haut de mon bras et sa jambe sur la mienne, elle avait l'air tendue, comme un coureur avant le départ.

Elle dit alors, avec un détachement qui me parut feint : « Papa, j'aimerais que tu me dises ce que tu veux que je fasse. » Cette question fit mouche ; il n'y avait qu'une seule cible en vue, et nous savions tous deux ce qui pointait.

Foin des circonlocutions — j'avais répété mon discours —, je me jetai à l'eau d'un seul coup : « Cela me fait très peur, déclarai-je. Rien qu'à cette idée, je suis paniqué. Je ne veux pas me marier. Je ne crois pas que cette union durerait plus de deux mois.

— Qu'en sais-tu ? » rétorqua-t-elle.

Je répondis : « Je ne crois pas que ça marchera et je ne veux plus jamais faire quoi que ce soit si je ne suis pas enthousiaste à cent pour cent. Je veux entamer une nouvelle vie, pas retourner à quelque chose qui est complètement... » Je m'arrêtai soudain de parler.

Elle avait pris le choc en pleine figure. Son visage, posé sur mon bras, se verrouilla.

« Soit on se marie, soit on se quitte, pour de bon », dit-elle.

Je ne répondis pas. J'avais dit tout ce que j'avais à dire et je me réfugiai dans un silence défensif, comme d'habitude.

Elle se leva et s'habilla. Dans le taxi, elle n'ouvrit pas la bouche ; ce n'était pas nécessaire. Je savais ce qu'elle se disait — elle avait enfourché de nouveau son vieux cheval de bataille, le même que lors de notre première rencontre : « Ne faites confiance à aucun homme ! Tout ce que vous avez, c'est votre corps. Faites-les raquer s'ils veulent en profiter. Ne cédez jamais totalement. Si quelqu'un vous blesse, vengez-vous en "sortant" avec quelqu'un d'autre. » Et ainsi de suite.

Le taxi s'arrêta devant chez elle, et je demandai au chauffeur de laisser tourner le compteur. Sans me regarder, elle me lança : « Je n'aurais jamais dû mettre tous mes œufs dans le même panier. » Puis : « Je ne suis pas aussi usée et fatiguée que tu le crois. »

Je lui ai répondu que je la trouvais très belle.

Elle ne me regardait toujours pas. « J'ai pitié de toi, reprit-elle alors. Parce que je ne crois pas que tu pourras repartir de zéro. » Là, elle me regarda droit dans les yeux.

« Mais moi, si.

— Qu'est-ce que ça veut dire ?

— Tu verras, répondit-elle. Je ne te reverrai plus jamais. Tu ne me donnes plus rien maintenant, de toute façon, juste un peu de chaleur contre mon corps, une fois de temps en temps. C'est tout. Alors maintenant t'es libre, O.K. ? Libre comme l'air. Moi aussi. Tu ne me dois rien, rien du tout. » Et d'une voix très claire, sur un ton définitif, elle conclut par : « Merci pour tout ce que tu as fait pour moi. Je ne veux pas que tu dises que je ne t'ai pas été reconnaissante. » Puis l'estocade, sarcastique : « J'espère que tu trouveras quelqu'un digne de toi. »

Elle sortit du taxi et se dirigea vers sa porte d'entrée.

Je dis au chauffeur de démarrer. A la maison, je pris un verre, et les mots d'un ami très proche me revinrent en mémoire : « Epouse-la et tu te retrouveras en moins de deux avec un divorce et une pension alimentaire rondelette sur le dos. C'est tout ce qu'elle cherche. » J'avais défendu Barbara. Je pensais alors, et je n'ai pas changé d'avis, qu'elle avait été très patiente avec moi et s'était donnée avec générosité, sans être avare de son temps.

Ce soir-là, je reçus la jeune veuve que j'avais rencontrée à Central Park, fis l'amour avec elle et dormis comme un loir, sans grincer des dents.

Mais après son départ, le lendemain matin, je songeai à Barbara ; c'était tout de même une fille extraordinaire. Je lui avais volé quelques-unes de ses plus belles années et ne lui avais presque rien donné en contrepartie. Je l'avais laissée bâtir des châteaux en Espagne puis, quand le moment était venu de tenir mes promesses, explicites ou sous-entendues — surtout celles que l'oreiller rend plus convaincantes —, je m'étais défilé. Elle avait bien le droit d'être furieuse contre moi.

Je savais que j'étais encore accroché à elle. Quand elle avait l'air triste, je voulais l'aider ; quand elle n'avait pas le moral, je voulais le lui remonter. Mais je l'avais trop souvent menée en bateau pour faire machine arrière par la suite. Et de toute façon, j'avais décidé que je ne me laisserais plus dévier de mon objectif pour satisfaire les désirs et les émotions des autres. Je me retrouvais libre pour la première fois de ma vie et j'avais la possibilité de démarrer une nouvelle existence, où je n'aurais plus besoin de mentir, de tromper ni de comploter. Je n'avais jamais eu cette chance auparavant et je n'allais certes pas la laisser passer.

Quelques jours plus tard, je reçus la note de Kelman — les psychanalystes sont toujours prompts à envoyer leurs factures. J'avais résolu de quitter le pays ; d'aller en Europe avec une liasse de chèques de voyage et une carte d'abonnement sur plusieurs lignes aériennes ; d'atterrir en Angleterre sans projets définis pour la suite. Il me paraissait convenable d'aller voir Kelman pour lui annoncer la nouvelle et lui faire des adieux décents.

Il hocha la tête, l'air à la fois magistral et ambivalent, ce qui n'est pas à la portée du premier venu. Puis nous nous serrâmes la main et je me dirigeai vers la porte. Il m'arrêta dans mon élan. « Vous l'avez dit à Barbara ? » demanda-t-il. Il m'avait pris par surprise. « Non, répondis-je. — Vous vous sentirez mieux plus tard si vous le faites », dit-il.

J'avais peur de parler à Barbara. Je savais que je l'avais déçue. et qu'en dépit de toutes ses paroles je l'avais blessée. Mais j'avais réussi à résoudre mes problèmes et je ne voulais pas replonger dedans. Je ne l'appelai donc pas.

Le dernier jour de 1964, avant de rendre les clés de mon appartement de la 3e Rue, je m'y rendis en métro avec deux valises vides pour récupérer mes affaires. J'y trouvai une revenante : Barbara. « J'suis venue chercher mon bazar. » Je pris une chaise pour m'asseoir. J'avais souvent pensé qu'elle avait un sixième sens. Il lui avait dit que je venais et elle m'avait attendu.

« Je voulais t'aider à mener le genre de vie que tu voulais — pour peu que tu saches ce que c'était, et j'en doute. Par exemple, tu voulais être libre, mais tu ne voulais pas que moi, je le sois. Ça ne me dérangeait pas. Chacun son truc, hein ? Si tu m'avais seulement expliqué ce que tu voulais, j'aurais compris. Mais tu ne m'as jamais rien expliqué.

— Je sais », répondis-je.

Elle restait debout, son sac à la main. « Ça ne sert à rien de parler de tout ça maintenant. » Elle détourna la tête. « J'ai eu tellement honte de toi. Des fois... j'arrive pas à imaginer ce que tu as pu penser de toi-même. Tu disais : "Je ne suis pas à louer !" Mais t'as bien empoché l'argent de Rockefeller et tu leur as donné ce pour quoi ils avaient payé. Tu croyais que je cherchais à te démoraliser avec mes critiques, mais ça s'est bien passé comme je te l'avais dit, hein ? Tu ne faisais que monter des pièces. Il n'y avait rien qui vienne de toi dans ces spectacles. Tu ne tirais rien de plus des acteurs que n'importe quel autre metteur en scène.

— Sauf de toi dans la pièce de Miller, rétorquai-je.

— J'y suis arrivée toute seule, merci. Ce que j'essaie de te dire, c'est que t'es pas le genre de type qu'il leur faut. T'aurais dû t'en rendre compte au premier regard. T'es pas non plus comme Bob Whitehead, bien que ce soit un type plutôt sympa. T'as l'air bizarre derrière un bureau, lui pas. Tu mets tes pieds dessus comme si tu voulais le salir. N'importe qui pouvait se rendre compte que t'étais pas à ta place là-bas. J'ai jamais compris pourquoi tu t'étais embarqué dans cette galère. Ça flattait ton orgueil? Enfin, c'est plus mes oignons maintenant, alors...

— J'espérais qu'un jour je pourrais...

— ... Que tu dis. Je t'ai observé là-bas pendant trois ans et je t'ai jamais rien vu espérer d'autre que d'amener ces pièces jusqu'à la première et de les faire durer. Là où t'espérais à mort, c'était assis dans l'appartement de Schulberg en train d'écrire ton film. Ça, c'était toi. Tu valais mieux que les auteurs dont tu montais les pièces, c'est pas faute de te l'avoir dit, pourtant. Tu te souviens? Mais tu ne m'écoutais pas. L'espoir! T'aurais pu faire tellement mieux. Mais tu t'es contenté de travailler comme un tâcheron de Broadway. A certains moments, je voyais bien que tu te sentais déshonoré: pas par rapport aux autres — t'as toujours été au-dessus du lot — mais par rapport à ce que t'aurais pu être. »

Elle souleva brusquement le sac qui contenait ses affaires. « Tu peux ne pas me croire si tu veux, reprit-elle, mais je suis contente que tu t'en ailles, même si ça veut dire que tout est fini. Peut-être que t'es encore vivant, frustré, et que tu cherches en toi quelque chose de différent, qui sorte de l'ordinaire. J'espère que tu le trouveras, même si tu dois aller le chercher loin. J'espère que tu ne recommenceras jamais à viser trop bas parce que tu deviendras comme les autres. Et tu ne l'es pas. Je ne peux pas m'en empêcher, je suis toujours convaincue que tu ne l'es pas! »

Puis elle se tut, elle avait les larmes aux yeux. « Tu vas pas voir Leo avant de t'en aller? demanda-t-elle. Tu l'as pas vu depuis qu'il a grandi.

— Depuis qu'il a grandi?

— Il va avoir trois ans.

— Tu l'emmènes quand au parc? » demandai-je.

Leo était un joli petit garçon aux yeux lumineux. Quand il me regarda, j'eus la même impression qu'en face de Barbara: je me demandai à quoi il pouvait bien penser.

« Parle-lui », me dit Barbara. Nous étions assis sur un banc, tous les trois, silencieux. Leo regardait deux vieux Italiens occupés à jouer aux boules — une expression grave sur le visage. Nous les entendions s'entre-choquer.

Je ne savais pas quoi dire à Leo.

« C'est Eeek, lui dit Barbara. C'est un vieil ami. »

Leo ne répondit rien.

« Je lui enverrai quelque chose de là où j'irai, dis-je. Qu'est-ce qui lui ferait plaisir?

— Demande-le-lui.

— Des bandes dessinées », dit le petit garçon sans tourner la tête. C'était comme s'il me donnait la réponse à une devinette.

« Je t'en apporterai tout un tas quand je reviendrai », dis-je. Je venais de parler à mon fils pour la première fois.

« Où tu vas ? » Ses yeux fixaient toujours les vieux Italiens tout à leur jeu.

« Tu sais ce que les ours font en hiver, Leo ? Ils trouvent une grotte sombre et profonde, ils s'y glissent et ils restent là pendant toute la mauvaise saison.

— Qu'est-ce qu'ils font là ?

— Ils dorment, ou bien ils réfléchissent. Et c'est ce que je vais faire. »

Il me regarda en souriant. « Tu ressembles à un ours », dit-il. Les joueurs de boules entamèrent une dispute et Leo alla y voir de plus près.

Le sourire du gamin m'avait ravi, mais l'air de doute qui avait réveillé mon sentiment de culpabilité persistait dans ses yeux. « C'est un beau gamin, dis-je à Barbara.

— Les autres femmes ici, quand elles le voient, elles en crèvent de jalousie. A côté de lui, leurs gosses ont l'air de petits singes endimanchés.

— Je comprends pourquoi, répondis-je. Bon... » Je m'étais levé pour partir.

« J'espère que tu trouveras ta grotte, dit-elle.

— Oh, elle est portable. Je l'emporte avec moi. »

En repartant, je dis au revoir à Leo, mais il regarda ailleurs comme si nous ne nous étions jamais rencontrés.

Je n'avais pas dit à Barbara que j'emmenais quelqu'un avec moi. Sur un coup de tête, j'avais demandé à une fille rencontrée dans Central Park si elle voulait aller en Europe, destination inconnue. Elle m'avait répondu qu'elle irait n'importe où avec moi.

Sam Spiegel, qui passait l'hiver dans un endroit plus chaud et plus sec, m'avait offert son appartement au Grosvenor House, un hôtel. Mais je décidai que l'appartement de Sam ne me convenait pas et j'annonçai à mon amie que j'allais l'emmener à Paris. Je comblai ses espoirs.

Je réservai une chambre au Relais Bisson, petit hôtel situé sur le quai des Grands-Augustins, dont les cuisines étaient fameuses pour leurs fruits de mer. J'y avais déjà séjourné et je savais quelle chambre je voulais, sans aucune vue, une grotte sombre et chaleureuse dans les entrailles de l'endroit. Les murs étaient tapissés de tissu, et aucun bruit ne pénétrait de l'extérieur.

Il ne se passa rien durant les jours suivants — c'est du moins l'impression qu'en avait conçue un homme habitué à une activité physique vigoureuse et constructive. Nous nous levions tôt et prenions le petit déjeuner au lit : croissants, confiture d'oranges et du café noir dont l'amertume était adoucie par du lait chaud. Puis elle s'en allait, selon mes instructions, et ne revenait que vers trois heures de l'après-midi.

Je n'avais jamais écrit plus de quelques pages, et je n'avais pas l'intention de me lancer dans la rédaction du roman qui s'intitulerait *l'Arrangement*. Ce que j'écrivis avait au moins un mérite : comme il ne m'était jamais venu à l'idée que quelqu'un le lirait, je couchai sur le papier tout ce que je pensais et ne me soumis à aucune autocensure. Expression authentique de ma colère, de mon amour et de ma confusion, l'ensemble consistait en une série de lettres que je m'adressais et en plusieurs longues notes qui exploraient mon passé en approchant de plus en plus du noyau de mon existence. Suivaient, en général plus tard dans la journée, quand j'étais plus détendu, les descriptions de diverses personnes que j'avais rencontrées au hasard de mes professions variées ; j'y décrivais mon affection envers les patrons de studios, puis ma déconvenue ; y défilaient, au fil des pages, toute une parade d'amis et d'ennemis dans le monde du spectacle. Plus je m'efforçais de comprendre mes ennemis, d'ailleurs, moins ils me paraissaient hostiles. Je racontais ma vie dans le milieu du théâtre new-yorkais et dans le mouvement radical, dans la mouvance théâtrale des années 30 et en Californie, où Molly et moi avions loué plusieurs maisons à l'occasion de mes séjours professionnels dans l'Ouest — le tout sur un ton détaché, car je n'étais plus captif ni du théâtre, ni du « mouvement », ni de l'industrie cinématographique. Puis je m'intéressais aux gens plus proches de moi, à mes souvenirs intimes associés aux femmes que j'avais connues et à leur vie secrète, tout du moins ce qu'elles avaient bien voulu m'en révéler. Je ne négligeais pas pour autant les épouses de certains bons amis, des femmes qui me déplaisaient, ni leurs maris ; j'essayais d'imaginer ce qui pouvait se passer entre eux. Enfin, j'entrepris de décrire mes frères et leurs épouses, ainsi que mon père et ma mère, que je n'avais jamais considérés avec l'objectivité adéquate. J'en vins à la conclusion que j'avais mené une vie riche et tumultueuse, véritable mine d'anecdotes représentatives du genre humain dans son ensemble.

Il se produisit un phénomène étonnant au bout de quelques pages de ces morceaux épars. Ils commencèrent à s'organiser et à prendre forme ; des contours et un mouvement se dessinèrent — peut-être déjà une histoire. Cette histoire ne pouvait traiter — vu la tournure qu'elle prenait — que de moi et de mon expérience. Certains facteurs poussaient ces morceaux épars dans une direction bien définie. L'un d'entre eux était la défaite récente dont j'avais été victime. Un autre avait trait aux défis professionnels que je m'étais lancés : ils ne différaient guère des mises en demeure que Barbara m'avait adressées lors de notre séparation. J'avais gardé en mémoire ses commentaires acerbes et rebelles contre les valeurs bien établies qui régissaient mon univers, et surtout les doutes qu'elle exprimait à l'endroit de ce que tout le monde acceptait et honorait. La combinaison de cet esprit provocateur et de l'errance d'un homme qui avait brisé les amarres et naviguait de port en port en quête d'un nouvel ancrage pourrait servir de fil conducteur à mon histoire. A l'examen, il me semblait que mon personnage masculin se serait contenté de laisser les choses en l'état — à l'exception toutefois du mépris et des piques dont cette femme le gratifiait. Je me mis alors à parler de la désintégration qui se produisait en moi, du doute envahissant dont je n'arrivais pas à me dépêtrer, du chaos qui sourdait et de mon absence de respect envers mes succès. Et, ajoutée à ce sentiment d'échec, de ma détermination croissante à changer de vie et à lui imprimer un autre cours.

Je couchai ces sentiments sur le papier à mesure qu'ils se présentaient à moi, avec la plus grande candeur, persuadé que j'étais de ne jamais les faire lire à qui que ce soit — et il se produisait parfois en moi des réactions dont je n'avais jamais fait l'expérience. Au fur et à mesure, je découvrais en moi des sentiments dont je n'avais jamais soupçonné l'existence. Je me mis à décrire les traits de caractère et certains faits et gestes d'autres personnes, ainsi que les émotions violentes qui m'animaient — la colère, surtout. Ce que j'écrivais se mit à ressembler davantage à un recueil de souvenirs et d'impressions. Je pénétrais dans ce territoire inconnu à l'intérieur de moi-même, que je n'avais jamais libéré des ténèbres où il était enfermé.

La seule personne sur laquelle je n'arrivais pas à écrire était Molly. Je ne pouvais concevoir, à ce stade, qu'une personne aussi bonne ait pu jouer un rôle négatif dans ma vie, et si je l'avais pensé, j'en aurais eu honte : non seulement à cause de sa générosité, mais aussi parce qu'une telle pensée aurait sous-entendu que j'avais été faible. Comme je ne pouvais la peindre sous les traits de la « méchante » dont le héros doit s'éloigner, j'inventai un autre personnage, qui s'inspirait de plusieurs épouses d'amis que j'avais bien connues, et dont j'estimais qu'elles avaient attaché leur mari au bout d'une laisse et étouffé tout ce qu'il y avait en lui d'exceptionnel, de vivant et de rebelle, toutes ses interrogations, tous ses reproches, pour le clouer sur cette croix symbolique de l'abnégation masculine, qui assurait le fondement de leur vie familiale. Mais beaucoup de ceux qui ont lu ce livre et nous connaissent bien, Molly et moi, ont cru que le personnage de Florence s'inspirait d'elle. J'en ai été troublé car, selon moi, Molly était à des lieues de ressembler à ce personnage, de par sa supériorité intellectuelle et l'esprit qui l'animait. Le fait qu'on identifiait souvent ce personnage avec ma femme me contrariait, mais j'y passai outre, comme à une erreur que les gens commettraient inévitablement. Aucun doute là-dessus, toutefois : la rancœur et le ressentiment qu'elle m'inspirait — que j'en aie été conscient ou non — se reflétaient dans ces écrits. De même, la « forteresse » du livre ne pouvait que rappeler l'appartement « parfait pour toujours » que Molly avait conçu pour moi et à l'intérieur duquel j'avais eu l'impression, peu avant sa mort, qu'elle m'avait incarcéré.

Je mettais bien l'accent sur une conviction qui me tenait à cœur et que je justifiais preuves à l'appui : l'infidélité m'avait sauvé la vie, à tout le moins le compartiment de ma vie auquel j'attachais le plus d'importance. J'avais acquis cette conviction non seulement sur la base de ma propre expérience mais aussi de celle d'hommes et de femmes qu'il m'avait été donné de connaître. Elle explique, je crois, la popularité extraordinaire obtenue par ce livre, surtout — surprenante découverte — auprès des femmes. Le fait que tant de femmes se sont identifiées avec mon héros masculin, ont ressenti les mêmes pulsions et ont même brisé leur mariage dans cette perspective ne peut se justifier autrement. Mon héros était leur porte-parole.

Quant à mon père, je pouvais enfin révéler les sentiments qu'il m'avait inspirés toute ma vie durant. Il était mort et j'étais bien décidé à ne rien dissimuler. Puis un grand changement intervint. Mon livre avait débuté comme des mémoires adaptés à la faveur d'une recréation imaginaire de la réalité ; mais, au fil de ma progression, ce que j'écrivais collait de plus en plus à la réalité. Je me rendis compte que ce livre n'était rien d'autre qu'une recréation de ma propre vie et revenait souvent à une autobiographie pure et simple. Ma vie constituait mon matériau de départ et plus j'y restais fidèle, meilleures étaient mes pages.

Plus tard, les gens me demanderaient si ce livre était autobiographique et je le nierais avec la dernière vigueur, mais je n'avais pas osé aller plus loin à l'époque. Dans un premier temps, j'avais craint que les gens ne se reconnaissent et n'en éprouvent de l'embarras, voire n'en souffrent. Mais j'avais sauté le pas : j'avais résolu de ne pas tenir compte de la peine éventuelle des autres. A ce moment-là, Molly était morte, tout comme mon père et Barbara ; tous ceux qui m'avaient été proches se trouvaient désormais à bonne distance : je n'estimais plus devoir protéger personne par mon silence sauf ma mère, et je n'éprouvais pour elle qu'adoration. Je ne pouvais tout de même pas hypothéquer mes émotions véritables. Je savais que si mon livre avait une valeur quelconque, elle tiendrait à l'expression de mes sentiments de désespoir et de confusion, à celle de ma quête d'une nouvelle voie, d'un nouveau départ. La vérité constituait encore la meilleure base pour la fiction.

J'annonçai à mon amie que nous partions pour Athènes. Je choisis un hôtel doté d'une terrasse donnant sur la rue Stadiou, où défilent les manifestations politiques ; nous pourrions apercevoir l'Acropole de notre lit.

Au matin, je téléphonai à ma famille et une merveilleuse surprise m'attendait. Mon cousin Stellio avait réussi à emmener les siens à Athènes, où il avait mis sur pied une manufacture de chaussures à bon marché qu'il exportait vers les États-Unis. Nous nous rencontrâmes immédiatement et je m'efforçai de passer le plus de temps possible avec lui durant mon séjour à Athènes. Je remarquai un changement miraculeux dans son caractère. En Grèce, il était devenu audacieux, ne mâchait plus ses mots, discutait librement et avec assurance, et disait tout ce qui lui plaisait sans pour autant s'exprimer à mi-voix. Il avait perdu cette attitude circonspecte et timide que je lui avais connue à Istanbul et il se déplaçait ici et là d'un pas décidé. C'était un autre homme. J'étais sidéré de voir ce qui s'était passé en lui. Il incarnait à lui seul deux catégories différentes de Grecs : ceux qui vivaient en Grèce et ceux qui avaient vécu sous le joug des Turcs et avaient dû se débrouiller pour survivre. Ils s'en étaient sortis en s'efforçant de contenter tout le monde et en passant le plus inaperçus possible, à l'instar de mon cousin Stellio. Ou de mon père. Je l'entends encore répondre : « Je sais rien » lorsqu'il était confronté à un choix épineux ou quand un tiers — autre que sa femme — l'exhortait à prendre position. Si on lui demandait son avis, et qu'il subodorât qu'on le forcerait à s'y tenir ensuite, il haussait les épaules et lâchait un : « C'est pas mes oignons » faussement désabusé. Comparez cette attitude à celle des Yankees : si on les provoque, ils ne se gênent pas pour répondre : « Occupez-vous de vos oignons ! » Quelle repartie admirable, cinglante comme un coup de fouet !

J'avais déjà observé tout cela auparavant mais j'établissais maintenant une connexion entre cette vie et la mienne. Je ne me sentais plus séparé de mon cousin Stellio.

J'avais passé ma vie entière à travailler au théâtre et dans le cinéma — enfin, à Hollywood... — et j'avais toujours cherché à plaire à ceux qui pourraient me donner du boulot. Je venais de passer quelque temps dans une « caverne » du quai des Grands-Augustins à Paris et je me trouvais à présent dans une chambre avec vue sur l'Acropole qui proclamait encore les libertés dont la population jouissait au ve siècle avant Jésus-Christ ; le changement intervenu chez mon cousin reflétait une mutation correspondante en moi. En cette année 1965, j'avais fini par trouver la joie non plus dans une bonne critique à Broadway ou dans une nouvelle conquête qui « réagissait » bien, non, c'est une réussite plus profonde qui me comblait désormais : j'étais devenu mon propre patron, je faisais ce que je voulais, je disais ce que j'avais envie de dire. Je me respectais enfin assez pour croire que ma vie valait la peine d'y consacrer du temps : ce que je ressentais et les épreuves que j'avais traversées avaient peut-être de l'importance et, qui sait, intéresseraient les gens.

Rien de tel ne s'était jamais produit en moi. Je m'étais toujours arrangé pour que les gens prêtent l'oreille à d'autres que moi. Implicite dans ce virage subit, le constat suivant : au moins à mes yeux, j'étais plus digne d'attention que n'importe qui d'autre. Je ne m'étais jamais autant affirmé qu'à travers les pages que j'écrivais alors, et elles changeraient tout le cours de ma vie. Je ne serais plus jamais le même. Il importait peu que ce livre — s'il était appelé à en devenir un — soit bon, mauvais ou quelconque. C'était le mien, mon livre, et je dirais aux gens, si je continuais à l'écrire, d'écouter ma voix et de prendre en considération mon expérience.

Je sus dès lors qu'il me fallait poursuivre mon entreprise et en tirer, si possible, un livre qui parle de moi, de mon expérience et de mes émotions actuelles.

Quel bonheur, et quel soulagement ! Une fois débarrassé de ce poids, j'eus envie de m'exclamer : mon Dieu, je suis puissant ! Je n'ai besoin de personne pour remplir mon réservoir ; je dispose de tout le carburant dont j'ai besoin. J'ai de l'énergie à revendre — encore un peu plus chaque jour. J'ai fait le plein de désirs, d'expériences significatives et de matériaux pour mon livre. Quelle joie de ne pas travailler pour quelqu'un d'autre, de ne devoir mener personne en bateau. Foin des réprimandes, des cajoleries, des mauvais tours, des trucs pour inspirer les acteurs malgré eux. Je ne m'occuperais plus que de moi-même.

Je ressentais ce triomphe dans tout mon être. Tout à trac, alors que je n'éprouvais plus aucune envie de faire l'amour, je n'eus de cesse d'exploiter ma puissance sexuelle intarissable. Je découvris ce que je ne devais plus jamais oublier, à savoir que ma puissance sexuelle est liée à mon succès ou à mes échecs dans les domaines essentiels.

Si je me réveillais la nuit, désormais, ce n'était pas sous le poids de mes soucis, de ma peine ou de mes doutes, mais parce que je n'avais qu'une idée en tête : me remettre au travail, m'exprimer sans retenue, exposer ce qui me tenait à cœur. Je savais que je pouvais m'asseoir devant ma machine à écrire portable et changer n'importe quoi, ajouter, biffer, explorer n'importe quel sujet, sans devoir en demander la permission ou m'inquiéter de l'effet produit sur autrui. Je disposais d'un pouvoir absolu sur chaque page. Le matin, j'étais au paradis. « Je suis *axios*! » s'exclame le jeune prêtre lorsqu'on le conduit à son église et qu'on le déclare « digne ». C'est l'éloge que j'avais fini par me décerner.

Cette période d'exaltation faisait suite au revers de fortune le plus sévère auquel j'aie jamais été confronté, sur le plan professionnel comme sur le plan personnel, et ma joie retrouvée était à la mesure de la peine que j'avais éprouvée. Il m'avait fallu toucher le fond pour remonter au sommet. Et c'est parce que j'avais perdu ma voix propre en cours de route que j'avais été à même de la retrouver durant ces semaines passées à Paris et Athènes.

Depuis lors, la question n'a jamais été de savoir si j'étais un écrivain brillant ou non. Je sais que je ne le suis pas. Je suis mon propre étalon et, de ce point de vue, je suis une réussite. Dans un monde où chacun se démène — comme je l'avais fait moi-même pendant des années — pour plaire à quelqu'un d'autre — un patron, un partenaire politique, un pote, un chef, un critique, un commanditaire —, j'étais parvenu à trouver le moyen de vivre selon mon bon plaisir, et lui seul.

Je pouvais sentir la différence. Je me mis à rire de bon cœur et à écouter les autres sans me sentir obligé de les juger ou, à l'inverse, de les impressionner. Pour la première fois j'aimais les autres, quels qu'ils soient, au lieu de me mettre en compétition avec eux, de les manipuler, de leur en balancer plein la vue ou de me vendre à eux. Jusqu'alors, je m'étais trouvé arrogant et prétentieux — ce n'était bien sûr qu'un moyen de dissimuler mon manque de confiance en moi — alors que je n'étais rien de tel: je cherchais à satisfaire des gens qui n'étaient pas dignes de moi. La vérité, ce n'est pas que j'avais été égoïste, mais que je ne l'avais pas été suffisamment. Je ne me respectais pas assez et je ne m'estimais pas à ma juste valeur. Au lieu de cela, je jouais les gros bras et jetais de la poudre aux yeux. En quittant Athènes, le souvenir de mes semaines parisiennes bien ancré dans ma mémoire, je savais que je pourrais désormais me consacrer à mon propre travail, mettre en scène mes propres films, écrire mes propres livres, bref, être moi-même pour le restant de mes jours.

Aiguillonné par la reconquête de mon amour-propre, j'attribuai celle-ci à Barbara. C'est ce qu'elle avait espéré me voir ressentir — et accomplir. Je lui écrivis donc une lettre pour lui dire que je pensais à elle, combien elle comptait pour moi, où j'allais — Calcutta, puis la Thaïlande, et enfin le Japon — et où elle pouvait m'écrire. Une correspondance démarra entre nous.

L'histoire de Stellio a une fin triste. Un jour, quelques années plus tard, insouciant, sa nouvelle liberté en poche, il fut heurté par un taxi qui était monté sur le trottoir où il discutait avec un ami. Stellio fut projeté contre un lampadaire et emmené à l'hôpital, où il mourut dix jours plus tard. Sa liberté nouvelle lui avait coûté la vie ; il avait toujours été sur ses gardes dans les rues d'Istanbul.

Nous quittâmes Athènes pour Bombay. Je n'étais jamais allé en Inde. Nous trouvâmes un hôtel modeste mais propre, et nous nous y installâmes. Ce serait notre dernière semaine ensemble. Je n'arrive pas à me rappeler si c'est elle qui voulait retourner aux États-Unis ou moi qui souhaitais qu'elle s'en aille ; peut-être les deux. De toute façon, nous étions convenus qu'elle irait avec moi jusqu'à New Delhi et prendrait un avion là-bas. Si j'avais insisté pour qu'elle reste, elle aurait accepté, mais je n'insistais pas. Barbara m'avait écrit qu'elle pourrait me retrouver au Japon si j'y allais. J'avais répondu que j'en serais ravi et que je lui enverrais une lettre ou un câble à mon arrivée à Tōkyō. Notre relation serait fondée sur le même principe : rien de durable entre nous. Mais en continuant à élaborer la structure de mon livre, je découvris que le personnage de la femme qui excitait le mécontentement du héros s'inspirait de Barbara. Elle avait produit un effet sur moi, que je traduisais maintenant dans la fiction.

Pendant ce temps-là, à Bombay, je profitais de la vie, de ce que j'avais, pendant que je le pouvais encore. Notre désir mutuel avait atteint son apogée et nous passions une partie de nos après-midi là où nous passions nos nuits. Je la regardais dormir après l'amour et je me demandais si cette personne, avec laquelle je persistais à éprouver un plaisir naturel et facile, pourrait constituer une compagne permanente. Nous n'avions pas encore accumulé déceptions et vieilles rancunes, doutes et tensions, inévitables au sein d'une relation « permanente ».

Le second soir, nous avions décidé de nous offrir un film indien. Au fil des rues plongées dans l'obscurité, nous avions arpenté les trottoirs, jetant un coup d'œil au passage dans les entrées de maisons et aux devantures des magasins, bondées de gens entassés là pour la nuit, familles entières massées en grappes, enfants la tête posée sur le giron de leur mère, adultes silencieux et sur leurs gardes, attendant les yeux grands ouverts que le sommeil les prenne. Ces rues silencieuses constituaient le dortoir de la ville. Je ne pouvais imaginer combien de gens passaient ainsi la nuit ; ils devaient se compter par milliers. Le film était d'« époque », une histoire d'amour du genre sirupeux, et n'entretenait aucun lien avec la vie quotidienne des gens dans la salle. Ce grand spectacle contrastait avec l'odeur persistante de corps mal lavés et de parfums entêtants que je n'avais jamais sentis auparavant.

Assis là, main dans la main avec mon amie, je m'aperçus que je m'étais coupé des pauvres de ce monde. Cela faisait trente ans que j'avais démissionné du Parti communiste, à l'époque où je croyais — ou le prétendais — que je vouerais mon existence à la lutte des pauvres. Le succès m'avait coupé de la grande masse des pauvres de ce monde, obligés de lutter pour obtenir nourriture, sécurité et dignité. Mes problèmes affectifs avaient pris le pas chez moi sur toute autre considération. De plus, j'avais acquis l'esprit de compétition, qui ne fait pas bon ménage avec l'altruisme. Mes jours et mes nuits avaient été dévorés par les exigences du *show business* et je n'avais eu pour compagnons que mes collègues de travail, au théâtre ou au cinéma. Tout ce que j'avais vu cette nuit-là — la pauvreté, la lutte — continuerait après mon retour vers la sécurité, l'aisance et l'indifférence. L'argent, l'ambition et les rivalités avaient eu raison de mes sentiments fraternels.

A Delhi, je fis des adieux pleins d'affection à mon amie. Je ne savais pas quoi faire avec elle ni avec Barbara. Était-il possible que je les désire en fait toutes les deux? Avais-je besoin, pour mener une vie à ma manière, de goûter à la fois la compagnie des deux: la femme compliquée *et* la femme agréable? Cet arrangement pouvait-il être mis sur pied? Je n'allais pas tarder à le savoir.

Je regrettais d'avoir demandé à Barbara de venir au Japon. Devais-je la prévenir de la nature limitée de mon engagement envers elle ou me laisser porter par les événements? A son arrivée, je remarquai une différence dans son comportement. Une experte en psychologie féminine m'aurait expliqué que ce changement relevait de la manipulation, qu'il poursuivait une fin. Je n'excluais jamais la présence de la ruse dans le sac à malice de Barbara, et je ne pouvais pas nier non plus qu'il suffisait à un chien de remuer la queue pour que je lui donne un sucre. Qu'importe, je la croyais sincère dans ses efforts, même s'ils étaient destinés à me prouver qu'elle me donnerait toute satisfaction au sein d'une relation plus durable, de celles qui exigent des qualités personnelles d'une autre trempe. Nos deux semaines ensemble furent un enchantement. Elle était toujours intéressante, souvent surprenante, constamment affectueuse et m'écoutait avec attention quand je parlais, ce qui était nouveau. Le fait de parler avec elle me donna des idées pour Gwen, la femme de mon livre. Barbara enrichissait mon travail. Pendant la journée, j'étais heureux de l'avoir pour compagne de voyage — nous étions comme deux réprouvés en provenance d'un monde inhospitalier —, et elle me donnait tant de satisfactions la nuit que je décidai de prolonger mon séjour au Japon.

A la fin de notre deuxième semaine ensemble, peut-être parce qu'elle s'était montrée si agréable et si compréhensive, je lui confessai qu'une amie m'avait accompagné pendant les premières étapes de mon voyage, révélation à la fois inconséquente et sage. Elle ne montra aucune émotion. Mais je la connaissais bien et suspectai une violente réaction souterraine de sa part. Le retour de bâton serait pour plus tard, et se manifesterait d'une manière et à un moment imprévisibles.

De retour à New York, je pénétrai dans l'appartement hanté donnant sur Central Park Ouest, ni parfait ni pour toujours, et m'installai pour travailler dans le bureau et sur la table de Molly. J'étais gonflé à bloc. Les premiers chapitres étaient terminés et je goûtais une abnégation maniaque envers mon travail dont je n'avais jamais fait l'expérience quand j'étais metteur en scène. Je grattais du papier sans discontinuer et mon fil conducteur tenait la route. Je ne suis pas sûr d'être un écrivain, mais je suis peut-être un conteur; j'étais aidé en cela par mon expérience cinématographique. Le plan, la structure comptent davantage à mes yeux que les mots. Je n'aurais pas cru en savoir autant, pas sur un plan philosophique, mais en matière de technique de caractérisation : je nourrissais chacun de mes personnages d'un luxe d'anecdotes et de détails révélateurs.

Quant à ma vie personnelle — c'est une façon de parler car rien ne m'était plus personnel que les pages noircies —, j'étais revenu à New York bien décidé à ne renoncer à aucune de ces deux femmes, à ne pas me laisser imposer une solution dictée par les règles d'une société petite-bourgeoise que je n'approuvais pas. Comment j'y parviendrais, c'était une autre paire de manches. Cela poserait un problème, mais j'avais d'autres chats à fouetter. Mon livre était au premier plan de mes préoccupations. Pendant un temps, je fis en sorte de mener ces deux relations de front, mais je manquais d'enthousiasme d'un côté comme de l'autre. En effet, mon espoir d'exhiber ma vie privée au grand jour, sans tromperies ni cachotteries, était tombé à l'eau. Je n'avais pas tardé à me lasser des rencontres malheureuses et des fuites précipitées. Ces incidents par trop mélodramatiques me compliquaient la vie, empoisonnaient mes journées et mes nuits, et surtout nuisaient à ma concentration. Je n'appréciais pas mes nuits de passion autant que le travail du lendemain matin, auquel je me dévouais avec une énergie et une concentration qui ne toléraient pas les interruptions. Mon analyste, que je voyais de nouveau, émit ce commentaire : « Vous rendez-vous compte de la somme d'énergie que vous gaspillez à ces fadaises ? » Je ne fus pas long à m'en apercevoir. C'était peut-être dû à mon âge, mais je reprendrais du poil de la bête dans les années à venir. Non, le fin mot de l'histoire, en l'occurrence, c'est que je n'y attachais plus autant d'importance et que je rejetais d'un haussement d'épaules ce que naguère je passais ma journée à attendre.

Je me rappelle avoir rencontré Marcello Mastroianni lors d'une soirée. Tous les deux « bourrés », nous avons comparé nos vies tourmentées, étonnamment semblables. Il m'a confié en être arrivé à la conclusion suivante : nulle femme ne vaut la peine qu'on bouleverse sa vie pour elle. Si ce n'était pas une femme, c'en était une autre ; au bout du compte, elles étaient toutes pareilles. Ceci me parut très italien. Mais je me rendrais bientôt compte que mes femmes, du moins pour le moment, ne représentaient rien de vital pour moi. La seule chose importante, c'était mon travail. Je dis à ma brune amie, vérité oblige (à tout le moins demi-vérité), que je « sortais » avec Barbara, qui comptait beaucoup pour moi. Et j'ajoutai pour faire bonne mesure que si je voulais sortir avec d'autres filles mais tout en conservant la première place à Barbara, elle n'y verrait pas d'objection (elle avait effectivement dit cela).

C'était leur problème, pas le mien. Du moins pas encore.

Puis, un beau soir, une goutte d'eau fit déborder le vase. Et Barbara perdit son calme. Elle était devenue soupçonneuse et me posait des questions sur l'emploi du temps de ma journée. Je lui en voulais de régenter ma vie. Je commençais à perdre patience moi aussi. La tension monta entre nous.

Une nuit, allongés sur le lit dans l'appartement de Central Park Ouest, plus fâchés mais pas encore réconciliés, nous étions sur le point de nous endormir — cessez-le-feu provisoire — lorsque la sonnerie du téléphone retentit. J'avais dit à ma brune amie de ne jamais m'appeler là, mais elle avait un peu trop bu, ce qui l'avait mise d'excellente humeur. Je répondis rapidement : « Je dors », ce qui n'était pas le cas. Elle dit : « Oh, O.K. ! » et raccrocha. Problème réglé — pensai-je.

Mais Barbara me demanda de qui il s'agissait, et comme j'étais encore d'humeur querelleuse, je ne me fis pas prier pour le lui dire : « C'est la fille que j'ai emmenée en Europe. » Elle devint enragée et exigea de savoir pourquoi je n'avais pas dit à cette fille de ne plus m'appeler et si « ça continuait toujours ». Je lui rétorquai que je lui avais dit de ne pas appeler, et que oui, je la voyais, mais irrégulièrement. La colère de Barbara fit trembler les murs de la chambre ; n'importe qui aurait décelé sans peine ce qui faisait d'elle une si bonne actrice. Elle commença à me frapper la poitrine de ses poings, et je dus la maîtriser pour qu'elle s'arrête. Toujours insatisfaite, elle menaça d'appeler l'autre fille. « Quel est son numéro ? — Je ne le connais pas », mentis-je. Sur ces entrefaites, Barbara se précipita sur mon carnet d'adresses placé sur la table, mais je m'en saisis avant elle. Elle se rhabilla et quitta l'appartement.

Le lendemain après-midi, après avoir fini d'écrire, je passai un coup de fil à ma compagne de voyage pour la prévenir que Barbara essaierait peut-être de la voir. « Elle a parfois des accès de violence, dis-je, alors méfie-toi. — Elle est ici », me répondit la fille. J'en eus la chique coupée. Je ne savais pas quoi dire. Je ne trouvai rien de mieux qu'un : « Comment ça se passe entre vous deux ? — Elle me plaît beaucoup », me répondit la fille.

Puisque c'était ainsi, je leur laissai le soin d'écrire le dernier chapitre. Pervers, il m'intéressait de voir comment elles régleraient leurs comptes. Je pariai sur Barbara. Je connaissais bien ces deux femmes et Barbara m'apparaissait comme la plus solide. Femme expérimentée et astucieuse, elle avait cherché à rencontrer sa rivale et, à en juger par le ton de mon autre amie, la visite avait tourné à la conversation entre sœurs. Je n'y étais pas, aussi ne puis-je rapporter les détails de leur entretien, mais mes oreilles avaient sifflé et je ne peux pas dire que leur échange de vues sur ma personne ait été aussi flatteur que je l'aurais souhaité. La brune avait commencé à dire des trucs du style : « Qu'est-ce qui vous fait penser qu'il vous appartient entièrement ? » Mais Barbara savait bien qu'on prend plus de mouches avec du miel qu'avec du vinaigre, et bientôt la conversation avait assumé un tour plus badin. A l'évidence, mes deux victimes en pinçaient ferme pour moi, ce qui avait engendré entre elles un courant de sympathie. A la fin, pour ce qu'on m'en a dit, les rires avaient fusé et j'avais été le dindon de la farce. Puis Barbara avait décoché une gracieuse-té du genre : « Il dit que vous avez un gros cul », et la fille avait été outrée ; elle n'en voulait pas à Barbara, bien sûr, mais à moi. Barbara était fine mouche. Cette confession les avait rapprochées et au bout du compte — d'après ce que j'ai compris — Barbara avait lancé, d'une voix douce mais ferme : « Ne lui téléphonez plus à partir de maintenant, s'il vous plaît, car il est avec moi... » Puis : « ... ce salaud. » Ce dont elles étaient tombées d'accord. Après tout, je les avais menées en bateau l'une comme l'autre.

Quelques jours plus tard, Barbara me rendit visite. A l'évidence, elle avait gagné la bataille et avait retrouvé tout son calme. Elle me conseilla d'un ton doucereux de ne plus m'inquiéter, car ma compagne de voyage avait trouvé un amant plus disponible et moins déloyal ; en fait, si elle croyait ce que l'autre lui avait dit — oui, oui, elles avaient continué à papoter comme deux bonnes copines —, elle s'en était fait deux autres le soir même, le jour où Barbara l'avait vue.

A la suite de cet épisode, je réintégrai ma grotte, au calme, et me remis à écrire mon livre sans plus d'intrigues sexuelles. Je ne referais surface que plusieurs mois plus tard. Barbara, cependant, fit retentir son cri de victoire. « Ne me sous-estime plus jamais, mon gars, lança-t-elle. Tu croyais que je couchais à droite et à gauche. Eh bien, apprends que je ne t'ai pas été infidèle une seule fois en sept ans. J'y ai pensé, note bien. Je regrette de n'avoir pu m'y résoudre, mais non. Cette fille, elle, l'a fait avec deux hommes le lendemain du jour où tu l'as quittée. » Puis elle prononça des mots que j'eus peine à croire : « Je t'aime encore plus après ce qui s'est passé. Mais je ne saurais te dire pourquoi. » Je fus à la fois impressionné et perplexe.

Cette année-là, Barbara vint s'installer chez moi. Pour commencer, elle prit Leo par la main, l'amena dans la pièce où je me cachais derrière ma machine à écrire-forteresse, puis l'installa sur mes genoux. C'était un gamin d'une beauté remarquable, et je sentis une fois encore cette quête extraordinaire dans son regard. Ses yeux étaient devenus brun clair, comme les miens.

Au printemps 1966, l'Arrangement fut achevé. Je suis plus fier de ce livre que de mes films ou de mes pièces — pour une raison très simple : il est sorti de moi. En le relisant récemment, je l'ai trouvé distrayant, vrai et pénétrant. Si vous ne l'avez pas lu, je vous le recommande. Il dit tout ce que j'avais à dire à cette époque-là sur notre mode de vie.

Une fois le manuscrit achevé, j'allai le porter à Sol Stein, l'éditeur qui, avec l'aide de Molly, avait fait un livre de mon scénario America America. Il me dirait sans doute qu'il était impossible de le publier. Pour couper court à mon anxiété, j'emmenai Barbara en safari, direction l'Afrique orientale, en compagnie de Hume et Jessie Cronyn, de vieux amis. J'avais bien mérité de prendre des vacances.

J'ai demandé à ma secrétaire, Eileen Shanahan, de vérifier la date de mon mariage avec Barbara. Avant qu'elle ne me l'apprenne, je vais décrire l'instant où je crois que nous nous sommes mariés. Rien à voir avec une cérémonie, un certificat ou des paroles solennelles regrettées ensuite. Rien à voir non plus avec une confirmation officielle ou une célébration privée, aucune date fixée à l'avance. C'était au cours d'un safari au Kenya, aux confins de la réserve des Mara Masai. Les Cronyn n'ont jamais eu l'idée que cette union avait été scellée, ni Barbara d'ailleurs, mais je me doutais en secret que les choses évoluaient vers cette conclusion. Jusqu'alors, j'avais toujours agi comme l'aîné, le plus puissant, celui qui avait le plus de succès, le plus malin, le plus riche, le plus résistant, le plus respecté et même, un comble, le plus courageux. Tout ce que je faisais pour elle se comparait à une faveur venue d'en haut, accordée parfois avec générosité, parfois avec condescendance à un être inférieur. Nous nous sommes « passé la bague au doigt » au moment où j'ai senti, tout comme elle, je crois, que nous étions égaux en tant qu'êtres humains. C'était au cours de ce safari.

Nous nous trouvions dans notre tente, Barbara et moi, dans un lit à deux places, sous un lourd édredon, enfermés dans la toile. Barbara dormait, pas moi. J'avais l'oreille tendue. Je *les* entendais respirer et s'approcher à pas feutrés sur leurs coussinets bien rembourrés, de plus en plus près. « Tu les entends ? chuchotai-je. Barbara, écoute ! » Elle ne répondit rien. Puis quelque chose de lourd effleura un côté de notre tente. « Ils sont juste dehors, chuchotai-je encore. Barbara ! Ils touchent l'un des pans de la tente. Qu'est-ce que je vais faire ? — Dors, répondit-elle. Hume nous a garantis que nous étions en sécurité ici. — Barbara... écoute ! — Boucle-la ! Tu m'empêches de dormir. Et tu leur dis où nous sommes. » Elle avait mis dans le mille. Je n'ouvris plus la bouche. Puis un objet fut renversé à l'entrée de notre tente. J'entendis un bruit métallique : il provenait de l'endroit où se tenait notre lavabo. J'étais pétrifié de peur.

Le lendemain matin, je jetai un coup d'œil furtif hors de la tente pour m'apercevoir que la cuvette de toilette gisait par terre. Les Noirs avaient allumé un grand feu, ce qui était rassurant. L'un d'entre eux m'aperçut et se hâta vers moi, une tasse de thé brûlant à la main. « Le maître a pris sa douche, dit-il. (Il voulait parler de Hume.) La vôtre est prête, sir. » Il me montra du doigt une barrique remplie d'eau chaude qu'ils avaient hissée au-dessus du sol à l'aide d'une corde passée autour d'une branche. Elle était suspendue à une dizaine de mètres de notre feu, au bout d'un petit sentier qui s'enfonçait dans des buissons d'épineux. « Nous venons de la remplir de nouveau. Vous trouverez l'eau bien chaude. Vous n'avez qu'à tirer la corde sur le côté. Ça va vous rafraîchir, sir. — Je ne prendrai pas de douche ce matin, répondis-je, cependant que Barbara passait le nez par la porte de la tente. « Tiens, une bonne douche, lui dis-je. Tu vois la barrique suspendue là-bas ? — Oh, formidable ! » Elle rentra dans la tente et en ressortit vêtue d'un peignoir, avec à la main une lourde serviette et un savon parfumé à la lavande. « Tu vas là-bas ? » demandai-je, interloqué. Elle trotta jusqu'à la douche, accrocha son peignoir à un buisson et, nue comme un ver, tira sur la corde pour faire couler l'eau. Je l'entendis pousser des petits cris de plaisir. « Viens donc, m'appela-t-elle. Ça fait du bien ! — Demain peut-être », répondis-je en regagnant la tente pour m'habiller.

Ce jour-là, j'ai compris que cette fille sortait de l'ordinaire. Elle avait bien plus de cran que moi et, confrontée à des lions — ou à toute autre sorte d'animal, trois agressions dans les rues de New York le confirmeraient —, elle ne s'en laissait pas conter. J'étais le foie jaune, elle avait un cœur de lion. J'étais bien content d'avoir emmené Barbara avec moi, et pas quelqu'un d'autre. En plus de ses autres attraits, son courage me sidérait — sans doute est-ce dû au fait que je manque de courage physique. Pendant le petit déjeuner, je la couvai d'un œil admiratif, plein d'un respect nouveau. Dans la jungle qu'on appelle Manhattan, elle représentait peut-être ce dont j'avais le plus besoin. C'est là que tout a commencé. C'est en ce jour — pardonnez, je vous prie, mon ton condescendant — que j'ai lâché du lest pour la première fois. Méfie-toi, ai-je songé, fais attention où tu mets les pieds. Tu pourrais bien te retrouver avec la corde au cou.

Plus tard, Hume nous ferait découvrir une autre jungle, celle qui peuple les profondeurs de la mer des Caraïbes. Elle abritait d'autres prédateurs, tout aussi dangereux que les lions, j'ai nommé les requins, patrouilleurs infatigables, et les barracudas aux mâchoires d'acier. Les observer me fascinait et je ne m'en privai pas — à travers un masque, la tête hors de l'eau et la main agrippant en permanence le rebord de notre bateau. Jessica, quant à elle, plongeait à six ou sept mètres de profondeur, jusqu'à une cavité où s'ébattaient les langoustes locales, en saisissait une par les antennes, la remontait à la surface aussi vite qu'elle pouvait et la lançait sur le bateau juste à l'endroit où j'étais assis. Je m'éloignais d'un bond du crustacé furieux. Barbara n'était pas avec moi à bord. Elle suivait Hume sous l'eau, partout où il allait. Lorsqu'ils tombaient nez à nez avec ce que le « maître » appelait un « requin de la finance », elle ne remontait pas en toute hâte à la surface en quête du bateau, mais semblait aussi peu impressionnée que Hume par le danger. Un beau jour, je fus le témoin d'une de ces rencontres inopinées — à distance, je le précise —, et Barbara suscita encore mon admiration. Il m'est sans doute arrivé d'être courageux mais pas dans les Caraïbes, pas lors de ce voyage.

L'égalité n'est jamais une caractéristique marquante des mariages anatoliens. Mais la domination du mâle, si. Le mari, toujours plus âgé, fait une faveur à la jeune femme qu'il « prend » et ne se réfère plus à elle que sous l'appellation « ma femme, pauvre chose ». Barbara, d'abord en Afrique, puis dans les Caraïbes, avait mis à mal ce vieux schéma. Elle avait instauré l'égalité entre nous, pour l'essentiel en tout cas. Notre union s'était affermie par étapes et avait été consommée à notre insu. La cérémonie avait débuté au Kenya et s'était achevée plusieurs mois plus tard dans les Caraïbes. Je ne me souviens pas du jour où la prose légale nous a été récitée, mais notre union a été scellée ainsi que je viens de le décrire.

Un chasseur français, qui venait d'abattre et de dépouiller un léopard, vint à notre rencontre. Il avait été informé par le réseau clandestin des chasseurs blancs de l'endroit où nous nous trouvions, et me remit un câble. Il émanait de Sol Stein : d'après lui, ma grammaire ne valait pas un clou mais il avait « rugi de plaisir » en lisant mon livre. Sceptique, je voulus en avoir confirmation. A Nairobi, je reçus un second câble de Sol, sur un ton plus formel, m'annonçant qu'il se proposait de publier *l'Arrangement*.

J'ÉTAIS DÉSORMAIS ENGAGÉ à plein dans une nouvelle profession. Mon éditeur Sol Stein était mon producteur et devenait mon metteur en scène quand il se mêlait d'annoter mon texte. J'étais à la fois l'auteur et le produit à vendre.

Au début du processus des corrections, je précisai à Sol combien j'étais inexpérimenté ; confession inutile. Il n'avait pas tardé à s'apercevoir que ma grammaire était bancale, mon orthographe incertaine, et que je me délectais à répéter les mêmes choses à l'envi, ce qui avait pour effet d'en minimiser l'impact (« Un plus un égale un demi », disait Sol). Il était tout aussi clair que mon expérience du montage cinématographique ne m'avait aidé en rien à « écrémer » mon propre livre. Stein me prit en charge ; il le fallait. Il demandait, puis suggérait, revenait à la charge en insistant puis passait à l'action sans pitié (du moins le pensais-je), coupant de grands pans de mon livre, presque sans m'en demander la permission. Mes pages devinrent un véritable champ de bataille après le combat ; il les avait violées à coups de soulignés, de gribouillis, de flèches, de cercles, de courbes et de coupes.

Sol se hâta de livrer l'ouvrage terminé dans les librairies, des semaines avant la date de publication prévue, puis il m'envoya faire le tour des télévisions du pays. J'eus l'impression d'être happé par une chaîne de fabrication et poussé sans ménagements jusqu'à la finition. Je devrais assurer moi-même mes relations publiques. Avant que je me mette en route, Sol me donna le conseil suivant : peu importe les questions que vous pose le journaliste — sur votre carrière cinématographique, par exemple —, repassez au livre sans perdre une seconde.

Le cocktail promotionnel que j'appréciai le plus eut lieu à la librairie Brentano's. Les autres invités, interviewés et photographiés à mes côtés, étaient « mes auteurs » : Tennessee Williams, Art Miller, Budd Schulberg et Robert Anderson. Le plus généreux d'entre eux, comme d'habitude, ce fut Tennessee. Je doute que Miller ait jamais lu le livre ; en tout cas, il ne m'en a jamais parlé. Mais il s'était montré affable et cordial, bien qu'un peu déconcerté. Il n'avait jamais songé à moi comme à un auteur.

A ma grande surprise, le livre devint un *best-seller*. Selon les gens du métier, on le lisait d'une traite et le premier tirage avait été épuisé en moins de temps qu'il n'en faut pour le lire. On ne tarissait pas d'éloges à son sujet. Des lecteurs de toutes origines furent passionnés, et la raison de ce phénomène sautait aux yeux : je décrivais leur propre expérience et leurs propres problèmes. Tout de même, j'en étais resté comme deux ronds de flan : quelle rapidité ! Je ne comprenais pas comment le bouche à oreille avait pu se développer dans de telles proportions. Je n'avais obtenu qu'une critique « porteuse », écrite par Eleanor Perry, parue dans le meilleur magazine possible : *Life*. Mon éditeur — vingt ans après — cite encore cet article : « On ne peut plus vivre de la même façon après avoir lu ce roman. » J'avais trouvé ce commentaire excessif, mais nombre de personnes m'ont affirmé par la suite que ce livre avait effectivement contribué à changer leur vie.

De tous ceux qui ont écrit à son sujet, je crois que c'est Jimmy Baldwin qui s'en est le mieux tiré. « Le ton du livre, a-t-il écrit dans la *New York Review of Books*, ne semble pas s'inspirer d'une quelconque tradition littéraire mais d'une source plus ancienne encore : le conte transmis à la tribu par l'un de ses membres. On y ressent à la fois l'urgence d'une confession et l'autorité mal assurée d'un plaidoyer. Kazan parle, il essaie de dire quelque chose et pas seulement pour lui-même (...) mais aussi à notre intention. "Je n'aime pas ma vie ! comment en suis-je arrivé là ? (...) Ces hommes qui criaient : America America !, alors que le siècle se mourait, étaient venus ici chercher la liberté, et qu'avaient-ils trouvé ? La liberté de gagner autant d'argent que possible. Ce n'est pas la version officielle de l'histoire américaine, mais elle en constitue un abrégé d'une criante vérité, et cela, nul ne peut le contester, pour peu qu'il ait le courage de scruter les visages qu'il rencontre au hasard de ce pays, de prêter l'oreille au malaise enfoui qui se traduit toujours par une haine farouche de tout ce qui détonne, de tout ce qui détone. Par une haine farouche, au bout du compte, de la vie elle-même. »

Le reste des critiques sombraient quelque peu dans la condescendance. Encore une fois, je subodorai le parti pris — toujours pour la même raison. Mais rien ne put endiguer les ventes et je dois avouer que mon appétit de vengeance avait trouvé là sa pâture. Quel plus doux réconfort, en effet, après les gifles que j'avais reçues publiquement et le mépris acharné sous lequel les critiques m'avaient enseveli, que de retourner la situation ? Même si je n'étais pas encore accepté dans les cercles littéraires — situation qui n'a pas bougé d'un iota —, je ressentais fierté et satisfaction. J'avais trouvé ma source d'inspiration propre et tout était là, emmagasiné dans ma mémoire. J'avais aussi trouvé ma nouvelle profession.

J'offris avec fierté ce livre à ma mère. Quand je lui avais donné *America America*, elle avait dit à mon frère : « Maintenant, j'ai quelque chose à montrer à mes amies. » Je ne m'étais pas attendu qu'elle lise *l'Arrangement* rapidement, car c'était un gros livre, mais il s'écoula des semaines avant que j'entende un commentaire de sa part, et par l'intermédiaire de Barbara. « Elia, c'est un garçon propre, hein ? » avait-elle demandé à Barbara — elle avait choisi son interlocutrice !

Je ne devais prendre connaissance de sa réaction véritable qu'un mois après. J'appris qu'elle avait été transportée à l'hôpital pour y être opérée; c'était grave. Ce n'est pas moi qu'elle avait appelé à l'aide, mais mon frère George. Le chirurgien qui allait l'opérer me dit qu'un ulcère s'était développé dans une bonne partie de son estomac et qu'il devrait en enlever les deux tiers. Il m'assura qu'elle vivrait et que son corps s'adapterait peu à peu à un estomac de la taille d'une petite poire.

Je m'assis dans la salle d'attente pendant que l'on procédait à l'opération. Je me considérais responsable, moi et mon livre, de ce qui s'était passé. J'avais blessé celle que j'aimais le plus au monde, celle qui, lorsque j'avais eu besoin d'elle désespérément, m'avait soutenu et m'avait défendu contre mon père. Ne m'étais-je donc pas rendu compte qu'elle en souffrirait? Qu'elle risquait de prendre le livre comme une disgrâce personnelle et une humiliation publique? Elle appartenait à une autre époque et à une autre civilisation; de plus, comme la tradition le voulait, elle dépendait de son fils aîné, de sa force et de sa bonté. Elle m'avait idéalisé. Elle ne connaissait rien du genre de vie et de conduite que j'avais décrits dans *l'Arrangement*, des épisodes et des aventures personnelles que j'avais vécus. Elle ne pourrait que les trouver « pas propres ». Si seulement je n'avais jamais écrit ce putain de bouquin!

A la fin de l'opération, elle fut transportée dans la salle de réanimation et on lui donna des sédatifs pour qu'elle dorme. Il n'y avait rien d'autre à faire que d'attendre. Je retournai à son appartement: mon livre se trouvait sur la table de chevet. Je relus les pages que j'avais écrites à son sujet, en particulier celles où je décrivais la réaction de maman à la mort de son mari. Elle s'était plainte de vivre dans cette vieille maison, celle même que le héros du livre incendie. « Cette vieille baraque m'a dévorée », dit maman, ce qui appelle cette réponse du narrateur: « Je savais bien, moi, qui l'avait dévorée, mais elle était trop bien élevée pour prononcer son nom. Voici ce qu'elle avait dit: "Que Dieu me pardonne, mais maintenant je vais vivre!" » Ce qui rendait bien compte de son état d'esprit à la mort de mon père. Elle avait ressenti un véritable soulagement mais elle ne le savait pas et aurait été choquée − ce qui avait été le cas − si on le lui avait dit. Le narrateur poursuit: « Lors des funérailles, maman n'a pas pleuré. Il n'y avait rien à faire: elle se réjouissait en secret du décès de son mari. »

Alors, trop tard, je compris la honte qu'avait dû ressentir ma mère à la lecture de ces mots, je compris qu'ils avaient dû faire voler en éclats l'image qu'elle se faisait d'elle-même. Elle n'avait jamais envisagé sa relation avec son mari telle que je l'avais observée. Elle croyait être une « bonne épouse ». Comment avais-je pu l'exposer ainsi à la honte et à la culpabilité? N'avais-je donc pas mesuré les conséquences prévisibles de mon acte? M'importait-il donc si peu qu'elle se retrouve déshonorée aux yeux de ses autres enfants, aux yeux du monde entier? N'avais-je donc pas songé que mes mots pourraient la blesser? Les auteurs sont-ils tous si insensibles? L'étais-je moi-même?

Apparemment, oui.

Maman se remit. Elle resta maigre et pâle, mais il devint peu à peu évident qu'une quantité d'énergie surprenante lui avait été rendue, un nouvel appétit de vivre. Elle faisait désormais assaut d'une sincérité nouvelle. « Ton père, me confia-t-elle un jour, était un imbécile. » Nous n'avions jamais parlé à cœur ouvert. « Et ce n'était pas un homme plaisant. — Pourquoi, maman? — Parce qu'il n'aimait personne. Il avait de si bons enfants. Mais il ne s'intéressait pas à eux. — Qui aimait-il, maman? — Joe Kruskal. » Mr. Kruskal était l'un des partenaires réguliers de papa au bridge et à la belote.

Je lui demandai si elle pourrait traduire quelques vieux aphorismes grecs pour moi et la payai cinquante dollars pour ce travail. C'était la première fois de sa vie qu'elle gagnait de l'argent. Elle a fait encadrer le chèque ; je l'ai encore. On aurait dit qu'elle essayait de rattraper le temps perdu, de compenser les occasions manquées pendant toutes ces années de mariage et de tirer le maximum de ce qui lui restait à vivre. Ce tourbillon d'activités la régénérait. Il la poussait également à des audaces d'une excentricité inquiétante. A plusieurs reprises, en me rendant à Rye, je l'avais rencontrée, marchant à grands pas, le regard fixé droit devant elle, ne tenant aucun compte de la circulation quand elle traversait la rue. Les autos devaient s'arrêter pour lui céder le passage. Elle montrait désormais un esprit d'indépendance insolent qui, compte tenu de son âge et de sa fragilité, ne pouvait être qualifié que de superbe. Je pris conscience du potentiel qui n'avait pas été mis à contribution.

Le film tiré de mon livre *l'Arrangement*, pour lequel je venais de signer, m'importait plus que les autres pour une raison bien simple: c'était le plus personnel. Le livre continuait d'occuper la première place sur la liste des *best-sellers* établie par le *New York Times*, et la Warner, qui avait acheté les droits du film, s'attendait que le film rencontre un succès similaire. Ma confiance en moi au beau fixe, j'avais transgressé une vieille règle personnelle en acceptant une avance. J'avais toujours fourni le labeur avant d'empocher les dollars, mais je venais d'acheter un bungalow surplombant les dunes du littoral sud de Long Island, et les cent mille dollars que j'avais acceptés à titre d'avance me permettraient de le payer, ainsi que de régler mes impôts.

Un vieux proverbe juif stipule que si l'on prend d'une main, on doit donner quelque chose de l'autre. En franchissant le portail de Warner Brothers, je fus saisi d'une sensation inexplicable: j'étais pris au piège. Mon bureau avait été redécoré en mon honneur et sentait encore la peinture, odeur qui m'est intolérable. Sur mon bureau, le nouveau chef de la production avait déposé un cadeau fort coûteux. C'était un jeune homme très bien, qui comptait sur moi pour lui assurer un début de carrière profitable. La peinture fraîche et les cadeaux sont des signaux: j'étais au sommet. Parfois, cependant, il leur arrive de jouer les oiseaux de mauvais augure.

Je résolus d'aller à l'encontre de la banalité qui préside aux choix des grands studios en matière de production et de passer outre à la sagesse des grands manitous. Je voulais prendre Marlon Brando — j'irais le chercher là où il s'était égaré —, et en face de lui je ne mettrais pas le dernier *sex symbol* californien, mais ma femme, Barbara : elle ferait ressortir les vraies qualités du rôle. Pour le reste, je choisirais des acteurs « new-yorkais » qui donneraient au film un air authentique — et me ressemble-raient.

J'étais persuadé que Brando conviendrait parfaitement au film. Mais il avait changé d'une façon consternante. Voici quelques extraits de ce qu'il avait dit un soir de janvier 1963, chez Clifford Odets. Le cancer s'était déclaré chez Clifford à ce moment-là, et la présence de la mort au travail avait peut-être poussé Brando à parler de son propre état avec moins de retenue. J'avais pris des notes : « Me voilà, moi le raté entre deux âges qui perd ses cheveux... j'ai l'impression d'être un imposteur quand je joue... j'ai tout essayé... la baise, l'alcool, le travail. Rien de tout cela n'a de sens. Pourquoi ne pouvons-nous donc pas être comme... comme les Tahi-tiens ? » Et ainsi de suite. Pour la suite, justement, je vous renvoie à une lettre que je lui ai adressée trois ans plus tard : je faisais alors des pieds et des mains pour le convaincre de jouer dans *l'Arrangement*.

Cher Marlon, je voudrais avoir une longue discussion avec toi, mais je pense qu'il vaut mieux que tu lises cette lettre d'abord. Je suis allé chez Warner Brothers avec mon roman sous le bras, car je n'ai pas eu trop à me plaindre d'eux jusqu'à présent. Ils n'ont jamais cherché à contrôler mon travail et j'ai toujours eu pouvoir total de décision sur le choix des acteurs. Mais cette fois, ils ne m'ont pas offert cette prérogative, à cause de toi. Ils avaient prévu, fort justement, que je me tournerais d'abord vers toi. Ils n'étaient pas très chauds et, dans une certaine mesure, j'en ai été choqué. Mais je ne ferai jamais ce film, ni aucun autre, d'ailleurs, si je n'ai pas le dernier mot quant à la distribution. C'est toi que je veux. Lorsque tu étais en forme, tu étais notre meilleur acteur.

Mais une conversation que nous avions eue au bar du St. Regis m'est revenue en mémoire. Tu m'as dit à cette occasion que tu avais perdu ton enthousiasme d'acteur, que tu préférais désormais te consa-crer à autre chose. Néanmoins, je t'ai demandé de lire mon livre. Ce que tu as fait, très vite ; puis tu m'as appelé pour me complimenter. Je t'ai alors demandé s'il t'intéresserait d'interpréter ce rôle pour moi et tu as hésité, puis tu as dit que tu n'étais pas sûr d'être fait pour lui mais que tu « tenterais le coup ». Je ne te cache pas que ta réaction m'a contrarié.

Je me suis souvenu de *Sur les quais* : tu m'as dit et redit que si tu faisais ce film, c'était uniquement parce que ton psychanalyste se trouvait à New York et que tu voulais te faire assez d'argent pour payer ses honoraires tout en restant dans cette ville. Puis j'ai lu un papier dans un journal et, à la différence de la plupart des hommes de raison, je crois ce que je lis à la page des potins. Toi, ton attaché de presse ou ton agent, vous avez dû tenir des propos qui ont conduit cet échotier à écrire que Mr. Brando ne pensait pas être fait pour le rôle tiré de mon livre.

J'étais en pourparlers avec la Warner à l'époque, et ils m'ont exhorté à visionner *la Comtesse de Hong Kong* et *Reflets dans un œil d'or*. Ils ne mettaient pas en cause ton talent mais t'adressaient deux reproches : *primo*, tu étais devenu énorme, *secundo*, tu jouais désormais machinalement, comme si tu avais l'esprit ailleurs. Le nouveau grand manitou de la Warner n'arrêtait pas de me seriner : « Ce n'est plus le type que vous avez dans la tête, c'est un autre homme. » J'ai vu le film de Chaplin et ils avaient raison : tu étais devenu obèse au point de ne plus te ressembler. Et ils avaient raison aussi à propos de ton indifférence — c'est le seul mot qui convienne pour décrire ton interprétation dans ce film. Tu m'avais raconté ce qui s'était passé sur le Chaplin, et je m'étais préparé à ce que j'ai vu. Mais j'en ai tout de même été affecté. Je commençais à me demander qui d'autre pourrait tenir le rôle et j'ai contacté un de tes collègues, qui m'a répondu avec enthousiasme. Nous avons passé de longues heures à discuter. Nous avons trouvé un terrain d'entente.

J'ai pu me rendre compte, au Théâtre de Répertoire du Lincoln Center, des effets pernicieux qu'engendre le manque d'enthousiasme et de dévouement chez les gens avec lesquels je travaille. Tu m'as dit au téléphone : « Bon, je vais tenter le coup. » Et j'ai pensé : Qu'il aille se faire foutre ! Je suis trop vieux pour perdre mon temps à motiver les acteurs. J'ai besoin de toute mon énergie pour affronter les vrais problèmes, qui ne manquent pas. Bien sûr, je sais qu'il est plus facile de professer l'enthousiasme que de le ressentir, et je me méfie par nature des grandes démonstrations d'euphorie, mais tout de même. Je m'étais dit que pour ce film-ci, tellement difficile à mettre en œuvre et si important pour moi, j'allais m'offrir un acteur qui viendrait travailler chaque matin tel un jeune homme en pleine ascension, et non comme un vieux briscard fatigué qui se demande pourquoi il est encore acteur. Je m'étais promis un type qui « en veut », comme on dit.

Puis j'ai vu *Reflets dans un œil d'or*. Et mon admiration pour toi a refait surface. Sans aide réelle de la part de Huston (il cherche à faire de tout le monde une « personnalité », ce qui est une variante subtile de la condescendance), tu abordais un rôle difficile avec audace et courage, et tu le rendais émouvant, humain. Je t'ai admiré. Mais ce que j'ai dit de ta dégaine dans *la Comtesse de Hong Kong* était encore plus vrai dans ce film. Tu avais effectivement l'air d'une « personne différente ». Certains, lorsqu'ils sont angoissés ou éprouvent du dégoût vis-à-vis d'eux-mêmes, ont tendance à s'empiffrer. D'autres maigrissent. Mon personnage, Eddie, appartient à la seconde catégorie. Je ne sais pas si tu veux retrouver ton poids d'autrefois. C'est très dur après quarante ans — j'en ai fait moi-même l'expérience. Et si ce n'est pour l'amour-propre, le jeu n'en vaut pas vraiment la chandelle. Cela signifie se priver d'un tas de bonnes choses. Je ne veux pas t'y forcer mais...

... je ne veux pas qu'Eddie ait de l'embonpoint.

Je ne plaisante pas avec ce film. C'est pourquoi il a une chance d'être réussi. De même que je ne te raconte pas d'histoires dans cette lettre, ne cherche pas toi-même à me rouler dans la farine. Si tu me dis : « Je ne veux plus me casser les couilles à jouer », je t'admirerai pour ta franchise. Je veux que tu fasses ce film, mais seulement si tu éprouves un enthousiasme réel à cette perspective et seulement si, d'ici dix mois, tu as retrouvé ton poids de jeunesse, quand tu tournais *Sur les quais*. Comporte-toi en véritable ami et ne me raconte pas de bobards. Si tu le veux vraiment, tu peux redevenir un acteur sensationnel. Le plus dur, c'est de le vouloir. Amitiés sincères. E.K.

Je n'ai obtenu aucune réponse de Marlon dans l'immédiat. Et celle qu'il me ferait parvenir quelque temps après était dépourvue de la franchise que j'avais escomptée : son agent commença à négocier en son nom. Puis Marlon demanda à me voir et je me rendis en voiture jusqu'au sommet de la colline où il créchait. Il voulait discuter moumoutes et me demanda d'en commander à un fabricant romain. Je fus prompt à donner mon accord, ravi qu'il accepte de faire le film.

Je me mis au travail. Je lui envoyais les modifications de scénario au fur et à mesure, de même que le nom de ses futurs partenaires. Aucun commentaire ne filtrait depuis le sommet de la colline.

Puis vint le jour terrible de l'assassinat de Martin Luther King. Marlon, dont je n'avais pas eu de nouvelles pendant un moment, me passa un coup de fil. Il avait l'air bouleversé et me demanda de revenir le voir sur sa colline.

Il m'attendait sur le parking situé devant sa maison. Quand je sortis de ma voiture de location, il se jeta sur moi et commença à me raconter dans quel état épouvantable se trouvait le pays. King avait été tué et à cause de cet événement, Marlon craignait pour notre futur. Je convins que c'était une terrible tragédie. Nous poursuivîmes notre conversation, debout sur le parking. Il mettait tant de conviction et d'intensité dans ses propos que je ne m'étais pas rendu compte qu'il m'avait raccompagné à ma voiture et avait ouvert la portière pour m'en faciliter l'accès. Avant que je ne me réinstalle au volant, il m'annonça qu'il ne pouvait vraiment pas accepter ce rôle dans mon film. Sur ce, il m'embrassa. Il avait l'air si désolé que je ne posai pas de questions et partis sans demander mon reste, en me disant que je l'appellerais de nouveau quelques jours après. Dans mon rétroviseur, je le vis pénétrer dans sa maison. Je n'ai jamais revu Marlon, jamais depuis ce jour.

Il me fallut plusieurs heures pour me rappeler que c'était un acteur du tonnerre : bien que sa peine au sujet de King ait été sincère, les abîmes d'émotion dont il m'avait gratifié provenaient autant de son talent que de son sens du drame. C'est alors que la moutarde me monta au nez. On était déjà à l'œuvre sur les moumoutes, nom de Dieu !

C'est à ce moment-là que j'aurais dû abandonner le film. J'avais déjà perdu le combat mais je ne le savais pas. Et il est dans ma nature de persister. Il y avait une autre raison, moins noble : j'avais accepté de l'argent et je l'avais dépensé ; j'étais tenu de continuer. Aujourd'hui, après tant d'années, je demeure persuadé que si Marlon avait interprété le rôle, ce film aurait marché. Mais j'étais sur la corde raide et une frénésie d'activité s'empara de moi. Un agent m'avait recommandé de parler à Kirk Douglas. Il me parut d'une grande intelligence, très motivé et enthousiaste. Quel soulagement! Nous passâmes une semaine à discuter et il me confia ses problèmes par rapport au scénario. La plupart étaient fondés. Je vis qu'il correspondait bien à mon personnage, Eddie — enfin, jusqu'à un certain point.

Kirk, en effet, me posait un problème. Eddie devait paraître complètement abattu; ce désespoir devait donner l'impression d'être profond et douloureux car tout le film reposait sur ce point de départ. Or, Kirk avait acquis une réputation dans le métier: celle de pouvoir surmonter tous les obstacles. Il irradiait l'invincibilité. Marlon, à l'inverse — et ce malgré le succès et la gloire — avait gardé une incertitude profonde quant à sa valeur. Mais les qualités d'acteur n'entraient pas en ligne de compte. C'était une question de personnalité. Kirk, homme d'une grande intelligence qui se donnait à fond et faisait de son mieux pour me satisfaire, ne convenait pas au rôle. C'était bête comme chou. Il aurait suffi à Marlon de pénétrer sur le plateau et de se laisser filmer: on aurait pu lire le rôle sur son visage. C'est ce que j'appelle coller au personnage. En fait, Kirk allait à l'encontre du rôle sans le savoir — même dans sa façon de porter ses vêtements ou de nouer ses cravates; sans parler de sa démarche. J'aurais préféré avoir Marlon, si gros soit-il.

Deux anecdotes illustrent bien ce phénomène. Sur un autre plateau, Kirk ne cessait d'engueuler un jeune acteur, et toujours devant les autres artistes et l'équipe technique. Finalement, le cameraman, n'y tenant plus, a élevé la voix: « Kirk, a-t-il déclaré, je me souviens de vous à vos débuts. Vous étiez un bon petit gars. Maintenant vous êtes devenu un sale petit con. — Erreur, lui a répondu Kirk, j'ai toujours été un sale petit con. Mais maintenant j'ai du fric et je peux me permettre de le montrer. » C'est ce que j'appelle être franc comme l'or.

Il y a peu, l'un de mes amis a convaincu Brando de l'impossible: faire une apparition devant le public immense d'un concert de rock. Marlon en était venu à ne plus accepter que des rôles très bien payés, ce qui diminuait encore le respect qu'on éprouvait à son égard. Il se méfiait de l'adulation, lui qui avait été porté aux nues pour voir ensuite sa popularité fondre comme neige au soleil. Mais son amour-propre était en manque. Lorsque la vedette du groupe a prononcé son nom, la foule l'a applaudi à tout rompre, et c'est à peine s'ils ont voulu le laisser repartir. Il a enfin réussi à quitter la scène, s'est alors dirigé vers mon ami et lui a chuchoté: « Ben vrai, ceux-là, c'est pas des figurants! »

Une fois Kirk engagé, c'est Barbara qui ne collait plus et je dus la remplacer par Faye Dunaway. Barbara ne me l'a jamais pardonné. Je paierais pour ma décision à plusieurs reprises dans les années à venir.

Après dix jours de tournage avec Kirk, je sus que j'avais commis une erreur funeste. Mais il n'y a pas de porte de sortie dans une production de ce genre. J'étais parti pour neuf semaines, durant lesquelles mon estomac se nouerait chaque matin. Mais j'ai survécu. Le cameraman et l'équipe technique, comme toujours, me sauvèrent la mise. J'étais heureux de les avoir. Ensemble, nous menâmes cette besogne à bien.

Après cette expérience, je résolus de ne plus jamais refaire de film à Hollywood. Mais je ne voulais pas laisser tomber le cinéma complètement. Je me prouverais, ainsi qu'aux dirigeants de l'industrie, qu'on pouvait faire des films pour très peu d'argent ; le processus était simple à la base et ne nécessitait ni des notes de frais gonflées, ni les services de stars dorlotées, ni la pression des commanditaires. Je donnai à mon fils Chris, l'un des meilleurs scénaristes que je connaisse, une coupure de presse au sujet d'un ex-G.I. qui avait témoigné contre deux de ses anciens amis, auteurs d'un crime de guerre : le viol et le meurtre d'une jeune Vietnamienne. A la fin de la guerre, ces deux hommes étaient partis à la recherche de celui qui les avait dénoncés pour régler leurs comptes avec lui. Chris fut séduit par l'idée et quelques semaines lui suffirent pour rédiger un scénario. Je fus satisfait du résultat et entrepris de le produire, déterminé à tourner dans l'Est, en décors naturels, avec une distribution constituée de ce qu'on appelle — non sans condescendance — des inconnus.

Très vite, il se fit jour que personne n'était disposé à délier sa bourse pour un tel sujet, même si le budget de production, comme je l'envisageais, était minime. J'avais connu plusieurs « flops » d'affilée et on ne me faisait plus guère confiance. Qu'à cela ne tienne, je ferais un emprunt à la banque, que je garantirais par nantissement, et je tournerais le film avec « trois fois rien », c'est-à-dire une équipe technique réduite et non syndiquée, et des acteurs qui travailleraient sans contrat. Ce qui aurait pour effet de briser toutes les règles que nous avions eu tant de mal à instaurer pour nous protéger des producteurs : les statuts de la Guilde des réalisateurs, de la Guilde des acteurs et de l'Alliance internationale des employés de la scène et du spectacle. Mais c'était le seul moyen de faire ce film et, plutôt que de voir mes plans contrariés, je résolus d'emprunter la voie de l'illégalité. Chris et moi-même avions engagé une fille sortie de Yale, un chauffeur de taxi portoricain qui aspirait à devenir acteur, deux acteurs entièrement nouveaux et un membre de toujours de la Guilde des acteurs, un type qui avait le cœur sur la main mais ne trouvait pas de rôles.

Chris avait conçu le script pour qu'il puisse être tourné sur un bout de terrain dans le Connecticut, où nous avons chacun une maison ; nous pourrions aussi tirer parti de la saison, le plein hiver, où le sol était couvert de neige et notre mare gelée. Pour des raisons d'économie, nous avions décidé d'héberger les acteurs chez nous. Nous engageâmes un cameraman, Nick Proferes, qui était prêt à travailler avec des techniciens non syndiqués. Nous nous assurâmes les services d'une équipe de quatre : un preneur de son, un homme pour installer les projecteurs et les régler, un assistant-cameraman pour charger la caméra et développer le négatif, et un quatrième pour s'occuper de tout le reste. Aucun n'était syndiqué. Le tournage se déroula à une allure tranquille, sans hâte, mais fut bouclé vite et sans difficulté. Le coût total du film s'élevait à 175 000 dollars, tarif considérablement moins élevé que celui de Faye Dunaway pour son apparition dans l'Arrangement.

J'avais retrouvé la joie de filmer. Aucune pression ne s'exerçait sur nous. Nous avions travaillé dur, mais c'est parce que nous l'avions choisi. Nous nous sentions bien en compagnie les uns des autres et nous nous faisions une fête de nous retrouver le matin. Chaque suggestion était discutée et souvent prise en compte. Personne ne montait jamais sur ses grands chevaux. C'est Chris qui préparait les repas pour les acteurs et l'équipe technique. Je faisais office d'accessoiriste, pas facile, mais faisable, et je dirigeais les acteurs. Toute l'entreprise était d'une confondante simplicité ; je veux dire, c'était tellement simple que j'en étais confondu. Mais après tout, c'est ainsi qu'on procédait autrefois. Je me rappelle encore la réponse d'Ingmar Bergman au journaliste qui lui avait demandé comment il s'y prenait pour faire ses films : « Je les fais avec dix-huit de mes amis. » Mes « amis » étaient au nombre de quatre. Mais si vous voyez le film un jour — United Artists le conserve dans une cave obscure, hors des circuits de distribution —, vous vous apercevrez qu'il évolue avec aisance d'un extérieur à l'autre, que la photographie est dans l'ensemble très acceptable et la qualité technique estimable. Une fois achevés le tournage et le montage — par le cameraman — des *Visiteurs*, je ressentis une grande fierté. J'avais trouvé cette expérience grisante et j'en étais ressorti régénéré, pas fatigué pour deux sous. Nous avions réalisé le premier film qui traite des conséquences de la guerre du Viêt-nam sur ses combattants quand ceux-ci étaient de retour au pays.

Il sortit au Little Carnegie Theatre de New York. Nous n'avions aucune idée, Chris et moi, de la façon dont le public réagirait à notre film. Ce fut une sensation épouvantable que d'entendre certains spectateurs le siffler en fin de projection. Pourquoi l'avaient-ils hué ? Je me le demande encore. En regardant les spectateurs pénétrer dans la salle, j'avais repéré quelques vieux « gauchistes ». Étais-je devenu paranoïaque ?

Puis les critiques furent publiées. Toutes négatives sauf celle de Vincent Canby. Il faisait des réserves, mais voici ce qu'il écrivit : « C'est un film très émouvant, en partie je pense parce que tout — des outils de production au mélodrame de base — est maintenu sur une petite échelle, comme pour ne pas embrouiller, ou empiéter sur l'expression légitime entre toutes d'une douleur américaine majeure. (...) Je trouve *les Visiteurs* émouvants car je partage le point de vue de Kazan sur les considérations d'ordre politique et moral dont il nous entretient. » J'aurais été encore plus content si Canby n'avait pas blâmé Chris des défauts du film. Reproche injuste, car c'est moi qui m'étais tenu derrière la caméra, juge de chaque répétition et responsable, comme tout metteur en scène, de chaque image. L'accusation de Canby avait blessé Chris. Il n'était pas rompu, comme moi, aux piques et aux flèches que vous décochent les critiques de cinéma. Nous nous sentîmes encore plus mal à l'aise le lendemain, devant le peu de spectateurs qui s'étaient déplacés. Ils ne huèrent pas le film, certes, mais ne se montrèrent pas enthousiastes pour autant. Dans ce pays, j'ai le regret de le dire, ce sont les critiques qui décident du goût du public.

Les cicatrices épaisses qui recouvraient mes vieilles blessures me protégèrent, à l'inverse de Chris. Je ne prête guère attention à ce qu'écrivent les critiques car je sais ce qui leur plaît. Et puis des gens m'avaient appelé ou m'avaient arrêté dans la rue pour me dire que, selon eux, j'avais réalisé une œuvre de valeur. Je savais que c'était le cas. Je me réjouissais aussi d'avoir trouvé ma façon de faire des films — simplement, en réduisant les coûts au maximum, avec quelques « amis ». J'étais fier de n'avoir cédé à aucune pression. Ce film me plaisait et personne n'aurait pu me faire changer d'avis là-dessus.

Les réactions en France furent presque toutes positives. Je décidai de présenter le film en compétition à Cannes où je me rendrais moi-même pour assurer les relations publiques. Je tenterais d'éveiller l'intérêt des Européens et de négocier quelques contrats.

Dès mon arrivée au Carlton, un homme très nerveux m'accosta dans le hall : Jean Nachbaur, le directeur de publicité des Artistes Associés en Europe, m'annonça que Joe Losey présiderait le jury cette année-là, ce qui, d'après lui, allait me poser un problème. Il ajouta que les journalistes ne parlaient que de cela, qu'ils ne manqueraient pas de faire éclater « toute l'affaire » au grand jour lors de la conférence de presse que je tiendrais après la projection, et qu'ils m'inciteraient à jeter l'anathème sur Losey pour en tirer des gros titres juteux. J'avais connu Joe dans ma jeunesse, quand nous étions tous deux radicaux et que nous travaillions pour le WPA Theatre[1] de New York. Puis il avait pris une direction, et moi une autre. Je répondis à M. Nachbaur que je n'avais rien à craindre de Losey. A l'inverse, si le président se livrait à des déclarations intempestives et usait de ses prérogatives pour me jouer un mauvais tour, il lui faudrait s'expliquer. J'ajoutai que je nourrissais la plus grande estime pour Losey et que s'il avait des préjugés contre moi — ou tout autre metteur en scène —, il se discréditerait aux yeux de tous. Ce que je trouvais assez finaud de ma part, mais M. Nachbaur ne fut pas impressionné.

Rien d'autre ne se produisit, toutefois, qui puisse rendre plus nerveux mon envoyé de United Artists. Le film fut bien accueilli ; je n'entendis pas un seul sifflet. Une bonne partie du public se leva pour m'applaudir quand j'apparus sur scène — enfin, à Cannes, ils font ça pour tout le monde. Certains critiques français, de bons amis, s'approchèrent de moi. J'avais oublié que j'étais une légende en France : une dizaine de cinéastes américains étaient considérés là-bas comme dignes d'intérêt et j'en faisais partie. Les personnes présentes à la conférence de presse me témoignèrent le plus grand respect. On me traita avec révérence. Mr. Nachbaur retourna soulagé à Paris — un peu perplexe aussi.

Joe Losey avait agi, mais en coulisses, dans la salle où se réunissait le jury. Ces faits et gestes, bien sûr, ne furent pas rapportés dans la presse — seuls les chasseurs de cancans qui hantaient le hall du Carlton en avaient entendu parler. Les journaux annoncèrent dans le monde entier que l'Affaire Mattei avait remporté la Palme d'or. Puis les bruits de couloir parvinrent à mes oreilles. J'appris que les Visiteurs avaient suscité une grande admiration, mais je dus attendre de rencontrer Bibi Andersson, la star suédoise, membre du jury elle-même, pour connaître le fin mot de

1. WPA : Work Projects Administration : organisme créé par Roosevelt pendant la Grande Dépression pour venir en aide aux artistes. (N.d.T.).

l'histoire. Elle avait voté pour notre film ainsi que deux autres jurés, et si nous avions perdu, c'était à cause du président, qui s'était montré violemment, obstinément et absolument opposé à ce choix et n'avait cessé d'attaquer le film. (Plus tard, Losey admettrait devant un critique français de mes amis qu'il avait beaucoup aimé le film.) Son influence avait pesé sur le vote final. Je ne pus qu'en rire. Certains de mes amis m'ont dit que je n'aurais pas dû me fatiguer à présenter le film à Cannes avec Joe comme président du jury. Mais je me suis bien amusé là-bas : j'avais trouvé fort distrayants tous ces bruits de couloir, toutes ces manœuvres en sous-main, la nervosité de mon responsable de United Artists et les flatteries qui m'avaient été décernées au cours de la conférence de presse. Je ne m'attendais pas qu'un intellectuel de gauche ait oublié en 1972 ce qui s'était passé en 1952, pour la bonne raison que je ne l'avais pas oublié non plus. Je ne versai pas de larmes, dégustai la partie la plus tendre du meilleur poisson de la Méditerranée, le loup, fis un sort à plusieurs bouteilles de mon vin favori, le sancerre, m'esclaffai à des blagues françaises que je n'avais qu'à moitié comprises, et ne rencontrai pas une seule fois Joe Losey.

Quelque temps plus tard, un article parut dans *Variety* titré : KAZAN FAIT TRAVAILLER SON FILS À CRÉDIT, LA GUILDE DES ACTEURS DÉCLARE « LES VISITEURS » DÉLOYAL. Voici un extrait de l'article : « (...) ce qui a contrarié les acteurs et autres syndiqués sur la côte, c'est l'importance de Kazan dans la profession. La plupart des films inconnus du grand public sont mis en scène par des diplômés sans renom, ou ambitieux, tout droit sortis des écoles de cinéma. » « Ah ! m'exclamai-je, c'est ce que je veux — redevenir inconnu. »

On me convoqua devant le comité de direction de la Guilde des réalisateurs. Ils me parurent équitables, compréhensifs et cordiaux. Par souci de fraternité, ils étaient forcés de me condamner à payer une amende — les statuts devaient être respectés. L'affaire fut conduite dans la bonne humeur. Mel Brooks fut très drôle. Je répondis que j'étais tout à fait disposé à payer une amende et que je comprenais la nécessité de respecter les statuts. Je précisai néanmoins que je recommencerais si la même situation se présentait de nouveau. Je leur rappelai également que nous formions une guilde, non pas un syndicat, et les enjoignis de modifier nos statuts de façon à permettre aux cinéastes, en particulier les jeunes, de tourner des films à peu de frais s'ils ne trouvaient pas à les financer plus généreusement. Notre guilde a fini par assouplir les restrictions imposées par les statuts, pour le bénéfice de tous. Peu après, je fus élu au bureau national, où je siège encore aujourd'hui.

Quand, de retour dans le Connecticut, je rapportai à mon fils Chris ce qui s'était passé à Cannes et combien le type de United Artists avait été poltron, je me disais en moi-même : Au diable le cinéma. Je m'en tiendrai au roman.

Un jour de mars battu par les giboulées d'un hiver interminable, je rendis visite à ma mère. Elle ne vint pas m'ouvrir. Puis je l'aperçus par la fenêtre de la cuisine. Elle regardait à l'extérieur. Appelait-elle au secours ? Ses yeux me fixaient mais on aurait dit qu'elle ne me reconnaissait pas. Cette femme qui ne supportait pas le désordre avait les cheveux défaits, et des boucles humides pendaient devant ses yeux. Son visage était couleur de cendres. Elle ressemblait à une sorcière.

Une fois à l'intérieur, je la trouvai appuyée sur le dossier d'une chaise. Elle s'approcha de moi, en poussant la chaise devant elle, de quelques centimètres à chaque fois. Sur sa petite table à rabats, son dîner de la veille au soir était encore dans l'assiette : les épinards s'étaient séparés de leur eau, l'œuf poché s'était solidifié jusqu'à ressembler à du plastique, les coins de la tranche de pain sans sel s'étaient recroquevillés. Je m'approchai tout près d'elle : elle essaya de me parler. Malgré mes efforts, j'en fus réduit à deviner ce qu'elle voulait dire : « Je ne peux pas marcher » ? Ou bien : « Je ne peux pas parler » ?

Elle ne pouvait faire ni l'un ni l'autre. Dans la chambre, le lit n'avait pas été défait. En apparence, l'incident, quel qu'il soit, s'était passé alors qu'elle était assise devant son dîner. Ce qui veut dire qu'elle était restée debout toute la nuit, à attendre le matin... et de l'aide. Je la fis asseoir, l'embrassai et me dirigeai vers le téléphone. « Je pense que c'est une attaque, dis-je au docteur. — J'envoie une ambulance tout de suite, me répondit-il. — Elle a peur des hôpitaux, précisai-je. Son mari est mort dans cet hôpital. Vous ne pouvez pas venir la voir chez elle ? — Si c'est bien ce que vous décrivez, reprit-il, plus vite nous l'amènerons à l'hôpital, mieux ça vaudra. »

Au bout de quelques jours, il devint évident qu'elle ne pourrait plus jamais se débrouiller seule. Le docteur, homme honnête, ne fit aucune promesse rassurante ; il suggéra un peu à contrecœur la maison de retraite, ce serait la meilleure solution. L'un de mes frères, le plus sensé d'entre nous, acquiesça. Mais la vieille femme se rappelait combien son mari avait été malheureux dans l'une de ces « maisons » et, bien qu'incapable de parler, elle agitait furieusement la tête chaque fois que ce mot revenait dans la conversation. J'étais d'accord avec elle. Je voyais les maisons de retraite comme des décharges où se débarrasser des vieux dont personne ne voulait s'occuper. Ma mère appréciait sa vie solitaire dans son appartement. Les murs étaient tapissés de photos encadrées de tous ceux qu'elle aimait. Il n'était pas question de l'en déloger. Elle craignait aussi ce que les Grecs redoutent plus que tout : qu'on la « fasse mourir parmi des étrangers ».

Ses fils discutèrent de la question. Nous disposions de l'assurance-vie de notre père. En y ajoutant nos contributions respectives, nous pourrions payer pendant trois ans une infirmière à domicile qui resterait avec notre mère vingt-quatre heures sur vingt-quatre. Mais combien de temps lui restait-il ?

Par chance, nous trouvâmes la personne idéale : elle s'appelait Ruby et, pendant un temps, tout se passa bien. Petit à petit, la vieille dame retrouva l'usage de la parole. La curiosité refit son apparition dans son regard. Il lui arrivait même de rire. Je voyais bien qu'elle cherchait à s'améliorer et sa lutte finit par m'obséder. En tant que fils aîné, je lui rendais visite régulièrement, trois fois par semaine. Quand Ruby me voyait arriver, elle le disait à maman et elles s'en allaient toutes les deux dans la chambre pour « s'arranger ». Je m'asseyais et j'attendais quelques minutes, puis la vieille dame ressortait en haletant, secouant les bras et fendant l'air de ses poings tel un sémaphore, un sourire radieux aux lèvres. Elle se donnait en spectacle. J'ai cru qu'elle allait s'en tirer, jusqu'au bout.

Puis j'ai commencé à noter des changements dans la direction opposée. Elle se plaignait de Ruby, une vraie sainte. « Je ne veux pas d'étrangers ici », me chuchotait-elle en grec, en regardant Ruby droit dans les yeux. En privé, je lui expliquais quelle chance c'était pour nous d'avoir Ruby, mais maman haussait les épaules, d'un air de doute, vaguement cynique. On aurait même dit qu'elle me soupçonnait, expression que je ne lui avais jamais connue. « Je ne veux pas d'elle ici », dit-elle un jour... avant d'oublier qu'elle l'avait dit. Une fois, elle fit référence à la couleur de Ruby : ce fut un choc. J'avais eu l'habitude d'entendre le mot « nègre » dans la bouche de mon père, mais jamais rien de tel de sa part à elle.

Peut-être la présence de Ruby la mettait-elle mal à l'aise, depuis que maman était victime de cette humiliation terrible : l'incontinence. Je l'avais remarqué un après-midi, alors que je la conduisais vers le banc placé sous l'arbre. Il y avait toute une traînée de gouttes derrière nous, et au lieu de faire comme si je n'avais rien vu, je l'avais regardée : elle avait esquissé un sourire gêné, comme un enfant pris sur le fait. Elle en concevait sans doute de la honte, d'où sa rancune envers Ruby, qui passait son temps à nettoyer derrière elle et à laver ses sous-vêtements. Ruby « en avait après elle ».

Puis ma mère fut victime d'une autre crise. L'hiver approchait : elle avait peur. Son sang ne circulait plus très bien dans ses veines ; elle frissonnait souvent. Je commençais à me demander si elle passerait l'hiver. Que réservait l'avenir ? Je ne savais pas quoi faire.

Un beau jour, je lui fis la promesse solennelle qu'elle ne passerait plus jamais l'hiver à Rye.

Le lendemain — c'est vraiment comme cela que les choses se sont déroulées —, Sam Spiegel m'invita à me rendre en Californie avec lui pour mettre en scène le film qu'il allait tirer du *Dernier Nabab* de F. Scott Fitzgerald ; Harold Pinter avait signé le scénario. « Ce n'est pas Mike Nichols qui devait réaliser ce film ? demandai-je. — Il n'est plus dans le coup maintenant », répondit vivement Sam. Son visage portait un masque ; impossible de savoir s'il était déçu ou soulagé. Je m'étais laissé dire que Sam avait proposé le film à un troisième metteur en scène, qui avait pris ses cliques et ses claques, lui aussi. Quelle importance ? Pourquoi s'en faire un monde ? Je posai quelques questions à Sam et me levai pour m'en aller. En me tendant le scénario de Pinter, il m'avait dit : « Tu me fais signe bientôt, hein ? — Demain, avais-je répondu. » Grossière erreur. Sam avait fait étalage d'une sincérité et d'une affection telles que j'avais été arrangeant sans me donner le temps de la réflexion. J'avais oublié que même la sincérité et l'affection peuvent ressortir à la tactique, avec Sam. Quelle importance ? Je n'allais pas me marier avec lui ! Mais je ne mourais pas non plus d'envie de travailler avec. J'avais toujours apprécié sa compagnie en société — ses « parties » étaient imbattables et il en donnait de toutes sortes —, mais je n'avais pas apprécié ma collaboration avec lui à l'occasion de *Sur les quais*. D'un autre côté, il touchait sa bille en matière de script, et ce n'était pas négligeable. De surcroît, ce film allait être tourné entièrement au sud de la Californie, où les hivers sont chauds. C'était tout l'intérêt de l'affaire. Il me fournirait une maison confortable au soleil, bien au-dessus de la nappe de pollution qui plane sur Los Angeles, et Barbara s'occuperait de ma mère durant la journée et... Non ! Je prendrais Ruby ! Je demanderais à Sam de payer pour Ruby. Tous les jours, je prendrais le petit déjeuner et le dîner avec maman et Ruby. Mais une minute ! Et le script ? Il faudrait le lire, ce foutu script. Et puis merde, je n'avais pas le temps. J'avais lu le livre. Deux fois. Et avec Pinter, ça ne pouvait qu'être bien ! Sam m'avait promis que nous irions à Londres ensemble pour travailler avec Harold, qui ne pouvait se rendre aux U.S.A. pour cause de problèmes conjugaux.

De retour chez moi, je m'interrogeai sur ce qui avait le plus d'importance. La santé de maman, bien sûr. Mais n'avais-je pas juré, à la suite de deux expériences malheureuses, l'une d'entre elles se trouvant être *l'Arrangement*, que je m'en tiendrais désormais au roman et ne tournerais plus aucun autre film ? Stop, me dis-je. Hésite ! Réfléchis ! Pourquoi plonges-tu tête baissée ? Donne-toi le temps de peser le pour et le contre. Rappelle-toi *l'Arrangement*. Une catastrophe. Il s'agit d'une année entière de ta vie. Loue pour maman une maison en Floride. Pourquoi pas Tarpon Springs, c'est plein de Grecs. Tu peux te le permettre. Mais il serait bien difficile de lui rendre visite et de veiller sur elle en Floride. Cela n'irait pas. Stop. Réfléchis !

Il est plus facile de ne pas réfléchir. Le lendemain après-midi — je n'avais toujours pas étudié le scénario de Pinter —, j'entrai d'un pas décidé dans le bureau de Sam et lançai un : « Discutons. » Sam ouvrit le tiroir du bas de son bureau et en retira une boîte, dont il ouvrit le couvercle. Un arôme inégalable m'informa que les meilleurs cigares du monde civilisé étaient à ma disposition. Nous allons nous entendre, cette fois, songeai-je. Puis : Quelle pute tu es ! Pour un cigare à deux dollars ! Et j'éclatai de rire. Une heure plus tard, j'avais accepté d'emmener ma mère en Californie et de réaliser un film tiré du *Dernier Nabab*, qui n'aurait jamais dû quitter les bibliothèques, tout comme mon propre roman, *l'Arrangement*.

Ainsi donc, en ce mois d'octobre où un vent froid commençait à arracher aux chênes leurs belles feuilles rouges et ocre, j'allai chercher maman et Ruby dans une limousine bien chauffée, direction Kennedy[1]. Une chaise roulante et une accompagnatrice nous attendaient pour la conduire jusqu'à la porte. Ses yeux brillaient quand elle parcourut le couloir de l'immense Boeing, accrochée au bras de Ruby. Cette vieille dame ressemblait à une enfant qui pénètre à Disneyland. Elle n'était

---

1. Aéroport new-yorkais (*N.d.T.*).

jamais montée en avion ; sa réaction m'amena à prendre conscience de la taille énorme du 747.

Quelques jours avant, je m'étais rendu à l'endroit où maman était née, sur une plage de la mer de Marmara, et j'avais pénétré à l'intérieur des terres, d'où sa famille était originaire. Je savais qu'elle avait dû parcourir un sacré bout de chemin vers l'ouest, y compris en termes de civilisation. Elle s'en rendait bien compte elle-même. C'est pourquoi elle me souriait. Quand notre avion eut touché terre en Californie, elle me chuchota : « Maintenant, j'ai fait ce voyage-là aussi. » Peut-être savait-elle qu'il risquait d'être son dernier ; le cas échéant, je doute qu'elle en ait conçu le moindre trouble, pas ce jour-là. Je lui avais demandé des centaines de fois de venir avec moi en Grèce pour aller voir sa sœur, vieille et malade, qu'elle n'avait pas vue depuis 1913. Mais maman avait toujours refusé ; elle ne voulait voyager que vers l'ouest. Aller vers l'est, cela aurait voulu dire retourner d'où elle venait, et les Turcs ne la laisseraient peut-être bien pas repartir.

Barbara était arrivée dans l'Ouest quelques jours plus tôt et elle nous attendait pour accueillir maman. Ma femme ne m'aimait plus beaucoup mais elle éprouvait beaucoup d'affection pour Athena. Elle lui montra sa chambre et resta assise avec elle pendant que Ruby défaisait les valises. Barbara travaillait sur un scénario avec Nick Proferes, le directeur de la photo des *Visiteurs*. Puis Ruby fit sortir tout le monde et dit à maman de rester allongée jusqu'à l'heure du dîner.

Elle ressortit pour regarder le soleil se coucher, et je la conduisis jusqu'à un fauteuil de jardin confortable pour qu'elle puisse voir les derniers rayons. Mais dès l'instant où le soleil eut disparu derrière les sombres collines de notre ouest à nous, une fraîcheur soudaine emplit l'atmosphère et maman commença à se frotter les mains. « Demain, le soleil sera très chaud, ne t'inquiète pas », lui dis-je. Elle hocha la tête et répondit : « J'espère. » Puis je pris sa main et la serrai. J'étais sûr — mais pas l'un de mes frères — que j'avais pris la bonne décision en choisissant de l'emmener dans l'Ouest. Je regrettais seulement que le soleil ait disparu si vite.

Barbara nous appela pour dîner. La table était grande et ronde, et son revêtement de verre regorgeait de nourritures faciles à mâcher — boulettes de viande, purée de pommes de terre, épinards hachés. Barbara savait y faire. A gauche de maman, elle avait installé Leo, et Ruby de l'autre côté. Nous formions l'image parfaite d'une famille heureuse.

Mais la vérité était d'un tout autre acabit. Tout était fini entre elle et moi depuis que je l'avais écartée pour *l'Arrangement*. Ce n'était pas la seule raison, mais c'était la plus importante. Barbara, comme tant d'actrices, était toujours en quête d'un homme qui la soutienne, d'un sauveur. J'avais joué ce rôle pendant des années. Puis, de son point de vue, je l'avais trahie et elle avait rencontré Nick. Leurs goûts se rejoignaient en matière de cinéma et, comme il était prêt à travailler avec elle, son utilité avait pris le pas sur la mienne. J'avais bien remarqué qu'ils étaient assez proches l'un de l'autre, mais je n'en blâmais pas Barbara. Une fois de plus, elle avait des raisons d'être amère : je ne m'étais pas bien conduit.

Mais quand je lui avais suggéré de rompre, elle m'avait paru déterminée à refuser le divorce. En guise d'explication, elle m'avait déclaré : « Je pourrai obtenir davantage de toi si nous restons mariés. » Elle voulait parler d'argent.

Elle s'était montrée une maîtresse généreuse, au fil des années, aimante, dévouée, toujours prête à faire l'amour, mais elle avait changé du moment où elle était devenue une épouse. *L'Arrangement* lui avait déplu : elle s'était imaginé que j'y décrivais ses comportements intimes. Quand le livre était arrivé en tête des ventes, elle n'avait pas célébré la bonne nouvelle avec moi. De ce fait même, le livre était encore descendu dans son estime. Et elle ne m'en voulait que davantage de l'avoir remplacée par Faye Dunaway. « Tu fais plus confiance à Faye qu'à moi. » C'est de cette manière qu'elle avait interprété les choses. Faye avait été la doublure de Barbara dans *Après la chute* et elle l'avait regardée jouer soir après soir depuis les coulisses. Mais, insensible à l'hommage, Barbara avait dit : « Elle essaie de m'imiter mais elle ne m'arrive pas à la cheville. » Quand je lui avais expliqué que ce n'était pas une question de confiance, mais que Faye allait mieux avec Kirk, de même que Barbara aurait mieux convenu avec Marlon, sa réponse avait été la suivante : « Merde ! » Puis elle s'était mise à tourner le film en ridicule avec la complicité d'un de ses copains ; j'avais peut-être échoué sur toute la ligne, mais ce n'était pas la peine de me le seriner sur tous les tons. Elle ne me lâchait pas la bride. « Tu connais cette chanson-là : "Tout le monde a besoin d'aimer quelqu'un", lui dis-je un jour, eh bien, ta version à toi, c'est "Tout le monde a besoin de détester quelqu'un". » En guise de réponse, elle me gratifia — je le revois encore — d'un petit sourire vengeur.

Nous avions été mariés légalement, mais rien d'autre, pendant plusieurs années, et je m'étais contenté de laisser les choses en suspens. Le divorce ? « Trop de complications », en vérité. Et puis le fait d'être marié me fournissait une bonne excuse pour ne pas prolonger d'autres relations. Barbara, vieux singe à qui il n'était pas besoin d'apprendre à faire la grimace, n'ignorait pas mes frasques — et peut-être mon ultime insulte à son égard consistait-elle à ne pas lui demander comment elle passait le temps et avec qui. Mes journées s'écoulaient donc dans un chaos bien commode, et mon séjour dans cette magnifique demeure, style ranch, située bien au-dessus de la pollution à Beverly Hills, n'échappait pas à cette règle.

Elle était encore très attachée à ma mère et prenait soin d'elle nuit et jour. Elle aurait voulu, je pense, qu'Athena l'aime autant qu'elle avait aimé Molly, mais rien de tel ne s'est jamais produit. Peut-être maman sentait-elle que nous étions en froid, Barbara et moi. Il m'arrivait de regarder Barbara et de me rendre compte que mes pensées (comment avions-nous pu être si proches l'un de l'autre ?) se lisaient sur mon visage : maman risquait de s'en apercevoir, aussi étais-je prompt à revêtir le masque. Je savais bien que si elle en avait eu les moyens, elle m'aurait quitté depuis longtemps. Je savais aussi que je pourrais obtenir le divorce si je le souhaitais vraiment, mais j'étais trop paresseux pour tout chambouler. La nature de notre relation était donc de mon fait. De plus, j'avais déjà rencontré une jeune femme en Californie, mariée elle aussi et peu désireuse de rompre. Nous faisions l'amour à temps partiel en fin d'après-midi, puis chacun rentrait chez soi. Je sautais alors dans notre piscine chauffée, enfilais un peignoir, embrassais ma mère et m'installais à la table du dîner. Une solution bien plus simple, n'est-ce pas ? Faisait-elle l'affaire ? Il fallait bien.

CE BOULOT TOMBAIT À PIC, mais je ne l'avais entrepris qu'en raison de l'état de faiblesse inquiétant de maman. Lorsque je l'avais accepté, je m'étais empressé d'exhorter Sam à abandonner l'idée d'employer Dustin Hoffman (la préférence de Mike Nichols) ou Jack Nicholson (le choix de Sam) pour tenir le rôle d'Irving Thalberg. Je désirais Robert De Niro. Je ne savais pas grand-chose de lui ; je suivais mon intuition. Quant aux rôles féminins, l'une des recommandations de Sam, Ingrid Boulting, me déplaisait. Je crois qu'elle s'inspirait d'une inclination personnelle. Il n'arrêtait pas de dire : « C'est une jeune pouliche sans expérience », qualité attrayante au possible pour les hommes qui ont la maturité de leur embonpoint. Sam me demanda de travailler avec elle. J'acceptai et j'en vins à l'apprécier et à me dire qu'elle pourrait convenir pour le rôle. Ma nature me pousse à chercher le potentiel, et non pas à m'attarder sur les défauts. Je tentai de la faire accepter par Harold Pinter, qui se montra opposé à elle de prime abord et avec une rare violence. Sam fut alors à même de se retrancher dans sa position favorite, le juste milieu. Il m'avait refilé le bébé pour se réfugier derrière la clause artistique : si elle ne s'en tirait pas avec les honneurs, ce n'est pas lui qu'on blâmerait.

Même topo avec Theresa Russell, l'actrice qui interprétait Cecilia. C'est Sam qui l'avait suggérée. J'avais émis de fortes réserves à son sujet : dans son cas, les défauts l'emportaient sur les qualités. Il me paraissait évident, et mes conversations ultérieures avec Theresa le confirmeraient, que Sam avait fait des pieds et des mains pour l'attirer dans son lit. Je le dis sans acrimonie, tant il est vrai que la plupart des hommes « de l'art », doués d'imagination et de passion, ont tendance à user de leur pouvoir à l'endroit des jeunes femmes — et des jeunes hommes — à cette seule fin. Cette attitude inévitable dénote un salutaire amour de la vie. Selon miss Russell, Sam l'avait poursuivie de ses assiduités pendant des mois, sans succès, et n'avait toujours pas désarmé. Quand je me mis au travail avec elle, selon la requête de Sam, je finis par l'apprécier elle aussi : elle sortait du lot, qui, certes, ne valait pas tripette, et elle apporterait un élément de surprise à son rôle. J'enjoignis Sam de l'engager et il céda : voilà comment il aimait prendre des décisions. En effet, il était désormais fondé à entretenir des doutes au sujet des trois acteurs que j'avais recommandés (c'était du moins son interprétation), ce qui le délestait du poids des responsabilités dont il m'avait investi sans avoir l'air d'y toucher. Si elles faisaient mouche, il inscrirait le choix des deux femmes à son crédit ; dans le cas contraire, il les inscrirait au registre de mon discrédit. Bobby De Niro, par contre, j'en assumerais l'entière responsabilité. Bon. Mais cela ne m'empêcherait pas d'avoir à les défendre tous les trois chaque fois que Sam trouverait leur travail moins satisfaisant que prévu — ou ferait semblant. Quant à Pinter, il avait persisté et signé dans son opposition forcenée à Ingrid. Sam y avait répondu en affirmant que lui aussi entretenait des réserves, mais qu'il comptait sur moi pour lui faire passer la rampe.

Résultat : il m'était devenu impossible de garder une attitude détachée. Après avoir mis le doigt dans l'engrenage, il fallait que je fasse « marcher » le film de gré ou de force. A plusieurs reprises, au cours du tournage, Sam parlerait de changer les trois acteurs principaux. Mais une telle décision se serait révélée très coûteuse... J'avais affaire à un bluff typique de Spiegel : il voulait me faire douter, travailler encore plus dur et me maintenir dans un état de vulnérabilité constant face à ses critiques. C'était une tactique. Je ne tardai pas à redécouvrir ce que j'avais appris à Hoboken, lors du tournage de *Sur les quais* : la seule façon de procéder avec cet homme, c'était de piquer une crise de temps à autre, pour qu'il se sente mal à l'aise et y regarde à deux fois avant de pénétrer sur le plateau. Il trouvait mon comportement de la dernière vulgarité et il n'avait pas tort. Mais à la guerre comme à la guerre.

Bobby De Niro fait partie des rares acteurs qui se consacrent sans réserve à leur métier. De tous ceux avec lesquels j'ai travaillé, c'est le seul qui ait demandé à répéter le dimanche. La plupart préfèrent jouer au tennis. Nous passions en revue les scènes de la semaine à venir, et comme les deux femmes débutaient et tenaient à réussir, elles venaient elles aussi travailler le dimanche. Je les fis exécuter des improvisations durant les trois semaines précédant le début du tournage proprement dit. Mon problème, avec De Niro, consistait à transformer ce gamin du quartier italien de New York en « souverain de Hollywood » : un juif mince, quelque peu maladif, d'une grande érudition. Tâche difficile. Je ne savais pas grand-chose de Bobby — l'instinct, le sien comme le mien, nous avait rapprochés —, mais nous nous étions compris sur-le-champ. Bobby était un dur à cuire capable, comme Marlon, d'insuffler une sensibilité extraordinaire à une interprétation. Tout comme moi, il aurait fait n'importe quoi pour réussir, en l'occurrence ramener son poids de 77 kilos à 58. Lorsque nous avons commencé à le filmer, il avait vraiment l'air fragile.

Voilà pour l'extérieur. Mais l'intérieur posait aussi un problème. Il devait interpréter un personnage qui avait réussi grâce à un cerveau supérieur à la moyenne. Je lui recommandai un exercice destiné à rendre son système de pensée plus complexe et à l'investir des qualités de réflexion et de réserve requises pour le rôle. Je voulais qu'un observateur se dise : on ne sait jamais ce que pense cet homme. Cette improvisation, que nous avions nommée « la double pensée », consistait pour Bobby à se concentrer sur une pensée différente ou même contradictoire pendant qu'il parlait. Je le poussais constamment à suivre le fil d'une pensée qui n'avait rien à voir avec ce qu'il disait. Je lui suggérai de s'y entraîner dans sa vie de tous les jours et il finit par « passer » beaucoup mieux à l'écran. « Un intellectuel, lui avais-je expliqué, paraît amical et chaleureux de prime abord, mais on ne peut jamais l'investir d'une confiance totale. Nous sommes tous des espions, avais-je ajouté, et nous ne disons pas souvent à nos compagnons ce que nous pensons vraiment d'eux. Il faut toujours que tu aies l'air "louche", si tu vois ce que je veux dire. Ambivalent, si tu préfères. »

Ce genre d'indication ne peut convenir qu'à un acteur précis dans un rôle particulier. Avec Bobby, elle porta ses fruits. Sa difficulté d'approche du rôle reflétait mon problème avec le script : l'histoire d'amour n'était pas développée. Il ne pouvait rien y faire et, au bout du compte, je n'ai rien pu y changer moi-même.

Je m'étais rendu à trois reprises en Angleterre avec Sam pour rencontrer Harold Pinter : une fois pour nous mettre d'accord sur l'interprète de Kathleen, défi apparemment impossible à relever, et deux fois pour discuter du script. J'avais écris à Harold pour lui suggérer des modifications dans le traitement de l'histoire d'amour, et j'avais remis ces lettres à Sam. J'avais cru mes observations frappées au sceau du bon sens, mais elles n'eurent pas l'heur de convaincre Harold. Il ne livra jamais aucun commentaire à leur sujet, et rien, je dis bien rien, ne fut entrepris pour renforcer l'histoire d'amour et la rendre intéressante. Je n'aurais jamais cru ces deux hommes si dépendants l'un de l'autre. Mais Sam semblait impressionné par l'éminence de Harold dans la vie littéraire britannique et désirait le protéger d'un metteur en scène dominateur. Ils avaient travaillé dur et longtemps sur le scénario, chacun de son côté puis avec Mike Nichols, et j'étais arrivé après la bataille. Le ciment avait déjà pris. Harold avait peut-être séché lui aussi. Sam avait alors marqué des points en traitant le travail de Harold comme parole d'évangile. Lors de nos conférences, longues et ennuyeuses, nous ne faisions somme toute que couper les cheveux en quatre : à tel ou tel endroit, fallait-il une virgule ou un point-virgule ?

Je finis par me lasser d'attendre que Sam discute du contenu de mes lettres avec Harold, aussi l'épinglai-je un beau jour pour lui dire clairement que malgré mon admiration réelle pour le script, l'histoire d'amour ne tenait pas la route : les scènes entre les deux amants, centrales, me paraissaient flottantes et insipides. « On dirait que tout se passe sous l'eau », conclus-je. J'obtins cette réponse de Harold : « C'est toujours là que ça se passe, non ? » Il n'y avait plus qu'à tirer l'échelle. Je rangeai mes objections au placard, plongeai et fis de mon mieux.

Quelques pages de mon journal intime sur le tournage du *Dernier Nabab* :

J'ai pris conscience de la gravité de l'état de ma mère quand, devenue incapable d'aller aux toilettes sans l'aide de Ruby, elle a déclaré vouloir retourner à Rye. Ai-je bien fait de l'emmener dans l'Ouest? Je crois que oui. Je lui ai répondu que nous retournerions dans l'Est dès les premiers jours du printemps, et je suis parti travailler.

Quand je me suis réveillé ce matin, Barbara m'a dit: « Sam a appelé hier soir. » « Qu'est-ce qu'il a dit? — Je sais pas. Il délirait complètement. J'ai juste laissé le téléphone décroché. » Son problème, c'est Bobby De Niro. Il le trouve « commun ». Ce jugement ne repose pas sur les *rushes* qu'il aurait pu visionner, parce que nous n'avons pas encore entamé le tournage. Il ne se fonde pas non plus sur les improvisations que je fais pratiquer à Bobby, qui progresse de jour en jour — je n'ai pas autorisé Sam à y assister. Non, il met en avant des discussions qu'il a eues avec lui, concernant les frais de Bobby: Sam accepterait-il de payer pour ci, pour ça, etc.? Il n'arrête pas de répéter que Bobby est un arnaqueur de première. « Un petit malfrat à la con », pour reprendre l'expression de Sam. S'imagine-t-il que le fait de me raconter toutes ces salades va contribuer à améliorer la performance de Bobby dans la peau de Monroe Stahr? Il me faut garder en tête qu'il existe deux Spiegel: l'un est cultivé, généreux, intelligent et l'on ne peut rêver meilleur voisin de table. Et puis il y a le « Grand Sam » (surnom dont l'affuble l'équipe technique pour se moquer de lui), le Spiegel auquel doit se frotter le metteur en scène déjà rendu nerveux par le tournage. J'avais oublié celui-ci.

Maman n'arrête pas de s'endormir, se réveille, s'assoupit de nouveau. Elle ne peut pas s'extraire d'un fauteuil sans l'aide de Ruby. Leo et Barbara ont attrapé un rhume. Je leur dis de ne pas rester à côté de la vieille femme et je demande à Ruby de s'en assurer. Un mauvais rhume pourrait l'emporter. J'ai peur de me réveiller un matin pour entendre Ruby me dire que maman est morte dans son sommeil.

Sam est vexé parce que Sue Mengers organise une soirée et qu'il n'a pas été invité. Pour le consoler, je l'ai laissé assister à une répétition. Il a dit que j'avais fait des merveilles avec Bobby. (Plus tard :) J'ai emmené Barbara chez Sue. « Tout le monde » était là. Les figures de cire de Mme Tussaud en chair et en os. J'ai papoté avec « Leste » Lazar. Il m'a dit qu'Irwin Shaw, malgré le succès colossal de ses livres, a de constants soucis d'argent. Au dire de Lazar, Shaw donne l'impression de vivre au jour le jour. « Dès qu'il trouve une victime consentante, il lui déballe ses malheurs et pleure comme un bébé. » Les écrivains ont toujours peur de manquer d'argent, c'est vrai. Ils n'ont rien de tangible à quoi se raccrocher et ne peuvent qu'espérer avoir une autre idée de livre.

Elle n'a rien mangé depuis trois jours et s'affaiblit rapidement. Peut-être a-t-elle vraiment le mal du pays. Devrais-je la ramener dans l'Est? Mais qui s'en occuperait là-bas? Quand elle est assise, on dirait qu'elle a un petit ballon de football dans le ventre.

Nous avons commencé à tourner, Sam est venu nous souhaiter bonne chance. Sa petite amie, qui a dix-huit ans et fait plutôt « jeunette », joue dans la scène. Un petit rôle. Je lui ai accordé cette faveur. Plus tard, j'ai suggéré à Sam de la convaincre d'abandonner le cinéma. Ce serait aussi lui faire une faveur.

Les gens fuient les mourants. Les vieilles peurs liées à l'envoûtement et au transfert des âmes resurgissent. J'ai perçu cette attitude distante chez Barbara, hier soir. Comme si elle cherchait à se protéger. Comme si elle savait que la mort guette maman et s'apprête à l'emporter elle aussi. Moyen Age pas mort.

Sam n'aime pas davantage Bobby depuis qu'il a visionné les *rushes*. Selon lui, Bobby n'a aucune noblesse mais une expression de « petit malfrat », surtout quand il sourit. Je rassure Sam en lui disant que je ne laisserai pas Bobby sourire très souvent, puis je lui rappelle les propos qu'il m'a tenus trois jours auparavant: n'ai-je pas « fait des merveilles avec Bobby »? Sam rétorque qu'il cherchait seulement à me remonter le moral. Cet homme a réponse à tout.

Cet après-midi, Ruby a emmené maman voir le Dr Herbert Gold. Je visionnais une bande dans la salle de montage quand j'ai reçu un coup de fil de Gold. Ils avaient transporté maman à l'hôpital. Je me suis précipité dans mon bureau, j'ai fermé la porte et je lui ai demandé: « Quel est le topo? » Il a répondu: « Son cœur a l'air solide, mais comme vous vous en doutiez, c'est ailleurs que le bât blesse. L'abdomen. Je sens une masse à cet endroit. Elle semble se situer dans le foie, ou à côté, et se présente mal. — Elle dit qu'elle veut retourner chez elle à Rye, à New York. Qu'en pensez-vous ? — Si elle s'y trouve mieux, je la remmènerais dès maintenant, a-t-il dit, pendant que vous le pouvez encore. »

Sam fulmine qu'il a investi cinq millions et demi de dollars de sa poche dans ce film. Je ne sais jamais s'il faut le croire ou non. « J'ai misé sur ce gamin qui pourrit sur pied et joint l'arrogance à l'entêtement. » Puis Sam juge opportun de me rappeler que c'est moi qui ai recommandé Bobby, mais il a recours à un compliment foireux pour parvenir à ses fins: « Aucun metteur en scène au monde à part toi,

susurre-t-il, n'aurait pu me convaincre de parier sur Bobby. » Plus
tard, vers la fin de l'après-midi, alors que nous prenions un verre dans
son bureau, il m'a dit qu'en dépit de sa foi inaltérable en moi il
songeait à remplacer Bobby. Du bluff, toujours du bluff.

Le Dr Gold a procédé à des tests pour identifier cette grosseur dans
l'abdomen et déterminer quel organe elle affecte. Je me suis rendu à
l'hôpital ce matin avant d'aller travailler et je l'ai trouvée folle furieuse. « J'ai pas problème, m'a-t-elle confié, je suis pas malade. Ce
Dr Gold m'en a fait voir hier. » Maman le hait.

Je crois que Sam a peur de Harold Pinter. Si j'effectue la moindre
modification dans le script, il me tombe dessus à bras raccourcis.
Alors aujourd'hui, je lui ai réglé son compte ; j'étais ulcéré et je n'ai
pas pris de gants. Il m'a raccroché au nez. Je le trouve de nouveau
impossible. Chaque fois que je me mets en colère avec Sam, je me
répète qu'il a fait *Lawrence d'Arabie* — quel courage ! — et *le Pont de
la rivière Kwaï*. Je songe aussi que sans lui, *sur les Quais* n'auraient
jamais vu le jour, et je me remémore ses parties somptueuses et... oh,
et puis merde.

Désormais, j'avale mon déjeuner dans une voiture du studio, sur le
chemin de l'hôpital. Je reste assis avec maman pendant une demi-
heure, puis je retourne au travail. Elle est très faible et ne répond
presque plus ; refuse de porter son appareil acoustique. Elle ne cesse
de manifester son désarroi à l'anatolienne, ouvrant et refermant les
mains sur ses genoux. Elle n'arrête pas de dire, de sa pauvre petite
voix : « Je veux rentrer chez moi. » Elle attend que je l'emmène, mais
je n'en fais rien.

Sam déteste les costumes qu'Anna Hill Johnstone a dessinés pour
Theresa Russell. Je défends Anna Hill qui pense que Sam a raison.
Très habilement, en douceur, Sam amène une autre styliste pour
refaire les costumes de Theresa.

Mon frère George est arrivé dans l'Ouest ; les renforts débarquent
en prévision de la crise qui pointe à l'horizon. Après avoir vu maman,
il a dit qu'elle lui rappelait une orange restée trop longtemps dans une
coupe de fruits. Elle se ratatine et sa peau s'est mise à rétrécir et à se
rider. C'est terrible mais c'est vrai.

Jeanne Moreau est arrivée de Paris. Elle n'aime pas la chanson que
Pinter et Jarre ont écrite pour elle. Pinter dit qu'elle lui plaît et Sam

joue là la mouche du coche. Je suis d'accord avec Moreau, je n'aime pas non plus cette chanson, mais j'aimerais bien qu'elle change d'avis. Je n'ai pas besoin de ce genre d'embêtements.

J'ai reçu un coup de fil du Dr Gold sur le plateau. Je lui ai répondu que je le verrais à l'hôpital pendant l'heure du déjeuner. « Nous marchons sur des œufs, lui ai-je dit à son arrivée. — Nous marchons sur les eaux, m'a-t-il répondu. — Que feriez-vous si c'était votre mère? ai-je demandé. — Je la laisserais mourir gracieusement », a-t-il répondu. Voulait-il dire avec grâce? Peut-on mourir avec grâce? « Son cœur, a repris Gold, ne tient qu'à un fil. »

Sam avait raison. Les nouveaux costumes de Theresa sont cent fois mieux. Nous les avons reçus juste à temps : elle commence à travailler demain. C'est son premier engagement en tant que professionnelle. Un gros risque. Sam pense que je sors avec elle.

Ce matin, l'infirmière n'a pas réussi à trouver la veine dans laquelle injecter le contenu de la seringue de IV. Chaque fois qu'on utilise une veine pour le IV, m'a dit le Dr Gold, on la détruit. Combien de veines lui reste-t-il?

Objet : les critiques de Sam au sujet de De Niro (à longueur de temps). Voici les miennes : sa voix manque d'expressivité. Il n'arrête pas de trafiquer avec les accessoires. Mais c'est un acteur foutrement bon et il va être excellent dans le rôle. Je ne dois prendre en compte que ses qualités, pas ses défauts. C'est pareil avec tous les acteurs, d'ailleurs.

Ce matin, elle s'est avancée vers le fauteuil roulant sans savoir ce qui l'attendait. Ils l'ont emmenée en bas pour explorer son côlon à l'aide d'un « serpent » métallique dont la tête est munie d'un couteau et d'une lampe ; ils vont essayer de prélever un petit morceau de chair à cet endroit. Une indignité? Sans doute. Sa tête me rappelle certains marbres grecs du Ve siècle. Ils devraient épargner la déesse Athena. Elle répète encore qu'elle veut rentrer à la maison. Mais elle a une nouvelle question, plus existentielle : « Qu'est-ce que ça veut dire? » Ses mains s'écartent l'une de l'autre, sur ses genoux. Je n'en sais pas plus qu'elle.

Après l'avoir observée durant sa première journée de tournage, Sam a dit que Theresa allait coiffer tous les autres à l'arrivée. Est-ce une autre façon de rabaisser Bobby? Sam m'a rappelé qu'il me l'avait recommandée. Selon lui, quiconque n'aime pas Theresa n'est pas bien dans sa tête.

Le diagnostic est établi. Le cancer, en se développant, presse sur le rein et l'empêche de fonctionner. Conséquence : la quantité d'acide urique augmente dans son urine. J'interroge Gold : « Qu'est-ce que ça veut dire ? — Ça veut dire, répond-il, qu'il prend la mauvaise direction. » Il a l'air sûr de lui, mais je ne peux pas m'ôter de l'idée que, comme tous les docteurs, il navigue à vue.

Maintenant, Sam critique Theresa. Il la traite d'incapable, il se déclare gêné pour elle et veut la remplacer. Puis il s'en prend à elle sur un plan personnel, déclare que c'est une enfant gâtée, gonflée d'arrogance. Je m'efforce de rester calme car je sais qu'il va finir par se calmer lui-même. Pour fantasques et contradictoires qu'elles soient, les opinions de Sam valent toujours la peine d'être écoutées. Le jeu des acteurs se compare au vif-argent : ce dont on est sûr un jour, on en doute le lendemain. Et voyons les choses en face, Theresa n'est qu'une débutante.

Tout d'un coup, maman est devenue hostile envers George, mais surtout envers moi. Quand nous lui offrons notre affection, elle la rejette. Je l'ai embrassée hier et elle a secoué la tête violemment. Elle refuse de s'alimenter. Quand Ruby veut la faire avaler de force, elle recrache tout. Elle ne sait dire que : « Rentrer à la maison. Je veux rentrer. » Est-ce qu'elle m'en veut parce que je l'ai arrachée à son appartement de Rye ? Je ne sais pas quoi faire.

Sam m'a demandé de le rejoindre dans son bureau dès que le dernier plan de la journée aurait été mis en boîte. Je lui ai répondu que je devais aller à l'hôpital. « Juste quelques minutes », a-t-il insisté. Toujours la même rengaine : De Niro. Il le trouve monotone, il pense qu'il varie très peu ses expressions. Je lui ai demandé : « Qui a vu les *rushes* avec vous ? » Question insultante, j'en conviens, mais le monteur m'avait dit que Sam avait visionné les *rushes* dans l'après-midi en compagnie d'une dénommée Cynthia. Sam a des opinions bien arrêtées. Mais il partage aussi celles de ses voisins dans la salle de projection. Bobby manque d'autorité, au dire de Sam. D'autorité ! Je ne veux pas qu'il ait l'air d'un de ces acteurs anglais à la con. « Le personnage, Sam, doit avoir un côté méditatif et doux. Les grandes scènes ne viennent que plus tard. » Cette précision a eu le don de le rassurer — l'espace d'une heure. « Dis bonjour à ta mère de ma part », me dit-il. Et de m'offrir un cigare.

La mort, je m'en rends compte, n'est pas un événement ponctuel. On meurt par étapes. C'est une série de petites rechutes. Un organe lâche, puis un autre. Maintenant les dents lui sortent de la bouche et son visage s'est affaissé.

Je suis allé dîner chez Irving et Mary Lazar. Leurs murs sont tapissés de tableaux « sans prix », parfois accrochés les uns contre les autres. Sam possède le même genre de murs surpeuplés de tableaux dans son appartement new-yorkais, des murs qui proclament : « Regardez comme je suis riche ! » Sam a été très vexé de ne pas être invité à ce dîner. Tous les grands *Machers* étaient de la fête, venus accompagnés de leur « mariée ». J'avais l'impression d'assister à un spectacle du plus haut comique car je sais bien ce qu'ils pensent les uns des autres.

J'ai eu une scène terrible avec le Dr Gold aujourd'hui. J'ai vu que le IV était en dehors du bras de maman et j'ai demandé pourquoi. « Parce que je n'ai pas rédigé l'ordonnance nécessaire, m'a répondu Gold. — Et pourquoi ? — Elle ne mange ni ne boit rien du tout, et elle perd un peu plus de forces chaque jour. » Alors je n'ai pas pris de gants avec lui : « Vous pensez que c'est sans espoir, n'est-ce pas ? » Son visage s'est paré d'une expression des plus étranges. « Ce serait le verdict le plus doux », a-t-il lâché. Il m'a fallu un petit moment pour prendre la mesure de l'arrogance, de l'impertinence et de l'insensibilité d'une telle réponse.

Je vois ma petite amie après le travail. La chaleur de cette jeune femme me permet de tenir le coup. Une grande barrière de glace s'est élevée entre Barbara et moi. Nous nous enlaçons, mon amie et moi, dans une loge du studio et, oh, comme je me sens mieux ! C'est la chaleur dont j'ai besoin. Puis je vais à l'hôpital. En chemin, je me demande pourquoi je maintiens cette vieille femme en vie. Pour qui ? Elle n'entend plus rien, elle ne voit plus rien, elle ne peut pas garder ses urines, ne peut pas manger, ne peut pas boire, ne peut pas parler — ou ne veut pas —, refuse de reconnaître qui que ce soit et, pour le moment, ne décolère pas contre moi. Alors pourquoi ? La réponse est simple : parce que c'est ce qu'elle veut.

Une chose me surprend chez De Niro. Bien que ce rôle lui demande un gros effort, il va être excellent. Je le sais maintenant et je le lui dis, mais il n'en demeure pas moins anxieux. Se sent-il inadapté au rôle et n'ose-t-il pas me le montrer ? Existe-t-il toujours un résidu d'incertitude chez tous les acteurs, qu'ils cachent pour des raisons professionnelles ? Poser la question, c'est y répondre.

Le Dr Gold m'a fait un cours sur le thème du coma. C'est ainsi que la nature procède pour emporter quelqu'un en douceur. On s'engourdit peu à peu, on éprouve de moins en moins de sensations. On se laisse aller à la mort sans souffrir ou presque. Gold me prépare à ce qui se profile à l'horizon. Gracieusement et avec grâce.

La dernière de Sam, c'est que je suis trop gentil avec les techniciens, trop amical, trop familier, pas assez autoritaire. Il est habitué à des metteurs en scène d'une autre trempe. David Lean, je suppose, ou Franklin Schaffner. Puis il corne — il n'en est pas à une contradiction près ! — que tout le monde sur le plateau est mort de trouille à cause de moi. Où est la vérité ? Et que cherche-t-il ?

Les mourants en veulent-ils aux vivants ? Comment pourrait-il en être autrement ? Maman déteste tout le monde en ce moment — preuve qu'elle affirme encore avec férocité sa volonté de vivre. Qui d'autre peut-elle blâmer ? C'est moi qui l'ai amenée en Californie. C'est moi qui l'ai mise à l'hôpital. C'est moi qui ai trouvé le Dr Gold, qu'elle ne peut pas souffrir. Il y a longtemps, je lui avais promis que lorsque son heure viendrait, elle mourrait chez elle — mais où serait-elle « chez elle » ? Dans ma famille ? J'en doute. Elle veut retourner dans le « chez elle » qu'elle s'était fabriqué à Rye après la mort de son mari.

Les scènes avec Ingrid Boulting ne fonctionnent pas. Ce n'est pas sa faute. Sur le papier, elles ne valent pas un clou. Ou les tensions faussent-elles mon jugement ? Sam ne m'a pas écouté quand je lui ai dit qu'il y avait un grand vide au centre de l'histoire d'amour. Je ne sais toujours pas qu'il a donné mes lettres à Pinter. J'en doute, car Harold n'a jamais émis le moindre commentaire à leur sujet. Mais si ces scènes clochent à l'écran, ce n'est pas de la faute d'Ingrid. La faute en revient à Sam et à Harold. Mais qui sera blâmé ? Ingrid.

A la fin de mon après-midi de travail, je suis allé à l'hôpital, j'y ai retrouvé Ruby et nous avons ramené maman à la maison. Dès notre arrivée là-bas, Ruby s'est emparée des petits ciseaux et a coupé les poils qui avaient poussé sur le menton de la vieille dame. Clip, clip, clip ! Avant son départ de l'hôpital, ils ont prélevé un peu de sa moelle épinière, pour voir si elle comporte des cellules cancéreuses. Un élément essentiel est fabriqué par la moelle. Les globules blancs ? Plus tard. Gold me dit qu'il faut l'admettre d'urgence dans un autre hôpital. Je ne le combats pas. Je me soumets.

Ce dimanche, je joue au tennis pour ne pas devenir fou, mais je n'arrive pas à me concentrer sur le jeu. Après m'être douché, je fais une liste de plans, comme on vous apprend à en faire dans les écoles de cinéma. Ce n'est pas ma pratique habituelle. J'aime « osciller », improviser au fur et à mesure du déroulement d'une scène. Mais la résistance me fait défaut. Et je ne m'amuse plus guère. Je montre la liste à Sam. Il semble rasséréné. Il a pitié de moi. Il a aussi pitié de son film. Ce n'est pas une situation idéale.

Katharine est arrivée ; c'est une jeune femme merveilleuse. Elle et George ont emmené maman dans le nouvel hôpital de Beverly Hills. Le fluide IV lui a redonné des forces. Résultat : elle souffre davantage. Le comble de l'ironie. Katharine a vu que sa grand-mère souffrait et a exigé que le Dr Gold lui explique pourquoi il n'avait pas prescrit de sédatif à la vieille femme. Il lui a répondu qu'un sédatif ralentirait le système respiratoire et qu'elle serait ainsi plus vulnérable à la pneumonie. Ils n'espèrent plus qu'elle s'en sortira, ils cherchent juste à la maintenir en vie le plus longtemps possible. Pourquoi ?

J'ai tourné la scène dans la salle de bal comme s'il s'agissait d'un exercice scolaire, en suivant le découpage à la lettre, sans rien inventer. Du « bon boulot de professionnel » ne fait pas un bon film. Je ne peux pas me concentrer sur cette scène. J'attends avec impatience de m'engouffrer dans la voiture du studio et de manger mon déjeuner sur le chemin de l'hôpital. Je suis même impatient de savoir ce que je trouverai une fois parvenu là-bas... c'est une sorte de soulagement.

Elle ne montre plus aucune réaction quand elle me voit. Son visage s'est avachi, figé dans une expression d'amertume et de colère. Il a l'air méchant, ce visage, haineux. Et pourtant c'est toujours celui de ma mère, une sainte. A-t-elle toujours caché en elle cette rancune que la maladie a rendue visible ? Comme dans l'histoire de Kirk Douglas ? Il y a un nouveau problème : l'une de ses jambes est beaucoup plus enflée que l'autre. Quand elle est retournée à pas hésitants de la salle de bains à son lit, sa robe de chambre s'est ouverte dans le dos et j'ai aperçu son pauvre petit corps ratatiné, tout en plis et en zébrures. Son dos est couvert de rougeurs.

Je fais la liste des plans d'une autre séquence et je la montre à Sam. Je n'arrive plus à juger par moi-même ; je veux vraiment qu'il me donne son opinion. « Est-ce que je l'ai bien organisée ? » Il dit que oui. Les exemples types le sécurisent. Je ne sais pas si c'est mauvais, mais je suis sûr, comme un et un font deux, que ce n'est ni bon, ni original, ni surprenant, ni même amusant. C'est du film en conserve. Je suis usé jusqu'à la corde. Un bon point : Sam pense qu'Ingrid est magnifique dans la scène de la salle de bal et me confie qu'il a appelé Pinter à Londres pour le lui dire. Soulagement. Enfin, si on veut. Il aura changé d'avis demain matin.

George et moi avons décidé (par téléphone : il a repris l'avion pour le Delaware) de la reconduire chez elle de nouveau, même si ce n'est pas le « chez elle » qu'elle demande. Mais elle savait qu'elle quittait l'hôpital et elle était contente de s'en aller. Je crois qu'elle a accepté le fait qu'elle est mourante.

Nous tournons la scène où une énorme tête de Siva, détachée de son support par le tremblement de terre, dégringole et est emportée par le courant dans une rue de studio inondée. J'imagine que ça passe à la rigueur dans le livre, et je ne peux pas me plaindre du décor de Gene, mais en regardant la scène se dérouler, je n'y ai pas cru une minute. Ingrid est censée s'agripper au sommet de la tête. Non mais qu'est-ce que c'est que cette merde ! J'avais pris l'habitude d'appeler la maison entre les plans pour demander des nouvelles de maman. Je ne le fais plus. Est-ce que j'ai baissé les bras moi aussi ?

La nuit dernière, elle s'est mise à gémir en expirant. A chaque expiration. On pouvait l'entendre dans toute la maison, un son terrible. Mais je n'aurais pas su dire combien elle souffrait vraiment. Elle ne donnait pas l'impression de ressentir quoi que ce soit. Je cite le Dr Gold : le coma est la façon de procéder de la nature pour emporter quelqu'un en douceur. D'après Ruby, elle n'en est plus très loin.

Ruby m'a réveillé à 3 h 15. « Vous feriez mieux de venir maintenant », m'a-t-elle dit. Je me suis assis à côté de maman, je lui ai pris la main et lui ai caressé la tête. Je me suis rappelé son coup de colère contre moi, quelques jours auparavant. En approchant de la mort, elle était devenue une personne différente. Que s'était-il passé ? Nous en voulait-elle pour toutes ces années gâchées ? Les hommes de la famille l'avaient toujours dominée, même sur la fin. Son visage portait encore les stigmates de sa colère. J'ai dit à Barbara et à Ruby de quitter la chambre. Je voulais rester seul avec ma mère. J'ai attendu. Le cœur s'est arrêté. Je ne sentais plus son pouls, mais elle a continué de respirer un moment. La respiration est un réflexe. A un moment, elle m'a regardé. Une petite toux, une pression de la main, et elle s'est éteinte. J'ai caressé ses cheveux. Elle a cessé de respirer.

J'ai téléphoné à mes trois frères et à tous mes enfants. Personne n'a été surpris. Je leur ai dit, ce qui n'engageait que moi, que je ne voulais pas de cérémonie. Elle détestait les prêtres. J'avais appris ce que voulait dire R.I.P. Oui, c'est cela : qu'elle se repose, en paix. Puis le jour s'est levé. Le moment était venu d'appeler les pompes funèbres.

Elle était détendue, la tête sur l'oreiller, les cheveux étalés comme ceux d'une jeune fille dans la brise. Ou après l'amour. C'était à la fois une adolescente et une matrone. Son visage, à mesure qu'il avait refroidi, s'était détendu. La tension et la colère l'avaient déserté. Mais son ventre, où se logeait le cancer, était très gros et ses jambes bien enflées. Je me suis assis à côté du corps en attendant que les gens des pompes funèbres arrivent. J'ai veillé cette silhouette menue et blafarde étendue sur son drap de couleur ocre. Seul dans la chambre avec elle, j'ai pleuré, pour la dernière fois de ma vie.

Deux petits Chicanos revêtus d'un costume noir, envoyés par le dépôt mortuaire, sont arrivés pour envelopper le cadavre, agiles et prestes, dans un linceul de velours mauve tout froissé. Ils ont emporté son corps et je ne l'ai plus jamais revu.

Que faire d'autre, sinon retourner travailler ? J'ai tenté de réveiller mon intérêt pour ce film. Puis je me suis dit : Rien à foutre ! Je vais me contenter de finir ce boulot. (Plus tard :) Certains, sur le plateau, m'ont présenté leurs condoléances, mais je me suis défilé. Quelques-uns des techniciens paraissaient émus, d'autres pas le moins du monde. Mais qu'attendais-je donc ? Après tout, ce genre de choses arrive à tout le monde. Le lundi matin, il y a toujours une nouvelle blague à raconter, que quelqu'un a entendue pendant le week-end. Ce lundi-là, c'était : « Comment empêche-t-on une femme juive de baiser ? » Réponse : « En l'épousant. »

J'ai décidé de ne pas me rendre aux funérailles dans l'Est. J'ai organisé mon propre service pour elle et je n'en désire pas d'autre. L'un de mes frères insiste pour qu'un prêtre soit présent. L'idée me déplaît. J'ai demandé à mon frère George, qui m'a épaulé de bout en bout, de prendre la parole. Il m'a promis de le faire. « Elle n'était pas très religieuse », lui ai-je rappelé.

Il y avait une lettre pour moi au studio. Pourquoi à ce moment-là, mystère et boules de gomme. La voici : « Elia, tu n'es qu'un dégueulasse. Lis la transcription ci-jointe et croupis dans ta honte. Un animal comme toi devrait nettoyer les chiottes au lieu de faire du cinéma. » Elle n'était pas signée. A l'intérieur se trouvait la transcription officielle de ma déposition du 14 janvier 1952 devant la Commission des activités antiaméricaines.

Ruby nous quitte. Je m'étais attaché à elle. « Vous feriez bien de faire attention à vous maintenant, m'a-t-elle conseillé. Vous n'avez pas bonne mine. »

Hier, j'ai eu Sam au téléphone et je me suis déchaîné contre lui. Je n'ai pas apprécié le ton sur lequel il m'avait demandé de faire respecter à la lettre une phrase de dialogue. J'ai été choqué de ma réaction. On aurait dit que j'avais perdu toute maîtrise de moi-même, que j'étais devenu fou. J'ai immédiatement envoyé à Sam un mot pour le prier de m'excuser. Mais excuses et justifications n'ont pas de sens. Il est sous tension lui aussi et il est comme il est ; il sera encore impossible demain. Et je suis comme je suis ; je piquerai encore ma crise demain. Si seulement ce film était terminé. D'ici là, cela ne fait pas de mal à Sam de s'imaginer que j'ai la tête près du bonnet.

La maison est calme. Dernière ironie du sort : je suis soulagé. C'est le terme d'une rude épreuve. Tony Curtis, qui en a terminé avec sa part de tournage, est venu sur le plateau pour m'offrir un cadeau en hommage à la manière dont je l'ai dirigé. Il m'a pris à part et m'a demandé de lui tendre mon pouce, orienté vers le haut. Je l'ai remercié pour cette attention mais j'ai refusé son cadeau. Il m'a alors raconté une blague : « Tout homme qui accepte de baiser sa femme n'est qu'un animal. » Je suis de nouveau dans le film.

La question qui m'a troublé pendant des semaines, et je n'y ai toujours pas répondu, c'est cet antagonisme dont maman avait fait preuve à mon égard sur la fin. C'est vrai, je l'avais arrachée à sa maison pour l'emmener dans l'Ouest. Mais c'était bien ce qu'elle voulait, non ? Barbara avait été merveilleuse avec elle, ainsi que Leo. Mais rien n'y avait fait : une fois acceptée la perspective de la mort, une autre facette de sa personnalité, beaucoup moins affectueuse, s'était manifestée, violente, enracinée au cœur même de son être. J'ai fait défiler sa vie dans ma tête. Elle l'avait passée à servir son mari et leurs quatre fils. En avait-elle conçu une rancune secrète ? Ces années postérieures à la mort de papa, durant lesquelles elle avait vécu seule, avaient dû sécréter en elle une colère longtemps rentrée : elle avait pris conscience de la valeur de la vie et de l'indépendance, de tout ce qu'elle avait gaspillé pour ses cinq hommes. Elle était morte solitaire, c'est notre destin à tous, mais l'attitude qu'elle avait adoptée sur son lit de mort était la résultante d'une série d'événements échelonnés sur toute une vie : ils n'avaient laissé aucune trace tangible mais avaient prélevé leur tribut. Je me suis demandé si cette agressivité inattendue n'était pas plus vraie que nature.

J'ai reçu une lettre de mon fils Nick, qui l'avait vue juste avant sa mort. « C'est extraordinaire, m'écrivait-il, cette femme, qui ne pouvait maîtriser son transit intestinal et dont l'urine était recueillie dans un sac en plastique à côté d'elle, avait l'air majestueuse le jour de sa mort. » Cette description ne correspondait pas, loin de là, à ce que j'avais vu.

Le 3 février, avant de partir pour l'Est, j'ai demandé à Sam son avis sur le Dernier Nabab. Il a souri d'un air confiant et m'a dit que nous tenions un très bon film. « Je le crois aussi », ai-je répondu.

De retour à New York, je me suis mis au travail avec notre monteur pour établir la « continuité ». Le 1er mars, nous avions un premier montage, que nous avons fait visionner à Sam. Il ne se tenait plus de joie ; je n'étais pas mécontent moi-même. « Le film fonctionne, ai-je consigné dans mon journal, les acteurs sont bons, extraordinaires pour ce qui est d'Ingrid et de Bobby De Niro, et le film a de la classe, de la beauté, de l'humanité, de la subtilité, et même une force émotionnelle indéniable. » C'est la seule critique suprêmement favorable que nous obtiendrions. Sam, euphorique, s'est empressé d'appeler Harold pour lui annoncer la bonne nouvelle.

Le 27 avril au matin, Pinter est arrivé à New York et a vu le film à trois heures de l'après-midi. Quand les lumières se sont rallumées, il a traversé la salle pour venir me serrer la main. Il a aussi complimenté Sam. Il semblait très sincère et a parlé du film avec une vive émotion. Cela me faisait tellement plaisir de l'entendre que je suis resté avec lui jusqu'à dix heures et demie du soir. Il ne tarissait pas d'éloges sur De Niro.

Le 29 juin, le film a été projeté devant notre premier public, une petite assemblée constituée de quelques-uns des bons amis de Sam, tels que George et Liz Stevens, la bonne amie de Barry Diller, ma femme et son collaborateur, Nick Proferes, l'équipe des preneurs de son, qui n'avaient jamais vu le film terminé, ainsi que Vic Kemper, notre cameraman, sa femme et leur fille. A la fin de la projection, un silence pesant s'est abattu sur la salle. George Stevens s'est avancé vers moi et m'a dit : « Bob Mitchum est excellent. » Mitchum joue un petit rôle en marge de l'histoire. Je n'avais besoin de personne pour comprendre le sens du message de George. Une fois tout le monde parti, il nous est apparu clairement, à Sam et à moi, que nous tenions un produit d'une valeur commerciale sujette à caution. Tout aussi claire pour moi, sinon pour Sam, la raison en était la suivante : nous avions esquivé le conflit dramatique de base. Personne n'avait été accroché par le film. On se souciait comme d'une guigne du destin de Monroe Stahr. Barbara se répandait en récriminations contre l'histoire d'amour et ma mise en scène. « Pourquoi est-ce qu'il ne se l'envoie pas? tempêtait-elle. Elle n'attend que ça. Qu'est-ce que c'est que ce type? Une lavette! » Elle réitérait en termes moins choisis l'objection que j'avais formulée à ma première lecture du script: je l'avais dit à Harold, j'avais envie de botter le cul de son héros. Bref, tout ce qui m'avait paru clocher de prime abord dans cette histoire se retrouvait sur l'écran. Bobine après bobine, le film se laissait regarder mais il était impossible de s'intéresser une seule seconde aux problèmes de De Niro ou même de respecter sa douleur. Quelques scènes, prises individuellement, étaient réussies; des moments de tendresse alternaient avec des situations plutôt amusantes, mais rien ne pouvait maintenir l'attention du public en éveil.

De ce moment, un nuage sombre s'est abattu sur le film. Etrange, la manière dont cela s'est produit, avec quelle vitesse, mais presque insensiblement; et pourtant, c'était sans appel. Un type de la Paramount a déclaré douter que les « gosses », sur lesquels l'industrie reposait, aillent voir ce film. Je me fichais pas mal de ces gosses, mais je savais que Sam réagirait très mal à ce genre de perspective. Il n'a pas été long, d'ailleurs, à remettre en question ses premières impressions, d'abord en douceur, puis sur un ton plus drastique. Il appliquait en cela le principe de l'avalanche: une petite coulée de neige précède l'écroulement qui va tout balayer sur son passage.

Nous avons organisé une autre projection, qui n'a fait que confirmer notre situation: nous avions accouché d'un navet. Beaucoup de gens, y compris de bons amis de Sam, se sont levés et sont partis sans un mot. Une de mes amies proches s'est approchée de moi, m'a embrassé et a quitté la salle de projection sans autre commentaire. David Lean a donné l'impression d'aimer le film — mais allez savoir, avec lui — à l'exception toutefois de De Niro. Seule Jeanne Moreau porta le film aux nues, avec sincérité et passion. Ce qui laissait présager la suite: une fois de plus, les Français aimeraient un de mes films alors que les Américains le rejetteraient. Pourquoi ne pas aller m'installer en France?

Le 15 juillet, Sam est parti à Londres avec son film sous le bras pour le projeter aux distributeurs européens qui avaient participé à son financement. Les jours passaient et toujours pas de nouvelles de mon Sam. Dans le monde du spectacle, le silence ne peut vouloir dire qu'une chose... Je m'étais déjà attelé à un roman et je ne pensais plus au film de Sam qu'à l'imparfait, un temps approprié. Quand Sam s'est décidé à m'appeler, il avait tout compris. « Je t'avais bien dit, a-t-il ululé dans le combiné, que ce n'était rien d'autre qu'un petit minable de l'East Side. David Lean avait raison. Notre problème, c'est notre vedette. — J'aime bien ce que fait Bobby dans le film, ai-je répliqué. Personne n'aurait pu mieux s'en tirer. » Le temps de revenir à New York, et Sam s'était accusé de tous les maux de la terre. Après tout, c'est lui qui avait produit le film. A chaque échec son bouc émissaire, et si l'on ne peut en trouver, il ne reste qu'à rejeter la faute sur soi-même. Sam y avait été réduit.

Il m'a également rapporté que Harold et sa nouvelle femme, Antonia, avaient assisté à une projection. Pinter était toujours aussi enthousiaste. De même qu'Antonia... avec une réserve, cependant: Ingrid. Elle n'aimait pas Ingrid. Neuf ans plus tard, je suis tombé sur Harold lors d'une partie que Sam avait organisée en son honneur, et je lui ai confié que le problème de notre film résidait dans l'histoire d'amour — en d'autres termes, dans son script. Il a exprimé son désaccord absolu. Selon lui, le film n'avait qu'un seul défaut: Ingrid Boulting. Ce soir-là, Sam a opiné du bonnet.

J'avais déjà pris ma décision: je ne ferais plus jamais de film. Avec *le Dernier Nabab* l'heure de la retraite avait sonné. J'étais parvenu à cette conclusion le dernier jour de tournage. Il me restait la scène finale à mettre en boîte. Harold et Sam, malgré leurs rencontres londoniennes autour du script et d'une bonne table, ne m'avaient rien fourni en guise de fin. C'est la pire des situations pour un metteur en scène, car elle signifie que le scénario a été mal conçu au départ. Ce jour-là, il me fallait sortir un lapin de mon chapeau, et j'y étais parvenu. Ce serait le dernier plan de ma vie, j'en avais le pressentiment. C'est sans doute pourquoi il en dit plus long sur moi que sur le héros du film.

J'avais demandé à Bobby de marcher lentement dans une rue déserte du studio. La scène se déroulait peut-être un dimanche — il n'y avait personne alentour — ou dans son imagination. Il s'arrêtait devant une salle de tournage dont l'immense porte coulissante était grande ouverte. Il faisait très sombre à l'intérieur, on ne pouvait rien apercevoir. Mais elle semblait vide, inutilisée. En gros plan, mon personnage laissait alors entrevoir un désespoir secret, un regret peut-être. Bobby hésitait un moment puis pénétrait lentement dans les ténèbres. L'obscurité l'enveloppait et il disparaissait. Comme pour toujours. Le film que je tournais se terminait sur ce fondu au noir, de même que ma carrière de metteur en scène. J'avais quitté le plateau et l'équipe technique avant de pénétrer dans mon bureau. Je m'étais mis à remballer mes livres, mes disques et mon journal pour les réexpédier dans l'Est. J'avais compris à ce moment précis que ce serait vraiment mon dernier film. C'était une espèce de mort pour moi, le terme d'une vie consacrée à l'art que j'avais servi avec tant de passion. Tout était fini, et je le savais.

JE NE VAIS PAS PLUS LOIN. Depuis ce moment-là, rien ne s'est passé dans ma vie qui puisse vous intéresser. Je n'ai pas tourné d'autre film ni mis en scène d'autre pièce, excepté une production pour les classes de l'Actors Studio. Je mène une existence tranquille. Chaque matin, je m'assieds devant ma Royal et je tape les pages d'un livre. Mes romans, six, parlent pour moi. Je crois qu'ils ont des qualités, mais beaucoup de critiques ont exprimé un avis différent. Ce qui ne m'a pas gêné le moins du monde. Pour autant qu'un homme vieillissant le puisse, je profite de mes jours et de mes nuits. J'ai éprouvé regrets et sentiments de culpabilité, mais je me suis efforcé d'y parer et j'ai réussi.

Cependant, un événement se profile à l'horizon: il m'inquiète et je pense ne pas être le seul dans ce cas. Mais comme je rédige une auto-biographie, il m'est impossible de vous décrire ma mort. J'aimerais en connaître les circonstances et la date, mais j'ai aussi comme une étrange prémonition: je me vois prendre mes dispositions le moment venu, et même le retarder si je ne suis pas prêt.

Il m'a été donné de connaître certains hommes qui se faisaient une image formidable et tout à fait irréaliste d'eux-mêmes. Ce n'est pas néces-sairement mauvais — la plupart des artistes ont besoin de se mettre en avant et d'affirmer leur importance. Mais en prenant de l'âge, ces hommes s'aperçoivent souvent qu'ils n'ont pas été à la hauteur de cette image. Leur intelligence s'émousse, leur force physique décline et leur sexualité présente des signes d'atrophie, ce qui pousse certains d'entre eux à refuser de continuer à vivre diminués de la sorte, et à mettre un terme à leur existence. Chacun en a le droit, c'est une question de choix. En ce qui me concerne, je réagis différemment. Souhaiter garder la vigueur de ses vingt-cinq ans lorsqu'on en a soixante-quinze n'est ni superbe ni coura-geux. L'admirable, c'est de s'accepter tel que l'on est devenu. Je hais la vieillesse. Je ne crois pas que ce soit « le meilleur de la vie ». J'écris ces mots à soixante-dix-sept ans et il y a des jours où je sens approcher le grand frisson final: je me frotte les mains comme ma mère le faisait et je ris de cette réminiscence. Mais il me faut l'accepter et même en tirer le maximum. Voilà pourquoi j'écris ce livre.

J'ai étudié certains de mes amis à la fin de leur vie. Qui parmi eux m'a donné un exemple de courage face à la mort? De même, qui a réclamé ma compassion mais pas mon admiration? J'entends encore Clifford s'exclamer, comme s'il était à l'opéra — et ce à l'âge de cinquante-sept ans: « Clifford Odets, il te reste tant à faire! » Et ses derniers mots: « Imagine! Clifford Odets en train de mourir! » Je me souviens du rire d'Orson Welles, explosion d'impatience et de douleur, un rire qui semblait se moquer de tout le monde, à commencer par lui. Qu'avait pu penser le génie auteur de *Citizen Kane* en étudiant son image boursouflée sur un écran de contrôle, garantissant à la nation ce qu'il n'avait aucun moyen de vérifier lui-même? Comment avait-il pu garder une once de dignité le jour où, dans un dîner parisien, il s'était dépensé sans compter pour amuser Darryl Zanuck afin que ce dernier ramasse l'addition et lui prête ensuite suffisamment de dollars pour voyager jusqu'à sa prochaine destination? Qu'avait alors ressenti Orson? Peut-être Tennessee Williams, expert en la matière, aurait-il appelé ce sentiment le dégoût de soi-même.

En lisant qu'Orson Welles était mort d'une crise cardiaque, je me suis interrogé: était-ce l'aboutissement normal d'une existence ou le résultat d'une série de petites « morts » invisibles qui avaient attaqué la fibre même de cet homme et l'avaient conduit, comme tant de mes amis, à l'effondrement final? Je ne connaissais pas assez bien Welles pour spéculer plus avant sur cette question, aussi ai-je étudié la vie de personnes qui m'étaient plus familières, toutes privilégiées et talentueuses, toutes disparues aujourd'hui. Une série de crises a détruit un élément essentiel de leur personnalité. Déçues, amères, elles ont eu l'impression de « mourir » à plusieurs reprises, avant terme. J'ai fait appel à mon imagination et à ma mémoire pour tenter de décrire ces petites morts et déterminer leur impact sur mes amis. Quelle partie d'eux-mêmes avait été touchée? Le système nerveux? L'âme? J'ai même consulté certains amis médecins qui ont brisé le secret professionnel et m'ont confié leurs incertitudes. Je leur ai demandé s'il pouvait se faire que l'amour-propre et la fierté de quelqu'un soient si meurtris, après des assauts répétés, que ses défenses naturelles — de naissance — contre les maladies mortelles s'affaiblissent au point de devenir inopérantes et abandonnent à l'ennemi le corps qui les abrite. Peut-il résulter une blessure physique d'une lésion psychique? Où en est le siège? Comment affecte-t-elle le corps?

Dans un appartement situé très en hauteur au coin de la Troisième Avenue et de la 72e Rue à New York, Elaine Steinbeck, l'épouse dévouée de John Steinbeck, était allongée à côté de lui et attendait l'inéluctable. Elle s'était installée à portée de main au cas où son mari, dont les artères coronaires étaient bouchées au dernier degré, aurait besoin du tuyau à oxygène qu'il ne pouvait attraper lui-même. Elle leva la tête pour voir comment il allait, ainsi qu'elle l'avait fait à intervalles réguliers durant toute cette journée. Le visage de ce grand ours corpulent s'était émacié mais on y lisait encore un orgueil conquérant. Elaine vit qu'il allait bien pour le moment. L'infirmière qu'ils avaient engagée avait noté une amélioration de son état et avait suggéré que, si le temps le permettait, Elaine emmène John faire un tour en auto le lendemain. Elaine trouvait l'infirmière un peu naïve. Épuisée à la suite d'une longue veille, elle s'endormit un instant. Quelques minutes plus tard, elle rouvrit les yeux pour s'apercevoir que John était mort. Il avait soixante-six ans.

Quand j'avais rencontré John pour la première fois, il avait atteint son nadir. Sur une suggestion de Molly, je m'étais rendu dans l'Ouest pour lui demander s'il l'intéresserait d'écrire un film sur Emiliano Zapata. Il m'avait répondu qu'il songeait à Zapata depuis des années, avait rassemblé des piles de notes et avait tenté plusieurs fois de les organiser. Bien que nous n'eussions ni l'un ni l'autre ressenti d'atomes crochus de prime abord, nous étions rapidement devenus — pour reprendre l'expression d'Elaine — des « frères ». Il me disait tout, je lui disais tout. Il m'avait raconté que Gwyn, sa seconde femme, l'avait humilié pendant leur mariage. A ce moment-là, ils étaient séparés. Rempli de colère et de honte, il avait déserté leur foyer et s'était installé dans un hôtel. Il espérait encore que Gwyn et lui se rabibocheraient. Mais elle n'en avait montré aucune velléité. Il s'était alors retranché dans sa vieille maison du nord de la Californie, l'endroit où je l'avais rencontré. Puis, inquiet au sujet des deux fils qu'il avait eus de Gwyn, il avait fait un autre voyage dans l'Est, avec l'espoir qu'elle se serait radoucie. Mais non ; elle insistait pour divorcer.

John buvait sec, si l'on peut dire. Il m'avait appelé dès son arrivée dans l'Est et à plusieurs reprises, après une soirée bien arrosée, j'avais dû le raccompagner à son hôtel et le mettre au lit. Finalement, il avait abandonné tout espoir de réconciliation et était retourné s'installer en Californie. Amer, seul et sans argent, il avait essayé d'avancer le script sur Zapata. Mais il n'avait pas l'esprit clair et rien n'allait pour lui. Les jours où John ne taillait pas au moins vingt crayons et ne s'asseyait pas pour écrire sur son papier jaune, il ne savait pas pourquoi il était sur terre. Il était toujours en proie à la plus vive agitation, homme violent au cœur tendre, mi-orgueilleux, mi-anxieux. Il fusait de toute part, mais sans objectif ni direction précise. Puis la chance avait fini par lui sourire.

Il avait fait la connaissance d'Ann Sothern, et par son intermédiaire d'Elaine Anderson Scott. Elaine l'avait pris en main. Elle lui avait remonté le moral, avait restauré un peu de sa confiance en lui et l'avait amené à s'estimer à sa juste valeur : celle d'un homme exceptionnel doté d'un talent hors du commun. C'était une femme au caractère bien trempé qui avait travaillé dans le théâtre new-yorkais en tant que régisseur, emploi qui requiert une poigne ferme et, si nécessaire, rigide.

Grâce à Elaine, il fut amené à rencontrer les seigneurs de Broadway. Avec eux, la flatterie était à double détente : chacun était fier de l'intérêt que l'autre lui portait. John décida de se mettre à écrire pour le théâtre ; il n'avait aucune idée de la difficulté de l'entreprise — il faut avoir soi-même été auteur dramatique à Broadway pour le comprendre. Nous terminâmes ensemble le travail sur Zapata, Zanuck nous donna son feu vert et John, enfin, obtint un peu d'argent et fut à même de se lancer dans l'écriture de ses pièces de théâtre. Je restai dans l'Ouest pour tourner ce film long et compliqué, aussi ne le vis-je pas pendant près d'un an.

Je le rencontrai par contre dès mon retour à New York. Il était heureux avec Elaine. Par son intermédiaire, il était devenu un familier de Richard Rodgers et Oscar Hammerstein, la première firme de production de Broadway. Ils projetaient de tirer une comédie musicale du livre de John, *Tendre jeudi*, dont la mise en scène serait assurée par Harold Clurman. John vivait désormais dans un monde différent. Il avait arraché ses racines pour les replanter dans un sol plus fertile. Au faîte de son succès, il s'habillait en citadin, s'était doté d'une élégante garde-robe et poussait le raffinement jusqu'à se promener dans les rues muni d'une canne. Il passait ses week-ends avec des hommes aussi importants que lui dans leur maison de campagne du Connecticut ou de Bucks County.

Cependant, un morceau de lui-même demeurait intact. On dit qu'on peut arracher un homme à sa terre natale mais qu'elle lui colle toujours aux semelles. John était un enfant du pays, un vagabond familier des chemins de traverse, mais il était aussi d'une naïveté confondante. Emotif à l'excès — il n'était que de regarder son visage pour s'en convaincre —, il se montrait possessif et protecteur vis-à-vis de sa femme, peut-être parce que Gwyn l'avait tellement trompé. On raconte que lors d'une soirée, un vieil ami d'Elaine avait gardé la main posée sur l'épaule de celle-ci après que John lui eut demandé de la retirer : John avait alors sorti un couteau de sa poche, en avait fait jaillir la lame et l'avait planté dans la main du contrevenant. Vraie ou fausse, l'anecdote révèle non seulement le profond attachement de John à Elaine mais encore sa violence latente.

Je ne crois pas que John Steinbeck aurait dû habiter New York, je ne crois pas qu'il aurait dû écrire des pièces et je ne crois pas qu'il aurait dû s'acoquiner avec des gens du spectacle. C'était un écrivain, et sa place était dans l'Ouest, entouré de terres et de chevaux, ou sur un bateau ; dans la grande ville, c'était une dupe. Si vous ne me croyez pas, les paroles de son éditeur affectionné, Pat Covici, vous convaincront peut-être. Voici ce qu'il avait dit à John, sur la fin de sa vie : « Il y a deux endroits qu'il te faut fuir comme la peste : Hollywood et New York. Tu peux t'y rendre en visite, mais ne t'y attache surtout pas. » C'est bien ce que John avait fait, pourtant, peut-être pendant trop longtemps. Il s'était attaché à New York.

Mais il en avait tiré les leçons qui s'imposaient. Et pas seulement parce que sa comédie musicale avait été un échec ridicule ou que sa pièce *Burning Bright* avait attrapé un coup de froid. Non, plutôt parce que ses livres n'étaient pas à la hauteur de son talent ni de sa personnalité. Il le savait. Mais ce qu'il ne savait plus, c'est où il en était.

Je savais qu'il avait été hospitalisé en vue d'une opération de la colonne vertébrale et j'étais allé lui rendre visite. Pour un artiste, une opération constitue toujours un choc, surtout si elle affecte un élément vital de son organisme. Il se dit alors que le temps de travail qui lui reste est limité. Je m'étais assis à côté de son lit ce jour-là, et John, vieilli, fulminait. Contre lui-même. Nous avions eu une longue conversation, comme des « frères » et il m'avait confessé : « Je n'ai plus rien à dire. » Il se heurtait à une vérité qu'il méprisait. J'avais d'abord cru qu'il s'agissait d'une dépression passagère, mais en l'écoutant parler j'avais fini par comprendre qu'il mettait son cœur à nu. Et comment aurait-il pu en être autrement après ce qu'il avait subi à Broadway? « Le boulot d'un écrivain, c'est de parler de son époque, m'avait-il dit. Je me suis trop inquiété du passé. » J'avais bien vu que John ne racontait pas d'histoires. Il avait découvert un élément de sa personnalité qui lui déplaisait. « J'ai aussi perdu le contact avec ce pays. Je ne sais plus ce qui s'y passe. »

Ce que j'avais admiré chez lui, c'est qu'une fois parvenu à cette conclusion, il avait tenté de remédier à son problème. L'opération de la colonne vertébrale avait réussi et tout le monde s'en était réjoui. On avait conseillé à John de se ménager une longue convalescence et de ne rien faire sinon se reposer. Mais cette recommandation lui était restée en travers de la gorge, de même que l'inquiétude de ses amis et de sa femme. Il pensait qu'ils cherchaient tous à faire de lui un invalide, et il n'allait pas s'en accommoder. L'opération avait constitué un avertissement. Voulait-il une autre chance, oui ou non? Tout le poussait à se laisser vivre et dorloter — personne n'aurait pu l'aimer davantage qu'Elaine. Mais il s'estimait dans une situation désespérée et il lui fallait maintenir en vie cet élément de lui-même qui comptait plus que son corps.

Il avait entamé la rédaction d'un roman qui ne traitait ni du passé ni d'un autre pays, mais de son époque et de l'endroit où il vivait. Lui et Elaine avaient acquis une maison de campagne sur une langue de terre tout au bout de Long Island, et John s'était fait des amis parmi les habitants de Sag Harbor. A partir de cette expérience et de sa déception quant aux événements malheureux qui frappaient le pays, il avait écrit un livre de réflexions sur notre condition, une sorte d'état des lieux. Il y avait investi son espoir de redevenir lui-même. Le titre de l'ouvrage reflète l'humeur de son auteur à ce moment-là: *l'Hiver de notre mécontentement*. Mais à sa sortie, le livre avait été reçu comme un chien dans un jeu de quilles. Du point de vue des lecteurs de ce pays, John était un écrivain fini, et de celui des lettrés, une voix épuisée. Mais il avait pu digérer ces réactions; il ne respectait pas les critiques, de toute façon. Il avait dit ce qu'il croyait. Il s'était déclaré satisfait.

Il avait été réconforté par le prix Nobel de littérature, qu'on lui avait décerné avec le plus grand respect. Il avait repris confiance. Jusqu'au jour où le *New York Times*, dans un éditorial, s'était demandé si le comité du prix Nobel n'aurait pas pu effectuer un meilleur choix. L'auteur de l'éditorial le pensait. De même que nombre d'intellectuels. John avait très mal pris cette humiliation publique. C'était un douloureux revers pour un homme qui s'était battu pour reprendre confiance en sa valeur. Je n'étais pas parvenu à le convaincre d'ignorer le *Times* et son éditorial méprisable.

John s'était alors refermé sur lui-même. Il était parti se mettre au vert, puis m'avait annoncé un beau jour qu'il allait s'acheter un camion suffisamment grand pour contenir ses affaires indispensables — un lit, un petit poêle, un réfrigérateur, une table, une chaise, une commode et une lampe. Il voulait parcourir lentement la frontière nord du pays puis revenir en décrivant un arc de cercle qui passerait par le Sud. Il verrait de nouveau les gens, ils lui raconteraient leurs problèmes. Il redécouvrirait ce qu'autrefois il savait sans avoir besoin d'y aller voir. Son caniche, Charley, l'accompagnerait. Ce voyage m'était apparu comme un effort entrepris par cet homme pour sauver ce qu'il portait en lui de plus précieux. Je trouvais cela touchant et je l'avais encouragé. Il était comme un jeune homme répondant à un défi.

Le voilà donc parti dans son camion. Elaine avait exprimé son désaccord. Je crois que des signes avant-coureurs de ce qui se passerait à la fin s'étaient manifestés — et il s'était déjà évanoui une fois. Attaque prémonitoire ? Elaine avait été rongée par l'inquiétude durant toute son absence. Elle lui manquait terriblement, il l'avait invitée à le rejoindre lors de plusieurs étapes mais il avait effectué la majeure partie de son voyage seul avec Charley. Il trouvait plus difficile de parler aux gens qu'il ne l'avait imaginé, même lorsqu'il les invitait dans son camion pour une tasse de café ou une bière. Il avait retrouvé son passé coloré, au fil de réminiscences émues, mais des changements étaient intervenus qui l'avaient troublé. Il en avait tiré un livre, *Travels with Charley*, qui ne reflétait pas, selon moi, la profondeur de l'expérience accumulée au cours de ce voyage.

Et il avait continué d'aller de l'avant. L'un de ses fils était soldat au Viêt-nam, et John recevait ses lettres. Il avait alors décidé de se faire engager comme correspondant de guerre : il enverrait des reportages de première main, irait chercher ses informations sur le terrain. *Newsday* avait accepté sa proposition. Son ami le président Johnson l'avait également encouragé : il avait fait en sorte que John dispose de tout ce dont il avait besoin. Cette fois-là, Elaine, plus que jamais inquiète au sujet de la santé et de la résistance de John, l'avait accompagné, pas jusque sur le champ de bataille mais assez près pour qu'il l'ait sous la main — au cas où. John se forçait à aller de l'avant, Elaine le savait bien. Il lui fallait montrer au monde entier qu'il était toujours John Steinbeck. A l'instar de son ami Bob Capa, le photographe, il s'était immergé au cœur de l'action. Mais ce qui, en 1944, sur le front occidental de cette autre guerre, avait revêtu les couleurs d'une aventure romantique à souhait, avait mobilisé les dernières forces d'un homme vieillissant. Seul son orgueil le poussait de l'avant ; pas question de reculer. Il avait interrogé les soldats du rang comme les officiers supérieurs, et appréciait les uns tout autant que les autres. Il prenait place à bord des hélicoptères durant les raids, accompagnait les patrouilles lors de marches au-delà des lignes. Une photo le montre au bord de l'épuisement, continuant d'avancer. Se mettait-il à l'épreuve ? Se punissait-il ? Il envoyait ses articles régulièrement. C'étaient des papiers honnêtes qui rendaient compte avec exactitude de ce qu'il voyait et de la façon dont il l'interprétait. Il avait été impressionné par le calibre du combattant américain et ne tarissait pas d'éloges sur l'armée et sur les motivations de celle-ci.

A l'époque, bien sûr, tout le monde était dégoûté par cette guerre et ce que nous faisions là-bas. Les dépêches de John semblaient — étaient ? — loyales envers l'effort de guerre à un moment où presque tout le monde était d'avis que nous n'aurions pas dû nous trouver dans cette partie du monde avec armes et soldats, et certainement pas du côté de Saïgon. Le *Post* de New York, à ce moment-là un journal de centre gauche, accusa

John d'avoir trahi son passé libéral. Il avait parlé d'autotrahison. *Newsday* le rappela, autre humiliation publique, autre coup porté à l'endroit le plus sensible de cet homme. Il resta en Extrême-Orient à écrire ce qu'il pensait, mais dans des lettres qu'il adressait désormais au Président. Il faisait part à Johnson de ses suggestions quant à la conduite de la guerre et des inquiétudes que lui inspirait notre politique sur place.

Quand il était rentré chez lui, son corps et son âme étaient épuisés. Son effort pour raviver le meilleur de lui-même n'avait pas échoué mais il lui avait coûté très cher. Cependant, il était allé jusqu'au bout. J'admirais son courage et sa dévotion envers le devoir de l'écrivain : dire sa vérité. Mais il était trop tard. La nation vibrait pour une autre cause : le retrait du Viêt-nam. La vérité de John n'était pas populaire et il l'avait payé.

Il avait aussi dépassé sa capacité d'endurance et ne tarda pas à être victime d'une crise cardiaque, puis d'une autre, puis de la dernière, pendant que sa femme s'était assoupie un instant dans leur appartement situé très en hauteur au coin de la Troisième Avenue et de la 72e Rue.

Quand j'avais entendu dire que le metteur en scène Nick Ray se trouvait au Sloan-Kettering, hôpital spécialisé dans le traitement du cancer, je lui avais rendu visite. Nous nous étions retrouvés avec émotion. Après tout, nous étions de vieux amis. J'avais été choqué par son apparence. A l'évidence, il approchait de la fin. Je m'étais assis à son chevet et nous avions parlé du bon vieux temps. Il ne se faisait aucune illusion sur son état de santé et m'avait dit sans ambages que le cancer gagnait rapidement du terrain dans tout le corps.

J'étais retourné le voir deux jours plus tard, avec la sensation que c'était peut-être pour la dernière fois. Il ne se trouvait pas dans sa chambre, aussi étais-je allé me renseigner au bureau des infirmières. L'une d'entre elles m'avait répondu que Nick avait été conduit dans la salle de radiothérapie, au fond du couloir. Après avoir tourné de long en large pendant un moment, j'avais enfin aperçu une infirmière poussant une chaise roulante. Pensant que c'était Nick, je m'étais approché. Je ne l'avais pas reconnu immédiatement, puis je m'étais dit : il sera mieux dans son cercueil. Sa tête avait été rasée d'un côté et portait une croix indiquant l'endroit où les rayons X devaient être appliqués. J'en avais tiré la seule conclusion possible, à savoir que le cancer avait atteint le cerveau.

Je lui avais dit « Bonjour, Nick », et il avait levé les yeux pour me saluer, mais avec moins de cordialité que d'habitude. Il ne s'était pas montré inamical mais distrait. Je l'avais accompagné, marchant à côté de lui. Mes questions n'avaient reçu que des réponses brèves et incertaines. Il semblait pressé, comme en retard à un rendez-vous.

J'avais accompagné Nick à sa chambre. Arrivé là, il avait salué quelqu'un, qu'il avait appelé « Wim ». J'avais vu deux hommes en train de monter une caméra et d'autres pièces d'équipement ; pour la prise de son, avais-je supposé. Puis j'avais compris ce qui se passait : Nick était filmé... en train de mourir. C'est tout lui, avais-je pensé. Je n'avais jamais rencontré le metteur en scène, mais j'avais déjà entendu son nom — Wim

Wenders, un Allemand. A l'évidence, ils attendaient que je m'en aille pour se mettre au travail. Nick m'avait congédié d'un « au revoir » impatient. En partant, j'avais songé : Nick a l'air d'un acteur qui se prépare pour sa grande scène. Toutes ces simagrées m'avaient paru grotesques : imaginez-vous un homme coopérant au tournage de sa propre mort !

En rentrant chez moi, je n'avais pas réussi à détacher mes pensées de ce que j'avais vu. J'avais trouvé que Wenders avait tout du vampire, mais cette entreprise correspondait peut-être au souhait le plus cher de Nick : mettre en scène sa propre mort, son œuvre testament. Mais quelle sorte d'homme était-il donc ? Si le mot n'avait une connotation négative qui ne s'appliquait pas à Nick, on aurait pu le qualifier de poseur. Ce n'était pas un homme d'une seule pièce, mais un personnage à facettes qui s'adaptait aux situations, aux gens avec lesquels il se trouvait et aux scènes qu'il avait à tourner. Il ressemblait en cela à certains acteurs ou metteurs en scène caméléons : il se faisait petit dur en compagnie de voyous, barde en présence de poètes, pilier de bar bagarreur lorsqu'il s'accoudait à un zinc, ou amoureux transi dans les bras d'une femme. Il appliquait en cela un principe issu du système Stanislavski auquel il avait été formé dans sa jeunesse : entrer « dans la peau » de tous les personnages : être capable de les personnifier tous à la fois — l'acteur complet, en somme. Je pouvais en juger d'après ma propre expérience. Nick incarnait différentes tendances contradictoires : bourgeois mais aussi ancien combattant de la lutte des classes, maître des techniques de l'interprétation mais différent de Lee Strasberg, aristocrate dans ses goûts mais paysan dans l'âme, mari fidèle et père intraitable mais prompt à se taper n'importe quelle fille pourvu qu'elle l'excite un tant soit peu. Il voulait tout avoir, être à la fois discipliné et mener une vie dissolue, jouer les petits saints et les pécheurs, faire acte de modestie, mais non sans arrogance, voter à gauche tout en se soumettant à la droite, cependant toujours rebelle et, au bout du compte, incontrôlable. J'avais fini par me poser cette question : la plupart des artistes ne veulent-ils pas être plusieurs personnes en même temps, ne rien rater des possibilités de la vie, faire toutes les expériences possibles, même celle de la mort, qu'ils veulent connaître intimement, toucher à tout, goûter à tout et ne respecter aucune limite ?

Nick et moi avions beaucoup en commun. Nous avions tous deux débuté comme acteurs pour devenir ensuite metteurs en scène. Mais il dépassait les limites, ce que je n'ai jamais fait. J'étais plus discipliné, plus maîtrisé, plus prudent... plus bourgeois. Peut-être, me disais-je, qu'il est plus artiste, plus joueur. Mais ce désir de tout avoir, pour le meilleur comme pour le pire, le paradis comme l'enfer, ne hante-t-il pas l'homme depuis la nuit des temps ? Faust vend bien son âme pour y parvenir. Cette faim n'affecte-t-elle que les acteurs et les metteurs en scène ? Diable, non. Est-elle spécifiquement américaine ? Encore non. C'est la question essentielle que nous adresse la vie : quelle est l'intensité de notre volonté et combien sommes-nous prêts à sacrifier pour la satisfaire ? Nick était très habile à se créer l'image de marque qu'il désirait se donner, mais elle variait sans cesse.

Pendant un temps, nous avions été très proches. Lorsque j'avais mis en scène ma première pièce pour le Théâtre de l'Action, il faisait partie de la distribution. Puis, vers la fin de la guerre, j'étais allé à Hollywood pour faire *le Lys de Brooklyn* et j'avais obtenu que Nick soit mon assistant. Il étudiait les techniques du cinéma et apprenait vite. C'est Jack Houseman qui lui avait offert sa première mise en scène à Hollywood : *les Amants de la nuit*. Il sautait aux yeux que Nick possédait un don unique pour la direction d'acteurs.

Sa carrière avait fait un bond en avant spectaculaire. Il était devenu une vedette séduisante, surtout en France, où les hommes de la Nouvelle Vague l'avaient découvert. A Hollywood, il avait tourné *la Fureur de vivre* avec Jimmy Dean juste après *A l'est d'Éden*. Son film était devenu un monument à la gloire de la jeunesse « incomprise » de l'époque. L'idée ne me plaisait guère mais nous n'en avions pas discuté et, de toute façon, j'étais ravi qu'il connaisse un tel succès. Il avait réalisé d'autres films pour Hollywood, toujours très bien accueillis. En Europe, on l'idolâtrait.

Mais à Hollywood, peu de carrières ne connaissent aucun à-coup et rares sont celles qui survivent à une série d'échecs financiers — j'en sais quelque chose. Comme il n'obtenait ni le travail ni le respect dont il avait besoin en Californie, il s'était mis à multiplier les séjours en Europe. Je l'avais alors perdu de vue et je n'entendais plus parler de lui que dans les échos. Puis j'avais ouï dire qu'il fricotait dans la drogue, puis qu'il avait perdu un œil au cours d'une bagarre dans un bar de Madrid, et enfin qu'il était revenu en Californie mais que ses affaires n'allaient pas fort. Je savais qu'il avait pris l'habitude d'emprunter de l'argent à ses amis, et je m'étais laissé dire qu'il avait « contracté » une note de téléphone de trente mille dollars et avait épuisé la patience de tout le monde, y compris ses proches. Je lui avais prêté de l'argent que je n'ai jamais revu. Je me souviens d'un coup de fil que m'avait passé, en 1975, un certain Bob Greenberg. « Il faut qu'il s'en aille de chez moi, m'avait-il dit. Il me rend complètement dingue. Gene Kelly a dû lui acheter un costume, et pendant ce temps-là Nick joue les martyrs du système qui a détruit une génération. » Etc.

Mais je ne m'étais jamais départi de mon affection pour lui. J'en étais même venu à me demander, quand j'avais commencé à avoir moins de succès, si je ne menais pas une vie par trop équilibrée en comparaison de Nick, et si ce n'était pas lui le pur artiste.

Dès que j'avais appris que, atteint d'un cancer, il avait été hospitalisé, j'étais allé le voir. Il était debout, en pyjama, et se baladait à droite et à gauche, apparemment en pleine forme. Un autre homme se trouvait dans la pièce, mais il n'avait rien dit pendant que nous bavardions, Nick et moi. Il m'avait pris dans ses bras, je l'avais embrassé, comme d'habitude, puis nous nous étions assis pour renouer le contact. Il m'avait parlé de son état de santé et, à l'appui de ses dires, avait enlevé le haut de son pyjama, s'était tourné et m'avait montré une longue cicatrice rouge qui barrait tout son dos, en diagonale. Il en paraissait très fier. Ils l'avaient ouvert, pour s'apercevoir que le cancer était trop avancé : il encerclait l'aorte et avait envahi un poumon. Alors ils l'avaient recousu. Nick avait remis son haut de pyjama, s'était assis dans un fauteuil, avait trouvé une cigarette et

l'avait allumée. Je m'étais demandé s'il donnait ce show à mon intention
ou pour lui-même. J'en avais conclu que chacun voit midi à sa porte. Il
défiait la mort, ni plus ni moins. L'autre type présent dans la pièce avait
alors expliqué la raison de sa présence. Il venait d'une université et voulait
offrir à Nick un poste de professeur de cinéma. Nick devait accepter tout
ce qu'on lui proposait pour pouvoir payer ses factures. Mais il s'était
comporté comme s'il faisait une faveur à cet homme rien qu'en l'écoutant.
Ce qui était sans doute la vérité.

Il avait pris un poste à l'université de l'Etat de New York, à Bingham-
ton. Avec son bandeau noir qui cachait l'orbite de l'œil perdu, il incarnait
avec une séduction inégalable l'artiste absolu aux yeux des étudiants : un
véritable héros. Il avait choisi de faire un film avec eux plutôt que de leur
faire un cours. Le film avait trait à son propre travail avec les étudiants, et
lui comme eux interprétaient des rôles. L'improvisation jouait elle aussi un
grand rôle et les étudiants apportaient une contribution artistique effec-
tive. J'ai visionné quelques mètres de cette pellicule : Nick n'y avait pas
bonne mine, mais l'adoration des étudiants lui avait donné du cœur à
l'ouvrage. Ils n'oublieraient jamais cet homme.

Une semaine après avoir vu ce film — je réfléchissais alors à cette partie
de mon livre —, j'ai obtenu une copie de celui que Wim Wenders avait
tourné sur la mort de Nick et, bien que je me sois juré de ne jamais le
regarder, je l'ai visionné. Je l'ai trouvé, dans son ensemble, maladroit et
ennuyeux. Mais il y avait ce gros plan extraordinaire de Nick tout près de
la fin. Le metteur en scène sur son lit de mort, qui se sait mourant,
regarde la caméra droit dans les yeux et dirige sa dernière scène, qui se
trouve être sa propre mort. Nick avait l'air incroyablement épuisé. Il ne
faisait aucun doute qu'il ne lui restait que quelques jours à vivre. Mais il
ne faisait aucun doute non plus que c'était précisément la manière dont il
souhaitait employer ses dernières heures. A ma grande surprise, j'ai retrouvé sur le visage de Nick le même orgueil conquérant que sur celui de
John Steinbeck en cette même circonstance.

Quand il regarde une scène et obtient ce qu'il désire, le metteur en
scène crie : « Coupez ! » Mais parfois, si la scène produit un résultat hors
du commun, inespéré, il chuchote à son cameraman : « Ne coupe pas ! » et
laisse la scène suivre son cours au-delà de ce qui avait été répété. Nick
Ray mettait en scène son dernier gros plan. Vers la fin, il crie : « Coupez ! » Puis : « Ne coupez pas ! » Puis, après une pause, de nouveau :
« Coupez ! » et : « Ne coupez pas ! » Nick donne plus qu'une instruction au
cameraman. Il prolonge sa vie là où il l'a vécue en majeure partie — au
cinéma.

Il ne voulait pas mourir, mais continuer. Il n'a jamais baissé les bras,
pas une minute, même pas l'espace d'une image. Même dans ces derniers
instants de souffrance, il s'est accroché au moindre mètre de pellicule, où
sa vie serait préservée à tout jamais. Vous trouvez sans doute tout cela un
peu factice et je vous comprends. Mais moi, j'appelle cela de l'héroïsme.
En un sens, il parlait pour tous les artistes. J'avais d'abord pensé que
Wenders jouait plus ou moins les profanateurs de sépulture. Il s'en inquiétait lui aussi et, peut-être pour parer à ce genre d'accusation, il était

apparu dans une scène pour exprimer cette préoccupation. Mais il était allé au bout de sa démarche et, après avoir vu le film, cette décision de poursuivre m'avait paru pleinement justifiée. J'ai admiré Wenders de l'avoir prise. Malgré sa complaisance envers la détérioration physique de Nick, le film m'était finalement apparu comme un hommage à un ami et, au-delà, comme l'expression de la détermination obstinée d'un être humain à être lui-même jusque dans la mort.

Au septième étage de l'hôpital Mount Sinai de New York, une femme reçoit les soins d'une infirmière acharnée à la sauver: elle approche du lit une de ces machines qu'on utilise lorsqu'une maladie atteint sa phase finale, plus par souci d'expérimentation qu'avec l'espoir réel de sauver une vie hors d'état d'être sauvée.

Soudain, une résistance cède à l'intérieur du corps de la patiente; l'infirmière le sait, elle éteint la machine et retire son embouchure. Un instant après, Barbara crache ce qui ressemble à des grains de café. « Le foie », dit l'infirmière.

Le retrait de l'embouchure de la machine, l'interruption soudaine des efforts de l'infirmière et le rejet de « grains de café » signalent la fin des tentatives effectuées par la science médicale pour sauver la vie de ma femme. L'infirmière se tourne alors vers moi — je suis la seule autre personne présente. Elle n'a pas besoin de parler. Barbara sait aussi qu'il ne lui reste plus que quelques secondes à vivre. C'est la conclusion de près de trois ans d'efforts, de sa part et de la mienne, pour vaincre le cancer qui, parti d'une boule au sein gauche, a gagné de métastase en métastase le foie, la moelle osseuse et le cerveau. Sa mort — en l'espace de quelques minutes — a mis un terme à l'effort vaillant de cette femme, si jeune à quarante-huit ans, pour rester en vie et continuer à réaliser le projet artistique qui comptait tant pour elle. En ces derniers instants de conscience, cependant, elle n'a pas cherché à obtenir notre pitié; pas de hurlements de douleur, pas de larmes. Mais elle a laissé libre cours à sa colère devant ce coup du sort: « Merde! Merde! Merde! » Ces mots ont été ses derniers.

Quand je l'avais rencontrée pour la première fois, elle avait vingt-trois ans, une silhouette parfaite et des traits d'une grande beauté. Elle n'était pas dépourvue, cependant, d'une aigreur révélatrice de tensions intérieures cachées et d'un passé malheureux. Son enfance inspirait la pitié et son adolescence avait été pire encore. Comme bien des jolies filles que j'ai connues, elle n'avait aucune confiance en elle et sentait que seul le désir d'un homme lui conférait quelque valeur. Elle en avait eu beaucoup aux yeux de toute une série de jeunes hommes. De plus vieux aussi.

Elle n'avait pas fait d'« études supérieures », n'avait pas reçu de formation spécifique et n'avait rien à vendre — excepté sa jeunesse et sa beauté. Elle était pétrie d'une ambition féroce et n'avait peur de rien. D'une nature très dure, elle pouvait être cruelle. Quand je l'avais rencontrée, elle prenait toutes sortes de leçons, en particulier des cours d'interprétation avec Paul Mann, qui mettait l'accent sur une certaine audace que les

enseignants plus traditionnels de la Méthode ne prisaient pas. Elle apprenait aussi à placer sa voix, prenait des cours de diction et de danses
diverses. Elle se dévouait à ces leçons intensément. Il lui fallait progresser
et, à cette fin, elle ne négligeait pas les avantages que le désir des hommes
pouvait lui apporter. Y compris le mien.

Les hommes grecs et turcs — je suis les deux à la fois — ne recevront
jamais les éloges de l'Organisation nationale des femmes. Ils revendiquent
le privilège de l'infidélité. La récompense des femmes, c'est la canonisa-
tion domestique. Evidemment, avec Barbara, il y avait comme un hic de
ce côté-là.

Un jour, il y a bien longtemps, elle m'avait donné une coupure de
journal, en me disant qu'on pourrait en tirer un bon film. J'avais trouvé
l'idée un peu légère, mais quand elle m'avait demandé de l'aider à en faire
un scénario, j'avais griffonné un brouillon en trois jours. Je l'avais intitulé
« le Monde gris ». Elle s'était alors mise au travail sur cette base, *Wanda*
était née, son propre scénario pour l'essentiel. Il avait fallu six ans pour
trouver à le financer, bien que le budget fût « microscopique » : 200 000
dollars. Elle m'avait demandé de le mettre en scène, j'avais refusé. Je ne
voyais pas la vie comme elle — elle était trop sentimentale, selon moi.
Elle avait donc trouvé un homme pour travailler avec elle, filmer l'action
et assurer le montage. Nick Proferes et Barbara étaient bien assortis.
Chacun comblait les lacunes de l'autre.

Leur manière de tourner ce film m'avait fasciné ; ils s'étaient largement
reposés sur l'improvisation, prenant leurs distances par rapport au script.
Ils l'avaient mis en scène ensemble, elle se chargeant des acteurs, lui de la
caméra. Le film avait remporté un grand succès en Europe et même un
prix à Venise. Barbara était tout de suite devenue la petite chérie des
paparazzi. Je la revois marchant le long de la plage du Lido, avec à sa
traîne une nuée de photographes enragés, se bousculant pour pouvoir
l'atteindre. On n'avait pas tardé à l'acclamer comme une héroïne du
féminisme, elle qui avait été la première femme à écrire et mettre en scène
un film sur ce type de personnage à la dérive, flottant entre deux eaux.
Barbara connaissait bien son sujet. Par l'une de ces volte-face de la mode
qui caractérisent notre culture, Barbara se retrouvait soudain au sommet.
Elle trônait là où elle avait toujours voulu être, prééminente dans le
monde auquel elle croyait. Elle n'avait plus besoin de lutter pour s'imposer dans celui qu'elle ne respectait pas.

Elle s'était alors lancée à fond dans le travail, écrivant scénario sur
scénario avec Nick. Ils étaient de la même eau que *Wanda*, de petits films
consacrés au versant négligé de la vie américaine, ce versant secret qu'elle
connaissait si bien. Elle ne voulait pas se battre sur un terrain où elle
serait prisonnière de « valeurs standard » comme moi. Elle voulait être
indépendante, trouver sa propre voie. Je n'était pas persuadé qu'elle
dispose des qualités requises pour être une cinéaste indépendante, mais
elle formait une bonne combinaison avec Nick, et je me disais qu'à eux
deux il y arriveraient peut-être. Je l'admirais de ne jamais arrêter d'essayer. La ténacité ouvre bien des portes. Elle était persuadée que son jour
viendrait.

Elle tentait d'échapper à la position inférieure que les femmes occupent dans notre société. Je m'en étais aperçu dès notre première rencontre ; elle s'était montrée rusée et manipulatrice. Elle n'avait guère eu d'autre choix que d'utiliser son *sex-appeal*. Mais après *Wanda*, elle ne se comporterait plus de la sorte ; elle n'en avait plus besoin. Débarrassée de vêtements qui mettaient ses charmes en valeur, elle ne se présentait plus comme la petite femme fragile dépendante des hommes de pouvoir. Sa nouvelle tenue parlait pour elle, clamant haut et fort qu'elle ne recherchait plus les faveurs de personne. Elle s'habillait comme les metteurs en scène en tournage : pantalon, blouson de cuir et *boots*.

Je me rendais bien compte que j'étais en train de la perdre. Mais je m'intéressais de moins en moins à sa lutte et de plus en plus à l'histoire de ma propre famille, au fil de fréquents voyages en Grèce et en Turquie. Cependant j'estimais que c'était une personne courageuse et, bien que nous ne fussions plus amants depuis plusieurs années, nous restions mariés. Pendant un temps, je lui avais accordé protection et encouragements. Puis elle avait été séduite par une sorte de spiritualisme que je ne comprenais pas et qui ne m'inspirait aucune sympathie. Elle était devenue adepte d'un « maître » indien et de son enseignement ; elle s'était mise à croire à la vie après la mort et à la primauté de l'« espace intérieur ». Elle méditait, deux fois par jour, enfermée dans un grand carton placé au milieu de sa chambre. Il me rappelait la boîte à orgone de Reich — c'en était peut-être une, d'ailleurs. Nous n'en parlions pas beaucoup. Nous ne parlions pas beaucoup tout court. Elle ne s'occupait plus de l'entretien de la maison, la laissait à l'abandon, et je suis assez vieux jeu. Elle avait tout à fait réussi à se bâtir une vie indépendante de moi. J'avais pris la décision de suivre mon propre chemin, sans elle. Je l'avais déjà suggéré des années auparavant, sans succès, mais cette fois elle avait accepté. J'en avais parlé à mon avocat ; elle en avait consulté un de son côté. Nous étions convenus qu'il était temps pour nous de divorcer.

Puis, un jour, nue devant moi, elle avait pris ma main et l'avait posée sur son sein gauche. « Tu la sens ? » m'avait-elle demandé.

J'avais senti une grosseur.

Nous étions en janvier 1978. Elle est morte en septembre 1980, le 5. Voici comment les choses se passèrent au cours de ces trente-trois mois.

Dès qu'elle sentit la grosseur dans son sein, elle fit ce que toute actrice professionnelle aurait fait : elle étudia la question dans des livres, interrogea des amies, et particulièrement l'une d'entre elles, qui s'en était sortie — « du moins jusque-là ». Elle consultait des médecins, soupesait leurs avis, tirait ses propres conclusions. Résultat : elle oscillait désespérément d'une ligne de conduite à l'autre. Quand tout fut fini, je m'aperçus que, du spécialiste au spirite, personne n'a la moindre idée de la manière d'aborder le cancer.

Le premier docteur qu'elle consulta s'appelait Myron Buchman. Elle le vit à son cabinet, où il ôta ce qu'il déclara être un kyste au sein. Mais elle pensait de plus en plus avoir une tumeur maligne et cherchait le moyen d'éviter une opération. Ses lectures, parmi lesquelles le magazine *East-West*, l'amenèrent à se faire végétarienne et la convertirent au régime macrobiotique. Elle tomba sur les écrits de Michio Kushi, un médecin japonais qui avait connu certains succès dans le traitement des cancers par un régime et l'acupuncture ; elle se rendit au Centre d'acupuncture du Massachusetts et commença à se nourrir de jus de froment, qu'elle trouvait infect, arrosant un régime macrobiotique à base de chou et de riz complet, sans viande. Une entrevue avec le docteur Kushi déboucha sur ce diagnostic : le problème n'était pas dans le sein, mais dans le foie, qui était « faible », et dans la zone duquel il prescrivit de poser des compresses au gingembre.

Pendant cette période, elle commença à voir un thérapeute du nom de Gretl, également acupuncteur à New York. Elle recourut également au Dr Baker, que lui avait conseillé son amie Edna O'Brien. Elle consultait tout ce qu'elle trouvait. Elle commença des séances avec Mr. Koltuv, qui avait le titre de docteur de l'Université ; je ne sais pas très bien ce qui s'y passait, mais elles se multiplièrent et il me sembla que le traitement était spirituel, non physique.

Elle tomba par hasard sur un livre, dans un magasin diététique. Elle y découvrit que l'ablation complète du sein était inutile, et que l'on pratiquait avec succès, en Angleterre, une simple ablation de la tumeur. C'était exactement ce qu'elle voulait entendre. Quelqu'un lui dit que le Dr Esselstyn, de la clinique de Cleveland, avait réussi de telles opérations. Elle changea donc son fusil d'épaule, appela le Dr Esselstyn, prit rendez-vous et nous voilà partis pour Cleveland. C'était un bel homme, de haute taille, usant de cette voix apaisante que cultivent les médecins à l'intention de leurs patients. Devant moi, il palpa le sein et, sans hésitation ni autre examen, déclara : « Je n'aime pas beaucoup ça... » Il souhaitait confirmer son diagnostic par des analyses : Barbara s'y soumit et nous repartîmes pour New York.

Elle se trouvait devant une décision importante. Si elle optait pour l'ablation de la tumeur, elle s'écartait complètement du régime et du traitement spirituel de Kushi, ainsi que de l'opinion de tous ceux qui la détournaient d'une approche physique. Elle trancha en faveur du Dr Esselstyn. Elle l'appela pour s'entendre dire que les examens du sein, du foie et des os n'avaient révélé de cancer que dans le sein gauche. Esselstyn lui suggéra de revenir à Cleveland pour se faire enlever la tumeur le plus rapidement possible. Il paraissait optimiste. Elle devait ensuite se souvenir que les tests n'avaient rien montré au niveau du foie.

Certains médecins de New York — je ne saurais dire lesquels — lui avaient conseillé de se faire opérer par eux. Ce qu'elle reprochait constamment aux « docteurs de New York », qu'elle considérait comme une « cabale », une « clique », était qu'avant d'ouvrir, ils vous font signer un document les autorisant à procéder à une ablation totale du sein ou de tout muscle atteint s'ils considèrent que c'est la meilleure solution. Barbara avait une véritable phobie de cette école : les traditionalistes, l'« establishment », comme elle l'appelait.

Le 5 septembre, deux ans exactement avant sa mort, nous nous rendîmes à la clinique de Cleveland, où fut enlevée la « grosseur », de même que quelques nodosités à l'aisselle. Après l'opération, Barbara se sentait bien et elle était contente de sa décision : en choisissant l'ablation de la tumeur, n'avait-elle pas évité une défiguration ? Mais l'opération avait permis de découvrir que le cancer avait envahi non seulement le sein, mais aussi les ganglions lymphatiques. Elle m'expliqua que ces derniers jouaient le rôle de relais et essaimaient la maladie dans son corps. La question était donc de savoir comment freiner le processus. Là encore, elle décida de s'engager en même temps dans deux voies. Ce qui suivit me sembla relever de la plus totale fantaisie, d'une conduite excentrique, parfois délirante. Barbara était violemment ballottée d'une position à l'autre. J'avais aussi l'impression qu'elle était exploitée par un certain nombre de thérapeutes et de docteurs, qui en avaient fait leur victime — je ne vois pas de mot plus aimable pour décrire leur conduite.

Elle décida d'abord de suivre le conseil d'Esselstyn et de traiter aux rayons les ganglions lymphatiques qui lui restaient, « à tout hasard », dit-elle. Nous surveillions son sein, qui se remettait bien. Mais c'est avec bien plus de passion qu'elle se mit en quête d'autres formes d'aide.

Trois semaines après son opération, elle se rendit avec une certaine Serena à la Cathédrale de la Foi. Elle cherchait, disait-elle, à se refaire une santé spirituelle globale, à connaître ses vrais pouvoirs — c'est-à-dire ses pouvoirs intérieurs — et, grâce à eux, à remonter la pente. Elle lisait des ouvrages comme *The Will to Live*, *Seeing with the Mind's Eye* et *A Clearing in the Woods*. J'ai aussi trouvé dans son journal, après sa mort, une référence à un prêtre du nom de Rinaldo, avec des pages de conseils de son cru, ainsi que des citations comme : « La vie est plus qu'une nourriture, le corps n'a pas seulement besoin de vêtements » (Luc 12, 23).

Ayant choisi la voie spirituelle, elle s'enfonça dans les méthodes de l'« espace intérieur », voyant dans le cancer la conséquence des tensions de sa vie, dont elle m'imputait certaines. Pendant quelque temps, je fus à ses yeux la cause de son mal. Elle délaya ensuite cette responsabilité : elle avait toujours été tendue, son esprit n'avait jamais cessé d'être malade, c'était son émotivité refoulée qui l'empoisonnait à présent. Elle décida de contre-attaquer les métastases sur tous les fronts, mais avant tout par le psychique.

Elle retourna alors chez le « docteur » Koltuv, qui lui expliqua que ses tensions provenaient de ce qu'elle réprimait ses sentiments et que, par exemple, elle ne pleurait pas assez. Elle me raconta qu'il savait toucher certains points, en elle, qui la faisaient éclater en incoercibles sanglots. De retour de ses rendez-vous, elle avait les yeux creusés et le teint blafard.

Elle allait en même temps à l'hôpital Beth Israel de Boston, où elle était traitée par radiothérapie sous les aisselles. Elle loua une chambre en ville pour avoir moins à voyager. Il fut procédé à d'autres examens, sur le conseil d'un autre médecin, du nom de Botnick. Il la persuada de reprendre le chemin du bloc opératoire pour avoir six « broches plastiques » passées à travers les seins. Le jour suivant, les broches furent emplies d'une substance radioactive. Barbara plaisantait : « Voilà que je suis radio-active, maintenant. » Le Dr Botnick ne fut sans doute pas complètement satisfait des résultats, car il lui annonça que, malgré son aversion pour la chimiothérapie, elle ferait bien d'en envisager une. « Il y a un nouveau traitement », dit-il en lui donnant le nom du Dr Samuel Waxman de New York. Barbara opposa à ce conseil un refus total de la médecine traditionnelle, du moins tant que rien de nouveau ne se produirait.

Chaque fois qu'elle retournait à New York, elle allait voir Koltuv. Est-ce à cause de lui qu'elle commença à être la proie d'étranges phénomènes psychologiques ? Elle rencontra une drôle de femme noire, dans la rue, qui lui dit : « Que vous êtes laide ! Mais que vous êtes laide ! » Son journal continue ainsi : « J'ai raconté à Koltuv l'histoire de la femme, et me suis mise à pleurer. Nous avons ensuite travaillé, et je n'ai pas cessé de pleurer. J'ai dit que j'aurais aimé être morte. Quand il a appuyé sur mon cou, j'aurais voulu qu'il me tue. J'avais l'impression que j'aurais pu continuer à pleurer éternellement. Une terrible douleur dans le corps. Je n'arrivais pas à m'en débarrasser. Il m'a enjoint de le regarder : j'en étais incapable. Il m'a demandé pourquoi. "Parce que vous verrez à quel point je me sens perdue", lui ai-je répondu. Après quoi, il m'a expliqué qu'il allait travailler sur mon corps, plus sur mon esprit. Je suis rentrée à toute vitesse à la maison pour préparer le repas. » Une autre séance avec Koltuv : « J'étais étendue sur le lit et n'ai pas arrêté de pleurer de toute la séance, lui me tenant la main. J'étais frustrée de ne pas être capable d'extérioriser ma colère. Douleur et tristesse, tout le temps. C'est toujours comme ça. *Il faut que j'arrive à ouvrir les vannes.* Cette fois encore, je n'ai pas pu le regarder. J'appelais au secours, mais d'où aurait pu venir l'aide ? C'est sans espoir. J'aurais juste voulu disparaître. Assise, penchée en avant, me balançant, je pleurais sans m'arrêter. Puis je suis rentrée faire le dîner. »

Botnick constata l'absence de progrès et lui conseilla une fois encore une chimiothérapie traditionnelle. Barbara refusa : pas question d'avoir ces poisons dans son corps. Elle était persuadée, dit-elle à Botnick, que le corps et l'esprit ne font qu'un, et qu'en empoisonnant l'un, on empoisonne l'autre.

Quelques semaines plus tard, à ma grande surprise, retournement. Barbara me demande de venir la chercher à la clinique de Floral Park, à Long Island, et de la ramener à la maison, au cas où elle ne pourrait pas se débrouiller toute seule. L'établissement s'appelait The Oncological Associates, et un traitement controversé lui avait valu une certaine réputation. Ma surprise venait du fait qu'il s'agissait d'une chimiothérapie plus concentrée, plus puissante, plus « chimique » encore : un traitement que Barbara aurait dû juger empoisonné et refuser. Elle m'expliqua que les piqûres qu'on lui faisait contenaient du laetrile, des enzymes, plusieurs vitamines, et une substance virulente qui donnait au patient une mauvaise odeur tenace. Elle devait coller à Barbara pendant des semaines. On prescrivait aussi à chaque patient des lavements quotidiens de café fort. Elle les prit et prétendit qu'elle les trouvait revigorants.

Je ne la comprenais pas. Tout ceci me paraissait être des fadaises de docteurs. Quand je lui fis valoir qu'elle faisait pénétrer des poisons dans son organisme, chose qui lui paraissait auparavant le pire des sacrilèges, elle me dit qu'on lui donnait ensuite une perfusion contenant des antidotes. Et pour couronner le tout, un diététicien rattaché à la clinique lui préparait un nouveau régime. Je ne dis plus rien : j'étais glacé, mais je savais que plus rien ne l'arrêterait.

Je pris le train pour Floral Park, à l'heure dite, passai trois blocs et pénétrai dans l'établissement. Pas de conciergerie, simplement une secrétaire dans un bureau latéral, puis une vaste salle d'attente remplie de personnes âgées qui attendaient leurs rendez-vous. Je fus assailli par l'odeur : lourde, pénétrante, écœurante, moitié médicament et moitié putréfaction humaine. Ils étaient à l'agonie et le savaient. A moins... à moins d'un miracle de la médecine.

Barbara perça la foule, toute fringante. Elle avait craint d'avoir besoin d'aide, voire d'être soutenue pour rentrer, mais elle paraissait tout à fait bien. C'était peut-être le contraste avec les autres patients de la salle d'attente, ou encore sa détermination à ne pas se laisser glisser dans le bourbier où croupissaient les mourants. Je discernais l'étincelle d'espoir dans ses yeux brillants, presque fiévreux, et qui criaient : Peut-être ! C'est peut-être la solution ! Peut-être le salut !

Elle me demanda si j'acceptais de voir le directeur, qui souhaitait me rencontrer. Je lui dis de me montrer le chemin. En route, elle me parla des miracles réalisés ici. Je n'allais surtout pas lui objecter que je ne voyais pas trace de miracle parmi les patients de la salle d'attente. Une fois encore, j'avais l'impression qu'elle s'embringuait à la légère dans une partie dont elle ignorait les règles. Elle était aux mains d'un nouveau « sauveur ». Où les trouvait-elle donc ? Comment mettaient-ils le grappin sur elle ? Elle me rendait fou de rage. Je ne savais pas combien de temps je supporterais encore la situation... et les factures. Je remarquai alors son pas léger et, lorsqu'elle se tourna pour me parler, l'éclair d'espoir fou dans ses yeux. C'étaient peut-être des bateaux, mais que je le veuille ou non, j'étais embarqué pour toute la croisière. Pas le choix. D'ailleurs, personne n'avait trouvé comment guérir le cancer. Alors, on pouvait croire à n'importe quoi... cette fois serait peut-être la bonne ?

Le directeur de la clinique, Donald Cole, nous attendait dans son bureau. Il ressemblait au chef d'une revue musicale ambulante : un type très grand, un entregent fracassant. Rien d'étonnant, d'ailleurs : il était — ou avait été — chanteur de cabaret. Cole, me dit Barbara, était un nom de scène. Il m'accueillit avec une chaleur plus que professionnelle, et même une certaine déférence. Il savait tout de moi et m'admirait, comme beaucoup avant de me rencontrer, sur ma simple réputation médiatique. Il avait abandonné notre profession et découvert ce débouché à son esprit d'entreprise, ses talents et sa ruse. A en juger par la foule de la salle d'attente et les factures que je devais recevoir par la suite, il se débrouillait plutôt bien. Nous eûmes la conversation habituelle sur le *show business* (« Ce n'est plus ce que c'était ! »), qui lui manquait ; mais il réussissait tellement mieux maintenant qu'il aurait eu mauvaise grâce à se plaindre, n'est-ce pas ? Il décochait à Barbara des sourires paternes et m'assura que son « extraordinaire traitement » l'aiderait comme il en avait aidé des centaines d'autres. Je m'aperçus que Barbara aurait aimé me voir faire preuve de plus de cordialité envers son sauveur ; je fis de mon mieux.

« Où a-t-il donc appris la chimie ? lui demandai-je sur le chemin du retour. Certainement pas dans la 45ᵉ Rue, entre Broadway et la Huitième Avenue. » Elle lâcha : « Peut-être de son associée ? » (une dame du nom de Pung, Juanita Pung). Alors que nous étions ballottés sur la ligne de Long Island, elle m'informa qu'elle s'était engagée à venir se faire soigner par Cole et Pung six jours par semaine, pendant six semaines. « Bien », dis-je. Je ne savais que faire.

Puis, nouvelle volte-face. Elle assista à Amherst, dans le Massachusetts, à une conférence sur la macrobiotique dont la *star* était Michio Kushi. Elle se débrouilla pour avoir une conversation en privé avec le grand homme, et cette consultation lui laissa une impression profonde. Elle cite Kushi avec dévotion dans son journal : « Pourquoi êtes-vous sur cette terre ? Parce que vous vouliez y venir. Et quand vous vouliez y venir, vous vous êtes changée en bébé humain. Mais notre vie ne commence pas avec l'ovule et le spermatozoïde. Cela, c'est la vie biologique. Nos racines sont au ciel, un peu comme une marionnette avec ses fils ». Cela la réconfortait. Je gardais mon opinion pour moi. De toute façon, elle s'éloignait du chimiste de music-hall et de son associée Pung : « Maintenant, je crois vraiment à la macrobiotique », écrivait-elle. Kushi avait été impressionné par Barbara et lui faisait préparer un nouveau régime. Il répéta que le problème venait du foie.

Mais cette dévotion fut de courte durée. Elle revint au père Rinaldo, qui lui dit : « Vous êtes capable d'une guérison complète, vous êtes pleine de bonnes vibrations. » Bien entendu, elle y croyait. Elle se rendait en même temps plusieurs fois par semaine chez un psychothérapeute, pour des tests psychologiques. Et M. Koltuv continuait à l'aider à libérer ses sentiments dans des torrents de larmes, en lui tenant la main. Elle voyait aussi un psychiatre du nom de Louis Ross, mais n'était pas très sûre qu'il représente « la bonne voie ». Et toujours le ballet du désespoir. Qui était le Dr Charles Slavetu, dont le cabinet se trouvait à Glen Cove, et quel traitement lui administra-t-il ? Qui était le Dr George Krikelian — oui, un Arménien, mais que faisait-il ? Dans le journal de Barbara, on trouve : « 25 % de cas de rémission temporaire finale ». Temporaire finale : qu'est-ce que ce galimatias ? Qui était le Dr Miles Galen ? Je ne devais jamais le savoir. Il avait apparemment procédé à une opération de la cataracte. Dr Basek ? Un oto-rhino. Avait-elle donc eu des problèmes d'oreilles ? Pas que je sache. Pourquoi consulta-t-elle le Dr Carnival, chiropracticien de George Balanchine ? Et le Dr Sam Getlen de Trenton ? D'ailleurs, quand se rendit-elle à Trenton ? Qui était le Dr Shisuko ? Et le Dr Revici de l'Institut de biologie appliquée ? Que lui avait-il trouvé ? Pas un mot de tout cela.

C'était comme un roman de Gogol. Elle essayait absolument tout, dans une errance désespérée, tandis que ces spécialistes se jouaient d'elle. Quant aux désillusions, n'en parlons pas ! Si je posais des questions ou voulais en savoir plus, elle pensait que je la critiquais et m'en voulait. « Je sais que tu ne crois à rien », disait-elle en s'en allant. Mais je ne la critiquais pas. C'est à ces docteurs que j'en voulais à mort. Je pensais que ces salauds lui faisaient miroiter des promesses de progrès et de guérison, la maintenaient sous leur aile et touchaient mes chèques... Puis je me demandais : Où est la solution ? Que faire ? Que ferais-je à sa place ou que ferait quelqu'un de « raisonnable » ? C'était sur sa vie que pesait la menace, c'était son corps, pas le mien. Elle faisait tout pour arrêter la maladie qui la rongeait avant qu'il ne fût trop tard. Qui aurait pu lui jeter la pierre, dans sa lutte pour la vie ?

Elle n'avait pas interrompu sa vie professionnelle. Elle donnait deux fois par semaine un cours d'art dramatique et était adorée de ses élèves. Elle préparait Chris Reeve pour son rôle dans *Superman*, quelque chose que je n'aurais absolument pas su faire. Barbara estimait qu'à cinquante dollars par séance, elle était surpayée. Elle travaillait avec un auteur dramatique sur sa pièce *Reviens, Jimmy Dean, reviens*. Pour moi, c'était de la pizza des quatre-saisons, avec un peu de tout dedans. Quand elle perçut ce que je n'aurais jamais osé dire, c'est-à-dire que je n'aimais pas la pièce, elle se mit sur la défensive et travailla encore plus dur. Elle était décidée à la mettre en scène, proclamait-elle avec une voix qui défiait mes doutes.

Puis, en juillet 1979, on s'aperçut que son cancer avait métastasé dans le foie, et peut-être même ailleurs. Cela se voyait ; elle s'était voûtée et son corps, dans la région du foie, avait enflé. Elle marchait avec difficulté, son état se détériorait rapidement. Pour elle, ce fut le désastre. Je veux dire, le fait que la macrobiotique, la psychothérapie, la radiothérapie, le laetrile miracle, tout ce à quoi elle s'était prêtée à Floral Park et à Amherst, à Boston et à New York, n'avait rien donné. Mais impossible de reprocher aux médecins de ne pas savoir la guérir : il n'y avait pas de remède. Tout ce que l'on pouvait regretter, c'était qu'ils lui eussent donné de faux espoirs. Mais aurait-il mieux valu l'absence d'espoir ? Elle s'était préparée à cela, elle avait lu d'innombrables livres, entendu toutes sortes d'avis autorisés et la menace de métastases n'avait jamais quitté son esprit. Maintenant, c'était devenu une réalité.

Elle voulut savoir la vérité. Nous décidâmes de retourner à la clinique de Cleveland pour voir le Dr Esselstyn, qui avait procédé à l'ablation de la tumeur, afin de connaître son opinion. Barbara s'était tournée vers ses autres « guérisseurs » dans un esprit d'aventure et avec optimisme ; ainsi, elle décidait de son propre sort et attirait sur elle une attention qui la flattait. Maintenant, elle n'avait plus le choix : il fallait qu'elle s'en remette complètement à l'avis d'un autre, concession proche pour elle de l'hérésie. Dans le cabinet du Dr Esselstyn, elle ressemblait à une petite fille convoquée devant le directeur de l'école pour un conseil de discipline ; elle aurait payé n'importe quelle amende. Esselstyn était de tous les médecins que j'ai vus celui dont les manières suscitaient le plus la confiance, et dont les mains avaient le plus de douceur quand il examinait ses patientes. Il palpa Barbara en quelques endroits, lui souriant, comme un dieu bienveillant, mais en vint très rapidement à demander un programme de tests qui devaient occuper l'intégralité des trois jours suivants : scanographie du foie, radio des poumons, radio du thorax, scanographie osseuse de l'ensemble du corps, électrocardiogramme pour contrôler le cœur, biopsie de la moelle, test d'agglutination capillaire et scanographie du cerveau ; ils couvrirent ainsi toutes les zones qui auraient pu être touchées. Examen après examen, je restais dans son sillage, assis devant la porte pour être là quand elle sortirait. Cette activité la rassurait : elle se montrait « bien sage » et faisait tout ce qu'on lui disait. Au bout de la première journée, nous allâmes au cinéma ; mais elle était trop à court d'énergie et nous repartîmes pour le motel, où nous dînâmes dans notre chambre.

Quand nous revînmes pour les résultats, je pus lire les nouvelles sur la figure de l'infirmière rondelette de service dans la salle d'examen d'Esselstyn. Ce dernier nous attendait et fut très gentil. Il dessina un foie, et nous montra comment était celui de Barbara en rayant tout le lobe. Ses croix symbolisaient l'envahissement : le lobe était « fichu ». Le lobule était aussi atteint (il le macula de petites croix) mais il en restait suffisamment pour qu'elle survive. Il ne précisa pas pendant combien de temps. Il rajouta que la moelle présentait aussi des signes de contamination, mais qu'elle pouvait, à son avis, être traitée. Comment ? Jusqu'à ce jour, il n'avait guère montré d'enthousiasme pour la chimiothérapie ; maintenant, il la conseillait. Impossible, précisa-t-il, d'opérer le foie, la chimio était la seule solution. Je regardais Barbara : impassible, le visage comme un masque, sur ses gardes. Plus tard, elle me rappela que Kushi lui avait dit, dès leur première entrevue, que le problème était dans le foie, non dans le sein. « Le foie est le siège des passions violentes, avait-il expliqué, c'est là qu'elles sont stockées. » Barbara avait approuvé. « Oui, m'avoua-t-elle, toute ma colère est là. »

Elle capitula, acceptant la chimiothérapie et les poisons qu'on se proposait d'injecter dans son sang. « Faites-moi ce que vous voudrez », dit-elle à Esselstyn. Puis : « J'en ai encore pour combien de temps ? » La question était directe, posée sur un ton détaché. Esselstyn fit ce que la plupart des femmes de Cleveland auraient admis : il entraîna le mari dans un coin et me demanda s'il devait lui dire la vérité. Avant que je ne puisse répondre, Barbara, qui avait soigneusement étudié le dessin de son foie, lança : « Dites-moi la vérité, s'il vous plaît. » Esselstyn s'approcha d'elle et lui parla comme si elle avait été un simple intermédiaire, chargé de répéter ses paroles à un autre patient, et non pas comme s'il s'adressait à elle : « Entre deux et trois ans. » Aucune réaction. Aucun commentaire. « A mon avis, poursuivit-il, nous devrions commencer le traitement tout de suite, cet après-midi même. Je vais prendre les dispositions nécessaires. Vous pourrez ensuite continuer à New York. Le Dr Waxman, dont vous m'avez parlé, est quelqu'un de très bien. »

Waxman était un médecin que Barbara avait vu un an auparavant. Il l'avait pressée d'accepter sa chimiothérapie, mais elle avait refusé en disant : « Ce qui empoisonne le corps empoisonne l'esprit. » Maintenant, devant Esselstyn, c'était : « Ce que vous voudrez. » Elle ne paraissait ni effrayée ni angoissée. Elle avait accepté son impuissance et, semblait-il, sa mort. Elle ne mendiait pas le mensonge. Une heure plus tard, un médecin de l'équipe d'Esselstyn lui faisait sa première injection. Je trouvai le moyen de l'entraîner à part et de lui poser la même question : pour combien de temps en avait-elle ? « Dans quatre semaines, répondit-il, elle sera guérie ou morte. Avec le foie, vous savez... »

Nous fîmes ses bagages et je lui dis que je l'aimais, mais sans l'embrasser, même pas un baiser de l'amitié. Elle ne réagit pas. Depuis des années, nous vivions séparés, infidèles et distants. Jusque-là, j'avais trouvé sa conduite déraisonnable et incohérente, en face de sa maladie. Maintenant, je voyais une preuve de courage dans ce qu'elle avait fait. J'étais empli d'admiration. Persuadé que personne au monde ne savait que faire devant le cancer, j'avais vu dans cette même clinique, considérée comme la meilleure dans son domaine, un docteur promettre deux ou trois ans de vie à cette femme et préconiser ce qu'il avait déconseillé auparavant, et un autre, administrant la première piqûre, lui donner quatre semaines, et encore... Qu'aurait pu faire Barbara sinon s'enquérir de tout ce qui existait sur le sujet, envisager toutes les possibilités et décider par elle-même de son sort ? Je recommençais à l'aimer, non pas sensuellement — cela, c'était du passé — mais comme une personne pour qui j'avais de l'estime et pour qui je ferais tout ce qui était en mon pouvoir. Et telle fut d'ailleurs ma ligne de conduite à compter de ce jour.

Dans le train qui roulait vers l'est, cette femme qui avait tout lu sur la question, pendant tous ces mois, passa son temps à regarder par la fenêtre tant que le jour le lui permit, puis se recula et ferma les yeux. Elle semblait bien, et plutôt plus petite dans son calme. Nous ne parlâmes pas.

Le jour suivant, nous vîmes le Dr Samuel Waxman, un homme soigné, convenable. Sa salle d'attente était pleine de patients en stade final, dont beaucoup traînaient cette mauvaise odeur caractéristique. Barbara, de nouveau en représentation, était en pleine possession de ses moyens, incarnation de la jeunesse et de l'espoir parmi les mourants. C'était l'ironie de la situation : une fois qu'elle eut accepté sa mort imminente, elle se sentit soulagée et retrouva son dynamisme. Je savais que si le courage pouvait vaincre le cancer, le sien y parviendrait.

Waxman la soumit à un programme régulier de chimiothérapie et, au bout de quelques semaines, me dit qu'il n'avait jamais vu quelqu'un réagir aussi bien au traitement. Là où son corps avait gonflé sous le volume de son foie malade, il était maintenant détendu et revenu à sa forme première. Waxman paraissait optimiste, presque joyeux. Il dit à Barbara : « Il me semble que je vais pouvoir faire quelque chose pour vous. » Mais à moi : « Si seulement elle était venue me voir plus tôt. » Il n'utilisa pas le mot de « guérison » — que nul cancérologue n'emploie — mais celui de « rémission ». Waxman aussi éprouvait pour elle de l'admiration.

Bientôt, ses cheveux commencèrent à tomber à pleines poignées, comme elle en avait été prévenue. Et il ne faut pas oublier ce qu'avait dû coûter ce sacrifice à l'actrice qu'elle était. Nous nous mîmes en quête de perruques dans la 57e Rue. Elle en possédait bien une, de son rôle dans *Après la chute*, mais d'apparence trop théâtrale. Elle cherchait plutôt quelque chose du même blond que ses propres cheveux. Dans les semaines qui suivirent, nous en achetâmes cinq, certaines exactement ce qu'il fallait. Elle n'arrêtait pas de les essayer, me demandant ce que j'en pensais. Quand je répondais : « Très bien », elle me jetait un regard impatient : « Je peux bien ressembler à n'importe quoi, tu t'en fiches », lançait-elle. A la fin, elle en portait une à la Marilyn Monroe pour sortir le soir. Elle ne voulait pas perdre ce qui lui avait coûté tant de travail. Pour la maison, elle se tricota un bonnet.

Le 7 septembre, c'est une Barbara en pleine forme qui donna une réception pour mon anniversaire. Elle n'était pas aussi dynamique que d'habitude, mais pouvait se ressaisir à l'occasion, ce qu'elle fit. Personne ne s'aperçut qu'elle était malade — ce dont je l'assurai un peu plus tard, lorsqu'elle me posa la question. Tous ceux avec qui j'avais travaillé pour le théâtre ou le cinéma, à New York, étaient là. La maison était pleine, et l'on ne savait plus où s'asseoir. Les plats étaient excellents et abondants, et l'alcool ne manquait pas. Barbara circulait entre les invités, première dame de la soirée. Bob Anderson, qui était là, me dit plus tard qu'il n'avait pas remarqué sa perruque. Harold Clurman, qui devait aussi mourir d'un cancer la même année, faisait le pitre à sa manière habituelle, et Paddy Chayevsky, que j'aimais beaucoup aussi, et qui m'avait demandé mon avis sur une pièce qu'il écrivait sur l'affaire Hiss, s'était assis à côté de son grand ami, Bob Fosse. Paddy n'en avait plus que pour un an aussi, mais tout le monde était gai ce soir-là, sous l'œil de Barbara. Chacun l'admirait, la félicitait ; c'était exactement ce dont elle avait besoin. Je lui chuchotai à l'oreille qu'elle ne mourrait jamais.

Le 18, nous nous rendîmes à la Maison-Blanche, invités par Jimmy Carter ; Barbara était splendide et se mouvait avec sa grâce coutumière. Pas le moindre signe de détresse. J'en oubliai sa perruque, pendant qu'elle flirtait gentiment avec Jimmy, battant des paupières, lui rappelant qu'elle aussi était du Sud et l'assurant qu'elle l'admirait plus que tout autre président. Il fit venir un photographe, qui prit une photo de nous — Rosalynn comprise — avec l'archevêque Iakovas de l'Eglise orthodoxe grecque pour sanctifier l'occasion.

Ses cheveux étaient maintenant fins et clairsemés, comme ceux d'un nouveau-né, et elle décida de les raser : cela lui irait mieux, ce serait plus courageux, plus dramatique. Devait-elle abandonner l'espoir de les voir jamais repousser ? Elle savait qu'il ne fallait pas y compter tant qu'elle serait sous chimiothérapie. Une fois de plus, elle repartit en quête d'un traitement différent, même si la chimie l'aidait à ne pas perdre pied en tenant le cancer à bout de gaffe. Elle se disait qu'il devait y avoir quelque chose de mieux. Elle trouva un livre sur le traitement spirituel des cancers finaux que pratiquaient les Simonton au Texas. C'était ce qu'elle cherchait. Elle me demanda si elle pouvait y aller ; je donnai bien sûr mon accord, je l'accompagnerais même. Mais il n'y avait plus de place, et rien ne se libérerait avant presque un an.

Ils conseillèrent un certain Dr John McBride, qui avait organisé à Payson, en Arizona, un camp pour les cancéreux en stade final. Barbara s'y rendit et fut immédiatement acceptée. Oui, son mari pouvait venir aussi, ce serait même encore mieux.

Elle était ravie : c'était ce en quoi elle croyait, mais ce serait aussi une sorte d'aventure. La première chose qu'elle fit fut d'acheter des vêtements « de l'Ouest ». Quand elle les essaya, me montrant comme son ventre s'était aplati, force lui fut d'en rendre grâce à Waxman et à ses piqûres, même si ce fut un peu à contrecœur. Et pourtant, injecter des poisons dans son sang lui avait permis une vie à peu près normale. Nous passâmes deux excellentes semaines chez McBride. C'était la plus jolie femme du

camp, et c'est ce qui comptait le plus. La thérapie était simple : soutien de
la conscience de son identité et de sa valeur, méditation, préparation
psychologique à la mort — bien que cela ne fût pas dit clairement. Le
programme n'était pas une cure, il s'agissait plutôt d'accepter la mort
comme une chose normale. McBride croyait dans la vie après la mort et
dans la primauté de l'âme ; il s'entendit donc avec Barbara. Au terme de
ces deux semaines ensoleillées, elle était bronzée, belle, pleine d'énergie,
surtout dans la journée, en public. A la longue table du réfectoire, elle
faisait le pitre, taquine et rieuse, mais lorsque nous nous retrouvions seuls,
la nuit, sa bonne humeur retombait : avec moi, inutile de faire semblant.
Nous nous fîmes de nombreux amis, parmi ces cas désespérés, mais ce
sont des amitiés qui ne durent pas.

Elle eut l'impression d'avoir trouvé ce qu'elle cherchait dans le programme de McBride, qui consistait à consolider le moi, à relâcher les
tensions et à stimuler les défenses immunitaires du corps. Elle aurait bien
aimé y retourner, mais nous n'en eûmes pas la possibilité. Elle revint à
New York changée. Son séjour en Arizona lui avait montré qu'on pouvait
aussi traiter la maladie par l'énergie mentale, en donnant sa chance aux
pouvoirs du corps. Et lorsque, une semaine plus tard, nous apprîmes que
l'homme qui logeait à côté de nous était mort, cela n'ébranla en rien la
conviction de Barbara : il avait fait ce qu'il fallait, mais trop tard. Désormais, elle se consacrerait entièrement à promouvoir la vie. Ce serait en
vivant qu'elle tiendrait la mort à l'écart. Elle recommença à chercher
comment remplacer la chimiothérapie. Je m'aperçus qu'elle n'avait rien
dit au Dr Waxman de sa nouvelle quête, ni de son séjour.

Je le fis. Il me semblait qu'il devait savoir.

Elle mettait en même temps de l'ordre dans sa maison, à tout hasard.
D'abord, elle prit Leo à part pour lui annoncer calmement qu'elle avait un
cancer et qu'elle risquait de mourir sous peu. Leo écouta et — tout
comme elle — ne montra aucune réaction.

Après le camp de McBride, elle continua comme si aucune restriction
n'allait frapper son activité, comme si l'échéance n'avait pas été donnée.
Elle voulait refaire la maison où nous vivions, dans la 68ᵉ Rue Ouest, et
m'amena visiter une maison proche qu'un architecte japonais venait de
transformer. Elle aurait voulu demander à ce dernier de faire la même
chose sur notre peu engageant logis. Accepterais-je de payer l'étude ?
J'acceptai. L'architecte en question était un petit homme, au seuil de la
retraite ; son audacieux projet consistait à tout démolir, en ne conservant
que les quatre murs, et à reconstruire une nouvelle maison à l'intérieur.
Les travaux coûteraient, à son avis, quelque 600 000 dollars. Ce fut un
soulagement, car je pus dire à Barbara que j'avais beau aimer beaucoup le
projet, il devrait attendre jusqu'à ce que j'aie un autre livre qui marche —
le dernier étant *l'Arrangement.* Elle roula les plans et les mit en sûreté, en
attendant le jour.

Toujours soucieuse d'aller de l'avant, et comme si elle devait vivre aussi
longtemps que n'importe qui, elle s'attaqua à la mise en scène de cette
pièce sur un groupe de jeunes filles obsédées par le souvenir de Jimmy
Dean. La Hudson Guild, une troupe *off Broadway,* produirait la pièce

avec elle. Désireuse de faire bien — c'était son œuvre ! —, elle éprouva le besoin de se rendre sur les lieux de l'action, pour y prendre un monceau de notes et de photos. L'accompagnerais-je ? Nous prîmes l'avion pour El Paso — où elle satisfit un désir longuement réprimé en achetant à Tony Lama une paire de bottes de cow-boy, à la mode cette année-là, — louâmes une voiture et nous promenâmes dans l'arrière-pays. Je prenais en photo tout ce qu'elle me montrait : lieux, objets, gens, costumes. Nous passâmes de merveilleux moments ; elle demeura tout ce temps en pleine forme et recommença à m'appeler affectueusement « Papa » comme elle le faisait il y a bien longtemps. Soudain, pour la première fois depuis des années, il n'y avait plus aucune tension entre nous.

De retour à New York, elle apprit que les fonds étaient débloqués et qu'elle pouvait s'attaquer à la distribution. Avant d'entrer dans le feu de l'action, elle voulut rendre visite à ses tantes, à sa mère et, dans un autre État, à son père. C'était peut-être la dernière fois, mais nous n'y pensions pas ; nous célébrâmes ces retrouvailles, surtout avec son père, que j'aimais bien et qui me le rendait. Le ventre plein de jambon, de pois et de patates douces, nous nous détendîmes à tirer au pistolet dans son jardin. Lorsque je vis d'où Barbara était issue, cette culture provinciale, je me rendis compte de ce qu'il avait dû lui en coûter pour s'en sortir. Elle n'était pas en très bons termes avec ses parents, et devait résoudre de vieux conflits. Nous allâmes aussi à une réunion des anciens de son école, où tout le monde voulut danser avec elle. C'était la seule à ne pas s'être empâtée — du moins le prétendait-elle. Elle me présenta à un ancien petit ami, un costaud bien plus jeune que moi, avec lequel elle partit danser. Elle rayonnait de bonheur parce que tout le monde s'extasiait sur sa beauté — sans soupçonner l'existence de la perruque — et que tous la prenaient pour une star de cinéma, puisque sa photo avait été publiée dans le journal local, avec tous les crédits nécessaires et moi, le mari, à son côté.

En attendant les répétitions, elle reprit ses cours d'art dramatique, et il lui fut facile de rassembler ses anciens élèves. Ces derniers l'idolâtraient et adoraient ses méthodes. Beaucoup, parmi eux, prenaient des notes ; si bien qu'après sa mort, on me présenta un catalogue de tout ce qu'elle avait dit et fait. Les cours continuèrent jusqu'au bout du mois de juin, et j'allai la chercher à la fin du dernier. La séance s'était exceptionnellement bien passée, semblait-il, et je pus entendre les acteurs l'applaudir depuis l'endroit où je l'attendais, à l'extérieur. Ils sortirent tous ensemble, en une foule gaie, elle entourée et embrassée sans relâche, en témoignage de gratitude. Je pense que beaucoup d'entre eux savaient à présent qu'elle était atteinte d'un cancer et qu'ils la voyaient sans doute pour la dernière fois. Je revois encore son visage rose d'animation et ses yeux brillants de joie, sa perruque un peu de travers, mais toujours en place.

Les répétitions de *Jimmy Dean* commencèrent à l'automne. Barbara était contente de ses acteurs, à l'exception d'une actrice qu'elle avait recrutée sur son nom, sans la connaître. Il y a souvent des problèmes entre un metteur en scène et une troupe qui travaillent ensemble pour la première fois, mais ceux de Barbara avec cette actrice dépassaient l'ordinaire. La dame marmonnait pour elle-même, et personne n'entendait ni ne comprenait ce qu'elle disait, pas même ceux avec qui elle était en train de jouer la scène. Barbara parlait un langage théâtral clair ; pourtant, rien ne passait. J'assistai à une répétition et mon impression fut que l'actrice aurait voulu ne pas être dirigée du tout. Lorsque Barbara me demanda conseil, je lui répondis : « Balance-la ! »

C'est ce que fit Barbara au bout de la première semaine. Il lui fallut rapidement trouver quelqu'un d'autre. Elle n'y parvint pas, en tout cas personne qui convînt au personnage. Lorsque son producteur, qui ignorait tout de son cancer, la pressa de prendre le rôle elle-même, tout en dirigeant, elle accepta. Je ne sais pas ce qui la tenait à flot. Sans doute son endurance de campagnarde. Elle donna une brillante interprétation, enflammée du bonheur qu'elle avait à se sentir encore capable de travailler. Il régnait alors entre les actrices une tendre solidarité ; elles aimaient toutes se retrouver avec Barbara. La pièce fut froidement accueillie par les critiques, mais j'allai tous les soirs revoir la fin, lorsque Barbara et les deux autres filles « donnent » leur chanson. Je la trouvais adorable et comprenais comment j'avais pu rester avec elle toutes ces années. Puis je la ramenais dans la froide nuit de janvier et devais l'aider à entrer et à monter les escaliers.

Une fois la pièce finie, elle se sentit à bout de forces, mais pas assez toutefois pour refuser l'offre d'une télévision allemande qui souhaitait réaliser un documentaire sur elle. *Wanda,* déjà tombé dans l'oubli aux États-Unis, était très admiré en Europe. Elle prépara une présentation minutieuse et soignée d'elle-même, sachant que c'était sa dernière chance de léguer quelque chose de sa vie à la postérité. Elle retourna même travailler à la barre chez son professeur de danse, Celli. Il lui tenait la main pendant qu'elle exécutait ses pliés. Barbara voulait montrer le type de formation auquel elle jugeait que tous les acteurs devraient se soumettre. Le film se trouva être un excellent résumé de sa vie mais aussi, et surtout, un hommage involontaire à son personnage.

Lorsque l'équipe de la télévision allemande repartit, laissant derrière elle des souvenirs de dévotion, elle craqua. Ses batteries étaient à plat, et plus rien ne les rechargeait. Elle dormait des heures et des heures pendant la journée, et je voyais la mort s'approcher. Ironie du sort, c'était la première fois de sa vie qu'elle avait pleinement conscience de sa valeur. Elle s'était battue pour cela, et l'avait obtenu. Malgré la maladie, elle avait pu vivre ces derniers mois selon ses désirs. Le mal ne détruisait que son corps. Elle méritait le miracle qui lui fut refusé.

Vers la fin du mois de juillet, je l'accompagnai au cabinet du Dr Waxman, où elle avait eu ses premières piqûres de chimiothérapie. Un rapide examen suffit à Waxman pour constater qu'elle s'affaiblissait rapidement. Pendant qu'elle se rhabillait, il me prit à part pour me demander : « Dois-je lui dire ? » Il aurait voulu l'hospitaliser sur-le-champ, afin qu'elle fût constamment sous contrôle médical. Elle sortit de la salle d'examen, enjouée comme elle le paraissait toujours en public. Waxman lui fit part de son projet. « Des tests », lui dit-il. Ce fut un coup, et son visage se figea. Pourrait-on repousser l'hospitalisation jusqu'à ce qu'elle ait fini un certain nombre de choses qu'elle voulait faire dans la maison ?

De retour, épuisée, elle se reposa sur son lit avec ses deux chiens. Je la suppliai de ne plus bouger ce jour-là. Elle décida pourtant qu'il fallait baigner les deux animaux avant son départ, et le fit. De nouveau, j'insistai pour qu'elle s'en tienne là pour la journée, et partis lui préparer quelque chose à boire pour la réchauffer. Vingt minutes plus tard, je retrouvai cette folle debout sur une table en train de fixer les stores qu'elle avait achetés quelques jours auparavant.

Enfin, elle s'abandonna. Je la surveillai pendant son sommeil. Elle dut se rendre plusieurs fois à la salle de bains cette nuit-là et, de peur qu'elle ne tombe, je l'accompagnai. Elle était vraiment au bout du rouleau. Elle fut heureuse d'entrer à l'hôpital. Je fis installer un lit de camp à côté d'elle, pour pouvoir dormir tout près. J'étais de garde à son chevet, de jour comme de nuit.

Ce fut le premier de trois séjours à l'hôpital. Le repos lui fit du bien. Elle recouvra quelques forces et pressa le Dr Waxman de la laisser rentrer chez elle. Elle obtint l'autorisation souhaitée et nous partîmes à la maison ; mais dès le jour suivant, elle demandait à retourner à l'hôpital. Cette fois, ce fut pour presque deux semaines.

Vers la fin de son séjour, il y eut une scène pénible. Barbara exprima avec une impatience qui me surprit le désir de parler sur-le-champ au Dr Waxman. Quand j'eus fait venir celui-ci, elle lui dit qu'elle ne voulait plus de ses piqûres. Elles ne lui avaient fait aucun bien ; d'ailleurs, elle aurait mieux fait de ne jamais les accepter. Sous ses paroles pointait une accusation : le traitement avait raté, il fallait bien le reconnaître ; et maintenant, elle exigeait de lui la vérité. Le traitement avait bien raté, n'est-ce pas ? Comme elle demandait la vérité, à son habitude, le Dr Waxman lui répondit : « Je ne peux plus rien pour vous. »

C'est horrible, pour un médecin, de voir mourir un de ses patients. Peut-être le Dr Waxman n'aurait-il pas dû parler. L'accusation — nul doute que c'en était une — venait d'une femme rendue hystérique par la fatigue, la peur, le chagrin et le danger. Mais il y avait aussi cette appréhension intellectuelle et affective commune à tous les cancérologues, du fait qu'ils restent si démunis devant le cancer et que les traitements sur lesquels ils comptent et dont ils font la « promotion » restent trop souvent sans effet. En ce sens, lorsque la mort frappe, ils en portent la culpabilité. Je me demande comment les médecins la supportent. Le Dr Waxman, qui ne se départait jamais de sa gentillesse, doit avoir regretté de n'avoir pas ménagé Barbara. Mais elle n'avait jamais cessé d'exiger de lui la vérité. De ce jour, il se montra toujours très attentionné envers elle, mais je pense aussi qu'il devait se sentir navré et coupable. Il avait dû très mal prendre cette année de chimiothérapie inutile — le traitement que le Dr Esselstyn de Cleveland considérait comme sa spécialité. « Elle est venue me voir trop tard », ne cessait-il de me répéter sans lâcher pied. Mais je n'y avais jamais cru.

Une fois encore, elle demanda à rentrer à la maison, cette fois pour mourir chez elle. Il ne pouvait le lui refuser. Nous tînmes quatre jours. Elle n'arrêta pas de fourrager dans ses papiers et dans le manuscrit qu'elle avait écrit avec Nick Proferes, les éparpillant dans tout le bureau. Cette activité me semblait bien inutile, mais je devais m'apercevoir plus tard qu'il n'en était rien.

C'est pendant ces journées que je commençai à noter l'apparition d'un phénomène qui me glaça d'effroi plus que tout autre. J'allai vérifier dans mon *Merck Manual* le terme « apoplexie » : « Trouble récurrent paroxysmique des fonctions cérébrales, caractérisé par de soudaines et brèves crises affectant la conscience, l'activité motrice, les phénomènes sensoriels ou les comportements. »

Le cancer avait atteint le cerveau.

Au début, les crises étaient légères, puis elles gagnèrent en violence. Après chacune, elle me suppliait de n'en rien dire au Dr Waxman, de peur qu'il ne l'hospitalise de nouveau. Mais lorsqu'elle eut une crise si terrible qu'elle me rappelait une scène de *l'Exorciste*, j'eus très peur car il me semblait qu'elle n'arrivait pas à se reprendre. J'appelai Waxman. C'était l'après-midi d'un chaud dimanche, et il était à la campagne ; il revint tout de suite et, après un seul coup d'œil, la pressa de le laisser la reprendre sous surveillance médicale. Elle n'avait plus la force de discuter. Plusieurs semaines avant, nous avions tous deux été invités au festival du cinéma de Deauville, où l'on devait projeter *Wanda*. Nous devions nous envoler de New York le 5 septembre ; nos places étaient réservées. Barbara avait assuré qu'elle se sentait capable d'y aller, et continua de le faire après ses crises. Nous avions prévu une chaise roulante et une infirmière à la descente de l'avion. Nous avions réservé une chambre avec un balcon au soleil. Des amis avaient été prévenus de notre heure d'arrivée.

Ce qui eut le plus d'importance pour Barbara, pendant ces dernières journées à l'hôpital, fut la visite de notre fils, Leo. Il arriva, la mine tendre, me demanda de quitter la pièce et ferma la porte. Vingt minutes plus tard, il partit sans un mot. Elle ne me raconta pas non plus ce qui s'était passé entre eux, mais je pus voir qu'il avait trouvé les mots pour la réconforter. J'étais fier de lui.

A la clinique de Cleveland, le Dr Esselstyn lui avait dit qu'elle en avait pour deux ou trois ans. Elle mourut un an et trois mois après le jour où je l'avais admirée de lui avoir demandé la vérité.

Une fois admis l'inéluctable, elle avait agi comme si elle était en bonne santé, jusqu'à six semaines de sa mort. Elle m'a appris comment bien mourir, en vivant jusqu'au bout comme si la mort ne devait jamais frapper. Elle avait confié à une amie venue lui rendre visite sur la fin que la dernière année de sa vie avait été la meilleure. Peut-être était-ce la vérité. Entre nous, il n'y avait pas d'amour au sens conjugal du terme. Mais j'éprouvais pour elle de l'admiration et du dévouement, et j'avais su, à grand-peine, obtenir sa confiance. Ce sont là des qualités exceptionnelles, peut-être plus importantes encore que le sentiment amoureux. Nous étions amis. Et ce n'est pas rien non plus.

Son cœur s'est arrêté de battre le 5 septembre, le jour où nous devions prendre l'avion pour Paris — Deauville. Sa mort a été annoncée depuis la scène, au palais du Festival.

Pendant que Barbara agonisait au septième étage du Klingenstein Pavi-
lion, Harold Clurman reposait deux étages plus bas, frappé d'un cancer du
pancréas et porteur d'une tumeur maligne au foie. Harold ne survivrait
que trois jours à Barbara. En dépit des conflits qui nous avaient opposés,
certains violents, Barbara et lui étaient les personnes dont je me sentais le
plus proche. Depuis le jour où, simple débutant, j'étais arrivé au Group
Theatre, Harold avait été mon mentor, la personne dont j'avais le plus
appris ; il avait changé ma vie. J'ai perdu d'autres amis proches, mais
Harold est celui qui me manque le plus.

Dès que Barbara s'endormait, je dégringolais deux étages. Quel
contraste entre ces deux chambres ! Pendant les cinq dernières semaines
de sa vie, nous étions, moi et son collaborateur, Nick Proferes, les seules
personnes au monde à être admises dans la chambre de Barbara et au
courant de son état. La nouvelle de sa mort surprit même sa famille.
Harold avait constamment des visiteurs venus partager ce qu'on leur avait
présenté comme ses derniers jours. Il reposait là, tel un dieu mourant
parmi ses adorateurs, ou comme un bébé dont la mère, après l'avoir
bordé, s'attarde pour lui murmurer des mots doux et lui caresser la tête
(ce que faisaient d'ailleurs toutes les femmes, et moi aussi), restant à
proximité jusqu'à ce qu'il s'endorme.

Alors que Barbara savait exactement où se développaient les tumeurs
qui la tuaient, on avait dit à Harold qu'il souffrait d'une hépatite, et que
cela passerait. Son médecin pensait qu'il ne supporterait pas la vérité. Je
me demande bien comment il parvint à justifier aux yeux du malade le fait
qu'il était paralysé des jambes, à partir de la taille. Et je m'imagine mal,
aussi, comment Harold le crut — mais le croyait-il ? — aussi longtemps. Il
y avait eu des discussions animées, et parfois aigres, parmi ses proches
pour savoir s'il convenait ou non de lui dire de quoi il souffrait. Sa
compagne d'alors était persuadée qu'il fallait le lui dire, afin qu'il puisse
« s'accommoder de son destin ». Mais elle représentait une minorité. La
plupart de ses amis pensaient que la chose au monde dont Harold ne
pourrait jamais s'accommoder était sa mort prochaine.

Ils avaient tort. Harold était prêt. Même s'il avait nourri certains espoirs
insatisfaits, il n'était pas aigri, ni engagé dans des combats perdus
d'avance. Bien au contraire, il eut la mort la plus heureuse qu'il m'ait été
donné de voir.

Comment cela se peut-il ? Comment avait-il acquis cette tranquillité
d'esprit ?

Rassemblés autour de lui, parfois à quatre ou cinq en même temps, on
trouvait les vétérans de son ancienne armée. Ses aides de camp étaient
deux majestueux infirmiers noirs, les personnes les plus fortes de la pièce,
dont la fonction était de le rouler d'un côté sur l'autre toutes les vingt
minutes et de s'assurer qu'il prenait ses antibiotiques (il avait également
attrapé une pneumonie). Harold guérit de sa pneumonie ; c'était le dernier
de ses soucis, bien que cette lutte l'affaiblît encore plus. Mais même alors,
malgré les gargouillis qui gênaient sa respiration, il ne semblait pas affligé
de son destin, à l'inverse de Barbara. Etait-ce à cause du succès qu'il avait
eu en tant que metteur en scène et de la considération que lui avaient

value ses critiques ? Peut-être. Mais la raison en était plutôt qu'il aurait
sans doute choisi de mourir ainsi, entouré de camarades artistes qui le
considéraient toujours comme leur leader et se rappelaient tous une
phrase ou une autre de Harold qui les avait influencés. Harold aimait le
groupe dévoué qui entourait son lit. C'était comme une constante répétition matin, midi et soir, avec tous ceux qui avaient travaillé avec lui. Il
faisait ce qu'il avait toujours fait : rassembler une famille d'artistes autour
de sa personne, un « groupe ». De merveilleuses histoires du passé étaient
remémorées, des souvenirs évoqués, des commérages rapportés, des anecdotes analysées et interprétées. Et toujours fusaient les plaisanteries, qui
faisaient rire tout le monde — Harold compris. C'était un peu comme une
fête.

Quand j'entrais dans sa chambre, il était fou de joie de me voir, il
m'attendait. Je m'asseyais sur le bord du lit et il me prenait la main. La
sienne était douce et chaude, et il me retenait longtemps, scrutant mon
visage comme s'il voulait graver mes traits dans sa mémoire. A chacune de
mes visites, il me demandait des nouvelles de Barbara. « Ça va », mentais-
je, me doutant qu'il ne la savait pas deux étages au-dessus. Il s'était pris
d'une tendresse particulière pour Barbara et lui avait dédicacé un livre :
« A ma chère Barbara, passionnément. » Je pense qu'il était étonné de ce
qu'elle ne fût pas venue le voir. Harold voulait avoir maintenant autour de
lui tous ceux qu'il aimait.

Comme les autres visiteurs, je me souvenais des années qui avaient été
importantes pour nous. Nous avions beaucoup fait ensemble — et notre
amitié avait duré. Les années 30 étaient l'époque des prophètes, Harold
fut le nôtre. Il venait du désert du Lower East Side pour renouveler son
monde, celui du théâtre. Parlant avec une ferveur proche de l'hystérie à
de jeunes acteurs avides de foi artistique, il les avait rassemblés dans le
Group Theatre et leur avait ouvert la possibilité d'un art qui valût la peine
d'être vécu. Du Group, il fit une cause qui deviendrait, pendant huit
longues années, *ma* cause. Lorsque je quittai l'Ecole d'art dramatique de
Yale, je n'étais qu'un jeune homme sans orientation bien définie, qui avait
appris à construire un décor et à le peindre, à accrocher ses projecteurs et
à les régler, mais guère plus. Je savais travailler de mes mains et de mon
dos. Si je suis devenu un artiste, c'est à Harold que je le dois. Et il fit de
même pour bien d'autres jeunes gens.

Sa parole avait pour nous la force et la valeur absolue d'un slogan
révolutionnaire : sur les ruines du vieux théâtre, nous allions reconstruire
le nôtre. Une fois ce dogme accepté, un peu comme un serment de
conspirateur, signé d'une plume trempée dans le sang, impossible de
reculer. On aurait dit que le premier effort de sa vie était de réunir et de
retenir des gens autour de lui. Lorsqu'un acteur quittait le Group, pour
aller ailleurs gagner un argent plus facile — comme à Hollywood —, il
commettait un péché mortel non seulement aux yeux des autres membres,
mais également aux siens propres. Il se sentait coupable. Harold, quant à
lui, continuait à le considérer comme un membre du Group temporaire-
ment égaré, qu'il ramènerait en fin de compte au bercail. Il le suivait, ne
le lâchait pas, croyant en la rédemption du pécheur.

Sans enfants, Harold avait été marié deux fois, irrégularité étonnante pour le bourgeois qu'il était. Je l'ai toujours vu comme plus féminin que masculin. Non pas du point de vue sexuel — il aimait les femmes — mais moral. Il me semblait être une « mère » dont la vie consistait à partager celle de ses garçons et de ses filles, ceux qu'il avait découverts, aidés de ses conseils, raffermis de ses louanges, formés de ses analyses et inspirés de sa passion. N'ayant pas de famille, il constitua une famille de croyants, enrôlés au service de sa cause. Leurs succès faisaient sa fierté, leurs échecs son souci. Sa famille était plus nombreuse que tout foyer traditionnel.

Durant les heures où je lui rendais visite, je restais assis au bord de son lit, en compagnie d'un certain nombre d'actrices et d'acteurs dévoués avec lesquels nous avions tous deux travaillé. Leur présence était un hommage. Je vis là de jeunes metteurs en scène et auteurs dramatiques promis, Harold en était sûr, à un brillant avenir. Il continuait à ne pas comprendre pourquoi Lee Strasberg n'était pas venu et n'avait pas même appelé. Quoi qu'il ait pu penser de Lee à la fin (un « corrompu »), ils avaient été aussi proches qu'on peut l'être et sans doute partagé le meilleur de leur vie. « Il doit bien savoir que je suis malade, se plaignait Harold, tout le monde le sait. »

Harold avait exprimé le désir de voir sa première femme, Stella Adler, et lui fit demander de venir de Beverly Hills. Il lui avait déjà téléphoné pour l'informer que, paralysé des jambes à partir de la taille, il ne pouvait marcher. La réponse ne se fit pas attendre : « Tu peux encore écrire ? » Quand il sut qu'elle était arrivée en ville et venait à l'hôpital, il demanda à l'un des infirmiers de raser ses joues blafardes, de peigner ses cheveux clairsemés et avachis et de lui passer une chemise de nuit propre. Stella entra, les bras chargés de fleurs. Très rapidement, ils se retrouvèrent dans le feu d'une discussion sur Henrik Ibsen, à qui Harold avait consacré un livre. Stella l'avait lu, et exprima fougueusement quelques désaccords qui stimulèrent Harold et ravivèrent le reste de son énergie. Il fut heureux et reconnaissant de sa visite. A son départ, Stella se plaignit à un ami qu'Harold ne regardait pas les gens dans les yeux en leur parlant, et qu'il donnerait une meilleure impression de lui-même s'il le faisait. C'était encore le professeur d'art dramatique qui parlait. Au même moment, Harold disait à un visiteur témoin de la scène : « N'est-elle pas merveilleuse ? Vraiment aussi belle que jamais ! » Un peu plus tard, le même jour, il devait assurer à Bob Whitehead que sa paralysie ne l'empêcherait pas de diriger à nouveau. « J'irai avec mes béquilles », proclama-t-il. Mais ce fut un feu de paille.

Harold envoya chercher Juleen Compton, sa seconde femme dont il était séparé. Il se vantait de ce qu'elle vînt de Californie par pure affection. Il apparut rapidement qu'elle avait un autre mobile. Trouvant son testament, elle découvrit qu'il se proposait de répartir sa modeste fortune à parts égales entre Stella, elle-même et sa belle-fille, Ellen. Cela la rendit furieuse, ce que l'on comprendra car elle n'avait aucune raison de ne pas se voir toujours comme la seule épouse légitime, ce qui lui donnait droit à la part du lion. Harold fit valoir qu'ils étaient divorcés, même si aucun papier ne le prouvait. Il avait été trop paresseux, ou trop indifférent, pour entreprendre quelque démarche que ce fût. Juleen se lança dans une attaque en règle contre cet homme sur son lit de mort. Des amis attendant dans le hall les entendirent se disputer à grands cris. Après quoi, le nouveau partage favorisa davantage Juleen. On a dit que cet épisode avait été le seul moment de dépression dans les derniers jours d'Harold ; mais je préfère penser qu'ayant « toujours eu des problèmes avec ses femmes » (comme le disaient ses proches), Harold avait trouvé un plaisir pervers dans le conflit qu'il avait suscité. Il lui avait sans doute rappelé une époque antérieure plus animée et cela ne l'avait pas empêché, après le départ de Juleen, de s'enorgueillir de ce qu'elle avait fait tout le chemin depuis la Californie pour venir à son chevet.

Il éprouvait aussi un plaisir flatté à lire les télégrammes de bons vœux qui lui étaient envoyés, en particulier une lettre d'Oliver Smith, le décorateur, qu'il me cita par deux fois : « Vous êtes le seul génie que j'aie jamais connu », avait écrit Oliver.

Il est difficile d'imaginer ce qu'aurait été son autobiographie, car il semblait n'éprouver d'intérêt que pour les autres personnes de talent. Il écrivit un livre qu'il sous-titra : « En guise d'autobiographie ». L'ouvrage ne parlait pas de lui, c'étaient des mémoires consacrés à ceux qu'il avait admirés pour une raison ou pour une autre, et qui expliquaient pourquoi. Tous les artistes dont il avait observé et aimé le travail représentaient sa famille. Au théâtre, la *famille* s'éparpille de Tel-Aviv à Tōkyō. Harold avait appris à faire comprendre ce qu'il voulait même lorsqu'il dirigeait des acteurs qui ne comprenaient pas l'anglais, et à gagner leur admiration par son intelligence.

Je crois que ce qu'il détestait — voire redoutait — le plus était la séparation. Sa vie, au théâtre, était tout le contraire : la communauté. Il mourut dans un groupe.

Pour quelle cause se battait-il ? J'ai lu tout ce qu'il a écrit — il fut le critique dramatique le plus fécond de notre époque —, mais on pourrait exprimer son objectif sous une forme plus concise et plus simple qu'il ne le fit jamais. Il pensait que le théâtre devait illuminer la vie des gens, de façon à les rendre meilleurs, plus conscients, plus compréhensifs, plus aimants. Pour lui, la vie était une quête. Dans une fameuse citation, il dit : « Je ne sais pas si les hommes et les femmes sont perfectibles, mais ils doivent faire comme s'ils l'étaient. » Tout comme moi, il croyait à l'effort, celui de se rendre digne des possibilités humaines.

Voilà pour son bon côté. Parfois, il pouvait se montrer aussi vain et égoïste que le reste d'entre nous — mais ses défauts n'étaient rien en comparaison de ses qualités.

A ma dernière visite, alors que je devais quitter sa chambre — pour aller voir encore comment allait Barbara —, je dégageai ma main de la sienne et y logeai celle d'une actrice assise à mon côté. Harold me fit un doux sourire, mais demeura silencieux. La tristesse l'envahissait toujours lorsque quelqu'un quittait sa chambre. Pensait-il qu'il ne reverrait plus jamais cette personne ? Les deux ou trois dernières semaines, il doit s'être douté de ce qu'il avait, avoir pris conscience de sa mort prochaine et s'être préparé à l'inéluctable. Il avait l'habitude de dire, bien avant cette période, que la marque de la maturité est la façon que l'on a d'aborder sa propre mort. Il aborda la sienne comme il l'aurait souhaité alors.

Lorsqu'il mourut, m'a-t-on dit (je n'étais pas à son chevet, mais de l'autre côté de la rivière, à Jersey, où le corps de Barbara devait être incinéré), Harold s'éteignit sans une protestation, comme le survivant d'un naufrage resté accroché à une planche pendant la tempête, quand le calme revient ; affaibli par la longue lutte, à bout de forces, il se rend compte qu'il ne peut plus, ne veut plus, même, s'accrocher, car la mer sombre s'est calmée, et l'invite ; il lâche prise, se laisse glisser dans les profondeurs. Je ne l'ai pas vu malheureux une seule fois durant ces derniers jours. Alors que Barbara s'était éteinte en hurlant sa rage, Harold semblait prêt, et même décidé à quitter ce monde.

Je les admirais tous les deux. Autant l'un que l'autre. De chacun, j'ai appris quelque chose.

Une longue discussion fit ensuite rage : fallait-il incinérer ou enterrer Harold ? Son moderniste cousin Richard voulait qu'on l'incinère, mais la vieille garde traditionnelle l'emporta et Harold fut enterré près de la concession Adler, à Brooklyn. En se rendant à la tombe, la petite quinzaine de personnes qui, m'a-t-on raconté, formaient le cortège, passa devant la tombe du grand Jacob P. Adler, le chef du clan Adler et la plus grande star du théâtre yiddish, et le père de Stella. Sa tombe était surmontée d'un magnifique aigle (*adler* en yiddish) de pierre ; au pied du monument, un crâne rappelait qu'*Hamlet* avait été l'un de ses plus grands rôles. Une fois le cercueil d'Harold descendu dans la tombe, alors que l'assistance commençait à repartir, Stella se détacha du groupe et tomba à genoux devant le tombeau de son père, l'embrassa et éclata en sanglots. Le cortège attendait. Les personnes qui assistaient à la scène m'ont décrit la douleur de Stella comme le moment d'émotion le plus intense de la journée. Esclave de Stella toute sa vie, Harold aurait compris. Et peut-être souri.

Quelques jours après l'incinération, je revins dans le New Jersey chercher l'urne qui contenait les cendres de Barbara. Ne sachant où les mettre, je parcourais en tous sens la maison vide, incapable de prendre une décision.

La maison paraissait hantée et résonnait comme une caverne. Je pénétrai dans la pièce contiguë à notre chambre, dont Barbara avait fait son bureau. J'y étais rarement entré, car elle m'avait clairement fait comprendre qu'elle préférait ne pas m'y voir. Je décidai de placer ses cendres sur une étagère, près de la boîte dans laquelle elle avait passé de si longues heures en méditation.

La pièce était un capharnaüm de reliefs de sa vie. Dans le coin le plus éloigné se trouvait une vieille armoire de dentiste que Molly avait dénichée des années auparavant, et que Barbara avait reprise à son usage en arrivant. J'y trouvai des bandes magnétiques, maintenues ensemble par des ficelles. Dans un tiroir du fond, je découvris un paquet de carnets retenus ensemble par du papier collant. Apparemment, elle avait voulu conserver tout cela secret.

A côté de la machine à écrire, trois piles de manuscrits photocopiés, les scénarios complets qu'elle avait écrits avec Nick Proferes. J'avais vu l'ardeur avec laquelle elle et Nick y avaient travaillé, mois après mois. Ils avaient soumis leurs projets pour financement, obtenu des encouragements mais rien de concret — c'est-à-dire pas d'argent. Cela me rappela Molly et les premières pages des pièces que j'avais trouvées après sa mort, 1 à 9, 1 à 12, 1 à 8: des ébauches entreprises dans un moment de confiance, abandonnées dans le désespoir, le témoignage d'un crève-cœur. Barbara, au moins, avec l'aide de Nick, avait pu poursuivre son effort jusqu'à lui donner une forme présentable. Mais la défaite finale n'aurait-elle pas été encore plus douloureuse? Je me rappelais Molly assise sur le plancher de son bureau, jouant au solitaire, comme le bruit de Barbara tapant tard dans la nuit, d'un doigt lent et malhabile. Comment avaient-elles pu conserver le moral? Comment avaient-elles survécu? Elles n'avaient rien conservé du tout, n'avaient pas survécu.

J'éprouvais maintenant pour Barbara une compassion que je n'avais jamais été capable d'exprimer. C'est dans cet état d'esprit que je ramassai les carnets au fond de l'armoire de dentiste. Fallait-il les considérer comme définitivement confidentiels? Dans ce cas, ne les aurait-elle pas détruits? Je me souvenais de ses deux derniers jours, à la maison, et des heures qu'elle avait passées dans cette pièce, à farfouiller dans ses papiers. Tout ce qu'elle avait voulu faire disparaître, elle l'aurait détruit alors. Elle avait certainement laissé ces documents à mon intention. Peut-être les carnets ou les bandes contenaient-ils un message, quelque chose à faire après sa mort.

Je défis le paquet de carnets soigneusement ficelé et commençai ma lecture. C'était ce que j'avais deviné: un journal intime où elle consignait la déception que lui avait inspirée notre relation, les illuminations qu'avaient suscitées en elle les divers médecins, thérapeutes et conseillers vers lesquels elle s'était tournée. Rien de tout cela ne me surprit — puis ce fut le choc.

J'ouvris un petit paquet plat, en déchirant le Scotch, et dégageai son contenu. Je dépliai une lettre d'une seule page de Nick Proferes, que la législation sur les lettres privées m'interdit de reproduire. Barbara avait sans doute suggéré qu'ils pourraient s'engager dans une relation plus permanente, et ce devait être la réponse.

A partir de cette lettre, je pouvais reconstruire la tragédie. Désespérant de voir s'améliorer nos relations, elle avait proposé à Nick d'assumer leur liaison amoureuse comme leur rapport de travail, et de rendre publique cette union. Je n'avais bien sûr pas la lettre de Barbara, mais la réponse de Nick me laissait deviner tout l'espoir qu'elle avait d'un nouvel avenir. Le refus de Nick était triste, rédigé d'une longue écriture incertaine, ne donnait aucune justification, et se contentait de signifier sans équivoque à Barbara le rejet de ses espoirs.

Alors, des années plus tard, assis dans le bureau sombre de cette femme morte, je me suis mis à sa place. Elle avait cherché un homme qu'elle respecte, qui s'intéresse à son avenir cinématographique. Je me suis rendu compte de tout ce que Nick avait dû représenter pour elle: ils étaient en complète harmonie en ce qui concernait les sujets, leurs goûts et les techniques. Comment, alors, lui reprocher d'avoir voulu aussi le reste? Pour cette femme à qui il coûtait tant de demander le moindre service, ce refus avait dû être un coup terrible. Je ne sais ce qui s'était passé entre eux mais, mis à part les questions personnelles, Nick était un type bien et je suis sûr qu'il avait de bonnes raisons d'agir ainsi, tout comme elle. C'était bien là le pire: personne n'était coupable.

Je me suis souvenu de ces jours où elle devenait brusquement livide et se retirait dans sa chambre, où elle passait le plus clair de son temps à dormir. Quand je lui demandais ce qui n'allait pas, elle se contentait de hocher la tête. Maintenant, je pouvais deviner. Le refus de Nick l'avait abandonnée à un mariage sans espoir, dont elle pouvait sortir sans avoir quelqu'un vers qui aller. Des mois avaient passé ainsi dans le désespoir. Elle semblait de plus en plus perdre volonté et énergie, se réfugiant dans le sommeil comme le font les personnes découragées. Elle avait certainement compris que, bien que nous ne fussions plus amants, je continuerais de veiller sur elle. Peut-être s'était-elle même sentie forcée de ressentir quelque gratitude à mon égard — tout en se reprochant alors ce sentiment.

Cette pièce lugubre contenait d'autres carnets et d'autres bandes, que je me mis à lire et à écouter. J'y découvris la litanie des thérapeutes et philosophes qu'elle avait consultés, de ses réactions, de ses brusques mouvements dans une direction puis dans l'autre, à mesure qu'elle en arrivait à la conclusion que son cancer avait des origines psychiques et se décidait à se soigner à ce niveau plutôt que par la chimiothérapie. Le nombre des experts à qui elle s'était adressée, la variété de leurs opinions, la démesure de leurs suggestions et conseils me stupéfièrent comme ils me stupéfient encore. Mais, suprême ironie, malgré mon mépris pour leur avis, je commençais à croire que c'était une longue série de malheurs, dans la vie de cette femme, depuis son enfance négligée — de petites morts, comme je les appelle —, qui avaient ouvert la voie au cancer, et que son effondrement physique avait des causes psychologiques. Les médecins, avec leurs aiguilles et leurs scalpels, n'avaient trouvé ni cause ni remède au mal qui avait emporté Barbara; peut-être devais-je moi aussi chercher là où elle avait cherché, dans les événements intérieurs, « intimes ».

Je me rappelais les médecins de ma mère, deux à Port Chester, dans l'État de New York, et deux à Beverly Hills, en Californie: des hommes bien habillés, parlant avec politesse, bronzés, amateurs d'art, fous de théâtre et de cinéma, arborant les manières imposantes de l'élite de leur profession. Ils ne surent pas ce qu'elle avait jusqu'à ce qu'il fût trop tard. Et quand ils découvrirent la vérité, ils n'eurent pas la moindre idée de ce qu'il convenait de faire. Seul conseil du Dr Gold: je devais permettre à ma mère de « faire une belle mort » — plus ou moins ce que le Dr Waxman avait finalement dû avouer à Barbara: « Je ne puis plus rien pour vous. C'est à vous de jouer, maintenant. » Et ce après des mois de traitement. J'en arrivai donc à la conclusion que les médecins n'en savent guère plus que vous ou moi. Ils peuvent bien dire ce qu'ils veulent, se livrer à leurs petites expériences et annoncer leurs conclusions à grand fracas, bénéficier de coquettes subventions, recevoir des prix et avoir leur photo dans le *New York Times*, ils ne m'impressionnent pas.

Je commençai à changer de camp, et à examiner les indices dont je disposais sur ce qui peut provoquer la désagrégation physique d'une personne. J'avais vu le processus à l'œuvre sur Molly, lorsque ses enfants avaient quitté la maison et qu'elle avait enfin eu le loisir, l'occasion qu'elle avait attendue toute sa vie, de « travailler pour elle » et de réaliser son rêve en écrivant pour le théâtre. Au lieu de quoi, elle avait passé des journées entières sur ce sacré tapis suédois, à jouer au solitaire, à se mettre derrière sa machine avec une idée, à commencer une pièce, à avancer pendant quelques pages, puis, du scalpel qu'elle avait en guise d'intelligence, à disséquer ce qu'elle avait écrit et à étouffer toute bouffée d'espoir. J'avais vu la tension monter en elle. « Je n'y arriverai pas, Gadg », disait-elle, ou encore : « C'est mon cerveau qui ne vaut rien, Gadg ! » Le désespoir que j'avais vu envahir ces traits ! Comment s'étonner que quelque chose ait fini par casser, dans cette tête, et l'ait détruite ?

Je me souvenais des dernières années de Steinbeck, de ses espoirs : *l'Hiver de notre mécontentement* (« une voix épuisée »), *Travels with Charley* (« agréable mais banal »), ses nouvelles du front (« un libéral qui se trahit »), le prix Nobel (« qui aurait peut-être dû aller à quelqu'un d'autre »). A quelle aune se mesure la douleur ? J'ai appelé cela de petites morts. Mais John les avait endurées et avait continué — du moins semble-t-il — jusqu'à ce que son cœur lâche, forcé de supporter plus qu'il n'en pouvait. De quoi est-il mort à soixante-six ans ? Quel était son secret ? John a marché vers sa propre mort pour préserver intacte sa personnalité. Mais jamais il n'a renoncé à son amour-propre. Il n'y a que les gens de valeur pour disparaître ainsi.

Nick Ray, qui était totalement envahi par le cancer quand il mourut, jusque dans le cerveau, était aussi un homme fier. Il avait été démoralisé par une série d'échecs commerciaux et la honte professionnelle qui en résulte dans les milieux du cinéma. Comme beaucoup d'autres, il recourut aux drogues, puis échoua plus lamentablement encore, dans ses derniers films comme dans sa vie privée, en lambeaux. Au bout du rouleau, dans une situation désespérée, et sachant qu'il allait bientôt mourir, fier à ne plus pouvoir reculer, il prêta la main à un film sur sa propre fin, ultime défi à la camarde. C'était le dernier drame qui restât dans sa vie, et il en faisait un film. Il mourrait tel qu'en lui-même.

Harold Clurman ? L'homme qui avait inspiré plus de monde que tout autre, dans le théâtre américain contemporain, attendit toute sa vie une récompense, un poste de directeur d'une troupe permanente de New York. Il m'avait vu l'obtenir et avait assisté depuis les coulisses à mon échec. Il voyait enfin venir sa chance. « Nous aurons un jour notre troupe ; ne perdez pas l'espoir », disait-il aux acteurs qui croyaient en lui. Quand je démissionnai de mon poste, au Théâtre de Répertoire, il demanda à de bons amis comme Ed Albee, Lenny Bernstein, Art Miller et d'autres encore, parmi lesquels je figurais, d'envoyer un télégramme au Lincoln Center pour demander, voire exiger, qu'on lui attribue mon ancien poste. Il était, pensions-nous tous, l'homme le mieux placé au monde pour cet emploi. Mais ce n'était pas l'avis de l'entourage de George Woods et de John Rockefeller. Ils l'écartèrent. Il a survécu par ses écrits, le meilleur compte rendu de notre époque par un homme de théâtre. Mais ce qu'il désirait le plus, il ne l'a pas eu.

La plus douloureuse défaite, c'est peut-être celle que subit Clifford Odets. Quand on se souvient des années pendant lesquelles il fut salué comme le meilleur auteur dramatique de sa génération, comme on le révérait — une voix nouvelle, le porte-parole de monsieur Tout-le-Monde ! — et comme il fut brusquement ravalé au rang de moins que rien aux yeux de ceux qui avaient fait de lui un héros ! Il était allé se cacher à Beverly Hills avec les deux enfants que sa femme lui avait laissés à élever. Là encore un échec, et j'avais assisté à son humiliation. Les dernières années, les seuls travaux qu'on lui confiait étaient des dialogues, sur des scénarios écrits par d'autres, juste de quoi faire passer quelques étincelles de son génie dans la grisaille cinématographique. Je ne demande pas qu'on l'aime, mais seulement qu'on imagine la douleur qu'il a dû ressentir, cette blessure béante. J'ai vu et entendu le mépris accumulé sur sa tête une fois qu'il eut témoigné « pour » la H.U.A.C. S'il n'a pas eu tort en prenant ce parti, il s'est certainement fait grand tort à lui-même. Je le connaissais suffisamment bien pour le savoir sans défense, contrairement à moi, devant l'opprobre : il avait besoin, plus que de raison, que les gens éprouvent pour lui le respect qu'inspirent les héros — une chose dont je pouvais, et dont je dus bien, en fin de compte, me passer.

Je les ai tous bien connus et je les ai beaucoup aimés. En étudiant leur vie, je me suis rendu compte que leur âme avait été broyée, petit à petit, fragmentée puis détruite. Ils avaient perdu ces défenses essentielles qui les auraient empêchés de désespérer. C'est ainsi que j'en suis venu à établir ma propre théorie sur les causes des maladies mortelles, notion (car ce n'est guère plus qu'une notion : elle ne repose sur rien de « scientifique ») dont les docteurs penseront qu'elle est stupide ou, au mieux, qu'elle ne tient pas debout. Mais ils devraient réfléchir avant de me contredire. Ils n'ont pas encore trouvé la cause — ou un traitement efficace — du cancer, de l'hypertension artérielle ou de la désintégration du cœur pour raisons de « stress ».

Ce mal a touché mes proches les uns après les autres, et pas seulement les six dont je viens de décrire les derniers instants. Il existe bel et bien un noyau vital à l'intérieur de chaque être humain, et c'est dans ce noyau que réside son amour-propre. Lorsque ce noyau est écrasé, la personne n'en laissera peut-être rien paraître (fierté, peur, ignorance, confusion ?), mais un événement terrible vient d'avoir lieu : les défenses immunitaires de cette personne ont été rendues inopérantes ; elles ont cessé de protéger son corps contre la maladie. Elle a déjà un pied dans la tombe.

La chair et l'âme sont interdépendantes, en effet. C'est un processus mystérieux et dévastateur qui conduit un homme ou une femme à se désintéresser de sa personne — qu'il (ou elle) en prenne conscience ou non. L'âme fait passer le message et les forces protectrices du corps — le système immunitaire, comme on dit — rendent les armes et abandonnent le corps à la malignité, qui n'attendait que cette ouverture. L'organisme humain est un tout, et son noyau est constitué de ce qu'on appelait autrefois l'esprit, parfois l'esprit saint, car c'est bien de sainteté qu'il s'agit. Si ce noyau est détruit, il nous est impossible de survivre. Dans cette mesure, on peut dire que l'homme se tue lui-même.

Les années à venir sont pour moi celles de tous les dangers, mais je me dis ceci : chacun de nous s'use peu à peu. C'est terrifiant mais inévitable. Et tout le monde a des ennemis. Peu importe. Ce qui compte, en effet, c'est de se fortifier et de conserver intact son amour-propre. J'ai décidé que personne ne me blesserait plus jamais. En tout cas, personne ne portera plus jamais atteinte à mes défenses vitales. Je résisterai à toutes les épreuves, je survivrai à toutes les douleurs, j'afficherai un mépris souverain face à toutes les marques de rejet dont je serai victime, je ferai de mon mieux pour vivre selon mes propres critères et ne pas être tributaire de l'estime des autres (c'est le premier commandement dans le monde du cinéma et du théâtre), pour ne pas avoir besoin de leurs louanges ni me sentir obligé d'accomplir ce qu'ils attendent de moi pour être déçu ensuite si je n'y parviens pas. Quelles que soient les blessures dont souffrira peut-être mon corps, je ne laisserai jamais rien affecter mon âme.

Harold Clurman se plaisait à citer Sarah Bernhardt, en particulier ces quatre mots : « en dépit de tout ». C'est à la suite de l'opération qui lui avait coûté une jambe qu'elle avait écrit à un ami : « J'accepte la perte d'un de mes membres mais je refuse de rester impotente. La force de l'art me soutient. Mon travail est ma vie. Je remplirai mes engagements théâtraux — en dépit de tout. » C'est alors que P. T. Barnum avait envoyé un agent lui offrir une grosse somme d'argent si elle acceptait d'exhiber sa jambe. Et elle avait répondu : « Laquelle ? »

Quand j'étais jeune, je n'arrêtais pas de m'apitoyer sur mon sort. Maintenant, je me rends compte que mes handicaps étaient en fait une bénédiction : ils m'ont rendu plus robuste, plus audacieux et plus résistant. J'ai été blessé si souvent que je ne peux plus l'être. Comme j'étais dépourvu de ce que les autres avaient, j'ai dû faire appel à mes capacités et à mes talents cachés. J'ai découvert que tout se paie mais qu'il faut toujours aller de l'avant ; j'ai appris à demander pardon en réglant la facture. Et les combats que j'ai dû mener ont rendu mes succès plus agréables encore. Souvent, le talent n'est rien d'autre que la cicatrice sur les blessures, et si j'en ai davantage que la plupart des gens, c'est sans doute pour cette raison. Etudiez ceux que vous admirez pour leurs réussites et vous découvrirez peut-être dans leur passé des événements pénibles et lourds de conséquences. D'abord désespérés, ces êtres ont acquis grâce aux épreuves la force qui leur a permis d'accéder au succès. Un philosophe a dit : « Ce qui ne me tue pas me rend plus fort. » J'en suis venu à croire que tout ce qui en vaut la peine est hors d'atteinte — ou donne cette impression de prime abord. Mais il faut persister au lieu de reculer, il faut mener le combat jusqu'au bout, payer son dû et continuer. Tout est dans l'effort. Si vous persistez, vous y arriverez peut-être — en dépit de tout.

J'imagine que, de temps en temps, vous avez trouvé mon livre injuste, laid et odieux. Çà et là, il est aussi vulgaire, mais c'est un mot devant lequel je ne recule pas. J'ai essayé de dire la vérité au sujet des gens que j'ai connus, mais surtout à propos de moi. Je crois que j'ai été plus dur avec moi-même qu'avec n'importe qui d'autre. S'il y a une chose que vous n'arriverez jamais à me faire croire, c'est que la plupart des gens se conduisent mieux que moi. J'ai parcouru ce pays de long en large, j'ai observé le visage de ses habitants et je les ai étudiés, j'ai discuté et j'ai écouté, j'ai lu les journaux, je suis devenu un adepte de la télé (y compris des publicités, très révélatrices) et un fan de nos sports : j'étudie ce qu'ils révèlent de notre nature. L'espèce humaine est… eh bien, elle fait de son mieux — la plupart du temps. Je ne renvoie pas leurs défauts à la figure des gens ; je ne demande que leur tolérance à l'égard des miens.

Je suis désormais ce qu'un critique anglais a récemment appelé « un volcan éteint ». (Nous avons tous tendance à garder en mémoire les jugements défavorables qui ont été portés sur nous et à oublier les éloges, ce qui ne laisse pas de m'étonner.) Mais je suis encore vivant et plein de curiosité. Parfois, tel un vieux barracuda, je m'installe le nez pointé vers la marée montante et j'attends de voir ce qu'elle va apporter. A d'autres moments, je cours par-ci, par-là, tel un gamin curieux qui veut avoir tout vu avant la nuit. Je n'ai jamais souhaité voir venir la fin d'une journée. Malheureusement, le talent, comme la beauté, se fane. Mais à l'inverse de la beauté, il disparaît sans qu'on s'en aperçoive. Nous refusons l'image que nous tend notre impitoyable miroir intérieur et nous n'admettons jamais avoir perdu nos biens les plus précieux.

S. N. Behrman, l'un de nos bons auteurs de comédies à thèse, ne se plaignait pas tant d'avoir perdu son talent — il a gardé tout son piquant jusqu'au bout — que de courir après sa « vitalité » perdue, comme il disait. Une si grande part de ce qu'on appelle le talent, s'exclamait-il, provient de cette audace incroyable qui accompagne nos plus beaux sursauts d'énergie ! La plupart d'entre nous ne connaissent une telle ferveur que durant leur jeunesse : un appétit insatiable, une curiosité de tous les instants, le temps devant soi, un esprit et un cœur ouverts à toutes les expériences, une intrépidité rarement mise en défaut.

Plus tard, nous nous mettons à faire la sieste l'après-midi.

Nous rendons-nous service en pratiquant l'indulgence envers nous-mêmes ? Bien sûr, si c'est envers les autres, le problème est différent. Mais lorsque nous sommes seuls, c'est-à-dire la plupart du temps, ne vaut-il pas mieux affronter les réalités de la vie à mesure qu'elles se présentent à nous et accepter la mort quand elle cogne à notre huis ? Puis, sans nous lamenter sur notre sort, admettre simplement : c'est comme ça ?

Les arbres de la forêt appartiennent à une jungle silencieuse. Ils se bousculent et se disputent la faveur des rayons du soleil, se tuent les uns les autres, puis se remplacent. Les oiseaux, quant à eux, s'en vont à l'approche de l'hiver ; ils savent ce qui les attend. Après le printemps vient la saison de la mort. Le reste n'est que littérature.

Les gens n'arrêtent pas de me poser cette question : « Tu as entendu ?

— Entendu quoi ? » Mais je sais bien ce qu'ils veulent dire ; je peux le lire sur leur visage. Moi aussi, j'ai lu la nécro du matin. « Untel est mort », me disent-ils. Parfois, le porteur de cette triste nouvelle s'attend que je verse une larme ou que j'émette un commentaire. Mais bon sang, qu'y a-t-il donc à dire ? Ou à demander ? Ont-ils mené une vie heureuse ? Il y a longtemps que j'ai mon opinion sur cette question. Ont-ils amélioré notre sort d'une façon ou d'une autre ? Ont-ils fabriqué de bons enfants ? Le monde qu'ils ont quitté leur est-il reconnaissant de leur passage, et si oui, comment s'y sont-ils pris ? Ce sont là questions d'importance, mais bien trop impertinentes pour que je les pose à un tiers.

Quand la personne défunte avait acquis une certaine réputation dans le monde du théâtre ou du cinéma, on me demande parfois d'assister à une messe et de prononcer quelques mots. En général, je refuse — gentiment, j'espère. Je n'aime pas les cérémonies funèbres. Si leur but est l'éloge, elles viennent un peu tard : les éloges auraient dû être prononcés du vivant de leur destinataire.

Je ne me suis pas rendu à la messe donnée en souvenir de Tennessee Williams, car je m'attendais à une cérémonie larmoyante où chacun s'efforcerait de montrer plus de peine que son voisin. Je n'aurais pas pu le supporter. Mais j'ai accepté d'écrire quelques phrases, lues à cette occasion :

Depuis que Tennessee est mort, j'entends répéter partout qu'il a vécu une vie bien malheureuse ; ses dernières années auraient été particulièrement misérables. Bien sûr, ses capacités ont décliné une fois passé le cap de la soixantaine ; mais c'est le cas de tout le monde. Tennessee était suffisamment poète pour l'accepter. Ne soyez pas tristes pour lui. Cet homme a connu les satisfactions les plus intenses, les plus profondes. De plus, il a vécu comme il l'avait choisi. Nous sommes très peu à jouir de ce privilège. Le talent qu'il possédait a trouvé à exprimer sa pleine mesure dans des pièces qui ne quitteront jamais ni nos planches, ni notre mémoire, ni notre cœur. Lequel d'entre nous, gens de théâtre, peut se vanter d'avoir vécu une vie de travail si riche en aventures et si assidue à produire des réussites ? Je doute qu'on puisse éprouver satisfaction plus profonde que celle-là. Imaginez-vous dans sa peau lorsqu'il écrivait, le matin, quelques-unes des lignes que nous connaissons tous si bien. Ou en train d'assister à une représentation de *la Ménagerie de verre*, où il retrouvait sa famille transmuée en œuvre d'art. Pensez au respect qui lui a été témoigné, à juste titre, et à l'adulation dont il a fait l'objet. Personne n'a été plus adulé que lui au cours de ce siècle. Nous ne devrions pas nous réunir pour pleurer cet homme, nous ne devrions pas faire couler nos larmes en public ni nous lamenter bruyamment. Nous devrions plutôt célébrer sa vie. Ce fut un triomphe. Réjouissons-nous, ici et maintenant, d'avoir eu la chance suprême de l'avoir connu et gardé si longtemps parmi nous. Tennessee Williams a bâti lui-même un monument à sa gloire. Nous ne pouvons qu'admirer la race humaine d'avoir produit un tel homme. Aussi, chaque fois que le talent se manifestera à nous, il nous faudra lui offrir le respect et le soutien qu'il mérite. Ce sera la meilleure façon pour nous d'honorer la mémoire de Tennessee Williams.

J'ai donné des instructions très strictes à mes proches : pas de cérémonies à ma gloire. J'ai reçu plus que mon content de louanges, certaines méritées, d'autres pas. Mes restes ne reposeront pas plus confortablement parce qu'un de mes amis se sera levé à grand-peine pour prononcer mon éloge. Mes cendres n'ont pas besoin de flatteries.

Seules deux cérémonies funèbres ont suscité mon admiration et il s'agissait de célébrations : on ne s'y est pas livré à des orgies d'hystérie, personne ne s'est frappé la poitrine et l'on s'est gardé de prononcer des louanges immodérées à l'intention du défunt. L'une a eu lieu en Inde, aux alentours de l'ancienne Delhi : je suis arrivé au moment où l'on installait la vieille dame, dont on célébrait la vie, dans son fauteuil favori au sommet d'un immense bûcher. On m'a invité à y ajouter quelques brindilles, et j'ai regardé les flammes la consumer ; je suis resté patiemment assis avec les membres de sa famille et ses amis jusqu'à ce que les cendres soient réduites à l'état de poudre, puis rassemblées et jetées dans le fleuve voisin, avec toutes les fleurs qui avaient été apportées. C'était beau, c'était définitif, et la terre était débarrassée d'une carcasse.

Je n'ai pas assisté à l'autre cérémonie funèbre dont j'ai parlé, mais certains de mes amis étaient présents et me l'ont décrite à plusieurs reprises — car elle les avait impressionnés, eux aussi. L'un des « habitués » du clan de Jack Ford venait de mourir, et le metteur en scène avait invité tous ceux qui avaient partagé la vie de son ami, y compris son chien, son cheval et les membres de sa famille encore vivants, plus tous ses collègues de travail, à une soirée qui n'aurait pas déparé l'un de ses westerns : elle avait débuté l'après-midi pour se prolonger jusqu'à l'aube. On avait allumé un grand feu, fait rôtir de la viande, bu de l'alcool, et raconté des histoires à propos du défunt. Les rires avaient débarrassé l'atmosphère de toute sentimentalité et avaient rincé les âmes. Certains étaient rentrés chez eux avant l'aube, d'autres s'étaient enveloppés dans des couvertures et avaient dormi près du feu. Le défunt était maintenant bien mort — dans tous les sens du terme.

Dans mon testament, j'ai mis de côté une somme d'argent pour que soit organisée une sacrée soirée quand je m'en irai — mais de grâce, pas de discours. Je veux que soient invités tous les gens que j'ai connus, même mes « ennemis », s'ils sont encore vivants. Il y aura des lots à gagner — tous mes vieux sweaters, mes foulards, mes calottes, mes chemises, mes vestes de sport, mes cravates et mes bibelots, mon imperméable et mes bottes, mes dictionnaires, mon encyclopédie et ceux de mes livres dont mes enfants ne voudront pas. J'espère que tout le monde s'en ira avec quelque chose qui lui plaît. C'est toujours marrant de piquer dans les affaires des autres. Beaucoup de gens connaissent des histoires amusantes sur mon compte, certaines vraies, d'autres exagérées, d'autres encore complètement fausses — mais qu'importe ? Que l'alcool coule à flots, que tout le monde se soûle avec de bons vins. Mais pas de larmes. J'ai vécu une sacrée vie, et le moment venu, je tirerai ma révérence avec satis-faction.

Et nous en arrivons à la fin. J'ai reçu une bénédiction inattendue : ma femme, Frances. Nous sommes mariés depuis cinq ans ; avant cela nous étions « sortis ensemble » pendant deux ans. Je ne croyais pas cela pos-sible, pas à mon âge. J'avais alors soixante-douze ans, j'en ai soixante-dix-huit aujourd'hui, mais je suis encore vert. Pour la première fois de ma vie, je ne ressens pas le besoin d'aller chercher ailleurs. Quand je suis en bonne compagnie, mes yeux ne vagabondent pas. Je suppose qu'on de-vient fidèle, entre autres, parce qu'on vieillit. Mais dans mon cas, le facteur déterminant a été la personnalité de Frances. Elle représente ce qui me faisait flancher autrefois — c'est une femme d'intérieur qui ne pense qu'à dorloter son petit mari. Et elle n'a pas deux sous d'esprit de compétition, bien qu'elle soit elle-même écrivain.

Ainsi donc, le rebelle est mort. Il s'est produit en moi un changement que je n'attendais plus : je me suis installé. Je vais vous enlever le mot de la bouche : je suis un plouc bourgeois. J'ai hâte de rentrer à la maison tous les soirs, et je l'appelle dès que je franchis le pas de la porte. Je chéris le calme et l'harmonie qui règnent dans le foyer qu'elle a bâti pour moi. Je suis le destinataire de ma dernière confession : c'est elle que j'aime le plus au monde, et je me rends compte de la chance que j'ai.

Alors, vous voyez : je suis heureux — dans l'ensemble. Il m'a quand même fallu ajouter cette réserve car je sais bien au fond de moi que si je ne suis plus déloyal, la vie, elle, le demeure. Tous les Anatoliens s'at-tendent au pire — surtout quand tout va bien. Je me méfie du destin et du hasard ; je ne prends jamais le métro.

Un philosophe a dit : « On naît dans un champ dégagé, on meurt dans une forêt obscure. » Pour moi, c'est le contraire. Si je tombais sur 421, le dieu des joueurs de dés, je lui demanderais seulement de pouvoir mourir avant ceux que j'aime. Et si par chance une bonne fée me rendait visite et me faisait cadeau de trois vœux, je la remercierais, lui dirais que « j'ai maintenant tout ce que je désire » et refuserais les trésors que je convoi-tais autrefois. Je ne lui demanderais qu'une chose : encore quelques années.

Index

des noms de personnes, des titres
d'œuvres et des théâtres

A Clearing in the Woods : 768.

Actors Studio : 57, 73, 149, 191, 293, 294, 303, 304, 317, 321, 342, 343, 441, 442, 469, 470, 489, 492, 493, 502, 539, 572, 583, 584, 589, 603, 604, 605, 607, 611, 623, 625, 626, 628, 642, 683, 684, 685, 688, 689, 690, 691, 692, 754.

ADLER, Buddy : 595.

ADLER, Ellen : 783.

ADLER, Jacob P. : 196, 785.

ADLER, Luther : 94, 120, 163, 165, 166, 168, 169, 180, 189, 196, 217, 291.

ADLER, Stella : 67, 118, 124, 128, 147, 148, 154, 158, 159, 161, 162, 166, 168, 175, 176, 196, 299, 303, 321, 322, 538, 678, 783, 785.

Aerograd : 110.

Affaire Clyde Griffiths, l' : 155, 156, 159.

Affaire Mattei, l' : 729.

African Queen, The : 515, 518.

Ainsi va toute chair : 36.

ALBEE, Edward : 640, 788.

Aldwych Theatre : 689.

A l'est d'Éden : 332, 466, 531, 535, 537, 539, 545, 570, 572, 595, 762.

ALLEN, Dede : 646.

A l'ouest, rien de nouveau : 164.

Amants de la nuit, les : 762.

America America : 49, 318, 354, 548, 610, 611, 622, 623, 628, 646, 648, 664, 671, 682, 684, 696, 716, 720.

ANDERSON, Max : 302, 303.

ANDERSON, Phyllis : 505.

ANDERSON, Robert : 33, 492, 493, 497, 503, 505, 506, 507, 508, 509, 511, 606, 719, 775.

ANDERSSON, Bibi : 729.

ANDREWS, Dana : 317.

An Errand for Uncle : 239.

ANGELI, Pier : 538.

Anna Christie : 540.

Anna et le roi de Siam : 269, 273, 295, 369, 514.

Anna Karenine : 306, 384.

ANTA Washington Square Theatre : 607, 669.

Après la chute : 606, 648, 655, 674, 676, 677, 702, 735, 774.

ARDREY, Robert : 173, 174, 175, 186, 187, 206, 220, 244.

ARENT, Arthur : 238.

ARLEN, Harold : 194.

ARONSON, Boris : 183, 185, 186, 225, 301, 580.

Arrangement, l' : 38, 706, 716, 718, 720, 721, 722, 723, 727, 733, 734, 735, 776.

ARTHUR, Jean : 261.

Astor Theatre : 530.

ATKINSON, Brooks : 322, 582.

Aventures à deux : 657.

Avghi : 565.

Awake and Sing! : 112, 122, 124, 127, 128, 129, 138, 158, 187, 650.

Baby Doll : 559, 561, 562.

Baby Want a Kiss : 685.

BACALL, Lauren : 141.

BAKER : 55.

BAKER, Carroll : 559, 560.

BAKER, George Pierce : 55, 62.

BALANCHINE, George : 323, 771.

BALDWIN, James : 581, 684, 685, 689, 690, 720.

BALDWIN, Jimmy : 50.

BALL, Bill : 678.

BALL, Lucille : 306.

BALLARD, Lucinda : 340, 384.

BANKHEAD, Tallulah : 130, 162, 203, 206, 207, 208, 211, 212, 213, 214, 215, 216, 217, 218, 219, 221, 225, 226, 227, 229, 230, 306, 320, 544.

BARBER, Phil : 56, 109.

BARD, Katharine : 174, 175, 176.

BARNUM, P.T. : 790.

BARR, Eddie : 526.

BARRIE, J.M. : 230.

BARRY, Philip : 220.

BARRYMORE, Ethel : 374.

BARRYMORE, Lionel : 306.

BASEK, Dr : 771.

BAXLEY, Barbara : 686.

BAXTER, Alan : 55, 58, 59, 60, 64, 65, 66, 83, 84, 85, 86, 90.

BAY, Howard : 240.

BAYAR, Celal : 550, 615, 616, 620.

BEATTY, Warren : 598, 599, 600, 601.

BEAUMONT, Vivian : 608.

BECHET, Sidney : 119, 381.

BECKETT, Samuel : 364.

BEECHER-STOWE, Harriet : 227.

BEETHOVEN : 58, 94, 95.

BEGLEY, Ed : 317, 320.

BEHRMAN, Samuel Nathaniel : 79, 245, 246, 270, 278, 299, 300, 303, 675, 676, 791.

BEIN, Albert : 89.

Belasco Theatre : 124, 127, 129, 133, 171, 172, 173, 222.

BEL GEDDES, Barbara : 297, 540, 541, 542.

BELLOW, Saul : 279.

BENNETT, Michael : 339.

BENTLEY, Eric : 364.

BERGMAN, Ingmar : 279, 728.

BERGMAN, Ingrid : 235.

BERLE, Milton : 693.

BERLIN, Irving : 293.

BERMAN, Pandro : 306, 307, 308, 309, 311, 312, 313.

BERNARD, Kearney : 451.

BERNHARDT, Sarah : 790.

BERNSTEIN, Leonard : 529, 788.

BEVAN, Frank Poole : 56.

BEVAN, Margo : 56.

BICKFORD, Charles : 174, 175, 176.

Big Night : 83, 84.

BING, Rudolf : 679, 680.

BLAU, Herbert : 681.

BLOOMGARDEN, Kermit : 167, 175, 298, 328, 339, 360, 443, 464, 474, 589.

Blues in the Night : 195, 203.

BOGART, Humphrey : 97, 151, 162, 189, 458.

Boomerang : 317, 319, 320, 321, 323, 332, 378.

BOONE, Richard (Dick) : 651.

BOTNICK, Dr : 768, 769.

Bottom of the River, the : 492.

Bouffon du Roi, le : 45.

BOULTING, Ingrid : 737, 738, 746, 748, 751, 752.

BOYER, Charles : 249, 253.

BRANDO, Marlon : 33, 34, 140, 145, 151, 260, 261, 302, 331, 342, 343, 344, 345, 346, 347, 352, 430, 431, 432, 458, 474, 504, 512, 519, 520, 521, 522, 524, 526, 527, 528, 529, 530, 531, 536, 538, 539, 589, 647, 722, 723, 725, 726, 735, 738.

Brave Soldat Schweik, le : 159.

BRECHT, Bertolt : 113, 159, 160, 324, 509, 609.

BREEN, Joe : 434.

BREWER, Roy : 411, 412, 413, 414, 415, 416, 428, 429.

BRIDGES, Harry : 412.

BRIGHT, Jack : 51.

Broadhurst Theatre : 114.

BROMBERG, Joseph (J. Edward) : 127, 133, 158, 248, 434, 461, 470.

BROOK, Peter : 323, 339, 365.

BROOKS, Mel : 730.

BROWN, Arthur Brownie : 497, 498.

BROWN, Clarence : 306, 388.
BROWN, Kay : 511.
BROWN, Pamela : 338.
BUCHMAN, Myron : 766.
BURKE, Michael : 680.
Burning Bright : 757.
BURSTYN, Ellen : 147, 691.
BURTON, Richard : 544.
Bury the Dead : 428, 452.
But for Whom Charlie : 675, 685.
BUTLER, Samuel : 36.
BYRON : 39.

Café Crown : 196, 197, 199, 206.
CAGNEY, James : 151, 189, 190, 191,
    192, 194, 537.
CALDERÓN : 106.
CALHERN, Lou : 248.
CALLAHAN, Gene : 631, 748.
CALLAS, Maria : 150.
Camino Real : 463, 490, 492, 493, 499,
    500, 501, 502, 503, 505, 506, 595.
CANBY, Vincent : 728.
CANTOR, Eddie : 57.
CAPA, Robert : 181, 203, 208, 253, 759.
CAPONE, Al : 179, 183.
CARNIVAL, Dr : 771.
CARNOSVSKY, Morris : 180, 186, 197,
    217.
Carrie : 148.
CARROLL, Madeleine : 234, 235.
CARROLL, Paul Vincent : 199.
CARTER, Jimmy : 775.
CARTER, Rosalynn : 775.
CARUSO, Enrico : 150.
CASASOLA, Archivo : 430.
Casey Jones : 173, 176, 299.
CÉZANNE : 279.
Chaînes conjugales : 387.
CHAPLIN, Charlie : 301, 378, 724.
Chatte sur un toit brûlant, la : 540, 544,
    545.
CHAYEVSKY, Paddy : 404, 775.
CHÉREAU, Patrice : 607, 608, 609.
Chinese Theatre : 456.
CHRISTIANS, Mady : 434, 470.
Chrysalide : 97, 98, 99, 100, 101.

CHURCHILL : 207, 297.
Cité tranquille : 185, 186.
Citizen Kane : 138, 755.
CLARKE, Mae : 191.
CLIFT, Montgomery : 211, 216, 571,
    594, 595, 596, 597.
CLURMAN, Harold : 33, 63, 64, 67, 69,
    71, 72, 74, 77, 83, 84, 85, 86, 87, 89,
    90, 94, 96, 97, 112, 114, 118, 123,
    124, 126, 127, 128, 129, 130, 132,
    133, 146, 148, 152, 154, 157, 158,
    159, 161, 162, 165, 166, 167, 168,
    169, 171, 173, 175, 176, 177, 180,
    185, 186, 187, 188, 196, 217, 231,
    279, 298, 299, 300, 302, 303, 319,
    320, 321, 322, 323, 324, 325, 352,
    353, 474, 493, 589, 639, 647, 650,
    677, 678, 686, 687, 757, 775, 781,
    782, 783, 784, 785, 788, 790.
COBB, Lee J. : 151, 180, 356, 359, 362,
    363, 504.
COHEN, Alexander : 693.
COHN, Harry : 233, 234, 258, 409, 410,
    411, 412, 413, 414, 415, 422, 513,
    529.
COHN, Roy : 581.
COLBERT, Claudette : 306.
COLE, Donald : 770, 771.
COLE, Ed : 56.
COLERIDGE : 53.
COLLINS, Richard : 448.
Commonweal : 498.
Complainte du vieux marin, la : 53.
COMPTON, Juleen : 783, 784.
Comtesse de Hong Kong, la : 724.
CONKLIN, Peggy : 175.
Conte d'hiver : 57.
Contre-Attaque : 443, 478, 479, 564,
    565.
CONWAY, Curt : 470.
COOPER, Gary : 189, 192, 537.
COOPER, Merian : 388.
COPLAND, Aaron : 128, 186, 647.
CORRIDAN, John : 498.
COVICI, Pat : 757.
COWARD, Noël : 93.
CRABTREE, Paul : 470.
Crâne d'œuf, le : 567.
CRAWFORD, Cheryl : 63, 64, 69, 83, 87,
    90, 112, 124, 126, 127, 159, 161, 239,

240, 304, 360, 461, 493, 572, 583, 584, 604, 605, 625, 689, 690, 691.

CRAWFORD, Joan : 40, 84.

CRONYN, Hume : 340, 340, 341, 343, 344, 345, 346, 568, 716, 717, 718.

CRONYN, Jessica : 716, 718.

CROWTHER, Bosley : 439, 455.

Cuirassé Potemkine, le : 110.

CUKOR, George : 305, 306, 562.

CURTIS, Tony : 750.

Daily News : 322.

Daily Variety : 389.

Daily Worker : 120, 322, 471.

Dame aux camélias, la : 73.

DAMONE, Vic : 538.

DANCIGARS, Oscar : 401, 420.

DANTINE, Helmut : 277.

Dark at the Top of the Stairs, The : 570, 571, 598.

DARVAS, Lili : 445, 446.

DASSIN, Jules : 388.

DAUBNEY, Peter : 689.

DAVES, Delmer : 392.

DAVIS, Bette : 151, 189.

DAVIS, Frank : 307.

DEAN, Alexander : 55, 56, 98.

DEAN, James : 145, 536, 537, 538, 539, 762, 776.

DE CICCO, Pat : 403.

Deep Are the Roots : 296, 297, 298.

DE FUENTES : 419, 420.

DE HAVILLAND, Olivia : 518.

DE MILLE, Agnes : 240, 241, 301.

DE MILLE, Cecil B. : 386, 387, 388, 389, 390, 391, 392, 393, 458.

DE NIRO, Bobby : 693, 740.

DE NIRO, Robert : 145, 151, 623, 737, 738, 739, 740, 741, 743, 744, 745, 751, 752, 753.

Depuis les cendres: la voix de Watts : 298.

Dernier Nabab, le : 379, 732, 733, 739, 751, 753.

Des blues pour M. Charlie : 689, 690.

Des filles à la parade : 284.

Des hommes en blanc : 109, 110, 112, 113, 114, 118, 120.

DE SICA, Vittorio : 623.

Desperate Hours, the : 473.

DE VINCENZO, Tony Mike : 503, 504.

Diable dans le Massachusetts, le : 452.

DICKENS, Charles : 581.

DILLER, Barry : 751.

DiMAGGIO, Joe : 457, 540.

DIMITROFF, Georgi : 122, 127.

DISSTON : 286, 287.

DMYTRYK, Edward : 448.

DONOHUE, Roger : 525.

DOROTHY : 333.

DOUGLAS, Kirk : 726, 735, 747.

Doux oiseau de jeunesse : 543, 544.

DOVJENKO : 110.

DOWLING, Constance : 172, 173, 180, 181, 193, 194, 195, 199, 200, 201, 203, 205, 208, 209, 210, 217, 220, 221, 227, 231, 232, 234, 235, 236, 238, 239, 241, 242, 243, 244, 245, 246, 248, 249, 250, 251, 252, 253, 254, 257, 265, 267, 270, 271, 272, 273, 274, 275, 276, 277, 278, 280, 416, 469.

DOWLING, Doris : 243, 270, 280.

DRADDY, Greg : 144.

DRADDY, Vin : 40, 43, 144.

DREISER, Theodore : 155, 233.

DUNAWAY, Faye : 657, 726, 727, 735.

Dunnigan's Daughter : 270, 278, 282, 299.

DUNN, Jimmy : 262, 269, 283.

DUNNOCK, Mildred : 532, 560.

DURANTE, Jimmy : 306.

DUTTON, George Burwell : 54.

EAGELS, Jeanne : 57.

East-West : 766.

EDDY, Nelson : 242.

Eine Kleine Nachtmusik : 488.

EISENSTEIN, Sergei : 110, 115, 164, 581.

ELIOT, T.S. : 53.

En attendant Lefty : 115, 122, 123, 124, 126, 129, 152, 160, 452, 471, 539, 666.

Enfant changé, l' : 606, 675, 677, 678, 685, 686, 695, 701.

Enfant chéri, l' : 88, 96, 130, 169, 172,

173, 176, 177, 180, 188, 208, 343, 362.

Ennemi public, l' : 191.

ERKENBRECHER : 424.

ESSELSTYN, Dr : 767, 768, 772, 773, 779, 780.

Été et fumée : 544.

Ève : 387.

Exorciste : 780.

FAIRBANKS, Douglas Jr. : 591.

FARMER, Frances : 88, 96, 168, 169, 178, 465.

FARROW, John : 389, 392.

FAULKNER, William : 279.

Fausse Suivante, la : 608.

FELDMAN, Charles : 314, 383, 385, 402, 403, 408, 409, 414, 418, 434, 435, 439, 455, 456.

FELLINI, Federico : 261, 279.

Femme du boulanger, la : 150.

FENTON, Bill : 40.

Fervent Years, The : 127.

FIELDS, W.C. : 315.

Fièvre dans le sang, la : 12, 597, 598, 601, 628.

FIGUEROA, Gabriel Gabby : 397, 398, 400, 415, 459.

Fin de Saint-Pétersbourg, la : 110.

FITELSON, Bill : 328, 329, 331, 456, 460, 631, 666.

FITZGERALD, F. Scott : 732.

FLAUBERT, Gustave : 91, 279, 581.

FLEMING, Victor : 256, 260, 262, 312.

Fleuve sauvage, le : 594, 597, 601.

Flight into Egypt : 455.

FLYNN, Errol : 189, 190, 537.

FONDA, Henry : 163, 190.

FONDA, Jane : 326.

FORD, John : 118, 190, 256, 259, 260, 261, 313, 314, 373, 374, 381, 382, 388, 391, 392, 393, 471, 484, 491, 793.

Fortune : 452.

FOSSE, Bob : 339, 365, 775.

FREDRIC : 211.

FREEDMAN, Harold : 174, 220, 299.

Frères Karamazov, les : 107.

FRIED, Eddie : 177, 179.

FRIED, Walter : 319, 339, 359, 360.

FULLER, Sam : 259.

Fureur de vivre, la : 539, 762.

Fusée vers la lune, la : 180, 186.

GABEL, Martin : 196.

GALEN, Miles : 771.

GALENTO, Tony : 524.

Galileo Galilei : 324.

GANG, Martin : 389.

GARBO, Greta : 150, 151, 236, 306, 403.

GARFIELD, John Julie : 96, 157, 161, 168, 169, 235, 304, 333, 335, 338, 341, 342, 343, 382, 443, 448, 449, 456, 458.

GARFIELD, Roberta : 443.

GARLAND, Judy : 150, 306.

GARNER, Peggy Ann : 263, 265, 268, 269.

GAZZARA, Ben : 541.

Géant : 538.

Gens des Cumberlands : 115, 269.

Gentle People, The : 85, 185, 186.

Gentle Woman : 118, 133.

Germinal : 269.

GETLEN, Sam : 771.

GIALLELIS, Stathis : 623.

GIBBONS, Cedric : 313.

GILBERT : 228.

GILL, Major Général : 287.

GILLIATT, Penelope : 690.

GILMORE, Frank : 476, 477.

GILMORE, Margalo : 477.

Goat Song : 245.

Gold Eagle Guy : 120, 121, 124, 126, 127.

Golden Warriors, The : 510.

GOLD, Herbert : 741, 742, 743, 744, 745, 746, 747, 748, 787.

GOLDWYN, Samuel : 163, 195, 221, 227, 233, 234, 235, 236, 242, 243, 248, 249, 258, 272, 273.

GORDON, Ruth : 130, 201, 206.

GORELIK, Mordecaï Max : 114, 167, 169, 322.

GOW, James : 296, 297, 298.

GRAHAME, Gloria : 482.
GRANT, Cary : 260.
GRAZIANO, Rocky : 693.
GREEN, Paul : 159.
GREENBERG, Bob : 762.
GRIFFITH, D. W. : 381.
GROTOWSKI : 323.
Group Theatre : 56, 63, 64, 65, 66, 68, 69, 71, 73, 75, 76, 77, 78, 82, 85, 86, 87, 88, 89, 90, 92, 95, 97, 108, 109, 111, 113, 114, 118, 120, 121, 124, 125, 126, 127, 129, 132, 140, 146, 148, 149, 150, 154, 155, 160, 161, 186, 187, 294, 352, 353, 399, 447, 449, 456, 461, 463, 509, 606, 654, 802.
Guerre et Paix : 24, 205, 206, 276.
GUTHRIE, Tyrone : 331, 339.

HADJIDAKIS, Manos : 644, 646, 647.
HAGEN, Uta : 352.
HAKIM, Raoul : 403.
HALL, Peter : 339.
Hamlet : 348.
HAMMERSTEIN, Oscar : 301, 757.
HAMMETT, Dashiell : 326.
Hannah Theatre : 568.
Harper's Bazaar : 613.
Harriet : 227, 229, 231, 241.
HARRIS, Jed : 130, 153, 198, 201, 212, 217, 245, 444.
HARRIS, Julie : 145, 537, 539, 685.
HARRITY, Dick : 268.
HART, Moss : 259, 332, 333, 334, 335.
HATHAWAY, Henry : 256, 257, 260, 269.
Having Wonderful Time : 161.
HAWKS, Howard : 256, 381.
HAYES, Helen : 227, 228, 229, 230, 236, 241.
HAYMES, Dick : 241.
HAYWOOD, William « le Grand Bill » : 110.
HAZLITT, William : 150.
Heavenly Express : 89.
HEDREN, Tippi : 235.
HELBURN, Theresa : 90, 92, 97, 98, 112.

HELLMAN, Lillian : 131, 141, 297, 319, 325, 326, 382, 444, 463, 464, 465, 589.
HELPERN, Milton : 668.
HEMINGWAY, Ernest : 301.
Henry Miller : 236.
HEPBURN, Katharine : 305, 306, 307, 308, 309, 311, 312, 313, 315, 316, 382.
Herald : 658.
Herald-Examiner, le : 271.
Herald Tribune : 322, 477, 561, 657, 658.
Héritage de la chair, l' : 255, 373, 376, 377, 382, 386, 491, 510, 512.
Heure enfantine, l' : 297.
Historia Grafica de la Revolucion : 430.
HITCHCOCK, Alfred : 191, 235, 260.
HITLER, Adolf : 137, 237, 472.
Hiver de notre mécontentement, l' : 267, 758, 788.
HOBSON, Laura : 255, 323.
HOFFMAN, Dustin : 145, 623, 737.
HOKINSON, Helen : 55.
HOLLIDAY, Judy : 478.
Hollywood Reporter : 191, 192, 249, 253, 264, 277, 278, 295, 456.
HOLM, Celeste : 335.
HOMÈRE : 39.
HOOK, Sidney : 460.
HOOVER, J. Edgar : 454.
HOPE, Bob : 290.
HORNEY, Karen : 171.
HOUSEMAN, Jack : 203, 208, 220, 221, 244, 268, 275, 762.
HUGHES, Howard : 409, 483.
HUNTER, Kim : 343, 345, 437.
Hurriyet : 618.
HURWITZ, Leo : 472.
HUSTON, John : 237, 390, 515, 517, 518, 724.
HUSTON, Walter : 151.
HYDE, Johnny : 251, 252, 403, 404, 405, 406, 407, 408.
HYMAN, Elliot : 622, 631.

IBSEN, Henrik : 359.
Ile au trésor, l' : 32.

I Led Three Lives : 455.

Ils étaient tous mes fils : 320, 321, 322, 323, 324, 327, 329, 361, 366, 428.

INGE WILLIAM, Bill : 33, 301, 570, 571, 593, 598, 600, 601, 606, 696.

Inspecteur Général l' : 73.

IRVING, Jules : 681.

IVES, Burl : 471, 541, 542, 543.

JACKS, Bobby : 481.

Jacobowsky et le Colonel : 79, 245.

JAFFE, Leo : 519.

JAFFE, Sam : 473.

J'ai le blues : 93.

JAMES, Jacqueline : 32, 39, 40.

JARRE : 742.

JAVITS, Jacob : 660.

J B : 15, 580, 590.

JEROME, V.J. : 117, 132, 133, 452, 459, 491.

John Golden Theatre : 536.

Johnny Johnson : 240.

JOHNSON, Albert : 198, 215.

JOHNSON, Andrew : 389.

JOHNSON, Lyndon B. : 759, 760.

JOHNSON, Malcolm : 492.

JOHNSTONE, Anna Hill : 631, 650, 742.

JONES, Harmon : 317, 404, 409.

JOY, Jason : 419, 420, 434.

JOYCE, James : 212.

Jules César : 474.

KANIN, Garson : 130.

KARAJOSIFOGLOU, Anna : 21, 22.

KARLWEIS, Oscar : 79, 247, 248.

KAUFMAN, Boris : 523, 524, 525, 526, 527, 560.

KAUFMAN, George S. : 153, 348.

KAVUNDJU, Osman : 552, 553, 554, 555, 557, 558, 586, 587, 588, 612, 615, 616, 617, 618, 619, 620, 621, 622.

KAYE, Danny : 221, 234, 236, 238, 239, 241, 243.

KAZAN, A. E. Joe : 78, 100, 101, 355, 545.

KAZAN, Athena Shishmanoglou : 20, 21, 22, 23, 24, 26, 27, 28, 29, 30, 33, 46, 357, 722, 732, 733, 734, 735, 740, 741, 742, 745, 746, 748, 750.

KAZAN, Avraam : 28, 642.

KAZAN, Avraam Elia « Joe » : 21, 28, 100, 101, 318.

KAZAN, Barbara Loden : 38, 569, 570, 586, 596, 600, 610, 611, 612, 613, 614, 615, 628, 643, 651, 655, 656, 657, 660, 661, 666, 669, 674, 676, 677, 695, 696, 699, 700, 701, 702, 703, 704, 705, 706, 707, 709, 711, 712, 713, 714, 715, 716, 717, 718, 720, 723, 726, 733, 734, 735, 740, 741, 745, 748, 750, 751, 764, 765, 767, 768, 769, 770, 771, 772, 773, 774, 775, 776, 777, 778, 779, 780, 781, 782, 784, 785, 786, 787.

KAZAN, Chris : 267, 268, 273, 277, 324, 727, 728, 730.

KAZAN, Elia : 23, 24, 28, 36, 72, 109, 111, 115, 153, 192, 296, 297, 300, 307, 319, 332, 354, 355, 359, 390, 391, 397, 400, 420, 435, 438, 450, 456, 470, 471, 472, 473, 478, 515, 525, 556, 557, 564, 565, 626, 661, 668, 720, 728, 730.

KAZAN, Evanthia : 23, 37, 545.

KAZAN, Frances : 610, 672, 794.

KAZAN, George : 17, 24, 25, 26, 27, 28, 107, 356, 357, 721, 742, 744, 747, 748, 749, 750.

KAZAN, Jennifer : 620.

KAZAN, John : 102.

KAZAN, Judy : 160, 173, 265, 267, 277, 568, 646, 662.

KAZAN, Katharine : 352, 627, 747.

KAZAN, Leo : 643, 705, 706, 716, 734, 740, 750, 780.

KAZAN, Molly Day Thacher : 10, 12, 13, 14, 15, 42, 44, 58, 59, 60, 61, 62, 72, 75, 76, 77, 78, 81, 82, 84, 85, 86, 87, 88, 89, 90, 91, 92, 93, 94, 95, 97, 98, 99, 101, 102, 103, 104, 105, 109, 112, 114, 118, 124, 132, 133, 138, 140, 152, 160, 163, 167, 171, 173, 176, 177, 187, 192, 193, 194, 199, 200, 201, 203, 205, 206, 208, 209, 210, 219, 220, 221, 227, 231, 238, 244, 246, 249, 254, 257, 266, 267, 268, 271, 275, 277, 278, 279, 280,

282, 295, 296, 298, 299, 303, 305,
313, 315, 316, 317, 320, 321, 322,
324, 325, 327, 335, 340, 341, 349,
352, 353, 355, 364, 370, 376, 377,
385, 423, 424, 425, 426, 427, 428,
430, 433, 439, 440, 443, 449, 451,
452, 453, 455, 456, 457, 462, 466,
467, 468, 469, 471, 478, 491, 492,
494, 504, 505, 511, 522, 526, 534,
546, 547, 548, 549, 550, 551, 565,
567, 568, 569, 570, 571, 572, 577,
578, 584, 594, 597, 610, 611, 627,
628, 629, 637, 638, 640, 641, 642,
643, 644, 645, 648, 649, 651, 655,
656, 657, 658, 660, 661, 662, 663,
664, 665, 666, 667, 668, 669, 670,
675, 694, 695, 696, 697, 698, 699,
701, 707, 708, 709, 713, 716, 735,
756, 785, 786, 788.

KAZAN, Nick : 296, 316, 751.

KAZAN, Seraphim : 25, 28.

KEAN, Edmund : 150.

KEARNEY, Bernard : 448, 449, 450.

KEARNEY, Richard : 456.

KELLY, Gene : 762.

KELLY, Grace : 235.

KELMAN, Harold : 582, 583, 584, 586,
589, 590, 696, 697, 699, 701, 704.

KEMAL, Mustafa : 550, 552, 616.

KEMPER, Victor : 751.

KEMPTON, Murray : 473.

KENNEDY, Arthur : 192, 320, 475.

KENNEDY, John F. : 657, 658, 664, 665.

KENNEDY, Robert : 660.

KERMIT : 359.

KERR, Deborah : 235, 507, 508, 509.

KEYS, Vernon : 390.

KING, Ernest : 68.

King Kong : 388.

KING, Martin Luther : 298, 725.

KINGDOM, Frank : 470.

KINGSLEY, Sidney : 109, 113, 690.

KLEIN, Herb : 452, 453.

KLUNE, Ray : 419, 420, 421, 422.

Knickerbocker Holiday : 241, 242.

KNIGHT, Shirley : 686.

Knute Rockne, All American : 189.

KOLTUV, M. : 767, 768, 769, 771.

KONSTANTIN : 324.

KOOK, Eddie « Kookie » : 354, 360.

KOURKOULIS : 100.

KRABER, Tony : 472, 478, 666, 667,
670, 671.

KRABER, Wilhelmina : 670.

KRAFT, Hy : 196.

KRAWITZ, Herman : 679, 680.

KRIKELIAN, George : 771.

KRIM, Arthur : 96.

KRUSKAL, Joe : 722.

KUROSAWA, Akira : 151, 279.

KUSHI, Michio : 767, 771, 773.

LA GUARDIA, Fiorello : 117, 133, 552,
618.

LANCASTER, Burt : 343.

LANG, Fritz : 392.

LANGNER, Lawrence : 245, 246.

LASKY, Victor : 479.

LASTFOGEL, Abe : 232, 239, 251, 269,
272, 273, 290, 295, 305, 316, 401,
403, 404, 409, 410, 415, 456, 495,
496, 512, 513, 514, 515, 520, 531,
535.

Lastfogel, Frances : 251, 495, 513.

La vie est un songe : 106.

Lawrence d'Arabie : 517, 742.

LAWSON, Jack : 118, 133.

LAWSON, John Howard : 90, 92, 399,
452, 453, 491.

LAZAR, Irving « Leste » : 740, 745.

LAZAR, Mary : 745.

LEAN, David : 517, 746, 752.

Lear : 152.

LEDBETTER, Huddie « Leadbelly » :
119.

Le démon s'éveille la nuit : 320.

LEEDS, Herbert : 389.

Le fleuve est rouge : 163.

Lefty : 169.

LEIGH, Vivien : 148, 344, 385.

LELAND, James : 642, 661, 662, 667,
668.

LÉNINE V. I. : 111.

LENYA, Lotte : 159.

LEROY, Mervyn : 311.

Les jeunes partent les premiers : 116.

LEVY, Melvin : 120, 124.

LEWIN, Michael : 477.

LEWIS, Bobby : 160.
LEWIS, Robert : 147, 148, 157, 294, 303, 304, 643, 655.
Life : 720.
LIGHTON, Bud : 250, 251, 254, 255, 256, 257, 258, 262, 263, 264, 267, 269, 270, 273, 280, 306, 307, 309, 311, 312, 322, 404, 458.
LIGHTON, Hope : 258.
LIGHTON, Louis D. : 239.
LILLIE, Beatrice : 130.
Lincoln Center : 12, 117, 572, 577, 593.
Little Carnegie Theatre : 728.
LITTLE, Stuart : 658.
LITVAK, Anatole Tola : 188, 189, 190, 191, 192, 194, 195.
LITVINOV, Maxim : 141.
Living Newspaper : 238.
LOEB, Phil : 476.
Loew's : 34, 40.
LOGAN, Josh : 327, 328.
LOMBARD, Carole : 235.
LORING, Jane : 316.
Los Angeles Times : 518.
LOSEY, Joseph : 729, 730.
LUNCEFORD, Jimmie : 194.
Lys : 268.
Lys de Brooklyn, le : 239, 249, 254, 257, 258, 262, 264, 265, 274, 283, 290, 305, 307, 316, 317, 454, 762.

MACARTHUR : 276, 281, 287, 289.
MCBRIDE, John : 775, 776.
MCCANDLESS, Stanley : 56.
MCCARTHY : 391, 497.
MCGUIRE : 382.
MCGUIRE, Dorothy : 235, 257, 269, 332, 333, 334.
MACLEISH, Archibald : 15, 452, 580, 581, 606.
MAGUIRE, Charles : 523, 524, 525, 526, 560, 600, 629, 631, 636.
MAGUIRE, Jessie : 526.
MAHLER, Gustav : 245.
MAHLER, Alma : voir WERFEL Alma Mahler
MAILER, Norman : 674.
Maison de Connelly, la : 60, 64, 66.

Maître de la prairie, le : 305, 306, 314, 316, 377, 382.
Majestic Theatre : 120.
Maladie infantile du communisme : 66.
MALCOLM X : 298.
MALDEN, Karl : 260, 302, 320, 343, 473, 559, 568, 666.
MALTZ, Albert : 110, 111, 114, 399, 400, 422, 425, 459.
MAMOULIAN, Rouben : 392.
MANDAVILLE, Molly : 421.
Manège, le : 111.
MANKIEWICZ, Herman : 389.
MANKIEWICZ, Joseph L. : 387, 388, 389, 390, 391, 392, 393, 439, 458, 474.
MANKIEWICZ, Rosemary : 387.
MANNIX, Eddie : 233.
MANN, Paul : 148, 764.
MANN, Thomas : 592.
Man on a Tightrope : 479, 484, 486, 491, 493, 494, 496, 497, 514, 515, 524.
MANTLE, Burns : 113, 322.
Marathon' 33 : 685.
MARCH, Florence Eldridge : 201, 202, 207, 213, 216, 219, 220, 225, 227, 443, 482, 488211, 227.
MARCH, Fredric : 201, 202, 213, 215, 216, 218, 219, 220, 225, 226, 227, 443, 482, 483, 484, 488.
MARCH, Liska : 625, 626.
Marco Millions : 674.
MARIVAUX, Pierre Carlet de Chamblain de : 608.
MAROTTA, Joe : 524, 525.
MARSHALL, George : 286, 388, 389.
MARTIN, Mary : 240, 241, 338.
MARX, Groucho : 690.
MARX, Karl : 132.
MASSEY, Raymond : 537, 539.
MASTERSON : 438.
MASTROIANNI, Marcello : 714.
MATISSE : 279.
MATTHAU, Walter : 566.
MAUGHAM, W. Somerset : 36, 39, 245.
MAURIELLO, Tami : 259, 524, 525.
Maxine Elliott Theatre : 88.
Mayerling : 188.
MAYER, Louis B. : 233, 234, 258, 312, 313, 316, 328, 346.

MAYO, Virginia : 241, 242, 243.
MEANY, George : 510.
MEISNER, Sanford : 148, 157.
Melba : 515.
Mémoires (voir Tennessee Williams) : 337, 499.
Ménagerie de verre, la : 180, 327, 348, 418, 792.
MENDERES, Adnan : 615, 616, 620.
MENGERS, Sue : 740.
MENJOU, Adolphe : 483, 488.
MENOTTI, Gian-Carlo : 630.
MERCER, Johnny : 194.
Merck Manuel, The : 667.
MERCOURI : 141.
Mère Courage : 348.
MERLO, Frank : 350, 445, 500.
METCALF, Colonel : 286, 287.
Metropolitan Opera : 679.
METZGER : 31.
MEYERHOLD, V.E. : 73, 150, 453, 609.
MIELZINER, Jo : 33, 339, 340, 361, 506, 542, 543, 583, 608, 609, 646, 650.
MILESTONE, Lewis Milly : 162, 163, 164, 165.
MILFORD, Gene : 528.
MILLER, Arthur : 167, 183, 301, 319, 320, 321, 322, 327, 329, 349, 355, 356, 358, 359, 360, 361, 365, 366, 367, 368, 370, 373, 375, 376, 383, 401, 402, 403, 409, 410, 411, 412, 413, 414, 415, 416, 417, 422, 428, 429, 441, 452, 453, 457, 463, 464, 473, 474, 475, 491, 492, 511, 531, 532, 540, 563, 584, 601, 606, 608, 624, 625, 628, 645, 648, 650, 654, 655, 656, 660, 669, 670, 672, 673, 674, 675, 676, 677, 678, 680, 681, 705, 719, 788.
MILLER, Gilbert : 227, 228, 230, 237.
MILLER, Marilyn : 57.
MILLER, Mary : 367, 368, 402, 415, 417, 429, 441.
Milliardaire, le : 654.
Miscellany : 62.
Misérables, les : 32.
Misfits, The : 540.
MITCHUM, Robert : 751.
MITTELMANN, Bela : 244, 274, 450, 451, 463, 474, 519, 520, 528, 582.

MOLIÈRE : 609.
MONDALE, Walter : 657.
Mon père et nous : 424.
MONROE, Marilyn : 183, 252, 403, 404, 405, 406, 407, 408, 409, 410, 414, 416, 417, 428, 429, 441, 442, 456, 539, 540, 562, 596, 624, 654, 655, 656, 660, 674, 686, 691.
MONTAND, Yves : 654.
MOORE, Terry : 483.
MOREAU, Jeanne : 742, 752.
Morosco Theatre : 686.
MORRIS, William : 514.
Mort d'un commis voyageur : 82, 123, 151, 167, 188, 303, 339, 355, 360, 361, 364, 365, 366, 368, 372, 428, 506, 532, 654.
MOSTEL, Zero : 383.
Mouchard, le : 471, 473.
Mouron rouge, le : 394.
MOZART : 488.
MUNI : 189.
MURDOCH, Rupert : 233.
Mur invisible, le : 235, 255, 258, 259, 323, 329, 332, 341, 372, 386, 422, 494, 510, 514.
MURPHY, Richard : 317, 378, 379.
Musique de nuit : 187, 188, 317.
MYERBERG, Michael : 198, 201, 202, 206, 207, 208, 209, 211, 213, 214, 215, 216, 218, 219, 220, 226.

NACHBAUR, Jean : 729.
NASH, Ogden : 240.
National Geographic : 581.
Nation, The : 473.
NELSON, Bug-eye : 119.
NEWMAN, Paul : 145, 544, 626, 685, 689.
New Masses : 123, 399, 459.
New Republic : 153, 316, 352.
Newsday : 759, 760.
Newsweek : 677.
New Theatre : 124, 132, 425, 449, 452, 453, 462.
New York Journal-American : 456.
New York Post : 470, 473, 475, 561, 626.

New York Review of Books : 720.

New York Times : 165, 230, 319, 325, 439, 440, 445, 455, 468, 469, 471, 515, 586, 609, 620, 626, 680, 690, 722, 758, 788.

New York Times, le : 271.

New York Times Magazine : 301.

NICHOLS, Louis : 454.

NICHOLS, Mike : 301, 339, 469, 732, 737, 739.

NICHOLSON, Jack : 737.

NIXON, Raphael : 447, 448, 449, 450.

NIXON, Richard : 581.

NIZER, Louis : 443.

NOLAN, Lloyd : 269.

NORRIS, Frank : 233.

NORTH, Alex : 340, 417, 435, 437.

Notre petite ville : 198, 212.

Nouveau Théâtre, le : 118.

NUGENT, Elliott : 236.

O'BRIEN, Edna : 767.

O'BRIEN, Margaret : 306.

O'CASEY, Sean : 111.

ODETS, Betty : 44.

ODETS, Clifford : 33, 85, 88, 93, 94, 95, 96, 97, 99, 103, 112, 114, 121, 122, 123, 124, 126, 127, 128, 129, 130, 131, 138, 139, 140, 152, 158, 159, 162, 163, 164, 165, 166, 167, 168, 169, 171, 177, 180, 187, 188, 217, 239, 279, 320, 425, 444, 448, 449, 465, 466, 467, 468, 471, 474, 478, 509, 647, 650, 651, 652, 723, 755, 789.

OENSLAGER, Don : 56.

O'HARA, John : 220.

Oklahoma : 240.

OLIVIER, Laurence : 148, 339, 385, 562.

ONASSIS : 21.

O'NEILL, Eugene : 499, 540, 601, 674, 685.

Orestie, l' : 150.

OSATO, Sono : 240, 241.

OSBORN, Paul : 332, 535, 536, 545, 570, 594.

OSWALD, Gerd : 480, 481, 484, 485.

OVERGAARD, Andy : 447.

PACINO, Al : 145, 147, 623, 693.

PAGE, Geraldine : 544, 642, 686.

PAGE, Gerry : 683.

PALYMYRA, Dolly : 28.

PALYMYRA, Lucy : 28, 29, 30, 78.

PALYMYRA, Nellie : 28.

PANDRO : 309, 313.

Panique : 452.

Panique dans la rue : 378, 379, 380, 382, 384, 430, 444, 484, 514.

PAPP, Joseph : 607.

Paradis perdu, le : 138, 152, 154, 160, 169, 188.

Paris Theatre : 664.

Partenaire silencieux, le : 95, 96, 158.

PATRICOLA, Tom : 57.

PAVESE, Cesare : 280.

Peau de nos dents, la : 198, 212, 222, 225, 229, 231, 306, 482, 594.

PECK, Gregory : 332, 333, 334, 335, 382.

Peer Gynt : 304.

People's Worker : 412, 413.

People's World : 564.

PERELMAN, S. J. : 240.

Period of Adjustment : 593.

PERKINS, David : 477.

PERKINS, Osgood : 97, 98.

Perle, la : 397, 401.

PERRY, Eleanor : 720.

Personnalité névrotique à notre époque, la : 171.

Pescados : 115.

PETERS, Jean : 404.

PHILBRICK, Herbert : 455.

PICASSO : 279.

PIDGEON, Walter : 306.

Piège, le : 375, 377, 378, 381, 383, 386, 402, 403, 404, 409, 410, 411, 412, 414, 415, 417, 420, 422, 423, 428, 429, 492.

PINTER, Harold : 732, 733, 737, 738, 739, 742, 746, 748, 751, 752, 753.

PISCATOR, Irwin : 155.

PLUMMER, Christopher : 581.

PLUNKETT, Walter : 307, 308, 309, 310, 316, 321, 359.

Plus Belles Années de notre vie, les : 479.

Pont de la rivière Kwaï, le : 742.

Portrait d'une madone : 341.

POSADA, José Guadalupe : 445, 501.

Post : 759.

POUDOVKINE : 110.

POUND, Ezra : 301.

POWELL, William : 306.

POWER, Tyrone : 256.

PREMINGER, Otto : 383, 517.

PRINCE, Harold : 339.

Prince Vaillant : 512.

PROFERES, Nick : 727, 734, 751, 765, 779, 781, 786, 787.

PROUST, Marcel : 149, 279.

PUNG, Juanita : 771.

Pure in Heart, the : 90, 92, 100.

PUTNAM, Red : 51.

QUIGLEY, Martin : 436, 437, 438, 441, 561.

QUINN, Anthony : 352, 430, 432, 433.

RAFT, George : 189.

Raging Bull : 151.

RAIMU, Jules : 150.

RAINER, Luise : 95, 96, 158, 162.

Raisins de la colère, les : 395, 510, 513.

RAY, Nick : 119, 244, 268, 275, 279, 539, 760, 761, 762, 763, 788.

RAY, Satyajit : 279.

REAGAN, Ronald : 189, 224, 564, 657.

REDGRAVE, Michael : 186, 690.

REED, Florence : 211, 213, 215, 216.

REEVE, Christopher : 772.

Reflets dans un œil d'or : 724.

REICH, Wilhelm : 686, 766.

REIS, Mae : 445, 469.

REMICK, Lee : 145, 595, 596.

Rendez-moi ma femme : 404.

RENOIR, Jean : 96, 279, 597.

Reporter : 458.

REVERE, Anne : 335.

REVICI, Dr : 771.

Reviens, Jimmy Dean, reviens : 772, 777.

Richard III : 152.

RINALDO, Père : 768, 771.

Rivoli Theatre : 455.

RKO Proctor : 40.

ROBARDS, Jason : 145, 656, 661, 675, 677, 678, 702.

ROBBINS, Jerry : 471.

ROBERTS, Marguerite : 306.

ROBINSON, Earl : 238.

ROCHEMONT, Louis de : 317.

ROCKEFELLER, John D. III : 572, 583, 584, 603, 604, 605, 609, 672, 680, 704, 789.

RODGERS, Richard : 301, 757.

ROGELL, Al : 390, 391.

Roman de Marguerite Gautier, le : 150.

ROONEY, Mickey : 306.

Roosevelt et Hopkins : 479.

ROOSEVELT, Franklin D. : 62, 108, 137, 138, 285, 286, 287, 594, 657.

ROSE, Billy : 217.

Rose tatouée, la : 373, 383, 415.

ROSSEN, Robert : 472, 487.

ROSS, Louis : 771.

ROSTOV, Nicolas : 276.

ROUSSEAU, Jean-Jacques : 672.

Rue sans issue : 162, 236, 242.

RUSSELL, Theresa : 737, 742, 743, 744.

SAARINEN, Eero : 583, 608, 609, 646.

SAINT-DENIS, Michel : 603.

SAINT, Eva Marie : 526, 528.

Saint-James Theatre : 167.

Saturday Evening Post : 676.

SCHAFFNER, Franklin : 746.

SCHENCK, Joseph : 407, 408.

SCHENK, Nicolas : 313.

SCHLESINGER, Arthur : 473.

SCHREIBER, Lew : 269, 419, 420.

SCHULBERG, B. P. : 185, 233, 497.

SCHULBERG, Budd : 33, 298, 399, 400, 422, 448, 459, 471, 474, 491, 492, 493, 497, 498, 499, 503, 504, 510, 511, 512, 513, 514, 515, 519, 521, 522, 523, 529, 530, 531, 558, 564, 565, 566, 567, 610, 705, 719.

SCHULBERG, Geraldine Brooks : 567.
SCHULBERG, Vicki : 491, 521.
SCHUMAN, William : 679, 680, 681.
SCORSESE, Martin : 151.
SCOTT, Elaine voir STEINBECK Elaine.
SEATON, George : 390, 391.
SEBERG, Jean : 383.
Seeing with the Mind's Eye : 768.
SELLERS, Peter : 679.
SELZNICK, David O. : 233, 258, 328, 338, 339, 340.
SELZNICK, Irene : 327, 328, 329, 330, 331, 335, 336, 337, 338, 339, 340, 341, 342, 343, 345, 346, 350, 352, 385, 455.
Servitude humaine : 36.
SFERRA, George : 10.
SHAKESPEARE, William : 13, 365, 580, 609.
SHAMROY, Leon : 264.
SHANAHAN, Eileen : 672, 716.
Shangai : 211.
SHANK, Anna B. : 32, 33, 34, 36, 41, 78, 594.
SHAW, Irwin : 85, 185, 186, 303, 428, 452, 740.
SHERIDAN, Ann : 191.
SHERWOOD, Robert : 299, 479, 480, 496.
SHIMURA, Takashi : 151.
SHISHMANOGLOU, Isaak : 21, 22, 23, 24, 28, 587.
SHISMANOGLOU, Murda : 20.
SHISHMANOGLOU, Odysseus : 22, 26, 27.
SHISHMANOGLOU, Sultana : 20.
SHISHMANOGLOU, Vassiliki « Queenie » : 28.
SHISUKO, Dr : 771.
SHUBERT : 87, 88.
SHUBERT, J. J. : 86.
SHUBERT, Lee : 86, 87.
Shubert Theatre : 215, 345.
SIDNEY, Sylvia : 185.
Sign of the Archer, the : 319.
SILVERA, Frank : 474.
SIMON, Abe : 524.
SINATRA, Frank : 390, 518, 519, 520, 521, 522.
SKOURAS, Spyros : 233, 269, 454, 455, 458, 463, 511, 513, 594, 597, 622.

SLAVETU, Charles : 771.
SLESINGER, Tess : 307.
SMITH, Art : 470.
SMITH, Bessie : 151.
SMITH, Betty : 239, 249.
SMITH, Oliver : 784.
SMITH, Pete : 389.
SOKOLOW, Anna : 445, 656.
SOKOLSKY, George : 456, 458, 474, 479.
Songe d'une nuit d'été : 365.
Sorcières de Salem, les : 367, 452, 475.
SOTHERN, Ann : 756.
SPELLMAN, Francis Cardinal : 436, 445, 559, 561, 694.
SPIEGEL, Sam S.P. Eagle : 80, 235, 514, 515, 516, 517, 518, 519, 520, 521, 522, 525, 526, 527, 528, 529, 531, 532, 706, 732, 733, 737, 738, 739, 740, 741, 742, 743, 744, 745, 746, 747, 750, 751, 752, 753.
STANISLAVSKI, Konstantin : 73, 115, 147, 150, 324, 537.
STANLEY, Kim : 686.
STARKEY, Marion : 452.
STARK, Ray : 622, 631.
STEIGER, Rod : 527, 528.
STEINBECK, Elaine : 394, 395, 591, 755, 756, 757, 758, 759.
STEINBECK, Gwyn : 756, 757.
STEINBECK, John : 12, 267, 279, 373, 375, 376, 393, 394, 395, 396, 397, 398, 399, 400, 401, 419, 420, 422, 423, 459, 531, 535, 536, 539, 545, 591, 592, 593, 697, 755, 756, 757, 758, 759, 760, 763, 788.
STEIN, Bennie : 218.
STEIN, Gertrude : 301.
STEIN, Sol : 611, 649, 716, 718, 719.
STEINER, Ralph : 115.
STEVENS, George : 341, 381, 389, 393, 458, 514, 751.
STEVENS, Liz : 751.
STEWART, James : 188, 238.
STIMSON, Henri : 286.
STONE, Lewis : 306.
STRAND, Paul : 115.
Strange Interlude : 685.
STRASBERG : 112, 113, 115, 122, 196, 323.

STRASBERG, Anna : 693.

STRASBERG, Lee : 63, 64, 68, 69, 70, 71, 72, 73, 74, 77, 83, 84, 85, 86, 87, 88, 89, 93, 97, 118, 120, 121, 124, 126, 127, 129, 133, 135, 146, 147, 148, 150, 153, 154, 155, 157, 159, 161, 167, 217, 231, 301, 303, 304, 320, 429, 441, 442, 459, 467, 468, 539, 540, 562, 572, 583, 584, 603, 604, 605, 607, 611, 625, 626, 639, 642, 683, 684, 685, 686, 687, 688, 689, 690, 691, 692, 693, 761, 783.

STRASBERG, Paula : 93, 127, 133, 157, 199, 200, 442, 467, 468, 562, 642, 690.

STREEP, Meryl : 147.

STREISAND, Barbara : 141.

Success Story : 66, 71, 82, 83, 84, 85, 86, 90, 93, 94, 98, 104, 120.

SULLAVAN, Margaret : 338.

Superman : 772.

Sur les quais (On the Waterfront) : 150, 151, 259, 363, 411, 474, 503, 515, 518, 521, 522, 531, 534, 535, 566, 572, 653, 723, 725, 733, 738, 742.

TAMIRIS, Helen : 72, 83, 238.

TANDY, Jessica : 341, 343, 344, 345, 346, 347, 385.

Tartuffe : 678.

TAVENNER, Frank : 447, 472.

TAYLOR, Elizabeth : 306, 544, 594.

TAYLOR, Laurette : 180.

TAYLOR, Robert : 306.

TCHEKHOV, Anton P. : 158, 685, 686, 688, 689, 690.

Ten Blocks on the Camino Real : 445.

Tendre jeudi : 757.

Terre désolée, la : 53, 54.

THACHER, Alfred Beaumont : 424.

THALBERG, Irving : 233.

Théâtre de la Quarante-huitième Rue : 63, 67.

Théâtre Henry Miller : 227.

Théâtre Marilyn Monroe : 693.

Theatre, Toy : 59.

Thé et Sympathie : 303, 492, 493, 503, 511, 696.

This Is the Army : 293.

Thunder Rock : 186.

TILL, Emmett : 684.

TOLEDANO, Eduard : 55.

TOLSTOÏ, Léon : 24, 276.

TONE, Franchot : 82, 83, 84, 85, 86, 87, 90, 127, 319.

TORN, Rip : 642, 683, 684.

TOSCANINI, Arturo : 301.

TRACY, Spencer : 251, 305, 306, 307, 309, 310, 311, 314, 315, 316, 382.

Travailleurs du vent, les : 303.

Travels with Charley : 759, 788.

Trésor de la Sierra Madre, le : 151.

TRILLING, Steve : 188, 189, 435, 438.

Trois Sœurs, les : 685, 686, 688, 689, 690.

TROTSKY, Léon : 24.

Truckline Café : 302, 303, 342, 343.

TURNER, Lana : 251.

27 Wagons Full of Cotton : 560.

Un Américain à Paris : 458.

Un caprice de Vénus : 240, 241, 243, 245.

Une tragédie américaine : 155.

Un fou s'en va-t-en guerre : 234, 241, 242, 243, 248.

Un homme dans la foule : 564, 565, 567, 569, 596, 613.

Un tramway nommé Désir : 82, 104, 123, 148, 188, 303, 314, 327, 328, 335, 337, 339, 341, 343, 347, 348, 349, 353, 359, 361, 364, 379, 383, 384, 386, 393, 402, 417, 418, 422, 430, 434, 435, 436, 438, 439, 440, 445, 455, 458, 506, 519, 543.

USSEAU (D'), Arnaud : 296, 297, 298.

VAKHTANGOV, Yevgeny : 73, 150, 609.

VALENTINE, Marjorie : 41, 43.

VAN FLEET, Jo : 595.

Variety : 221, 730.

VELDE, Harold R. : 448, 458.

Victoria Theatre : 464, 539.

Ville conquise, la : 188, 192.

VISCONTI, Luchino : 351.

Visiteurs, les : 728, 729, 730, 734.

Viva Zapata! : 259, 375, 377, 378, 381, 383, 386, 393, 394, 404, 409, 418, 419, 420, 422, 430, 435, 436, 451, 454, 455, 474, 484, 510, 514, 756.

Vivian Beaumont Theatre : 608, 609.

Vivre : 151.

VIZZARD, Jack : 434.

Vogue : 613.

Voilà le marchand de glace : 322.

Voleur de bicyclette, le : 623.

Vu du pont : 473.

W : 581.

WAGNER, Robert : 598, 599, 600.

WALD, Jerry : 239, 410.

WALLACE, Henry : 565.

WALLACH, Eli : 502, 559.

WALSH, Raoul : 190, 256.

Wanda : 765, 766, 780.

WANGER, Walter : 161, 162, 163, 166.

WARNER, frères : 233, 234.

WARNER, Jack : 188, 258, 259, 314, 404, 418, 422, 434, 435, 436, 438, 439, 450, 531, 535, 537, 539, 593.

WASSERMAN, Lew : 401.

WATERS, Ethel : 374, 376.

WAXMAN, Samuel : 769, 773, 774, 775, 776, 778, 779, 780, 787.

WAYNE, David : 404.

WAYNE, John : 374.

WEBB, Clifton : 256.

WEBBER, Julie : 40.

WEBBER, Marguerite : 40.

WEILL, Kurt : 80, 113, 159, 161, 240, 241.

WEISBART, David : 418, 435, 436, 437.

WEISBART, Gladys : 435.

WELCH, Constance : 56, 57.

WELLES, Orson : 138, 139, 140, 198, 256, 279, 647, 755.

WELLMAN, William : 256, 259, 260.

WENDERS, Wim : 761, 763, 764.

WERFEL, Alma Mahler : 245, 246.

WERFEL, Franz : 79, 216, 245, 246.

WEXLER, Haskell Pete : 631, 632, 635.

WHARTON, Carly : 196, 197.

WHARTON, John : 511, 512, 516, 531.

What Every Woman Knows : 230.

What Makes Sammy Run? : 399, 459, 491, 510.

WHITE, George : 57.

WHITEHEAD, Robert : 12, 13, 577, 583, 584, 604, 605, 606, 607, 608, 609, 624, 626, 643, 644, 645, 646, 648, 650, 653, 672, 673, 675, 677, 678, 679, 680, 681, 683, 685, 705, 783.

WIDMARK, Richard : 260, 378.

WILDER, Billy : 243, 253, 270, 563.

WILDER, Thornton : 198, 201, 202, 209, 212, 225, 226, 232, 340.

WILKERSON, William : 458.

Will to Live, the : 768

WILLIAMS, Esther : 306.

WILLIAMS, Tennessee : 33, 167, 266, 279, 327, 328, 329, 330, 331, 335, 336, 337, 338, 339, 340, 341, 342, 343, 344, 345, 346, 347, 348, 349, 350, 351, 352, 353, 354, 361, 366, 369, 373, 379, 383, 384, 415, 422, 428, 435, 436, 438, 444, 445, 446, 455, 456, 490, 493, 497, 499, 500, 501, 502, 540, 541, 542, 543, 544, 545, 558, 559, 560, 561, 593, 601, 606, 647, 650, 696, 719, 755, 792, 793.

WILLKIE, Wendell : 255.

WILSON, Woodrow : 255.

WINKLER, Henry : 147.

WOOD, Audrey : 324, 328, 331, 332, 544.

WOOD, Natalie : 598, 600, 601.

WOODS, George : 603, 604, 605, 608, 609, 673, 674, 678, 679, 680, 681, 789.

WOODWARD, Joanne : 685.

WOOLLEY, Monty : 404.

World Telegram : 473.

World Telegram & Sun : 626.

WYATT, Jane : 317.

WYLER, William : 162, 234, 390, 392, 393, 502.

WYLER, Willy : 148.

WYNN, Ed : 57.

Yank : 268.

Yearling, le : 312.

YEREMIA, Stellio : 546, 547, 548, 549, 550, 551, 552, 555, 556, 557, 558, 634, 709, 711.

YEREMIA, Vili : 555, 556, 557, 558.

YEVGENY : 323.

YOUNG, Stark : 153.

Your Arkansas Traveller : 558.

ZANUCK, Darryl F. : 233, 234, 237, 250, 254, 255, 256, 257, 258, 259, 264, 266, 269, 270, 273, 278, 295, 317, 323, 325, 332, 334, 336, 341, 373, 374, 375, 376, 378, 386, 394, 395, 396, 399, 401, 403, 408, 409, 416, 418, 419, 420, 421, 422, 423, 430, 433, 434, 436, 439, 455, 457, 458, 473, 479, 480, 483, 484, 494, 495, 496, 497, 500, 501, 510, 511, 512, 513, 514, 515, 516, 520, 522, 528, 529, 531, 593, 653, 755, 756.

ZANUCK, Darrylin : 495.

ZANUCK, Richard : 257.

ZANUCK, Virginia : 234, 269, 495, 496.

ZAPATA, Emiliano : 373, 397, 429, 430, 431, 756.

ZOLA, Émile : 269.

ZOLOTOW, Sam : 626.

Cet ouvrage a été réalisé sur
Système Cameron
par la SOCIÉTÉ NOUVELLE FIRMIN-DIDOT
Mesnil-sur-l'Estrée
pour le compte des Éditions Grasset
le 8 septembre 1989